Ulrich Sieber / Karin Cornils (Hrsg.)

Nationales Strafrecht in rechtsvergleichender Darstellung

Schriftenreihe des Max-Planck-Instituts für
ausländisches und internationales Strafrecht

Strafrechtliche Forschungsberichte

Herausgegeben von Ulrich Sieber

in Fortführung der Reihe
„Beiträge und Materialien aus dem Max-Planck-Institut
für ausländisches und internationales Strafrecht Freiburg"
begründet von Albin Eser

Band S 114.1

Max-Planck-Institut für ausländisches
und internationales Strafrecht

Nationales Strafrecht in rechtsvergleichender Darstellung

Allgemeiner Teil

herausgegeben von

Ulrich Sieber • Karin Cornils

Band 1

Grundlagen

Duncker & Humblot • Berlin

Bibliografische Information der Deutschen Nationalbibliothek

Die Deutsche Nationalbibliothek verzeichnet diese Publikation in der Deutschen Nationalbibliografie; detaillierte bibliografische Daten sind im Internet über <http://dnb.ddb.de> abrufbar.

Redaktion: Petra Lehser, Ines Hofmann und Irene Kortel

c/o Max-Planck-Institut für ausländisches und internationales Strafrecht
Günterstalstraße 73, 79100 Freiburg i.Br.
http://www.mpicc.de
Vertrieb in Gemeinschaft mit Duncker & Humblot GmbH, Berlin
http://www.duncker-humblot.de

Umschlagbild: © Martin Langhorst, Köln
Druck: Stückle Druck und Verlag, Stückle-Straße 1, 77955 Ettenheim
Printed in Germany

ISSN 1860-0093
ISBN 978-3-86113-849-5 (Max-Planck-Institut)
ISBN 978-3-428-13300-0 (Duncker & Humblot)
Gedruckt auf alterungsbeständigem (säurefreiem) Papier
entsprechend ISO 9706 ♾

Vorwort

Das im Jahr 2004 entwickelte Forschungsprogramm der strafrechtlichen Abteilung des Max-Planck-Instituts für ausländisches und internationales Strafrecht analysiert die aktuellen Veränderungen des Strafrechts in der „Weltrisikogesellschaft“. Seine Projekte beruhen entscheidend auf der Methode der Strafrechtsvergleichung, die Prof. Dr. Dr. h.c. mult. *Hans-Heinrich Jescheck* in den Mittelpunkt der Institutsarbeit gestellt hat. Strafrechtsvergleichung ist daher am Freiburger Max-Planck-Institut seit seiner Gründung nicht nur eine wichtige Forschungsmethode, sondern selbst auch zentraler Forschungsgegenstand.

Im Zentrum der rechtsvergleichenden Arbeiten des Instituts steht das Projekt *Max-Planck-Informationssystem zur Strafrechtsvergleichung*, das als eines der ersten Projekte zum neuen Forschungsprogramm begonnen wurde. Die vorliegenden Bände stellen erste Ergebnisse des dazu gehörenden Teilprojekts *Max-Planck-Systematik zur Strafrechtsvergleichung* vor. Sie erfordern daher eine kurze Vorbemerkung zu seinem Kontext.

I.

Das Gesamtprojekt *Max-Planck-Informationssystem zur Strafrechtsvergleichung* wurde bereits an anderer Stelle ausführlich dargestellt (*Sieber*, in: Sieber/Albrecht, Strafrecht und Kriminologie unter einem Dach, Berlin 2006, S. 78–130): Die Veränderungen durch die Globalisierung führen im nationalen und internationalen Strafrecht zu einem erheblichen Bedeutungszuwachs der Strafrechtsvergleichung und ihrer methodischen Grundlagen. Um die internationalen Veränderungen des Strafrechts zu erfassen, allgemeine Rechtsgrundsätze zu entwickeln und Kriminalpolitik zu gestalten, ist immer häufiger eine umfassende und systematische Strafrechtsvergleichung unter Einschluss vieler Rechtsordnungen notwendig. Inwieweit eine solche „universale Strafrechtsvergleichung“ bei zahlreichen und höchst unterschiedlichen Rechtsordnungen theoretisch überhaupt noch möglich ist, bleibt jedoch bislang ungeklärt. Zu zahlreichen Rechtsordnungen fehlt es bereits an einer entsprechenden Aufbereitung der Daten, die für eine systematische Rechtsvergleichung erforderlich sind.

Die wissenschaftlichen Ziele dieses Projekts liegen deswegen zunächst in der Entwicklung einer universalen *Metastruktur des Strafrechts*, die Grundlage für die Gliederung des Stoffes, eine systematische Strafrechtsvergleichung und die Entwicklung einer internationalen Strafrechtsdogmatik ist. Eine solche Metastruktur des Strafrechts ist auch Voraussetzung, um die weltweit bestehenden Lösungsmodelle der strafrechtlichen Problemstellungen zu analysieren, allgemeine Rechtsgrundsätze zu bestimmen sowie internationale Modellgesetze zu entwickeln. Daher muss für das Gesamtprojekt zunächst die Frage beantwortet werden, ob die zahlreichen unterschiedlichen Strafrechtsordnungen der Welt sich überhaupt in einer Gesamtstruktur des Strafrechts erfassen lassen, die als Grundlage für eine systematische und funktionale Rechtsvergleichung taugt.

Die wissenschaftliche Untersuchung dieser Fragestellung ist in dem Projekt zugleich mit der Zielsetzung verbunden, auf der Basis einer universalen Metaebene auch das entsprechende Datenmaterial für die einbezogenen Rechtsordnungen in Landesberichten zur Verfügung zu stellen. *Claus Roxin* hat 1999 auf der Tagung über „Die deutsche Strafrechtswissenschaft vor der Jahrtausendwende" eine solche *Gesamtdarstellung des Strafrechts* zu Recht als „Zukunftsaufgabe der Weltstrafrechtswissenschaft" eingefordert.

Die strukturierte Darstellung mit ausführlichen Landesberichten zu den verschiedenen Rechtsordnungen dient im Rahmen des Gesamtprojekts nicht nur der Entwicklung und Verifizierung der entwickelten Gliederungsstruktur. Sie ist auch Voraussetzung für die weiteren wissenschaftlichen Ziele und Möglichkeiten des Projekts: die *rechtsvergleichende Analyse* des Stoffes, die Bestimmung der verschiedenen Lösungsmodelle in den untersuchten Rechtsordnungen, die Findung von allgemeinen Rechtsprinzipien und deren Beitrag für die Entwicklung einer internationalen Strafrechtsdogmatik.

Über diese grundlagenorientierten Forschungsziele hinaus hat das Projekt ein weiteres, anwendungsorientiertes Ziel: die Entwicklung eines *informatikbasierten Informationssystems zur Strafrechtsvergleichung*. Mit der Metastruktur des Forschungsprojekts entsteht eine detaillierte Systematik, die mit einem umfassenden Datenbestand auf ihre Anwendungsmöglichkeit geprüft wird. Die Daten aus den einzelnen Rechtsordnungen eignen sich daher nicht nur für eine umfassende Enzyklopädie des Strafrechts in der Welt. Sie sollen auch in ein digitales Expertensystem eingebunden werden, mit dem neue Wege der computerbasierten Strafrechtsvergleichung – auch über das Internet – eröffnet werden. Die Entwicklung dieses Werkzeugs kann neuartige rechtsvergleichende Analysen ermöglichen.

Zur Verwirklichung dieser Ziele wird in einem ersten Schritt zunächst ein Pilotprojekt durchgeführt mit der Analyse, Strukturierung und Darstellung des Allgemeinen Teils des Strafrechts in zwölf Rechtsordnungen. Nach Abschluss dieses Teilprojekts wird das Gesamtprojekt sowohl verbreitert als auch vertieft. Dazu soll mit Hilfe von Referentinnen und Referenten des Max-Planck-Instituts für ausländisches und internationales Strafrecht sowie von externen Kooperationspartnern die Zahl der einbezogenen Rechtsordnungen wesentlich erweitert werden. Parallel dazu wird mit der Diskussion der Ergebnisse und der rechtsvergleichenden Analyse begonnen. Zu einem späteren Zeitpunkt soll dann entschieden werden, inwieweit das Projekt auch – thematisch – auf Bereiche des Besonderen Teils des Strafrechts und das Strafprozessrecht sowie – im Hinblick auf seine Zielsetzungen – auf die Entwicklung von allgemeinen Rechtsgrundsätzen und Modellgesetzen ausgedehnt werden kann.

Die frühzeitige Publikation der Ergebnisse des Pilotprojekts zum Allgemeinen Teil des Strafrechts will zur Mitdiskussion und Mitwirkung an den Forschungen einladen. Sie präsentiert zunächst in der Form eines Zwischenberichts die vorläufige Struktur sowie die ersten Landesberichte der *Max-Planck-Systematik zur Strafrechtsvergleichung* für den Allgemeinen Teil des Strafrechts.

II.

Die mit dem Pilotprojekt entstehenden vier Bände zum Allgemeinen Teil des Strafrechts in rechtsvergleichender Darstellung sind nach dem ersten Entwurf der Metastruktur gegliedert, die in einer Arbeitsgruppe unter Leitung von *Ulrich Sieber* und *Karin Cornils* von 2004 bis 2008 entwickelt wurde. Die Strukturierung trägt einerseits den nationalen Besonderheiten Rechnung, überwindet andererseits aber die Grenzen der jeweiligen landeseigenen Systematik. In den Arbeiten der Projektgruppe wurde eine über den nationalen Strafrechtslehren liegende Ebene gefunden, welche die unterschiedlichen Regelungen, Theorien und Lösungen der einbezogenen Rechtsordnungen umspannt. Besonders deutlich wird dies am Beispiel der verschiedenen Straftatsysteme. Diese werden in den Landesberichten für die einbezogenen Rechtsordnungen dargestellt; anstatt – wie etwa im deutschen Strafrecht – nach Tatbestandsmäßigkeit, Rechtswidrigkeit und Schuld zu differenzieren, orientiert sich die Gliederung der Berichte jedoch an dem für alle einbezogenen Rechtsordnungen geltenden „gemeinsamen Nenner“ der Unterscheidung zwischen objektiver und subjektiver Tatseite. Da eine Differenzierung von Rechtfertigungs- und Entschuldigungsgründen vielen Rechtsordnungen fremd ist, werden diese in entsprechender Weise unter dem umfassenden Gesichtspunkt der Gründe für den Ausschluss der Strafbarkeit behandelt und auf der Grundlage einer funktionalen Strafrechtsvergleichung nach Lebenssachverhalten weiter unterschieden. Das Erfordernis einer länderübergreifenden Systematik zeigt sich auch an vielen weiteren Stellen: So wird etwa der Versuch in einem Kapitel über „Strafbares Verhalten im Vorfeld der Tatvollendung“ als eine von mehreren möglichen Formen der unvollendeten Tatbegehung dargestellt. Auch die gewählte Terminologie befreit sich oft von den Begriffen, die in den einzelnen Ländern üblich sind.

Die Suche nach einer universalen, das heißt für alle Rechtsordnungen tauglichen Metastruktur des Strafrechts war dadurch erschwert, dass es nicht nur um die Strukturierung des Stoffes für einzelne Problemstellungen ging, sondern im Hinblick auf die Erfordernisse einer systematischen Strafrechtsvergleichung ein Gesamtsystem aller Fragen des Allgemeinen Teils abzubilden war. Nach den ersten

Festlegungen auf eine vorläufige Gliederungsstruktur musste die Projektgruppe während der Erstellung der Landesberichte deswegen auch bei ihren Abstimmungen immer wieder erkennen, dass die Struktur und damit auch die erarbeiteten Berichte in einzelnen Punkten zu ändern waren. Dies erforderte regelmäßige persönliche Treffen der Projektmitarbeiter und intensive Diskussionen. Die praxisorientierte Zielsetzung einer Abbildung der Ergebnisse in einer Datenbank hat ebenfalls zu dem Erfordernis einer detaillierten Struktur geführt, damit bei der späteren Recherche möglichst gut überschaubare Systemelemente aus verschiedenen Rechtsordnungen einander gegenübergestellt werden können. Diese Anstrengung hat sich gelohnt: Die hier vorgelegten Landesberichte haben inzwischen bis in die vierte Gliederungsebene einen identischen Aufbau, sodass ihre Inhalte gut vergleichbar sind. Im Rahmen der Gesamtevaluation kann sich diese Gliederung allerdings noch ändern, und zwar sowohl bei der Einbeziehung weiterer Sachfragen und der Entwicklung des Gesamtsystems als auch bei der beabsichtigten Erweiterung der untersuchten Rechtsordnungen.

Diese Schwierigkeiten bei der Entwicklung eines universal gültigen Referenzrahmens für den Allgemeinen Teil des Strafrechts und der zur Lösung erforderliche Prozess des „trial and error" waren wichtige Gründe dafür, dass die Teilnehmer an dem Pilotprojekt in der ihnen am besten vertrauten deutschen Fachsprache gearbeitet haben. Nachdem inzwischen eine erste Struktur gefunden wurde, werden die Arbeiten zu weiteren Rechtsordnungen, die inzwischen begonnen haben, nunmehr auf Englisch weitergeführt. Dies stellt neue Herausforderungen an die Terminologie. Hierzu wird im Institut bereits an der Entwicklung eines spezifischen Thesaurus gearbeitet. Die mit der vorliegenden Publikation veröffentlichten deutschsprachigen Berichte sollen dabei nach Möglichkeit auch für eine spätere Projektveröffentlichung aktualisiert und in die englische Sprache übersetzt werden.

Die Notwendigkeit einer engen persönlichen Zusammenarbeit in der strafrechtlichen Forschungsabteilung war bereits bei Projektbeginn klar und hat über die Auswahl geeigneter Landesberichterstatter auch die einbezogenen Rechtsordnungen bestimmt, die zum größten Teil von Referentinnen und Referenten des Instituts bearbeitet wurden, die aus dem betreffenden Land stammen. In dem dadurch gesetzten Rahmen sollte mit der Länderauswahl für die Pilotstudie ein möglichst breites Spektrum verschiedener Rechtssysteme erfasst werden. Dies ist auch in weitgehendem Umfang gelungen: *China* und *Südkorea* repräsentieren den asiatischen Rechtsraum, wobei das chinesische Strafrecht sozialistische Züge trägt und das koreanische von der früheren Rezeption des deutschen Strafrechts geprägt ist. Dem Strafrecht von *Côte d'Ivoire* liegt teilweise das Recht der ehemaligen französischen Kolonialmacht und teilweise traditionelles Stammesrecht zugrunde. Die Strafrechtsordnungen von *England und Wales* und *Schottland* gehören beide der Common-Law-Familie an, weichen aber zum Teil deutlich von einander ab. Mit *Frankreich*, *Italien* und *Spanien* sind Länder des romanischen Rechtskreises, mit *Polen* ein ehemals sozialistisches und mit *Schweden* ein nordisches Land vertreten. Das *österreichische* Strafrecht weist für den deutschen Sprachraum typische Züge auf, und in der *Türkei* ist seit Kurzem ein grundlegend reformiertes Strafgesetz in Kraft, mit dem sich das türkische Strafrecht von früheren Vorbildern weitgehend emanzipiert hat.

Da das Konzept des Gesamtprojekts auch auf die Entwicklung eines Datenbanksystems zugeschnitten ist, ergeben sich in der vorliegenden Veröffentlichung außerdem einige formale Besonderheiten gegenüber einer nur als Buch geplanten Veröffentlichung. Dies betrifft in erster Linie den Verzicht auf einen Fußnotenapparat mit Literaturangaben. Statt in Fußnoten werden bei der Stoffdarstellung sowohl belegende als auch weiterführende Hinweise zu Literatur und Rechtsprechung in detaillierter Form am Ende der einzelnen Kapitel präsentiert. Der Grund hierfür besteht darin, dass gegenwärtig noch offen ist, in welcher Weise diese Angaben in der Datenbank technisch mit dem Text verknüpft werden sollen und deswegen bisher noch keine Festlegung auf Fußnoten erfolgte. Die zahlreichen Querverweise, die in der elektronischen Darstellungsform als Links vorgesehen sind, erscheinen hier in der Druckversion am Seitenende. Diese Verweise beziehen sich jeweils auf Textstellen innerhalb desselben Landesberichts.

III.

Die Ergebnisse des Pilotprojeks werden in insgesamt vier Teilbänden publiziert: Der vorliegende Band 1 enthält eine Einführung in die dargestellten Rechtsordnungen mit Kapiteln unter anderem über nationale Rahmenbedingungen, verfassungsrechtliche Vorgaben, strafrechtstheoretische Grundlagen und die historische Entwicklung des Strafrechts. Die Bände 2 und 3 leiten die Allgemeinen Lehren des Strafrechts ein und behandeln das Gesetzlichkeitsprinzip, den internationalen Geltungsbereich des Strafrechts, den Begriff und die Systematisierung der Straftat sowie die Anforderungen an die objektive Tatseite, die subjektive Tatseite und das strafbare Verhalten im Vorfeld der Tatvollendung. Band 4 enthält Kapitel unter anderem zu Tatbeteiligung, Verantwortlichkeit für Straftaten in Kollektiven, Gründen für den Ausschluss der Strafbarkeit sowie zur Verjährung. Die Veröffentlichung der Bände 2 und 3 erfolgte bereits im Jahr 2008, um erste Ergebnisse zu den Kernfragen des Strafrechts möglichst früh zu präsentieren und zu diskutieren; Band 4 befindet sich in Vorbereitung.

Allen Mitarbeiterinnen und Mitarbeitern, die zum Gelingen des Projekts beigetragen haben, möchten wir sehr herzlich danken. Ein besonderer Dank gebührt dabei zunächst den Autorinnen und Autoren der Landesberichte, die mit ihren Darstellungen und Diskussionsbeiträgen in der Projektgruppe die Grundlage für die hier genutzte Metastruktur und damit auch die weitere Projektarbeit geschaffen haben. Sie sind auf der Folgeseite zusammen mit den Personen genannt, denen der Dank der Herausgeber und der Autoren gilt. Herrn *Phillip Brunst* danken wir dafür, dass er die Arbeit im Hinblick auf die Internetversion beratend begleitet hat. Darüber hinaus sind wir Herrn *Jan-Michael Simon* zu Dank verpflichtet, der nicht nur durch seine Diskussionsanregungen zum Inhalt des Projekts beigetragen hat, sondern auch durch die Mitwirkung an einem erfolgreichen Antrag auf Förderung aus dem Exzellenzfonds des Präsidenten der Max-Planck-Gesellschaft. Für die sorgfältige Drucklegung des vorliegenden Bandes geht ein herzlicher Dank auch an Frau *Petra Lehser*, Frau *Irene Kortel* und Frau *Ines Hofmann*, in deren Händen die redaktionelle Bearbeitung lag.

Die Globalisierung, die Notwendigkeit einer Verhinderung der zunehmenden transnationalen Kriminalität sowie das Bedürfnis nach einem universalen Schutz von Menschenrechten haben zu einem erheblichen Bedeutungszuwachs der Strafrechtsvergleichung geführt. Wir hoffen, dass das vorliegende Projekt und diese Publikation zu einer Weiterentwicklung der Strafrechtsvergleichung und der Entwicklung einer internationalen Strafrechtsdogmatik beitragen, die heute für die Integration der nationalen und internationalen Strafrechtsordnungen in einem weltweit funktionierenden System der Strafrechtspflege und des Schutzes der Menschenrechte unverzichtbar ist.

Die vorliegenden Bände widmen wir dem Gedenken an unseren kürzlich verstorbenen Institutsgründer Prof. Dr. Dr. h.c. mult. *Hans-Heinrich Jescheck*, der die strafrechtsvergleichende Forschung am Freiburger Max-Planck-Institut für ausländisches und internationales Strafrecht geprägt sowie dieses Projekt mit gutem Rat und großer Zustimmung begleitet hat.

Freiburg, November 2009 *Ulrich Sieber* und *Karin Cornils*

Verzeichnis der einbezogenen Rechtsordnungen und der Autoren des Teilbandes 1

China, Volksrepublik (ohne die Sonderverwaltungsgebiete Hongkong und Macao)	*Yang Zhao, Thomas Richter*
Côte d'Ivoire	*Adome Blaise Kouassi*
England und Wales	*Susanne Forster*
Frankreich	*Peggy Pfützner, Sabine Adams, Leveke Neumann*
Italien	*Konstanze Jarvers*
Korea, Republik (Südkorea)	*Misuk Son*
Österreich	*Ingeborg Zerbes*
Polen	*Ewa Weigend*
Schottland	*Sarah Summers*
Schweden	*Karin Cornils*
Spanien	*Teresa Manso Porto*
Türkei	*Silvia Tellenbach*

Für fruchtbare Diskussionen, wertvolle Hinweise und sonstige fachliche Unterstützung aus den behandelten Ländern zu diesem Band danken Herausgeber und Autoren sehr herzlich: Prof. *Petter Asp* (Universität Stockholm), Prof. *Luigi Foffani* (Universität Modena und Reggio Emilia), Prof. *Włodzimierz Wróbel* (Jagiellonen Universität, Krakau), Prof. *Eleonora Zielińska* (Universität Warschau) und Prof. *Andrzej Zoll* (Jagiellonen Universität, Krakau).

Gesamtübersicht zu den Teilbänden

Strafrecht Allgemeiner Teil

I. Grundlagen

II. Allgemeine Lehren

Inhaltsübersicht

Gliederungsübersicht zu den Landesberichten in Teilband 1

Strafrecht Allgemeiner Teil

I. Grundlagen

A. Nationale Rahmenbedingungen

1. Geografie
2. Bevölkerung
   a) Bevölkerungszahl und -gruppen
   b) Sprache
   c) Religion
3. Wirtschaft
4. Staatsorganisation
5. Kriminalität und Strafverfolgung
   a) Ermittlungsbehörden
   b) Anklagebehörden
   c) Strafgerichte
   d) Sanktionen
   e) Strafvollzug

B. Rechtsvergleichende und internationale Einordnung

1. Rechtsvergleichende Einordnung des Landesrechts
2. Einfluss internationaler Bindungen
   a) Mitgliedschaft in internationalen und regionalen Organisationen
   b) Beteiligung an völkerrechtlichen Verträgen

C. Verfassungsrechtliche Vorgaben

1. Übergesetzliche Regelungen als Träger strafrechtlicher Prinzipien
2. Grundrechte und Grundfreiheiten
3. Sonstige übergesetzliche Normen von strafrechtlicher Relevanz

Rahmenbedingungen, Vorgaben, Grundlagen und Entwicklung des Strafrechts in

China

Yang Zhao • Thomas Richter*

* Abschnitt A. stammt von *Yang Zhao*, alle weiteren Abschnitte sind von *Yang Zhao* und *Thomas Richter* gemeinsam verfasst.

Inhaltsverzeichnis

A. Nationale Rahmenbedingungen

1. Geografie

Die Volksrepublik China (中华人民共和国，*Zhonghua Renmin Gongheguo*) liegt im östlichen Teil des eurasischen Kontinents und an der westlichen Küste des Pazifischen Ozeans. Das chinesische Festland erstreckt sich mehr als 5.000 km vom Zusammenfluss der Flüsse Amur und Ussuri im äußersten Osten bis Pamir im äußersten Westen; die Nord-Süd-Ausdehnung beträgt etwa 3.700 km. China grenzt an 14 Nachbarstaaten. Entgegen dem Uhrzeigersinn von Nord nach Süd sind dies: Nordkorea, Russland, Mongolei, Kasachstan, Kirgisien, Tadschikistan, Afghanistan, Pakistan, Indien, Nepal, Bhutan, Myanmar, Laos und Vietnam. Die Grenzlänge beträgt insgesamt mehr als 20.000 km. Auf der östlichen und der südöstlichen Seite grenzt das chinesische Festland an den Golf von Bohai sowie an das Gelbe Meer, das Ostchinesische Meer und das Südchinesische Meer. Die Küstenlinie hat eine Länge von etwa 18.000 km von Nordkorea im Norden bis Vietnam im Süden.[1]

Die präzise Gesamtfläche Chinas kann variieren, je nachdem, ob und in welchem Maß man die umstrittenen Regionen[2] mit kalkuliert. Unter Einbeziehung dieser Gebiete beträgt die Fläche etwa 9,6 Millionen km².[3] Damit ist China ungefähr so groß wie die USA beziehungsweise der ganze europäische Kontinent bis zum Ural. Deutlich größere Staaten auf der Welt sind nur Russland und Kanada.

Die größte Insel unter effektiver Verwaltung der Volksrepublik China ist die Insel Hainan, die im Südchinesischen Meer liegt und durch eine Meeresenge vom chinesischen Festland abgetrennt ist. Die Insel Hainan ist eine Provinz der Volksrepublik China. Mit einer Fläche von 32.198 km² ist sie ungefähr so groß wie Belgien. Nach offiziellen chinesischen Angaben gilt Hainan aber als die zweitgrößte Insel Chinas, da Taiwan als chinesisches Territorium angesehen wird (vergleiche § 2 Abs. 2 KüAnG).[4] Darüber hinaus gehört eine Reihe von kleinen Inseln zur Volksrepublik China – unter anderem Chongming und Zhoushan – entlang der chinesischen Küstenlinie.

Seit der Rückgabe der ehemaligen britischen Kolonie Hongkong (香港，*Xianggang*) und der ehemaligen portugiesischen Kolonie Macao (澳门，*Aomen*)

---

1 Zhongguo tongji nianjian 2007.

2 Siehe näher dazu unten.

3 Fischer Weltalmanach 2008; China Yearbook 2007.

4 Siehe dazu weiter unten.

an die Volksrepublik China 1997 beziehungsweise 1999 gelten diese beiden südchinesischen Städte als Sonderverwaltungsgebiete Chinas, die einen hohen Grad an Autonomie genießen, was unter anderem die Beibehaltung der eigenen Rechts- und Justizsysteme einschließt.[5]

Heikel ist bislang der Status der Insel Taiwan (台湾) einschließlich einiger kleiner Inseln und Inselgruppen, unter anderem Kinmen (金门，*Jinmen*), Matsu (马祖，*Mazu*) und Penghu (澎湖), die dem chinesischen Festland vorgelagert sind. Die kommunistische Volksrepublik China beansprucht seit ihrer Gründung im Jahr 1949 die Souveränität über Taiwan (§ 2 Abs. 2 KüAnG). *De facto* wird Taiwan allerdings seit Ende des chinesischen Bürgerkrieges im Jahr 1949 unter dem Namen Republik China (中华民国，*Zhonghua Minguo*) von der Nationalpartei (国民党，*Guomindang* oder *Kuomintang*) fast ununterbrochen regiert, abgesehen von einer 8-jährigen Regierungszeit der Demokratischen Fortschrittspartei (民进党，*Minjindang*) von 2000 bis 2008. Auf internationaler Ebene ist Taiwan zwar spätestens seit 1971 – seitdem nämlich der Volksrepublik China der Status eines ständigen Mitglieds im UN-Sicherheitsrat zuerkannt wurde und Taiwan aus der UNO ausscheiden musste – nicht mehr generell diplomatisch anerkannt. Die Staatsgewalt der Volksrepublik China hat sich jedoch bis *dato* nie effektiv auf Taiwan erstreckt.[6]

Sowohl die Volksrepublik China als auch Taiwan beanspruchen die Souveränität über die im Ostchinesischen Meer liegenden Senkaku-Inseln (钓鱼台群岛，*Diaoyutai qundao*), die *de facto* unter der Verwaltung der japanischen Präfektur Okinawa stehen. Des Weiteren bestehen Streitigkeiten zwischen China (Volksrepublik und Taiwan) und mehreren Ländern, unter anderem Vietnam und den Philippinen, hinsichtlich der Souveränität über die Spratly-Inseln (南沙群岛，*Nansha qundao*), die Paracel-Inseln (西沙群岛，*Xisha qundao*) und das Scarborough Riff (黄岩岛，*Huangyan dao*) im Südchinesischen Meer. Zurzeit unterliegen mehr als die Hälfte dieser Inseln der effektiven Kontrolle durch die Volksrepublik China oder Taiwan. Die oben erwähnten umstrittenen Inseln im Ost- und Südchinesischen Meer sind von strategischer Bedeutung für die betreffenden Länder, insbesondere wegen ihrer geopolitischer Lage und der reichen Reserven von Rohstoffen (vor allem Erdöl und Erdgas) in ihrer Umgebung.

Grenzstreitigkeiten bestehen außerdem zwischen der Volksrepublik China und Indien in Bezug auf Arunachal Pradesh und Aksai Chin. Während das erstere Gebiet von etwa 83.000 km² nach dem Status quo einen Bundesstaat Indiens bildet, steht das letztere von etwa 38.000 km² mit dem Gipfel K2 unter chinesischer Verwaltung.

---

5 Näher dazu vergleiche II.B.2.a.

6 Vergleiche hierzu auch II.B.2.a. und c.

Auch zwischen China und Russland gab es für mehrere Jahrzehnte lang Streitigkeiten hinsichtlich des Verlaufs der Grenzlinie, sowohl im Nordosten als auch im Nordwesten. Diese Streitigkeiten sind im Jahr 2008 endgültig beigelegt worden.

2. Bevölkerung

a) Bevölkerungszahl und -gruppen

Die Bevölkerung Chinas hat sich in den vergangenen sechs Jahrzehnten mehr als verdoppelt. Anfang der 1950er Jahre zählte sie weniger als 600 Millionen Einwohner. Die damals herrschende Politik der Geburtenförderung führte jedoch zu einem Bevölkerungswachstum von durchschnittlich mehr als 3 % in den folgenden 20 Jahren. Erst Ende der 1970er Jahre wurde eine neue Politik der Familienplanung eingeführt, die sogenannte Ein-Kind-Politik. Danach reduzierte sich das Bevölkerungswachstum allmählich von etwa 2 % Anfang der 1980er Jahre bis auf 0,5 % im Jahr 2006.[7]

Mit einer Bevölkerung von 1.314.480.000 Einwohnern (2006),[8] wobei die Einwohner von Hongkong, Macao und Taiwan nicht mit angegeben sind, ist die Volksrepublik China momentan das bevölkerungsreichste Land der Erde. Die Bevölkerungsdichte schwankt sehr stark zwischen den einzelnen Landesteilen. Während das Sonderverwaltungsgebiet Macao mit mehr als 18.000 Einwohnern pro km² als eine der am dichtesten besiedelten Regionen der Welt gilt, zählt Tibet nur etwa drei Einwohner pro km². Insgesamt steht China mit einem Durchschnitt von 150 Einwohnern pro km² an 55. Stelle weltweit.

Nach offiziellen Statistiken des Jahres 2006 machte die städtische Bevölkerung mit 577,06 Millionen Einwohnern einen Anteil von 44 % an der Gesamtbevölkerung aus.[9] Auf dem Land lebten im selben Jahr 737,42 Millionen Einwohner.[10] Für die Zuordnung der Einwohner als städtische oder ländliche Bewohner ist der angemeldete Wohnsitz maßgeblich, wobei sämtliche Militärangehörigen der städtischen Bevölkerung zugerechnet werden.

2006 gab es in China 282 Städte, die mehr als 200.000 Einwohner zählen. Darunter sind 13 Städte mit mehr als 4 Millionen Einwohnern, 24 Städte mit einer Einwohnerzahl von 2 bis 4 Millionen und 80 Städte mit einer Einwohnerzahl von 1 bis 2 Millionen.[11] Die bevölkerungsreichsten Städte sind die von der Zentralregierung direkt verwalteten Städte Chongqing (28 Millionen), Shanghai (18 Millio-

---

[7] Zhongguo tongji nianjian 1999/2007.

[8] Zhongguo tongji nianjian 2007.

[9] Zhongguo tongji nianjian 2007.

[10] Ibidem.

[11] Zhongguo tongji nianjian 2007.

nen), Beijing (15,8 Millionen) und Tianjin (10,8 Millionen)[12] sowie die Provinzhauptstädte Chengdu (11 Millionen),[13] Guangzhou (10 Millionen),[14] Wuhan (8,3 Millionen)[15] und Shenyang (7,1 Millionen).[16]

Die Anteile von Männern und Frauen an der Gesamtbevölkerung betragen 51 und 49 % (2006). Die Altersgruppe zwischen 15 und 64 umfasste nach der bislang letzten Volkszählung von 2000 70 %, während die Altersgruppen unter 14 und über 65 Jahren jeweils 23 und 7 % der Bevölkerung darstellten. Im Jahr 2006 beliefen sich die Anteile dieser drei Altersgruppen nach aktuellen Statistiken auf jeweils 73, 18 und 9 %.[17]

Die Han-Chinesen mit etwa 1,2 Milliarden Angehörigen machen nach der Volkszählung von 2000 etwa 92 % der gesamten Bevölkerung aus und stellen damit die größte ethnische Gruppe dar. Daneben gibt es noch 55 ethnische Minderheitsgruppen, die insgesamt 8 % der Bevölkerung ausmachen. Was das Bevölkerungswachstum anbelangt, erlebten die ethnischen Minderheitsgruppen in den vergangenen 60 Jahren eine stärkere Zunahme als die Han-Chinesen. Bei der ersten Volkszählung im Jahr 1953 machten sie nur 6 % gegenüber 94 %Han-Chinesen aus.[18]

Relativ größere ethnische Minderheitsgruppen mit mindestens 2 Millionen Angehörigen sind Zhuang (16 Millionen), Mandschu (11 Millionen), Hui (9,8 Millionen), Miao (8,9 Millionen), Uiguren (8,4 Millionen), Tujia (8 Millionen), Yi (7,8 Millionen), Mongolen (5,8 Millionen), Tibeter (5,4 Millionen), Bouyei (3 Millionen), Dong (3 Millionen), Yao (2,6 Millionen) und Koreaner (2 Millionen). Ferner gibt es 22 Gruppen, deren Angehörige jeweils weniger als 100.000 zählen, darunter Lhoba, die kleinste, mit nur 2.965 Angehörigen.[19]

b) Sprache

Die allgemeine offizielle Sprache ist das Mandarin-Chinesisch mit mehr als 80.000 Schriftzeichen, von denen nur weniger als 4.000 häufig benutzt werden. Außerdem spricht ein Großteil der Han-Chinesen verschiedene Dialekte, unter anderem das Kantonesisch und den Shanghaier Dialekt. Neben Chinesisch gibt es auch viele Sprachen der ethnischen Minderheitsgruppen, die eigene Schriftzeichen

---

12 Zhongguo tongji nianjian 2007.

13 Die Stadtregierung Chengdu.

14 Die Stadtregierung Guangzhou.

15 Die Stadtregierung Wuhan.

16 Die Stadtregierung Shenyang.

17 Zhongguo tongji nianjian 2007.

18 Zhongguo tongji nianjian 2007.

19 China Yearbook 2007.

haben und vor allem in den autonomen Gebieten und Regionen der jeweiligen ethnischen Gruppen als offizielle Sprachen anerkannt sind, wie zum Beispiel Mongolisch in der Inneren Mongolei, Uigurisch in Xinjiang, Tibetisch in Tibet und Koreanisch in Yanbian. Einige haben zwar eigene Sprachen, aber keine eigenen Schriftzeichen oder erst spät ein eigenes Schriftzeichensystem mit chinesischen Zeichen oder lateinischen Buchstaben eingeführt, wie etwa die Va in der Provinz Yunnan.

Nach aktuellen statistischen Angaben beträgt der Anteil der Analphabeten durchschnittlich 9 % der Bevölkerung im Alter von mindestens 15 Jahren. Bei Männern ist dieser Anteil 5, bei Frauen 14 %.[20]

c) Religion

Nach offiziellen Angaben gibt es zurzeit in der Volksrepublik China mehr als 100 Millionen Menschen – das sind weniger als 10 % der ganzen Bevölkerung –, die irgendeiner religiösen Gruppe angehören, unter anderem etwa 200.000 Buddhisten, einschließlich tibetischer Buddhisten, 25.000 Taoisten, 18 Millionen Muslime, 4 Millionen Katholiken und 10 Millionen Protestanten.[21] Die Beständigkeit dieser statistischen Angaben ist aber sehr zweifelhaft. Bei der Zählung der tibetischen Buddhisten sind zum Beispiel nur die Lamas und die Nonnen in den Klöstern berücksichtigt.[22] Da das tibetische Volk ein höchst religiöses ist, lässt sich schätzen, dass die wirkliche Zahl der tibetischen Buddhisten etwa fünfzig Mal größer als die offiziellen Statistiken sein dürfte. Es fehlt ebenso an zuverlässigen Statistiken über die Christen in der Volksrepublik China.

Die Han-Chinesen, die mehr als 90 % der Bevölkerung ausmachen, sind bislang im Wesentlichen (noch) ein atheistisches Volk. Der Konfuzianismus, der zwar in der traditionellen chinesischen Gesellschaft eine führende Rolle gespielt hatte und heutzutage auch eine Renaissance erlebt, ist nach herrschender Ansicht eher eine Philosophie und Lebensweise als eine Religion.

3. Wirtschaft

In den ersten drei Jahrzehnten ihres Bestehens vom Ende der 1940er bis Ende der 1970er Jahre galt in der Volksrepublik China wie in der ehemaligen UdSSR und dem Ostblock ein striktes Planwirtschaftssystem (计划经济，*jihua jingji*). Die Ineffizienz dieses Systems als solches und die Störung durch politische Bewegun-

---

20 Zhongguo tongji nianjian 2007.

21 China Yearbook 2007.

22 Ibidem.

gen führten dazu, dass die Volkswirtschaft Chinas am Ende der Kulturrevolution Mitte der 1970er Jahre bereits vor dem Zusammenbruch stand. Im Jahr 1978 leitete *Deng Xiaoping* (邓小平) die Öffnungspolitik und eine Wirtschaftsreform ein. Danach wurde die Planwirtschaft Schritt für Schritt durch die sogenannte sozialistische Marktwirtschaft (社会主义市场经济，*shehui zhuyi shichang jingji*) ersetzt, die 1993 formell in der chinesischen Verfassung geregelt wurde (Präambel und Art. 15 chVerf). Im Jahr 2001 trat die Volksrepublik China der Welthandelsorganisation (WTO) bei.

Im Jahr 2006 betrug das Bruttoinlandsprodukt umgerechnet 2.109 Milliarden Euro, das waren pro Kopf 1.608 Euro. Davon entfielen 12 % auf die Landwirtschaft, 49 % auf die Industrie und 39 % auf Dienstleistungen.[23]

Die Anteile der Landwirtschaft, der Industrie und des Dienstleistungsgewerbes an der Erwerbstätigkeit betrugen 2006 jeweils 43, 25 und 32 %.[24]

Eine offizielle Statistik über die Arbeitslosigkeit gibt es erst seit 1993. Die Angaben beschränken sich bislang auf die städtische Bevölkerung. Seither weist die Arbeitslosigkeit eine steigende Tendenz auf, von weniger als 3 % in 1994 bis zu mehr als 4 % im Jahr 2006.[25]

4. Staatsorganisation

Die Kaiserzeit Chinas dauerte mehr als zwei Jahrtausende (von 221 v. Chr. bis 1911 n. Chr.). Die Republik wurde am 1.1.1912 von *Sun Yat-sen* (孙中山，*Sun Zhongshan*) ausgerufen. Danach herrschten für mehrere Jahre interne politische Streitigkeiten und Kriege. Erst im Jahr 1928 konnte eine formelle Vereinigung aller politischen Mächte unter der Zentralregierung von *Chiang Kai-shek* (蒋介石，*Jiang Jieshi*) geschaffen werden. Bereits kurz darauf musste China der Aggression Japans entgegentreten, die erst 1945 mit dem Zweiten Weltkrieg beendet wurde. 1946 begann der Bürgerkrieg zwischen der Kommunistischen Partei unter *Mao Zedong* (毛泽东) und der von der Nationalpartei unter *Chiang Kai-shek* geführten Zentralregierung. 1949 flohen die Anhänger der Nationalpartei, die den Bürgerkrieg verloren hatte, auf die Insel Taiwan. Seit 1.10.1949 besteht auf dem chinesischen Festland die Volksrepublik unter der kommunistischen Regierung.

Sie gliedert sich heute *de facto* in 22 Provinzen (nach offiziellen Angaben aber immer in 23, da Taiwan als eine Provinz angesehen wird), fünf autonome Gebiete der ethnischen Minderheitsgruppen (Innere Mongolei, Xinjiang, Tibet, Ningxia und Guangxi), vier von der Zentralregierung direkt verwaltete Städte (Beijing, Shang-

23 Zhongguo tongji nianjian 2007.

24 Zhongguo tongji nianjian 2007.

25 Zhongguo tongji nianjian 1999/2007.

hai, Tianjin und Chongqing) und zwei Sonderverwaltungsgebiete (Hongkong und Macao).

Führende politische Macht ist die Kommunistische Partei, die heute etwa 70 Millionen Mitglieder zählt. Daneben gibt es noch acht sogenannte demokratische Blockparteien (民主党派, *minzhu dangpai*), die insgesamt weniger als eine Million Mitglieder haben. Außerdem existiert eine Reihe von sozialen Organisationen wie Gewerkschaften, Jugendvereinigungen, Frauenvereinigungen und religiöse Verbände. Alle diese demokratischen Blockparteien und sozialen Organisationen sind formell aktiv am politischen Leben, beispielsweise der Zusammensetzung des Nationalen Volkskongresses, beteiligt. Auch das Oberste Volksgericht und die Oberste Staatsanwaltschaft des Volkes haben jeweils einen Vizepräsidenten, der ein Mitglied einer solchen Partei ist. In der Regierung gibt es inzwischen auch Minister, die irgendeiner demokratischen Blockpartei angehören. Ob dies den Beweis dafür liefert, dass auch Gruppierungen außerhalb der Kommunistischen Partei institutionalisierten Einfluss auf die Gesetzgebung, die Exekutive und die Justiz effektiv ausüben können, bleibt aber nach wie vor zweifelhaft.

5. Kriminalität und Strafverfolgung

a) Ermittlungsbehörden

Die Ermittlungsbehörden sind nach § 18 Abs. 1 chStPG im Prinzip die Organe der öffentlichen Sicherheit (Polizei). Für Ermittlungen wegen Straftaten, die die staatliche Sicherheit gefährden, sind nach § 4 chStPG die Organe der staatlichen Sicherheit zuständig, die in diesem Zusammenhang denjenigen der öffentlichen Sicherheit gleichgestellt sind. In Strafsachen wegen der in § 18 Abs. 2 Satz 1 chStPG aufgelisteten Delikte, die vor allem Bestechung und Bestechlichkeit, Amtsdelikte der Staatsbediensteten sowie die durch Staatsbedienstete unter Missbrauch ihrer Amtsbefugnisse begangenen Verletzungen der persönlichen und demokratischen Rechte der Staatsbürger umfassen, sind die Staatsanwaltschaften des Volkes die Ermittlungsbehörden.

Eine Hierarchie zwischen der Staatsanwaltschaft des Volkes und der Polizei besteht zwar nicht. Die Staatsanwaltschaft des Volkes kann jedoch in bestimmten Fällen der Polizei Anweisungen erteilen. Dies bezieht sich in erster Linie auf Zwangsmaßnahmen. Nach §§ 59, 66 und 68 chStPG muss die Polizei die Genehmigung der Staatsanwaltschaft des Volkes einholen, um einen Tatverdächtigen verhaften zu dürfen. Darüber hinaus kann sie gemäß § 87 chStPG der Polizei die Anweisung zur Einleitung der Ermittlungen erteilen, wenn die Polizei dies unterlässt.

In § 10 Abs. 1 Nr. 6 StAG sind die allgemeinen Ausbildungsvoraussetzungen für den Staatsanwalt geregelt. Danach muss man entweder ein Jurastudium mit mindestens einem Bachelor-Grad abgeschlossen haben oder einen Bachelor-Grad in einem anderen Fach besitzen und juristische Kenntnisse haben. In der Praxis wird seit 2002 das Bestehen der staatlichen Justizprüfung vorausgesetzt. Diese wird einmal jährlich vom Obersten Volksgericht, der Obersten Staatsanwaltschaft des Volkes und dem Justizministerium gemeinsam abgenommen. Für die Teilnahme an dieser Prüfung ist als Voraussetzung nur vorgesehen, dass man ein Hochschulstudium abgeschlossen hat und mindestens einen Bachelor-Grad besitzt. Ob ein Jurastudium formell abgeschlossen ist, spielt dabei keine entscheidende Rolle. Im Vergleich zur früheren Praxis ist dies bereits ein großer Fortschritt. Vorher war es durchaus üblich, dass außer Dienst gesetzte Militäroffiziere direkt als Staatsanwälte eingesetzt wurden.

Für die Polizeibeamten ist in § 26 Abs. 1 Nr. 5 PolG als Einstellungsvoraussetzung mindestens das Abschlusszeugnis einer Obermittelschule vorgesehen. Ein Polizist in leitender Funktion soll mindestens einen 2- oder 3-jährigen Hochschulstudiengang ohne akademischen Grad abgeschlossen haben (§ 28 Nr. 3 PolG). In der Praxis wird seit einigen Jahren das Bestehen der Beamtenprüfung verlangt, die von den Provinzen, Städten oder den aufnehmenden Behörden selbst organisiert werden kann. Die Teilnahme an dieser Prüfung setzt normalerweise voraus, dass man den oben genannten Studiengang absolviert hat. Die Einsetzung von ehemaligen Militäroffizieren als Polizisten gehört heute noch zur Praxis, obwohl sich das Vorkommen solcher Fälle schon reduziert hat.

2006 haben die Staatsanwaltschaften des Volkes insgesamt 57.867 Strafanzeigen entgegengenommen und in 33.668 Fällen Ermittlungen eingeleitet.[26] Die von der Polizei aufgenommenen Strafanzeigen betrugen 4.653.265.[27]

b) Anklagebehörden

Die Staatsanwaltschaften des Volkes sind nach § 136 chStPG die einzigen Anklagebehörden der Volksrepublik China.

Landesweit erhoben 2006 die Staatsanwaltschaften des Volkes in 670.727 Fällen Anklagen gegen 1.029.052 Personen.[28]

c) Strafgerichte

Die Rechtsprechung ist in der Volksrepublik China den Volksgerichten vorbehalten (§ 1 GOG). Diese umfassen nach § 2 Abs. 1 GOG die lokalen Volksgerichte, die Fachgerichte des Volkes (unter anderem die Militärgerichte, Gerichte für Ei-

---

[26] Zhongguo falü nianjian 2007; Zhongguo tongji nianjian 2007.

[27] Zhongguo falü nianjian 2007; Zhongguo tongji nianjian 2007.

[28] Zhongguo falü nianjian 2007; Zhongguo tongji nianjian 2007.

senbahntransport, Seegerichte und Waldgerichte) und das Oberste Volksgericht. Die lokalen Volksgerichte gliedern sich nach § 2 Abs. 2 GOG wiederum in die unteren, die mittleren und die oberen Volksgerichte.

Strafsachen unterliegen im Prinzip der ordentlichen Gerichtsbarkeit, namentlich der Gerichtsbarkeit durch die lokalen Volksgerichte und das Oberste Volksgericht. Ausnahmen gelten unter anderem für Straftaten durch im Dienst stehende Militärangehörige, Straftaten während eines Eisenbahntransports und Straftaten, die Waldressourcen zerstören. In diesen Fällen sind die entsprechenden Fachgerichte zuständig.

Alle Strafsachen können einen Rechtsweg von höchstens zwei Instanzen durchlaufen (§ 10 chStPG). Eine Revisionsinstanz gibt es nicht. Das rechtsprechende Kollegium im ersten Rechtszug an einem unteren oder mittleren Volksgericht besteht normalerweise aus drei Berufsrichtern beziehungsweise drei Berufs- und Laienrichtern (§ 147 Abs. 1 chStPG). Im letzteren Fall muss nach § 3 SchöffB mindestens ein Laienrichter beteiligt sein. Aber Vorsitzender des Kollegiums darf gemäß § 147 Abs. 6 chStPG nur ein Berufsrichter sein. Ausnahmsweise kann eine Bagatellstraftat im ersten Rechtszug von einem Berufsrichter an einem unteren Volksgericht in einem vereinfachten Verfahren verhandelt werden, wenn im Fall einer öffentlichen Anklage höchstens eine 3-jährige Gefängnisstrafe auszusprechen ist oder es sich um eine Privatklage handelt (§ 174 chStPG).

Die Strafsachen im ersten Rechtszug vor einem oberen Volksgericht oder vor dem Obersten Volksgericht sind von einem 3-, 5- oder 7-köpfigen Kollegium zu verhandeln (§ 147 Abs. 2 in Verbindung mit Abs. 5 chStPG). Das rechtsprechende Kollegium kann entweder ausschließlich mit Berufsrichtern oder mit Berufs- und Laienrichtern besetzt sein (§ 147 Abs. 2 chStPG). Im letzteren Fall muss als Vorsitzender ein Berufsrichter fungieren (§ 147 Abs. 6 chStPG). Der Anteil von Laienrichtern in solchen Kollegien darf ein Drittel nicht unterschreiten (§ 3 SchöffB).

In der Rechtsmittel- beziehungsweise Berufungsinstanz ist eine Strafsache immer von einem 3- oder 5-köpfigen Kollegium zu verhandeln, das ausschließlich aus Berufsrichtern besteht (§ 147 Abs. 4 in Verbindung mit Abs. 5 chStPG).

Die Ausbildungsvoraussetzungen für Richter sind in § 9 Abs. 6 RG geregelt. In dieser Hinsicht lassen sich die Ausführungen zum Staatsanwalt[29] auf den Richter übertragen. Für Laienrichter gibt es diesbezüglich nur eine vage Vorschrift in § 4 Abs. 2 SchöffB. Danach muss ein Laienrichter im Prinzip mindestens einen 2- oder 3-jährigen Hochschulstudiengang ohne akademischen Grad abgeschlossen haben.

Eine Statistik über die genaue Anzahl der Gerichte und Richter ist nicht verfügbar. Es ist nur darauf hinzuweisen, dass jede Provinz, jede von der Zentralregierung

---

[29] Siehe oben 5.a.

direkt verwaltete Stadt und jedes autonome Gebiet einer ethnischen Minderheit ein oberes Volksgericht und mindestens zwei mittlere Volksgerichte hat.

2006 haben die Volksgerichte landesweit im ersten Rechtszug insgesamt 702.445 Fälle verhandelt und 701.379 Entscheidungen getroffen. Im zweiten Rechtszug waren es 94.176 Fälle und 94.092 Entscheidungen. Im selben Jahr wurden insgesamt 592.220 rechtskräftige Urteile in Strafsachen ausgesprochen, die 890.755 Personen betrafen. Davon wurden 1.713 Personen als unschuldig freigesprochen. 15.196 Personen wurden zwar schuldig gesprochen, es wurde aber von einer Kriminalstrafe abgesehen. Zu einer Kriminalstrafe wurden 873.846 Personen verurteilt.[30]

d) Sanktionen

Die kriminalstrafrechtlichen Sanktionen gliedern sich gemäß § 32 chStGB in Haupt- (主刑，*zhuxing*) und Nebenstrafen (附加刑，*fujia xing*).

Nach § 33 chStGB gibt es die folgenden Hauptstrafen:

- Überwachung (管制，*guanzhi*), die einer zeitlichen Frist von drei Monaten bis zu zwei Jahren unterliegt (§ 38 Abs. 1 chStGB);
- Gewahrsam (拘役，*juyi*), der für die Dauer von mindestens einem Monat und höchstens sechs Monaten ausgesprochen werden darf (§ 42 chStGB);
- befristete Gefängnisstrafe (有期徒刑，*youqi tuxing*), die im Prinzip für eine Dauer von sechs Monaten bis zu 15 Jahren ausgesprochen werden kann (§ 45 chStGB);
- unbefristete (lebenslange) Gefängnisstrafe (无期徒刑，*wuqi tuxing*);
- Todesstrafe (死刑，*sixing*), die früher immer durch Erschießen vollstreckt wurde und erst seit der Reform des Strafprozessrechts im Jahr 1997 auch durch Injektion vollstreckt werden darf (§ 212 Abs. 2 chStPG).

Als Nebenstrafen gelten nach § 34 chStGB:

- Geldstrafe (罚金，*fajin*);
- Entzug politischer Rechte (剥夺政治权利，*boduo zhengzhi quanli*);
- Einziehung des Vermögens (没收财产，*moshou caichan*).

Im Jahr 2006 sind nach offiziellen Statistiken 16.166 Personen (1,85 %) zur Überwachung, 65.790 Personen (7,53 %) zum Gewahrsam, 409.571 Personen (46,87 %) zur befristeten Gefängnisstrafe von weniger als fünf Jahren sowie 153.724 Personen (17,59 %) zur befristeten Gefängnisstrafe von mindestens fünf Jahren, zur unbefristeten Gefängnisstrafe oder zur Todesstrafe und 22.054 Personen (2,52 %) zu einer Nebenstrafe verurteilt worden. Darüber hinaus wurden im

---

30 Zhongguo falü nianjian 2007.

selben Jahr 206.541 Personen (23,64 %) zum Gewahrsam oder zur befristeten Gefängnisstrafe mit Bewährung verurteilt.[31]

e) Strafvollzug

Gemäß § 213 Abs. 2 Satz 1 chStPG und § 2 chGefG sind Gefängnisse für den Vollzug der befristeten und unbefristeten Gefängnisstrafe sowie der Todesstrafe mit Bewährung zuständig. Für minderjährige Straftäter unter 18 Jahren ist in § 213 Abs. 3 chStPG und § 74 chGefG der Strafvollzug in einer Überwachungs- und Erziehungsanstalt vorgeschrieben.

Die Polizeidienststellen sind nach § 213 Abs. 2 Satz 3 chStPG die Vollzugsanstalten für den Gewahrsam.

Die Todesstrafe ohne Bewährung ist gemäß §§ 211, 212 chStPG vom Gericht zu vollstrecken. In den chinesischen Gerichten gibt es jeweils eine Kammer, die für die Vollstreckung der Todesstrafe und der Vermögensstrafen zuständig ist.

Die Gefangenenstatistik gilt heute in der Volksrepublik China tatsächlich noch als ein Staatsgeheimnis. Und zurzeit ist auch keine offizielle Statistik über die Anzahl der Vollzugsanstalten öffentlich zugänglich. Nach Angaben einer Internet-Quelle gab es Ende 2005 insgesamt 1.565.771 Gefangene.[32] Der Anteil der Gefangenen in der Bevölkerung betrug damit 119 pro 100.000 Einwohner.[33] Unter den Gefangenen waren im selben Jahr 4,9 % Frauen, 1,4 % Jugendliche und 0,2 % Ausländer.[34]

Literatur- und Quellenhinweise zu Abschnitt A.

Allgemeine Literatur:

China Yearbook 2007. Beijing 2007, S. 32–45.

Der Fischer Weltalmanach 2008. Zahlen, Daten, Fakten. Frankfurt am Main 2008, S. 104–114.

Geografie:

China Yearbook 2007. Beijing 2007, S. 32.

Der Fischer Weltalmanach 2008. Zahlen, Daten, Fakten. Frankfurt am Main 2008, S. 104.

---

31 Zhongguo falü nianjian 2007.

32 King's College London.

33 Ibidem.

34 Ibidem.

Zhongguo tongji nianjian (Das statistische Jahrbuch Chinas) 2007, hrsg. vom Zhonghua Renmin Gongheguo guojia tongji ju (Das staatliche Amt der Volksrepublik China für Statistik). Beijing 2007, S. 4.

Bevölkerung:

China Yearbook 2007. Beijing 2007, S. 249.

Zhongguo tongji nianjian (Das statistische Jahrbuch Chinas) 1999, hrsg. vom Zhonghua Renmin Gongheguo guojia tongji ju (Das staatliche Amt der Volksrepublik China für Statistik). Beijing 1999, S. 112.

Zhongguo tongji nianjian (Das statistische Jahrbuch Chinas) 2007, hrsg. vom Zhonghua Renmin Gongheguo guojia tongji ju (Das staatliche Amt der Volksrepublik China für Statistik). Beijing 2007, S. 105, 106, 108, 110, 387.

Die Stadtregierung Chengdu:

http://www.chengdu.gov.cn/cd_know/

Die Stadtregierung Guangzhou:

http://www.guangzhou.gov.cn/node_450/node_452/2008-10/1225354927276207.shtml

Die Stadtregierung Wuhan:

http://www.wh.gov.cn/cms/publish/wuhan/2008-10/20/200803121352080397.html

Die Stadtregierung Shenyang:

http://www.shenyang.gov.cn/web/resource/jrsy-gz/rk.htm

Sprache:

Zhongguo tongji nianjian (Das statistische Jahrbuch Chinas) 2007, hrsg. vom Zhonghua Renmin Gongheguo guojia tongji ju (Das staatliche Amt der Volksrepublik China für Statistik). Beijing 2007, S. 120.

Religion:

China Yearbook 2007. Beijing 2007, S. 256.

Wirtschaft:

Zhongguo tongji nianjian (Das statistische Jahrbuch Chinas) 1999, hrsg. vom Zhonghua Renmin Gongheguo guojia tongji ju (Das staatliche Amt der Volksrepublik China für Statistik). Beijing 1999, S. 133.

Zhongguo tongji nianjian (Das statistische Jahrbuch Chinas) 2007, hrsg. vom Zhonghua Renmin Gongheguo guojia tongji ju (Das staatliche Amt der Volksrepublik China für Statistik). Beijing 2007, S. 57, 58, 127.

Kriminalität und Strafverfolgung:

Heuser, Robert/Weigend, Thomas, Das Strafprozessgesetz der Volksrepublik China in vergleichender Perspektive. Hamburg 1997.

Strupp, Michael, Das neue Strafgesetzbuch der VR China. Kommentar und Übersetzung. Hamburg 1998.

Ermittlungsbehörden:

Zhongguo falü nianjian (Das chinesische Jahrbuch des Rechts) 2007, hrsg. von der Zhongguo faxue hui (Chinesische Gesellschaft für Rechtswissenschaft). Beijing 2007, S. 1068, 1072.

Zhongguo tongji nianjian (Das statistische Jahrbuch Chinas) 2007, hrsg. vom Zhonghua Renmin Gongheguo guojia tongji ju (Das staatliche Amt der Volksrepublik China für Statistik). Beijing 2007, S. 888, 892.

Anklagebehörden:

Zhongguo falü nianjian (Das chinesische Jahrbuch des Rechts) 2007, hrsg. von der Zhongguo faxue hui (Chinesische Gesellschaft für Rechtswissenschaft). Beijing 2007, S. 1069.

Zhongguo tongji nianjian (Das statistische Jahrbuch Chinas) 2007, hrsg. vom Zhonghua Renmin Gongheguo guojia tongji ju (Das staatliche Amt der Volksrepublik China für Statistik). Beijing 2007, S. 892.

Strafgerichte:

Zhongguo falü nianjian (Das chinesische Jahrbuch des Rechts) 2007, hrsg. von der Zhongguo faxue hui (Chinesische Gesellschaft für Rechtswissenschaft). Beijing 2007, S. 1065, 1067.

Sanktionen:

Zhongguo falü nianjian (Das chinesische Jahrbuch des Rechts) 2007, hrsg. von der Zhongguo faxue hui (Chinesische Gesellschaft für Rechtswissenschaft). Beijing 2007, S. 1065.

Strafvollzug:

Wu, Zongxian, Xingshi zhixing faxue (Strafvollzugsrecht). Beijing 2007, S. 52–54.

King's College London:
http://www.kcl.ac.uk/depsta/law/research/icps/worldbrief/wpb_country.php?country=91

B. Rechtsvergleichende und internationale Einordnung

1. Rechtsvergleichende Einordnung des Landesrechts

Die Eingruppierung des chinesischen Rechts ist weder für die Vergangenheit noch für die Gegenwart ohne Weiteres möglich. Wenn man versucht, die Rechtsordnung Chinas irgendeinem „Rechtskreis" beziehungsweise irgendeiner „Rechtsfamilie" zuzuordnen, stellt sich zunächst die Frage, um welchen Zeitraum es sich dabei handelt. Grob lässt sich das chinesische Rechtssystem in mindestens drei unterschiedliche Stadien einteilen:

- das relativ früh entwickelte Recht der Kaiserzeit bis zum Ende der Qing-Dynastie (1),
- das Recht der republikanischen Zeit von 1911 bis 1949 (2) sowie
- das Recht der sozialistischen beziehungsweise kommunistischen Zeit seit 1949, wobei hier mit guten Argumenten die Eigenständigkeit des Rechts seit der Reformpolitik ab Ende 1978 angenommen werden könnte (3).

(1) Unbestreitbar ist, dass sich das traditionelle chinesische Recht der Kaiserzeit bis 1911 aufgrund des eigenständigen Kulturraums über Jahrtausende weitgehend selbstständig entfalten konnte. Von Dynastie zu Dynastie wurden die Kodizes übernommen und weiterentwickelt. Von daher erscheinen die Eingruppierungen in einen „fernöstlichen Rechtskreis", in das „orientalische Recht", in eine „östliche Rechtstradition" oder – noch weiter – in einen „Rechtskreis der afro-asiatischen Völker" als kulturhistorisch plausibel, wenn auch inhaltlich wenig aussagekräftig.

(2) Dagegen war das Rechtssystem des republikanischen Chinas von 1911 bis 1949 sehr stark von der Rezeption als modern angesehener ausländischer Gesetzesordnungen beeinflusst. Dazu gehörte insbesondere auch das deutsche Recht, was eine Zuordnung des chinesischen Rechtssystems zum kontinentaleuropäischen Rechtskreis durchaus angemessen erscheinen lässt. Allerdings spielte das politisch und militärisch erstarkte Japan bei dieser Rezeption in der Republik China eine besondere Vermittlerrolle. Das japanische Recht hatte nach der Meiji-Restauration bereits ganze Kodifikationen aus Europa (Frankreich und Deutschland) übernommen. Dieser Epoche wird allerdings auch ein strukturelles Defizit an Effizienz zugeschrieben, in dem die neuen Gesetze aufgrund zentrifugaler Kräfte („Warlordismus"), Bürgerkriegen zwischen Nationalisten und Kommunisten sowie des Krieges gegen Japan ab 1937 kaum durchgesetzt werden konnten.

(3) Was die Zeit nach Beendigung des Bürgerkrieges und Ausrufung der Volksrepublik China 1949 anbelangt, ist die Zuordnung des chinesischen Rechts zum „kommunistischen" beziehungsweise „sozialistischen Rechtskreis" eine übliche Herangehensweise. Die Volksrepublik China wandte zunächst das *Tabula-rasa*-Prinzip an, indem sie alle bisherigen „bürgerlichen" Gesetze für nichtig erklärte. Unter der Vorherrschaft der Kommunistischen Partei Chinas blieben damit weite

Felder des gesellschaftlichen Lebens rechtlich ungeregelt. Allein die ideologische Verbindung zur Sowjetunion unter *Stalin* übte starken Einfluss auf die chinesische Gesetzgebung aus; doch nach *Stalins* Tod und dem Zerwürfnis mit *Chruschtschow* erschien die Übernahme sowjetischen Rechts für die Volksrepublik weniger attraktiv.

Nach dem Zusammenbruch der Sowjetunion halten manche den kommunistischen beziehungsweise sozialistischen Rechtskreis allerdings für nicht mehr existent, andere möchten an einem Nukleus des „Sinomarxismus" festhalten, der einerseits ideologisch und andererseits geografisch definiert wird. Offensichtlich wird der Raum des Sinomarxismus weder auf die rechtlich selbstständige Insel Taiwan bezogen, noch auf die seit 1997 beziehungsweise 1999 als sogenannte Sonderverwaltungsgebiete in die Volksrepublik China einbezogenen Territorien Hongkong und Macao.[1] Tatsächlich gilt auf Taiwan weiterhin das ehemalige Recht der Republik China, und die Sonderverwaltungsgebiete können wegen ihrer – mit Ausnahme der Außen- und Verteidigungspolitik – hohen rechtlichen Autonomie ebenso wenig zum Bereich des Sinomarxismus gezählt werden. Während Hongkong dabei noch immer stark vom englischen Common Law geprägt ist, liegen die Wurzeln des Rechts von Macao in Kontinentaleuropa, namentlich in Portugal.

Somit ist das heutige chinesische Recht zu Beginn des 21. Jahrhunderts vielschichtig und kann nicht als ein reines, sondern muss als ein gemischtes System angesehen werden. Teile des kulturellen und rechtlichen Gedankenguts aus der Jahrtausende andauernden kaiserlichen Zeit sind noch immer vorhanden beziehungsweise wurden wieder entdeckt oder zugelassen. Nicht nur die erste Rezeptionswelle zu Beginn des 20. Jahrhunderts, die europäisches, und hier nicht zuletzt deutsches Recht nach China brachte, auch der Einfluss des sowjetischen Rechts bleibt – vor allem im öffentlichen Recht – spürbar. Nach *Maos* Tod 1976 und der Rehabilitierung *Deng Xiaopings* wenig später setzte ab Ende der 1970er Jahre eine neue Gesetzgebungswelle ein, die bis heute anhält und in hohem Maße auch abendländisches Recht rezipiert hat. Für diese Rezeptionen sind vor allem die Rechtsordnungen Europas, Japans sowie der USA bedeutend. Dabei gerät die chinesische Gesetzgebung nicht selten in den Ruf eines „Cherry-picking" oder eines Rechts-Potpourris. Die Methode der Rechtsvergleichung spielt in der juristischen Ausbildung eine große Rolle und ist speziell auch für die Frage der Fortentwicklung des Rechts von hoher Bedeutung. Trotz des politisch-ideologischen Unterschieds im Hinblick auf die sozialistische Gesellschaftsordnung bezeichnen auch chinesische Autoren das sozialistische Rechtssystem aufgrund seiner Methodik als einer Untergruppe des kontinentaleuropäischen Rechtskreises zugehörig.

---

[1] Zu den Sonderverwaltungsgebieten siehe näher I.A.1.

2. Einfluss internationaler Bindungen

a) Mitgliedschaft in internationalen und regionalen Organisationen

China war einer der Gründungsmitgliedstaaten der *Vereinten Nationen* (UNO) im Jahr 1945. Seit Beginn ist China auch eines der fünf ständigen Mitglieder des Sicherheitsrats, denen jeweils ein Vetorecht zugestanden wurde. Von 1945 bis 1971 war China in den Vereinten Nationen durch die Regierung der Republik China vertreten, deren Sitz bis 1949 auf dem Festland, anschließend in Taiwan lag. Am 25.10.1971 wurde der Vertreter der Republik China durch jenen der Volksrepublik abgelöst.

Im Jahr 1984 trat China der *Internationalen kriminalpolizeilichen Organisation* (Interpol) bei. Seither spielt sich die chinesische Praxis der internationalen Rechtshilfe in Strafsachen, zum Beispiel die Auslieferungsangelegenheiten, zum großen Teil im Rahmen von Interpol ab.

Seit 1997 besteht das üblicherweise als „ASEAN Plus Three" bezeichnete Gremium, das insgesamt 13 südost- und ostasiatische Länder (10 ASEAN-Mitgliedstaaten in Südostasien plus China, Japan und Korea) umfasst. Die Zusammenarbeit der betreffenden Länder in diesem Rahmen betrifft unter anderem auch gemeinsame Maßnahmen gegen Terrorismus und richtet sich gegen solche grenzüberschreitende Kriminalitätsphänomene wie Drogenhandel, Menschenhandel, Piraterie, Waffenschmuggel, Geldwäsche, internationale Wirtschafts- und Cyberkriminalität. Bislang ist noch kein direkter Einfluss der ASEAN-Plus-Three-Institution auf das chinesische Straf- und Strafprozessrecht zu spüren, es ist aber nicht auszuschließen, dass zukünftige Gemeinschaftsbeschlüsse in der chinesischen Rechtsordnung ihren Niederschlag finden werden.

China ist auch einer der Gründungsmitgliedstaaten der seit 2001 bestehenden *Shanghaier Organisation für Zusammenarbeit* (SOZ), der neben China auch Russland, Kasachstan, Kirgisistan, Tadschikistan und Usbekistan angehören. Im Hinblick darauf, dass die Terrorismusbekämpfung ein wichtiges Gebiet der Zusammenarbeit im Rahmen der SOZ darstellt, ist es möglich, dass die chinesische Gesetzgebung auf diesem Gebiet sich unter Umständen an den Beschlüssen der Organisation orientieren wird.

b) Beteiligung an völkerrechtlichen Verträgen

China ist an zahlreichen völkerrechtlichen Abkommen beteiligt, die von strafrechtlicher Relevanz sind. Es ist zunächst aber generell darauf hinzuweisen, dass es in China keine übliche Praxis ist, dass der nationale Gesetzgeber auf die Beteiligung an internationalen Abkommen durch Ratifikation oder Beitritt auch entsprechend reagiert, indem die völkerrechtlichen Vorschriften in nationales Recht umgesetzt und für die nationalen Gerichte ohne Weiteres anwendbar werden. Insoweit hat die Beteiligung Chinas an den internationalen Verträgen eher eine diplomatisch-deklaratorische als eine juristisch-praktische Bedeutung. Die *Konvention über die Verhütung und Bestrafung des Völkermordes* von 1948 zum Beispiel hat China schon 1983 ratifiziert. Einen entsprechenden Straftatbestand des Genozids findet man aber bislang im chinesischen Strafgesetzbuch trotz insoweit fehlenden Vorbehalts nicht.

Im Bereich des humanitären Völkerrechts hat China 1956 die vier *Genfer Abkommen* zum Kriegsrecht von 1949 ratifiziert. Dem ersten und dem zweiten Zusatzprotokoll zu diesen Abkommen von 1977 ist es 1983 beigetreten.

Was die allgemeinen Menschenrechte anbelangt, hat China im Jahr 1998 den *Internationalen Pakt über bürgerliche und politische Rechte* von 1966 unterzeichnet. Aber bislang steht die Ratifikation durch den Gesetzgeber noch aus. Den *Internationalen Pakt über wirtschaftliche, soziale und kulturelle Rechte* von 1966 hat China im Jahr 2001 ratifiziert. Das *UN-Übereinkommen gegen Folter und andere grausame, unmenschliche oder erniedrigende Behandlung oder Strafe* von 1984 wurde 1988 ratifiziert.

Im Jahr 1981 ist China dem *Internationalen Übereinkommen zur Beseitigung jeder Form von Rassendiskriminierung* von 1966 beigetreten. Der *Internationalen Konvention über die Unterdrückung und Bestrafung des Verbrechens der Apartheid* von 1973 hat es sich 1983 angeschlossen.

Das *Übereinkommen über die Rechte des Kindes* von 1989 ratifizierte China 1992, das optionale Protokoll zu diesem Übereinkommen von 2000 wurde im Jahr 2002 ratifiziert.

Auf dem Gebiet der Drogenbekämpfung ist China 1985 der *Konvention über psychotrope Substanzen* von 1971 und dem *Einheitsabkommen über die Betäubungsmittel* von 1961 in der durch das Protokoll von 1972 geänderten Fassung beigetreten. Das *Übereinkommen der Vereinten Nationen gegen den unerlaubten Verkehr mit Suchtstoffen und psychotropen Stoffen* von 1988 wurde 1989 ratifiziert.

Was die organisierte Kriminalität angeht, ratifizierte China 2003 das *UN-Übereinkommen gegen die grenzüberschreitende organisierte Kriminalität* von 2000. Das Feuerwaffenprotokoll Nr. 12c zur Ergänzung dieses Übereinkommens von 2001 hat China bereits 2002 unterzeichnet.

Im Bereich der Terrorismusbekämpfung ist China 1993 der *Internationalen Konvention gegen Geiselnahme* von 1979 beigetreten. 2001 ratifizierte das Land die *Internationale Konvention über die Bekämpfung terroristischer Bombenanschläge* von 1997. Die *Internationale Konvention über die Unterdrückung der Finanzierung des Terrorismus* von 1999 wurde 2006 ratifiziert.

Hinsichtlich der Wirtschaftskriminalität hat China 2005 das *UN-Übereinkommen gegen Korruption* von 2003 ratifiziert.

Im Bereich der Rechtshilfe in Strafsachen ist das Land bislang nicht an multinationalen Verträgen beteiligt. Es bestehen aber mit vielen Staaten bilaterale Abkommen über Rechtshilfe, Auslieferung oder Ähnliches.

Im Bereich des Umweltrechts ist China unter anderem 1981 dem Washingtoner *Übereinkommen* von 1973 *über den internationalen Handel mit gefährdeten Arten frei lebender Tiere und Pflanzen* beigetreten. 1991 ratifizierte China das Basler *Übereinkommen* von 1989 *über die Kontrolle grenzüberschreitender Abfallbeseitigung*, das Änderungsprotokoll Nr. III/1 von 1995 zu diesem Übereinkommen wurde 2001 ratifiziert.

Darüber hinaus ratifizierte China 1996 das *UN-Seerechtsabkommen* von 1982.

Literaturhinweise zu Abschnitt B.

de Cruz, Peter, Comparative Law in a Changing World. 3. Aufl. London, New York 2007, S. 209–213.

David, René, Les grands systèmes de droits contemporains. 2. Aufl. Paris 1966, S. 529–540.

– Les grands systèmes de droits contemporains. 10. Aufl. Paris 1992, S. 421–434.

Heuser, Robert, Beginn eines Jahrhundertprojekts: Die Rechtsreform unter der Späten Qing-Dynastie (1903–1911). Zeitschrift für chinesisches Recht 2008, 193–205.

Malmström, Ake, The System of Legal Systems. Scandinavian Studies in Law, Vol. 13 (1969), 129–149.

Mattei, Ugo, Three Patterns of Law: Taxonomy and Change in the World's Legal Systems. AJCL 45 (1997), 5–44.

Rheinstein, Max, Einführung in die Rechtsvergleichung. 2. Aufl. München 1987, S. 79, Fn. 11, 14.

Richter, Thomas, Grundlagen der Strafverfolgung völkerrechtlicher Verbrechen in China. In: Albin Eser/Ulrich Sieber/Helmut Kreicker (Hrsg.), Nationale Strafverfolgung völkerrechtlicher Verbrechen. National Prosecution of International Crimes. Band 6. Berlin 2005, S. 141–259.

Schnitzer, Adolf F., Vergleichende Rechtslehre. 2. Aufl. Basel 1961.

Shen, Zongling, Bijiaofa zonglun (Einführung in die Rechtsvergleichung). Beijing 1987 (2. Druck 1994), S. 327–502.

– (Hrsg.), Fali xue (Lehre der Jurisprudenz). Beijing 2001.

Scholler, Heinrich, Vorwort. In: Heinrich Scholler/Silvia Tellenbach (Hrsg.), Die Bedeutung der Lehre vom Rechtskreis und der Rechtskultur. Berlin 2001, S. 7–15.

von Senger, Harro, Bedeutung der Lehre vom Rechtskreis und die Rechtskultur: Das Beispiel der Volksrepublik China. In: Heinrich Scholler/Silvia Tellenbach (Hrsg.), Die Bedeutung der Lehre vom Rechtskreis und der Rechtskultur. Berlin 2001, S. 55–75.

Simon, Oliver, Pandektensystematik oder Code Civil? Eine Abhandlung aus dem Jahre 1907 „Über die zukünftige Kodifikation eines Zivilrechts in China" von Qin Lianyuan. Zeitschrift für chinesisches Recht 2007, 27–38.

Xu, Chongde, Xianfa xue (Zhongguo bufen) (Verfassungslehre – Chinesischer Teil). Beijing 2000 (3. Druck 2002), S. 135–515.

Zweigert, Konrad, Zur Lehre von den Rechtskreisen. In: XXth Century Comparative and Conflicts Law. Legal Essays in Honor of Hessel E. Yntema. Leyden 1961.

Zweigert, Konrad/Kötz, Hein, Einführung in die Rechtsvergleichung. 3. Aufl. Tübingen 1996, S. 280 ff.

C. Verfassungsrechtliche Vorgaben

1. Übergesetzliche Regelungen als Träger strafrechtlicher Prinzipien

Grundlegend für die staatliche Ordnung in der Volksrepublik China ist die geltende Verfassung vom 4.12.1982. Dieser Verfassung waren drei Vorläufer-Verfassungen – vom 20.9.1954, 17.1.1975 und 5.3.1978 – vorausgegangen. Seit ihrer Verabschiedung hat die geltende Verfassung einige zum Teil erhebliche Änderungen erlebt. Die bisherigen Änderungen datieren vom 12.4.1988, 29.3.1993, 15.3.1999 und 14.3.2004.

In Art. 1 Abs. 1 chVerf kommt zum Ausdruck, dass China sich als ein sozialistischer Staat mit demokratischer Volksdiktatur (人民民主专政，*renmin minzhu zhuanzheng*) bekennt. Nach Art. 5 Abs. 1 chVerf, der 1999 neu in die Verfassung eingefügt wurde, baut die Volksrepublik einen sogenannten sozialistischen Rechtsstaat (社会主义法治国家，*shehui zhuyi fazhi guojia*) auf. Die Herrschaft des Rechts (法治，*fazhi*) wird dabei durch das Attribut „sozialistisch" korrigiert. Charakteristisch für den „sozialistischen Rechtsstaat" ist, dass das ganze politische Leben des Staates unter die Kontrolle der Kommunistischen Partei gestellt wird. Darauf wird zum einen ausdrücklich in der Präambel der Verfassung hingewiesen, zum anderen ist China nach Art. 1 Abs. 1 chVerf ein Staat unter der Führung der Arbeiterklasse, wobei die fast einheitliche Meinung in der Lehre annimmt, dass die Führung der Arbeiterklasse durch die Kommunistische Partei erfolgt.[1]

China hat sich zwar an einer Reihe von internationalen Menschenrechtsabkommen beteiligt, deren Regelungen von übergetzlicher Bedeutung für das Straf- und das Strafprozessrecht sein könnten. Da aber die notwendigen Umsetzungen zum Teil nicht stattgefunden haben,[2] entfaltet sich eine eventuelle Bedeutung der Menschenrechte in China bislang kaum.

2. Grundrechte und Grundfreiheiten

Das zweite Kapitel der Verfassung trägt den Titel „Grundrechte und -pflichten der Staatsbürger" (公民的基本权利和义务，*gongmin de jiben quanli he yiwu*). Darin sind die im Folgenden genannten grundlegenden Rechte und Freiheiten geregelt, die sich ausweislich Art. 33 Abs. 1 allein auf Bürger der Volksrepublik China beziehen. (Ausländer, die sich in China aufhalten, genießen gemäß dem im 1. Kapitel angesiedelten Art. 32 Abs. 1 chVerf die „legitimen Rechte und Interes-

---

[1] Vergleiche hierzu auch I.A.4.

[2] Siehe dazu auch I.B.2.b.

sen“, 合法权利和利益，*hefa quanli he liyi*), müssen allerdings auch die Gesetze der Volksrepublik befolgen. Es ist nicht näher definiert, was unter den „legitimen Rechten und Interessen“ zu verstehen ist. Nach herrschender Meinung in der Lehre kann es zwar hinsichtlich von Grundrechten politischer Art wie dem Wahlrecht Einschränkungen für Ausländer geben, aber ansonsten sollen die Grundrechte von Ausländern auch gewährleistet werden.)

- Grundsatz der Gleichheit aller Staatsbürger vor dem Gesetz (Art. 33 Abs. 2 chVerf), aus dem nach herrschender Ansicht abzuleiten ist, dass bei Strafrechtsanwendung willkürliche Differenzierung verboten ist;
- aktives und passives Wahlrecht (Art. 34 chVerf);
- Äußerungs-, Veröffentlichungs-, Versammlungs-, Vereins- und Demonstrationsfreiheit (Art. 35 chVerf), die aber tatsächlich einer Reihe von Einschränkungen unterliegt, zum Beispiel § 15 VDG und § 12 Satz 1 AOVDG, nach denen die Teilnahme an einer Versammlung oder Demonstration nur in der Stadt des eigenen Wohnsitzes erlaubt ist;
- Religions- und Glaubensfreiheit (Art. 36 chVerf);
- persönliche Freiheit (Art. 37 Abs. 1 chVerf), wobei explizit darauf hingewiesen wird, dass die Festnahme eines Staatsbürgers ausschließlich mit Billigung der Staatsanwaltschaft oder aufgrund gerichtlicher Entscheidung und nur durch das Organ der öffentlichen Sicherheit (Polizei) vorgenommen werden darf (Art. 37 Abs. 2 chVerf) und illegale Einschränkungen der persönlichen Freiheit oder illegale Durchsuchungen des Körpers nicht erlaubt sind (Art. 37 Abs. 3 chVerf);
- Unverletzlichkeit der persönlichen Würde (Art. 38 chVerf);
- Unverletzlichkeit der Wohnung (Art. 39 Satz 1 chVerf). Illegale Durchsuchungen und illegales Eindringen in eine Wohnung sind ausdrücklich verboten (Art. 39 Satz 2 chVerf);
- Schutz der Brieffreiheit und des Briefgeheimnisses (Art. 40 Satz 1 chVerf), wobei ausdrücklich darauf hingewiesen wird, dass eine Kontrolle des Briefverkehrs nur erlaubt ist, wenn sie für die staatliche Sicherheit oder die Verfolgung von Straftaten notwendig ist und vom Organ der öffentlichen Sicherheit (Polizei) beziehungsweise von der Staatsanwaltschaft nach dem gesetzlich geregelten Verfahen ausgeführt wird (Art. 40 Satz 2 chVerf); obwohl hier wörtlich nur vom „Briefverkehr“ die Rede ist, schließt dieses Grundrecht nach einhelliger Meinung auch den Schutz der Freiheit und des Geheimnisses im Fernmeldeverkehr und in der elektronischen Kommunikation durch das Internet ein;
- Recht auf Beschwerde gegen Rechtsverletzungen durch Staatsorgane und deren Bedienstete (Art. 41 Abs. 1 chVerf);
- Recht auf Entschädigung für Rechtsverletzungen durch Staatsorgane und deren Bedienstete (Art. 41 Abs. 3 chVerf);
- Recht auf Arbeit (Art. 42 chVerf);

- Recht auf Sozialhilfe (Art. 45 chVerf);
- Recht auf Erziehung (Art. 46 chVerf);
- Recht und Freiheit der wissenschaftlichen Forschung und kulturellen Tätigkeiten (Art. 47 chVerf);
- Recht der Frauen auf Gleichbehandlung (Art. 48 chVerf).

Die genannten Grundrechte und -pflichten waren in ähnlicher Weise schon in der Verfassung von 1954 enthalten, die – formal – bis 1975, also auch nach Ausbruch der Großen Proletarischen Kulturrevolution gegolten hatte, welche bis heute auch innerhalb Chinas als eine Phase der Unordnung und des Chaos angesehen wird. Heute ist anerkannt, dass der Staat die Grundrechte beachten muss; jedoch bleibt in China bisher noch sehr umstritten, ob die in der Verfassung geregelten Grundrechte justiziabel sind. Die Volksgerichte ziehen für ihre Urteilsfindung auch in Verwaltungssachen die Verfassung – wenn überhaupt – nur sehr zurückhaltend heran; vielmehr stützen sie sich eher auf die einfachen Gesetze. Ein Verfassungsgericht exisitiert in der Volksrepublik ohnehin nicht, sodass die Bedeutung der Grundrechte stark relativiert werden muss.

Es ist noch darauf hinzuweisen, dass durch die Verfassungsänderung von 2004 ein neuer Art. 33 Abs. 3 in die Verfassung eingefügt wurde, der lautet: „Der Staat respektiert und gewährleistet die Menschenrechte.“ Das ist das erste Mal, dass die Verfassung der Volksrepublik China sich ausdrücklich auf den Begriff der Menschenrechte (人权， *renquan*) bezieht, was mindestens symbolisch doch einen großen Fortschritt darstellt, zumal dieser Begriff über Jahrzehnte als rein westliches Gedankenkonstrukt galt.

3. Sonstige übergesetzliche Normen von strafrechtlicher Relevanz

Neben den oben erwähnten Vorschriften über Grundrechte und -pflichten finden sich in der Verfassung noch einige weitere Regelungen von strafrechtlicher Relevanz.

In Art. 75 chVerf ist die Indemnität der Abgeordneten des Nationalen Volkskongresses geregelt. Danach ist ausgeschlossen, dass ein Abgeordneter des Nationalen Volkskongresses wegen seiner Äußerungen und Abstimmungen auf den Sitzungen und Beratungen des Nationalen Volkskongresses juristisch verfolgt wird. Das Gleiche gilt nach § 34 LokalOG auch für die Abgeordneten der Volkskongresse auf lokaler Ebene.

Die Immunität der Abgeordneten des Nationalen Volkskongresses ist in Art. 74 chVerf geregelt, nach dem die Festnahme oder eine strafrechtliche Verhandlung gegen einen Abgeordneten des Nationalen Volkskongresses während der Sitzungsperiode der Genehmigung durch den Vorstand der Sitzung, außerhalb der Sitzungsperiode der Genehmigung durch den Ständigen Ausschuss des Nationalen Volkskongresses bedarf. Eine entsprechende Regelung für die Abgeordneten der Volkskongresse auf lokaler Ebene findet sich in § 35 LokalOG.

Darüber hinaus sehen die Art. 125 und 131 chVerf jeweils die Unabhängigkeit der Gerichte und der Staatsanwaltschaften des Volkes bei ihrer Tätigkeit vor. Die Unabhängigkeit bezieht sich jedoch nicht auf die individuellen Personen, die die Funktion von Richtern oder Staatsanwälten ausüben.

Literaturhinweise zu Abschnitt C.

Gong, Renren, Guanyu guoji renquan tiaoyue zai Zhongguo de shiyong wenti (Zur Problematik der Anwendung internationaler Menschenrechtsabkommen in China). In: Yong Xia (Hrsg.), Gongfa (Öffentliches Recht), Band 1. Beijing 1999, S. 282–296.

Hu, Jinguang/Han, Dayuan, Zhongguo xianfa (Die Verfassung Chinas). Beijing 2004, S. 46–81, 167–314.

Liu, Feiyu/Zhang, Bufeng, Gongmin de jiben quanli he yiwu (Grundrechte und -pflichten des Staatsbürgers). In: Jinguang Hu/Dayuan Han (Hrsg.), Zhongguo xianfa fazhan yanjiu baogao 1982–2002 (Forschungsbericht zur Entwicklung des Verfassungsrechts in China von 1982 bis 2002). Beijing 2004, S. 322–363.

Richter, Thomas, China – Strafverfolgung von Systemunrecht der Kulturrevolution. In: Albin Eser/Ulrich Sieber/Jörg Arnold (Hrsg.), Strafrecht in Reaktion auf Systemunrecht. Vergleichende Einblicke in Transitionsprozesse. Band 9. Berlin 2006, S. 61–66.

– Constitutional and Procedural Questions about the Requirement of Judicial Authority. A Comparative View on the Responsibilities of Pre-Trial Detention in Germany and the People's Republic of China. In: Hans-Jörg Albrecht/Guangzhong Chen (eds.), Coercive Measures in a Socio-legal Comparison of the People's Republic of China and Germany. Freiburg 2004, S. 207–214.

Tu, Zhenyu, Guojia jigou (Die Staatsorgane). In: Jinguang Hu/Dayuan Han (Hrsg.), Zhongguo xianfa fazhan yanjiu baogao 1982–2002 (Forschungsbericht zur Entwicklung des Verfassungsrechts in China von 1982 bis 2002). Beijing 2004, S. 364–410.

Wang, Bixuan, Lüetan gongmin de renshen ziyou bushou qinfan (Zur Unverletzlichkeit der persönlichen Freiheit des Staatsbürgers). In: Youyu Zhang u.a., Xianfa lunwen ji (Aufsätze zum Verfassungsrecht). Beijing 2003, S. 383–391.

Xu, Chongde, Xianfa xue (Zhongguo bufen) (Verfassungslehre – Chinesischer Teil). Beijing 2000 (3. Druck 2002), S. 135–515.

Rechtsprechung

Urteil des Oberen Volksgerichts der Provinz Shandong vom 23.8.2001, mit dem Urteil der Vorinstanz von 1999 zusammenfassend abgedruckt in: GB 2001/5, 158–161. Es handelt sich hier um die erste und bisher auch einzige Rechtsprechung, in der ein Gericht der Volksrepublik China direkt eine Verfassungsvorschrift (Art. 46 chVerf) herangezogen und den Anspruch einer Staatsbürgerin auf ein Grundrecht (Recht auf Erziehung) unterstützt hat.

D. Strafrechtstheoretische Grundlagen

1. Aufgaben des Strafrechts

Auf abstrakter Ebene besteht nach traditioneller Auffassung in der Volksrepublik China die Aufgabe (任务，*renwu*) des Strafrechts darin, die sozialistischen Gesellschaftsbeziehungen (社会主义社会关系，*shehui zhuyi shehui guanxi*) zu bewahren. Dabei stellen die Gesellschaftsbeziehungen den Oberbegriff für die im Verlauf gemeinsamer Aktivitäten, primär bei der Produktion, sich herausbildenden wechselseitigen Beziehungen von Menschen dar. Konkret umfassen die Gesellschaftsbeziehungen jegliche gesellschaftliche Lebensbereiche, wie die Belange der persönlichen Rechte, des Eigentums an Hab und Gut, die Beziehungen in Ehe und Familie, die Verhältnisse zwischen den verschiedenen ethnischen Gruppen, zwischen Betrieb und Belegschaft, zwischen Armee und Volk, zwischen gesellschaftlicher Elite und den Massen. Die Gesellschaftsbeziehungen können sowohl materieller Art sein und damit die wirtschaftliche Basis betreffen, als auch ideeller Natur sein und auf den gesellschaftlichen Überbau abzielen. Bestimmte Gesellschaftsbeziehungen sind wichtiger als andere, doch wird eine abstrakte Abstufung der verschiedenen Gesellschaftsbeziehungen nicht als möglich angesehen. Kernpunkt der sozialistischen Gesellschaftsbeziehungen ist das Volks- und Kollektiveigentum.

Diese abstrakte Zusammenfassung in der Lehre spiegelt sich auch im geltenden chinesischen Strafgesetzbuch (中华人民共和国刑法，*Zhonghua Renmin Gongheguo xingfa*, chStGB) wider, dessen § 2 die Aufgabe des chinesischen Strafrechts regelt.

§ 2 chStGB

Aufgabe des Strafgesetzes der Volksrepublik China ist es, mittels Kriminalstrafe alle strafbaren Handlungen zu bekämpfen, um damit die Staatssicherheit zu verteidigen, die politische Macht der demokratischen Diktatur des Volkes und das sozialistische System zu verteidigen, das Staatseigentum und das Kollektiveigentum der werktätigen Massen zu schützen, das Privateigentum der Bürger zu schützen, die persönlichen Rechte, demokratischen Rechte und sonstigen Rechte der Bürger zu schützen, die gesellschaftliche Ordnung und die Wirtschaftsordnung zu bewahren und den reibungslosen Fortschritt der Sache des sozialistischen Aufbaus zu garantieren.

Die Verletzung von staatlichen, kollektiven und individuellen Rechten und Interessen, welche unmittelbarer Wahrnehmung zugänglich ist, beeinträchtigt darüber hinaus auch die sozialistischen Gesellschaftsbeziehungen. Die Straftat wird folglich nicht nur als Konflikt zwischen Täter und Opfer angesehen, sondern auch als Konflikt zwischen dem Täter und Interessen des Staates und des Volkes sowie als Konflikt zwischen dem Täter und den sozialistischen Gesellschaftsbeziehungen an sich.

Nicht zuletzt über das Vehikel der Rechtsvergleichung hat in der Volksrepublik China mittlerweile auch die Rechtsgüterlehre Eingang gefunden. Danach sieht man die Aufgabe des Strafrechts in erster Linie darin, die Handlungen, die den sozialethischen Wertvorstellungen der allgemeinen Gesellschaft widersprechen, mit Kriminalstrafe (刑罚，*xingfa*) zu sanktionieren und dadurch die Rechtsgüter (法益，*fayi*) zu schützen, nämlich die Interessen, die für die allgemeine Gesellschaft von maßgeblicher Bedeutung sind. Aber wenn man in der Lehre von den Rechtsgütern spricht, sind damit eigentlich nichts anderes als die unterschiedlichen Gesellschaftsbeziehungen gemeint, die oben erwähnt sind.

Neuerdings wird in der Lehre teilweise auch zwischen der Aufgabe und den Funktionen (机能，*jineng*) des Strafrechts unterschieden. Danach betrifft die Aufgabe des Strafrechts die Bewahrung der verschiedenen Gesellschaftsbeziehungen beziehungsweise den Schutz der Rechtsgüter. Die Funktionen des Strafrechts liegen darin, dass das Strafrecht einerseits der Regulierung des menschlichen Verhaltens (行为规制，*xingwei guizhi*) und andererseits dem Schutz der Menschenrechte (人权保障，*renquan baozhang*) dient. Die erstere Funktion realisiert sich dadurch, dass das Strafrecht Verhaltensregeln aufstellt, in denen die strafrechtliche Vorwerfbarkeit bestimmter Handlungen zum Ausdruck kommt, sodass die Menschen auf solche Handlungen verzichten. Die letztere Funktion ist dadurch verwirklicht, dass nach dem Gesetzlichkeitsprinzip (§§ 3 und 12 chStGB)[1] eine Kriminalstrafe nur nach Maßgabe eines zur Tatzeit geltenden Gesetzes ausgesprochen werden darf, sodass die Menschen vor dem willkürlichen Missbrauch der staatlichen Gewalt geschützt werden sollen. In diesem Sinne dient das Strafrecht auch als eine „Magna Charta" der Straftäter.

Der Schutz der Gesellschaftsbeziehungen ist nicht lediglich auf das Strafrecht beschränkt; auch verwaltungs- oder zivilrechtliche und sogar ethische Normen sind geeignet, sozialistische Gesellschaftsbeziehungen zu schützen. Das Strafrecht stellt zwar das stärkste und effektivste Mittel zum Schutz der Gesellschaftsbeziehungen dar, doch dient es nach überwiegender Ansicht als *ultima ratio* (最终手段，*zuizhong shouduan*), das heißt, dass das Strafrecht erst dann eingeschaltet werden soll, wenn sonstige Möglichkeiten bereits erschöpft sind oder keinen ausreichenden Erfolg versprechen. Wann das Mittel des Strafrechts eingesetzt wird, steht allein im Ermessen des staatlichen Gesetzgebers, der die realen Bedürfnisse des gesellschaftlichen Lebens bewertet.

2. Rechtsstaatliche Grenzen des Strafrechts

Das Gesetzlichkeitsprinzip wurde durch die Verfassungsänderung von 1999 als ein verfassungsrechtlicher Grundsatz in Art. 5 Abs. 1 chVerf verankert. Aber als

---

1 Siehe näher hierzu II.A. sowie unten D.2.

die bedeutendste rechtsstaatliche Grenze des Strafrechts wird das Gesetzlichkeitsprinzip schon seit der Strafrechtsreform von 1997 in § 3 chStGB zum Ausdruck gebracht. Danach darf eine Kriminalstrafe ausschließlich aufgrund einer gesetzlichen Vorschrift verhängt werden, die zur Tatzeit bereits in Kraft war (*nullum crimen sine lege, nulla poena sine lege)*.[2] Die Rückwirkung einer strafrechtlichen Regelung ist gemäß § 12 Abs. 1 chStGB im Prinzip ausgeschlossen, es sei denn, dass es sich um eine mildere Neuregelung handelt (*lex-mitior*-Grundsatz).[3]

§ 3 chStGB
Spricht das Gesetz ausdrücklich von einer strafbaren Handlung, wird entsprechend dem Gesetz die Straftat festgestellt und die Strafe ausgesprochen; spricht das Gesetz nicht ausdrücklich von einer strafbaren Handlung, darf weder eine Straftat festgestellt noch eine Strafe ausgesprochen werden.

§ 12 Abs. 1 chStGB
Galt eine nach Gründung der Volksrepublik China, jedoch vor Inkrafttreten des vorliegenden Gesetzes begangene Tat gemäß den zur damaligen Zeit bestehenden Gesetzen nicht als Straftat, finden die damals bestehenden Gesetze Anwendung; galt die betreffende Tat gemäß den zur damaligen Zeit bestehenden Gesetzen als Straftat und ist sie gemäß den Bestimmungen in Kapitel 4, Abschnitt 8 des Allgemeinen Teils des vorliegenden Gesetzes zu verfolgen, wird die strafrechtliche Verantwortlichkeit gemäß den damals bestehenden Gesetzen beurteilt. Gilt jedoch gemäß vorliegendem Gesetz [die betreffende Tat] nicht als Straftat oder ist sie gemäß vorliegendem Gesetz mit milderer Strafe bedroht, findet das vorliegende Gesetz Anwendung.

Eine sehr umstrittene Maßnahme ist die sogenannte Umerziehung durch Arbeit (劳动教养，*laodong jiaoyang*). Die aktuelle rechtliche Grundlage für diese Praxis sind die durch das Ministerium für öffentliche Sicherheit am 21.1.1982 verabschiedeten Vorschriften „Vorläufige Methode für die Umerziehung durch Arbeit" (劳动教养试行办法，*laodong jiaoyang shixing banfa*), nach deren § 10 die Umerziehung durch Arbeit für denjenigen anwendbar ist, der nur im minder schweren Fall rechtswidrige Handlung begangen hat und nicht zu einer Kriminalstrafe verurteilt werden soll. Diese nach § 2 als Verwaltungsmaßnahme (行政措施，*xingzheng cuoshi*) eingestufte Form der Zwangsarbeit ist nach § 13 auf eine Dauer von einem bis zu drei – in Extremfällen bis zu insgesamt vier – Jahren begrenzt und nach § 4 in einer besonderen Institution ohne Mitwirkung der Volksgerichte zu vollziehen. Theoretisch gilt die Umerziehung durch Arbeit zwar nicht als Vorstrafe, aber in der Realität kommt sie fast in nahezu jeglicher Hinsicht einer Freiheitsstrafe gleich. Seit Jahren wird immer stärker kritisiert – vor allem seitens in- und ausländischer Wissenschaftler, ausländischen Regierungen und nicht staatlicher Organisationen, dass eine derartige Praxis dem Gesetzlichkeitsprinzip[4] widerspricht und die Men-

---

2 Vergleiche ausführlich hierzu II.A.2. und 3.

3 Siehe dazu II.A.3.d.

4 Siehe insbesondere II.A.2.b.

schenrechte schwer verletzt. Auch auf die fehlende Verfassungsmäßigkeit wird eindeutig hingewiesen. Die Abschaffung dieser Maßnahme ist momentan jedoch noch nicht in Sicht.[5]

Das chinesische Strafrecht ist ferner dem Schuldprinzip verhaftet. Nach § 16 chStGB können nur vorsätzliche oder fahrlässige Taten eine Strafbarkeit bewirken. Eine rein objektive Zurechnung (客观归责，*keguan guize*) nur wegen Eintritts eines schädigenden Erfolgs wird ausdrücklich abgelehnt.[6]

§ 16 chStGB
Wird durch das Verhalten objektiv eine schädliche Folge herbeigeführt, ist dies aber weder auf Vorsatz noch auf Fahrlässigkeit, sondern auf unüberwindbare oder unvorhersehbare Gründe zurückzuführen, handelt es sich nicht um eine Straftat.

Im Prinzip ist man gemäß § 17 Abs. 1 chStGB mit der Vollendung des 16. Lebensjahres vollständig verantwortungsfähig im strafrechtlichen Sinne. Für einige Verbrechen ist man nach § 17 Abs. 2 chStGB ausnahmsweise bereits mit der Vollendung des 14. Lebensjahres verantwortlich. Aber ein Geisteskranker, der nicht über die Einsicht oder Kontrollfähigkeit über seine Handlung verfügt, trägt nach § 18 Abs. 1 chStGB grundsätzlich keine strafrechtliche Verantwortlichkeit.[7]

Eine weitere rechtsstaatliche Grenze für das Strafrecht stellt das in § 5 chStGB verankerte Verhältnismäßigkeitsprinzip dar, das in der chinesischen Lehre in der Regel buchstäblich als Prinzip der Entsprechung der Kriminalität mit der Strafe (罪刑相适应原则，*zui-xing xiang shiying yuanze*) bezeichnet wird. Nach diesem Prinzip muss die Schwere der ausgesprochenen Strafe der Schwere der begangenen Straftat und der vom Täter zu tragenden Verantwortlichkeit entsprechen.

§ 5 chStGB
Maß und Schwere der Kriminalstrafe haben sich am kriminellen Handeln des Täters und an der ihn treffenden strafrechtlichen Verantwortlichkeit zu orientieren.

Das Verhältnismäßigkeitsprinzip wirkt sich vor allem auf die Strafzumessung (量刑，*liangxing*) aus. Dem § 61 chStGB entnimmt man zum Beispiel, dass auf eine übermässige Strafe zu verzichten ist. Für die Todesstrafe ist das Verhältnismäßigkeitsprinzip besonders hervorgehoben. Nach § 48 Abs. 1 chStGB ist die Todesstrafe nur für die Straftäter anzuwenden, die außerordentlich schwere Verbrechen begangen haben. Und selbst dann ist ferner zu berücksichtigen, ob eine sofortige Vollstreckung notwendig ist. Wenn dies nicht der Fall ist, ist eine Aussetzung der Vollstreckung vorgesehen, die nach zwei Jahren normalerweise gemäß § 50 chStGB zu einer Umwandlung in eine Gefängnisstrafe führt. Dieser herr-

---

5 Siehe ausführlich hierzu I.E.2.

6 Siehe näher dazu II.E.4.

7 Ausführlich dazu siehe II.J.6 und 7.

schenden Ansicht zum Trotz muss festgestellt werden, dass die Reform des Strafrechts von 1997 keineswegs die erwartete oder gar erhoffte Reduzierung von Straftatbeständen mit Todesstrafenandrohung mit sich brachte. Stattdessen ist die Todesstrafe bei über 50 Tatbeständen des Besonderen Teils des Strafgesetzbuches eine mögliche Rechtsfolge.

§ 61 chStGB
Bei der Festlegung der Kriminalstrafe für den Straftäter ist auf der Grundlage des Straftatbestands, des Charakters der Straftat und ihrer Umstände sowie des Ausmaßes des Schadens für die Gesellschaft im Einklang mit den einschlägigen Bestimmungen des vorliegenden Gesetzbuchs zu entscheiden.

§ 48 Abs. 1 chStGB
Die Todesstrafe findet nur auf Straftäter Anwendung, die außerordentlich ernste und schwerwiegende Straftaten begehen. Ist bei einem zum Tode zu verurteilenden Straftäter die sofortige Vollstreckung [des Todesurteils] nicht notwendig, kann zugleich mit dem Todesurteil eine auf zwei Jahre bemessene [aufschiebende] Aussetzung der Vollstreckung verkündet werden.

Das Humanitätsprinzip als solches ist zwar nicht ausdrücklich im Strafgesetzbuch erwähnt. Es spiegelt sich aber in einigen Vorschriften wider. In § 17 Abs. 3 chStGB ist für minderjährige Straftäter eine obligatorische Strafmilderung vorgesehen. Nach § 49 chStGB ist Todesstrafe für minderjährige Straftäter und schwangere Frauen ausdrücklich verboten. Nach § 59 Abs. 1 Satz 2 chStGB ist bei der Einziehung des Vermögens auf den Lebensunterhalt des Straftäters und deren Angehörigen zu achten.

3. Strafzwecke

In China wird hinsichtlich der Strafzwecke in der Lehre nicht formell zwischen den absoluten und den relativen Straftheorien unterschieden. Dem Inhalt nach ist die herrschende Meinung aber wohl eher der sogenannten relativen Theorie näher. Eine dem kantischen Begriff „kategorischer Imperativ“ vergleichbare Vorstellung wird in der chinesischen Lehre eher abgelehnt. Es wird in erster Linie auf die präventive Funktion der Strafe Wert gelegt, und zwar vor allem auf die Spezialprävention (特殊预防，*teshu yufang*). Dies wirkt sich dadurch aus, dass sich in der Strafvollzugspraxis die Politik des „Verbindens von Bestrafung und Umerziehung“ (惩罚与改造相结合，*chengfa yu gaizao xiang jiehe*) sowie des „Verbindens von Erziehung und Arbeit“ (教育与劳动相结合，*jiaoyu yu laodong xiang jiehe*) durchsetzt. Im Übrigen wird auch die Generalprävention (一般预防，*yiban yufang*) durch Strafe hervorgehoben, worauf unter anderem die Politik des sogenannten harten Zuschlagens (严打，*yanda*) beruht.

4. Grundlegende Prinzipien des Strafverfahrensrechts

Die wichtigen Prinzipien des Strafverfahrensrechts sind im ersten Kapitel des ersten Buchs des chinesischen Strafprozessgesetzes (中华人民共和国刑事诉讼法, *Zhonghua Renmin Gongheguo xingshi susong fa*, chStPG) geregelt. Dazu zählen die Unabhängigkeit der Gerichte beziehungsweise der Staatsanwaltschaften des Volkes bei der Amtsausübung (§ 5 chStPG), der Wahrheitsfindungsgrundsatz (§ 6 Satz 1 chStOG), die Gleichheit hinsichtlich der Rechtsanwendung (§ 6 Satz 2 chStPG), die Zusammenarbeit und gegenseitige Aufsicht von Gerichten, Staatsanwaltschaften und Sicherheitsorganen (§ 7 chStPG), die Beiziehung eines Dolmetschers für Verfahrensbeteiligte mit sprachlichen Verständigungsschwierigkeiten – vor allem für die ethnischen Minderheiten (§ 9 chStPG), der Rechtsweg von zwei Instanzen (§ 10 chStPG), die Öffentlichkeit der Verhandlung (§ 11 Satz 1 chStPG), das Recht auf Verteidigung (§ 11 Satz 2 chStPG), die Unschuldsvermutung (§ 12 chStPG) und die grundsätzliche Beteiligung von Schöffen am Strafverfahren (§ 13 chStPG).

Literaturhinweise zu Abschnitt D.

Cao, Zidan/Hou, Guoyun (Hrsg.), Zhonghua Renmin Gongheguo xingfa jingjie (Ausführlicher Kommentar zum Strafgesetzbuch der Volksrepublik China). Beijing 1997, S. 3–7.

Chen, Li, Xingfa gaishuo (Einführung in das Strafrecht). In: Li Chen/Yongsheng Huang (Hrsg.), Xingfa zonglun (Allgemeiner Teil des Strafrechts). 2. Aufl. Xiamen 2002, S. 15–23.

– Xingfa de jiben yuanze (Grundlegende Prinzipien des Strafrechts). In: Li Chen/Yongsheng Huang (Hrsg.), Xingfa zonglun (Allgemeiner Teil des Strafrechts). 2. Aufl. Xiamen 2002, S. 24–43.

– Xingshi susong jiben yuanze (Grundlegende Prinzipien des Strafverfahrens). In: Li Chen/Xiaoming Chen (Hrsg.), Xingshi susong faxue (Lehre des Strafprozessrechts). Xiamen 2004, S. 123–148.

Chen, Xingliang, Xingfa shiyong zonglun (Allgemeine Lehre zur Anwendung des Strafrechts), Bd. 1. 2. Aufl. Beijing 2006, S. 1–66.

– Xingfa shiyong zonglun (Allgemeine Lehre zur Anwendung des Strafrechts), Bd. 2. 2. Aufl. Beijing 2006, S. 18–62.

Duan, Xianghui, Xingfa de renwu (Aufgaben des Strafrechts). In: Kechang Ma/Chunxi Yang/Jigui Lü (Hrsg.), Xingfa xue quanshu (Enzyklopädie der Strafrechtswissenschaft). Shanghai 1993, S. 11–12.

Gao, Mingxuan, Xingfa de jiben yuanze (Grundlegende Prinzipien des Strafrechts). In: Mingxuan Gao (Hrsg.), Xinbian Zhongguo xingfa xue (Das neue Lehrbuch des chinesischen Strafrechts), Bd. 1. Beijing 2000, S. 18–38.

Gao, Mingxuan, Xingfa de mudi he renwu (Zwecke und Aufgaben des Strafrechts). In: Mingxuan Gao (Hrsg.), Xinbian Zhongguo xingfa xue (Das neue Lehrbuch des chinesischen Strafrechts), Bd. 1. Beijing 2000, S. 12–17.

Guo, Yunzhong, Xingshi susong jiben yuanze (Grundlegende Prinzipien des Strafverfahrens). In: Yinghui Song (Hrsg.), Xingshi susong faxue (Lehre des Strafprozessrechts). Beijing 2007, S. 82–112.

Guo, Zili, Xingfa de gainian yu mudi (Begriff und Zwecke der Strafe). In: Shoufen Liu (Hrsg.), Xingfa xue gailun (Einführung in die Strafrechtslehre). Beijing 2000, S. 176–183.

He, Bingsong, Xingfa gaishu (Einführung in das Strafrecht). In: Bingsong He (Hrsg.), Xingfa jiaokeshu (Lehrbuch des Strafrechts), Bd. 1. 6. Aufl. Beijing 2003, S. 13-30.

Heuser, Robert/Weigend, Thomas, Das Strafprozessgesetz der Volksrepublik China in vergleichender Perspektive. Hamburg 1997.

Hu, Kangsheng/Li, Fucheng (Hrsg.), Zhonghua Renmin Gongheguo xingfa shiyi (Kommentar zum Strafgesetzbuch der Volksrepublik China). Beijing 1997. S. 1–5.

– (Hrsg.), Zhonghua Renmin Gongheguo xingshi susong fa shiyi (Kommentar zum Strafprozessgesetz der Volksrepublik China), Beijing 1996. S. 4–17.

Hu, Yunteng, Xingfa de mudi (Zwecke der Strafe). In: Kechang Ma/Chunxi Yang/Jigui Lü (Hrsg.), Xingfa xue quanshu (Enzyklopädie der Strafrechtswissenschaft). Shanghai 1993, S. 175–178.

Huang, Yongsheng, Xingfa gaishuo (Überblick zur Strafe). In: Li Chen/Yongsheng Huang (Hrsg.), Xingfa zonglun (Allgemeiner Teil des Strafrechts). 2. Aufl. Xiamen 2002, S. 400–420.

Jia, Yu, Xingfa gaishu (Einführung in das Strafrecht). In: Bingzhi Zhao (Hrsg.), Xingfa zonglun (Allgemeiner Teil des Strafrechts). Beijing 2007, S. 23–38.

Li, Xihui, Xingfa gaishuo (Überblick zur Strafe). In: Mingxuan Gao (Hrsg.), Xinbian Zhongguo xingfa xue (Das neue Lehrbuch des chinesischen Strafrechts), Bd. 1. Beijing 2000, S. 298–316.

Li, Zhongcheng, Xingfa de genju he renwu (Grundlagen und Aufgaben des Strafrechts). In: Qiong Zhang (Hrsg.), Zhongguo xingfa jiaocheng (Lehrbuch des chinesischen Strafrechts), Bd. 1. Beijing 1998, S. 14–18.

– Xingfa de jiben yuanze (Grundlegende Prinzipien des Strafrechts). In: Qiong Zhang (Hrsg.), Zhongguo xingfa jiaocheng (Lehrbuch des chinesischen Strafrechts), Bd. 1. Beijing 1998, S. 19–29.

Liu, Shoufen, Xingfa xue he xingfa gaishu (Einführung in die Strafrechtslehre und in das Strafrecht). In: Shoufen Liu (Hrsg.), Xingfa xue gailun (Einführung in die Strafrechtslehre). Beijing 2000, S. 1–28.

Ma, Dengmin, Xingfa de jiben yuanze (Grundlegende Prinzipien des Strafrechts). In: Bingsong He (Hrsg.), Xingfa jiaokeshu (Lehrbuch des Strafrechts), Bd. 1, 6. Aufl. Beijing 2003, S. 49–102.

Qian, Fang, Xingfa (Die Strafe). In: Qiong Zhang (Hrsg.), Zhongguo xingfa jiaocheng (Lehrbuch des chinesischen Strafrechts), Bd. 1. Beijing 1998, S. 164–182.

Richter, Thomas, Über Zustand und Tendenzen des chinesischen Strafrechts nach der Reform von 1997. Kansai-University Review of Law and Politics, Vol. 27 (2006), S. 69–80.

Strupp, Michael, Das neue Strafgesetzbuch der VR China. Kommentar und Übersetzung. Hamburg 1998.

Su, Huiyu, Xingfa de jiben yuanze (Grundlegende Prinzipien des Strafrechts). In: Huiyu Su (Hrsg.), Xingfa xue (Strafrechtslehre). Beijing 1999, S. 36–45.

– Xingfa gaishu (Überblick zu Strafe). In: Huiyu Su (Hrsg.), Xingfa xue (Strafrechtslehre). Beijing 1999, S. 283–296.

Wang, Jiancheng, Xingshi susong faxue gailun (Einführung in die Lehre des Strafprozessrechts). Beijing 2001, S. 42-79.

Xue, Ruilin, Xingfa gailun (Überblick zur Strafe). In: Bingsong He (Hrsg.), Xingfa jiaokeshu (Lehrbuch des Strafrechts), Bd. 1. 6. Aufl. Beijing 2003, S. 523–544.

Yang, Chunxi, Xingfa xue he xingfa gaishu (Einführung in die Strafrechtslehre und in das Strafrecht). In: Chunxi Yang/Dunxian Yang (Hrsg.), Zhongguo xingfa lun (Das chinesische Strafrecht). 2. Aufl. Beijing 1998, S. 1–15.

Yang, Chunxi/Ding, Houdun, Xingfa de jiben yuanze (Grundlegende Prinzipien des Strafrechts). In: Chunxi Yang/Dunxian Yang (Hrsg.), Zhongguo xingfa lun (Das chinesische Strafrecht). 2. Aufl. Beijing 1998, S. 16–30.

Yin, Jianfeng, Xingfa gaishu (Überblick zur Strafe). In: Bingzhi Zhao (Hrsg.), Xingfa zonglun (Allgemeiner Teil des Strafrechts). Beijing 2007, S. 422–446.

Zhang, Mingkai, Xingfa de gainian, xingzhi yu renwu (Begriff, Eigenschaft und Aufgaben des Strafrechts). In: Huiyu Su (Hrsg.), Xingfa xue (Strafrechtslehre). Beijing 1999, S. 13–23.

– Xingfa xue (Strafrechtslehre), 2. Aufl. Beijing 2003. S. 29–34, 49–66, 393–410.

Zhang, Shaoyan, Xingfa gaishuo (Überblick zur Strafe). In: Xingliang Chen (Hrsg.), Xingfa xue (Strafrechtslehre). Shanghai 2003, S. 262–282.

Zhao, Bingzhi, Xingfa de jiben yuanze (Grundlegende Prinzipien des Strafrechts). In: Bingzhi Zhao (Hrsg.), Xingfa zonglun (Allgemeiner Teil des Strafrechts). Beijing 2007, S. 39–64.

Zhong, Anhui, Xingfa de gainian yu mudi (Begriff und Zwecke der Strafe). In: Chunxi Yang/Dunxian Yang (Hrsg.), Zhongguo xingfa lun (Das chinesische Strafrecht). 2. Aufl. Beijing 1998, S. 186–204.

Zhou, Guangquan, Xingfa de jichu (Grundlage des Strafrechts). In: Xingliang Chen (Hrsg.), Xingfa xue (Strafrechtslehre). Shanghai 2003, S. 3–32.

Rechtsprechung

Urteil des Mittleren Gerichts für Eisenbahntransport (Shanghai) vom 15.7.1998, Urteil des Oberen Volksgerichts der Stadt Shanghai vom 9.11.1998 und Urteil des Obersten Volksgerichts vom 9.4.1999, zusammenfassend abgedruckt als Fall Nr. 12, CK 1999/2, 26–31.

Urteil des Mittleren Volksgerichts der Stadt Xi'an vom 22.10.1996 und Beschluss des Oberen Volksgerichts der Provinz Shaanxi vom 1.12.1997, zusammenfassend abgedruckt als Fall Nr. 19, CK 1999/3, 17–22.

Urteil des Zweiten Mittleren Volksgerichts der Stadt Shanghai vom 19.6.2001 und Beschluss des Oberen Volksgerichts der Stadt Shanghai vom 17.9.2001, zusammenfassend abgedruckt als Fall Nr. 240, CK 2003/3, 13–23.

Urteil des Mittleren Volksgerichts der Stadt Xi'an vom 28.4.2002 und Urteil des Oberen Volksgerichts der Provinz Shaanxi vom 5.12.2002, zusammenfassend abgedruckt als Fall Nr. 250, CK 2003/3, 74–78.

E. Abgrenzung und Einordnung des Strafrechts

1. Begriffliche und sachliche Umgrenzung des Strafrechts

Was die Definition des Strafrechts anbelangt, unterscheidet die in China herrschende Lehre zwischen dem Strafrecht im formellen und dem Strafrecht im materiellen Sinne. Das Strafrecht im formellen Sinne bezieht sich auf die gesetzlichen Regelungen, die die Einstufung einer bestimmten Verhaltensweise als Straftat (犯罪，*fanzui*) und deren Ahndung mit einer Kriminalstrafe (刑罚，*xingfa*) betreffen. In formeller Hinsicht wird ferner zwischen dem Strafrecht im engeren und dem Strafrecht im weiteren Sinne differenziert. Während das Erstere nur das chinesische Strafgesetzbuch (中华人民共和国刑法，*Zhonghua Renmin Gongheguo xingfa*, chStGB) – das sogenannte Kernstrafrecht – umfasst, sind beim Letzteren auch alle strafrechtlichen Einzelgesetze (Sonderstrafrecht) und Einzelnormen strafrechtlicher Art in den zivil- oder verwaltungsrechtlichen Gesetzen (Nebenstrafrecht) mit einbezogen.[1] Das Strafrecht im materiellen Sinne wird als die der herrschenden Klasse gehörende Staatsgewalt definiert, die den Interessen der eigenen Klasse und der herrschenden Ordnung dient und die das Recht betrifft, das in staatlichem Namen verkündet wird und mit dem Verbrechen, der Verantwortung hierfür und seiner Bestrafung zu tun hat.

Eine Differenzierung zwischen dem öffentlichen Recht und dem Privatrecht wurde in den ersten 30 Jahren der Volksrepublik China kategorisch abgelehnt, vor allem unter Bezugnahme auf die Theorie von *Lenin*. Aber etwa seit Beginn der 1980er Jahre hat sich eine solche Auffassung allmählich in der Lehre verbreitet. Wenn auch die konkreten Kriterien für diese Unterscheidung zwar umstritten sind, wird das Strafrecht aber eindeutig als ein wichtiger Teil des öffentlichen Rechts kategorisiert.

In der chinesischen Lehre ist das Strafverfahrensrecht als die Gesamtheit der gesetzlichen Regelungen zur Durchführung der das Strafrecht betreffenden Aktivitäten durch die Justizorgane unter Beteiligung der Parteien und anderer Beteiligter definiert. Das Strafvollstreckungsrecht bildete in China traditionell keine eigenständige Kategorie, sondern wurde normalerweise als ein Teil des Strafverfahrensrechts angesehen und als ein besonderes Verfahren im Strafverfahren behandelt. Im geltenden chinesischen Strafprozessgesetz (中华人民共和国刑事诉讼法，*Zhonghua Renmin Gongheguo xingshi susong fa*, chStPG) ist das vierte Buch ausschließlich der Strafvollstreckung gewidmet. Aber in jüngerer Zeit zeichnet sich vor allem in der Lehre bereits eine Tendenz ab, das Strafvollstreckungsrecht als ein selbstständiges Rechtsgebiet neben dem materiellen Strafrecht und dem Strafverfahrensrecht zu betrachten. Man behauptet, dass das materielle Strafrecht, das

---

[1] Vergleiche hierzu II.A.2.b.

Strafverfahrensrecht und das Strafvollstreckungsrecht drei verschiedene Phasen der Strafjustiz betreffen: Das materielle Strafrecht regelt die Voraussetzungen für das Einschalten der Strafjustiz, nämlich die Verbrechen und die Kriminalstrafe; das Strafverfahrensrecht ist maßgeblich für den Vorgang, die kriminellen Handlungen zu ermitteln und die Strafe auszusprechen; das Strafvollstreckungsrecht schafft schließlich die erforderlichen Rahmenbedingungen, damit sich die Rechtskraft eines Schuldspruchs auch tatsächlich entfaltet.

2. Abgrenzung zu anderen repressiven Ordnungssystemen

Das Kriminalstrafrecht bildet den strengsten staatlichen Reaktionsmechanismus gegenüber unerwünschten Handlungsformen und enthält die schärfsten Sanktionen. Weniger unerwünschte Handlungsformen unterfallen nicht dem Kriminalstrafrecht und werden deshalb nicht mit Kriminalstrafen (刑罚，*xingfa*) geahndet. Gleichwohl bedeutet dies nicht, dass diese Handlungen in jedem Fall ungeahndet bleiben. Die Volksrepublik China kennt ein dichtes Netz an substrafrechtlichen Normen der Sanktionierung. Bereits § 37 chStGB deutet an, dass es in minder schweren Fällen strafbaren Verhaltens Alternativen zu Kriminalstrafen gibt. Diese Alternativen stehen auch dann zur Verfügung, wenn im Strafrecht ausdrücklich von Kriminalstrafen abgesehen wird. Die Regelungsdichte in diesem Bereich hat sich noch erhöht, seitdem mit dem Verwaltungssanktionsgesetz vom 17.3.1996 (中华人民共和国行政处罚法，*Zhonghua Renmin Gongheguo xingzheng chufa fa*, chVwSankG) ein relativ modernes Gesetz erlassen, gleichzeitig jedoch nicht auf die sehr umstrittenen Vorschriften zur Umerziehung durch Arbeit[2] verzichtet wurde.

– *Verwaltungssanktionsrecht*

Das Verwaltungssanktionsgesetz hat keinen direkten Vorläufer und kann als eine der Vereinheitlichung dienende Rahmenregelung für Verwaltungssanktionen (行政处罚，*xingzheng chufa*) angesehen werden, die der Aufrechterhaltung der öffentlichen Ordnung dienen soll. In diesem Gesetz werden die Tatbestände für die Verwaltungssanktionen nicht aufgelistet. Diese sind gemäß § 3 Abs. 1 chVwSankG durch andere Gesetze oder sonstige Normen zu schaffen. § 8 chVwSankG enthält in Nr. 1–6 einen Katalog der Arten der Verwaltungssanktionen. Diese sind:

- die Verwarnung (警告，*jinggao*),
- die Geldbuße (罚款，*fakuan*),
- die Einziehung des rechtswidrig Erlangten und des rechtswidrigen Eigentums (没收非法所得、没收非法财物，*moshou feifa suode / moshou feifa caiwu*),

---

2 Näher hierzu siehe unten und vergleiche auch I.D.2.

– die Anordnung der Produktionseinstellung oder der Geschäftsschließung (责令停产停业，*zeling tingchan tingye*),
– die vorübergehende Aufhebung oder Rücknahme von Konzessionen oder Genehmigungen (暂扣/吊销许可证/执照，*zankou / diaoxiao xukezheng / zhizhao*) und
– die Verwaltungshaft (行政拘留，*xingzheng juliu*).

Dabei handelt es sich gemäß § 8 Nr. 7 und §§ 9–13 chVwSankG nicht um eine abschließende Aufzählung. Weitere Verwaltungssanktionen können durch andere Rechtsnormen vorgesehen werden.

Das Verfahren zur Festsetzung der Verwaltungssanktionen ist recht detailliert vorgeschrieben. Nach § 3 Abs. 1 und § 15 chVwSankG darf eine solche Sanktion nur durch eine Verwaltungsbehörde (行政机关，*xingzheng jiguan*) verhängt werden. Ergeht wegen einer rechtswidrigen Handlung eine Verwaltungssanktion und möchte ein Volksgericht für dieselbe Handlung eine Kriminalstrafe verhängen, so ist nach § 28 chVwSankG die bereits verbüßte Verwaltungshaft oder die bereits gezahlte Geldbuße auf eine auszusprechende Freiheits- oder Geldstrafe anzurechnen. Diese Vorschrift deutet schon darauf hin, dass das *ne-bis-in-idem*-Prinzip, das im chinesischen Straf- und Strafverfahrensrecht ohnehin nicht gesetzlich anerkannt ist, sich *de lege lata* nur – wenn überhaupt – sehr begrenzt auswirken kann, obwohl es in der Lehre weitgehend akzeptiert wird.[3] Das Verwaltungssanktionsgesetz geht im Konfliktfall gemäß § 64 Abs. 2 chVwSankG früheren Rechtsnormen vor, die Aussagen über Verwaltungssanktionen treffen. Gegen die Entscheidung über die Verhängung einer Verwaltungssanktion kann der Betroffene nach § 6 Abs. 1 chVwSankG entweder eine Verwaltungsüberprüfung (行政复议，*xingzheng fuyi*) beantragen – wahlweise bei der Regierung derselben Ebene der Behörde oder bei der entsprechenden Behörde der Regierung höherer Ebene – oder eine Verwaltungsklage (行政诉讼，*xingzheng susong*) beim Volksgericht erheben.

Eine *lex specialis* gegenüber dem Verwaltungssanktionsgesetz stellt das Sanktionsgesetz zur Verwaltung der öffentlichen Ordnung (中华人民共和国治安管理处罚法，*Zhonghua Renmin Gongheguo zhi'an guanli chufa fa*, chVwöOSankG) vom 28.8.2005 dar. Vorläufer dieses Gesetzes waren die Sanktionsregeln zur Verwaltung der öffentlichen Ordnung, die 1986 als Ersatz für die gleichnamigen Regeln von 1957 geschaffen und 1994 geringfügig modifiziert wurden. Dieses Gesetz soll zur Aufrechterhaltung der öffentlichen Ordnung dienen und Beeinträchtigungen derselben bestrafen. Als Sanktionen kommen gemäß § 10 chVwöOSankG in Betracht:

– die Verwarnung (警告，*jinggao*),
– die Geldbuße (罚款，*fakuan*),

---

3 Vergleiche hierzu auch I.B.1.e.

- die Verwaltungshaft (行政拘留，*xingzheng juliu*), die nach § 16 Satz 2 chVwöO-SankG selbst im Fall der Tatmehrheit nicht für mehr als 20 Tage verhängt werden darf, und
- die Rücknahme von Konzessionen (吊销许可证，*diaoxiao xukezheng*), die durch das Organ für öffentliche Sicherheit (Polizei) ausgestellt werden.

Diese Sanktionen sind folglich sehr begrenzt und beschränken sich auf den unteren Bereich unerwünschten Verhaltens. Im Gegensatz zum Verwaltungssanktionsgesetz enthält das Sanktionsgesetz zur Verwaltung der öffentlichen Ordnung im dritten Kapitel eine abschließende inhaltliche Beschreibung der Tatbestände, in denen die oben genannten Sanktionen verhängt werden können. Die im chVwöO-SankG geregelten Sanktionen sind nach dessen § 2 ausschließlich durch die Organe für öffentliche Sicherheit (Polizei), also durch Verwaltungsbehörden, zu verhängen.

– *Disziplinarrecht*

Das Disziplinarrecht bezieht sich in der Volksrepublik China auf weite Teile des hierarchisch gegliederten öffentlichen Lebens, jedoch im Hinblick auf die innere Ordnung der Institutionen. Terminologisch wird heute im Disziplinarrecht allgemein der Begriff „Verwaltungsmaßregel“ (行政处分，*xingzheng chufen*) verwendet und die in der Ära *Mao Zedong*s übliche Bezeichnung der disziplinarischen Maßregel (纪律处分，*jilü chufen*) im Wesentlichen auf Disziplinarmaßnahmen innerhalb der Kommunistischen Partei beschränkt.

Die wichtigste disziplinarrechtliche Norm ist das Beamtengesetz (中华人民共和国公务员法，*Zhonghua Renmin Gongheguo gongwu yuan fa*, chBG) vom 27.4.2005. Mit dem Inkrafttreten dieses Gesetzes am 1.1.2006 wurden seine beiden Vorläufer – die Provisorischen Bestimmungen des Staatsrats über die Belohnung und Bestrafung von Bediensteten staatlicher Verwaltungsorgane vom 23.10.1957 und die Provisorische Verordnung über Staatsbeamte vom 14.8.1993 – außer Kraft gesetzt. Nach § 56 chBG gibt es sechs Arten von Verwaltungsmaßregeln, die im Gegensatz zu Verwaltungssanktionen nur gegenüber natürlichen Personen anzuwenden sind. Dem Grad der Schwere nach sind diese:

- die Verwarnung (警告，*jinggao*),
- der Verweis (记过，*jiguo*),
- der strenge Verweis (记大过，*ji daguo*),
- die Degradierung (降级，*jiangji*),
- die Entfernung aus dem Amt (撤职，*chezhi*) sowie
- der Ausschluss aus dem öffentlichen Beamtenverhältnis (开除，*kaichu*).

Beschwerden gegen diese Disziplinarmaßnahmen können derzeit nur im Rahmen des Kapitels 15 chBG intern geltend gemacht werden. Ein Rechtsweg zum Volksgericht ist durch § 12 Nr. 3 chVwVfG ausdrücklich ausgeschlossen. Aufgrund der abnehmenden Bedeutung des öffentlichen Sektors in der Volksrepublik nimmt auch die Bedeutung der Disziplinarmaßnahmen als interne Sanktionsmöglichkeit zugunsten der öffentlicheren Verwaltungssanktionen tendenziell ab. Gleichwohl ist ihre soziale Bedeutung nach wie vor erheblich.

– *Umerziehung durch Arbeit*

Die Institution der Umerziehung durch Arbeit (劳动教养, *laodong jiaoyang*) auf der Grundlage des Beschlusses des Staatsrats vom 1.8.1957 wurde durch die Ergänzungsbestimmungen des Staatsrats vom 29.11.1979 auch für die Ära nach *Mao Zedong* beibehalten. Diese Maßnahme wird von der herrschenden Meinung weder den Verwaltungssanktionen zugeschrieben noch gilt sie als eine Art Kriminalstrafe. Problematisch ist diese Institution vor allem wegen ihrer unbestimmten Tatbestandsvoraussetzungen und der kriminalstrafenähnlichen Sanktionen, aber auch wegen des informellen, wenig transparenten Verfahrens. Nach Ziffer 3 der Ergänzungsbestimmungen von 1979 dauert die Umerziehung durch Arbeit im Prinzip ein bis drei Jahre; sie kann aber erforderlichenfalls um ein Jahr verlängert werden, sodass eine Zwangsarbeit von insgesamt bis zu vier Jahren möglich ist, welche die Bewegungsfreiheit des Betroffenen auf ein abgeschirmtes Arbeitslager beschränkt und daher mit einem Freiheitsentzug gleichgesetzt werden kann. Die Illegalität dieser Maßnahme wurde mit der Verabschiedung des Gesetzgebungsgesetzes (中华人民共和国立法法, *Zhonghua Renmin Gongheguo lifa fa*, chGGG) noch offensichtlicher, denn gemäß § 8 Nr. 5 chGGG darf eine Zwangs- oder Sanktionsmaßnahme, die die persönliche Freiheit einschränkt, nur in einem Gesetz geregelt werden.[4] Nach Ziffer 1 des Beschlusses von 1957 kommen für solche Sanktionen vor allem Personen in Betracht, welche die normale Arbeitsdisziplin missachten oder gar keiner geregelten Arbeit nachgehen und anstößige oder kriminelle Handlungen minder schwerer Art begangen haben. Bei den kriminellen Handlungen kann es sich um allgemeine Delikte oder um konterrevolutionäre Aktivitäten handeln.

Mindestens terminologisch gesehen sind diese Regelungen seit der Strafrechtsreform von 1997 längst obsolet, seitdem nämlich die konterrevolutionären Straftatbestände im Strafgesetzbuch durch die die Staatssicherheit gefährdenden Delikte ersetzt wurden. Sie sind aber weder formell abgeschafft noch an die neue Rechtslage angepasst worden und stellen in der Praxis immer noch die Rechtsgrundlage dieser Institution dar. Zuständig für die Entscheidung über Umerziehung durch Arbeit sind die von den Volksregierungen auf Provinzebene eingesetzten Ausschüsse, die sich hauptsächlich aus Vertretern der Zivilverwaltung und der Polizei zusammensetzen. Gegen die Entscheidungen solcher Ausschüsse ist weder ein Rechtsweg zum Volksgericht noch ein internes Beschwerdeverfahren vorgesehen.

---

4 Vergleiche hierzu auch I.F.1.

In Ziffer 5 der Ergänzungsbestimmungen von 1979 ist lediglich grob geregelt, dass die Staatsanwaltschaften des Volkes mit der Aufsicht über die Ausschüsse und die Arbeitslager betraut sind. Seit einiger Zeit ist die Institution der Umerziehung durch Arbeit auch in der juristischen Literatur der Volksrepublik selbst sehr umstritten. Dennoch nahm der Gesetzgeber von 1997 den Anlass der Revision des Strafgesetzbuchs nicht wahr, um auch diese Institution abzuschaffen.

3. Einordnung spezieller Maßnahmen für bestimmte Tätergruppen

Das chinesische Strafrecht unterscheidet zwischen Personen, die keine Fähigkeit der strafrechtlichen Verantwortung (刑事责任能力，*xingshi zeren nengli*) haben und solchen, die sich – mit oder ohne bestimmte Defekte – strafbar machen können.[5] Zu Letzteren werden gemäß § 18 Abs. 4 chStGB Personen im Alkoholrausch gerechnet, die strafbar bleiben, auch wenn ihre Kontrollfähigkeit eingeschränkt ist. Das Gleiche gilt nach chinesischer Anschauung auch für Personen im Drogenrausch. Dabei spielt es keine Rolle, ob es sich um einen kurzfristigen oder dauerhaften Rauschzustand handelt.

In der chinesischen Lehre spricht man kaum von einem „einspurigen" oder „mehrspurigen" System. Die Praxis ist aber ungefähr dem einspurigen System vergleichbar. Nach § 17 Abs. 1 chStGB trägt man im Prinzip erst mit der Vollendung des 16. Lebensjahres strafrechtliche Verantwortung. Hat jemand aber eines der in § 17 Abs. 2 chStGB aufgelisteten schweren Verbrechen – unter anderem vorsätzliche Tötung, vorsätzliche Körperverletzung mit der Folge einer schweren Verletzung oder des Todes, Vergewaltigung und Raub – begangen, ist er ausnahmsweise schon mit der Vollendung des 14. Lebensjahres zur Verantwortung zu ziehen. Ein Minderjähriger unter 18 Jahren kann also auch zu einer gewöhnlichen Kriminalstrafe verurteilt werden. Für Minderjährige ist jedoch in § 17 Abs. 3 chStGB eine obligatorische Strafmilderung vorgesehen. Für aufgrund des Alters nicht strafbare minderjährige Täter unter 16 Jahren sieht § 17 Abs. 4 chStGB anstelle der Kriminalstrafe die Anordnung vor, dass der Erziehungsberechtigte oder gegebenenfalls der Vormund den Strafunmündigen zur Ordnung anhält. Erforderlichenfalls kann der Strafunmündige vorübergehend zur Besserung in ein besonderes Heim eingewiesen werden.

Zwei weitere wichtige Gesetze im Zusammenhang mit dem Vorgehen gegenüber Minderjährigen sind das Gesetz über die Kriminalitätsvorbeugung bei Minderjährigen (中华人民共和国预防未成年人犯罪法，*Zhonghua Renmin Gongheguo yufang wei chengnian ren fanzui fa*, chMKVG) von 1999 und das Gesetz über den Schutz von Minderjährigen (中华人民共和国未成年人保护法，*Zhonghua Ren-*

[5] Vergleiche hierzu auch II.J.

min Gongheguo wei chengnian ren baohu fa, chMSG) von 1991, das 2006 revidiert wurde. In § 35 Abs. 2 chMKVG und in § 25 Abs. 1 chMSG ist für Minderjährige, die zwar noch keine Straftat, aber doch schwerwiegende unerwünschte Handlungen begangen haben, die Unterbringung in einer besonderen Schule vorgesehen. Das Hauptziel solcher Maßnahmen liegt darin, durch Erziehung und Besserung der Begehung von Straftaten durch die Betroffenen vorzubeugen. Die Zielsetzung der Erziehung und Besserung hat übrigens Priorität auch bei minderjährigen Straftätern, die zu einer Kriminalstrafe verurteilt werden. Dies ist sowohl in § 54 chMSG als auch in § 75 Abs. 1 des Gefängnisgesetzes (中华人民共和国监狱法，*Zhonghua Renmin Gongheguo jianyu fa*, chGefG) von 1994 niedergelegt. Ferner ist die gegen einen Minderjährigen ausgesprochene freiheitsentziehende Strafe gemäß § 57 Abs. 1 chMSG und § 74 chGefG nicht zusammen mit Erwachsenen im normalen Gefängnis, sondern in einer besonderen Anstalt zu verbüßen.

Für Personen, die im Moment der Tatbegehung unter seelischen Krankheiten leiden, soll nach § 18 Abs. 1 chStGB anstelle der Kriminalstrafe angeordnet werden, dass Familienangehörige oder gegebenenfalls der Vormund strenge Aufsicht führen und die nicht strafbaren Personen ärztlich behandeln lassen. Auch hier kann die Regierung erforderlichenfalls die ärztliche Behandlung erzwingen.

Die Straftäter, die zur Tatzeit im Drogenrausch waren, sind weder gesetzlich von der strafrechtlichen Verantwortung ausgenommen noch befürwortet die herrschende Lehre den Ausschluss oder die Einschränkung ihrer strafrechtlichen Verantwortung. Sie sind *de lege lata* zur normalen Kriminalstrafe zu verurteilen. Aber nach § 50 des Gesetzes zum Drogenverbot (中华人民共和国禁毒法，*Zhonghua Renmin Gongheguo jindu fa*, chDVG) vom 29.12.2007 (in Kraft seit 1.6.2008) sollen solche Straftäter während des Strafvollzugs der erforderlichen medizinischen Behandlung zum Zweck der Entziehung unterzogen werden.

Der freiwillige Konsum von Rauschgift stellt in China keine Straftat dar, ist jedoch gemäß § 72 Nr. 3 chVwöOSankG mit einer Verwaltungshaft von 10 bis 15 Tagen zu bestrafen. Ferner sind neuerdings für drogenabhängige Personen, die keine Straftat begangen haben, im Gesetz zum Drogenverbot zwei Entziehungsmaßnahmen vorgesehen, nämlich die sogenannte gesellschaftliche Entziehung (社区戒毒，*shequ jiedu*) und die Zwangsentziehung unter Einsperrung (强制隔离戒毒，*qiangzhi geli jiedu*). Beide Maßnahmen sind ausschließlich vom Organ für öffentliche Sicherheit (Polizei) anzuordnen. Bei der gesellschaftlichen Entziehung ist der Betroffene nicht in einer Anstalt untergebracht. Er hat sich aber unter der Aufsicht durch die Gemeinderegierung seines Wohnorts von Rauschgiften zu entwöhnen, muss also regelmäßig bei der zuständigen Regierungsabteilung erscheinen, um sich kontrollieren zu lassen, ob und wie weit die Entziehung effizient und erfolgreich ist. Die Aufsicht kann gemäß § 33 Abs. 1 Satz 2 chDVG bis zu drei Jahren befristet sein. Die Zwangsentziehung unter Einsperrung ist nach § 38 Abs. 1 chDVG für diejenigen anwendbar, die die gesellschaftliche Entziehung verweigern, während der gesellschaftlichen Entziehung Rauschgift eingenommen haben oder nach der

Entziehung rückfällig geworden sind. Sie ist gemäß § 38 Abs. 2 chDVG auch anzuordnen, wenn die Drogenabhängigkeit so schwerwiegend ist, dass eine gesellschaftliche Entziehung kaum erfolgversprechend ist. Die Zwangsentziehung unter Einsperrung wird in einer besonderen Entziehungsanstalt durchgeführt, in der der Betroffene untergebracht wird. Diese Maßnahme ist nach § 47 Abs. 1 chDVG im Prinzip auf zwei Jahre befristet. Der Betroffene kann aber gemäß § 47 Abs. 2 chDVG nach einem Jahr vorzeitig entlassen werden, wenn die Entziehung bereits – durch ein ärztliches Gutachten nachgewiesen – erfolgreich abgeschlossen ist. Problematisch ist momentan das Verhältnis zwischen der Verwaltungshaft und den im Gesetz zum Drogenverbot geregelten Maßnahmen, insbesondere der Zwangsentziehung. Es ist noch unklar, ob die Verwaltungshaft und die Zwangsentziehung alternativ oder nebeneinander angeordnet werden sollen. Weder der Gesetzgeber noch ein anderes Staatsorgan hat bislang offiziell einen abklärenden Leitfaden dazu verabschiedet. Bei der Verabschiedung des Gesetzes zum Drogenverbot sind die sonstigen relevanten Gesetze auch nicht an die neue Rechtslage angepasst worden. Ferner ist umstritten, ob die Zwangsentziehung als eine Verwaltungssanktion anzusehen ist. Rein buchstäblich genommen lassen sich die Gesetze zwar so auslegen, dass die Verwaltungshaft für diejenigen anzuwenden ist, die nur Rauschgift eingenommen haben, aber noch nicht drogenabhängig sind, während die Anordnung der Zwangsentziehung eine Drogenabhängigkeit voraussetzt. Eine solche Auffassung ist aber nicht restlos überzeugend.

Literaturhinweise zu Abschnitt E.

Chen, Li, Xingfa gaishuo (Einführung in das Strafrecht). In: Li Chen/Yongsheng Huang (Hrsg.), Xingfa zonglun (Allgemeiner Teil des Strafrechts). 2. Aufl. Xiamen 2002, S. 15–23.

Chen, Zexian, Xingfa (Das Strafrecht). In: Kechang Ma/Chunxi Yang/Jigui Lü (Hrsg.), Xingfa xue quanshu (Enzyklopädie der Strafrechtswissenschaft). Shanghai 1993, S. 3.

He, Bingsong, Xingfa gaishu (Einführung in das Strafrecht). In: Bingsong He (Hrsg.), Xingfa jiaokeshu (Lehrbuch des Strafrechts), Band 1. 6. Aufl. Beijing 2003, S. 13–30.

Jia, Yu, Xingfa gaishu (Einführung in das Strafrecht). In: Bingzhi Zhao (Hrsg.), Xingfa zonglun (Allgemeiner Teil des Strafrechts). Beijing 2007, S. 23–38.

Jiang, Wei, Xingfa de gainian (Begriff des Strafrechts). In: Qiong Zhang (Hrsg.), Zhongguo xingfa jiaocheng (Lehrbuch des chinesischen Strafrechts), Band 1. Beijing 1998, S. 1–4.

Liu, Shen, Xingzheng chufa gaishu (Einführung in die Verwaltungssanktionen). In: Songnian Ying/Shen Liu (Hrsg.), Xingzheng chufa fa lilun yu shiwu (Theorie und Praxis des Verwaltungssanktionsrechts). Beijing 1996, S. 1–62.

Liu, Shengrong, Xingshi falü guanxi (Strafrechtsverhältnisse). In: Kechang Ma/Chunxi Yang/Jigui Lü (Hrsg.), Xingfa xue quanshu (Enzyklopädie der Strafrechtswissenschaft). Shanghai 1993, S. 3–5.

Liu, Shoufen, Xingfa xue he xingfa gaishu (Einführung in die Strafrechtslehre und in das Strafrecht). In: Shoufen Liu (Hrsg.), Xingfa xue gailun (Einführung in die Strafrechtslehre). Beijing 2000, S. 1–28.

Lü, Jigui, Xingshi zeren nengli (Fähigkeit der strafrechtlichen Verantwortung). In: Kechang Ma/Chunxi Yang/Jigui Lü (Hrsg.), Xingfa xue quanshu (Enzyklopädie der Strafrechtswissenschaft). Shanghai 1993, S. 84–87.

– Xingshi zeren nianling (Alter der strafrechtlichen Verantwortung). In: Kechang Ma/Chunxi Yang/Jigui Lü (Hrsg.), Xingfa xue quanshu (Enzyklopädie der Strafrechtswissenschaft). Shanghai 1993, S. 87–90.

Richter, Thomas, Umweltstrafrecht in der Volksrepublik China. Freiburg 2002, S. 69–73.

Song, Yinghui, Xingshi susong fa gaishu (Einführung in das Strafverfahrensrecht). In: Yinghui Song (Hrsg.), Xingshi susong faxue (Lehre des Strafprozessrechts). Beijing 2007, S. 3–12.

Wu, Zongxian, Xingshi zhixing faxue gaishu (Überblick zur Strafvollstreckungsrechtslehre). In: Zongxian Wu (Hrsg.), Xingshi zhixing faxue (Strafvollstreckungsrechtslehre). Beijing 2007, S. 3–34.

Yang, Chunxi, Xingfa xue he xingfa gaishu (Einführung in die Strafrechtslehre und in das Strafrecht). In: Chunxi Yang/Dunxian Yang (Hrsg.), Zhongguo xingfa lun (Das chinesische Strafrecht). 2. Aufl. Beijing 1998, S. 1–15.

Yang, Xiejun, Xingzheng chufa de sheding (Festsetzung der Verwaltungssanktionen). In: Songnian Ying/Shen Liu (Hrsg.), Xingzheng chufa fa lilun yu shiwu (Theorie und Praxis des Verwaltungssanktionsrechts). Beijing 1996, S. 63–93.

Zhang, Mingkai, Xingfa de gainian, xingzhi yu renwu (Begriff, Eigenschaft und Aufgaben des Strafrechts). In: Huiyu Su (Hrsg.), Xingfa xue (Strafrechtslehre). Beijing 1999, S. 13–23.

– Xingfa xue (Strafrechtslehre). 2. Aufl. Beijing 2003, S. 23–29.

Zhou, Guangquan, Xingfa de jichu (Grundlage des Strafrechts). In: Xingliang Chen (Hrsg.), Xingfa xue (Strafrechtslehre). Shanghai 2003, S. 3–32.

Rechtsprechung

Urteil des Mittleren Volksgerichts der Stadt Shijiazhuang vom 21.8.1996 und Urteil des Oberen Volksgerichts der Provinz Hebei vom 10.9.1998, zusammenfassend abgedruckt als Fall Nr. 49, CK 2000/2, 15–19.

Urteil des Mittleren Volksgerichts der Stadt Lhasa vom 16.6.2001 und Urteil des Oberen Volksgerichts des Selbstverwaltungsgebiets Tibet vom 23.10.2001, zusammenfassend abgedruckt als Fall Nr. 184, CK 2002/3, 57–63.

Urteil des Volksgerichts des Stadtteils Changning der Stadt Shanghai vom 12.7.2002, zusammenfassend abgedruckt als Fall Nr. 204, CK 2002/5, 47–52.

F. Strafrechtsquellen und Auslegungshilfen

1. Überblick

Als offiziell ausdrücklich anerkannte staatliche Rechtsquelle gelten in China nur die geschriebenen Rechtsnormen unterschiedlicher Ebenen. An der Spitze des Rechtssystems steht die Verfassung (中华人民共和国宪法, *Zhonghua Renmin Gongheguo xianfa*, chVerf). Auf deren höchste Autorität gegenüber allen anderen Rechtsnormen wird in der Präambel der aktuellen Verfassung vom 4.12.1982 und in § 78 des Gesetzgebungsgesetzes (中华人民共和国立法法, *Zhonghua Renmin Gongheguo lifa fa*, chGGG) eindeutig hingewiesen.[1]

Das Gesetz (法律，*falü*) ist gemäß § 8 chGGG die einzige Regelungsform für Angelegenheiten wie beispielsweise die Staatssouveränität, die Organisation und Befugnisse der Staatsorgane, die Verbrechen und die Kriminalstrafe, den Entzug politischer Rechte der Staatsbürger, die die persönliche Freiheit einschränkenden Zwangs- und Sanktionsmaßnahmen sowie die Enteignung nicht-staatlicher Vermögen. Unter den Gesetzen wird ferner zwischen zwei Gruppen unterschieden:

- die grundlegenden Gesetze (基本法律，*jiben falü*) sind solche, die das fundamentale System unter anderem im Bereich des Strafrechts, des Zivilrechts sowie des Rechts der Staatsorgane betreffen und nach Art. 62 Nr. 3 chVerf und § 7 Abs. 2 chGGG nur durch den Nationalen Volkskongress verabschiedet werden dürfen;
- die sonstigen Gesetze (其他法律，*qita falü*) sind nach Art. 67 Nr. 2 chVerf und § 7 Abs. 3 Halbsatz 1 chGGG vom Ständigen Ausschuss des Nationalen Volkskongresses zu verabschieden.

Alle Gesetze sind nach § 52 Abs. 2 chGGG im Amtsblatt des Ständigen Ausschusses des Nationalen Volkskongresses (全国人民代表大会常务委员会公报, *Quanguo Renmin Daibiao Dahui Changwu Weiyuanhui Gongbao*) sowie in den landesweit publizierten Zeitungen bekannt zu machen. Gemäß § 52 Abs. 3 chGGG gilt die Bekanntmachung im Amtsblatt des Ständigen Ausschusses des Nationalen Volkskongresses als das Original.

Es bestehen noch andere Rechtsnormen im Rang unter dem Gesetz, die aber keine Strafrechtsquelle darstellen können. Der Staatsrat der Zentralregierung Chinas hat nach Art. 89 Nr. 1 chVerf und § 56 Abs. 1 chGGG die Befugnis, Verwaltungsverordnungen (行政法规，*xingzheng fagui*) zu verabschieden. Die Volkskongresse und deren ständige Ausschüsse auf Provinzebene können nach Art. 100 chVerf und § 63 Abs. 1 chGGG lokale Verordnungen (地方性法规，*difang xing fagui*) erlassen. Das Gleiche gilt nach § 63 Abs. 2 in Verbindung mit Abs. 4 chGGG auch

[1] Zur Verfassung siehe näher I.C.

für die Volkskongresse und deren ständige Ausschüsse in vielen größeren Städten, vor allem in den Provinzhauptstädten. Die Ministerien des Staatsrats sind nach § 90 Abs. 2 chVerf und § 71 chGGG befugt, landesweit gültige Satzungen (规章, *guizhang*) über Angelegenheiten ihres jeweiligen Zuständigkeitsbereichs zu erlassen. Auch die lokalen Regierungen auf Provinz- oder Stadtebene können nach § 73 chGGG – zum Zweck der Ausführung von Gesetzen, Verwaltungsverordnungen und lokalen Verordnungen in der eigenen Region sowie der Ausübung der Verwaltungskompetenzen der jeweiligen Regierungen – Satzungen erlassen, die nur innerhalb des Bezirks der entsprechenden Regierung gültig sind.

Die Hierarchie der unterschiedlichen geschriebenen Rechtsnormen ist im fünften Kapitel des Gesetzgebungsgesetzes geregelt. Nach § 78 chGGG genießt die Verfassung die höchste Autorität. Die Gesetze haben nach § 79 Abs. 1 chGGG Vorrang gegenüber den Verwaltungsverordnungen, den lokalen Verordnungen und den Satzungen. Die Verwaltungsverordnungen sind nach § 79 Abs. 2 chGGG höherrangig gegenüber den lokalen Verordnungen und den Satzungen. Gemäß § 80 Abs. 1 chGGG haben die lokalen Verordnungen Priorität gegenüber den Satzungen der lokalen Regierungen. Was die Rangfolge der Satzungen der Ministerien und der lokalen Verordnungen anbelangt, ist im Konfliktfall nach § 86 Abs. 1 Nr. 2 chGGG entweder vom Staatsrat oder vom Ständigen Ausschuss des Nationalen Volkskongresses zu entscheiden. Die Entscheidung über den Konfliktfall zwischen unterschiedlichen Satzungen ist nach § 86 Abs. 1 Nr. 3 chGGG vom Staatsrat zu treffen.

Eine Besonderheit insbesondere im Vergleich zu den westlichen Staaten liegt in der Rolle der Rechtsauslegung. In China ist nach Art. 67 Nr. 4 chVerf der Ständige Ausschuss des Nationalen Volkskongresses das Organ, das die Kompetenz zur Auslegung der Gesetze innehat. In der Praxis ist der Ständige Ausschuss in diesem Bereich allerdings wenig aktiv. Bei Zweifeln über die Auslegung der Gesetze wendet man sich normalerweise an das Oberste Volksgericht, das seinerseits die betreffenden Gesetzesvorschriften unter der Form „Antworten" (解答, *jieda*) oder „Ansichten" (意见, *yijian*) auslegt. Die „Antworten" und „Ansichten" des Obersten Volksgerichts sind an sich zwar nicht eine in der Verfassung verankerte Rechtsquelle. Sie sind in der Rechtspraxis bezüglich des konkreten Falls jedoch als verbindlich für die unteren Gerichte anerkannt. Im Bereich des Strafrechts können die „Antworten" und „Ansichten" des Obersten Volksgerichts von besonderer Bedeutung sein, wenn es sich um die Auslegung der im Strafgesetzbuch nicht selten benutzten abstrakten Formulierungen handelt, wie etwa „in besonders schweren Fällen", „mit schwerwiegenden Folgen", „in minder schweren Fällen" oder „in eindeutig minder schweren Fällen".[2]

---

2 Vergleiche hierzu auch II.A.3.b.

2. Geschriebene Rechtsnormen

– *Wichtige nationale Kodifikationen*

Die grundlegende geschriebene Strafrechtsnorm ist das Strafgesetzbuch (中华人民共和国刑法，*Zhonghua Renmin Gongheguo xingfa*, chStGB). Das erste Strafgesetzbuch der Volksrepublik China wurde am 1.7.1979 verabschiedet. In der Zeit zwischen 1981 und 1995 wurden durch den Ständigen Ausschuss des Nationalen Volkskongresses insgesamt 23 weitere strafrechtliche Sondergesetze über eine Reihe von besonderen Tatbeständen verabschiedet, die formell aber nicht als „Gesetz" (法律，*falü*), sondern vor allem als „Verordnung" (条例，*tiaoli*), „ergänzende Bestimmung" (补充规定，*buchong guiding*) oder „Entscheidung" (决定，*jueding*) erlassen wurden. Diese Sondergesetze genossen in den jeweils betreffenden Gebieten als *lex specialis* Priorität gegenüber dem Strafgesetzbuch. Mit der Revision des Strafgesetzbuchs im Jahr 1997 wurden diese Sondergesetze gemäß § 452 chStGB außer Kraft gesetzt. Ihre Inhalte wurden gleichwohl überwiegend ins Strafgesetzbuch aufgenommen. Seit dem Inkrafttreten des neuen Strafgesetzbuchs ist nur im Jahr 1998 ein Sondergesetz über Devisenkriminalität verabschiedet worden. Bis 2009 wurde das Strafgesetzbuch von 1997 sechs Mal geändert.

In einer Reihe von Gesetzen sind zwar auch bestimmte Straftatbestände enthalten, hinsichtlich der Strafe verweisen sie aber normalerweise direkt auf die entsprechenden Vorschriften des Strafgesetzbuchs. Dies ist der Fall insbesondere auf dem Gebiet des Umweltstrafrechts, wie zum Beispiel im Gesetz zur Bekämpfung der Luftverschmutzung und im Gesetz zur Bekämpfung der Wasserverschmutzung. Im Bereich der Drogenkriminalität ist vor allem das Gesetz zum Drogenverbot (中华人民共和国禁毒法，*Zhonghua Renmin Gongheguo jindu fa*, chDVG) zu nennen.

Das fundamentale Regelungswerk für das Strafverfahren ist das Strafprozessgesetz (中华人民共和国刑事诉讼法，*Zhonghua Renmin Gongheguo xingshi susong fa*, chStPG). Im Bereich des Strafvollzugs ist das Gefängnisgesetz (中华人民共和国监狱法，*Zhonghua Renmin Gongheguo jianyu fa*, chGefG) die wichtigste Norm.

– *Völkerrechtliche Verträge*

Bislang hat China sich an vielen internationalen Abkommen. unter anderem über das humanitäre Völkerrecht, die wirtschaftliche Kriminalität und die organisierte Kriminalität beteiligt.[3]

Die völkerrechtlichen Verträge, denen China beigetreten ist, sind zwar nicht ausdrücklich in der Verfassung als Rechtsquelle erwähnt. Sie bilden aber nach einhelliger Ansicht auch einen Bestandteil des chinesischen Rechtssystems. Die prak-

---

[3] Vergleiche dazu I.B.2.b.

tische Bedeutung der völkerrechtlichen Verträge im Rechtsleben ist allerdings fragwürdig, da in China die Umsetzungspraxis eher unterentwickelt ist.

3. Gewohnheitsrecht

Das Gewohnheitsrecht stellt nominell keine Rechtsquelle dar. Trotzdem ist es in der Praxis der Strafjustiz nicht völlig außer Acht zu lassen.

Seit der Strafrechtsreform von 1997 ist mit § 3 chStGB der Gesetzlichkeitsgrundsatz anerkannt.[4] Eine Strafbarkeit aufgrund nationalen oder internationalen Gewohnheitsrechts kommt deswegen nicht in Betracht. Anders ist dies etwa mit Gründen für den Ausschluss der Strafbarkeit, die nur zum Teil gesetzlich geregelt sind. Hier existieren gewohnheitsrechtlich anerkannte Gründe, welche die Strafbarkeit ausschließen oder eine gemilderte Strafe rechtfertigen. Ein typisches Beispiel dafür ist die Einwilligung des Opfers, die in der Lehre und in der Praxis weitgehend als ein Sachverhalt angesehen wird, der die strafrechtliche Verantwortung des Täters reduzieren kann, obwohl ein solcher straffreistellender Grund im Strafgesetzbuch nicht zu finden ist. Ein weiteres Beispiel stellt die sogenannte innereheliche Vergewaltigung dar. Im Strafgesetzbuch ist zwar nicht vorgesehen, dass ein Ehemann, der seine Ehefrau vergewaltigt hat, Strafmilderung oder -befreiung bekommen kann. Da die traditionelle Anschauung einen solchen Fall von einer üblichen Vergewaltigung differenziert, wird hier aber normalerweise eine mildere Strafe ausgesprochen oder gar von einer Strafe abgesehen.

4. Rechtsprechung

Die Rechtsprechung spielt, zumindest theoretisch gesehen, keine große Rolle bei der Rechtsentwicklung. Die fast einheitliche Meinung der chinesischen Lehre lehnt jede Bindungswirkung der Rechtsprechung ab, die über den einzelnen Fall hinausgeht. Dies gilt nicht nur für die nationale Rechtsprechung, sondern auch für die Rechtsprechung durch internationale Gerichte.

Die Veröffentlichung typischer Rechtsfälle durch das Oberste Volksgericht ist seit fast 20 Jahren eine feste Praxis. Die veröffentlichten Urteile sind normalerweise jedoch keine eigenen Entscheidungen des Obersten Volksgerichts, sondern Entscheidungen unterer Gerichte, die das Oberste Volksgericht für empfehlenswert hält. Solche „Empfehlungen“ sind an sich zwar nicht verbindlich, es ist aber davon auszugehen, dass durch diese Praxis die Rechtsprechung allmählich eine wichtigere Rolle spielen kann.

---

[4] Siehe ausführlich II.A.

5. Schrifttum

Was die Rechtswissenschaft anbelangt, so ist ihr Einfluss auf die Rechtsfortbildung eher indirekt. In der nationalen Rechtsordnung ist die Rechtslehre bislang nie als eine Rechtsquelle anerkannt worden. Selbst beim Völkerrecht, wo in Art. 38 IGH-Statut auf die Lehre als Rechtsquelle ausdrücklich hingewiesen wird, ist die Meinung in China eher zurückhaltend. Das Schrifttum spielt allgemein im chinesischen Rechtssystem keine bedeutende Rolle. Es dient lediglich als ein Hilfsmittel zur Weiterentwicklung des Rechts, das sowohl für den Gesetzgeber wie für die Richter von Nutzen sein kann. Jedoch ist anzunehmen, dass die Bedeutung des Schrifttums für Gesetzgebung wie Rechtsprechung in den vergangenen Jahrzehnten erheblich zugenommen hat.

Literaturhinweise zu Abschnitt F.

Gao, Mingxuan, Xingfa de tixi he jieshi (System und Auslegung des Strafrechts). In: Mingxuan Gao (Hrsg.), Xinbian Zhongguo xingfa xue (Das neue Lehrbuch des chinesischen Strafrechts), Band 1. Beijing 2000, S. 39–46.

Gao, Qicai, Shilun nongcun xiguan fa yu guojia zhiding fa de guanxi (Zum Verhältnis zwischen dem Gewohnheitsrecht auf dem Land und dem vom Staat erlassenen Recht). XDFX 2008/3, 12–19.

Gong, Xiantian, Fa de yuanyuan yu fa de fenlei (Quellen und Kategorien des Rechts). In: Zongling Shen (Hrsg.), Fali xue (Jurisprudenz). Beijing 2001, S. 269–287.

He, Bingsong, Xingfa de tixi he jieshi (System und Auslegung des Strafrechts). In: Bingsong He (Hrsg.), Xingfa jiaokeshu (Lehrbuch des Strafrechts), Band 1. 6. Aufl. Beijing 2003. S. 103–119.

Hu, Jinguang/Han, Dayuan, Zhongguo xianfa (Die chinesische Verfassung). Beijing 2004, S. 354 f., 363 f., 370 f., 377, 384.

Liu, Shoufen, Xingfa xue he xingfa gaishu (Einführung in die Strafrechtslehre und in das Strafrecht). In: Shoufen Liu (Hrsg.), Xingfa xue gailun (Einführung in die Strafrechtslehre). Beijing 2000, S. 1–28.

Su, Huiyu, Xingfa de tixi yu jieshi (System und Auslegung des Strafrechts). In: Huiyu Su (Hrsg.), Xingfa xue (Strafrechtslehre). Beijing 1999, S. 46–56.

Zhang, Mingkai, Xingfa xue (Strafrechtslehre). 2. Aufl. Beijing 2003, S. 26–29, 41–43.

Zhao, Bingzhi, Xingfa lifa (Strafrechtliche Gesetzgebung). In: Bingzhi Zhao (Hrsg.), Xingfa zonglun (Allgemeiner Teil des Strafrechts). Beijing 2007, S. 65–88.

G. Entwicklung des Strafrechts, Strafverfahrensrechts und Strafvollstreckungsrechts

1. Überblick

Allgemein lässt sich die Entwicklung des chinesischen Rechtssystems grob in drei Stadien einteilen. Das Rechtsleben des alten Chinas war bis Anfang des letzten Jahrhunderts stark geprägt von der traditionellen chinesischen Kultur unter dem entscheidenden Einfluss vor allem des Konfuzianismus. Gegen Ende der Kaiserzeit vor etwa hundert Jahren wurde mit der Rezeption des westlichen Rechts eine Reihe von modernen Rechtsansichten und -instituten eingeführt, die bei der Gestaltung des Rechtssystems im republikanischen China zwischen 1911 und 1949 eine wichtige Rolle spielten. Nach der Machtübernahme durch die Kommunistische Partei im Jahr 1949 ging das chinesische Recht einen neuen Weg. Zunächst orientierte es sich überwiegend am sowjetischen System. In den vergangenen drei Jahrzehnten, das heißt seit der Einführung der Reformpolitik Ende der 1970er Jahre, lässt sich eine „Rückkehr" zum westlichen Vorbild immer deutlicher erkennen, was noch heute als eine anhaltende Tendenz gilt. Die oben grob geschilderte Entwicklungslinie des chinesischen allgemeinen Rechtssystems gilt auch für die Entwicklung des Straf-, des Strafverfahrens- und des Strafvollstreckungsrechts.

Nachdem die Gesetzgebung nach Ausrufung der Volksrepublik China 1949 zunächst wieder bei Null anfangen musste, gehörten strafrechtliche und strafprozessuale Regelungen zu den ersten Akten der Gesetzgebung überhaupt. Allerdings wurde weder materielles noch prozessuales Strafrecht als Ganzes kodifiziert. Anfängliche Bestrebungen hierzu konnten sich politisch nicht durchsetzen.

Erst nach Beendigung der Kulturrevolution sah die Partei- und Staatsführung die Notwendigkeit von allgemein verbindlichen Normen. Wieder gehörten das Strafgesetzbuch (中华人民共和国刑法，*Zhonghua Renmin Gongheguo xingfa*, chStGB) und das Strafprozessgesetz (中华人民共和国刑事诉讼法，*Zhonghua Renmin Gongheguo xingshi susong fa*, chStPG) von 1979 zu den ersten Regelwerken der beginnenden Gesetzgebungswelle. Zahlreiche Änderungen bereits ab den frühen 1980er Jahren führten zu umfassenden Revisionen zunächst des Strafprozessgesetzes 1996 und ein Jahr später auch des Strafgesetzbuchs.

2. Entwicklung des materiellen Strafrechts

– *Kaiserzeit (221 v. Chr.–1911 n. Chr.)*

Die chinesische Rechtsentwicklung ist geprägt von der Auseinandersetzung zwischen zwei Denkschulen. Die später nach ihrem Hauptvertreter Konfuzius (551–479 v. Chr.) benannte Schule sah in der den ewigen Naturgesetzen entnommenen

Sittlichkeit (礼，*li*) den Weg zu einem harmonischen Zusammenleben der Menschen. Die Herrscher sollten durch ihr eigenes sittliches Vorbild regieren; staatlicher Gesetze bedurfte es somit nicht mehr. Nur gegen Mitglieder der Gesellschaft, die sich den Riten nicht unterwarfen, erschienen Gesetze als äußerstes Mittel erforderlich. Dagegen plädierte die Legisten-Schule für eine Herrschaft mittels der Gesetze (法，*fa*). Da sie nicht davon ausging, dass der Mensch von Natur aus gut sei, sollten staatliche Gesetze die Menschen nach den jeweiligen Bedürfnissen der Gemeinschaft lenken. Aufbauend auf dem konfuzianischen Weltbild entwickelte sich das chinesische Recht so vor allem auf strafrechtlichem Gebiet, während Riten weite Teile des bürgerlichen Verkehrs bestimmten.

Eine systematische Straf- und Verbrechenstheorie hat sich während der Kaiserzeit Chinas nicht entwickelt. Nach der in der Gesellschaft sehr weit verbreiteten Meinung lag der Wert der Kriminalstrafe überwiegend oder gar ausschließlich darin, dass eine Vergeltung der begangenen Straftat gegenüber dem Täter stattfinde und andere potenzielle Täter von der Begehung einer Straftat abgeschreckt würden. Eine eventuelle präventive Funktion des Strafrechts, auf die eigentlich nie ausdrücklich hingewiesen wurde, ließ sich also nur durch Abschreckung verwirklichen. Deshalb war die strenge und harte Strafe charakteristisch für das traditionelle Strafrecht des alten Chinas.[1] Das war der Fall bereits im Strafkodex der ersten Dynastie der Kaiserzeit (Qin-Dynastie, 221–207 v. Chr.) und dem Qin-Kodex (秦律, *Qinlü*) aus dem 3. Jahrhundert v. Chr., dessen Inhalt zum großen Teil verloren gegangen ist.

Der Erlass eines umfassenden (Straf-)Gesetzbuchs der Tang-Dynastie (618–907 n. Chr.) um 654 n. Chr. gilt als wichtiger Meilenstein in der Rechtsentwicklung Chinas. Aufbau und weite Teile des Inhalts dieses sogenannten Tang-Kodexes (唐律，*Tanglü*) wurden durch die folgenden Dynastien übernommen.[2] Auch die Mandschus führten diese Tradition in der Qing-Dynastie (1644–1911 n. Chr.) weiter. Zwei Jahre nach ihrer Machtübernahme verkündeten sie die erste Fassung des Qing-Kodexes, dem 1740 die endgültige Fassung als „Gesetze und Verordnungen der Großen Qing" (大清律例，*Da Qing lü-li*) folgte. Dabei standen die Gesetze (律，*lü*) für die jahrhundertealte Rechtstradition, während die Verordnungen (例，*li*) auch den veränderten Verhältnissen Rechnung trugen. In seinem Aufbau folgt der Kodex nach einem Allgemeinen Teil den Zuständigkeitsbereichen der sechs klassischen Ministerien. Neben dem Kriminalrecht selbst erschienen auch die beamten-, zivil-, riten-, militär- und baurechtlichen Regelungen in strafrechtlichem Gewand.

In der zerfallenden Qing-Dynastie erhöhte sich schon Ende des 19. Jahrhunderts der innen- und außenpolitische Druck auch im Hinblick auf eine Erneuerung des Rechtssystems. Daraufhin wurde eine Rechtsmodernisierung nach dem Vorbild der

---

[1] Näher dazu unten 4.

[2] Siehe hierzu auch II.A.1.

westlichen Länder in Gang gesetzt. Vor diesem Hintergrund wurde Anfang 1911 der „neue Strafkodex der Großen Qing-Dynastie“ (大清新刑律, *da Qing xin xinglü*) verabschiedet, der als das erste moderne Strafgesetzbuch Chinas angesehen wird. In diesem Strafkodex wurde das Gesetzlichkeitsprinzip zum ersten Mal festgeschrieben. Die Strafmaßnahmen wurden also an konkrete Tatbestände geknüpft, was im alten China nicht immer selbstverständlich war.[3]

– *Strafrechtsentwicklung ab Ende der Qing-Dynastie*

Bereits im Folgejahr der Revolution von 1911 erließ die Republik China ein vorläufiges Strafgesetzbuch. Dieses trug unter dem Einfluss der nach der Meiji-Restauration aufstrebenden Regionalmacht Japan deutliche Züge der deutschen Strafrechtslehre. 1916 und 1919 folgten weitere Entwürfe für ein endgültiges Strafgesetzbuch. Doch erst nach der Oberherrschaft der Nationalpartei (国民党, *Guomindang*) konnte am 10. März 1928 ein Strafgesetzbuch verkündet werden, das bereits 1935 wiederum neu gefasst wurde. Die Durchsetzung des Strafrechts war jedoch aufgrund der innen- und außenpolitischen Turbulenzen dieser Jahrzehnte kaum gewährleistet.

– *Strafrechtsentwicklung in der Volksrepublik*

Nach Ausrufung der Volksrepublik 1949 und der Flucht der Nationalpartei nach Taiwan schafften die Kommunisten alle bisherigen Gesetze und Verordnungen als verhasstes Erbe der Bourgeoisie ab. In strafrechtlicher Hinsicht wurden bald nach Gründung der Volksrepublik in der Hauptsache die Bereiche der Konterrevolution und Korruption gesetzlich geregelt. Auch Drogenkriminalität wurde mit einem Dekret des Regierungsrats von 1950 bekämpft. Im selben Jahr verkündete der Regierungsrat zusammen mit dem Obersten Volksgericht die „Weisung bezüglich der Unterdrückung konterrevolutionärer Aktivitäten“. Wenige Monate später erließ die Zentrale Volksregierung am 21. Februar 1951 die „Verordnung zur Bestrafung der Konterrevolution“. Am 21. April 1952 wurde die „Verordnung zur Bestrafung der Korruption“ erlassen. Gleichzeitig fanden im Frühjahr 1952 politische Bewegungen gegen Bestechung und anderes Fehlverhalten statt. Die erste Verfassung der Volksrepublik von 1954 statuierte – ebenso wie alle späteren Verfassungen – die Unterdrückung konterrevolutionärer Aktivitäten. Die Verordnung zur Bestrafung der Konterrevolution von 1951 sowie die Verordnung zur Bestrafung der Korruption von 1952 blieben deshalb auch nach Einführung der Verfassung von 1954 in Kraft, nachdem der Nationale Volkskongress am 26. September 1954 einen entsprechenden Beschluss gefasst hatte.

---

[3] Vergleiche II.A.1.

Obwohl bereits in den 1950er Jahren an der Kodifikation des Straf- und Strafverfahrensrechts gearbeitet wurde, gab es immer wieder Widerstände gegen diese Vorhaben. Kodifizierungsbemühungen um ein umfassendes Straf- und Strafprozessrecht kamen über das Entwurfsstadium nicht hinaus. Von Oktober 1954 bis Juni 1957 arbeitete die damalige Rechtsabteilung des Ständigen Ausschusses des Nationalen Volkskongresses insgesamt 22 Entwürfe für das Strafgesetzbuch aus. Die Arbeit wurde Ende der 1950er Jahre nach dem Beginn der Anti-Rechts-Bewegung und aufgrund der politischen Bewegung des „Großen Sprungs nach vorn" unterbrochen. 1959 wurde sogar das Justizministerium aufgelöst. Nach dem verheerenden Scheitern des „Großen Sprungs" wurde ab Oktober 1961 die Vorbereitungsarbeit wieder aufgenommen. Bis Oktober 1963 wurden elf weitere Entwürfe vorgelegt.

Die vom Parteiführer *Mao Zedong* befürwortete sogenannte Massenlinie (群众路线, *qunzhong luxian*) sollte dem geschriebenen Recht vorgezogen werden. Bei der Massenlinie handelte es sich um ein politisches, auf der marxistischen Erkenntnistheorie basierendes und von *Mao* propagiertes Konzept, nach dem die breiten Volksmassen an allen gesellschaftlichen Entscheidungen partizipieren. Das Konzept sollte verhindern, dass sich die politische Führung von den Volksmassen loslöst. Der Gesetzgeber soll danach nicht bürokratisch von oben herab bestimmen, sondern Regelungen nach dem Willen der Massen formen und sodann deren Akzeptanz fortlaufend und immer wieder überprüfen. Dieses Konzept war kaum vereinbar mit dem System des demokratischen Zentralismus Leninscher Prägung und bedeutete eine gewisse Distanz *Mao Zedong*s gegenüber weiten Teilen seiner eigenen Partei.

Insgesamt blieb die Strafgesetzgebung also über Jahrzehnte hin sehr punktuell. Dies besagt gleichwohl nicht, dass außer den genannten Gesetzen ein weiter strafrechtsfreier Raum existierte. Weite Bereiche normaler Kriminalität, wie Diebstahl, Vergewaltigung oder Totschlag, waren durch unveröffentlichte Normen, möglicherweise auch nur durch Gewohnheitsstrafrecht abgedeckt.

Die Kulturrevolution (herkömmliche Datierung: 1966–1976) setzte selbst die wenigen rechtlichen Regelungen weitgehend außer Kraft. Anfang 1967 erließen das Zentralkomitee der Kommunistischen Partei und der Staatsrat gemeinsam „Einige Regelungen zur Verstärkung der Arbeit der öffentlichen Sicherheit während der Proletarischen Großen Kulturrevolution", die im alltäglichen Sprachgebrauch als die „Sechs Paragrafen der öffentlichen Sicherheit" bekannt waren, da sie tatsächlich nur sechs Paragrafen umfassten. Diese „Sechs Paragrafen" verdrängten *de facto* alle sonstigen strafrechtlichen Vorschriften und dienten während der Kulturrevolution als die einzige „Rechtsgrundlage" für die Behandlung von Strafsachen durch die sogenannte Massendiktatur, obwohl sie überhaupt kein Ergebnis eines normalen Gesetzgebungsverfahrens waren. Formell wurden die „Sechs Paragrafen" erst 1979 aufgehoben.

Nach dem Tode *Mao Zedong*s und der anschließenden Festnahme der sogenannten Viererbande im Herbst 1976 sprach *Deng Xiaoping* nach seiner erneuten Rehabilitierung der Perfektionierung des sozialistischen Rechtssystems eine zentrale Rolle für die Modernisierung Chinas zu. Als eine der ersten großen Kodifikationen der beginnenden Gesetzgebungswelle wurde am 1. Juli 1979 das neue Strafgesetzbuch verabschiedet. Basierend auf dem 33. Entwurf eines Strafgesetzbuchs aus dem Jahr 1963 entstand damit das erste zusammenhängende Strafgesetzbuch seit Ausrufung der Volksrepublik. Wegen befürchteter Strafbarkeitslücken erlaubte dieses Strafgesetzbuch eine analoge Anwendung strafrechtlicher Bestimmungen zu Lasten des Angeklagten.[4] Schon bald nach Inkrafttreten des Strafgesetzbuchs am 1. Januar 1980 sah die Partei- und Staatsführung Ergänzungsbedarf. Daraufhin verabschiedete der Ständige Ausschuss des Nationalen Volkskongresses im Lauf der Jahre zahlreiche ergänzende Beschlüsse zum Strafrecht, die jedenfalls den Besonderen Teil des Strafgesetzbuchs zu einem inhaltlich ausgehöhlten Torso werden ließen, was immer stärkere Kritik insbesondere seitens der Rechtswissenschaft auslöste.

Um der durch wirtschaftliche Umwälzungen veränderten gesellschaftlichen Lage Rechnung zu tragen und das Strafrecht wieder systematisch und übersichtlich zu machen, fand 1997 die Strafrechtsreform statt. Dadurch wurden die Inhalte der in der Zwischenzeit verabschiedeten Beschlüsse ins Strafgesetzbuch aufgenommen und neu systematisiert. Seit seiner Verabschiedung im Jahr 1997 ist das geltende Strafgesetzbuch siebenmal geändert worden. Die neueste Änderung datiert vom 28. Februar 2009. Die bisherigen Änderungen betreffen unter anderem die Tatbestände des Terrorismus, der Korruption, der Finanzstraftaten, der Steuerhinterziehung und des Schmuggels.

3. Entwicklung des Strafverfahrens(rechts)

– *Kaiserzeit und Republik*

In der chinesischen Kaiserzeit wurde nicht zwischen dem materiellen Recht und dem Prozessrecht unterschieden. Die Angelegenheiten, die aus heutiger Sicht prozessualen Charakters sind, wurden kaum gesetzlich geregelt. Die strafprozessrechtliche Gesetzgebung begann in China erst Anfang des 20. Jahrhunderts. Im Jahr 1907 verabschiedete die Qing-Regierung ein „Vorläufiges Statut über Gerichtshöfe unterschiedlicher Ebenen", welches das erste moderne Gesetzeswerk über (sowohl zivil- als auch straf-)prozessuale Angelegenheiten war. Nach Ausrufung der Republik durch *Sun Yat-sen* im Jahr 1911 verabschiedete die Guomindang-Regierung eine Reihe von strafverfahrensrechtlichen Gesetzen, darunter das Strafprozess-

[4] Siehe hierzu auch II.A.1.

gesetz von 1928. Diese Gesetzgebung war sehr stark durch die deutsche und japanische Theorie und Praxis beeinflusst worden.

– *Volksrepublik*

Im Februar 1949 wurden alle Gesetze der Guomindang-Regierung von der Kommunistischen Partei für aufgehoben erklärt. Die Gesetzgebung in der Volksrepublik China orientierte sich zu Beginn der 1950er Jahre vor allem am Rechtssystem der Sowjetunion. Die strafprozessualen Aspekte waren zunächst im Wesentlichen in den drei 1951 von der Zentralen Volksregierung verabschiedeten vorläufigen Regelungswerken geregelt, nämlich

- die Vorläufige Verordnung zur Organisation der Gerichte,
- die Vorläufige Verordnung zur Organisation der Obersten Staatsanwaltschaft des Volkes und
- die Allgemeinen Organisationsprinzipien der Staatsanwaltschaften des Volkes auf lokaler Ebene.

1954 wurden diese drei vorläufigen Regelungswerke durch das Gesetz zur Organisation der Volksgerichte und das Gesetz zur Organisation der Staatsanwaltschaften des Volkes ersetzt. Die beiden Gesetze wurden vom Nationalen Volkskongress verabschiedet. Im selben Jahr wurde auch eine Verordnung über Festnahme und Verhaftung vom Ständigen Ausschuss des Nationalen Volkskongresses erlassen.

Bereits in den 1950er Jahren wurde mit der Ausarbeitung eines umfassenden strafprozessualen Regelungswerks angefangen. Im Jahr 1954 entwickelte das Rechtskomitee der Zentralen Volksregierung einen Entwurf für die Verordnung zum Strafprozess. 1956 beauftragte der Nationale Volkskongress das Oberste Volksgericht mit der Erarbeitung eines Strafprozessgesetzes. Im Mai 1957 legte das Oberste Volksgericht bereits einen Entwurf vor und dessen überarbeitete Fassung im Juni 1957. Danach wurde die Arbeit wegen innerparteilicher Verwerfungen für einige Jahre unterbrochen. Im Juni 1962 wurde die Überarbeitung des Entwurfs wieder aufgenommen, die im April 1963 schließlich zu einem neuen Entwurf führte, der 200 Paragrafen umfasste. Jedoch musste die Arbeit erneut wegen geänderter politischer Rahmenbedingungen eingestellt werden. Erst nach dem Ende der Kulturrevolution konnten die Bemühungen fortgesetzt und am 1. Juli 1979 das erste Strafprozessgesetz der Volksrepublik China verabschiedet werden, das im Wesentlichen eine überarbeitete Version des Entwurfs von 1963 darstellte.

Ab Anfang der 1980er Jahre war die Entwicklung des Strafverfahrensrechts sehr stark durch die Kriminalpolitik (刑事政策, *xingshi zhengce*) beeinflusst. In der chinesischen Lehre ist Kriminalpolitik nach herrschender Meinung die Gesamtheit der Richtlinien, Maßnahmen, Politnormen sowie Methoden zur strafrechtlichen Bekämpfung der Verbrechen, die von der Kommunistischen Partei beziehungsweise vom Staat ausgearbeitet oder anerkannt werden. Die chinesische Kriminalpolitik ist sowohl auf zentraler Ebene wie auch auf lokaler Ebene angesiedelt. Erstere spielt aber die entscheidende Rolle. Seit 1983 ist in China das sogenannte harte Zuschlagen (严打, *yanda*) die wichtigste Kriminalpolitik.

Bislang gab es im Verlauf der Jahre insgesamt drei Kampagnen des „harten Zuschlagens“. Die erste dauerte von September 1983 bis Januar 1987. Der Schwerpunkt der ersten Kampagne war die Bekämpfung von Verbrechen gegen die soziale Ordnung und Sicherheit wie etwa Tötung, Vergewaltigung, Raub, Herbeiführen einer Explosion, schwere Körperverletzung und Menschenhandel. Die zweite Kampagne dauerte von April 1996 bis Februar 1997. Dabei ging es um die Bekämpfung schwerer Gewaltkriminalität sowie Schmuggel. Die dritte Kampagne begann im April 2001 und sollte zwei Jahre dauern. Neben Gewaltkriminalität stellten die organisierte Kriminalität und die Kriminalität mit Unterweltcharakter den Schwerpunkt dar. Im Übrigen gab es zwischen den genannten Kampagnen des „harten Zuschlagens“ noch Kampagnen von kleinerem Ausmaß, die vor allem gegen einzelne kriminelle Handlungen, zum Beispiel die Drogenkriminalität, gerichtet waren. Vor allem vor dem Hintergrund der ersten Kampagne wurde eine Reihe von Änderungen des Strafprozessgesetzes – in erster Linie hinsichtlich der relevanten Fristen und der Befugnis zur Genehmigung der Todesstrafe – zugunsten einer beschleunigten Bekämpfung der Kriminalität vorgenommen.

Der Grundgedanke der Politik des „harten Zuschlagens“ liegt in der möglichst strengen und schnellen Verurteilung der – vermeintlichen – Verbrecher. Auf diesen Punkt konzentriert sich vor allem auch die Kritik dieser Politik. Da unter dem Aspekt der Effizienz der Bekämpfung der Kriminalität immer der Vorrang eingeräumt werden soll, leiden regelmäßig Sorgfalt und Gerechtigkeit; namentlich werden die „Verbrecher“ während der Kampagne immer mit der härtesten Strafe (im gesetzlichen Strafrahmen) bestraft, ohne dass den konkreten Umständen Rechnung getragen wird. Auch werden regelmäßig die relevanten, prozessrechtlich geregelten Fristen abgekürzt. Auf die immer lautere Kritik hin war der Gesetzgeber 1993 bereit, das Strafprozessgesetz zu revidieren. 1996 erfolgte schließlich eine Reform, durch die vor allem das Prinzip der Unschuldsvermutung (无罪推定, *wuzui tuiding*) festgeschrieben wurde.

4. Entwicklung (des Rechts) der Strafvollstreckung

Ausgehend von einer auf Vergeltung und Abschreckung ausgerichteten Wertvorstellung[5] war die Strafvollstreckung des alten Chinas vor allem von der Grausamkeit der Strafen geprägt. Man spricht von den „fünf Strafen“ (五刑, *wuxing*), die anfänglich vier grausame körperliche Strafen, nämlich die Brandmarkung im Gesicht (墨, *mo*), das Abschneiden der Nase (劓, *yi*), die Entfernung der Knie (剕, *fei*)

[5] Vergleiche dazu oben 2.

und die Kastration (宫, *gong*), sowie die Todesstrafe (大辟, *dapi*) umfassten. Die Letztere wurde ursprünglich in der Regel auch auf grausame Weise vollstreckt, wie etwa durch das Zerreißen des Körpers mit fünf Pferden. Diese Strafen existierten bereits vor der Kaiserzeit. Sie wurden im Qin-Kodex[6] beibehalten. In den folgenden Dynastien hat sich die Grausamkeit der Strafe allmählich verringert. Einige relativ mildere Strafen wie das Schlagen mit leichtem Bambusstock (笞, *chi*) oder mit schwerem Holzstock (杖, *zhang*), die Gefängnisstrafe (徒, *tu*), die Verbannung (流, *liu*) und die Todesstrafe durch Hängen (绞, *jiao*) oder Enthauptung (斩, *zhan*) ersetzten nach und nach die früheren, den menschlichen Körper schwerwiegend misshandelnden Strafen.

Die körperlichen Strafen wurden erst im letzten Jahr der Kaiserzeit abgeschafft. Im „neuen Strafkodex der Großen Qing-Dynastie" von 1911[7] wurden die menschlicheren Strafen eingeführt. Die körperlichen Sanktionsmaßnahmen wurden nämlich durch Geld- und Gefängnisstrafe ersetzt. Die Todesstrafe wurde beibehalten, aber nunmehr im Wesentlichen durch Erschießen vollstreckt.

Die Situation änderte sich nicht wesentlich in der republikanischen Zeit. Zu erwähnen ist aber, dass während dieser Zeit das Verbot der Vollstreckung der Todesstrafe gegen schwangere Frauen festgelegt wurde.

In der Volksrepublik China bildet das Strafvollstreckungsrecht keine eigenständige Kategorie. Es wird normalerweise als ein Teil des Strafverfahrensrechts angesehen und als besonderer Abschnitt im Strafverfahren behandelt.[8] Obwohl in den ersten 30 Jahren der Volksrepublik keine umfangreiche strafrechtliche Gesetzgebung stattfand, wurden Gefängnisstrafen vollzogen und Todesstrafen vollstreckt. Erst am 29. Dezember 1994 wurde das erste Gefängnisgesetz (中华人民共和国监狱法, *Zhonghua Renmin Gongheguo jianyu fa*, chGefG) verabschiedet, das seit seinem Inkrafttreten am selben Tag die neue Rechtsgrundlage für das Strafvollzugswesen bildet.

Was die Todesstrafe anbelangt, wurde sie ab 1949 nur durch Erschießen vollstreckt. Der durch die Reform von 1997 neu eingeführte § 212 Abs. 2 chStPG bietet nun jedoch die Möglichkeit der Vollstreckung durch Injektion. In der Praxis wird heute die Mehrheit der Todesstrafen noch durch Erschießen vollstreckt. Die Injektion ist allerdings allmählich verbreitet. In einem gerichtlichen Todesurteil wird aber nicht angeordnet, welche Methode der Vollstreckung eingesetzt werden soll. Dies wird dem Ermessen durch die Strafvollstreckungskammer des zuständigen Gerichts überlassen.

---

6 Siehe oben 2.

7 Siehe oben 2.

8 Vergleiche hierzu auch I.E.1.

Literaturhinweise zu Abschnitt G.

Chen, Guangzhong, Xingshi susong fa (Strafprozessrecht). In: Zhongguo da baike quanshu – faxue (Encyclopedia Sinica – Band für Rechtswissenschaft). Beijing 1984, S. 666–668.

Heuser, Robert, Einführung in die chinesische Rechtskultur. Hamburg 1999, S. 85-118.

Pu, Jian, Wuxing (Fünf Strafen). In: Zhongguo dabaike quanshu – faxue (Encyclopedia Sinica – Band für Rechtswissenschaft). Beijing 1984, S. 626–627.

Richter, Thomas, Strafverfolgung von Systemunrecht der Kulturrevolution. In: Albin Eser/Ulrich Sieber/Jörg Arnold (Hrsg.), Strafrecht in Reaktion auf Systemunrecht. Vergleichende Einblicke in Transitionsprozesse. Teilband 9: China. Berlin 2006, S. 61–71.

Su, Huiyu, Xin Zhongguo xingfa de chansheng he fazhan (Entstehung und Entwicklung des Strafrechts des neuen Chinas). In: Huiyu Su (Hrsg.), Xingfa xue (Strafrechtslehre). Beijing 1999, S. 24–35.

von Senger, Harro, Einführung in das chinesische Recht. München 1994, S. 68–76.

Wang, Yingxuan, Qindai xingfa (Strafrecht der Qin-Dynastie). In: Kechang Ma/Chunxi Yang/Jigui Lü (Hrsg.), Xingfa xue quanshu (Enzyklopädie der Strafrechtswissenschaft). Shanghai 1993, S. 470.

– Qingdai xingfa (Strafrecht der Qing-Dynastie). In: Kechang Ma/Chunxi Yang/Jigui Lü (Hrsg.), Xingfa xue quanshu (Enzyklopädie der Strafrechtswissenschaft). Shanghai 1993, S. 477–478.

– Tangdai xingfa (Strafrecht der Tang-Dynastie). In: Kechang Ma/Chunxi Yang/Jigui Lü (Hrsg.), Xingfa xue quanshu (Enzyklopädie der Strafrechtswissenschaft). Shanghai 1993, S. 474–476.

– Wuxing (Fünf Strafen). In: Kechang Ma/Chunxi Yang/Jigui Lü (Hrsg.), Xingfa xue quanshu (Enzyklopädie der Strafrechtswissenschaft). Shanghai 1993, S. 478–481.

– Xia Shang Zhou xingfa (Strafrecht der Xia-, Shang- und Zhou-Dynastie). In: Kechang Ma/Chunxi Yang/Jigui Lü (Hrsg.), Xingfa xue quanshu (Enzyklopädie der Strafrechtswissenschaft). Shanghai 1993, S. 469–470.

– Zhongguo xingfa shi (Geschichte des chinesischen Strafrechts). In: Kechang Ma/Chunxi Yang/Jigui Lü (Hrsg.), Xingfa xue quanshu (Enzyklopädie der Strafrechtswissenschaft). Shanghai 1993, S. 465–467.

Yang, Xiong, Xingshi susong fa de lishi fazhan (Geschichte des Strafprozessrechts). In: Yinghui Song (Hrsg.), Xingshi susong faxue (Lehre des Strafprozessrechts). Beijing 2007, S. 13–24.

Zhao, Bingzhi, Xingfa lifa (Strafrechtliche Gesetzgebung). In: Bingzhi Zhao (Hrsg.), Xingfa zonglun (Allgemeiner Teil des Strafrechts). Beijing 2007, S. 65–88.

Abkürzungsverzeichnis zum Landesbericht China

AJCL	The American Journal of Comparative Law
AOVDG	Zhonghua Renmin Gongheguo jihui youxing shiwei fa shishi tiaoli (Ausführungsordnung zum Gesetz der Volksrepublik China über Versammlungen und Demonstrationen) vom 12.5.1992
ASEAN	Association of Southeast Asian Nations (Verband Südostasiatischer Nationen)
chBG	Zhonghua Renmin Gongheguo gongwu yuan fa (Beamtengesetz der Volksrepublik China) vom 27.4.2005
chDVG	Zhonghua Renmin Gongheguo jindu fa (Gesetz der Volksrepublik China zum Drogenverbot) vom 29.12.2007
chGefG	Zhonghua Renmin Gongheguo jianyu fa (Gefängnisgesetz der Volksrepublik China) vom 29.12.1994
chGGG	Zhonghua Renmin Gongheguo lifa fa (Gesetzgebungsgesetz der Volksrepublik China) vom 15.3.2000
chMKVG	Zhonghua Renmin Gongheguo yufang wei chengnian ren fanzui fa (Gesetz der Volksrepublik China über die Kriminalitätsvorbeugung bei Minderjährigen) vom 28.6.1999
chMSG	Zhonghua Renmin Gongheguo wei chengnian ren baohu fa (Gesetz der Volksrepublik China über den Schutz von Minderjährigen) vom 4.9.1991 in der Fassung vom 29.12.2006
chStGB	Zhonghua Renmin Gongheguo xingfa (Strafgesetzbuch der Volksrepublik China) vom 1.7.1979 in der Fassung vom 14.3.1997
chStPG	Zhonghua Renmin Gongheguo xingshi susong fa (Strafprozessgesetz der Volksrepublik China) vom 1.7.1979 in der Fassung vom 17.3.1996
chVerf	Zhonghua Renmin Gongheguo xianfa (Verfassung der Volksrepublik China) vom 4.12.1982 in der Fassung vom 14.3.2004
chVwöOSankG	Zhonghua Renmin Gongheguo zhi'an guanli chufa fa (Sanktionsgesetz der Volksrepublik China zur Verwaltung der öffentlichen Ordnung) vom 28.8.2005
chVwSankG	Zhonghua Renmin Gongheguo xingzheng chufa fa (Verwaltungssanktionsgesetz der Volksrepublik China) vom 17.3.1996
chVwVfG	Zhonghua Renmin Gongheguo xingzheng susong fa (Verwaltungsverfahrensgesetz der Volksrepublik China) vom 4.4.1989

CK	Xingshi shenpan cankao (Ratgeber für Verhandlung und Verurteilung in Strafsachen) (Eine seit 1999 von den Strafsenaten des Obersten Volksgerichts herausgegebene Zeitschrift, in der neben Auszügen relevanter neuer Gesetze und praxisbezogenen Aufsätzen vor allem ausgewählte Fälle der Gerichte aller Stufen nach der einheitlichen Gliederung Sachverhalt, Kernfragen und Begründung des Urteils meistens zusammenfassend und mit Anmerkungen/ Kommentierungen veröffentlicht werden) (Zitiert nach Jahrgang/Heftnummer, Seitenzahl)
GB	Zhonghua Renmin Gongheguo Zuigao Renmin Fayuan Gongbao (Amtsblatt des Obersten Volksgerichts der Volksrepublik China) (zitiert nach Jahrgang/Heftnummer, Seitenzahl)
GOG	Zhonghua Renmin Gongheguo renmin fayuan zuzhi fa (Organisationsgesetz der Volksrepublik China für die Volksgerichte) vom 1.7.1979 in der Fassung vom 31.10.2006
Interpol	Internationale kriminalpolizeiliche Organisation
km	Kilometer
KüAnG	Zhonghua Renmin Gongheguo linghai ji pilianqu fa (Gesetz der Volksrepublik China über Küstenmeer und Anschlusszone) vom 25.2.1992
LokalOG	Zhonghua Renmin Gongheguo difang geji renmin daibiao dahui he difang geji renmin zhengfu zuzhi fa (Gesetz der Volksrepublik China über die Organisation der Volkskongresse und der Volksregierungen auf lokaler Ebene) vom 1.7.1979 in der Fassung vom 27.10.2004
n. Chr.	nach Christus
PolG	Zhonghua Renmin Gongheguo renmin jingcha fa (Gesetz der Volksrepublik China über die Volkspolizei) vom 28.2.1995
RG	Zhonghua Renmin Gongheguo faguan fa (Richtergesetz der Volksrepublik China) vom 28.2.1995 in der Fassung vom 30.6.2001
SchöffB	Quanguo Renmin Daibiao Dahui Changwu Weiyuanhui guanyu wanshan renmin peishenyuan zhidu de jueding (Beschluss des Ständigen Ausschusses des Nationalen Volkskongresses zur Vervollständigung der Institution des Volksschöffen) vom 28.8.2004
SOZ	Shanghaier Organisation für Zusammenarbeit
StAG	Zhonghua Renmin Gongheguo jianchaguan fa (Staatsanwaltsgesetz der Volksrepublik China) vom 28.2.1995 in der Fassung vom 30.6.2001

UdSSR	Union der Sozialistischen Sowjetrepubliken
UN	United Nations
UNO	United Nations Organization
VDG	Zhonghua Renmin Gongheguo jihui youxing shiwei fa (Gesetz der Volksrepublik China über Versammlungen und Demonstrationen) vom 31.10.1989
v. Chr.	vor Christus
WTO	World Trade Organization
XDFX	Xiandai Faxue (Moderne Rechtswissenschaft) (Fachzeitschrift der Südwestlichen Universität für Politik- und Rechtswissenschaft) (zitiert nach Jahrgang/Heftnummer, Seitenzahl)

Rahmenbedingungen, Vorgaben, Grundlagen
und Entwicklung des Strafrechts in

Côte d'Ivoire

Adome Blaise Kouassi

Inhaltsverzeichnis

A. Nationale Rahmenbedingungen

1. Geografie

Die Republik Côte d'Ivoire liegt im westlichen Afrika. Sie grenzt im Norden an Mali und Burkina Faso, im Osten an Ghana, im Westen an Liberia und Guinea sowie im Süden an den Golf von Guinea. Das Land besteht aus drei größeren geografischen Regionen: Im Süden und Südwesten finden sich tropische Regenwälder, im Zentrum Waldsavanne, weiter nördlich Grassavanne.

Côte d'Ivoire erstreckt sich über eine Fläche von 322.462 km².[1] Deren exakte Bestimmung war nach der Unabhängigkeit im Jahr 1960 problematisch. Da mit Ausnahme von Ghana sämtliche Nachbarländer ebenso wie Côte d'Ivoire früher französische Kolonien gewesen und als solche untereinander lediglich durch verschiedene, zum Teil widersprüchliche Dekrete abgegrenzt worden waren, bestand in einigen Fällen Unsicherheit über den Grenzverlauf. Er orientiert sich überwiegend an den durch Flüsse geschaffenen natürlichen Gegebenheiten. Die Grenze zu Ghana, ehemals britische Kolonie, wurde nach der Unabhängigkeit beider Länder durch eine gemeinsame Grenzkommission detailliert festgelegt. Insgesamt beträgt die Länge der Landesgrenzen 3.110 km. Seine Küstengewässer im Golf von Guinea hat Côte d'Ivoire auf zwölf Seemeilen ausgedehnt und gleichzeitig eine exklusive Wirtschaftszone von 200 Seemeilen eingerichtet. Die Länge der Küste beträgt 550 km, die höchste Erhebung des Landes ist der Mont Nimba mit 1.752 Metern.

2. Bevölkerung

a) Bevölkerungszahl und -gruppen

2005 bestand die Bevölkerung von Côte d'Ivoire aus 18.154.000 Einwohnern, das entspricht einer Bevölkerungsdichte von 56,3 Einwohnern pro km². Das Bevölkerungswachstum betrug 1,6 %. Die durchschnittliche Lebenserwartung beträgt 45 Jahre (2001): bei Frauen sind es 46 und bei Männern 44 Jahre; die Kindersterblichkeitsrate liegt bei 93,65 ‰ (2001).

Insgesamt leben 52 % der Bevölkerung in den Städten und 48 % auf dem Land. Großstädte sind Abidjan, ehemalige politische Hauptstadt und bis heute wirtschaftliches Zentrum des Landes mit 3.336.518 Einwohnern (2003), Bouaké mit 461.618

[1] Fischer Weltalmanach 2008.

Einwohnern,[2] die neue Hauptstadt (seit 1984) Yamoussoukro mit 155.803 Einwohnern, Daloa mit 173.107 Einwohnern, Korhogo mit 142.039 Einwohnern, San Pedro mit 131.800 Einwohnern, Man mit 116.657 Einwohnern und schließlich Gagnoa mit 107.124 Einwohnern. Heute ist die Einwohnerzahl deutlich höher, in einigen Städten im Süden des Landes sowie in Abidjan und Yamoussoukro hat sie sich inzwischen verdoppelt.

Die Bevölkerung setzt sich aus 74 % Ivorern und 26 % Ausländern zusammen. Die Ivorer gehören 60 verschiedenen ethnischen Gruppen an. Die größte sind die *Akan* (zu ihnen gehören die *Baule* mit 23 % und die *Agni-Ashanti* mit 11 %), es folgen *Krou*, *Mandé* (darunter *Malinké* [11 %], *Bambara und Dioula*), *Sénoufo*, *Dan*, *Gouro*, *Bété* (18 %), *Gagou* und *Lobi*. Bei den Ausländern bilden den größten Teil die *Burkinabé* (15 %, über 2 Millionen), Malier (5 %), Guineer (6 %), Libanesen (100.000 bis 300.000) und Franzosen (11.000).[3]

b) Sprache

In Côte d'Ivoire werden entsprechend den ethnischen Gruppen 60 unterschiedliche Sprachen gezählt, Amtssprache ist Französisch. Deswegen ist es auch Unterrichts- und Handelssprache. Die lokalen Sprachen wie *Agni*, *Baulé*, *Bété*, *Dioula*, *Ebrié*, *Sénoufo* etc. werden auf dem Land gesprochen. Anstelle des Französischen wird bei informellen Geschäften unter Analphabeten *Baulé* oder *Dioula* benutzt. Das ivorische Bildungssystem orientiert sich am französischen Vorbild. Es gibt Grund- und Mittel- sowie Fachhochschulen. Die Schulbildung ist kostenlos und es besteht eine 6-jährige Grundschulpflicht, der jedoch nicht alle Kinder im schulpflichtigen Alter nachkommen. Die Einschulungsrate liegt insgesamt bei 54,6 % und bei 40 % für Mädchen. Die meisten Privatschulen werden von der katholischen Kirche oder privaten Geschäftsleuten geführt und von der Regierung subventioniert. Daneben gibt es auch private muslimische Schulen. Die Analphabetenrate beträgt 47 % bei Männern und 64 % bei Frauen (1998).

c) Religion

In Côte d'Ivoire gibt es Angehörige von drei großen Religionen: Christen (32 %, darunter 21 % Katholiken), Moslems (27 %) und Animisten beziehungsweise Anhänger indigener Religionen (15 %); als konfessionslos bezeichnen sich circa 26 %. Unter der ausländischen Bevölkerung sind 71 % Muslime, die aus den Nachbarländern stammen, und 15 % Christen (1998).[4] Die Religion ist im Alltag der Ivorer

---

2 Institut National de la Statistique, RGPH-98 (Recensement général de la population et de l'habitat), 1998.

3 Institut National de la Statistique, RGPH-98 (Recensement général de la population et de l'habitat), 1998.

4 Fischer Weltalmanach 2008.

immer präsent, wobei sich die Mehrheit der Bürger seit dem Ausbruch der bewaffneten Rebellion im Jahr 2002 noch stärker der Religion zugewandt hat. Obwohl in der Verfassung festgelegt ist, dass das Land laizistisch *(laïc)* ist, werden beim Erlass eines Gesetzes immer auch religiöse Aspekte berücksichtigt. Die Angehörigen der unterschiedlichen Religionen leben allerdings in friedlicher Toleranz miteinander, auch wenn sich aufgrund der bewaffneten Rebellion diese Situation ein wenig verschlechtert hat.

3. Wirtschaft

Seit der Kolonialzeit bis heute hat Côte d'Ivoire den freien Markt als generelle Wirtschaftsform gewählt, wenn auch der Staat in zahlreichen Wirtschaftsbereichen interveniert. Bezüge zu sozialistischen Wirtschaftssystemen werden von offizieller Seite des Landes zurückgewiesen. Es gibt auch keine Bestimmung in der ivorischen Verfassung, welche die Verstaatlichung von Unternehmen oder ähnliche Maßnahmen vorsieht. Côte d'Ivoire hat – im Gegensatz zu anderen Entwicklungsländern wie zum Beispiel Algerien, dem Kongo, Benin oder Äthiopien, die mit der Unabhängigkeit im Namen einer völligen Souveränität hinsichtlich der Bodenschätze und angestrebter nationaler Monopole die im jeweiligen Land ansässigen ausländischen Unternehmens verstaatlicht haben – keine entsprechenden Verstaatlichungen durchgeführt. Vielmehr hat man hier eine Entwicklungspolitik betrieben, die auf wirtschaftlichen Liberalismus und internationale Zusammenarbeit setzt. Zwischen 1960 und 1970 wurde das Wirtschaftswachstum um 11 % jährlich gesteigert, während die reale Wachstumsrate zwischen 7 und 8 % betrug. Ebenso wurde das Bruttoinlandsprodukt (BIP) verdreifacht, parallel dazu verdoppelte sich das Bruttonationaleinkommen. Das BIP beträgt 16.344 Mrd. US-$ (2005),[5] das Bruttonationaleinkommen pro Kopf beträgt 1.097,91 US-$, und der Mindestlohn (*salaire minimum interprofessionnel garanti*, SMIG) lag im Jahr 2007 bei 88,705 US-$.

Côte d'Ivoire ist der „ökonomische Riese" innerhalb der westafrikanischen Wirtschafts- und Währungsunion (*Union économique et monétaire de l'Ouest de l'Afrique*, UEMOA). Unter den übrigen Staaten Afrikas südlich der Sahara sind allein Südafrika und Nigeria im BIP-Vergleich wirtschaftlich potenter. Das Land ist, trotz der Krise seit dem 19. September 2002, durch die das Land zweigeteilt wurde, die „Wirtschaftslokomotive" der frankophonen Länder Westafrikas geblieben. Es gehört zu den größten afrikanischen Exporteuren für landwirtschaftliche Erzeugnisse. Der Außenhandel betrifft zahlreiche Import- und Exportprodukte. Die Republik Côte d'Ivoire ist als Agrarland eines der reichsten Länder an der Westküste von Afrika; weltweit steht es an erster Stelle der Kakao- und an sechster Stel-

---

[5] Fischer Weltalmanach 2008.

le der Kaffeeproduzenten. Eine Konsequenz dessen ist der Zustrom vieler Einwanderer aus den ärmeren Nachbarstaaten.

Das Import-Handelsvolumen beträgt 5.350 Mrd. US-$. Es handelt sich um Maschinen und Transportmittel (21 %), Nahrungsmittel und lebende Tiere (19 %), mineralische Brennstoffe und Schmiermittel (17 %), chemische Erzeugnisse (14 %) etc. Die wichtigsten Handelspartner sind Frankreich (33 %), Nigeria (14 %), Großbritannien (7 %) und die Volksrepublik China (3 %). Das Exporthandelsvolumen beträgt 7.610 Mrd. US-$. Exportiert werden Kakao und Kakaoprodukte (43 %), Erdölprodukte (13 %), Fisch (5 %), Holzprodukte (4 %). Exporthandelspartner sind vor allem Frankreich (19 %), Niederlande (18 %), die USA (7 %) und Spanien (6 %).[6] Neben der Produktion für den Export werden traditionelle Landwirtschaft und Anbaukulturen gefördert, um die Selbstversorgung zu gewährleisten. Es handelt sich dabei insbesondere um Igname (Yamswurzel, ein Kartoffelgewächs), Maniok und Kochbananen.

Ungefähr die Hälfte der Bevölkerung arbeitet in der Landwirtschaft, deren Produktion zwischen den Jahren 1980 und 1990 um 50 % angestiegen ist. Wegen des sehr starken Bevölkerungswachstums kann die Lebensmittelproduktion pro Einwohner allerdings trotz dieser Steigerung kaum auf dem früheren Niveau gehalten werden. Vereinzelte Industriezweige existieren in den Bereichen Nahrungsmittelproduktion, Holzverarbeitung, Raffinierung von Erdöl, Endmontage von Kraftfahrzeugen, Herstellung von Textilien und Abbau von Gold und Diamanten. Die Arbeitslosigkeit beträgt 40 % (2003) und die Inflationsrate liegt bei 1,4 % (2004). Der jährliche reale Zuwachs des Wirtschaftswachstums beträgt 1,8 % (2005), 1997 waren es noch 6,2 %.[7]

4. Staatsorganisation

Die Unabhängigkeit von Côte d'Ivoire wurde am 7. August 1960 proklamiert. Der erste Präsident, der das Land bis zu seinem Tod im Jahr 1993 regierte, war *Félix Houphouët-Boigny*. Während seiner Regierungszeit blieben dem Land Unruhen und Putschversuche erspart. Obwohl in Côte d'Ivoire bis 1990 nur eine einzige Partei (PDCI, die „Demokratische Partei von Côte d'Ivoire") existierte, wurde das Regierungssystem von den politischen Führern als demokratisch bezeichnet.

Côte d'Ivoire ist eine Republik. Art. 29 Abs. 1 der Verfassung vom 1. August 2000 (im Folgenden Const.) verkündet die Unabhängigkeit und die Souveränität der Republik. Weiter bestimmt Art. 30 Const., dass Côte d'Ivoire eine Einheit bildet und unteilbar, laizistisch, demokratisch und sozial ist. Das Prinzip der Republik

6 Fischer Weltalmanach 2008.

7 Fischer Weltalmanach 2008.

beruht auf der Regierung des Volkes durch das Volk für das Volk. Ebenso erklärt Art. 32 Abs. 1 Const., dass das Volk seine Souveränität durch Referenden und gewählte Vertreter ausübt. Diese Bestimmung ist auch in der Präambel der Verfassung, in der universalen Erklärung der Menschenrechte von 1948 und in der Afrikanischen Charta der Menschenrechte und Rechte der Völker von 1981 verankert.

Côte d'Ivoire hat sich nach der Unabhängigkeit für ein Präsidialsystem mit Gewaltentrennung entschieden, in dem der Präsident der Republik gemäß Art. 35 Abs. 1 Const. für fünf Jahre gewählt wird und einmal wiedergewählt werden kann. Art. 36 Abs. 1 und 2 Const. bestimmen, dass über die Wahl des Präsidenten die absolute Mehrheit der abgegebenen Stimmen entscheidet. Wenn diese nicht erreicht wird, muss innerhalb von 15 Tagen ein zweiter Wahlgang durchgeführt werden. Gemäß Art. 34 Const. hat der Präsident der Republik die exekutive Gewalt inne. Nach Art. 41 Abs. 2 Const. ernennt er einen Premierminister als Regierungschef.

Das Parlament, bestehend aus einer einzelnen Kammer, ist gemäß Art. 71 Abs. 1 Const. Inhaber der legislativen Gewalt und stimmt über Gesetze ab. Seit 2001 besteht das Parlament aus 225 Sitzen; davon entfallen 96 Sitze auf die FPI (links), 94 Sitze auf die PDCI (rechts), 14 Sitze auf die RDR-Partei (Zentrum), vier Sitze auf die PIT (links), 22 Sitze auf die Unabhängigen, zwei Sitze auf die Sonstigen; zwei Sitze sind vakant.[8]

Art. 101 ff. Const. regeln die Judikative. Sie besteht aus einem Kassationsgerichtshof *(Cour de cassation)*, einem Staatsrat *(Conseil d'Etat)*, einem Rechnungshof *(Cour des comptes)*, aus den Berufungsgerichten und schließlich den Gerichten erster Instanz.[9]

Die Verwaltungsstruktur des Landes sieht folgendermaßen aus: Es gibt 19 *régions*, 80 *départements*, 386 *sous-préfectures* und 1.000 *communes*. Die Aufgabe des Präfekten einer *région* besteht in der Harmonisierung, der Unterstützung, der Koordinierung und der Kontrolle der Wirtschafts-, Sozial- und Kulturpolitik der gesamten zivilen Verwaltung. Der Regionalpräfekt tritt als Vertreter der Regierung auf und übt die Kontrollgewalt über die dezentralisierten Gemeinden aus. Ein *département* besteht im Allgemeinen aus mehreren Unterpräfekturen und wird von einem Präfekten geleitet, der die Durchführung der Gesetze und Verordnungen, die öffentliche Sicherheit und Ordnung sowie das öffentliche Gesundheitswesen in seinem *département* gewährleistet. Die *sous-préfecture* wird von einem Unterpräfekten geleitet und bildet die Verwaltungsebene zwischen dem Departement und den Gemeinden. Der Unterpräfekt untersteht einem Präfekten und vertritt den Staat in seinem Verwaltungsbezirk. Er koordiniert und kontrolliert die Tätigkeiten der staatlichen Angestellten und Beamten, die zu seinem Zuständigkeitsbereich gehö-

---

8 Fischer Weltalmanach 2008.

9 Zur Strafgerichtsbarkeit siehe unten 5.c.

ren. Ebenso beaufsichtigt er die Tätigkeit der Gemeindechefs. Die *commune* ist eine Zusammenfassung von Stadtvierteln und Dörfern. Ihre Verwaltungsorgane bestehen aus einem Gemeinderat, einem Bürgermeister und dessen Stellvertreter. In Abidjan, der Wirtschaftshauptstadt, und in Yamoussoukro, der politischen und administrativen Hauptstadt, sind mehrere Kommunen und Unterpräfekturen zu je einem Distrikt zusammengefasst. Diese beiden Distrikte werden jeweils von einem Gouverneur geleitet, den der Präsident der Republik beruft. Die Gouverneure werden bei der Ausübung ihrer Aufgabe von einem Distriktsrat, einem Distriktsratsamt und einem beratenden Ausschuss des Distrikts unterstützt. Schließlich stellt das Dorf *(village)* die kleinste Einheit der Verwaltung dar; es besteht aus *quartiers* (Vierteln), die wiederum aus dem Zusammenschluss der Mitglieder einer oder mehrerer Familien bestehen. Ein Dorf wird von einem Dorfchef geleitet, der frei von der Bevölkerung gewählt wird. Der Dorfchef ist der Vertreter der Präfektoralverwaltung und wird von einem Dorfrat unterstützt.

1999 fand in Côte d'Ivoire ein Militärputsch statt, ein zweiter von Soldaten und Zivilisten geplanter Staatsstreich konnte am 19. September 2002 durch die Armee verhindert werden. Seit diesem Tag befindet sich das Land in einem Bürgerkrieg mit verschiedenen bewaffneten Rebellengruppen. Die zur Verstärkung der Verteidigungskräfte hinzugezogenen Truppen Frankreichs und der Westafrikanischen Union erhielten vom UN-Sicherheitsrat 2003 den Status von Blauhelmsoldaten. Deren Aufgabe besteht nun in der Gewährleistung des Friedens, der Versöhnung und der Schaffung politischer Stabilität durch Entwaffnungs-, Demobilisierungs- und Wiedereingliederungsmaßnahmen (*Désarmement*, *Démobilisation*, *Réinsertion* – DDR) sowie in der Verhinderung eines Wiederaufflammens der Kampfhandlungen. Die Rekrutierung sowie der Einsatz von Söldnern und ausländischen Militäreinheiten durch die kriegführenden Parteien wurden verboten.

Am 4. März 2007 unterschrieben Mitglieder der Regierung und der Rebellen nach zahlreichen, bis dahin erfolgslosen Verhandlungen in Ouagadougou einen Vertrag namens *Accord de Ouagadougou*. Gemäß diesem sollten im Juni 2008 Wahlen stattfinden – der Termin wurde dann auf den 29. November verschoben – und das Land danach nicht nur theoretisch, sondern auch tatsächlich wiedervereinigt werden. Dieses Datum konnte jedoch aus technischen Gründen auch nicht eingehalten werden. Ein neues Datum wurde bis zum Erscheinen dieses Textes nicht bekannt gegeben.

Nach sechs Jahren offener Krise bzw. bewaffneten Konflikts findet das Land langsam zur Normalität zurück. Jedoch ist dieser Zustand immer noch instabil. Es fehlt an allem, insbesondere aber sind die volle Rechtsstaatlichkeit und auch die Rechtssicherheit nicht gewährleistet.

5. Kriminalität und Strafverfolgung

a) Ermittlungsbehörden

Die *police judiciaire* ist zuständig für die Einleitung und Durchführung vorbereitender Ermittlungen. Nach Art. 12 CPP-CI ist sie der Staatsanwaltschaft beziehungsweise der Oberstaatsanwaltschaft *(ministère public, le parquet)* unterstellt. Gemäß Art. 15 CPP-CI umfasst die *police judiciaire* die Kriminalpolizei als Hilfsbeamte der Staatsanwaltschaft sowie eventuell weitere vom Gesetz zu Kriminalpolizeibeamten bestimmte Sonderbeauftragte. Gemäß Art. 16 CPP-CI können zur *police judiciaire* gehören: der Staatsanwalt und seine Vertreter, der Untersuchungsrichter, der Bezirksrichter, der Oberbürgermeister und seine Stellvertreter, die Polizeidirektoren, der Polizeikommissar, die Polizeihauptmeister, die Inspektoren, die durch ein Dekret zu Kriminalpolizisten ernannt wurden, die Gendarmeriehauptmeister, die Unteroffiziere der Gendarmerie, die das Auswahlverfahren der Kriminalpolizei bestanden haben und durch ein Dekret ernannt worden sind. Die Bewerber zur *police judiciaire* müssen unterschiedliche Voraussetzungen erfüllen. Für einen Unteroffizier der Polizei oder der Gendarmerie genügt ein höherer Schulabschluss. Ein Offizier muss das Abitur, das *Licence-* oder *Maîtrise*-Prüfungszeugnis nach drei beziehungsweise vier erfolgreich absolvierten Studienjahren an der Universität vorlegen, damit er am Offiziersauswahlverfahren teilnehmen darf. Dabei wird keine spezielle Studienrichtung bevorzugt. Die Ausbildung bei Polizei oder Gendarmerie dauert insgesamt zwei Jahre.

Eine Anzeigenstatistik existiert nicht, die zuständigen Beamten haben auf eine entsprechende Anfrage hin keine Angaben gemacht.

Wenn die *police judiciaire* im Fall einer Straftat ihre Ermittlungen abgeschlossen hat und zu dem Schluss gekommen ist, dass es sich um ein Verbrechen oder Vergehen handelt, werden die Ermittlungsergebnisse auf Antrag des Staatsanwalts an den *juge d'instruction* (Untersuchungsrichter) weitergegeben. Gemäß Art. 77 CPP-CI gehören Übertretungen *(contraventions)* nicht in den Zuständigkeitsbereich des Untersuchungsrichters, sondern in den der Staatsanwaltschaft; Vergehen *(délit)* werden nur ausnahmsweise vor den Untersuchungsrichter gebracht. Dieser führt nach Erhalt der Unterlagen die gerichtliche Voruntersuchung *(la juridiction d'instruction)* durch, wobei er sich der Hilfe der *police judiciaire* bedienen kann. Die Aufgaben des Untersuchungsrichters sind in Art. 49 ff. und 77 ff. CPP-CI geregelt. Er ist als *magistrat du siège* beim Tribunal der ersten Instanz angesiedelt und wird vom Präsidenten der Republik berufen. Die Untersuchung findet gemäß Art. 51 CPP-CI entweder auf Antrag der Staatsanwaltschaft oder aufgrund einer direkten Anzeige des Opfers statt; dabei unterliegt der Untersuchungsrichter nicht der Kontrolle des Justizministers. Seine Aufgabe besteht vor allem in der Beweisermittlung und -sammlung, durch die der Verdächtigte belastet oder entlastet wird.

Mit dem *Maîtrise*-Prüfungszeugnis oder dem Promotionszeugnis in Rechtswissenschaften oder Kriminologie nach einem vier- bis sechsjährigen Studium an der Universität muss der künftige Untersuchungsrichter an der Aufnahmeprüfung zur *Ecole de la Magistrature* der *Ecole Nationale d'Administration* (ENA) teilnehmen. Nach Bestehen wird er dort zwei Jahre ausgebildet.

Die Kriminalitätsrate in Côte d'Ivoire ist während der letzten Jahre – auch unter dem Einfluss der bewaffneten Rebellion – drastisch angestiegen.[10] So wurden in der Hauptstadt Abidjan im Jahr 1990 nur 18 vorsätzliche Tötungsdelikte registriert; 1993 waren es schon 53 und 2003 aufgrund des Bürgerkriegs sogar 503 vorsätzliche Tötungen. An Vergewaltigungstaten wurden 1990 203 Fälle und 1993 269 Fälle statistisch erfasst, an schweren Diebstahlsdelikten 2.792 Fälle im Jahr 1993. 2008 wurden im von Regierungstruppen kontrollierten Süden des Landes folgende Taten polizeilich gemeldet: 1.524 Autodiebstähle, 514 Raubüberfälle, 716 Vergewaltigungen, 10.124 vorsätzliche Körperverletzungen und 77 vorsätzliche Tötungen.

b) Anklagebehörden

Die ivorische Anklagebehörde ist das *ministère public*, das sich aufgliedert in die Oberstaatsanwaltschaften bei den Berufungsgerichten (Art. 34 CPP-CI) und die Staatsanwaltschaften bei den Gerichten erster Instanz (Art. 39 Abs. 1 CPP-CI), beim Strafgericht für Bagatellsachen (Art. 44 CPP-CI) und beim Bezirksgericht (Art. 45 CPP-CI). Gemäß Art. 31 CPP-CI erhebt das *ministère public* die öffentliche Klage.

Die Staatsanwaltschaft ist grundsätzlich zur Verfolgung von Straftaten verpflichtet, hat aber im Rahmen ihrer Tätigkeit auch einen gewissen Ermessensspielraum. Der Staatsanwalt sammelt Informationen über die Tat, die Tatumstände, die Täter etc. und entscheidet sowohl über die Einleitung eines Ermittlungsverfahrens als auch über die Erhebung einer Anklage. Der einzelne Staatsanwalt erhält Anordnungen von seinem Vorgesetzten, dem Oberstaatsanwalt, aber insbesondere auch vom Justizminister. Im Gegensatz zu einem Untersuchungsrichter ist der Staatsanwalt gegenüber dem Justizministerium weisungsgebunden und kann von der Regierung versetzt und sogar abgesetzt werden.

Ebenso wie der Untersuchungsrichter muss der Staatsanwalt eine *Maîtrise*-Prüfung oder eine Promotion in Rechtswissenschaften oder Kriminologie ablegen, bevor er sich zum Richterauswahlverfahren an der *Ecole de la Magistrature* bei der *Ecole Nationale d'Administration* (ENA) anmelden kann. In dieser Verwaltungs- und Richterhochschule wird er zwei Jahre ausgebildet. Seine Laufbahn beginnt er als Vertreter eines Staatsanwalts, bevor er später zum Staatsanwalt und schließlich sogar Oberstaatsanwalt (beim Berufungsgericht) oder Generalstaatsanwalt (beim

---

10 Siehe dazu auch I.G.2.

Kassationsgericht) aufsteigen kann. Von der Staatsanwaltschaft kann er auch zum Richter berufen werden.

c) Strafgerichte

Gemäß Art. 101 Const. ist die Judikative unabhängig von der exekutiven und legislativen Gewalt. Art. 103 Const. bestimmt, dass die Richter allein dem Gesetz unterstehen. Das Gerichtswesen umfasst den Kassationsgerichtshof *(Cour de cassation)*, den Staatsrat *(Conseil d'Etat)*, den Rechnungshof *(Cour des comptes)*, die Berufungsgerichte und schließlich die einfachen Gerichte.

Der Kassationsgerichtshof ist das höchste Gericht. An seiner Spitze steht der Präsident des Kassationsgerichtshofs, darunter die Präsidenten der Kammern als Vizepräsidenten; es folgen die *Conseillers de la Cour* (Gerichtsräte) und schließlich die Beisitzer (Richter). Der Kassationsgerichtshof in Côte d'Ivoire ist eine Revisionsinstanz für Rechtsfragen.

Die nächstuntere Instanz ist das Berufungsgericht *(Cour d'appel)*. Aufgrund des Instanzenzugs hat in Côte d'Ivoire jeder die Möglichkeit, seinen Fall einer zweiten Instanz vorzulegen. Diese zweite Verhandlung derselben Sachen durch einen weiteren Richter soll Justizirrtümer vermeiden und eine faire Gerichtsentscheidung gewährleisten. Das Gericht zweiter Instanz wird durch einen Kammerpräsidenten und zwei *Conseillers de la Cour* gebildet. Es gibt in Côte d'Ivoire insgesamt drei Berufungsgerichte. Die Zahl ist wegen des seit dem 19. September 2002 nicht mehr existierenden modernen Gerichtswesens in Gebieten der Rebellion auf zwei reduziert.

Zur Berufung können die Entscheidungen des Strafgerichts für Bagatellsachen *(tribunal de simple police)* – vorbehaltlich eines geringeren Strafurteils – und diejenigen des Strafgerichts für Vergehen *(tribunal correctionnel)* bei der Berufungskammer vorgelegt werden. Eine Sonderkammer des Berufungsgerichts ist für Entscheidungen des Jugendgerichts zuständig. Hingegen gibt es in Côte d'Ivoire keine Berufungsmöglichkeit gegen Entscheidungen des Schwurgerichts – trotz der Schwere der Delikte.

Unter dem Berufungsgericht steht das Gericht erster Instanz. Dieses ist gegliedert in *tribunal de simple police*, *tribunal correctionnel* und *Cour d'assises*.

Für Übertretungen ist das *tribunal de simple police* zuständig. Es gehört gemäß Art. 515 CPP-CI zum Gericht erster Instanz. Die Entscheidungen werden von einem einzelnen Richter gefällt. Die Aufgaben der Staatsanwaltschaft werden von dem Staatsanwalt des Gerichts erster Instanz übernommen. Das Auftreten eines Staatsanwalts ist nicht obligatorisch.

Ein Gericht erster Instanz ist für einen oder sogar mehrere Gerichtsbezirke zuständig, insgesamt gibt es acht Bezirke. Allerdings funktionieren wegen der Besatzung der Nordgebiete des Landes durch die Rebellion nur fünf. Zu den Bezirken gehören insgesamt 25 *sections de tribunal* (Untergerichte), davon sind jedoch nur 18 tätig. In einem Gerichtsbezirk ist ein Staatsanwalt für alle entsprechenden Aufgaben zuständig.

Daneben existiert das *tribunal correctionnel.* Es ist zuständig für Vergehen und für solche Verbrechen, die entsprechend Art. 214 Abs. 3 CPP-CI von den Anklagebehörden als Vergehen angeklagt werden. Gemäß Art. 388 CPP-CI wird dieses *tribunal* vom einem Vorsitzenden oder einem Vizepräsidenten geführt. Die Aufgabe der Staatsanwaltschaft wird auch hier von einem Staatsanwalt oder seinem Vertreter übernommen. Während der mündlichen Verhandlung ist jedoch die Anwesenheit eines Staatsanwalts nicht obligatorisch.

Die *Cour d'assises,* das Schwurgericht, ist für Verbrechen zuständig, welche von der Anklagebehörde oder der Ermittlungsbehörde durch den Untersuchungsrichter angeklagt werden. Das Schwurgericht ist kein auf Dauer angelegtes Gericht. Die Sitzungen finden nur während dreier Monate im Jahr statt, vorbehaltlich notwendiger zusätzlicher Sitzungen. Dieses Gericht setzt sich aus dem eigentlichen Gericht *(Cour)* und einer Jury zusammen. Die *Cour* wird aus drei Berufsrichtern gebildet, die von dem Vorsitzenden des Berufungsgerichts ausgewählt werden. Der Schwurgerichtspräsident ist zwingend ein Vorsitzender oder ein *conseiller de la Cour* (Gerichtsrat) der Berufungskammer. Der Vorsitzende wird aus zwei *conseillers de la Cour* des Berufungsgerichts oder aus der Gruppe von Präsidenten, Vizepräsidenten, Richtern des Gerichts erster Instanz oder Richtern des Gerichtsbezirks bestimmt, in dem die Verhandlungen stattfinden. Die Aufgabe der Staatsanwaltschaft wird von einem Stellvertreter des *ministère public*, der Mitglied der Generalstaatsanwaltschaft oder Mitglied der Anwaltschaft des Gerichts erster Instanz ist, übernommen. Die Ausbildungsvoraussetzungen für die Berufsrichter sind die gleichen wie diejenigen für Untersuchungsrichter

Den zweiten Bestandteil des Schwurgerichts bildet die Jury, die aus neun Bürgern besteht, davon müssen sechs Beamte sein. Diese Laienrichter werden aus einer Liste von 36 Bürgern der jeweiligen Gemeinde ausgewählt, aus einer zusätzlichen Liste von 18 Bürgern werden drei stellvertretende Jurymitglieder gewählt. Die Listen werden von dem Präfekten jeweils für eine Dauer von drei Jahren erstellt.

Die *Haute Cour de Justice* ist der oberste Gerichtshof. In der neuen Verfassung werden seine Befugnisse in Art. 108 bis 112 geregelt. Gemäß Art. 109 Const. ist dieses Gericht für Anklagen gegen den Präsidenten wegen Hochverrats zuständig. Außerdem bestimmt Art. 110 Const., dass es auch für die Strafverfolgung von Mitgliedern der Regierung wegen Verbrechen und Vergehen, die sie im Rahmen ihrer Befugnisse während ihrer Amtszeit begangen haben, zuständig ist. Übertretungsstraftaten sind für den Obersten Gerichtshof nicht relevant. Der Fall wird dem Generalstaatsanwalt beim Kassationsgerichtshof vorgelegt, damit dieser die Sache zur Anklage bringt. Die Mitglieder der *Haute Cour de Justice* werden von den Abgeordneten des Parlaments in einer Sitzung ernannt, die vom Präsidenten des Kassationsgerichtshofs geleitet wird.

d) Sanktionen

Das Strafrecht von Côte d'Ivoire bestimmt in Art. 5 CP-CI zwei Arten von Sanktionen: die Strafen und die Sicherheitsmaßnahmen. Eine strafbare Handlung kann mit einer Strafe, mit Sicherheitsmaßnahmen oder mit beidem belegt werden. Die Strafen werden unterteilt in Haupt- und Nebenstrafen (Art. 6 CP-CI). Sicherheitsmaßnahmen werden in den Art. 37, 76 bis 94 sowie 116 CP-CI geregelt. Die wichtigsten sind: Erziehungsmaßnahmen für Minderjährige, Aufenthaltsverbote, Passeinziehung, Beschlagnahme, Berufsverbot, Aussetzung und Aufhebung der Fahrerlaubnis, Untersagung der Ausübung eines Gewerbes, Scheckverbot, Sicherungsverwahrung eines Geisteskranken, Ausweisung, Abschiebung, Polizeiaufsicht einschließlich der Anweisung eines bestimmten Aufenthaltsortes, Verwaltungszuweisung, Unternehmensschließung (Art. 37, 76–94 sowie 116 CP-CI).

In Art. 34 CP-CI werden die Hauptstrafen aufgezählt: die Todesstrafe, Freiheitsstrafe und Geldstrafe.

Bei schweren Verbrechen wie vorsätzlicher Tötung oder Vergiftung (Art. 342 ff. CP-CI) ist bis heute die Todesstrafe vorgesehen. Diese Strafe wird aber von den Gerichten nicht mehr verhängt, weil sie mittlerweile nach Art. 2 der ivorischen Verfassung abgeschafft worden ist. Da das Verfassungsrecht bindend und vorrangig ist, ist die einfachgesetzliche Androhung der Todesstrafe nichtig. In der Praxis wird daher stattdessen lebenslange Freiheitsstrafe verhängt.

Die Freiheitsstrafe (Art. 34 CP-CI) kann in einer lebenslangen oder einer zeitlich befristeten Freiheitsstrafe bis zu 20 Jahren bestehen. Eine Mindestdauer ist nicht vorgeschrieben. Die Freiheitsstrafe wird bei nicht-politischen Straftaten als Inhaftierung *(emprisonnement de droit commun)*, bei politischen Straftaten als entehrende Freiheitsstrafe *(détention politique)* und bei Militärstraftaten als militärische Inhaftierung *(détention militaire)* bezeichnet (Art. 35 CP-CI). Mit der nichtpolitischen Freiheitsstrafe werden grundsätzlich Verbrechen, Vergehen und Übertretungsstraftaten, mit der politischen Freiheitsstrafe hingegen nur Verbrechen und Vergehen, mit der militärischen Inhaftierung ausschließlich von Soldaten begangene Straftaten geahndet.

Die Art. 54 bis 56 CP-CI regeln die Geldstrafe. Sie besteht in einer Strafe, die auf das Vermögen des Verurteilten zielt. Das Geld muss an die Staatskasse gezahlt werden (Art. 54 CP-CI). Im Gegensatz zu vielen ausländischen Rechtsordnungen wird die Freiheitsstrafe in Côte d'Ivoire immer mit einer Geldstrafe kombiniert.

Schließlich gibt es Nebenstrafen, die immer an eine Hauptstrafe geknüpft sind: Eine Nebenstrafe wird erst verhängt, nachdem eine Hauptstrafe verkündet ist. Nebenstrafen sind unter anderem die allgemeine und besondere Beschlagnahme

(Art. 57 bis 64 CP-CI) sowie der Entzug bestimmter Rechte (beispielsweise das Verbot, das Amt eines Geschworenen oder Sachverständigen auszuüben, oder besondere Berufsverbote). Eine Verurteilungsstatistik gibt es derzeit noch nicht.

e) Strafvollzug

Durch ein Dekret (*décret* Nr. 69-189 vom 14. Mai 1969) und eine ministerielle Verordnung (*arrêté ministériel* Nr. 406 vom 21. Mai 1969) wurden die Strafvollstreckung und der Strafvollzug in Côte d'Ivoire neu geregelt. Letzterer untersteht rechtlich allein dem Justizministerium.

Die ivorischen Justizanstalten waren in drei Kategorien gegliedert: *maisons d'arrêt* (Untersuchungsgefängnisse), *maisons de correction* (Gefängnisse) und *camps pénaux* (Straflager). Bei allen diesen Anstalten handelte es sich um geschlossene Einrichtungen.

Nach Art. 2 der genannten Verordnung sowie gemäß Art. 677 CPP-CI sollen zu Zwangsarbeit verurteilte Straftäter sowie Schwerverbrecher in ein *camp pénal* verbracht werden. Außerdem sollen Verurteilte, deren Freiheitsstrafe mehr als ein Jahr beträgt, in einem solchen Straflager ihre Strafe verbüßen. Es ist geplant, in Côte d'Ivoire mehrere *camps pénaux* zu errichten. Bisher wurde jedoch erst ein einziges *camp pénal* eingerichtet. Dieses befindet sich in Bouaké, der heutigen Hauptstadt der bewaffneten Rebellion im Zentrum des Landes. Bei der Besetzung der Stadt im Jahr 2002 haben die Rebellen den Gefangenen entweder zur Flucht verholfen oder sie in ihre Bataillone aufgenommen.

Art. 673 CPP-CI bestimmt, dass es sich bei den *maisons d'arrêt* um geschlossene Einrichtungen handelt, in denen die Beschuldigten (*inculpés* oder *prévenus*) und Angeklagten *(accusés)* für die Dauer der Untersuchungshaft untergebracht werden. Zur Zeit der Unabhängigkeit gab es in Côte d'Ivoire nur zwei Untersuchungsgefängnisse: in Abidjan und Bouaké. Mittlerweile gibt es Untersuchungshaft-Abteilungen in Gefängnissen in unmittelbarer Nähe eines jeden *tribunal de première instance*, wie zum Beispiel in Abengourou, Korhogo und Daloa.

In den sogenannten *maisons de correction* werden die Strafgefangenen für die Dauer ihrer Freiheitsstrafe inhaftiert (Art. 677 Abs. 5 CPP-CI). Zunächst gab es nur zwei *maisons de correction* im Land: die Gefängnisse von Grand-Bassam und Bouna. Im Gegensatz zu den *maisons d'arrêt* hatten die *maisons de correction* eigentlich die Aufgabe, die wegen Vergehen Verurteilten zu verwahren und zu bestrafen. Zu diesen Anstalten hatten Richter keinen Zugang, das heißt, es gab keine richterliche Kontrolle über die Behandlung der Sträflinge. 1969 wurden die *maisons de correction* unter Beobachtung von Richtern gestellt und in *maisons d'arrêt et de correction* umgewandelt, das heißt, sie wurden mit den Untersuchungshaftanstalten zusammengelegt. Vor der letzten bewaffneten Rebellion gab es 31 solcher Anstalten, davon 22 in der Regierungszone, die auch weiterhin genutzt werden. Aus dem Gebiet der Rebellion sinde keine Angaben verfügbar.

Prinzipiell soll in Côte d'Ivoire eine Trennung zwischen jugendlichen und erwachsenen Straftätern erfolgen. Dieser Grundsatz kann aus finanziellen Gründen nicht überall eingehalten werden. Allerdings werden die Jugendlichen zumindest in einem anderen Gebäude als die erwachsenen Straftäter untergebracht. Theoretisch sollte es zwischen beiden Gruppen nicht zu Kontakten kommen; die Realität sieht jedoch anders aus. Die Minderjährigen, die eine Freiheitsstrafe in Gruppen verbüßen, genießen insofern eine Sonderstellung, als ihnen je nach Alter und Bildungsniveau Schul- und Berufsausbildung angeboten werden.

Während des Staatsstreichs von 2002 sind in den von Rebellen besetzten Gebieten des Nordens und Westens elf Strafvollzugsanstalten zerstört worden. Daher kann die zentrale Strafvollzugsbehörde in Abidjan nur die Statistik (vom 31. Dezember 2006) zu den noch betriebsfähigen Anstalten unter Regierungsaufsicht im Süden des Landes vorlegen. Insgesamt befinden sich danach 24.054 Häftlinge im Strafvollzug. Eine Statistik vom 30. Juni 2006 nennt jedoch 9.866 Gefangene, darunter 2.681 Beschuldigte *(prévenus)* und 7.182 Verurteilte *(condamnés)*. Die Zahl der Beschuldigten umfasst 2.454 Männer, 95 Frauen und 132 Minderjährige, die der Verurteilten 7.056 Männer, 123 Frauen und drei Minderjährige. Die verfolgten Straftaten umfassen Kapitalverbrechen (0,43 % aller Straftaten), Vergewaltigung (0,82 %), vorsätzliche Brandstiftung (0,02 %), bewaffneten Raubüberfall (11,42 %), schweren Diebstahl (31,48 %), Drogenhandel (7,32 %), Drogenkonsum (7,04 %), Untreue und Betrug (10,59 %), einfachen Diebstahl (18,15 %), Kindesentführung und Kinderhandel (0.20 %).[11]

Literatur- und Quellenhinweise zu Abschnitt A.

Allgemeine Literatur:

Der Fischer Weltalmanach 2008. Zahlen, Daten, Fakten. Frankfurt am Main 2008, S. 172–173.

Ekanza, Simon-Pierre, Côte d'Ivoire: Terre de convergence et d'accueil (XVe–XIXe siècles). Abidjan 2006, S. 11–20, 29–32, 55, 63, 79 ff.

Loucou, Jean-Noël, Côte d'Ivoire: Les résistances à la conquête coloniale. Abidjan 2007, S. 13 ff., 19 ff., 22 ff., 27 f., 30, 34.

Rougerie, Gabriel, La Côte d'Ivoire, Que sais-je ? Paris 1964, S. 105 ff.

Zeller, Claus, Elfenbeinküste. Ein Entwicklungsland auf dem Wege zur Nation. Freiburg 1969, S. 31.

http://www.uni-koeln.de/phil-fak/afrikanistik/kant

---

[11] Statistik über Vollzugsanstalten des Justizministeriums 2006 (nicht veröffentlicht).

Geografie:

Der Fischer Weltalmanach 2008. Zahlen, Daten, Fakten. Frankfurt am Main 2008, S. 172–173.

Chemillier-Gendreau, Monique/Rosenberg, Dominique, L'Espace national. In: Encyclopédie juridique de l'Afrique, Band 2: Droit international et relations internationales. Abidjan/Dakar/Lomé 1982, S. 67–108, 79 f., 87, 93, 104.

Desportes, Frédéric/Le Gunehec, Francis, Droit pénal général. 12. Aufl. Paris 2005, S. 351 (Nr. 385).

Institut National de la Statistique, RGPH-98 (Recensement général de la population et de l'habitat).

Kouassi, Adome Blaise, Straßenkinder und Jugendkriminalität. Ein kriminologischer Vergleich: Côte d'Ivoire und Deutschland. Berlin 2004, S. 41.

http://www.cotedivoire-pr.ci/indcx.php?action=show_page&id_page=16

Bevölkerung:

Der Fischer Weltalmanach 2008. Zahlen, Daten, Fakten. Frankfurt am Main 2008, S. 172.

Kouassi, Adome Blaise, Straßenkinder und Jugendkriminalität. Ein kriminologischer Vergleich: Côte d'Ivoire und Deutschland. Berlin 2004, S. 42 ff.

http://www.cotedivoire-pr.ci/index.php?action=show_page&id_page=16

Sprache:

Institut National de la Statistique, RGPH-98 (Recensement général de la population et de l'habitat).

Kouassi, Adome Blaise, Straßenkinder und Jugendkriminalität. Ein kriminologischer Vergleich: Côte d'Ivoire und Deutschland. Berlin 2004, S. 42.

http://www.cotedivoire-pr.ci/index.php?action=show_page&id_page=16

Religion:

Der Fischer Weltalmanach 2008. Zahlen, Daten, Fakten. Frankfurt am Main 2008, S. 172.

Institut National de la Statistique, RGPH-98 (Recensement général de la population et de l'habitat).

Kouassi, Adome Blaise, Straßenkinder und Jugendkriminalität. Ein kriminologischer Vergleich: Côte d'Ivoire und Deutschland. Berlin 2004, S. 42.

Wirtschaft:

Der Fischer Weltalmanach 2008. Zahlen, Daten, Fakten. Frankfurt am Main 2008, S. 172.

Dutheil de la Rochère, Jacqueline, L'Etat et le développement économique de la Côte d'Ivoire. Paris 1975, S. 2, 43.

Institut National de la Statistique, RGPH-98 (Recensement général de la population et de l'habitat).

Kouassi, Adome Blaise, Straßenkinder und Jugendkriminalität. Ein kriminologischer Vergleich: Côte d'Ivoire und Deutschland. Berlin 2004, S. 41.

Kouassi, Adome Blaise/Paulenz, Simon, Landesbericht Côte d'Ivoire. In: Albin Eser/Ulrich Sieber/Helmut Kreicker (Hrsg.), Nationale Strafverfolgung völkerrechtlicher Verbrechen. National Prosecution of International Crimes, Band 4. Berlin 2005, S. 25.

Laporte, Pierre-Yves, Le fonctionnement des institutions constitutionnelles en Côte d'Ivoire. Essai de description dans le domaine du développement économique. Grenoble 1976, S. 7 f.

Mourgeon, Jacques, La République de Côte d'Ivoire. Paris 1969, S. 12.

http://www.cotedivoire-pr.ci/index.php?action=show_page&id_page=16

http://www.izf.net/affiche_oscar.php?num_page=1984.

Staatsorganisation:

Der Fischer Weltalmanach 2008. Zahlen, Daten, Fakten. Frankfurt am Main 2008, S. 172.

Debré, Bernard/Vergès, Jacques, De la mauvaise conscience en général et de l'Afrique en particulier. Saint-Amand-Montrond (Cher) 2003, S. 11.

Diarra, Samba, Les faux complots de Houphouët-Boigny. Paris 1997.

Duval, Philippe, Fantômes d'Ivoire. Monaco 2003, S. 17, 20 f.

Institut National de la Statistique, RGPH-98 (Recensement général de la population et de l'habitat).

Kouassi, Adome Blaise, Straßenkinder und Jugendkriminalität. Ein kriminologischer Vergleich: Côte d'Ivoire und Deutschland. Berlin 2004, S. 25 f.

Koui, Théophile, Multipartisme et Idéologie en Côte d'Ivoire: Droite, Centre, Gauche. Paris 2006, S. 14 ff.

Le Pape, Marc/Vidal, Claudine, Côte d'Ivoire. L'année terrible 1999–2000. Paris 2002, S. 17.

Maisonneuve, Charles, Le Bourbier ivoirien. Toulouse 2005, S. 211.

Mourgeon, Jacques, La République de Côte d'Ivoire. Paris 1969, S. 17 ff.

Rémy, Mylène, La Côte d'Ivoire aujourd'hui. Paris 1976, S. 60.

Rueff, Judith, Côte d'Ivoire. Le feu au pré carré. Paris 2004, S. 41 f.

Wodié, Fancis Vangah, Institutions politiques et droit constitutionnel en Côte d'Ivoire. Abidjan 1996, S. 111.

Kriminalität und Strafverfolgung:

Guinchard, Serge/Buisson, Jacques, Procédure pénale. 2. Aufl. Paris 2002, S. 226 f.

Stefani, Gaston, Procédure pénale. 21. Aufl. Paris 2008, S. 142 f. (Nr. 171 f.).

Ermittlungsbehörden:

Guinchard, Serge/Buisson, Jacques, Procédure pénale. 2. Aufl. Paris 2002, S. 226 f.

Kouassi, Kouadio, Manuel de Procédure pénale. 1. Aufl. Abidjan 2005, S. 100–101, 116–117, 141–143.

Anklagebehörden:

Kouassi, Adome Blaise/Paulenz, Simon, Landesbericht Côte d'Ivoire. In: Albin Eser/Ulrich Sieber/Helmut Kreicker (Hrsg.), Nationale Strafverfolgung völkerrechtlicher Verbrechen. National Prosecution of International Crimes, Band 4. Berlin 2005, S. 55–56.

Kouassi, Kouadio, Manuel de Procédure pénale. 1. Aufl. Abidjan 2005, S. 134 (Nr. 159).

Stefani, Gaston, Procédure pénale. 21. Aufl. Paris 2008, S. 142 f. (Nr. 171 f.).

Strafgerichte:

Bouloc, Bernard, Procédure pénale. 21. Aufl. Paris 2008, S. 462 (Nr. 486).

Kouassi, Kouadio, Manuel de Procédure pénale. 1. Aufl. Abidjan 2005, S. 98 (Nr. 112), 104 (Nr. 118), 105–106 (Nr. 120, 122), 107 (Nr. 123).

http://www.cotedivoire-pr.ci/index.php?action=show_page&id_page=28

http://www.cotedivoire-pr.ci/index.php?action=show_page&id_page=29

http://www.cotedivoire-pr.ci/index.php?action=show_page&id_page=30

Sanktionen:

Bamba, Kanvaly, L'application des peines dans le système pénitentiaire ivoirien (*Maîtrise*-Arbeit, nicht veröffentlicht). Lomé 1988, S. 20–22, 26.

Bouloc, Bernard, Droit pénal général. 20. Aufl. Paris 2007, S. 432 (Nr. 506), S. 482 (Nr. 576), 503 (Nr. 615).

Kouassi, Adome Blaise, Country Reports, Côte d'Ivoire. In: Ulrich Sieber (Hrsg.), The Punishment of Serious Crimes. A comparative analysis of sentencing law and practice, Band 2. Freiburg 2004, S. 2, 6.

Strafvollzug:

Bekoin, Ago Berthe, Les Prisons et les prisonniers: Un regard sur le système pénitentiaire ivoirien (*Maîtrise*-Arbeit, Université du Bénin, nicht veröffentlicht). Lomé 1988, S. 16, 38 ff., 44, 46, 52 ff.

Ministerium der Justiz der Republik Côte d'Ivoire, Statistik von Vollzugsanstalten des Justizministeriums von Côte d'Ivoire 2006 (nicht veröffentlicht).

http://news.abidjan.net/h/297717.html

B. Rechtsvergleichende und internationale Einordnung

1. Rechtsvergleichende Einordnung des Landesrechts

Die Rechtsentwicklung in Côte d'Ivoire ist, wie in vielen afrikanischen Ländern, durch drei unterschiedlich beeinflusste Rechtssysteme geprägt worden: dem vorkolonialen System, einer Verbindung aus traditionellem und islamischem Recht, dem kolonialen System, mit dem die französische Kolonialmacht ihr kontinentaleuropäisches Recht durchsetzte, und schließlich dem postkolonialen System mit einer Kombination aus kolonialem, traditionellem und lokalem Recht sowie Gewohnheitsrecht (zu unterscheiden von traditionellem Recht) und zusätzlichen Einflüssen westlichen Ursprungs. Daher lässt sich das Land nur sehr schwer einem bestimmten Rechtskreis zuordnen.

Vor der kolonialen Zeit gab es in Côte d'Ivoire nur die Gerichtsbarkeit der Stämme und ethnischen Gruppen. Die Bevölkerung setzte sich aus 60 Stämmen zusammen, die mehrere große ethnische Gruppen bildeten, insbesondere die Gruppen der *Akan*, *Krou*, *Malinké* und *Mandé* sowie die Küstengruppe und die Voltaïque-Gruppe. Jeder Stamm hatte sein eigenes traditionelles Recht, das seiner eigenen Kultur entsprach. Innerhalb einer großen ethnischen Gruppe waren die Rechtsauffassungen zwar ähnlich, aber nie vollkommen übereinstimmend. Die Gerichtspraxis der Stämme variierte teilweise so stark, dass das Urteil über einen gleichen Sachverhalt in zwei benachbarten Dörfern unterschiedlich ausfiel.

Diese Tatsache ist schon deshalb nicht verwunderlich, weil das ivorische traditionelle Recht allein auf mündlicher Überlieferung beruhte. Innerhalb derselben Stammesgruppe wurden häufig bestimmte Bestandteile des traditionellen Rechts unverändert bewahrt. (Als Beispiel hierfür sei dazu die matriarchalische Erbfolge der *Akan*-Gruppe genannt: In dieser Gesellschaft beerbten gemäß dem Mutterrecht die Kinder nicht ihren Vater, sondern jeweils ihren Onkel mütterlicherseits.) Das Volk richtete sich im Allgemeinen freiwillig nach dem traditionellen Recht, weil jeder sich nach dem Vorbild seiner Vorfahren dazu verpflichtet fühlte. Denn der Rechtsgehorsam war ein Ausdruck des Respekts gegenüber den Ahnen, deren Gebeine in der Erde ruhen und deren Geister über die Lebenden wachen. Jeder wusste genau, was zu tun und was zu unterlassen war. Man hielt die überlieferten Bräuche ein und fragte sich nicht, ob man auch rechtlich dazu verpflichtet war. Eine Missachtung des traditionellen Rechts hatte nach dem Volksglauben in erster Linie zur Folge, dass ungnädige Reaktionen der Ahnengeister hervorgerufen wurden.

Dennoch wurde bei Verstößen auch ein Gerichtsverfahren durchgeführt. Dabei gab es keine Unterscheidung zwischen öffentlichem Recht und Privatrecht, sondern es wurde vor allem auf die Verpflichtungen abgestellt, die jedem Einzelnen entsprechend seinem sozialen Status obliegen. Das Verfahren diente weniger der Durchsetzung des Rechts als vielmehr der Befriedung. Die betroffenen Parteien sollten versöhnt und die Harmonie in der Gesellschaft wieder hergestellt werden. Da es an einem wirksamen Verfahren zur Vollstreckung der Urteile fehlte, war es umso wichtiger, Einvernehmen zwischen den Beteiligten herzustellen. Bei einer Entscheidung des Stammesgerichts kam es nicht selten vor, dass derjenige, zu dessen Gunsten das Urteil ausfiel, auf seine Durchsetzung verzichtete.

Das ursprüngliche traditionelle Recht geriet im 12. und 13. Jahrhundert mit dem gewaltsamen Vorstoß der Araber aus dem Norden Afrikas unter islamischen Einfluss. Die Islamisierung, die sich in den leicht zugänglichen Wüsten- und Savannenzonen (nicht aber in den weiter südlich gelegenen undurchdringlichen Urwaldgebieten) vollzog, veränderte dort das tägliche Leben. Auch soweit die alten Rechtsbräuche weiter befolgt wurden, verloren sie in den Augen der Bevölkerung deutlich an Autorität und damit ihre zwingende Verbindlichkeit.

Im Zuge der Eroberungen durch Frankreich in Westafrika wurde Côte d'Ivoire 1893 französische Kolonie. Die Kolonialherren brachten ihr eigenes Recht mit. Zusätzlich kodifizierten sie einige Bestandteile des traditionellen Rechts als geschriebenes Gewohnheitsrecht, das in begrenztem Umfang neben dem geltenden französischen Recht bestehen bleiben sollte. Dabei bemühte man sich beispielsweise im Strafrecht, gewisse unmenschliche Praktiken zu verbieten wie die Aussetzung der sogenannten Teufelskinder und deren Missbrauch durch die alten oder neuen Machthaber in bestimmten südlichen Landesteilen.

Außerdem betrieb Frankreich in seinen Kolonien eine sogenannte Assimilierungspolitik, die einerseits auf dem abstrakten Postulat der Gleichheit aller Menschen, andererseits aber auf der Überzeugung beruhte, dass die französische Zivilisation der einheimischen Kultur und insbesondere den Wirtschafts- und Sozialordnungen der kolonialisierten Völker weit überlegen sei. Bis zur Unabhängigkeit galt auch in Côte d'Ivoire die französische Verfassung. Sie bestimmte, dass die „Eingeborenen" der Kolonien, obwohl sie französische Staatsangehörige geworden waren, zunächst weiterhin ihrem „Personalstatut" (das heißt in der Regel ihrem Stammesgewohnheitsrecht) unterstanden, aber nur so lange, wie sie nicht auf die Anwendung dieses Rechts verzichteten und für die Anwendung des französischen Rechts optierten.

Das Gewohnheitsrecht und das französische Recht galten somit in der Kolonie Côte d'Ivoire zunächst offiziell nebeneinander. Zur Durchsetzung des französischen Rechts wurde jedoch eine Verwaltung aufgebaut, die einen völligen Bruch mit den herkömmlichen Institutionen des Gewohnheitsrechts bewirkte. Um die Anwendung der neuen rechtlichen Regelungen zu gewährleisten, wurde die richterliche Autorität (Gewohnheitsrecht) des Bezirkshäuptlings in kleineren Stämmen unter die Kontrolle der Kolonialmacht gestellt, und zwar in Form der sogenannten *tribunaux indigènes*. Der anfangs harte Widerstand der einheimischen Ivorer gegen das neue Recht wurde auf diese Weise systematisch beseitigt.

Gegen Ende der Kolonialzeit war das überlieferte Stammesrecht faktisch nur noch ausnahmsweise anwendbar, nämlich begrenzt auf diejenigen Ivorer (überwiegend Angehörige der Landbevölkerung), die ausdrücklich dem traditionellen Recht unterstellt sein wollten, und auch innerhalb dieses Personenkreises lediglich für bestimmte Sachgebiete (vor allem in Familien-, Erbschafts- und Grundstücksangelegenheiten). Aufgrund der weitgehenden Verdrängung des traditionellen Stammesrechts und der Stammesgerichtsbarkeit durch französisches Recht wird heute das Rechtssystem von Côte d'Ivoire vornehmlich den vom Code Civil geprägten Rechtssystemen zugerechnet.

Auch die 1960 erlangte Unabhängigkeit des Landes hat insoweit keine wesentliche Änderung bewirkt. Dies erklärt sich aus dem Ablauf der Dekolonisation: Côte d'Ivoire wurde, wie viele frankophone Nachbarländer, zwei Jahre vor der Unabhängigkeit ein Mitglied der sogenannten Französischen Gemeinschaft *(Communauté française)*, was mit dem Fortbestehen des bisherigen Rechtssystems verbunden war. So betonte die ivorische Verfassung vom 3. November 1960 in Art. 76 des Titels XIII *(Dispositions générales et dispositions transitoires)*: „Die aktuelle Gesetzgebung bleibt weiterhin in Kraft, es sei denn neue, der geltenden Verfassung nicht zuwiderlaufende Gesetze werden erlassen." Auf der Grundlage dieser verfassungsmäßigen Bestimmung wurde in der Folgezeit das koloniale Recht durch nationale Gesetzgebung ersetzt, was inhaltlich jedoch oft nur eine formale Nationalisierung der französischen Gesetze und Dekrete bedeutete. Außerdem wurden verschiedene Kooperationsverträge zwischen Frankreich und Côte d'Ivoire unterzeichnet, die ihrerseits die Fortsetzung der kolonialen Gesetzgebung in bestimmten Bereichen sicherten.

Teilweise fanden jedoch neue Kodifikationen statt, so insbesondere auf den Gebieten des Familienrechts, des Bodenrechts, des Arbeitsrechts und des Strafrechts. Mit der Verabschiedung des *Code Pénal de la Côte d'Ivoire* vom 31. Juli 1981 wurde ein großer Schritt der rechtlichen Emanzipation vollzogen. Dieses Strafgesetz beinhaltet sowohl modernes Recht als auch, in gewissem Umfang, Elemente des traditionellen Gewohnheitsrechts, wie beispielsweise Art. 205 CP-CI über die Bestrafung der Praxis der Hexerei.

Vier Jahrzehnte nach der (theoretischen) Unabhängigkeit besteht das Recht von Côte d'Ivoire heute zu einem Teil aus französischem Recht, zu einem anderen Teil aus geschriebenem Gewohnheitsrecht sowie aus traditionellem Recht. Daher lässt sich das Land wie auch viele andere Länder Afrikas südlich der Sahara nicht ohne Weiteres einem bestimmten Rechtskreis zuordnen. Am ehesten könnten sie unter Berücksichtigung der spezifischen Merkmale eigener Rechtstradition in einem sogenannten „afrikanischen Rechtskreis" zusammenfasst werden. Es ist jedoch anzumerken, dass bereits der nach europäischem Verständnis definierte Begriff des Rechtskreises in Côte d'Ivoire auf erhebliche Schwierigkeiten stößt.

2. Einfluss internationaler Bindungen

a) Mitgliedschaft in internationalen und regionalen Organisationen

Seit ihrer Unabhängigkeit 1960 ist die Republik Côte d'Ivoire Mitglied der Vereinten Nationen. Die meisten afrikanischen Länder erlangten ihre Unabhängigkeit in den Jahren zwischen 1958 und 1962. Da sie in der Folgezeit zunächst noch zu schwach waren, um sich gegenüber den ehemaligen Kolonialmächten beziehungsweise den westlichen Ländern zu behaupten, beschlossen diese Staaten, sich in einer eigenen Organisation zusammenzuschließen. Diese Organisation sollte die Solidarität und die Kooperation untereinander stärken sowie die verschiedenen nationalen Bemühungen koordinieren, um in den Ländern bessere Lebensbedingungen für die Bevölkerung zu schaffen. Daher wurde am 25. Mai 1963 die Organisation für Afrikanische Einheit (*Organisation de l'Unité Africaine*, OUA) gegründet.

Gemäß Art. 4 der OUA-Charta wurde Côte d'Ivoire 1963 automatisch Gründungsmitglied, da es zu diesem Zeitpunkt bereits die erforderliche Souveränität besaß. Im März 2001, 38 Jahre nach ihrer Gründung, wurde die OUA in die Afrikanische Union (*Union Africaine*, UA) umgewandelt, der heute 53 Länder Afrikas angehören. Ferner ist Côte d'Ivoire nicht nur Gründungsmitglied, sondern seit 1959 auch ständiges Mitglied des *Conseil de l'Entente*, einer zwischenstaatlichen Organisation von fünf westafrikanischen Staaten zum Zweck der regionalen Zusammenarbeit im Wirtschaftsbereich. Neben Côte d'Ivoire gehören Burkina Faso, Benin, Niger und Togo dem *Conseil de l'Entente* an.

Seit 1970 ist Côte d'Ivoire Mitglied der *Organisation internationale de la Francophonie*, welche einen Zusammenschluss von frankophonen afrikanischen Ländern darstellt, um die speziellen Probleme dieser Länder besser behandeln zu können. Des Weiteren ist Côte d'Ivoire Gründungsmitglied der Westafrikanischen Wirtschaftsgemeinschaft *(Communauté économique de l'Afrique de l'Ouest)*. Diese Organisation ist ein Staatenbündnis zur Stärkung des Wirtschaftsstandorts Westafrika.

Schließlich gehört das Land der Gemeinschaft der Sahel-Sahara-Staaten *(Communauté des Etats Sahélo-Sahariens)* an. Diese Organisation hat zum Ziel, gegen die verbotene Rekrutierung und das Training von Söldnern auf dem Gebiet eines Nachbarstaates vorzugehen, wenn die Intention dieser Handlung auf die Destabilisierung eines Mitgliedstaates gerichtet ist.

b) Beteiligung an völkerrechtlichen Verträgen

Die Republik Côte d'Ivoire ist zahlreichen internationalen Übereinkommen beigetreten. In diesem Bericht sollen nur einige von ihnen genannt werden.

– *Menschenrechte*

Côte d'Ivoire hat 1992 die Afrikanische Charta der Menschenrechte und der Rechte der Völker sowie 1998 das Afrikanische Abkommen über die Rechtsstellung von Flüchtlingen ratifiziert. Ebenso hat Côte d'Ivoire 2004 die Afrikanische Charta der Rechte und des Wohlergehens des Kindes unterzeichnet. Um gegen Misshandlungen der ivorischen Bevölkerung vorzugehen und um diese gegenüber staatlicher Willkür zu schützen, hat das Land 1994 das Übereinkommen zur Bekämpfung von Sklaverei und den Internationalen Pakt über die Menschenrechte der Vereinten Nationen unterzeichnet. Außerdem ist es 1995 dem Internationalen Übereinkommen zur Eliminierung aller Formen der Diskriminierung von Frauen, dem Übereinkommen gegen Folter und andere grausame, unmenschliche oder erniedrigende Behandlungen oder Strafen sowie der UN-Konvention über die Rechte von Kindern beigetreten.

Zu den weiteren völkerrechtlichen Verträgen, die Côte d'Ivoire im Jahr 1992 unterzeichnete, zählt auch das Internationale Übereinkommen über bürgerliche und politische Rechte. Ebenso wurden das Internationale Übereinkommen über politische Rechte der Frauen (1999) und das Zusatzprotokoll des Internationalen Übereinkommens über die Abschaffung von Sklaverei, Sklavenhandel und ähnlichen Praktiken (1970) unterzeichnet sowie 1997 die Paraphierung des internationalen Übereinkommens zur Eliminierung aller Formen von rassischen Diskriminierungen vorgenommen.

Die Ratifizierung des Internationalen Abkommens gegen Geiselnahmen erfolgte 1989. Im Jahr 2004 kam es zur Unterzeichnung der Afrikacharta für die Abschaffung der Söldnerschaft in Afrika. Obwohl das Land das internationale Abkommen gegen die Todesstrafe nicht ratifiziert hat, verbietet Art. 2 Abs. 3 Const. jede Strafe, die sich gegen das menschliche Leben richtet.

– *Humanitäres Völkerrecht*

Côte d'Ivoire hat bereits 1998 das Römische Statut des Internationalen Strafgerichtshofs signiert. Seit August 2002 liegt das Statut dem ivorischen Parlament vor, jedoch ist es aufgrund der politischen Krise und der bewaffneten Unruhen[1] noch nicht zu einer Ratifizierung durch das Parlament gekommen. Das Parlament ist seit Ausbruch der politischen Unruhen mit einer solchen Fülle von Ratifikationen nationaler Gesetze (z.B. Art. 108 CP-CI über die Amnestie) konfrontiert, dass internationale Verträge zurzeit nicht im Parlament debattiert werden. Der Schwerpunkt der parlamentarischen Arbeit liegt gegenwärtig auf Bemühungen, den nationalen Konflikt zu lösen.

---

[1] Siehe näher dazu I.A.4.

Jedoch hat Côte d'Ivoire schon 1996 das Übereinkommen zur Verhinderung und Bestrafung von Völkermord unterzeichnet. Im Jahr 2004 schloss sich die Unterzeichnung des Protokolls für das Tribunal der Afrikanischen Union *(Protocole relatif à la Cour africaine des droits de l'homme et du peuple)* an. Außerdem hat das Land im Bereich des humanitären Völkerrechts alle drei Genfer Konventionen von 1949 über die Behandlung von Kriegsgefangenen (1961) ratifiziert. Die Zusatzprotokolle über den Opferschutz bei internen und internationalen bewaffneten Konflikten wurden 1989 ratifiziert, ebenso 1995 das UN-Übereinkommen über die Verhütung und Bestrafung des Völkermordes.

– *Organisierte Kriminalität*

Im Bereich der Bekämpfung organisierter Kriminalität unterzeichnete Côte d'Ivoire 2000 die UN-Konvention über die transnationale organisierte Kriminalität.

– *Terrorismusbekämpfung*

Côte d'Ivoire beteiligt sich wie viele Länder an der Bekämpfung von Terrororganisationen. Diesbezüglich hat das Land 2002 das internationale Abkommen für die Bekämpfung der Finanzierung von Terrorismus sowie das internationale Abkommen über die Bekämpfung terroristischer Bombenanschläge ratifiziert. Außerdem ratifizierte Côte d'Ivoire 1999 die Afrikacharta über die Prävention und die Bekämpfung von Terrorismus.

– *Wirtschaftskriminalität*

Côte d'Ivoire unterzeichnete 2003 die UN-Konvention gegen Korruption sowie 2004 das Afrikanische Strafrechtsübereinkommen gegen die Korruption *(Convention de l'Union africaine sur la prévention et la lutte contre la corruption).*

– *Rechtshilfe und justizielle Zusammenarbeit in Strafsachen*

Bezüglich Rechtshilfe und justizieller Zusammenarbeit in Strafsachen hat Côte d'Ivoire bei der Erlangung der Unabhängigkeit, wie alle ehemaligen Kolonien, verschiedene Kooperationsabkommen mit Frankreich unterzeichnet. Diese Abkommen umfassen zum Beispiel einen Informationsaustausch bei der Gerichtsorganisation, der Gesetzgebung und der Rechtsprechung sowie die Weitergabe und Durchführung von Rechtshilfeersuchen zwischen beiden Ländern. Dazu gehört auch das nach der Unabhängigkeit weiter geltende Gesetz vom 10. März 1927 bezüglich der Auslieferung von Ausländern.

Literaturhinweise zu Abschnitt B.

David, René/Jauffret-Spinosi, Camille, Les grands systèmes de droit contemporains. 8. Aufl. Paris 1982, S. 19 ff., 562 f.

– Les grands systèmes de droit contemporains. 10. Aufl. Paris 1992, S. 27 ff., 447 ff.

Grasmann, Günther/Klingmüller, Ernst et al., Einführung in die großen Rechtssysteme der Gegenwart. 2. Aufl. München 1988, S. 626 ff.

Kouassi, Adome Blaise, Straßenkinder und Jugendkriminalität. Ein kriminologischer Vergleich: Côte d'Ivoire und Deutschland. Berlin 2004, S. 41 ff., 213 f.

Kouassi, Adome Blaise/Paulenz, Simon, Landesbericht Côte d'Ivoire. In: Albin Eser/Ulrich Sieber/Helmut Kreicker (Hrsg.), Nationale Strafverfolgung völkerrechtlicher Verbrechen. National Prosecution of International Crimes, Band 4. Berlin 2005, S. 25.

Mourgeon, Jacques, La République de Côte d'Ivoire. Paris 1969, S. 19 f.

Internet-Adressen:

http://www.africa-union.org/

http://www.africa-union.org/root/AU/MemberStates/map.htm

http://www.africa-union.org/root/ua/index/index.htm

http://www.cen-sad.org/

http://www.diplomatie.gouv.fr/fr/pays-zones-geo_833/afrique_1063/organisations-regionales-africaines_404/conseil-entente_12621/conseil-entente_1906.html

http://www.droit.francophonie.org/bj/LEGI/CI0.HTM www.cedeao.org/

http://www.droitshumains.org/Biblio/Txt_Afr/Ua_actconstit.htm

http://www.ecowas.int/

http://www.francophonie.org/

http://fr.wikipedia.org/wiki/Charte_africaine_des_droits_et_du_bien-%C3%AAtre_de_l'enfant

http://fr.wikipedia.org/wiki/ECOMOG

http://www.iccnow.org/html/country.html

http://www.uneca.org/cen-sad/fr/

C. Verfassungsrechtliche Vorgaben

1. Übergesetzliche Regelungen als Träger strafrechtlicher Prinzipien

– *Die Verfassung*

Die französische Verfassung vom 4. Oktober 1958 bildet die Grundlage der ivorischen Verfassung vom 26. März 1959. An der französischen Verfassung aus dem Jahr 1958 haben auch Afrikaner mitgearbeitet, die zu jenem Zeitpunkt als Ministerialbeamte und als Abgeordnete der Kolonialvertretungen in Frankreich tätig waren. So kam es auch dazu, dass der spätere erste Präsident von Côte d'Ivoire maßgeblich an der Schaffung der französischen Verfassung beteiligt war. Später wurde sie von vielen frankophonen afrikanischen Ländern übernommen, und dies wurde weniger als ein Import durch die Kolonialmacht, sondern vielmehr als ein – zumindest teilweise – selbstständiger Akt angesehen. Somit kam es auch in Côte d'Ivoire, seit 1958 autonome Republik innerhalb der Französischen Gemeinschaft, schon vor der vollen Unabhängigkeit (1960) zu einer schnellen Fertigstellung der Verfassung am 26. März 1959 und zu deren Inkrafttreten am 3. November 1959.

Durch das Gesetz Nr. 2000-513 vom 1. August 2000 wurde die neue Verfassung *(Constitution)* verabschiedet und damit die Zweite Republik gegründet. Die erste Verfassung war am 3. November 1960 (Gesetz Nr. 60-356), also kurz nach der Unabhängigkeit, erlassen und im Lauf der Jahre mehrfach geändert worden.

Der Zweite Titel der neuen Verfassung legt die Rolle und die Aufgaben des Staates sowie dessen Souveränität fest. In Art. 29 Abs. 1 Const. wird Côte d'Ivoire als eine unabhängige und souveräne Republik bezeichnet, in Art. 30 Abs. 1 als ein einheitlicher und unteilbarer Staat, welcher nicht konfessionsgebunden ist. Ferner bekennt sich die Verfassung in Art. 30 Abs. 2 Const. zum demokratischen Prinzip der „Herrschaft des Volkes durch das Volk für das Volk" *(gouvernement du peuple par le peuple et pour le peuple)* und in der Präambel sowie in Art. 101 Const. zum Grundsatz der Gewaltenteilung *(le pouvoir judiciaire est indépendant du pouvoir exécutif et du pouvoir législatif)*.[1]

In der Präambel der Verfassung ist ferner festgelegt, dass Côte d'Ivoire als demokratischer Sozialstaat den Inhalten der Allgemeinen Menschenrechtserklärung von 1948 sowie der Afrikanischen Charta der Menschenrechte und Rechte der Völker von 1981 verpflichtet ist *(son adhésion aux droits et libertés tels que définis dans la Déclaration universelle des Droits de l'Homme de 1948 et dans la Charte africaine des Droits de l'Homme et des Peuples de 1981)*.

---

[1] Zur Staatsorganisation siehe näher I.A.4.

Bereits in der Präambel der Verfassung der Ersten Republik war eine ausdrückliche Anerkennung sowohl der Menschen- und Bürgerrechtserklärung *(Déclaration des droits de l'homme et du citoyen)* von 1789 als auch der Menschenrechtserklärung von 1948 festgeschrieben, welche einen umfassenden Schutz der Rechte des Individuums gegenüber der Staatsgewalt garantieren. Obwohl die *Déclaration* von 1789 auch heute noch geltendes Recht in Côte d'Ivoire ist, wird in der neuen Verfassung eine direkte Verbindung nur zur *Déclaration* von 1948 gezogen; daneben wird aber ein neuer Bezug hergestellt, nämlich zur Afrikanischen Charta der Menschenrechte und Rechte der Völker von 1981.

Die Hauptmerkmale der neuen Verfassung sind Universalismus und Individualismus, wobei alle noch so verschiedenartigen Individuen dieselben Rechte genießen: Die Rechte und Freiheiten werden jedem einzelnen Menschen zuerkannt. Der einzelne Mensch wird in der Verfassung als „heilig" bezeichnet (Art. 2 Abs. 1 Const.: *La personne humaine est sacrée*), und daraus resultiert die Pflicht des Staates, die Integrität des Einzelnen zu respektieren und zu schützen.

Neben der Normierung der Grundrechte und Grundfreiheiten[2] fordert die Präambel der ivorischen Verfassung Transparenz der öffentlichen Verwaltung und Bekämpfung der Korruption.

– *Andere übergesetzliche Regelungen*

Die Präambel der Verfassung nimmt Bezug auf die Allgemeine Menschenrechtserklärung von 1948 sowie auf die Afrikanische Charta der Menschenrechte und Rechte der Völker von 1981. In Art. 87 Const. sind die Normenhierarchie und das Verhältnis der ivorischen Gesetze zu internationalen Übereinkommen und Verträgen geregelt: Gemäß Art. 87 Const. gehen internationale Verträge einfachen nationalen Gesetzen – sowohl den Verordnungen der Exekutive *(règlement)* als auch den parlamentarischen Gesetzen *(loi)* – vor und stehen auf einer Ebene mit der Verfassung. Der Vorrang gegenüber den Gesetzen besteht jedoch nur, solange die anderen Vertragsparteien die vertraglichen Bestimmungen einhalten. Wenn es zu einem Vertragsbruch kommt und dieser durch den *Conseil Constitutionnel* festgestellt wird, ist der Staat nicht mehr durch den völkerrechtlichen Vertrag gebunden.

2. Grundrechte und Grundfreiheiten

Die in der Präambel allgemein erwähnten Grundrechte und Grundfreiheiten *(les libertés publiques)* werden in Art. 1–28 des Ersten Titels der Verfassung *(des libertés, des droits et devoirs)* konkretisiert. Es handelt sich um unmittelbar anwendbare Bestimmungen, die jedes Staatsorgan und jeder Mensch zu beachten hat. Die im

---

2 Siehe dazu sogleich C.2.

Einzelnen garantierten Rechte entsprechen den klassischen Grundrechten und Grundfreiheiten.

In Art. 2 Const. gewährleistet der Staat die Gleichheit aller Bürger vor dem Gesetz sowie die unveräußerlichen Rechte der Freiheit, der Entfaltung der eigenen Persönlichkeit, der respektvollen Behandlung sowie der Unantastbarkeit der menschlichen Würde. Alle Strafen, die zum Tode führen, sind verboten *(toute sanction tendant à la privation de la vie humaine est interdite)*. Art. 4 Const. bestimmt den Schutz der Wohnstätte *(le domicile est inviolable)*. Die Unverletzlichkeit der Wohnung schließt auch deren freie Wahl und Verwendung mit ein. Die Versammlungsfreiheit ist in Art. 11 Const. normiert und umfasst alle Veranstaltungen, Kundgebungen und dergleichen.

Eine Neuerung findet sich in Art. 12 Abs. 1 Const.: Hier hat das Verbot des Zwangsexils mit der neuen Verfassung erstmalig Grundrechtsstatus erlangt *(aucun Ivoirien ne peut être contraint à l'exil)*. Auch das in Art. 13 Const. enthaltene Grundrecht der freien Bildung von Parteien und politischen Gruppierungen, das nicht nur deren Gründung, sondern auch den Schutz ihrer Tätigkeit umfasst, hat durch die neue Verfassung eine Erweiterung erfahren. Allen Parteien ist nun die Mitwirkung an den Wahlen gestattet; ihre Gründung und Aktivitäten unterliegen keiner rechtlichen Beschränkung mehr, solange sie die Grundsätze nationaler Souveränität und Demokratie achten. Insoweit gelten für alle Parteien die gleichen Rechte und Pflichten.

Die individuelle Freiheit *(la liberté individuelle) stricto sensu* wird ausdrücklich in den Art. 20 bis 22 Const. garantiert. Art. 22 Const. bestimmt, dass niemand willkürlich in Haft gehalten werden darf und jede Person so lange als unschuldig gilt, bis es nach einem fairen Verfahren zu einem Schuldspruch gekommen ist. Die individuelle Freiheit ist in folgende Unterpunkte gegliedert: in die Bewegungsfreiheit *(la liberté d'aller et venir)*, den Schutz der Privatsphäre *(le respect de la vie privée)*, die – zusätzlich bereits durch Art. 4 Const. geschützte – Unverletzlichkeit der Wohnung *(l'inviolabilité du domicile)* und den Schutz vor willkürlicher Staatsgewalt *(sûreté)*. Letzterer gilt als das wichtigste Element der *liberté individuelle*. Es wird zum Beispiel als Schutz vor willkürlicher Festnahme aufgefasst, also als das Verbot, einen Bürger wegen einer Tat festzunehmen, die nicht zuvor gesetzlich kriminalisiert war. Damit sind der Grundsatz *nullum crimen sine lege* aus Art. 13 Abs. 1 CP-CI[3] und die Unschuldsvermutung aus Art. 9 der Menschenrechtserklärung von 1789 auch verfassungsrechtlich verankert. Neben dem Schutz vor willkürlicher Festnahme umfasst die *sûreté* als Begriff des *habeas corpus* die Sicherstellung eines gerechten Strafsystems.

---

[3] Siehe ausführlich dazu II.A.

3. Sonstige übergesetzliche Normen von strafrechtlicher Relevanz

Gemäß Art. 101 Const. ist die Judikative unabhängig von der exekutiven und der legislativen Gewalt. Daher unterstehen die Gerichte gemäß Art. 103 Abs. 1 Const. allein dem Gesetz, die Richter sind – im Gegensatz zu den Staatsanwälten – unabhängig und unabsetzbar (Art. 103 Abs. 2 Const.). Die Unabhängigkeit der Justiz wird durch den Staatspräsidenten gewährleistet (Art. 104 Const.). Außerdem bestimmt Art. 102 Const., dass die Justizhoheit sich auf das gesamte nationale Territorium erstreckt.

Der Oberste Gerichtshof *(Haute Cour de Justice)* ist gemäß Art. 109 Const. zuständig für Anklagen gegen den Präsidenten der Republik wegen Hochverrats. Außerdem bestimmt Art. 110 Const. die Zuständigkeit dieses Gerichts auch für die Strafverfolgung von Mitgliedern der Regierung wegen Verbrechen und Vergehen, die sie im Rahmen ihrer Amtsausübung begangen haben. Nicht zuständig ist der Oberste Gerichtshof hingegen für Übertretungsstraftaten von Regierungsmitgliedern. In solchen Fällen soll das Verfahren entweder eingestellt oder die Sache dem Generalstaatsanwalt beim Kassationsgerichtshof vorgelegt werden, damit dieser sie zur Anklage bringt.[4]

Das Volk von Côte d'Ivoire hat die Stellung seiner Parlamentarier in den Art. 67 bis 68 Const. durch Zubilligung von Immunität und Indemnität gestärkt. Dies sind Privilegien für Abgeordnete, damit sie ihre Tätigkeit während der Amtszeit frei ausüben können. Gemäß Art. 67 Const. wird kein Abgeordneter verfolgt, gesucht, festgenommen, festgehalten, angeklagt oder verurteilt wegen einer Meinungsäußerung oder eines Abstimmungsverhaltens im Rahmen seiner Dienststellung. Weiter legt Art. 68 Abs. 1 Const. fest, dass kein Parlamentsmitglied während der Legislaturperiode wegen einer Strafsache (Verbrechen oder Vergehen) verfolgt oder festgehalten werden darf, vorbehaltlich einer Erlaubnis durch die Nationalversammlung, es sei denn, der Betreffende wurde *in flagranti* ertappt. Nach Abs. 2 desselben Artikels kann der Abgeordnete außerhalb der Legislaturperiode nur mit Zustimmung des Büros der Nationalversammlung festgenommen werden. Außerdem wird die Verfolgung oder die Haft eines Abgeordneten suspendiert, wenn die Nationalversammlung dies fordert.

---

4 Vergleiche auch I.A.5.c.

Literaturhinweise zu Abschnitt C.

Blaise, Jean-Bernard/Mourgeon, Jacques, Lois et Décrets de Côte d'Ivoire. Paris 1970, S. 339–340.

Dégni-Ségui, René, Les droits de l'homme en Afrique noire francophone. Théories et réalités. 2. Aufl. Abidjan 2001, S. 57–58, 77–78, 87–88.

Desouches, Christine, Les Assemblées. In: Encyclopédie juridique de l'Afrique, Band 1: L'Etat et le Droit. Abidjan/Dakar/Lomé 1982, S. 57–96, 73.

Glele, Maurice Ahanhanzo, La constitution ou loi fondamentale. In: Encyclopédie juridique de l'Afrique, Band 1: L'Etat et le droit. Abidjan/Dakar/Lomé 1982, S. 21–52, 39–41.

Gonidec, P.-F., Les systèmes politiques africains. 2. Aufl. Paris 1978.

Gridel, Jean-Pierre, Introduction au droit et au droit français. Paris 1994, S. 420–422, 426–429, 446.

Guimezanes, Nicole, Introduction au droit français. Baden-Baden 1995, S. 64–67.

Hübner, Ulrich/Constantinesco, Vlad, Einführung in das französische Recht. 3. Aufl. München 1994, S. 36–37, 43–45.

Itin, Marco, Grundrechte in Frankreich. Zürich 1992, S. 5–9, 48–52, 66, 118–120.

Kouassi, Adome Blaise/Paulenz, Simon, Landesbericht Côte d'Ivoire. In: Albin Eser/Ulrich Sieber/Helmut Kreicker (Hrsg.), Nationale Strafverfolgung völkerrechtlicher Verbrechen. National Prosecution of International Crimes, Band 4. Berlin 2005, S. 27.

Leclercq, Claude, Libertés publiques. Paris 2000, S. 240–242, 252–253.

Mourgeon, Jacques, La République de Côte d'Ivoire. Paris 1969, S. 19–20.

Rougerie, Gabriel, La Côte d'Ivoire, Que sais-je? Paris 1964, S. 7.

Terré, François, Introduction générale au droit. 2. Aufl. Paris 1994, S. 144 (Nr. 153).

– Introduction générale au droit. 7. Aufl. Paris 2006, S. 195 f. (Nr. 248).

Wodié, Francis V., Institutions politiques et droit constitutionnel en Côte d'Ivoire. Abidjan 1996, S. 68–69, 175, 438–440.

Internet-Adressen:

Encyclopédie universelle des droits de l'homme (E.U.D.H.)
http://droit.francophonie.org/doc/html/ci

D. Strafrechtstheoretische Grundlagen

1. Aufgaben des Strafrechts

Das Strafrecht von Côte d'Ivoire ist im Strafgesetzbuch zusammengefasst. Jeder Gesetzesbruch, der begangen wird, sei es in Form eines Verbrechens, eines Vergehens oder einer Übertretung, wird geahndet. Es handelt sich hier um Regelverletzungen, welche nach den allgemeinen Moralvorstellungen der Bevölkerung verurteilungswürdig sind. Ebenso bestimmt das Strafgesetzbuch Sicherungsmaßnahmen, Maßnahmen zum Erhalt des öffentlichen Friedens, des öffentlichen Gesundheitswesens etc. und dient damit auch der Durchsetzung des Rechts in anderen Bereichen.

Das ivorische Strafrecht verfolgt zwei unterschiedliche, aber komplementäre Ziele: das eine ist *präventiver* und das andere ist *repressiver* Natur.

Durch die präventive Funktion des Strafrechts sollen die Gesellschaft und ihre Rechtsgüter vor einer Gefährdung oder Verletzung durch rechtsuntreue Teile der Bevölkerung geschützt werden. Deswegen müssen entsprechende Maßnahmen ergriffen werden, um Individuen von gefährlichem Verhalten oder dessen Wiederholung abzuhalten. Die präventive Aufgabe des Strafrechts betrifft zwei Aspekte:[1] Erstens soll es eine allgemeine abschreckende Wirkung auf die gesamte Bevölkerung ausüben. Hier handelt es sich um eine kollektive Prävention (Generalprävention). Zweitens wird mit der Bestrafung des Täters bezweckt, dass dieser nicht rückfällig wird, daher spielt das Strafrecht hier eine individualpräventive Rolle (Spezialprävention). Erst wenn diese präventiven Maßnahmen vom Gesetzgeber oder von der Exekutive nicht zum Ziel führen, greift die repressive Funktion des Strafrechts ein.

In seiner repressiven Funktion zielt das Strafrecht auf die Ahndung von gefährlichem Verhalten, das gegen die öffentliche Ordnung, die Interessen der Gemeinschaft oder gesellschaftlich akzeptierte Verhaltensweisen verstößt. Das grundlegende Prinzip besteht darin, denjenigen zu bestrafen, der sich normwidrig verhält, obwohl er wusste, dass er mit einer Strafe rechnen muss, wenn er gegen strafrechtliche Normen verstößt. Dieses grundlegende repressive Prinzip des Strafrechts, das auf Vergeltung *(rétribution)* gerichtet ist, wird von den Bürgern auch als eine soziale Notwendigkeit angesehen, um beispielsweise Lynchjustiz zu verhindern. Die Repressivität besteht nicht im Hinblick auf die rechtstreue Mehrheit, sondern nur im Hinblick auf die Minderheit von Rechtsbrechern.

Allerdings sind im Strafgesetzbuch von Côte d'Ivoire die oben genannten strafrechtstheoretischen Grundlagen nicht ausdrücklich definiert. Die ivorischen Strafrechtler haben sich von entsprechenden wissenschaftlichen Diskussionen fern-

---

[1] Mehr dazu unten D.3.

gehalten. Das hat jedoch nicht dazu geführt, dass die Juristen und das Strafrecht des Landes die oben genannten Theorien ignorieren. Denn das Strafrecht hat den Schutz der Grundwerte der Gesellschaft zum Ziel und beruht auf den ethischen Fundamenten der Gesellschaft. Es stellt also ein Werturteil über die menschlichen Bedingungen dar, die es steuert. So legt es einerseits die Beziehungen zwischen der Gesellschaft und den Individuen fest und präzisiert andererseits den von der Gemeinschaft und ihren Mitgliedern zu bezahlenden „Preis" für den Kampf gegen die Kriminalität.

Der Schutz der öffentlichen Sicherheit gehört ebenso zur Aufgabe des ivorischen Strafrechts. Daher ist das Strafrecht der Garant der öffentlichen Ordnung und sorgt für den Opferschutz. Es beruht auf dem Gesetzlichkeitsprinzip, welches für jeden Rechtsstaat maßgeblich ist, das heißt für diejenigen Staaten, welche die Begrenzung ihrer Macht durch die Regeln, die sie für ihre Bürger aufstellen, akzeptieren. Das Phänomen des Verbrechens betrifft nicht nur persönliche Angelegenheiten zwischen Täter und Opfer sowie dessen Angehörigen. Die Gesellschaft selbst wird durch die Begehung eines Delikts beeinträchtigt. Deshalb ist das Strafrecht eine Angelegenheit des Staates. Außerdem verhindert es mithilfe seiner Bestimmungen jede Art von Willkür und verbietet Selbstjustiz. Ebenso beseitigt es – zumindest theoretisch – Privilegien, die sich bestimmte ethnische oder soziale Gruppen im Verhältnis zu anderen ethnischen oder sozialen Gruppen zugestehen wollen. So hat das Strafrecht nicht nur eine strafende, sondern auch eine Schutzfunktion gegenüber dem Individuum und dient der Bildung und Stärkung der Moral in der Gemeinschaft, indem es beispielsweise vorsätzliche Tötung, Vergewaltigung und Diebstahl verbietet.

2. Rechtsstaatliche Grenzen des Strafrechts

Die rechtsstaatlichen Grenzen des Strafrechts von Côte d'Ivoire werden von den Grundprinzipien des Rechts, dem Gesetzlichkeitsprinzip, dem Schuldprinzip, dem Verhältnismäßigkeits- und dem Humanitätsgrundsatz gezogen. Zwar hat bisher, wie oben erwähnt, eine wissenschaftliche strafrechtliche Diskussion über grundlegende Fragen nicht stattgefunden, jedoch können diese aufgrund der Anlehnung an das französische Strafrecht mithilfe der französischen Doktrin und einiger Gerichtsentscheidungen ivorischer Gerichte beantwortet werden. Die rechtsstaatlichen Grenzen des Strafrechts orientieren sich im Einzelnen an den nachfolgend aufgeführten Prinzipien.

Das Gesetzlichkeitsprinzip *(principe de la légalité des délits et des peines)* entstammt dem Art. 8 der Menschenrechtsdeklaration von 1789 und besitzt Verfassungsrang.[2] Außerdem hat das Strafgesetzbuch von Côte d'Ivoire dieses Prinzip in

---

[2] Siehe dazu I.C.3.

Art. 13 Abs. 1 übernommen. Es bedeutet, dass niemand für eine Tat verurteilt werden kann, die im Moment der Tatbegehung nicht nach den herrschenden Gesetzen mit Strafe bedroht ist. Dadurch wird der Gesetzgeber verpflichtet, klare und präzise Gesetzestexte zu verfassen und zu verabschieden.[3]

Gemäß dem Schuldprinzip setzt die Bestrafung ein schuldhaftes Verhalten *(faute)* voraus. Dieses schuldhafte Verhalten, welches das subjektive Element des Tatbestands darstellt, kann auf Fahrlässigkeit oder Vorsatz beruhen.[4] Bei fehlender Schuld entfällt die strafrechtliche Verantwortung und damit die Strafbarkeit. Das folgt aus dem Prinzip *nulla poena sine culpa*. Insgesamt spielt das Schuldprinzip eine wichtige Rolle im ivorischen Strafrecht. Nur Personen, die während der Tatbestandsbegehung im Besitz ihrer Willensfreiheit sind, können strafrechtlich verantwortlich gemacht und schuldig gesprochen werden. Die übrigen sind nicht schuldfähig und deshalb nicht strafbar. Deshalb werden zum Beispiel keine Sanktionen gegenüber Kindern unter 13 Jahren oder gegenüber Geisteskranken verhängt.[5]

Das ivorische Strafrecht kennt auch das Prinzip der Verhältnismäßigkeit. Die von der Straftat betroffene Gesellschaft verhängt gegenüber dem Täter eine bestimmte Strafe im Ausgleich zu dem Übel, das sie selbst von dem Täter erfahren hat. Das verhängte Übel darf nicht größer als die Tat sein, denn das Strafmaß als gerechte Sanktion muss der Schuld des Täters entsprechen. In engem Zusammenhang damit steht das Prinzip der Erforderlichkeit und der Verhältnismäßigkeit der Strafen *(principe de la nécessité et de la proportionnalité des peines)*. Es schreibt vor, dass die Gesetze nur angemessene und notwendige Strafen festlegen dürfen. Art. 8 der Deklaration von 1789 verbietet dem Gesetzgeber, Strafen anzudrohen, die gemessen an der Schwere der begangenen Tatbestände unverhältnismäßig wären. Aus diesem Verhältnismäßigkeitsprinzip hat der französische *Conseil Constitutionnel* abgeleitet, dass bei der Bildung einer Gesamtstrafe innerhalb eines Strafverfahrens nicht der Strafrahmen desjenigen Einzeldelikts überschritten werden darf, das mit der höchsten Strafe bedroht ist (Cons. Const. Nr. 97-395 DC vom 30. Dezember 1997 über das Finanzgesetz für 1998). Durch diese Entscheidung wurde das Prinzip des Verbots der Kumulation von Sanktionen (Art. 122 f. CP-CI) bekräftigt.

Auch der Humanitätsgrundsatz verbietet eine auffällige Disproportionalität zwischen der begangenen Tat und der Strafe. Daraus resultiert das Prinzip der Individualisierung der Strafe, das selbst aus Art. 8 der Deklaration der Menschen- und Bürgerrechte von 1789 abgeleitet ist. Der Humanitätsgrundsatz geht zum Beispiel davon aus, dass die Todesstrafe unmenschlich ist und gegen Art. 2 Abs. 3 der ivorischen Verfassung verstößt, welche die Todesstrafe verboten hat.

---

3 Ausführlich zum Gesetzlichkeitsprinzip II.A.1. und 2.

4 Siehe hierzu II.E.

5 Näher dazu II.J.6. und 7.

3. Strafzwecke

Es gibt zwei Arten von Sanktionen im ivorischen Strafrecht: die Strafe *in stricto sensu* und die Sicherheitsmaßnahmen *(la peine et les mesures de sûreté)*, die unterschiedliche, aber komplementäre Zwecke verfolgen.

Die Strafe dient zuerst einem Vergeltungszweck *(rétribution)*. Sie bezieht sich auf die Vergangenheit (auf die begangene Tat, den verursachten sozialen Schaden, die Störung der öffentlichen Ordnung) und beruht auf dem Schuldprinzip. Da die Verwirklichung eines Tatbestands Verletzungen in der Gesellschaft verursacht hat, verlangt diese nach Gerechtigkeit. Die gegen den Täter verhängte Strafe hat als Zweck die Herstellung eines Ausgleichs, zielt also auf die Wiederherstellung der moralischen Ordnung. Sie soll das ethische Übel des Verbrechens ausgleichen und die moralische Ordnung wiederherstellen. Jedoch wird dieser Vergeltungszweck der Strafe vom Gesetzgeber nur als eine generelle Voraussetzung angesehen; als Schlussfolgerung ergibt sich, dass jede Strafe proportional zur Schuld sein und sich dies auch niederschlagen muss *(caractère afflictif)*. Durch die Strafe wird dem Verurteilten zugleich das soziale Missfallen verdeutlicht, weswegen sie in der Gesellschaft auch eine ehrenrührige Bedeutung besitzt *(caractère infamant)*.

Die Strafe verfolgt außerdem in zweierlei Hinsicht einen Einschüchterungszweck: Sie hat einerseits eine generelle Einschüchterung (Generalprävention) durch eine starke Drohung, welche eventuelle Täter abschrecken soll, zum Ziel. Deshalb bestimmt der Gesetzgeber die höchsten Strafen für Tatbestände, die einen hohen sozialen Schaden oder soziale Unruhe verursachen. Während gegenüber Ersttätern die Einschüchterungswirkung durch eine einfache Strafandrohung stark genug ist, hat die spezielle Einschüchterung (Spezialprävention) andererseits besonders die Verhinderung einer Wiederholungstat eines bereits Verurteilten zum Ziel. Die Aufgabe der Spezialprävention wird auch durch den Richter wahrgenommen. Um die fortgesetzte Begehung verschiedener Tatbestände zu verhindern, verhängt der Richter gegenüber Rückfalltätern eine möglichst strenge Strafe.

Schließlich verfolgt die Verhängung einer Strafe im ivorischen Strafrecht auch einen Sicherungszweck. Der sogenannte „total eliminierende" Zweck der Strafe wurde mit dem Verbot der Todesstrafe in der neuen Verfassung vom August 2000 abgeschafft.[6] So bleibt nur der sogenannte „relativ eliminierende" Zweck: der Verurteilte wird kurz- oder langfristig eingesperrt und damit von der Gesellschaft ferngehalten.

Die Sicherungsmaßnahmen stehen neben den oben genannten Strafzwecken, denn sie werden nicht als „richtige" Strafen angesehen. Sie sind auf die Zukunft orientiert, da sie die Tatbegehung beziehungsweise deren Häufung vermeiden wollen, somit dienen sie einem Präventivzweck. Dieser Zweck kann erst durch die

---

6 Mehr dazu unter I.C.

Überwachung oder die Eliminierung des Individuums erreicht werden, etwa durch die lebenslange Internierung eines Gewohnheitstäters. Sicherungsmaßnahmen verhindern zukünftige Taten und werden weder als körperlich demütigend *(afflictif)* noch als ehrenrührig *(infamant)* empfunden.

4. Grundlegende Prinzipien des Strafverfahrensrechts

Das Strafverfahrensrecht bestimmt die Art der Organisation der sozialen Reaktion gegenüber einem Täter. Das Verfahrensrecht übernimmt zwei Aufgaben:

Zum einen muss es verlässlich sein und der Gesellschaft Vertrauen in die Rechtsordnung vermitteln, also eine weitgehende Gerechtigkeit garantieren. Wegen des hohen Gewichts der Interessen einer verdächtigen Person muss das ivorische Strafverfahrensrecht, wie in allen anderen Ländern, einem Verdächtigen, Beschuldigten oder Angeklagten einen fairen Prozess ermöglichen. Diesbezüglich regelt das Strafverfahrensrecht nicht nur den Verlauf des Prozesses vor einem Strafgericht, sondern unter anderem auch die Feststellung der Straftat und die Tätersuche, die Sammlung von Beweismaterial, das Urteil und (eventuell) die Verurteilung.

Zum anderen regelt es die Vorgehensweise und die Formalitäten, welche dazu dienen, einen fairen Prozess zu gewährleisten. Dabei garantiert es jedem Beschuldigten ein Verfahren, in dem er sich im Fall einer strafrechtlichen Verfolgung im Untersuchungsverfahren, im Ermittlungsverfahren sowie in einer Gerichtsinstanz nach universellen rechtsstaatlichen und demokratischen Prinzipien verteidigen kann. Das Strafverfahrensrecht muss also im Wege der Freiheitssicherung für die Allgemeinheit zwischen den Interessen der Gesellschaft und denjenigen des verfolgten Täters vermitteln.

Am Vorbild des französischen Strafverfahrens orientiert, kombiniert das ivorische Strafverfahrensrecht ein inquisitorisches mit einem akkusatorischen Prozesssystem. Die Strafprozessordnung verbindet außerdem Elemente einer Verfolgungspflicht mit solchen eines Verfolgungsermessens.

Im Vorverfahren hat der Staatsanwalt eine starke Stellung. Er entscheidet grundsätzlich darüber, ob nach Kenntnis von Anhaltspunkten für eine Straftat ein Ermittlungsverfahren eingeleitet werden soll und ob Anklage erhoben wird (Art. 40 Abs. 1 Satz 1 CPP-CI, Art. 31 CPP-CI). Bei Vergehen und Übertretungen kann er, abgesehen von Ausnahmen (siehe Art. 8 CPP-CI), kraft Amtes einen strafprozessualen, also öffentlich-rechtlichen Vergleich statt der Anklage herbeiführen, in Form einer Vereinbarung über die Zahlung einer Geldsumme – gegebenenfalls unter Einbeziehung der Wünsche des Opfers, auch unter Berücksichtigung zivilrechtlicher Forderungen (Art. 9 CPP-CI, Art. 40 Abs. 2 CPP-CI). Bei Verbrechen *(crimes)* hat er diese Möglichkeiten jedoch nicht. Zudem ist die Einschaltung eines Untersuchungsrichters *(juge d'instruction)*, die bei Übertretungen nicht und bei

Vergehen fakultativ vorgesehen ist, bei Anhaltspunkten für ein Verbrechen obligatorisch (Art. 77 CPP-CI). Der Untersuchungsrichter beteiligt sich an der Beweisermittlung und entscheidet über Einstellung oder Klageerhebung mit (Art. 92 ff. CPP-CI).

Das Legalitätsprinzip schreibt dem Staatsanwalt vor, alle zur Ermittlung und Strafverfolgung notwendigen Maßnahmen zu ergreifen (Art. 41 CPP-CI). Zweifelsfrei ist zudem die Pflicht zur umfassenden rechtlichen Würdigung des ermittelten Sachverhalts aus den genannten gesetzlich geregelten Aufgaben von Staatsanwalt und Untersuchungsrichter herzuleiten. Insoweit besteht also eine Strafverfolgungspflicht. Entscheidend ist aber, dass das Verfahren zu jeder Zeit eingestellt werden kann, wenn die Sachverhaltsermittlung keinen Erfolg verspricht, der Schaden gering ist, die öffentliche Ordnung nicht gestört ist und/oder die Persönlichkeit des Täters, insbesondere sein geäußerter Wille, nicht wieder straffällig zu werden, dazu Anlass gibt. Hier haben der Staatsanwalt und gegebenenfalls der Untersuchungsrichter einen großen Ermessensspielraum, das heißt, das Opportunitätsprinzip kommt zum Tragen. Bei Anhaltspunkten für das Vorliegen von Verbrechen wird jedoch eine Entscheidung zugunsten einer Einstellung oder eines Vergleichs schwerfallen, zumal Staatsanwalt und Untersuchungsrichter zusammen entscheiden müssen.

Ne bis in idem: Spezielle materiellrechtliche oder verfahrensrechtliche Regeln über den Strafklageverbrauch existieren nicht. Art. 120 CP-CI verbietet aber in allgemeiner Form klar und deutlich die zweimalige Bestrafung wegen derselben Tat: *Nul ne peut être puni deux fois pour le même fait*. Damit ist offensichtlich, dass sich Côte d'Ivoire *expressis verbis* für einen tat- und nicht normorientierten Strafklageverbrauch entschieden hat. Weitgehend identisch mit dem französischen Recht hingegen ist in Art. 6 Abs. 1 CPP-CI geregelt, dass ein in derselben Strafsache ergangenes Urteil *(chose jugée)* strafklageverbrauchend wirkt.

Grundsätzlich sind die Verhandlungen der Strafgerichte öffentlich, außer wenn das – etwa beim Schwurgericht – zur Störung der öffentlichen Ordnung oder der guten Sitten führen könnte. Nur in diesem Fall bleibt die Verhandlung nichtöffentlich (Art. 306 Abs. 1 CPP-CI).

Basierend auf den oben beschriebenen Prinzipien gewährleistet das Strafverfahren von Côte d'Ivoire Sicherheit und Freiheit der Bürger durch ein *fair trial*, bei dem jedem Angeklagten alle Mittel eines demokratischen Rechtsstaats zur Verfügung stehen, damit der Angeklagte eine eventuelle Verurteilung akzeptieren kann.

Literaturhinweise zu Abschnitt D.

Bernardini, Roger, Droit pénal général. Introduction au droit criminel. Théorie générale de la responsabilité pénale. Paris 2003, S. 73 ff., 379 ff., 558 ff.

Bouloc, Bernard, Droit pénal général. 19. Aufl. Paris 2005, S. 22 (Nr. 28 f.), 231 (Nr. 253), 247 (Nr. 274), 400 ff. (Nr. 465 ff.), 405 ff. (Nr. 473 f.), 410 ff. (479 f.).

Brill, Jean-Pierre, Précis de droit pénal général. Abidjan 1985, S. 5.

Carbasse, Jean-Marie, Introduction historique au droit pénal. Paris 1990, S. 315 f.

Conte, Philippe/Du Chambon, Patrick Maister, Droit pénal général. 5. Aufl. Paris 2000, S. 1 f., 13 f., 240 f.

Desportes, Frédéric/Le Gunehec, Francis, Droit pénal général. 9. Aufl. Paris 2002, S. 215 ff., 581.

– Droit pénal général. 13. Aufl. Paris 2006, S. 23 ff. (Nr. 48), 27 (Nr. 53), 233 f. (Nr. 273).

Guinchard, Serge/Buisson, Jacques, Procédure pénale. 3. Aufl. Paris 2002, S. 1–5, 49 f.

Kouassi, Adome Blaise/Paulenz, Simon, Landesbericht Côte d'Ivoire. In: Albin Eser/Ulrich Sieber/Helmut Kreicker (Hrsg.), Nationale Strafverfolgung völkerrechtlicher Verbrechen. National Prosecution of International Crimes, Band 4. Berlin 2005, S. 55 f.

Paulin, Christophe, Droit pénal général. 5. Aufl. Paris 2007, S. 9 f.

Pradel, Jean, Droit pénal général. 9. Aufl. Paris 1994, S. 579 f., 581 f.

– Droit pénal général. 17. Aufl. Paris 2008, S. 73 (Nr. 72).

Robert, Jacques-Henri, Droit pénal général. 6. Aufl. Paris 1999, S. 50 ff.

Stefani, Gaston/Levasseur, Georges/Bouloc, Bernard, Droit pénal général. 17. Aufl. Paris 2000, S. 315, 390 ff., 524 ff.

– Droit pénal général. 19. Aufl. Paris 2005, S. 18 ff. (Nr. 24 f.), 246 (Nr. 272 f.), 323 (Nr. 369).

E. Abgrenzung und Einordnung des Strafrechts

1. Begriffliche und sachliche Umgrenzung des Strafrechts

Ivorische Rechtsgelehrte definieren das materielle Strafrecht als die Gesamtheit der Normen, deren Zweck es ist, gegen gesellschaftlich festgelegte Vorgaben gerichtete Handlungen zu bestimmen, die verantwortlichen Personen zu benennen und die daraus folgenden Strafen gegen sie anzuordnen. Das materielle Strafrecht hat die Aufgabe, bestimmte Delikte (sozialschädliche Handlungen, welche den öffentlichen Frieden gefährden) und die daraus folgenden Sanktionen zu definieren. Deshalb unterscheidet es sich einerseits elementar von den anderen ivorischen Rechtsgebieten, andererseits besteht aber auch eine gewisse Nähe zwischen dem materiellen Strafrecht und den anderen Rechtsbereichen. Diese Nähe basiert auf der Einheit der Rechtsordnung, denn sobald sich ein Verhalten aus dem Bereich des öffentlichen Rechts oder des Privatrechts als Störung des öffentlichen Friedens darstellen könnte, wird es nach strafrechtlichen Gesichtspunkten beurteilt. Der gravierende Unterschied zwischen materiellem Strafrecht und anderen Rechtsgebieten ist die Rechtsfolge, da allein das Erstgenannte Freiheits- und Todesstrafe androhen kann. (Die Todesstrafe ist zwar im ivorischen Strafgesetzbuch noch als mögliche Rechtsfolge genannt, jedoch ist sie mittlerweile verfassungsrechtlich abgeschafft, sodass es, basierend auf dem Vorrang der Verfassung, zu keiner Verhängung der Todesstrafe mehr kommen kann.)

Das juristische System von Côte d'Ivoire ist grundsätzlich in zwei große Bereiche zu unterteilen: in das öffentliche Recht und in das Privatrecht. Wohin das materielle Strafrecht in dieser strikten Unterteilung gehört, ist unter ivorischen Juristen äußerst umstritten. Als Argument für die Zuordnung zum Privatrecht wird von einigen die Meinung vertreten, dass sowohl im materiellen Strafrecht als auch im Privatrecht die gleichen Grundsätze hinsichtlich der Verantwortlichkeit sowie die gleichen Argumentationstechniken verwandt werden, sodass diese einen unmittelbaren Zusammenhang bilden.

Nach der Unabhängigkeit am 7. August 1960 hatte das Land zunächst das Strafgesetzbuch Frankreichs von 1810 *(Code Napoléon)* mit einigen Änderungen übernommen, jedoch wurde durch das Gesetz vom 31. Juli 1981 (Gesetz Nr. 81-640) ein eigenes ivorisches Strafgesetzbuch (*Code pénal de la Côte d'Ivoire*, CP-CI) eingeführt. Dieses Strafgesetzbuch besteht aus einem Allgemeinen und einem Besonderen Teil. Der Allgemeine Teil (*Livre 1er: droit pénal général*, Art. 1–136) ist die Gesamtheit aller Normen und Regeln, welche auf alle Delikte und deren Sanktionen Anwendung finden. Der Besondere Teil (*Livre 2ème: droit pénal spécial*, Art. 137–502) erfasst die einzelnen Straftatbestände.

Der Besondere Teil des Strafgesetzbuchs ist aufgeteilt in verschiedene Titel *(titre)*, wie zum Beispiel *Titre I*: Verbrechen und Vergehen gegen Völkerrecht, gegen den Staat und gegen die öffentlichen Interessen (Art. 137–341 CP-CI). Die Titel enthalten wiederum Kapitel *(chapitres)*, die in weitere Abteilungen *(sections)* gegliedert sind, so etwa *Section 1* über Völkermord, *Section 2* über Verbrechen gegen die Zivilbevölkerung und *Section 3* über Verbrechen gegen Kriegsgefangene. *Titre II* (Art. 342–391 CP-CI) enthält die Verbrechen und Vergehen gegen die Person, wobei dieser Titel nochmals in Kapitel mit verschiedenen Abteilungen untergliedert ist, beispielsweise über die Beeinträchtigung der körperlichen Unversehrtheit *(atteintes à l'intégrité physique)*. Danach folgt *Titre III* (Art. 392–434 CP-CI) mit den Verbrechen und Vergehen gegen das Eigentum. In *Titre IV* sind die Militärstraftaten aufgeführt (Art. 435–502 CP-CI).

Im Anschluss an das *Livre 2ème* ist ein „Besonderer Teil" des Besonderen Teils normiert *(loi pénale spéciale de droit pénal spécial)*. Der nachträglichen Einfügung dieser (Spezial-)Gesetze (unter anderem das Gesetz Nr. 94-497 vom 6. September 1994 über den unerlaubten Export von Agrarprodukten [vor allem Kakao und Kaffee], das Dekret Nr. 95-721 vom 20. September 1995 über das Verbot der öffentlichen Kundgebung, das Gesetz Nr. 96-765 vom 3. Oktober 1996 über die Hausdurchsuchung, das Gesetz Nr. 98-749 vom 23. Dezember 1998 über Waffen, Munition und Explosivstoffe, das Gesetz Nr. 98-757 vom 23. Dezember 1998 über die Beschneidung) bedurfte es, um Subsumtionsschwierigkeiten vorzubeugen, da der bereits bestehende Besondere Teil des Strafgesetzbuchs bei manchen Tatbeständen nicht genau genug formuliert worden war, um besondere, ortsübliche Delikte zu erfassen. So gibt es zum „normalen" Diebstahl einen „besonderen" Diebstahl wie etwa Kakaodiebstahl, und zur „normalen" Körperverletzung den Tatbestand der Beschneidung. Auch die Tatbestände des illegalen Exports von Rohstoffen und landwirtschaftlichen Gütern sind nachträglich eingefügt worden, um den illegalen Handel mit Rohstoffen besser unter Kontrolle zu bekommen.

Da es im ivorischen materiellen Strafrecht kein eigentliches Nebenstrafrecht gibt, sind alle Tatbestände im Strafgesetzbuch normiert. So kommt es auch, dass am Ende des Strafgesetzbuchs, im Anschluss an die Spezialgesetze, die Übertretungen *(contraventions)* behandelt werden. Auch dieser Übertretungs-Teil ist, vergleichbar dem Allgemeinen und dem Besonderen Teil, in verschiedene Titel, Kapitel und Sektionen untergliedert.

2. Abgrenzung zu anderen repressiven Ordnungssystemen

Während der Kolonialzeitzeit wurde in Côte d'Ivoire auch ein Verwaltungsstrafrecht eingeführt, das unter dem sogenannten Indigenen-Regime *(régime de l'indigénat)* zwischen beiden Weltkriegen verschärft wurde. Das Verwaltungsstrafrecht traf meistens diejenigen Bevölkerungsteile, die keine französische Staatsbürgerschaft besaßen. Die Entwicklung dieser Repressivwirkung des Verwaltungsstrafrechts wurde in der Kolonie Côte d'Ivoire mit der wirtschaftlichen, sozialen und kulturellen Mission für Frankreich verbunden. Unter der Vichy-Regierung, während des Zweiten Weltkriegs, wurde das Verwaltungsstrafrecht weiter verschärft. So räumte das Vichy-Regime in dieser Zeit allen beruflichen Organisationen und staatlichen Autoritäten in den französischen Kolonien (darunter Côte d'Ivoire) verwaltungsrechtliche Befugnisse ein, damit der sogenannte Kriegsauftrag oder die Kriegsanstrengungen *(efforts de guerre)* besser organisiert werden konnten. Hierfür mussten die Kolonien nicht nur Soldaten nach Frankreich entsenden, sondern auch Bodenschätze und Lebensmittel liefern. Nach dem Zweiten Weltkrieg und vornehmlich nach der (theoretischen) Unabhängigkeit wurde das Verwaltungsstrafrecht vernachlässigt.

Zwischen den Jahren 1990 und 2000 keimte dank der Demokratiebewegung im Land, dem Erstarken der Presse und verschiedenen Privatinitiativen ein neues Interesse für das Verwaltungsstrafrecht *(droit administratif répressif)* auf. Dies erklärt sich einerseits durch die Demokratisierung des Landes, andererseits durch die Tatsache, dass strafrechtliche Befugnisse aus organisatorischen Gründen an neue Verwaltungsbehörden abgegeben werden sollten, und schließlich zeigt sich darin auch ein Wandel in der Bedeutung eines abgestuft wirkenden Strafrechts. In diesem Zusammenhang wird das Verwaltungsstrafrecht als mögliche Alternative im Rahmen einer Entkriminalisierungspolitik angesehen. Zunächst enthielt der strafrechtliche Teil des Verwaltungsrechts nur Disziplinarmaßnahmen im öffentlichen Dienst und die Strafen betrafen nur Personen, die in einer Beziehung zu den öffentlichen Behörden standen. Aber die generelle staatliche Hypertrophie hat zu einem spektakulären Aufschwung des Verwaltungsstrafrechts geführt. Deshalb wird ein neues Ziel sein, die Streitsachen, in denen sich öffentliche und private Personen gegenüberstehen, durch Verwaltungsstrafrecht zu regeln. Dessen Auftrag besteht darin, zwischen den unterschiedlichen Interessen zu vermitteln, die Spielregeln zu präzisieren, gegenseitigen Respekt zu sichern und vor allem die Freiheit der Parteien zu schützen. Dazu sind neue öffentliche Behörden gegründet worden; sie werden „unabhängige administrative Autoritäten" *(autorités administratives indépendantes)* genannt. Ihr Ziel ist die Regulierung bestimmter sensibler Bereiche des sozialen Lebens:

– *Steuerrecht.* Hier zeigt sich die Repressivwirkung des Verwaltungsstrafrechts ganz besonders und auch am härtesten. „Steuerliche Sanktionen" *(sanctions fiscales)* und „andere Sanktionen und diverse Maßnamen" *(autres sanctions et mesures diverses)* betreffen Steuerrechtstatbestände wie die verzögerte oder gänzlich ausbleibende Vorlage der notwendigen Dokumente für die Steuerfestsetzung, aber auch die Mangelhaftigkeit oder Ungenauigkeit sowie das Fehlen einer Steuererklärung. Ebenso werden der Verzug oder das Ausbleiben der Steuerzahlung bestraft.

– *Arbeits-, Gesundheits- und Umweltrecht.* Nach diesen Regelungen ist zum Beispiel die Betriebsschließung einer Schankwirtschaft für maximal sechs Monate möglich. Ebenso bestimmt das Verwaltungsstrafrecht Sanktionen gegen Arbeitgeber, die gegen Vorschriften des Arbeitsgesetzes über die Anstellung von behinderten Arbeitnehmern und Kriegsbeschädigten verstoßen haben. Die Gesetzgebung zum Natur- und Umweltschutz erlaubt den Präfekten beziehungsweise Ministern, wichtige repressive Maßnahmen gegenüber Landwirten zu verhängen, die gegen Auflagen verstoßen oder mit unerlaubten Methoden ihr Land bewirtschaftet haben.

– *Verkehrs- und Transportsektor*. In diesem Bereich haben die Verwaltungsbehörden die Befugnis, Sanktionen gegenüber Angehörigen von Berufsgruppen zu verhängen, deren Tätigkeiten direkt mit dem Straßenverkehr verbunden sind und das Leben von Verkehrsteilnehmern bedrohen. Außerdem hat ein Präfekt das Recht, in bestimmten Fällen Fahrlehrern die Lehrbefugnis zu entziehen.

– *Meinungsäußerung*, *Information* und *Kommunikation*. Das Verwaltungsstrafrecht ist hier ein sehr aktuelles Thema. Wie oben erwähnt wird dieser Sektor seit Beginn der 1990er Jahre und insbesondere seit der neuen Verfassung vom August 2000 forciert. Vor diesem Datum war die Repression in diesem Bereich Sache des Strafgesetzbuchs. Die neue Verfassung hat das Verwaltungsstrafrecht neu geregelt, jedoch wurde es nur langsam in die Praxis umgesetzt, so beispielsweise 2004 mit der parlamentarischen Verabschiedung eines Gesetzes, in dem es darum geht, zukünftig bei Pressedelikten nur noch Geldstrafen und nicht mehr Freiheitsstrafen zu verhängen.

– *Wirtschaftsbereich*. Entsprechende Strafen werden zum Beispiel bei der Missachtung der Regeln des freien Wettbewerbs und im Bereich der Kartellbildung verhängt. Für die Kontrolle der Konkurrenz von Unternehmern wurde 1990 ein Gesetz verabschiedet, auf dessen Grundlage *ad hoc* eine zentrale Stelle in Abidjan errichtet wurde mit der Aufgabe, repressive administrative Maßnahmen im Wirtschaftsbereich umzusetzen.

– *Verwaltungsrecht*. Sanktionen müssen hier von einer unabhängigen Verwaltungsbehörde ausgesprochen werden. An erster Stelle werden Vermögensstrafen *(sanctions patrimoniales)* in Form von Geldstrafen, vor allem Steuersanktionen, verhängt. Neben diesen finden sich die Nicht-Vermögenssanktionen *(sanctions extrapatrimoniales)* wie Freiheitsentzug, Meldepflichten oder Einschränkung der bürgerlichen Rechte. Schließlich kennt das Verwaltungsrecht auch Tadel und Verweis als „moralische" Sanktionen *(sanctions morales)*. Die Art der Sanktionen unterscheidet sich gemäß Art. 15 je nach der Schwere der *contraventions* in drei Stufen:

- Für eine *contravention de la 1ère classe* sind Geldstrafe von 5.000 bis 50.000 FCFA (circa 7,62 bis 76,21 €) und eine Freiheitsstrafe von maximal einem Monat angedroht.
- Die *contravention de la 2ème classe* führt zu einer Geldstrafe zwischen 20.000 und 200.000 FCFA (circa 30,48 bis 304,87 €) oder einer Freiheitsstrafe von maximal zwei Monaten.

- Im Fall einer *contravention de la 3ème classe* droht eine Geldstrafe von 50.000 bis 1.800.000 FCFA (76,21 bis 2.743,90 €) oder eine Freiheitsstrafe von mindestens zwei bis maximal sechs Monaten.

Der Richter kann gleichzeitig Geldstrafe und Freiheitsstrafe oder aber auch nur eine von beiden Strafen verhängen.

– *Disziplinarrecht.* Auch bei diesem handelt es sich um eine Nachbardisziplin des materiellen Strafrechts. Es betrifft Verstöße gegen die beamtenrechtliche Dienstordnung. Dabei werden sowohl die Unkenntnis der Berufspflichten als auch Verstöße gegen Dienstpflichten geahndet. Wegen ihrer schweren sozialen Auswirkungen sind einige Tatbestände im Strafgesetzbuch geregelt, etwa Korruption und Amtsmissbrauch. Bezüglich der Disziplinarverfehlungen *(faute disciplinaire)* existiert keine Auflistung von Tatbeständen und ihrer Sanktionen. Die konkrete Auslegung wird dem Verwaltungsrichter überlassen. Er soll die Subsumierung des Verhaltens unter die allgemeinen Tatbestände vornehmen, das heißt, er soll bestimmen, ob die begangenen Taten vor dem Hintergrund der Beamtenpflichten als Berufsvergehen angesehen werden müssen. Im Generalstatut der Beamtenschaft *(statut général de la fonction publique)* sind einige Verpflichtungen oder Verbote geregelt, deren Verletzung den Charakter eines Disziplinarvergehens hat. Diese Bestimmungen decken sich jedoch nur sehr begrenzt mit möglichen Verfehlungen und präzisieren nicht die jeweiligen Sanktionen.

Ein Verstoß gegen das Disziplinarrecht führt zu bestimmten Sanktionen. Sie werden vom Disziplinarrat *(Conseil de discipline)* der Region beziehungsweise des Departements verhängt. Der Rat besteht aus einem Berufsrichter als Vorsitzendem, Vertretern des öffentlichen Arbeitgebers und Vertretern der Beamtenschaft. Ebenso wie das ivorische Verwaltungsstrafrecht orientiert sich auch das Disziplinarrecht des Landes am französischen Recht. Demgemäß werden auch in Côte d'Ivoire die Sanktionen in vier Gruppen eingeteilt:

- Mahnung, Tadel und zeitweise Suspendierung für eine Dauer von maximal fünf Tagen;
- Herabstufung des Dienstgrades und vorübergehende Suspendierung vom Dienst für eine Dauer von sechs bis fünfzehn Tagen;
- Degradierung und vorübergehende Suspendierung vom Dienst für eine Dauer von sechzehn Tagen bis zu sechs Monaten;
- sofortige Pensionierung und Entlassung aus dem Dienst.

3. Einordnung spezieller Maßnahmen für bestimmte Tätergruppen

Der ivorische Gesetzgeber sieht spezielle Maßnahmen für bestimmte Tätergruppen vor. Kinder im Alter bis zu zehn Jahren sind wegen Strafunmündigkeit von der

Strafbarkeit ausgenommen. Ihre Handlungen sind weder subsumierbar noch verfolgbar (Art. 116 Abs. 1 CP-CI). Das Kind wird den Eltern, dem Vormund oder einer Vertrauensperson übergeben.[1] Minderjährige zwischen zehn und dreizehn Jahren können in einer öffentlichen oder privaten Erziehungs- und Ausbildungseinrichtung untergebracht werden oder auch (nur) eine Verwarnung von der Polizei erhalten. Zwischen dem 14. und 18. Lebensjahr wird in Abstufungen von einer Teilstrafmündigkeit ausgegangen (Art. 116 Abs. 2, 3 und 4 CP-CI). Die Strafen sind in diesen Fällen meistens dieselben wie diejenigen für Zehn- bis Dreizehnjährige. Jedoch kann die Vermutung der eingeschränkten Schuldfähigkeit des Minderjährigen durch Vorlage von Gegenbeweisen widerlegt werden. Über die Art der Sanktion entscheiden die Jugendgerichte oder Jugendschwurgerichte (Art. 756 CPP-CI). Hat der minderjährige Straftäter bereits das 16., aber noch nicht das 18. Lebensjahr vollendet, kann vor allem bei Verbrechen – je nach Persönlichkeit des Täters – auch eine Strafe aus dem Strafgesetzbuch verhängt werden (Art. 758, 778 CPP-CI).

In der Folge zahlreicher schwerer Straftaten von pädophilen Rückfalltätern wie Vergewaltigung von Kindern mit anschließender Ermordung haben sowohl der Gesetzgeber als auch die Exekutive bestimmte Maßnahmen zum Schutz von Kindern angeordnet. Es handelt sich dabei um das *suivi socio-judiciaire*, entweder die Unterbringung in speziellen Einrichtungen oder eine ambulante soziale Betreuung und Kontrolle. Sie wird angeordnet bei einem vorsätzlichen Angriff gegen das Leben im Zusammenhang mit Folter, Barbarei, Vergewaltigung oder anderen sexuellen Straftaten. Die Anordnung der Betreuung kann neben einer Freiheitsstrafe ausgesprochen werden. Sie kann aber auch als Hauptstrafe von einem für Vergehen zuständigen Strafgericht verhängt werden. Außerdem können diese Maßnahmen eine zwangsweise Anordnung ärztlicher Überwachung enthalten.

Daneben existieren weitere Sondermaßnahmen. Es handelt sich unter anderem um Sicherungsmaßnahmen gegenüber gefährlichen, gewalttätigen Alkoholsüchtigen. Der Zustand der Alkoholabhängigkeit muss von einem Arzt oder einer Gesundheitsbehörde festgestellt werden. Daraufhin wird der Alkoholsüchtige unter Beobachtung und zwangsweise unter ärztliche Betreuung gestellt. Theoretisch genießt er das Recht, in der einzigen Entzugsklinik des Landes, im *Centre de désintoxication* in Abidjan untergebracht zu werden, damit er an einer Behandlung teilnehmen kann. Notfalls wird seine Einweisung in eine Rehabilitationseinrichtung durch ein Zivilgericht angeordnet. Hat die erste Behandlung keinen Erfolg, kann eine weitere Behandlung angeordnet werden. Die Sicherungsmaßnahme wird zusätzlich zur Verhängung der Strafe angeordnet.

Schließlich gibt es Sicherungsmaßnahmen für Drogensüchtige. Der Gesetzgeber erlaubt den Ermittlungsrichtern die Einweisung von Drogensüchtigen in eine Son-

---

[1] Siehe dazu II.J.6.

dereinrichtung, in der sie einer Entziehungskur *(cure de désintoxication)* unterzogen werden. Bei einer Festnahme durch die Polizei wegen Drogenkonsums beziehungsweise -abhängigkeit kann die Staatsanwaltschaft die öffentliche Klage gegenüber einem Süchtigen aufschieben, wenn der Täter sich selbst einer ärztlichen Aufsicht oder einer Entziehungskur unterwirft. Das Strafgericht kann solche Maßnahmen gegenüber dem Beschuldigten neben einer Strafe verhängen.

Literaturhinweise zu Abschnitt E.

Accad, Lucien, Définition des comportements délictueux. In: Encyclopédie juridique de l'Afrique, Band 10: Droit pénal et procédure pénale. Abidjan/Dakar/Lomé 1982, S. 19–51, 40 ff.

Bandet, Pierre, Le droit disciplinaire dans la fonction publique territoriale. Paris 1990, S. 20 f., 61 f.

Bouloc, Bernard, Droit pénal général. 19. Aufl. Paris 2005, S. 32 (Nr. 37), 406 f. (Nr. 474).

Brill, Jean-Pierre, Précis de droit pénal général. Abidjan 1985, S. 5 f., 44–47, 455 (Nr. 546-1), 479 f. (Nr. 577 f.).

David, René/Jauffret-Spinosi, Camille, Les grands systèmes de droit contemporains. 10. Aufl. Paris 1992, S. 456 (Nr. 508).

Dellis, Georges, Droit pénal et droit administratif. L'influence des principes du droit pénal sur le droit administratif répressif. Paris 1997, S. 8–13, 33.

Delmas-Marty, Mireille/Teitgen-Colly, Catherine, Punir sans juger? De la répression administrative au droit administratif pénal. Paris 1992, S. 12, 14 f., 18–23, 38, 42, 76 f., 79.

Desportes, Frédéric/Le Gunehec, Francis, Droit pénal général. 9. Aufl. Paris 2002, S. 3.

Hübner, Ulrich/Constantinesco, Vlad, Einführung in das französische Recht. 3. Aufl. München 1994, S. 130 f.

Loucou, Jean-Noël, Côte d'Ivoire: Les résistances à la conquête coloniale. Abidjan 2007, S. 34 ff.

F. Strafrechtsquellen und Auslegungshilfen

1. Überblick

Die durch das Parlament erlassenen Normen stellen die erste formelle Quelle des ivorischen Strafrechts dar. Eine Grundlage für andere formelle Strafrechtsquellen sind die *délégations de pouvoirs*. Da es aufgrund der immer weiter steigenden Kriminalität einer schnellen und effektiven Handlungsweise des Gesetzgebers bedarf, das Parlament allein jedoch damit überfordert wäre, wurde die Möglichkeit geschaffen, bestimmte Zuständigkeiten in der Gesetzgebung an Teile der Exekutive abzutreten. Diese *délégations de pouvoirs* sind durch die Verfassung legitimiert und werden durch das Parlament ausgesprochen.

Eine informelle Quelle des ivorischen Strafrechts stellen die *droits coutumiers* dar.[1] Dieses alte Rechtssystem nimmt bis heute sowohl in der Gesetzgebung als auch in der Gesetzesinterpretation eine nicht zu unterschätzende Stellung ein. An ihm orientieren sich der Gesetzgeber und die Rechtsgelehrten, um die traditionellen Belange der Gesellschaft in das neue Rechtssystem zu integrieren.

2. Geschriebene Rechtsnormen

Als formelle Strafrechtsquellen dienen vom Parlament und der Exekutive erlassene Regelungen, die zum Ziel haben, das Leben innerhalb der Gesellschaft zu organisieren. Sie stellen die geschriebenen Rechtsnormen dar, welche alle Bürger binden und verpflichten. In Art. 87 Const. sind die Normenhierarchie und das Verhältnis der nationalen Gesetze zu internationalen Verträgen geregelt.

– *Nationale Rechtsnormen*

In der hierarchischen Ordnung des ivorischen Rechtssystems steht die Verfassung an oberster Stelle. Am 1. August 2000 trat die aktuelle Verfassung der Zweiten Republik von Côte d'Ivoire in Kraft. Sie enthält eine Reihe strafrechtlich relevanter Bestimmungen.[2]

In der Normenhierarchie unterhalb der Verfassung stehen die parlamentarischen Gesetze *(lois)*. Für ihre Bedeutung als Strafrechtsquelle gilt Folgendes:

- Erstens spiegeln diese Gesetze die Meinung der Gesellschaft wider, da die Gesetze von Parlamentariern verabschiedet werden, welche aufgrund ihrer Wahl die Bevölkerung vertreten.

---

1 Siehe dazu I.B.1. und I.G.

2 Ausführlich zur Verfassung I.C.1.

- Zweitens sind diese Gesetze in ihrer abstrakt-generellen Formulierung an alle Personen gerichtet, sodass auch Angehörige der Regierung ihrer Wirkung unterliegen. Gleichzeitig stehen auch allen Personen zu gleichen Bedingungen die prozessualen Rechte auf ein faires Verfahren zu.
- Drittens sind durch die Form der Veröffentlichung (schriftlich und amtlich) diese Gesetze für jedermann einsehbar. Sie dienen somit der Förderung eines rechtskonformen Verhaltens der einzelnen Bürger. Hinzu kommt, dass den Gesetzen mit dem Verfahren der Verabschiedung und der Verkündung eine gewisse Dauerhaftigkeit verliehen wird.

Nachdem das erste ivorische Strafgesetzbuch mit gewissen Abwandlungen ein Duplikat des *Code Napoléon* war, gibt es seit 1981 ein eigenes Strafgesetzbuch, wobei auch dieses ständigen Neuerungen unterliegt; so wurden in den Jahren 1995 bis 1998 größere Änderungen vorgenommen.[3]

Ebenfalls als Strafrechtsquelle dienen Verordnungen *(règlements)*, das heißt allgemeine, generelle Anordnungen der Exekutive. Je nach der erlassenden Stelle wird unterschieden zwischen der noch nicht ratifizierten *ordonnance*, dem *décret* des Präsidenten der Republik oder des Premierministers und dem *décret* beziehungsweise *arrêté* der Minister, Präfekten oder Bürgermeister. Die noch nicht ratifizierten *ordonnances* haben vor der Hinterlegung zur Ratifizierung des Gesetzentwurfs den Rang einer Rechtsverordnung. Die *décrets réglementaires* werden vom Präsidenten der Republik erlassen und sind für das Strafrecht deswegen von großer Bedeutung, weil sie gemäß Art. 41, 42 und 44 Const. die strafrechtliche Regelungsform für Übertretungstatbestände darstellen. Schließlich gibt es die *décrets* und *arrêtés*, die von der unteren Verwaltung und von der Kommunalverwaltung erlassen werden. Diese Rechtsakte können ein bestimmtes Verhalten gebieten oder verbieten (beispielsweise das Halteverbot in einer Ortschaft), dürfen aber keine Strafen, auch keine Übertretungsstrafen, androhen. Die *décrets* und *arrêtés* sind nicht immer Verordnungen, sondern können auch Einzelakte darstellen. Sie sind alle als Verwaltungsakte *(actes administratifs)* zu qualifizieren und als solche anfechtbar.

Das Problem der Kontrolle der Rechtmäßigkeit einer rechtlichen Regelung durch den Strafrichter wurde bis heute in der ivorischen Rechtslehre noch nicht gelöst. Nur in Ausnahmefällen kann eine Kontrolle der materiellen *(contrôle interne)* oder formellen Rechtmäßigkeit *(contrôle externe)* vorgenommen werden, nämlich dann, wenn eine der beteiligten Konfliktparteien die Unrechtmäßigkeit der rechtlichen Regelung rügt.

Gesetze und Verordnungen werden in der amtlichen Gesetzessammlung *Journal officiel de la République de Côte d'Ivoire* (*J.O. Lois* und *J.O. Décrets*) veröffentlicht, die wöchentlich erscheint und auch die Parlamentsberichte enthält.

---

[3] Siehe dazu I.G.2.

– *Völkerrechtliche Verträge*

Gemäß Art. 87 Const. gehen internationale Verträge einfachen nationalen Gesetzen vor. Dieser Vorrang besteht jedoch nur, solange sich die anderen Vertragsparteien ebenfalls an den Vertrag halten. Wenn es zu einem Vertragsbruch kommt, und dieser durch den *Conseil Constitutionnel* festgestellt wird, ist der Staat nicht mehr durch den völkerrechtlichen Vertrag verpflichtet. Die ivorische Verfassung hat sich damit für eine monistische Konzeption mit Vorrang des internationalen Vertragsrechts entschieden.

Um die Verfassungsmäßigkeit von völkerrechtlichen Verträgen zu überprüfen, kann gemäß Art. 86 Const. der Verfassungsrat *(Conseil Constitutionnel)* angerufen werden. Die Anrufung muss durch den Präsidenten der Republik, den Präsidenten des Parlaments oder durch mindestens ein Viertel der Abgeordneten erfolgen. In Fällen, in denen der *Conseil Constitutionnel* erklärt, dass ein internationaler Vertrag eine Klausel enthält, die gegen die ivorische Verfassung verstößt, kann die Ratifizierung des Vertrags nur nach einer Revision der Verfassung vorgenommen werden.

Wenn der *Conseil Constitutionnel* sich ausdrücklich für unzuständig erklärt, den Konflikt zwischen einem völkerrechtlichen Vertrag und einem ihm entgegenstehenden Gesetz zu entscheiden, überträgt er die Konfliktlösung implizit den ordentlichen Gerichten.

3. Gewohnheitsrecht

Sowohl vor als auch während der Kolonialzeit existierte in der traditionellen Gesellschaft von Côte d'Ivoire ein unkodifiziertes Rechtssystem.[4] Straftatbestände und Strafdrohungen wurden mündlich übermittelt und galten bindend für jedermann. Weitergeführt wurde dieses ursprünglich traditionelle Recht durch die *droits coutumiers*. Hierbei handelt es sich um die Kodifizierung des alten traditionellen Rechtssystems durch die Kolonialmacht Frankreich. Lange Zeit galten die *droits coutumiers* in Côte d'Ivoire parallel neben dem französischen Recht. Mit der Einführung der neuen Gesetzbücher wurde es jedoch für rechtlich nicht mehr verbindlich erklärt. Seither müssen sich weder der Gesetzgeber noch die Gerichte daran halten. Es ist jedoch gängige Praxis *(consuetudo)*, dass sich ivorische Juristen bei der Auslegung und Anwendung der nationalen Rechtsnormen an den *droits coutumiers* orientieren. Dadurch wird unter Beachtung tief verwurzelter Rechtstraditionen *(opinio iuris)* eine gesellschaftskonforme Auslegung der Normen erreicht. Die *droits coutumiers* können somit als nationales „Auslegungs- und Gewohnheitsrecht" betrachtet werden.

---

[4] Siehe dazu I.B.1. und I.G.

4. Rechtsprechung

Die Rechtsprechung ist theoretisch betrachtet keine Quelle des Strafrechts, da sie nicht in der Lage ist, Straftatbestände zu schaffen beziehungsweise abzuschaffen oder Strafdrohungen zu verändern. Außerdem sind Richter nicht an zuvor ergangene Urteile anderer Gerichte gebunden. Jedoch zeigt die tägliche Praxis, dass die Rechtsprechung einer rechtsschöpferischen Arbeit sehr nahekommt. Der Gesetzgeber hat die Straftatbestände inhaltlich oft nur abstrakt und unbestimmt formuliert, sodass es für ihre konkrete Anwendung einer Auslegung durch die Gerichte bedarf. Richter haben gemäß Art. 237 CP-CI kein Recht, die Anwendung eines Gesetzes im Einzelfall abzulehnen, wenn sie der Ansicht sind, dass es zu unbestimmt ist. Vielmehr sind sie dazu verpflichtet, das Gesetz im konkreten Fall inhaltlich so weit auszulegen, dass es zu einer Anwendung kommen kann.

Als Beispiel sei die allgemeine Notwehrregelung (Art. 100 CP-CI) genannt, nach welcher die Strafbarkeit entfällt, wenn die Tat erforderlich war, um einen gegenwärtigen rechtswidrigen Angriff abzuwehren und die Verteidigungshandlung den Umständen entsprechend angemessen war. Hier hat der Gesetzgeber weder bestimmt, was unter „erforderlich“ oder „gegenwärtig“ zu verstehen ist, noch hat er einen Ansatz dafür geliefert, wann ein Gegenangriff „angemessen“ ist. In ähnlicher Weise bleibt es bei der rechtlichen Würdigung eines Versuchs dem Richter überlassen zu entscheiden, ob bereits ein unmittelbares Ansetzen zur Tat (Beginn des Versuchs) vorlag oder ob es sich lediglich um eine vorbereitende Handlung handelte. Somit bestimmt letztlich die Rechtsprechung, wann eine Handlung durch Notwehr gerechtfertigt ist und wann ein strafbarer Versuch vorliegt, da sie die Konkretisierung dieser unbestimmten Rechtsbegriffe vornimmt.

Folglich ist die Rechtsprechung auch an der Rechtsfortbildung beteiligt, da die Anwendung und Konkretisierung der abstrakt formulierten Rechtsnormen ihr allein überlassen bleibt. Weiter ist sie für die Reform von Gesetzen unverzichtbar, da sie frühzeitig erkennen kann, wann eine Norm nicht mehr den gängigen Gebräuchen entspricht und somit einer Änderung bedarf.

Deshalb spielen in Côte d'Ivoire Rechtsprechungssammlungen *(Recueils de Jurisprudence)* eine sehr große Rolle. Alle Urteile werden gesammelt, wobei die amtlichen Sammlungen nach Kammern gegliedert sind. Grob kann man diese Gliederung wie folgt beschreiben:

- Entscheidungen der *Cour suprême* mit den *arrêts de la chambre judiciaire*, *chambre administrative*, *chambre des comptes* und
- Entscheidungen der *chambres regroupées* mit den sogenannten gemischten *arrêts* (Urteilen von gemischt zusammengesetzten Kammern).

Außer den *arrêts* der *Cour suprême* enthält die Rechtsprechungssammlung auch die *arrêts* der Bezirksgerichte und der Berufungsgerichte.

5. Schrifttum

Das Schrifttum ist als die Gesamtheit der Äußerungen von Juristen (Theoretikern und Praktikern) zu verstehen, welche die Gesetze, die Rechtsprechung und die Gebräuche der Gesellschaft analysieren und kommentieren. Zwar zählt das Schrifttum nicht zu den Rechtsquellen im engeren Sinne, doch hat es in vielen Bereichen Gesetzgebung und Rechtsprechung entscheidend beeinflusst. Die im Schrifttum veröffentlichten Entscheidungsrezensionen *(notes, observations)* spielen im Rechtssystem von Côte d'Ivoire eine größere Rolle als beispielsweise in Deutschland, während auf der anderen Seite die Gesetzeskommentare in Côte d'Ivoire vergleichsweise unbedeutend sind.

Die Funktion der Kommentarliteratur wurde durch bestimmte Sekundärliteratur, insbesondere Enzyklopädien *(répertoires)*, Lehrbücher *(manuels, traités)* und den *Traité théorique et pratique* übernommen.

Enzyklopädien, etwa die *Encyclopédie juridique de l'Afrique* und die französischen *Jurisclasseurs*, sind nach Sachgebieten aufgeteilte Nachschlagewerke für den Praktiker und jeden, der sich über eine konkrete Frage Klarheit verschaffen will. Die *Jurisclasseurs* sind wissenschaftlich gegliederte Darstellungen des Rechts mit eingehender Analyse der Rechtsprechung.

Die Lehrbücher sind aufzuteilen in *traités* (große zusammenfassende Darstellungen eines bestimmten Rechtsgebiets) und *manuels* (Kurzlehrbücher im Kleinformat, die im Wesentlichen für Studenten bestimmt sind und häufig neu aufgelegt werden). In Côte d'Ivoire sind kaum Strafrechtslehrbücher zu finden, die sich speziell mit dem Strafrecht befassen. An dieser Stelle sei zumindest auf *Précis de droit pénal général* von 1985 hingewiesen, welches die speziellen nationalen strafrechtlichen Probleme zum Thema hat. 2007 wurde ein zweites kleines Lehrbuch unter dem Titel *Manuel de droit pénal général* verfasst. Da die Juristen und Studenten der Rechtswissenschaften jedoch Lehrbücher benötigen, bedient man sich ersatzweise französischer Lehrbücher, welche jedoch nur bedingt mit dem ivorischen Strafrechtssystem kompatibel sind.

Daneben gibt es juristische Zeitschriften *(revues)*, die Rechtsprechungsübersichten und Urteilsrezensionen enthalten, deren Schwerpunkt aber mehr auf wissenschaftlichen Abhandlungen liegt. In diesem Zusammenhang ist vor allem das *Bulletin ivoirien de droit* zu nennen.

Literaturhinweise zu Abschnitt F.

Accad, Lucien, Définition des comportements délictueux. In: Encyclopédie juridique de l'Afrique, Band 10: Droit pénal et procédure pénale. Abidjan/Dakar/Lomé 1982, S. 19–51, 20–23, 40 f.

Brill, Jean Pierre, Précis de droit pénal général. Abidjan 1985, S. 5 f., 10 f.

Bruyas, Jean, La coopération avec la CEE et les divers Etats membres de l'OCDE. In: Encyclopédie juridique de l'Afrique, Band 2: Droit international et relations internationales. Abidjan/Dakar/Lomé 1982, S. 239–270.

Dégni-Ségui, René, Les droits de l'homme en Afrique noire francophone. Théories et réalités. 2. Aufl. Abidjan 2001, S. 111 ff., S. 151 ff.

Desportes, Frédéric/Le Gunehec, Francis, Droit pénal général. 9. Aufl. Paris 2002, S. 3, 141 ff., 177 f.

Encyclopédie universelle des droits de l'Homme (E.U.D.H.), http://droit.francophonie.org/doc/html/ci.

Hübner, Ulrich/Constantinesco, Vlad, Einführung in das französische Recht. 3. Aufl. München 1994, S. 12 ff., 29 ff., 130 f.

Kouassi, Edmond Kwam, Les organisations interafricaines. In: Encyclopédie juridique de l'Afrique, Band 2: Droit international et relations internationales. Abidjan/Dakar/Lomé 1982, S. 173–206.

G. Entwicklung des Strafrechts, Strafverfahrensrechts und Strafvollstreckungsrechts

1. Überblick

Die Entwicklung des Strafrechts von Côte d'Ivoire vollzog sich während dreier verschiedener Epochen: Zunächst existierte das vorkoloniale Recht, das aus einer Verbindung von lokalem traditionellem Recht und den im Rahmen der Islamisierung eingeführten Normen bestand. Während der Kolonialzeit (1893–1960) galt überwiegend das von den Kolonialherren importierte französische Strafrecht und nur in begrenztem Umfang ein aus traditionellen Normen entwickeltes Gewohnheitsrecht. Schließlich folgte das postkoloniale Recht, eine Kombination aus kolonialem Recht und dem jeweiligen lokalen Gewohnheitsrecht. An dieser Stelle ist es wichtig, das traditionelle Recht *(droits traditionnels)* vom Gewohnheitsrecht *(droits coutumiers)* zu unterscheiden. Die *droits traditionnels* sind juristische Systeme in Form von Stammesrechten aus der vorkolonialen Zeit. Sie werden noch heute in ländlichen Gebieten bei Gerichtsverhandlungen angewendet, um Konflikte in der Dorfgemeinschaft zu regeln. Hingegen sind die *droits coutumiers* erst in der kolonialen Zeit entstanden. Sie beruhen zwar auf den alten *droits traditionnels*, wurden jedoch von den Kolonialherren gesammelt, ausgewählt, kodifiziert und „neu in Kraft gesetzt". Die *droits traditionnels* sind in der ivorischen Gesellschaft tief verwurzelt. Sie beziehen sich in einer umfassenden Weise auf Menschen, Umwelt und das gesamte Universum. Sie sind nicht starr, sondern wandlungsfähig und verändern sich je nach der Position, die ein Mensch in der Gemeinschaft einnimmt, der er angehört.

2. Entwicklung des materiellen Strafrechts

– *Die Zeit vor der Kolonisierung*

Ursprünglich galten auf dem Gebiet des heutigen ivorischen Territoriums traditionelle Stammesrechte. Hexerei, Tötung, unnatürlicher sexueller Verkehr wie Pädophilie und Homosexualität sowie bestimmte Diebstahlsformen wurden als Verstoß gegen die soziale Ordnung angesehen und bestraft. Die Sanktionen waren überwiegend vermögensrechtlicher Art. Daneben wurden Strafen wie Isolation und körperliche Züchtigung verhängt.

Die wirtschaftlichen, politischen und sozialen Transformationen vor allem mit dem Vordringen des Christentums ab dem 4. Jahrhundert und des Islam ab dem 12. Jahrhundert führten zu einem Wandel in der Beurteilung der als unsozial empfundenen Handlungen, der den Erlass von neuen rechtlichen Regelungen oder die Änderung bestimmter Gewohnheiten erforderte. Aufgrund dieser Veränderungen mussten die Könige und ihre Berater, Häuptlinge oder Sippenchefs die bestehenden Normen anpassen oder neue erlassen.

Im 15. Jahrhundert begann eine Zeit großer Migrationbewegungen, und gegen Ende des 19. Jahrhunderts, vor dem Beginn der Kolonialzeit, war das gesamte Territorium von Côte d'Ivoire besiedelt. Es gab öffentliche Institutionen und eigene soziopolitische Organisationen, die ethnischen Gruppen waren zu diesem Zeitpunkt fest organisiert.

Auf politischer Ebene sind in dieser Zeit zwei größere Rechtssysteme zu erkennen. Auf der einen Seite gab es die staatlichen Systeme der *Mandé* und die der *Akan*-Gruppe. Sie hatten die Organisations- oder Gesellschaftsform von Königund Kaiserreichen. Auf der andern Seite gab es die Stammesgesellschaften der *Krou*, der *Süd-Mandé*-Gruppe sowie der Volksgruppen der Küstenregionen. Hier wurde (und wird noch heute) die Gesellschaft nach Regeln der Abstammung und aufgegliedert nach Altersgruppen innerhalb der Dorf- beziehungsweise Stammesgemeinschaften organisiert.[1] Das Recht unterschied sich zwischen den einzelnen Stämmen und ethnischen Gruppen. Es wurde mündlich überliefert, wodurch häufig zusätzliche Diskrepanzen entstanden. Deshalb kann man zu dieser Zeit von keiner einheitlichen Rechtsordnung in Côte d'Ivoire sprechen. Die Befolgung der Rechtsnormen beruhte auf einem tiefverwurzelten Glauben, dass man sich konform zu den Vorstellungen der Ahnen zu verhalten habe, da man auf deren Land lebte und der Überwachung durch deren Geister unterstellt war.[2] Abgesehen von den islamischen Einflüssen blieb das traditionelle Recht bis 1884/1885 unberührt. Danach begann die französische Kolonisierung. Obwohl die Franzosen erst nach den Portugiesen, Holländern und Engländern in Côte d'Ivoire eingetroffen waren, erhielt Frankreich auf der Berliner Konferenz von 1893 grünes Licht für die Ausweitung seiner Einflusssphäre, sodass durch das vom französischen Präsidenten *Sadi Carnot* signierte Dekret vom 10. März 1893 die Kolonie Côte d'Ivoire offiziell gegründet werden konnte.

– *Die Kolonialzeit 1893–1960*

Das traditionelle Recht in Côte d'Ivoire erschien den französischen Kolonialherren aufgrund seiner Struktur und seiner Mechanismen zur Befriedung von gesellschaftlichen Konflikten nicht geeignet, um schnelle und effiziente Entscheidungen herbeizuführen. Deshalb brachten sie ihr eigenes Recht mit, sodass neben vorhandenen traditionellen Gerichten auch Gerichte europäischer Form gebildet wurden. Letztere waren für Rechtsstreitigkeiten zwischen Europäern und Afrikanern, die sich dem modernen Recht unterstellten, zuständig. Später identifizierten, sammelten und fassten die Franzosen einige Teile des traditionellen Rechts zu-

[1] Siehe dazu I.A.2.

[2] Vergleiche dazu I.B.1.

sammen, um es in *droits coutumiers* (Gewohnheitsrechte) umzuwandeln, wobei dieses Gewohnheitsrecht und das französische materielle Recht nun parallel nebeneinander galten.

Die Geltung der *droits coutumiers* war jedoch eingeschränkt, sie waren nur auf einen bestimmten Personenkreis, nämlich auf die nach eigenem Willen weiterhin dem Gewohnheitsrecht unterstehenden Ivorer (vor allem die ländliche Bevölkerung) und lediglich auf bestimmten Sachgebieten (vor allem im Familien- und Erbrecht sowie im Bodenrecht) anwendbar. Außerdem wurde die auf Gewohnheitsrecht beruhende richterliche Autorität der Bezirkshäuptlinge in kleineren Stämmen durch die Schaffung sogenannter *tribunaux indigènes* unter die Kontrolle der Kolonialherren gestellt.

Im Bereich des materiellen Strafrechts bemühte sich die Kolonialherrschaft, gewisse unmenschliche Praktiken – wie etwa die in bestimmten südlichen Landesteilen übliche Aussetzung des sogenannten Teufelkindes – zu verbieten beziehungsweise ihre Anwendung zu bekämpfen. Außerdem betrieb Frankreich wie in den anderen Kolonien auch in Côte d'Ivoire eine Assimilierungspolitik, die einerseits auf dem abstrakten Postulat der Gleichheit aller Menschen, andererseits aber auf der Überzeugung beruhte, dass die französische Zivilisation der ivorischen Kultur und insbesondere den Wirtschafts- und Sozialordnungen der ivorischen Völker weit überlegen sei.

Bis 1946 wurde zwischen zwei Kategorien von „aburteilbaren Personen" *(justiciables)* unterschieden: zwischen Franzosen und anderen Europäern, die in der Kolonie lebten, einerseits und den sogenannten Gleichgestellten *(assimilés)* andererseits. Für erstere galt der *Code pénal Napoléon* von 1810, während die Einheimischen, die als Nicht-Bürger angesehen wurden, unter die traditionellen Strafregeln beziehungsweise Gewohnheitsstrafregeln fielen. Durch ein Dekret vom 30. April 1946 änderte sich diese rechtliche Lage dahingehend, dass nunmehr die Anwendung des französischen *Code pénal* alle Personen betraf, die in der Kolonie lebten.

Am Ende der Kolonialzeit war der französische *Code pénal* zum „gemeinen Recht" in der Kolonie Côte d'Ivoire geworden, sodass nur noch ausnahmsweise Rechtsnormen des örtlichen Gewohnheitsrechts berücksichtigt wurden. Dementsprechend erhielten die Gerichte des französischen Rechts die ausschließliche Zuständigkeit in Strafsachen. Gleichzeitig waren andere Gesetzbücher und Einzelgesetze der französischen Republik nach Maßgabe von Dekreten anwendbar, die ihre Umsetzung angeordnet hatten; diese Dekrete oder die dazu ergangenen Ausführungsbestimmungen konnten für die Kolonie Côte d'Ivoire die Anwendung von Sondervorschriften vorsehen.

– *Die Zeit seit der Unabhängigkeitserklärung*

Côte d'Ivoire erlangte am 7. August 1960 seine Unabhängigkeit von Frankreich. Dies hat jedoch nicht zu einem Bruch im juristischen System geführt.[3] Die Art der Entkolonisation des Landes brachte in der ihr eigenen Logik die Kontinuität des Rechtssystems mit sich, das heißt eine Übernahme der kolonialen in die nachkoloniale Ordnung. Bereits zwei Jahre vor der Unabhängigkeit war Côte d'Ivoire im Rahmen der verfassungsmäßig vorgesehenen Autonomie ein Mitglied der sogenannten französischen Gemeinschaft *(Communauté française)* geworden und hatte sich damit für das Prinzip der rechtlichen Kontinuität entschieden. Daher betonte die Verfassung vom 3. November 1960 in Art. 76 unter dem Titel XIII *(Dispositions générales et dispositions transitoires)*, dass das geltende französische Recht anwendbar blieb:

Art. 76 Const.
La législation actuellement en vigueur en Côte d'Ivoire reste applicable, sauf intervention de textes nouveaux, en ce qu'elle n'a rien de contraire à la présente Constitution.

Gemäß dieser Festlegung wurde das bestehende koloniale Recht in nationales Recht umgewandelt; es erfolgte also eine zumindest formale Nationalisierung der Gesetze und Dekrete. Daher besaß Côte d'Ivoire schon am ersten Tag seiner Souveränität eine komplexe Rechtsordnung. Allerdings umfasste das koloniale materielle Recht sowohl französisches Recht als auch Gewohnheitsrecht, das selbst wiederum traditionelles und islamisches Recht enthielt.

Die materiellen Gesetze und Vorschriften (also das gesamte Recht), die in der kolonialen Zeit geschaffen worden waren, blieben zu Beginn der Unabhängigkeit unverändert. Kein wichtiges materielles Gesetz wurde mit dem Ziel aufgehoben, das vorkoloniale Recht wieder aufleben zu lassen. Die Abkommen und Vereinbarungen zwischen der *République française* und der *République de Côte d'Ivoire* zeigen eindeutig den Willen, das moderne Recht, das in der Kolonialzeit geschaffen worden war, in Kraft zu lassen und es lediglich zu vervollkommnen.

Erst einige Jahre nach Beginn der Unabhängigkeit wurde eine umfassende Revision der bestehenden Gesetze in Gang gesetzt und teilweise verwirklicht. Die Reformbewegung betraf in erster Linie das „importierte Recht". Neue Kodifikationen auf verschiedenen Rechtsgebieten, auch dem des Strafrechts, wurden ausgearbeitet. Der größte Bruch mit dem französischen materiellen Strafrecht wurde mit der Einführung des *Code Pénal de la Côte d'Ivoire* durch Gesetz Nr. 81-640 vom 31. Juli 1981 vollzogen. Er beinhaltet sowohl modernes Recht als auch in Teilen das Gewohnheitsrecht, wie es Art. 205 über die Bestrafung der Praktizierung von Hexerei zeigt.

---

3 Siehe näher I.B.1.

Im Lauf der Jahre wurden einige Änderungen des Strafgesetzbuchs vorgenommen: 1995 (Dekret Nr. 95-721 vom 20. September 1995 über das öffentliche Kundgebungsverbot), 1996 (Gesetz Nr. 96-765 vom 3. Oktober 1996 über die Hausdurchsuchung in Rahmen der Bekämpfung der ansteigenden schweren Kriminalität), 1997 (Gesetz Nr. 97-397 vom 11. Juli 1997 über Betrug und Geldwäsche), 1998 (Gesetz Nr. 98-749 vom 23. Dezember 1998 über Waffen- und Munitionskontrolle und Gesetz Nr. 98-757 vom 23. Dezember 1998 über die Beschneidung) und schließlich 1999 (Dekret Nr. 99-183 vom 24. Februar 1999 über die Regulierung von Waffen und Munition).

Auch in Rechtsprechung und Lehre ist eine immer stärker werdende Auslegung von strafrechtlichen Normen unter Zugrundelegung traditioneller Rechtsauffassung zu beobachten. Somit kann man in Côte d'Ivoire insgesamt von einer Rückbesinnung auf traditionelle Strafrechtsregeln sprechen, wobei diese zunehmend in das „importierte" Strafrecht integriert werden. Allerdings ist der Einfluss des französischen Rechts ein halbes Jahrhundert nach der Unabhängigkeitserklärung des Landes immer noch unverkennbar stark vorhanden.

– *Neuere Tendenzen*

Als Reaktion auf die rapide Zunahme der Kriminalität in Côte d'Ivoire sind vermehrt Erlasse von neuen Gesetzen und Verordnungen zu beobachten. Diese Gesetze folgen nicht dem derzeitigen Trend anderer Länder, etwa die Bekämpfung des internationalen Terrorismus zu forcieren, sondern beziehen sich hauptsächlich auf den innerstaatlichen Konflikt mit der bewaffneten Rebellion im Norden des Landes. Des Weiteren besteht seit August 2004 eine verstärkte Zusammenarbeit mit Interpol, um der internationalen Kriminalität besser entgegentreten zu können.

Die im Zusammenhang mit der bewaffneten Rebellion, welche die nördlichen Landesteile erobert hat, begangenen Diebstahlsdelikte, Überfälle und unmotivierten Morde treffen vor allem unbeteiligte, friedliche Bürger. Zum Großteil werden die Taten von Jugendlichen verübt, die auf der Straße leben. Diese Kriminalität, die zunächst auf die wirtschaftliche Hauptstadt Abidjan begrenzt war, hat mittlerweile sowohl die größeren und kleineren Städte des Landesinneren als auch die Orte auf dem Land erreicht.

Um dieser ständig wachsenden Kriminalität entschieden begegnen zu können, wurde das Strafmaß für besonders häufig begangene Straftaten erhöht. So ist zum Beispiel die Strafandrohung für Diebstahl wesentlich verschärft worden, da das alte Strafmaß keine Präventivwirkung entfaltete. Auch das illegale Endlagern von Chemikalien und nuklearem Restmüll ist unter schwerere Strafe gestellt worden, nachdem es zu einem lukrativen Nebenverdienst geworden war, die Entsorgung von Giftstoffen aus westlichen Ländern zu übernehmen. Für Drogendelikte kam es ebenfalls zu einer Anhebung der Strafen, da man den über Nigeria kommenden Drogenschmuggel weiter unterbinden wollte, um nicht zu einem Drogentransitland zu werden. Hinsichtlich des Problems der Beschneidung von Frauen und Mädchen ist eine Entwicklung dahingehend zu beobachten, dass immer mehr ivorische Rechtsgelehrte das Beschneiden als Verbrechen gegen die Menschlichkeit bezeichnen. Auch das Thema AIDS ist kein Tabuthema mehr. Inzwischen werden regionale Politiker strafrechtlich verfolgt, wenn sie das Vorhandensein von AIDS leugnen oder die ihnen durch Gesetz vorgeschriebene Sensibilisierung der Bevölkerung nicht vorantreiben. Es kommt auch immer häufiger zu einer Verurteilung (wegen Mordversuchs) von HIV-positiven Personen, die im Wissen um ihre Infektion ungeschützt mit anderen Personen Geschlechtsverkehr haben.

Das Hauptproblem, mit dem die Legislative beschäftigt ist, ist jedoch der Konflikt mit der bewaffneten Rebellion. Ein Amnestie-Gesetz soll diejenigen Rebellen, die früher Soldaten waren, wieder in die Armee integrieren. Auch andere Rebellen fallen unter die Amnestie, damit sie in ihre alten Berufe zurückkehren. Des Problems der Kindersoldaten hat sich ein international von EU und UNO gefördertes Resozialisierungsprojekt angenommen, um für eine Wiedereingliederung dieser Kinder in die Gesellschaft zu sorgen. 2004 hat Côte d'Ivoire gemeinsam mit Liberia, Sierra Leone, Mali und Burkina Faso die Afrikacharta für die Abschaffung der Söldnerschaft in Afrika unterzeichnet.

3. Entwicklung des Strafverfahrens(rechts)

– *Die Zeit vor der Kolonisierung des Landes*

Vor der Kolonialzeit existierte auf dem Gebiet des heutigen ivorischen Territoriums ein Verfahrensrecht, das auf Tradition, auf den Bräuchen der Ahnen beruhte. Dieses Recht wurde durch eine lange und dauerhafte Anwendung allgemeine Praxis und von Generation zu Generation mündlich weitergegeben. Die nördlichen Gebietsteile gerieten nach und nach unter den Einfluss von muslimischen Händlern, die islamische Rechtsnormen einführten. Jedoch war es auch weiterhin nicht schwer, das islamische von traditionellem Recht zu unterscheiden. Während dieser Zeit wurde die Justiz in Ältestenräten *(conseils des anciens)* ausgeübt. Solche Räte bestanden auf verschiedenen Ebenen:

Die kleinste Einheit stellte die Familie dar, in Problemfällen tagte ein sogenannter Familienrat. Dem Familienoberhaupt als Vorsitzendem wurde von unterschiedlichen Honoratioren/Notabeln *(notables)* assistiert. Die Hauptaufgabe des Rates bestand darin, die Konfliktparteien zu versöhnen. Alle Zivil- und Handelskonflikte sowie bestimmte Straftaten wurden diesem Gericht zugewiesen.

Den nächst größeren Spruchkörper bildete der Dorfrat oder der Rat des Ortsteils; dieser bestand aus Notabeln, deren Zahl variierte, und war unter anderem zuständig für bestimmte schwerere Straftaten. Vorsitzender des Gerichts war der Chef des Dorfs oder Ortsteils. Die Aufgabe bestand in der Beurteilung von Streitsachen, die verschiedene Familien des Dorfs oder Ortsteils betrafen. Die Streitsachen, die schon von einem Familienrat abgeurteilt worden waren, konnten hierher vor die Berufungsinstanz gebracht werden.

Die verschiedenen Dörfer wiederum waren in einem Kantons- oder Gruppenrat zusammengefasst, in welchem überörtliche rechtliche Probleme geregelt wurden. Der Kantonsrat bestand aus dem Kantonschef als Vorsitzendem, den Dorfchefs des Kantons oder der Volksgruppe, den Familienchefs und Chefs der Notabeln oder weiteren Dorfältesten. Der Rat entschied über Streitsachen zwischen verschiedenen Dörfern desselben Kantons.

Auf der obersten Stufe stand schließlich der Stammesrat beziehungsweise der Reichsrat (sofern es sich um ein Königreich handelte). Vorsitzender war der Stammeschef oder der König. Dem Rat gehörten außerdem Dorfchefs und Honoratioren an. Er übernahm die Rolle des Berufungsgerichts über die Dorf- und Kantonsräte und war zuständig für alle Streitigkeiten in Handels-, Zivil- und Strafsachen.

Mit dem Vordringen des Islams in den nördlichen Gebieten waren dort die religiösen Führer oder Armeechefs für alle Streitsachen zuständig. Sie führten den Vorsitz bei den Verhandlungen, jedoch assistierten juristische Berater.

Durch diese flächendeckende Gerichtsbarkeit war es unmöglich, dass innerhalb des traditionellen Rechtssystems so etwas wie ein Rechts- oder Gerichtsvakuum entstehen konnte.

– *Die Kolonialzeit 1893–1960*

- Verfahrensrecht im Rahmen der *droits coutumiers*

Mit der Kolonisation wurden zwei Prozessrechte in Côte d'Ivoire eingeführt: Einerseits existierten die Eingeborenengerichte *(tribunaux indigènes)*, welche darauf spezialisiert waren, das „Prozess-Gewohnheitsrecht“ anzuwenden; andererseits gab es Gerichte, welche das importierte Prozessrecht der Kolonialherren anwendeten. Das Prozess-Gewohnheitsrecht wurde ein Teil des sogenannten lokalen Strafverfahrens (mit einer komplexen Rechtsgrundlage), das auf dem Gewohnheitsrecht und dem „gemeinen“ Recht *(droit commun*: ein von Frankreich auf Côte d'Ivoire angepasstes Recht) beruhte. Daher bestanden im Land während der Kolonialzeit zwei Gerichtssysteme.

Kurz vor der Kolonialzeit hatte Frankreich in einigen Verträgen mit ivorischen Häuptlingen und Königen die Geltung des durch eigene Gesetze, Sitten und Gebräuche entwickelten Rechts in den täglichen Rechtsverhältnissen der Einwohner des Territoriums von Côte d'Ivoire anerkannt. Allerdings sollten die Konflikte zwischen Franzosen und Einheimischen nach französischen Gesetzen beurteilt und vor französischen Gerichten verhandelt werden. Die traditionellen ivorischen Strafverfahren wurden später schnell durch das moderne französische Strafverfahren ersetzt, wobei die französischen Gouverneure auch die Leitung und die Kontrolle über die traditionellen Gerichte übernahmen.

So bestimmte das Dekret vom 10. November 1903, dass die Vorsitzenden der Dorfgerichte *(tribunaux de village)* vom französischen Gouverneur ausgewählt werden sollten. Die Rolle des Chefs bei Dorfgerichten wurde auf die Vermittlung zwischen den Streitparteien begrenzt. Diese waren nicht an die Entscheidungen gebunden und konnten sie bei den *tribunaux de province* anfechten.

Auf der nächsten Stufe standen die *tribunaux de province* (Provinzgerichte). Sie wurden vom Provinzchef oder dem Chef der Kantone und zwei Notabeln gebildet, welche vom Generalgouverneur auf Vorschlag des Chefs der Gerichtskammer nominiert wurden. In muslimischen Regionen der Kolonie saß ein „Kadi" *(cadi)* als Schöffe auf dieser Stelle. Die Provinzgerichte waren zuständig in Zivil- und Handelssachen sowie in Strafsachen wegen Vergehen und unterstanden den *tribunaux de cercle* (Kreisgerichte). Diese *tribunaux de cercle*, deren Vorsitz unmittelbar der französische Verwalter innehatte und denen jeweils zwei vom französischen Gouverneur gewählte Notabeln angehörten, waren gegenüber den Provinzgerichten Berufungsgerichte. In den muslimischen Gebieten sollte ein Kadi oder ein islamischer Angehöriger der Notabeln als Schöffe fungieren, wenn ein Glaubensbruder vor ein Kreis- oder Provinzgericht gebracht wurde.

Schließlich gab es die *chambre d'homologation*, eine Sonderkammer des Berufungsgerichts. Sie wurde gebildet aus drei Sachberatern, zwei vom Gouverneur nominierten Beamten und zwei eingeborenen Schöffen, die Französisch sprachen und vom Kammervorsitzenden aus einer vom Generalgouverneur erstellten Liste von zwölf Notabeln ausgewählt wurden. Die *chambre d'homologation* war für die Bestätigung von Freiheitsstrafen über fünf Jahre zuständig, die von einem Kreisgericht verhängt worden waren. Die Generalanwaltschaft wurde von einem ihrer Mitglieder vertreten. Der Gerichtsschreiber war derjenige des Berufungsgerichts. Die einheimischen Schöffen hatten je eine Stimme. Wenn diese Kammer eine Entscheidung aufhob, wurde die Streitsache erneut vom Kreisgericht abgeurteilt. Wenn das zweite Urteil ebenfalls aufgehoben wurde, dann urteilte die *chambre d'homologation* selbst in der Sache.

Um das traditionelle Strafverfahren zu vervollständigen und zu reformieren, wurden Dekrete hinzugefügt; die *tribunaux du premier degré*, *tribunaux du deuxième degré*, *tribunaux territoriaux d'appel* und eine *chambre d'annulation* beispielsweise wurden durch ein Dekret vom 3. Dezember 1931 eingeführt. Diese Gerichte waren für alle Rechtssachen zuständig – mit Ausnahme von familien- und eherechtlichen Angelegenheiten. Mit den letztgenannten konnten sie sich jedoch auch befassen, wenn ein Sonder-*arrêté* des Gouverneurs dies bestimmte.

Die Anwendung des Gewohnheitsrechts wurde im Lauf der Kolonialzeit grundsätzlich verändert. Die traditionellen Amtsträger wurden durch Beamte der Kolonialverwaltung ersetzt, die lediglich von afrikanischen Beisitzern (welche das Gewohnheitsrecht kannten) unterstützt wurden. Frankreichs Machthaber veränderten und verfälschten das Gewohnheitsrecht und seine Handhabung gänzlich. In dem Bestreben, jede Willkür auszuschließen und Rechtssicherheit herzustellen, hat man die Funktionsbedingungen und sogar die Rolle der einheimischen Stammesgerichtsbarkeit wesentlich verändert.

- Verfahrensrecht im Rahmen des modernen Kolonialrechts

Neben dem gesammelten und kodifizierten traditionellen Recht, das als Gewohnheitsrecht *(droits coutumiers)* bezeichnet wurde, stand das koloniale moderne Recht in Côte d'Ivoire. Dieses kam in der Kolonie aber nicht automatisch zur Anwendung. Gemäß einem Senatsbeschluss *(sénatus-consulte)* vom 3. Mai 1854 waren die Gesetzbücher und Einzelgesetze der französischen Republik nur nach Maßgabe der Dekrete anwendbar, die ihre Anwendung angeordnet hatten. Solche Dekrete und die dazu ergangenen Ausführungsbestimmungen konnten für das Territorium der Kolonie die Anwendung von Sondervorschriften vorsehen.

Im Rahmen des kolonialen modernen Strafverfahrens wurde bereits am 11. Mai 1892 durch ein Dekret eine sogenannte *justice de paix* (Friedensgericht) in Grand-Bassam (Süd-Côte d'Ivoire) eingerichtet. Sie war in der Kolonie die erste mit umfangreichen Kompetenzen. Eine zweite wurde durch Dekrete vom 27. Juli 1894 und vom 16. Dezember 1896 errichtet. Das *tribunal de première instance* und das *tribunal supérieur*, mit einer Schwurgerichtskammer, wurden gemäß dem Dekret vom 7. August 1901 geschaffen. Zwei Jahre später, am 10. November 1903, stellte sich das moderne französische Strafverfahren von Côte d'Ivoire wie folgt dar:

Es gab ein Berufungsgericht *(Cour d'appel)* in Dakar. Das Gericht war für die Territorien von ganz Französisch-Westafrika zuständig, darunter Côte d'Ivoire. Es wurde nach französischem Vorbild ausgestaltet, das heißt mit einem Vorsitzenden und Gerichtsberatern, einem Generalstaatsanwalt, einem Staatsanwalt und einem Vertreter des Generalstaatsanwalts *(substitut)*, einem Gerichtsschreiber sowie einem Protokollhelfer. Die Aufgabe des Gerichts bestand in der Überprüfung der Entscheidungen erster Instanz und der Friedensgerichte. Zudem übernahm es die Aufgabe des Kassationsgerichts.

Daneben existierte das Gericht erster Instanz *(tribunal de première instance)*, das aus einem Richter als Vorsitzendem, einem Oberleutnant *(lieutenant)*, welcher als Untersuchungsrichter fungierte, einem stellvertretenden Richter und einem Staatsanwalt gebildet wurde. Der Gerichtsschreiber hatte seinen festen Sitz in Dakar, der Hauptstadt der französischen westafrikanischen Kolonien, weil er auch für die Berufungsinstanz *(Cour d'appel)* mit Sitz in Dakar zuständig war. Von dort aus reiste er zu den jeweiligen Verhandlungen der Gerichte oder ließ sich manchmal vertreten. Das Gericht erster Instanz war für alle Zivil- und Handelssachen (in erster und letzter Instanz) sowie in Strafsachen wegen Vergehen und Übertretungstaten zuständig. Die Hauptverhandlung fand vor einem Einzelrichter statt.

Schließlich gab es die ordentlichen Friedensgerichte *(justices de paix ordinaires)*. Der Richter war ein juristisch ausgebildeter Behördenangestellter. Seine Aufgabe bestand in der Beurteilung von Zivil- und Handelssachen der französischen Bürger. In Strafsachen war er für Übertretungen zuständig.

Schwurgerichte waren für alle Verbrechen zuständig, die nach einem Beschluss der Anklagekammer *(chambre d'accusation)* dorthin verwiesen wurden. Die Gerichte wurden aus Schöffen und nicht aus einer Jury gebildet. Die Verhandlungen wurden von einem Magistrat des Berufungsgerichts geführt.

Die unterschiedlichen Strafverfahren auf heimischer *(droit coutumier)* und auf französischer Ebene *(droit français)* existierten in dieser Form bis zur Unabhängigkeit des Landes am 7. August 1960. Daher gab es zu Beginn der theoretischen Unabhängigkeit zwei Arten von Gerichten, wobei die einen auf Gewohnheitsrecht spezialisiert waren, während sich die anderen mit dem modernen französischen Recht befassten. Die tägliche Praxis zeigte jedoch, dass das eingeführte moderne französische Recht gegenüber dem Gewohnheitsrecht Vorrang hatte.

Hinsichtlich der Anwendbarkeit des *droit coutumier* und des *droit français* wurde zwischen zwei Personenkreisen unterschieden: Für französische Bürger und andere Europäer, die in der Kolonie lebten, galt das französische Recht, während auf andere Rechtssubjekte das Gewohnheitsrecht Anwendung fand. Im Jahr 1946 (mit einem Dekret vom 30. April, dem Gesetz vom 7. Mai – genannt *Loi Lamine-Gueye* – und Art. 80 Const. vom 27. Oktober 1946) wurde diese strenge Differenzierung abgeschafft. Fortan waren alle Einwohner von Côte d'Ivoire französische Bürger und unterstanden sowohl dem französischen Strafgesetzbuch als auch der Strafprozessordnung.

– *Die Zeit seit der Unabhängigkeit*

Nach der Unabhängigkeit stand Côte d'Ivoire vor einem großen Dilemma. Sollte das Gewohnheitsrecht neben dem modernen Recht bestehen bleiben oder abgeschafft werden? Dass der ivorische Staat weiterhin zwei Arten von Gerichtsbarkeit haben sollte, von denen eine als der anderen untergeordnet betrachtet wurde, lehnte man zu Recht ab. Deshalb wurden Reformen zur Neuordnung der Gerichtsverfassung und des Strafverfahrens durchgeführt, mit dem Ergebnis, dass heute die beiden Gerichtsverfassungen unabhängig voneinander existieren. Das Gerichtsverfahren des Gewohnheitsrechts ist völlig selbstständig gegenüber dem des modernen Rechts und befasst sich unter anderem mit den lokalen Sitten und Gebräuchen. Es existiert immer noch parallel zum modernen Recht und seine Reform geht nur langsam und gemäß den örtlichen Traditionen vonstatten.

Im Allgemeinen gibt es keine Konflikte zwischen beiden Rechtsordnungen. Jedoch hat das moderne Recht noch immer eine gewisse Vorrangstellung gegenüber dem traditionellen Recht inne. Im konkreten Fall darf jedes Individuum eine Klage entweder bei einem traditionellen oder bei einem modernen Gericht erheben. Das moderne Gericht muss ein Urteil nach traditionellem Recht nicht anerkennen, sein eigenes Urteil hat im Gegensatz dazu aber verbindliche Wirkung für das traditionelle Recht. Es kann jedoch vorkommen, dass das moderne Gericht die Kläger an ein traditionelles Gericht zurückverweist.

Die tief greifende Reform der Gerichtsverfassung und des Verfahrensrechts durch das Gesetz Nr. 60-366 vom 14. November 1960 und ein weiteres Gesetz vom 18. Mai 1961 wurde ergänzt durch zahlreiche neue Gesetze, nämlich Gesetz Nr. 62-231 vom 29. Juni 1962 (Aussetzung des Strafrests auf Bewährung), Gesetz Nr. 63-526 vom 11. Januar 1963 (neue Aufgabe des Berufungsgerichts), Gesetz Nr. 69-371 vom 12. August 1969 (Beweiserhebung und -würdigung), Gesetz Nr. 81-640 vom 31. Juli 1981 (öffentliche und private Klage), Gesetz Nr. 96-673 vom 29. August 1996 (Befugnisse und Anrufung des Strafgerichts), Gesetz Nr. 96-765 vom 3. Oktober 1996 (Hausdurchsuchung im Rahmen der Bekämpfung der ansteigenden schweren Kriminalität), Gesetz Nr. 97-401 vom 11. Juli 1997 (Besetzung des Gerichts und Gang der Hauptverhandlung) und die Gesetze Nr. 98-745, 98-746 und 98-747 vom 23. Dezember 1998 (neue Aufgaben des Staatsanwalts, der Richter der Bezirksgerichte, Zeugenvernehmung und Rechtshilfeersuchen).

Die letzte und jüngste Reform des Gerichtswesens kam mit dem Erlass der neuen ivorischen Verfassung von 2000, welche in Art. 101 erstmals bestimmt, dass die Judikative *(pouvoir judiciaire)* neben der Legislative und der Exekutive eine dritte unabhängige Gewalt im Staat darstellt. Art. 103 Const. bestätigt, dass die Magistrate allein dem Gesetz unterstehen. Gemäß Art. 102 Const. wird die Rechtsprechung im Namen des ivorischen Volkes im ganzen Land durch das Kassationsgericht *(Cour de cassation)*, den Staatsrat *(Conseil d'Etat)*, den Rechnungshof *(Cour des comptes)*, die Berufungsgerichte und schließlich die erstinstanzlichen Gerichte vollzogen. Zugleich hält die Verfassung an der Institution der *Haute Cour de Justice* der ersten Republik fest (Art. 108 bis 112 Const.), die für Hochverrat durch den Präsidenten der Republik (Art. 109 Const.) und für Verbrechen und Vergehen von Regierungsmitgliedern während ihrer Amtszeit (Art. 110 Const.[4]) zuständig ist.

4. Entwicklung (des Rechts) der Strafvollstreckung

Vor der Kolonialzeit verstand die Bevölkerung das verbrecherische Verhalten eines Menschen als die Vergegenwärtigung des Bösen in dessen Körper. Deshalb unterzog man den Täter einerseits einer qualvollen Behandlung, durch die sein Körper (sozusagen als Opfer des Teufels) von diesem Teufel befreit werden sollte (Exorzismus). Andererseits fand eine Behandlung des Täters zum Schutz der Gesellschaft statt, in welcher er lebte. Diese Schutzfunktion konnte bei schweren De-

---

4 Vergleiche hierzu I.A.5.c.

likten wie Mord, vorsätzlicher oder fahrlässiger Tötung oder Vergiftung zu einer Art Quarantäne führen, also zu einer zeitlich befristeten Absonderung des Täters. Man kann sie mit dem heutigen Haus- oder Aufenthaltsverbot vergleichen. Die traditionelle Justiz versuchte, die durch die Tat entstandenen Schäden auszugleichen, um Hass- und Rachegefühle – als natürliche Folge des Vergehens oder Verbrechens – zwischen den betroffenen Familien zu vermeiden oder zumindest zu verringern. Der Suche nach einem Kompromiss zwischen den beteiligten Familien von Täter und Opfer galt das Hauptinteresse der Richter. Der Versuch einer Wiedergutmachung für die Opfer sollte dafür sorgen, dass es zu keinem dauerhaften Konflikt zwischen Familien in der Gesellschaft kam und sie sich schnellstmöglich wieder versöhnten.

Im Zuge der Kolonisierung ab 1893 brachte die französische Kolonialmacht auch ihr Gerichts- und Strafvollzugswesen mit, welches sie unmittelbar in den kolonisierten Ländern Westafrikas errichtete. Das neue Justizsystem zielte primär auf die Bestrafung des Beschuldigten, erst sekundär sollte auch die Entschädigung des Opfers geregelt werden. Eines der Hauptmotive der französischen Siedler für die Errichtung des Strafvollzugs in Côte d'Ivoire war, ein wirksames System zu etablieren, um Personen, die gegen die Kolonialmacht aufbegehrten, bestrafen zu können. So wurden beispielsweise Deserteure von Zwangsarbeitslagern und Aufrührer meistens in den Strafvollzug verbracht. Innerhalb dieses kolonialen Strafvollzugs gab es zwei Typen von Gefangenen: die einen waren durch eines der zahlreichen *tribunaux indigènes* und die anderen von kolonialen Gerichten verurteilt worden. Unter den Gefangenen befanden sich so gut wie keine französischen Staatsbürger.

Seit der Unabhängigkeit ist gemäß Art. 41 Const. der Präsident der Republik Côte d'Ivoire der alleinige Inhaber der exekutiven Gewalt. Somit ist er der Chef der zentralen Verwaltung, zu der auch der Strafvollzug gehört. Innerhalb der Verwaltung unterliegt der Strafvollzug dem Justizministerium.

Die erste Reform des ivorischen Strafvollstreckungsrechts nach der Unabhängigkeit erfolgte durch das Gesetz Nr. 60-366 vom 14. November 1960, mit dem die Strafprozessordnung geregelt wurde. Die Art. 673 bis 693 dieses Gesetzes organisierten das Strafvollzugswesen neu. Verschiedene spätere Änderungen vervollständigten die Reform. Beispielsweise wurden durch das Dekret Nr. 69-189 vom 14. Mai 1969 und ein *arrêté ministériel* (Ministerverordnung) vom 21. Mai 1969 das Recht der Strafvollstreckung und des Strafvollzugs erneut reorganisiert. Danach gliedern sich die Strafvollzugsanstalten in drei Kategorien: *maisons d'arrêt* (Untersuchungsgefängnisse), *maisons de correction* (Gefängnisse) und *camps pénaux* (Straflager). Bei all diesen Anstalten handelt es sich um geschlossene Einrichtungen.

Gemäß Art. 2 der ministeriellen Verordnung und Art. 677 CPP-CI werden verurteilte Schwerverbrecher sowie die Straftäter, die zur Zwangsarbeit verurteilt werden, zur Strafverbüßung in ein Straflager *(camp pénal)* verbracht. Ebenso entscheidet der Richter, ob ein Verurteilter, dessen Freiheitsstrafe mehr als ein Jahr beträgt, in einem solchen *camp pénal* seine Strafe verbüßen soll. Seit dem Erlass der Verordnung im Jahr 1969 ist es jedoch erst zur Errichtung eines einzigen *camp pénal* gekommen. Dieses befindet sich in Buaké, der heutigen Hauptstadt der bewaffneten Rebellion im Zentrum des Landes. Bei der Besetzung der Stadt hat die bewaffnete Rebellion den Gefangenen entweder zur Flucht verholfen oder sie in ihre Bataillone aufgenommen.

Art. 673 CPP-CI bestimmt, dass Beschuldigte (*inculpés* und *prévenus*) wie Angeklagte *(accusés)* für die Zeit der Untersuchungshaft in Untersuchungsgefängnissen *(maisons d'arrêt)* unterzubringen sind. Am Anfang gab es nur zwei Untersuchungsgefängnisse: in Abidjan und in Buaké. Mittlerweile gibt es Untersuchungsgefängnisse in unmittelbarer Nähe eines jeden *tribunal de première instance* (Amtsgericht), also beispielsweise auch in Abengourou, Korhogo und Daloa.

Gemäß Art. 677 Abs. 5 CPP-CI und der ministeriellen Verordnung (*arrêté* Nr. 406 vom 21. Mai 1969) wurden sogenannte *maisons de correction* als Strafvollzugsanstalten errichtet, in denen Strafgefangene für die Dauer ihrer Freiheitsstrafe inhaftiert werden. Ursprünglich gab es nur ein Gefängnis in Grand-Bassam und eines in Bouna. Mittlerweile wurden sie teilweise mit Untersuchungsgefängnissen zusammengelegt. Erst seit 1969 stehen die Strafvollzugsanstalten unter richterlicher Aufsicht.

Grundsätzlich erfolgt in Côte d'Ivoire eine Trennung von jugendlichen und erwachsenen Straftätern. Dieser Grundsatz kann in manchen Gefängnissen aus finanziellen Gründen nicht eingehalten werden. Jedoch werden die Jugendlichen nach Möglichkeit in einem anderen Gebäude als die erwachsenen Straftäter untergebracht. Die Minderjährigen, die gemeinschaftlich eine Freiheitsstrafe verbüßen, genießen eine Sonderregelung. Ihnen wird je nach Alter und Bildungsniveau eine Schul- und Berufsausbildung angeboten.

Literaturhinweise zu Abschnitt G.

Accad, Lucien, Définition des comportements délictueux. In: Encyclopédie juridique de l'Afrique, Band 10: Droit pénal et procédure pénale. Abidjan/Dakar/Lomé 1982, S. 19–51, 40 ff.

Achebe, Chinua, Le monde s'effondre. Paris 1972, S. 150–153.

Bamba, Kanvaly, L'Application des peines dans le système pénitentiaire ivoirien (*Maîtrise*-Arbeit, nicht veröffentlicht). Lomé 1988, S. 1–2, 45–51.

Beauvois, Roger, L'exécution des peines. In: Encyclopédie juridique de l'Afrique, Band 10: Droit pénal et procédure pénale. Abidjan/Dakar/Lomé 1982, S. 111–119, 112.

Bekoin, Ago Berthe, Les prisons et les prisonniers: Un regard sur le système pénitentiaire ivoirien (*Maîtrise*-Arbeit, nicht veröffentlicht). Lomé 1988, S. 2 f., 12, 15 f., 39, 44 f.

Brill, Jean Pierre, Précis de droit pénal général. Abidjan 1985, S. 3.

Coissy, Daniel Michel, La politique criminelle des Etats d'Afrique noire. Genf 1974, S. 14 f., 39, 51 ff.

David, René/Grasmann, Günther et al., Einführung in die großen Rechtssysteme der Gegenwart. 2. Aufl. München 1988, S. 633.

David, René/Jauffret-Spinosi, Camille, Les grands systèmes de droit contemporains. 8. Aufl. Paris 1982, S. 474 (Nr. 510).

– Les grands systèmes de droit contemporains. 10. Aufl. Paris 1992, S. 447–451, 454–457 (Nr. 507–509), 642 f. (Nr. 515), 649, 467 (Nr. 520).

Dégni-Ségui, René, Codification et uniformisation du droit. In: Encyclopédie juridique de l'Afrique, Band 1: L'Etat et le droit. Abidjan/Dakar/Lomé 1982, S. 453–474.

– Les droits de l'homme en Afrique noire francophone. Théories et réalités. 2. Aufl. Abidjan 2001, S. 37 ff.

Desportes, Frédéric/Le Gunehec, Francis, Droit pénal général. 9. Aufl. Paris 2002, S. 3.

Durand, Bernard/Otis-Cour, Leah (Hrsg.), La torture judiciaire. Approches historiques et juridiques (Band 1). Lille 2002.

Ekanza, Simon-Pierre, Côte d'Ivoire: Terre de convergence et d'accueil (XVe–XIXe siècles). Abidjan 2006, S. 79 ff.

Encyclopédie universelle des droits de l'Homme (E.U.D.H.) http://droit.francophonie.org/doc/html/ci.

Fondation internationale pénale et pénitentiaire (Hrsg.), Les nouvelles tendances de la politique criminelle. Actes du Cinquième Colloque International de la F.I.P.P. Syracuse 15.–19. février 1982. Bonn 1984.

Grasmann, Günther/Klingmüller, Ernst et al., Einführung in die großen Rechtssysteme der Gegenwart. 1. Aufl. München 1966, S. 562 ff. (Nr. 503).

Hübner, Ulrich/Constantinesco, Vlad, Einführung in das französische Recht. 3. Aufl. München 1994, S. 36 f., 43 ff., 130–136.

Kouassi, Adome Blaise, Straßenkinder und Jugendkriminalität. Ein kriminologischer Vergleich: Côte d'Ivoire und Deutschland. Berlin 2004, S. 184, 213 f.

– Rechtssysteme in Afrika südlich der Sahara, Institut für Afrikanistik, Universität zu Köln. In: Beiträge zur 1. Kölner Afrikawissenschaftlichen Nachwuchstagung (KANT I), 12.–14. Mai 2006; http://www.uni-koeln.de/phil-fak/afrikanistik/kant.

Lazerges, Christine, La politique criminelle. Paris 1987, S. 5.

Legré, Henri-Okou, La torture dans les sociétés africaines. In: Bernard Durand/Leah Otis-Cour (Hrsg.), La torture judiciaire. Approches historiques et juridiques, Band 1. Lille 2002, S. 168 ff.

Le Roy, Etienne/Wane, Mamadou, La formation des droits „non étatiques". In: Encyclopédie juridique de l'Afrique, Band 1: L'Etat et le Droit. Abidjan/Dakar/Lomé 1982, S. 353–391, 355, 358, 365, 367 ff., 377.

Loucou, Jean-Noël, Côte d'Ivoire: Les résistances à la conquête coloniale. Abidjan 2007, S. 13 ff., 19 ff., 34.

Mangin, Gilbert, Les structures de l'appareil juridictionnel. In: Encyclopédie juridique de l'Afrique, Band 1: L'Etat et le Droit. Abidjan/Dakar/Lomé 1982, S. 239–268, 239–245, 252 f., 256.

Mourgeon, Jacques, La République de Côte d'Ivoire. Paris 1969, S. 9 f.

Terré, Francois, Introduction générale au droit. Paris 1994, S. 34 ff.

Vanderlinden, Jacques, Les systèmes juridiques africains. Paris 1983, S. 7 ff.

Abkürzungsverzeichnis zum Landesbericht Côte d'Ivoire

BIP	Bruttoinlandsprodukt
Cons. Const.	Conseil Constitutionnel (Verfassungsrat)
Const.	Constitution (die ivorische Verfassung)
CP-CI	Code pénal de Côte d'Ivoire (das ivorische Strafgesetzbuch)
CPP-CI	Code de procédure pénale de Côte d'Ivoire (Strafprozessordnung von Côte d'Ivoire)
EU	Europäische Union
FCFA	Franc de la Communauté financière d'Afrique – Franc der Afrikanischen Finanzgemeinschaft
FPI	Front populaire ivoirien (Ivorische Volksfrontpartei; links)
J.O.	Journal Officiel
km	Kilometer
OUA	Organisation de l'Unité Africaine (Organisation für Afrikanische Einheit)
PDCI	Parti démocratique de Côte d'Ivoire (Demokratische Partei von Côte d'Ivoire; rechts)
PIT	Parti ivoirien des travailleurs (Ivorische Partei für die Arbeiter; links)
RDR	Rassemblement des Républicains (Zusammenschluss der Republikaner; Zentrumspartei)
UA	Union Africaine (Afrikanische Union)
UNO	United Nations Organisation

Rahmenbedingungen, Vorgaben, Grundlagen
und Entwicklung des Strafrechts in

England und Wales

Susanne Forster

Inhaltsverzeichnis

A. Nationale Rahmenbedingungen*

1. Geografie

England und Wales sind keine eigenständigen Staaten. Vielmehr handelt es sich um zwei Landesteile des Vereinigten Königreichs Großbritannien und Nordirland. Neben England und Wales umfasst es die Landesteile Schottland und Nordirland sowie eine Vielzahl vorgelagerter Inseln. Man spricht auch von den Britischen Inseln. Das Vereinigte Königreich beziehungsweise die Britischen Inseln zählen zu Westeuropa. Sie sind vom Nordatlantik sowie der Nordsee umgeben. Insgesamt erstreckt sich das Vereinigte Königreich auf einer Fläche von etwa 242.910 km², wobei England etwa 130.442 km² umfasst, Wales etwa 20.779 km².[1]

Bis heute verfügt das Vereinigte Königreich über sogenannte *Crown Dependencies*, die unmittelbar mit der Krone verbundenen Gebiete, und über abhängige Gebiete. Die *Crown Dependencies* (die Kanalinseln sowie die Isle of Man) sind keine Teile des Vereinigten Königreichs und gehören auch nicht der EU an. Zu den abhängigen überseeischen Gebieten zählen beispielsweise Gibraltar, Bermuda und die Falkland Inseln. Bei den überseeischen Territorien gibt es verschiedene Grade der Selbstverwaltung. In der Regel sind diese inzwischen autonome oder assoziierte Staaten, die eine innere Selbstverwaltung haben. Allerdings ist die britische Regierung für deren Verteidigungs- und Außenpolitik und vereinzelt auch für Verfassungsfragen zuständig. Zum Staatsgebiet von England und Wales zählen die Inseln Anglesey, Isle of Wight und die Scilly Isles. Auf diese Inseln erstreckt sich auch der Geltungsbereich des englischen Strafrechts.[2]

Die Hauptstadt von England und zugleich Hauptstadt des Vereinigten Königreichs ist London. Die Hauptstadt von Wales ist Cardiff.

---

* Für wertvolle Vorarbeiten zu diesem Band danke ich meiner Vorgängerin im Referat, *Christiane Rabenstein*, LL.M.

[1] Fischer Weltalmanach 2008.

[2] Siehe näher unter II.B.2.c.

2. Bevölkerung

a) Bevölkerungszahl und Bevölkerungsgruppen

Das Vereinigte Königreich hat rund 61 Mio. Einwohner.[3] Dies ergibt eine Bevölkerungsdichte von rund 250 Einwohnern pro km². Allerdings ist die Bevölkerungsdichte in den einzelnen Landesteilen sehr unterschiedlich; in England ist sie mit 380 Einwohnern pro km² am höchsten, was insbesondere daran liegt, dass dort mit London, Birmingham und Manchester drei der größten Städte des Landes liegen. Die Bevölkerungsdichte von Wales liegt bei etwa 140 Einwohnern pro km². Von der Gesamtbevölkerung des Vereinigten Königreichs sind circa 80 % Engländer und 2 % Waliser. Nach einer Schätzung vom November 2008 haben England und Wales zusammen rund 54,5 Mio. Einwohner.[4] Die Bevölkerungszahl ist in den letzten Jahren stetig gestiegen; auch für die Zukunft wird ein weiteres Wachstum erwartet.

Die außer den weißen Briten vertretenen Bevölkerungsgruppen sind nur für das gesamte Vereinigte Königreich und nicht für die einzelnen Landesteile erfasst. Die letzte offizielle Zählung erfolgte im Jahr 2001. Insgesamt sind rund 92 % der Bevölkerung Weiße (davon 86 % Engländer und 4,9 % Waliser). Rund 6 % der Bevölkerung gehören einer ethnischen Minderheit an. Traditionell ist das Vereinigte Königreich ein Einwanderungsland, was insbesondere durch die große Zahl an Kolonien begründet ist, die es bis in die 1950er und 1960er Jahre in der Karibik und dem indischen Subkontinent besaß. Die am stärksten vertretenen ethnischen Minderheiten sind Schwarze karibischer oder afrikanischer Abstammung (circa 2 %), Inder (circa 2 %), Pakistani und Bangladescher (insgesamt circa 1,3 %).[5]

b) Sprache

Englisch ist die nationale Landessprache. In Wales gilt neben Englisch auch Walisisch als offizielle und gleichberechtigte Amtssprache. Walisisch wird von rund 26 % der walisischen Bevölkerung gesprochen. Es wird von einer Alphabetisierungsquote von 99 % ausgegangen; diese Quote ist bei Männern und Frauen gleich hoch.[6]

---

3 CIA World Factbook 2008.

4 National Statistics.

5 CIA World Factbook 2008, Britische Botschaft Berlin.

6 CIA World Factbook 2008.

c) Religion

In England ist die anglikanische Kirche Staatskirche, auch in Wales gehört ein Großteil der Bevölkerung der anglikanischen Kirche an. Daneben sind als Angehörige weiterer christlicher Glaubensrichtungen sonstige Protestanten, Methodisten, Freikirchler, Baptisten und Katholiken vertreten. Insgesamt sind rund 71 % der Bevölkerung des Vereinigten Königreichs Christen. Weitere stark vertretene Religionsgruppen sind Muslime (circa 2,8 %), Hindus (circa 1 %), Sikhs (circa 0,6 %), Juden (circa 0,5 %) und Buddhisten (circa 0,3 %). Weitere 0,3 % gehören sonstigen Religionsgemeinschaften an, während rund 15 % der Bevölkerung konfessionslos sind.[7]

3. Wirtschaft

Das Wirtschaftssystem ist das der freien Marktwirtschaft und zählt zu den am stärksten deregulierten Volkswirtschaften der Welt. Während der vergangenen Jahrzehnte kam es zu umfassenden Privatisierungen, von denen beispielsweise der öffentliche Nah- und Fernverkehr betroffen war. Das Vereinigte Königreich zählt mit einem Bruttoinlandsprodukt von geschätzten 2,75 Mrd. US-$ im Jahr 2007 zu den weltweit stärksten Wirtschaftsnationen. Dabei konzentriert sich die Wirtschaftskraft schwerpunktmäßig auf England, mit London als einem der weltweit wichtigsten Finanzzentren. Vom Bruttoinlandsprodukt entfallen etwa 1 % auf die Landwirtschaft, 23,5 % auf die Industrie und 75,5 % auf den Dienstleistungssektor. Die Erwerbstätigkeit innerhalb der drei Bereiche entspricht in etwa den Anteilen am Bruttoinlandsprodukt.[8] Das Bruttonationaleinkommen liegt bei jährlich rund 35.000 US-$ pro Kopf.[9] Im Jahr 2008 betrug die Arbeitslosenquote rund 5,5 %; sie ist in den letzten Jahren leicht angestiegen.[10]

4. Staatsorganisation

Das Vereinigte Königreich verfügt über eine Verfassung, die – anders als in den meisten Staaten – nicht durch ein einziges Dokument kodifiziert ist, sondern sich aus Gewohnheitsrecht, Verfassungsgesetzen und Konventionen zusammensetzt. Mit Einführung des *Human Rights Act* 1998, der im Jahr 2000 in Kraft trat, ist für den Bereich der Menschenrechte ein Gesetz geschaffen worden, dem zumindest in der Praxis eine gewisse Höherrangigkeit zukommt, da sowohl die Gesetze als auch

---

7 Fischer Weltalmanach.

8 CIA World Factbook 2008.

9 Fischer Weltalmanach.

10 National Statistics.

jegliche Akte der Exekutive mit der EMRK in Einklang stehen müssen, die mit Hilfe des *Human Rights Act* 1998 unmittelbar als nationales Recht Anwendung findet.[11]

Das Vereinigte Königreich ist eine konstitutionelle Monarchie, jedoch stellt sich diese *de facto* als parlamentarische Monarchie dar. Die Staatsgewalt ist dem Monarchen verliehen, dessen Funktionen werden aber von Ministern ausgeübt, die dem Parlament rechenschaftspflichtig sind. Der Monarch verfügt bis heute über das Recht, den Premierminister zu entlassen und das Parlament aufzulösen. Diese Rechte werden in der Praxis jedoch traditionell nicht (mehr) ausgeübt.

Während eine Vielzahl der britischen Politikbereiche weiterhin zentral vom Parlament in London, dem sogenannten *Westminster Parliament*, gesteuert wird, genießen die Landesteile Wales, Schottland und Nordirland eine Teilautonomie und haben eigene Regionalparlamente. Im Wege der sogenannten *devolution* wurde für verschiedene Bereiche die parlamentarische Gewalt auf diese regionalen Volksvertretungen übertragen. Ferner verfügt die zentrale Regierung über jeweils einen Minister, der für Wales zuständig ist, einen für Schottland und einen Minister für Nordirland *(Secretaries of State for Wales, Scotland and Northern Ireland)*.[12] Im Gegensatz hierzu hat England kein eigenes regionales Parlament und kein gesondertes Ministerium, dem die Verantwortlichkeit allein für die Verwaltung Englands obliegt. Angelegenheiten Englands fallen in den Zuständigkeitsbereich der Zentralregierung und des zentralen Parlaments des Vereinigten Königreichs.

Das Parlament ist in zwei Häuser aufgeteilt: das vom Volk gewählte Unterhaus *(House of Commons)* und das nicht demokratisch legitimierte Oberhaus *(House of Lords)*, das mit Bischöfen, Lords auf Lebenszeit sowie Erblords besetzt ist. Das Unterhaus hat derzeit 646 Abgeordnete *(Members of Parliament)*. Dem Oberhaus gehören aktuell rund 750 Lords an. Die Legislaturperiode beträgt maximal fünf Jahre, jedoch kann auch zu einem früheren Zeitpunkt neu gewählt werden. Für die Gesetzgebung spielt das Unterhaus eine deutlich wichtigere Rolle als das Oberhaus. Das Unterhaus kann Gesetzentwürfe in das Parlament einbringen und besitzt auch hinsichtlich der Verabschiedung von Gesetzen die Entscheidungskompetenz. Ferner besteht die Verantwortlichkeit der Regierung vorwiegend gegenüber dem Unterhaus. Das Oberhaus kann Gesetzentwürfe ergänzen und ändern und die Verabschiedung eines Gesetzes um bis zu einem Jahr verzögern. Ein echtes Vetorecht steht dem Oberhaus nicht zu. Dennoch haben seine Entscheidungen besonderes Gewicht, weil seine Mitglieder als unabhängiger gelten und über ein großes Fachwissen verfügen. Neben dem Ober- und dem Unterhaus spielen verschiedene parlamentarische Ausschüsse *(Select Committees)* beider Häuser eine wichtige Rolle. Es gibt sowohl Ausschüsse, die nur aus Mitgliedern des Unter- oder des Ober-

---

[11] Siehe hierzu auch I.B.2.b. und I.C.1.

[12] British Government.

hauses bestehen, als auch einige gemeinsame parlamentarische Ausschüsse beider Häuser *(Joint Select Committees).* Aufgabe der parlamentarischen Ausschüsse ist vor allem die Überprüfung und Beratung von Gesetzentwürfen sowie die Evaluierung bereits geltender Gesetze. Im Hinblick auf Gesetzesvorhaben mit strafrechtlicher Relevanz ist insbesondere die Arbeit des gemeinsamen Menschenrechtsausschusses *(Joint Select Committee on Human Rights)* von großer Bedeutung.

Die Kommunalverwaltung Englands ist in zwei getrennten Verwaltungsebenen angeordnet: die Grafschaften *(counties)* und die Bezirke *(districts).* Wales ist in 22 Verwaltungseinheiten *(districts)* gegliedert, die nicht weiter untergliedert sind. In England gibt es 34 Grafschaften, die wiederum in 82 Bezirke *(districts)* unterteilt sind. Einige Gebiete, insbesondere die Großstädte, haben nur eine einzige einheitliche Verwaltungsebene. Die Stadt London besteht aus 32 Stadtbezirken; außerdem gibt es eine weitere Verwaltungseinheit für den Großraum London *(City of London and Greater London).*[13]

5. Kriminalität und Strafverfolgung

a) Ermittlungsbehörden

Die wichtigste Ermittlungsbehörde in England und Wales ist die Polizei *(The Police Service for England and Wales).* Es gibt insgesamt 43 Polizeieinheiten *(police forces)*, die nach der geografischen Lage verteilt sind. Insgesamt haben diese Polizeieinheiten etwa 233.000 Mitarbeiter.[14] Für die Polizei kann tätig sein, wer britischer Staatsbürger, EU-, EWR- oder Commonwealth-Bürger ist oder über eine unbefristete Aufenthaltserlaubnis für den Verbleib im Vereinigten Königreich verfügt. Neben der psychischen und physischen Eignung für den Polizeidienst wird das Bestehen einer Aufnahmeprüfung vorausgesetzt. Besondere Anforderungen an bestimmte Schul- oder Hochschulabschlüsse bestehen nicht.[15]

Neben der Polizei als allgemeiner Ermittlungsbehörde gibt es zusätzlich eine Vielzahl spezialisierter Behörden, die einen spezifischen Aufgabenbereich haben und zur Aufklärung besonders komplexer Sachverhalte eingerichtet wurden, die ein besonderes Wissen erfordern. Hierzu zählen beispielsweise die *Serious Organised Crime Agency*, deren Aufgabe die Aufklärung von organisierter Kriminalität ist, das *Serious Fraud Office*, das für schwere Betrugsdelikte zuständig ist, sowie die *Environmental Agency*, deren Aufgabe in der Aufklärung von Umweltdelikten besteht. Ferner gibt es zahlreiche Einheiten, die mit verschiedenen Aspekten der Terrorismusbekämpfung befasst sind.

---

13 CIA World Factbook 2008.

14 Home Office.

15 Police of England and Wales.

Im Zeitraum 2007/08 wurden in England und Wales laut den offiziellen Statistiken der Polizei insgesamt rund 4,95 Mio. Straftaten angezeigt. Die Kriminalitätsrate war im Vergleich zum Vorjahr um 9 % gesunken.[16] Neben dieser Statistik wird die Zahl der Straftaten außerdem durch den *British Crime Survey* (BCS), eine repräsentative Umfrage zur Kriminalitätsentwicklung, erhoben. Auch diese wird jedes Jahr durchgeführt. Nach den Erhebungen des BCS wurden im Zeitraum 2007/08 rund 10,14 Mio. Straftaten in England und Wales verübt. Auch hier ist ein Rückgang der Kriminalität gegenüber dem Vorjahr von rund 10 % zu verzeichnen.[17]

b) Anklagebehörden

Die Anklagebehörde in England und Wales ist der *Crown Prosecution Service* (CPS). Anders als in vielen anderen Rechtssystemen ist der CPS vollständig von den Ermittlungsbehörden getrennt. Er leitet oder überwacht die Ermittlungen der Polizei nicht, sondern übernimmt den Fall erst nach Abschluss der Ermittlungen. Dennoch nimmt der CPS häufig eine beratende Rolle gegenüber der Polizei ein. Ihm obliegt die Entscheidung, ob wegen einer Straftat Anklage erhoben wird oder nicht.

Der CPS wurde erst im Jahr 1985 durch den *Prosecution of Offences Act* 1985 geschaffen und nahm seine Arbeit im Jahr 1986 auf. Zuvor war die Polizei für die Initiierung der Strafverfolgung und die Entscheidung über die Anklagepunkte zuständig. Bis zur Errichtung des CPS hatte der Großteil der Polizeieinheiten eigene Abteilungen, die für die Strafverfolgung zuständig waren. Es gibt 42 Bezirke des CPS in England und Wales; diese sind in 15 regionalen Gruppen zusammengefasst.

Die Tätigkeit als Staatsanwalt, *Crown Prosecutor*, setzt ein Studium der Rechtswissenschaften sowie eine anschließende praktische Ausbildung zum Rechtsanwalt, das heißt zum *solicitor* oder *barrister*, voraus.[18] Ferner müssen Staatsanwälte die Staatsangehörigkeit eines Commonwealth Staates besitzen. Im Einzelfall können aber auch nicht-britische EU-Bürger zum *Crown Prosecutor* ernannt werden.

Im Zeitraum 2007/08 verfolgte der CPS rund 1,6 Mio. Fälle. Davon wurden 547.649 durch Entscheidungen erledigt, die vor Anklageerhebung gefällt wurden *(pre-charge decisions)*. 966.626 Fälle wurden bei den *Magistrates' Courts* und 96.992 Fälle bei den *Crown Courts* angeklagt. In rund 85 % der Fälle wurden die

[16] Home Office.

[17] Home Office.

[18] Crown Prosecution Service.

Angeklagten verurteilt. Während der letzten Jahre ist die Quote der Verurteilungen im Verhältnis zur Zahl der verfolgten Straftaten stetig gestiegen.[19]

c) Strafgerichte

Die englische Strafgerichtsbarkeit gliedert sich in die *Magistrates' Courts* und die *Crown Courts* als Eingangsinstanz, den *High Court* (Queen's Bench Division) und den *Court of Appeal* (Criminal Division) als Rechtsmittelinstanz sowie das *House of Lords* als höchste und letzte Rechtsmittelinstanz.

In England und Wales gibt es insgesamt 435 *Magistrates' Courts*. Diese sind sowohl für Straf- als auch für Zivilsachen zuständig. In Strafsachen sind sie für die weniger schweren Straftaten zuständig, die im summarischen Verfahren abgeurteilt werden *(summary offences)* oder zumindest abgeurteilt werden können *(offences triable either way)*. Etwa 97 % der Strafsachen werden zunächst vor einem *Magistrates' Court* anhängig. Die Richter, die als *magistrates* oder auch als *justices of the peace* bezeichnet werden, sind größtenteils Laienrichter, jedoch gibt es an jedem *Magistrates' Court* auch einige Berufsrichter, die sogenannten *district judges*. Ferner werden die *magistrates* von Gerichtsschreibern, den *justices' clerks*, und anderen juristisch geschulten Personen beraten. Das Gericht ist meist mit drei Richtern besetzt, eine Entscheidung durch einen Einzelrichter ist aber auch möglich.

Magistrates müssen keine besondere Ausbildung abgeschlossen haben; für ihre Aufgabe als Richter werden sie jedoch geschult. Sie sollen aus dem Kreis der in der Kommune aktiven Bürger berufen werden und möglichst die Zusammensetzung der Bevölkerung in der jeweiligen Stadt oder Gemeinde widerspiegeln. Als *magistrate* kann grundsätzlich jeder im Alter zwischen 27 und 60 Jahren tätig werden, der nicht vorbestraft und nicht Mitglied der Armee oder der Polizei ist. Der Besitz der britischen Staatsangehörigkeit ist keine Voraussetzung. Lediglich Personen, die Asyl beantragt haben, können nicht berufen werden. Von allen Personen, die sich um die Berufung zum *magistrate* bewerben, wird die Bereitschaft erwartet, bei Amtsantritt einen Treueeid zu schwören.[20] Die an den *Magistrates' Courts* tätigen Berufsrichter, die *district judges*, müssen hingegen britische oder irische Staatsbürger sein oder die Staatsangehörigkeit eines Commonwealth-Staates haben. Auch Personen mit doppelter Staatsangehörigkeit können als *district judge* berufen werden, sofern eine der Staatsangehörigkeiten in eine der genannten Kategorien fällt. Berufsrichter kann werden, wer im Anschluss an ein Studium der Rechtswissenschaften und die praktische Ausbildung mindestens sieben Jahre lang als Rechtsanwalt, das heißt, als *solicitor* oder *barrister*, tätig war.

---

[19] Crown Prosecution Service.

[20] British Government.

Die *Crown Courts* sind in erster Instanz für die schweren Straftaten zuständig. In England und Wales gibt es insgesamt 92 *Crown Courts*. Ferner dient der *Crown Court* als Rechtsmittelinstanz für Entscheidungen der *Magistrates' Courts*. Die *Crown Courts* verhandeln grundsätzlich mit einem Berufsrichter *(High Court judge, circuit judge* oder *recorder)* und einer *Jury*, die aus 12 Personen besteht. Als Mitglied einer *Jury* kann grundsätzlich jeder berufen werden, der im Wählerverzeichnis registriert ist. Voraussetzung hierfür ist, dass die Person volljährig und seit mindestens fünf Jahren Einwohner des Vereinigten Königreichs, der Kanalinseln oder der Isle of Man ist. Ferner müssen die *Jury*-Mitglieder zwischen 18 und 70 Jahren alt und dürfen nicht vorbestraft oder psychisch krank sein. Grundsätzlich soll die Besetzung der *Jury* die gesellschaftlichen Gegebenheiten widerspiegeln. Hinsichtlich der Staatsangehörigkeit und der Ausbildung der Richter am *Crown Court* gelten die gleichen Anforderungen wie bei den *district judges*. In England und Wales gibt es nur einen einzigen gemeinsamen *Court of Appeal*, der jedoch in zwei Bereiche, den strafrechtlichen und den zivilrechtlichen, aufgeteilt ist. Das Gericht hat seinen Sitz in London. Derzeit gibt es am *Court of Appeal* 37 Richter, die in der Regel in Spruchkörpern von zwei oder drei Richtern entscheiden. Dem *High Court* gehören 107 Richter an.

Das *House of Lords* ist die letzte und höchste Instanz. Im Lauf der kommenden Jahre wird im Rahmen einer umfassenden Verfassungs- und Justizverfassungsreform das *House of Lords* zum *Supreme Court* umgewandelt. Gegenwärtig gibt es zwölf Lordrichter, die gleichzeitig auch Mitglieder des Oberhauses sind. Sie entscheiden meist zu fünft oder zu siebt. Im Jahr 2004 wurde erstmals ein Fall in einer Besetzung von neun Richtern entschieden.

d) Sanktionen

Die wichtigsten gesetzlichen Grundlagen der Sanktionen sind im *Criminal Justice Act* 2003 geregelt. Es gibt Freiheitsstrafen und andere Sanktionsarten. Freiheitsstrafen *(imprisonment)* können zur Bewährung ausgesetzt *(suspended sentence of imprisonment)* oder sofort vollstreckt werden. Freiheitsstrafen für jugendliche Straftäter werden als Arrest *(detention)* bezeichnet. Die Länge der Freiheitsstrafen reicht von sechs Monaten bis hin zu einer lebenslangen Freiheitsstrafe. Bei der lebenslangen Freiheitsstrafe wird ein Zeitraum festgelegt, den der Verurteilte mindestens im Gefängnis verbringen muss. Dieser wird als *tariff* bezeichnet. Erst nach Ablauf dieser Mindestverbüßungszeit kann das *Parole Board*, der Bewährungsausschuss, entscheiden, ob der Verurteilte entlassen und die restliche Strafe zur Bewährung ausgesetzt wird.[21]

---

[21] Siehe dazu auch I.G und II.J.

Zu den anderen Sanktionen zählen Geldstrafen *(fines)*, das Absehen von Strafe mit Eintrag in das Strafregister *(discharge)*, Schadensersatz für das Opfer sowie Nebenstrafen *(ancillary orders)*, die etwa den Entzug der Fahrerlaubnis oder eine Untersagung der Geschäftsführung oder der Tierhaltung zum Inhalt haben können. Eine weitere wichtige Sanktion ist die sogenannte *community sentence*. Mit dieser kann dem Verurteilten beispielsweise gemeinnützige Arbeit in Form von Sozialstunden auferlegt werden, aber auch die Verpflichtung zur Teilnahme an bestimmten Kursen, etwa einem Anti-Agressionstraining.

Geldstrafen *(fines)* werden in etwa 15 % der Verurteilungen verhängt, *community sentences* in 33 %. Der Anteil der unmittelbar vollstreckten Freiheitsstrafen *(immediate custody)* liegt bei 24 %, der von zur Bewährung ausgesetzten Freiheitsstrafen bei 9 %. Der Anteil sonstiger Sanktionen beträgt 18 %.[22]

e) Strafvollzug

Für den Strafvollzug gibt es verschiedene Anstaltsformen. Sie unterscheiden sich danach, ob die Insassen männliche Erwachsene sind oder ob es sich bei den Häftlingen um Jugendliche oder Frauen handelt. Weiterhin erfolgt eine Abstufung nach den Sicherheitsanforderungen. Dabei werden vier Kategorien unterschieden: Hochsicherheitsgefängnisse (sogenannte *Category A*), geschlossener Vollzug, halb offener und offener Vollzug. In England und Wales gibt es rund 140 Haftanstalten, zwölf sind reine Frauengefängnisse oder verfügen über gesonderte Gebäude für die Unterbringung weiblicher Gefangener. In diesen Haftanstalten können 74.680 Häftlinge untergebracht werden.[23] Derzeit herrscht in den Gefängnissen eine Überbelegung von 111 %.[24]

Neben den örtlichen Haftanstalten für den geschlossenen Vollzug *(local prison)*, gibt es Anstalten mit Ausbildungsmöglichkeiten *(training prisons)*, Jugendhaftanstalten *(young offenders institutions)*, Untersuchungshaftanstalten *(remand centres)* sowie Hochsicherheitsgefängnisse für die Verbüßung langer Haftstrafen *(dispersal centres)*.

Im Juli 2009 betrug die Zahl der Gefängnisinsassen insgesamt 83.600 (79.300 männliche, 4.300 weibliche Häftlinge). Dies bedeutet einen Anstieg um 4 % gegenüber dem Vorjahr. Seit Mitte der 1990er Jahre ist die Zahl der Häftlinge kontinuierlich gestiegen und es wird erwartet, dass dieser Trend auch in der Zukunft weiter anhält. Bei der Zahl der Gefängnisinsassen stehen England und Wales an fünfter Stelle in Europa und an 17. Stelle im weltweiten Vergleich. Die Gefange-

---

22 Ministry of Justice.

23 ICPS World Prison Brief.

24 Ministry of Justice, Population in custody monthly tables, July 2008, England and Wales. Zur Prognose für die Zukunft: Ministry of Justice Statistical Bulletin, Prison Population Projections 2007–2014, England and Wales.

nenrate beträgt 153 Häftlinge pro 100.000 Einwohner. Damit liegen England und Wales im internationalen Vergleich an 17. Stelle in Europa und an 87. Stelle weltweit.[25]

Literatur- und Quellenhinweise zu Abschnitt A.

Allgemeine Literatur:

Graf von Bernstorff, Christoph, Einführung in das englische Recht. 3. Aufl. München 2006, S. 270–282 (Strafprozessrecht).

Gibson, Bryan/Cavadino, Paul, The Criminal Justice System. An Introduction. Hampshire 2008, S. 47–59; 125–132 (Strafprozessrecht).

Padfield, Nicola, Text and Materials on the Criminal Justice Process. 4. Aufl. Oxford 2008, S. 201–234; 373–381 (Strafprozessrecht).

Sprack, John, Criminal Procedure. 12. Aufl. Oxford 2008, S. 89–93; 227–233; 409–476 (Strafprozessrecht).

Wheeler, John, Essentials of the English Legal System. 2. Aufl. Oxford 2006, S. 31–46 (Strafprozessrecht).

Geografie:

Britische Botschaft Berlin, Über Großbritannien:

http://www.britischebotschaft.de/de/britain/about_britain.htm

Der Fischer Weltalmanach 2008. Zahlen, Daten, Fakten. Frankfurt am Main 2007, S. 200–209.

Bevölkerung:

Britische Botschaft Berlin, Über Großbritannien:

http://www.britischebotschaft.de/de/britain/about_britain.htm

CIA World Factbook 2008, United Kingdom:

https://www.cia.gov/library/publications/the-world-factbook/geos/uk.html

National Statistics (Nationale Statistiken):

http://www.statistics.gov.uk

Sprache:

CIA World Factbook 2008, United Kingdom.

https://www.cia.gov/library/publications/the-world-factbook/geos/uk.html

---

25 ICPS World Prison Brief.

Religion:

Der Fischer Weltalmanach 2008. Zahlen, Daten, Fakten. Frankfurt am Main 2007, S. 200–209.

Wirtschaft:

CIA World Factbook 2008, United Kingdom.
https://www.cia.gov/library/publications/the-world-factbook/geos/uk.html

Der Fischer Weltalmanach 2008. Zahlen, Daten, Fakten. Frankfurt am Main 2007, S. 200–209.

National Statistics (Nationale Statistiken):
http://www.statistics.gov.uk

Staatsorganisation:

CIA World Factbook 2008, United Kingdom.
https://www.cia.gov/library/publications/the-world-factbook/geos/uk.html

United Kingdom Government (britische Regierung):
http://www.direct.gov.uk/en/Governmentcitizensandrights/UKgovernment/Devolved government/DG_073306

Ermittlungsbehörden:

Home Office (Innenministerium), Crime in England and Wales 2007/08:
http://police.homeoffice.gov.uk/about-us

Police of England and Wales (Polizei):
http://www.policecouldyou.co.uk/officers/eligible_details.html

Anklagebehörden:

Crown Prosecution Service (Staatsanwaltschaft):
http://www.cps.gov.uk (allgemein)
http://www.cps.gov.uk/careers/index.html (Ausbildungsvoraussetzungen)
http://www.cps.gov.uk/publications/reports/2007/summary.html (Verfolgungsstatistik)

Strafgerichte:

Graf von Bernstorff, Christoph, Einführung in das englische Recht. 3. Aufl. München 2006, S. 274–282.

Gibson, Bryan/Cavadino, Paul, The Criminal Justice System. An Introduction. Hampshire 2008, S. 47–59.

Padfield, Nicola, Text and Materials on the Criminal Justice Process. 4. Aufl. Oxford 2008, S. 373–381.

Sprack, John, Criminal Procedure. 12. Aufl. Oxford 2008, S. 89–93; 227–233.

Wheeler, John, Essentials of the English Legal System. 2. Aufl. Oxford 2006, S. 31–46.

United Kingdom Government (britische Regierung):
http://www.direct.gov.uk/en/CrimeJusticeAndTheLaw/Becomingamagistrate/DG_071395 (Ausbildungsvoraussetzungen für *magistrates*)

Sanktionen:

Gibson, Bryan/Cavadino, Paul, The Criminal Justice System. An Introduction. Hampshire 2008, S. 125–132.

Sprack, John, Criminal Procedure. 12. Aufl. Oxford 2008, S. 409–476.

Ministry of Justice (Justizministerium):

http://www.justice.gov.uk/docs/stats-sentence-quar4-2007.pdf

Strafvollzug:

Ministry of Justice (Justizministerium):

http://www.justice.gov.uk/docs/population-in-custody-july08.pdf

http://www.justice.gov.uk/docs/stats-prison-pop-aug07.pdf

ICPS (King's College London):

http://www.kcl.ac.uk/depsta/law/research/icps/worldbrief/wpb_country.php?country=169 (Gefangenenrate)

CIA World Factbook 2008, United Kingdom:

https://www.cia.gov/library/publications/the-world-factbook/geos/uk.html [Stand: 21.8.2008]

Der Fischer Weltalmanach 2008. Zahlen, Daten, Fakten. Frankfurt am Main 2007, S. 200–209.

Home Office, Home Office Statistical Bulletin, Crime in England and Wales 2007/8. Juli 2008. Abrufbar unter http://www.homeoffice.gov.uk/rds/pdfs08/hosb0708.pdf [Stand: 18.9.2008].

B. Rechtsvergleichende und internationale Einordnung

1. Rechtsvergleichende Einordnung des Landesrechts

Das Recht von England und Wales wird traditionell dem Rechtskreis des *common law* beziehungsweise dem angloamerikanischen Rechtskreis zugeordnet. Zu diesem zählt ferner das Recht der USA sowie das vieler weiterer englischsprachiger Länder, insbesondere früherer britischer Kolonien.

Das englische Recht hat sich über Jahrhunderte ohne große Brüche entwickelt. Die Kontinuität der geschichtlichen Entwicklung spiegelt sich in der Entwicklung des Rechtssystems wider. Es geht in seinen Ursprüngen auf das Recht der Normannen und Angelsachsen zurück, zeigt aber auch Spuren des kanonischen Rechts. Die Geschichte des heutigen englischen Rechts beginnt mit der Eroberung Englands durch die Normannen im Jahr 1066. Der Einfluss der normannischen Könige führte dazu, dass frühere Traditionen an Bedeutung verloren und sich einheitliche Rechtsnormen im gesamten Land durchsetzten.[1] So entstand sehr früh ein „gemeines Recht" *(common law)*, was auch zur Folge hatte, dass nie ein Bedürfnis nach Kodifizierung des Rechts aufkam.[2]

Während äußere Einflüsse oder besondere historische Ereignisse für die Entwicklung des Rechts in England kaum von Bedeutung waren, hat das englische Recht seinerseits die Rechtsordnungen vieler anderer Länder geprägt. Dazu zählen die übrigen Teile des Vereinigten Königreichs, das heißt Wales, Nordirland und Schottland,[3] sowie die früheren britischen Kolonien. Das englische Recht könnte man auch die „Mutter" der Rechtsordnungen der „*common-law*-Familie" nennen. Heutzutage sind in anderen *common-law*-Rechtsordnungen zwar die englischen Wurzeln noch erkennbar, jedoch haben sich die einzelnen Rechtsordnungen emanzipiert und sich zum Teil in unterschiedliche Richtungen entwickelt. Insbesondere kam es in vielen anderen Staaten des *common law* schließlich doch zu einer weitgehenden Kodifizierung des Strafrechts. Die Bindungen zwischen den verschiedenen Rechtsordnungen des *common-law*-Rechtskreises sind jedoch immer noch enger als etwa zwischen den verschiedenen kontinentaleuropäischen Rechtsordnungen. Gründe hierfür dürften insbesondere politischer und geschichtlicher Natur sein. Politische Bindungen bestehen etwa zu den früheren Kolonien im Commonwealth. Auch die Beziehungen zu den USA sind bis heute enger als zu vielen europäischen Staaten. Ferner bleiben eine gewisse Nähe und eine stärkere Bindung der Rechtsordnungen auch durch die ihnen gemeinsame englische Sprache erhalten. Dies gilt etwa für die Berücksichtigung ausländischer Gerichtsurteile durch die

---

[1] Siehe weiterführend I.G.

[2] Siehe auch I.F.

[3] Zur Entwicklung des schottischen Strafrechts siehe den Landesbericht Schottland.

englischen Gerichte. Abgesehen von der Rechtsprechung des EGMR werden (fast) ausschließlich Urteile von Gerichten anderer englischsprachiger Länder berücksichtigt.

Als charakteristisch für das *common law* werden die Art der gerichtlichen Entscheidungsfindung anhand von Präzedenzfällen und das Fehlen von Kodifikationen angesehen. Eine weitere Gemeinsamkeit der Rechtsordnungen des *common law* ist, dass nicht nur das Zivil-, sondern auch das Strafverfahren als kontradiktorisches Verfahren unter Geltung der Verhandlungsmaxime ausgestaltet ist. Daher wird das Strafverfahren im angloamerikanischen oder *common-law*-Rechtssystem häufig als „adversarisch" *(adversarial)* oder „akkusatorisch" bezeichnet im Gegensatz zum „inquisitorischen" Verfahren kontinentaleuropäischer *civil-law*-Länder. Das englische Strafverfahren ist ein parteiorientiertes Verfahren, in dem Anklage und Verteidigung die gleiche Stellung haben und den Prozess führen, während die Stellung des Richters mit der eines „Schiedsrichters" verglichen wird, der die Einhaltung der Verfahrensregeln überwacht, ohne selbst aktiv in das Verfahren einzugreifen. Die führende Rolle im Strafprozess spielt die Anklage.[4]

Als besonderes Charakteristikum des angloamerikanischen Rechts wird häufig das Jury-System gesehen. Allerdings gibt es auch in vielen Ländern, die nicht diesem Rechtskreis zuzuordnen sind, Geschworene. Dies gilt beispielsweise für Belgien, Frankreich und Norwegen. Zahlenmäßig ist das Geschworenenverfahren in England und Wales von geringer Bedeutung. Nur etwa 1 % aller Angeklagten wird von einer Jury abgeurteilt. Die große Mehrheit der Verfahren wird vor dem *Magistrates' Court* verhandelt (etwa 95 %), wo ohne Geschworene entschieden wird.[5] Von den Fällen, die wegen ihrer Schwere an den *Crown Court* gelangen, werden einige ohne Beteiligung der Geschworenen eingestellt, ferner plädieren viele Angeklagte auf schuldig *(guilty plea)*. Da damit abschließend über die Schuldfrage entschieden ist, findet in diesen Fällen keine Verhandlung vor Geschworenen statt und der Richter bestimmt über das Strafmaß allein. Das Geschworenenverfahren hat aber die Regeln und Prinzipien des Strafverfahrens und damit des gesamten Strafrechts so stark geprägt, dass sich hieraus auch heute noch grundlegende Unterschiede zu anderen Rechtssystemen erklären lassen.

Die von der Rechtsprechung entwickelten Rechtsgrundsätze, das *common law*, haben als Rechtsquelle den gleichen Status wie Gesetze.[6] So gibt es beispielsweise einige Straftatbestände, die nicht in einem Gesetz normiert sind, sondern deren Definition aus der Rechtsprechung hervorgegangen ist. Dies bedeutet aber heute nicht mehr, dass die Quellen des Strafrechts nur in gerichtlichen Entscheidungen zu suchen sind. Vielmehr gelten neben dem Richterrecht vor allem im Verfahrensrecht

---

4 Siehe weiterführend I.D.4.

5 Siehe dazu oben I.A.5.c.

6 Siehe I.F.4. sowie II.A.1.

zahlreiche Parlamentsgesetze,[7] sodass es kaum noch Rechtsfragen gibt, die allein im *common law* geregelt sind, während die Bedeutung von Gesetzen und Verordnungen erheblich zugenommen hat. Im Gegensatz zu anderen Ländern des *common-law*-Rechtskreises wurden in England bisher weder das Strafrecht noch das Strafverfahrensrecht kodifiziert. Das Prinzip der Bindung an frühere Entscheidungen *(stare decisis, doctrine of precedent)* und die Art der Auslegung von Gesetzen sind weitere Merkmale des *common law*, die sich von der Rechtsfindung in den sogenannten *civil-law*-Ländern unterscheiden.

Weder das Fehlen von Kodifikationen noch die Besonderheiten im Strafverfahren können heute noch als eindeutige Kennzeichen des *common-law*-Rechtskreises angesehen werden. Während die Bedeutung des *common law* gegenüber dem Gesetzesrecht kontinuierlich an Bedeutung verliert, hat doch das durch die Gerichte geschaffene Recht eine traditionell starke Stellung und ist – im Gegensatz zur Gesetzesauslegung durch die Rechtsprechung – eine eigene Rechtsquelle.[8] Dies prägt das englische Recht bis heute.

Obwohl der Begriff *common law* wegen seiner unterschiedlichen Bedeutungen manchmal etwas irreführend sein mag, ist er als Kennzeichnung für die Rechtsordnungen, in denen die Gerichte originär Recht schaffen, doch zutreffender als die Bezeichnung „angloamerikanischer Rechtskreis". Mit diesem häufig verwendeten Begriff wird zwar meist englisches und US-amerikanisches Recht gemeint, vereinzelt wird der Begriff aber fälschlicherweise auch auf britisches, das heißt, schottisches und nordirisches Recht und das Recht der früheren Kolonien erstreckt. Gleiches gilt für die ebenfalls verwendeten Bezeichnungen „angelsächsisches Rechtssystem" oder „englischer Rechtskreis".

2. Einfluss internationaler Bindungen

England, Wales, Schottland und Nordirland sind Landesteile des Vereinigten Königreichs,[9] also keine selbstständigen Staaten im völkerrechtlichen Sinne, sondern allein das Vereinigte Königreich verfügt über die Kompetenz, internationalen und regionalen Organisationen beizutreten und völkerrechtliche Verträge zu schließen. Aus diesem Grund sind die folgenden Abschnitte a) und b) identisch mit den entsprechenden Abschnitten im Landesbericht Schottland.

[7] Siehe I.F.2.

[8] Siehe ausführlich I.F.4.

[9] Siehe auch I.A.1.

a) Mitgliedschaft in internationalen und regionalen Organisationen

Das Vereinigte Königreich ist Mitglied in zahlreichen internationalen Organisationen. Es ist Gründungsmitglied der Vereinten Nationen (UNO) und verfügt über einen ständigen Sitz im Sicherheitsrat. Ferner gehört es dem Europarat sowie der North Atlantic Treaty Organisation (NATO) an und war zugleich auch Gründungsmitglied dieser Organisationen, die beide im Jahr 1949 ins Leben gerufen wurden. Der Europäischen Union (EU) trat das Vereinigte Königreich 1973 bei. Darüber hinaus ist es Mitglied der Organisation für Sicherheit und Zusammenarbeit in Europa (OSZE), die aus der Konferenz über Sicherheit und Zusammenarbeit in Europa hervorging, sowie der Organisation für wirtschaftliche Zusammenarbeit und Entwicklung (OECD).

Neben diesen Mitgliedschaften spielt bis heute auch der Staatenverbund des Commonwealth of Nations eine wichtige Rolle für die internationalen Beziehungen des Vereinigten Königreichs. Das Commonwealth ist der Nachfolger des *British Empire* und besteht in seiner heutigen Form seit dem Jahr 1949. Es umfasst derzeit 53 Mitgliedstaaten, zu denen neben dem Vereinigten Königreich insbesondere Kanada, Australien und Indien gehören, sowie weitere Staaten, die früher britische Kolonien waren. In Rechtsangelegenheiten dient das Commonwealth vor allem der Kooperation zwischen den Mitgliedstaaten, jedoch kann es auch Prinzipien aufstellen und Modellgesetze entwerfen. Eine wichtige Besonderheit ist der *Privy Council*. Hierbei handelt es sich um ein Gericht, das sich aus Richtern des *House of Lords* und des *Court of Appeal*, der obersten englischen Gerichte sowie ausländischen Richtern zusammensetzt. Der *Privy Council* ist heute noch die letzte Instanz für bestimmte Rechtsfragen in Bezug auf die Überseeterritorien, die Kanalinseln und die Isle of Man, sowie einige weitere Staaten des Commonwealth.

b) Beteiligung an völkerrechtlichen Verträgen

Das Vereinigte Königreich ist einer Vielzahl völkerrechtlicher Verträge beigetreten, die für das Strafrecht relevant sind. Im Hinblick auf die innerstaatliche Geltung des Völkerrechts besteht ein dualistisches System. Dies bedeutet, dass internationale Verträge nur dann im innerstaatlichen Recht Geltung erlangen, wenn sie mittels eines Parlamentsgesetzes in das nationale Recht inkorporiert wurden. Erst mit der Ratifizierung und der Transformation durch ein Parlamentsgesetz kommt einem völkerrechtlichen Vertrag auch innerstaatliche Bedeutung zu. Die Zustimmung des Parlaments ist zur Ratifizierung eines Vertrags jedoch nicht grundsätzlich erforderlich. Vielmehr gehört das Recht, internationale Verträge abzuschließen, zu den Vorrechten der Krone *(prerogatives of the Crown)* und wird heutzutage von der Regierung ausgeübt. Seit dem 17. Jahrhundert darf die Regierung dieses Recht jedoch nicht dergestalt ausüben, dass hierdurch die Rechte und Pflichten der Bürger des Vereinigten Königreichs geändert würden. Sofern die Umsetzung eines internationalen Abkommens die Modifizierung des innerstaatlichen Rechts erfordert, muss diese notwendige Änderung durch ein Parlamentsgesetz bewirkt werden. Dass beiden Häusern des Parlaments ein internationaler Vertrag vor Ratifizierung zur Zustimmung vorgelegt wird, ist jedoch inzwischen die Regel und erfolgt auch dann, wenn eine Änderung des innerstaatlichen Rechts nicht erforderlich ist. Dies wird als *Ponsonby Rule* bezeichnet und ist seit 1924 in Form eines Verfassungsdokuments *(constitutional convention)* festgeschrieben.[10] Dass im Vereinigten Königreich ein dualistisches System gilt, ist daher eine Folge des nationalen Verfassungsrechts.

Im Folgenden werden die wichtigsten der vom Vereinigten Königreich unterzeichneten und ratifizierten internationalen Abkommen dargestellt:

– *Menschenrechte*

Das Vereinigte Königreich gehörte zu den ersten Unterzeichnern der Europäischen Konvention zum Schutze der Menschenrechte und Grundfreiheiten (EMRK), die im Jahr 1950 ins Leben gerufen wurde. Die Ratifizierung der EMRK erfolgte im Jahr 1953. Zur Inkorporierung in das innerstaatliche Recht kam es jedoch erst mit der Schaffung des *Human Rights Act* 1998, der im Jahr 2000 in Kraft trat. Von den Zusatzprotokollen zur EMRK hat das Vereinigte Königreich die beiden Protokolle über die Abschaffung der Todesstrafe (Protokoll Nr. 6 und 13) sowie das über das Diskriminierungsverbot (Protokoll Nr. 12) unterzeichnet und ratifiziert, nicht hingegen die Zusatzprotokolle über die Freizügigkeit (Protokoll Nr. 4) und die Ausweisung von Ausländern (Protokoll Nr. 7). Die EMRK hat auf nationaler Ebene den Rang eines einfachen Gesetzes. Dadurch, dass der *Human Rights Act* 1998 in Section 3 bestimmt, dass die Gerichte Parlamentsgesetze und Akte der Exekutive so auszulegen haben, dass sie im Einklang mit den Konventionsrechten stehen, und dass sie andernfalls gemäß Section 4 deren Unvereinbarkeit mit der Konvention feststellen können, kommt der EMRK jedoch faktisch eine herausragende Stellung innerhalb der Rechtsordnungen des Vereinigten Königreichs zu.[11]

Außerdem ist das Vereinigte Königreich Vertragsstaat des Internationalen Pakts über bürgerliche und politische Rechte (International Covenant on Civil and Political Rights), des Internationalen Pakts über wirtschaftliche, soziale und kulturelle Rechte (International Covenant on Economic, Social and Cultural Rights), der Antirassismuskonvention, der Kinder- und der Frauenrechtskonvention sowie des UN Übereinkommens über die Abschaffung der Sklaverei, des Sklavenhandels und der sklavereiähnlichen Einrichtungen. Ferner hat es die Antifolterkonvention (UN Convention against Torture, and Other Cruel Treatment or Punishment) im Jahr 1989 und das dazugehörige 9. Protokoll im Jahr 2003 ratifiziert.

---

[10] Siehe hierzu auch I.C.1.

[11] Siehe hierzu auch I.C.2.

– *Humanitäres Völkerrecht*

Im Bereich des humanitären Völkerrechts hat das Vereinigte Königreich die Genfer Konventionen I–IV sowie die Zusatzprotokolle I und II ratifiziert und mittels des *Geneva Conventions Act* 1957 in nationales Recht transformiert. Ferner hat es im Jahr 1970 das UN Übereinkommen zur Verhütung und Bestrafung des Völkermordes von 1948 ratifiziert. Darüber hinaus ist das Vereinigte Königreich Vertragspartei des Rom-Statuts für den Internationalen Strafgerichtshof und hat diesem durch den *International Criminal Court Act* 2001 auch innerstaatliche Geltung verliehen. Hiermit einher geht die im Jahr 2008 erfolgte Ratifizierung des Übereinkommens über die Privilegien und Immunitäten des Internationalen Strafgerichtshofs aus dem Jahr 2002.

– *Organisierte Kriminalität und Drogenbekämpfung*

Das Vereinigte Königreich hat das UN Übereinkommen gegen die grenzüberschreitende organisierte Kriminalität aus dem Jahr 2000 unterzeichnet und im Jahr 2006 in nationales Recht inkorporiert. Ferner hat es die Zusatzprotokolle 12 a und 12 b über den Menschenhandel und Menschenschmuggel unterzeichnet und umgesetzt. Das Zusatzprotokoll 12 c gegen die unerlaubte Herstellung von Feuerwaffen, deren Teilen, Komponenten und Munition sowie gegen den unerlaubten Handel hat es im Jahr 2002 unterzeichnet, aber bislang nicht in nationales Recht transformiert. Ferner ist das Vereinigte Königreich der UN Konvention über psychotrope Substanzen aus dem Jahr 1971 und dem UN Übereinkommen gegen den illegalen Handel mit Suchtstoffen und psychotropen Substanzen aus dem Jahr 1988 beigetreten.

– *Terrorismusbekämpfung*

Im Bereich der Terrorismusbekämpfung hat das Vereinigte Königreich die wichtigsten internationalen und europäischen Abkommen unterzeichnet und mit Ausnahme der Konvention des Europarates zur Vorbeugung von Terrorismus aus dem Jahr 2005 (CoE Convention on the Prevention of Terrorism) auch ratifiziert und mittels der verschiedenen nationalen Anti-Terror-Gesetze umgesetzt. Hierbei handelt es sich insbesondere um die Übereinkommen der Vereinten Nationen zur Bekämpfung terroristischer Bombenanschläge von 1997, zur Bekämpfung der Finanzierung von Terrorismus von 1999 sowie das Übereinkommen zur Bekämpfung terroristischer Handlungen mittels nuklearer Mittel aus dem Jahr 2005.

– *Wirtschaftskriminalität*

In Bezug auf Wirtschaftkriminalität hat das Vereinigte Königreich verschiedene Abkommen zur Bekämpfung von Korruption und Geldwäsche unterzeichnet. Dazu zählen das Übereinkommen des Europarates über Geldwäsche sowie Ermittlung,

Beschlagnahme und Einziehung von Erträgen aus Straftaten aus dem Jahr 1990, das Strafrechtsübereinkommen des Europarates gegen Korruption von 1999 sowie das Zusatzprotokoll aus dem Jahr 2003 und die OECD Konvention gegen Bestechung ausländischer Amtsträger von 1997. Die jeweilige Umsetzung dieser Abkommen erfolgte erst einige Jahre nach der Unterzeichnung. Ferner ist das Vereinigte Königreich dem Übereinkommen über den Schutz der finanziellen Interessen der Europäischen Gemeinschaften beigetreten.

– *Rechtshilfe und justizielle Hilfe in Strafsachen*

Auf dem Gebiet der Rechtshilfe und der justiziellen Hilfe in Strafsachen hat das Vereinigte Königreich insbesondere das europäische Übereinkommen über die Rechtshilfe in Strafsachen von 1959, die beiden Zusatzprotokolle aus den Jahren 1978 und 2001 sowie das Europäische Auslieferungsabkommen von 1957 und das Zweite Zusatzprotokoll aus dem Jahr 2001 unterzeichnet und ratifiziert. Ferner ist es dem Europäischen Übereinkommen über die Überstellung verurteilter Personen aus dem Jahr 1983 beigetreten. Diesen Abkommen wurde durch den *Extradition Act* 2003 und den *Crime (International Co-operation) Act* 2003 innerstaatliche Geltung verliehen. Zusätzlich zu den genannten multilateralen Abkommen hat es im Jahr 2003 ein bilaterales Abkommen über die Auslieferung mit den USA abgeschlossen.

Hinsichtlich der für das Strafrecht relevanten Übereinkommen der Europäischen Gemeinschaften nimmt das Vereinigte Königreich eine Außenseiterrolle ein. Auf dem Gebiet der gemeinsamen Außen- und Sicherheitspolitik sowie im Bereich Asyl beteiligt es sich nur vereinzelt an den von der Gemeinschaft verabschiedeten Initiativen.

Literaturhinweise zu Abschnitt B.

Darbyshire, Penny, Criminal Procedure in England and Wales. In: Richard Vogler/Barbara Huber (Hrsg.), Criminal Procedure in Europe. Berlin 2008, S. 44–62.

David, René/Grassmann, Günther, Einführung in die großen Rechtssysteme der Gegenwart. 2. Aufl. München 1988, S. 431–500.

Dixon, Martin, International Law. 5. Aufl. Oxford 2005, S. 80–102.

Doobay, Anand, Extradition and Mutual Assistance – A Changing Landscape. CL (2006) 164, 3–5.

Extradition Act 2003 (c.41) and Crime (international Co-operation) Act 2003 (c.32) – A Current Law Statute Guide. London 2004.

Glenn, Patrick, Legal Traditions of the World. Oxford 2000, S. 205–250.

Jones, Alun/Bowers, Rupert/Lodge, Hugo D., Blackstone's Guide to the Terrorism Act 2006. Oxford 2006.

Harding, Christopher, Overview of Different Types of Procedure. In: Albin Eser/Christiane Rabenstein (Hrsg.), Strafjustiz im Spannungsfeld von Effizienz und Fairness. Konvergente und divergente Entwicklungen im Strafprozess. Berlin 2004, S. 3–17.

Lowe, Vaughan, International Law. Oxford 2007, S. 64–86.

Pakes, Francis, Comparative Criminal Justice. Cullompton 2004.

Peers, Steve, EU Justice and Home Affairs Law. Oxford 2007.

Reichel, Philip L., Comparative Criminal Justice Systems. A Topical Approach. 3. Aufl. Upper Saddle River, New Jersey 2002.

Sanders, Andrew/Young, Richard, Criminal Justice. 3. Aufl. Oxford 2007, S. 12–15.

Servidio-Delabre, Eileen, Common Law – Introduction to the English and American Legal System. Paris 2004.

Wadham, John/Mountfield, Helen/Edmundson, Anna/Gallagher, Caoilfhionn, Blackstone's Guide to the Human Rights Act 1998. 4. Aufl. Oxford 2007.

Walker, Clive, Blackstone's Guide to the Anti-Terrorism Legislation. Oxford 2002.

Zweigert, Konrad/Kötz, Hein, Einführung in die Rechtsvergleichung. 3. Aufl. Tübingen 1996, S. 177–232.

C. Verfassungsrechtliche Vorgaben

1. Übergesetzliche Regelungen als Träger strafrechtlicher Prinzipien

Eine Verfassung im Sinne eines einzelnen Verfassungsdokuments gibt es weder in England und Wales noch im Vereinigten Königreich. Vielmehr setzt sich die Verfassung des Vereinigten Königreichs aus einer Reihe verfassungsrechtlicher Regelungen zusammen, die sich nicht nur in geschriebenen Dokumenten wie Gesetzen und Gerichtsentscheidungen, sondern auch in Form ungeschriebenen Gewohnheitsrechts finden lassen. Zu den wichtigsten Verfassungsdokumenten, die sich mit dem Verhältnis der Krone zum Volk befassen, zählen:

- *Magna Charta* (1215),
- *Petition of Right* (1627),
- *Habeas Corpus Act* (1679),
- *Bill of Rights* (1689),
- *Act of Settlement* (1701),
- *Parliament Act* 1911,
- *Parliament Act* 1949.

Für den Bereich des Strafrechts gilt, dass England und Wales ein einheitliches Strafrecht besitzen, während schottisches Recht grundsätzlich selbstständig ist, es aber eine Reihe von Gesetzen gibt, die für das Vereinigte Königreich als Ganzes gelten. Diese beinhalten jedoch häufig Regelungen, die für die einzelnen Landesteile abweichen beziehungsweise für jeden Landesteil individuell geregelt sind. Auch die Strafjustiz in Schottland ist von der englischen unabhängig und selbstständig aufgebaut. Die letzte Instanz für die Strafgerichte ist für England und Wales das *House of Lords*, das auch für bestimmte Angelegenheiten, die Schottland betreffen, zuständig ist.

Eines der wichtigsten Verfassungsprinzipien ist das Prinzip der Souveränität des Parlaments (*parliamentary sovereignty* oder *legislative supremacy*). Das Parlament, bestehend aus Oberhaus, Unterhaus und Krone, ist befugt, jedes beliebige Gesetz im normalen Gesetzgebungsverfahren zu verabschieden. Es ist dabei grundsätzlich nicht an früheres Recht gebunden, kann allerdings auch nachfolgende Parlamente nicht binden. Grundsätzlich haben alle Gesetze den gleichen Rang und können vom Parlament jederzeit geändert werden. Dies gilt auch für die oben genannten Gesetze und den *Human Rights Act* 1998.[1] Es wird aber vielfach die Auffassung vertreten, die grundlegenden verfassungsrechtlichen Prinzipien könnten nicht abgeändert werden.

---

[1] Siehe I.E.1. und I.E.2.

Eine deutliche Einschränkung hat die Souveränität des Parlaments durch den *European Communities Act* 1972 erfahren, der die gesetzliche Grundlage für den Beitritt des Vereinigten Königreichs zur Europäischen Wirtschaftsgemeinschaft, den heutigen Europäischen Gemeinschaften (EG), im Jahr 1973 bildete. Das Gemeinschaftsrecht der EG ist gegenüber dem nationalen Recht höherrangig, was dazu führt, dass kollidierendes nationales Recht nicht angewendet werden darf. Die Feststellung, dass eine nationale Norm gegen Gemeinschaftsrecht verstößt, obliegt den Gerichten, sodass die Souveränität des Parlaments durch die Judikative beschränkt wird. Allerdings wurden die Einschränkungen vom Parlament mittels eines Parlamentsgesetzes selbst herbeigeführt. Ähnliches gilt auch für die Einschränkungen der Souveränität des Parlaments, die der *Human Rights Act* 1998 und der *Scotland Act* 1998 mit sich gebracht haben.[2]

Für das Strafrecht von besonderer Bedeutung ist das Verfassungsprinzip der *Rule of Law*, der „Herrschaft des Rechts". Sehr vage lässt sich dieses Prinzip mit dem Rechtsstaatsprinzip vergleichen. Es ist eines der grundlegenden Verfassungsprinzipien im Vereinigten Königreich und wirkt sich nicht allein auf das Strafrecht, sondern auf jegliches staatliche Handeln aus. Was genau die *Rule of Law* umfasst und wie dieses Prinzip funktioniert, ist unklar und einem ständigen Wandel unterworfen. Der Begriff wurde von *Albert Venn Dicey*, dem Begründer der modernen Verfassungslehre des Vereinigten Königreichs, geprägt. Aspekte dieses Grundsatzes sind der Ausschluss von Willkür, die Beschränkung staatlicher Befugnisse und der Vorrang bestimmter grundlegender Rechte. Auch das Gesetzlichkeitsprinzip wird als Ausfluss der *Rule of Law* erachtet.[3]

Ein wichtiger Teilaspekt der *Rule of Law* ist das Recht auf ein ordentliches Gerichtsverfahren, den sogenannten *due process*. Zu diesem gehören das Recht auf rechtliches Gehör und der Zugang zu den Gerichten. Kommt es schließlich zu einem Verfahren vor einem Gericht, so umfasst der *due process* auch das Prinzip der Unparteilichkeit und der Unabhängigkeit der Gerichte. Die Unabhängigkeit der Judikative *(independence of the judiciary)* ist aber zugleich auch eine Konsequenz der Gewaltenteilung *(separation of powers)*.

Neben den aus Gesetzen hergeleiteten Befugnissen hat die Krone (die Regierung, „Her Majesty's Government", vergleichbar mit dem in anderen Ländern gebrauchten Begriff „der Staat") eine Reihe von *royal prerogatives* (königliche Vorrechte), zum Beispiel im Bereich der auswärtigen Beziehungen.[4] Ferner gibt es für viele Bereiche des Staatsrechts keine geschriebenen Regelungen. So hat sich beispielsweise das Kabinettsystem der Regierung aus ungeschriebenen *conventions* (Gewohnheitsrecht) entwickelt, ebenso Fragen wie die Ernennung des Premierminis-

---

2 Siehe unten 2.

3 Siehe ausführlich II.A.1.

4 Siehe I.B.2.

ters oder die Auflösung des Parlaments. Des Weiteren entspricht es einer ungeschriebenen *convention*, dass Minister gleichzeitig Abgeordnete des Parlaments und der Premierminister Mitglied des *House of Commons* sein sollen. Damit kommt es zu gewissen Überschneidungen zwischen Exekutive und Legislative. Während die Judikative klarer abzugrenzen ist, gibt es auch hier Ausnahmen vom Grundsatz der Gewaltenteilung; so ist das oberste Gericht, das *House of Lords*, gleichzeitig Teil des Parlaments. Gleichwohl üben nur Richter diese Tätigkeit aus.

2. Grundrechte und Grundfreiheiten

Das englische Recht kannte bis zur Inkorporierung der Europäischen Konvention zum Schutz der Menschenrechte und Grundfreiheiten (EMRK) keine „Grundrechte“ im Sinne eines geschriebenen Katalogs von Grundrechten, die gegenüber anderen Normen eine herausragende Stellung haben. Gleichwohl wurden von der Rechtsprechung bestimmte (Bürger-)Rechte anerkannt, die nur durch ausdrückliche Formulierung im Gesetz eingeschränkt werden konnten, wozu etwa das Recht auf persönliche Sicherheit, persönliche Freiheit und Privateigentum zählte. Diese Bürgerrechte wurden und werden unter dem Begriff *civil liberties* zusammengefasst. Durch den *Human Rights Act* 1998, der in England und Wales im Jahr 2000 in Kraft trat, wurde die EMRK in das englische Recht inkorporiert. Diese garantiert die folgenden Grundrechte:

- Recht auf Leben (Art. 2 EMRK),
- Verbot der Folter und erniedrigender Strafe oder Behandlung (Art. 3 EMRK),
- Verbot der Sklaverei und der Zwangsarbeit (Art. 4 EMRK),
- Recht auf Freiheit und Sicherheit (Art. 5 EMRK),
- Recht auf ein faires Verfahren (Art. 6 EMRK),
- Recht auf Achtung des Privat- und Familienlebens (Art. 8 EMRK),
- Gedanken-, Gewissens- und Religionsfreiheit (Art. 9 EMRK),
- Freiheit der Meinungsäußerung (Art. 10 EMRK),
- Versammlungs- und Vereinigungsfreiheit (Art. 11 EMRK),
- Recht auf Eheschließung (Art. 12 EMRK),
- Recht auf wirksame Beschwerde (Art. 13 EMRK),
- Diskriminierungsverbot (Art. 14 EMRK),
- Schutz des Eigentums (Art. 1 des 1. Zusatzprotokolls zur EMRK),
- Recht auf Bildung (Art. 2 des 1. Zusatzprotokolls zur EMRK),
- Recht auf freie Wahlen (Art. 3 des 1. Zusatzprotokolls zur EMRK).

3. Sonstige übergesetzliche Normen von strafrechtlicher Relevanz

Einige der in der EMRK garantierten Rechte sind keine Grundrechte im engeren Sinne, sind aber von hoher Relevanz für das Strafrecht und Strafprozessrecht und wie die Grundrechte als übergesetzliche Normen anzusehen. Hierzu zählen das Gesetzlichkeitsprinzip (Art. 7 EMRK)[5] sowie Teilaspekte des Rechts auf ein faires Verfahren, wie etwa die Unabhängigkeit und Unparteilichkeit der Gerichte (Art. 6 EMRK).

Eine weitere übergesetzliche Norm von strafrechtlicher Relevanz ist die *Parliamentary immunity*, auch *legislative immunity* genannt. Diese bedeutet eine eingeschränkte Immunität der Parlamentsabgeordneten gegenüber der Möglichkeit einer strafrechtlichen Verfolgung. Die Abgeordneten können für Äußerungen im Parlament nicht wegen Verleumdung, Beschimpfung oder übler Nachrede *(slander, libel)* belangt werden. Die Immunität gilt jedoch nicht für Handlungen und Äußerungen der Abgeordneten außerhalb des Parlaments. Diese stark eingeschränkte Immunität wird zurückgeführt auf das Prinzip der Gleichheit aller Bürger. Ferner kann die Teilimmunität im Einzelfall von den obersten Gerichten aufgehoben werden.

Literaturhinweise zu Abschnitt C.

Barber, N.W., Prelude to the Separation of Powers. CLJ (2001) 59–88.

Baum, Marius, Der Schutz verfassungsmäßiger Rechte im englischen common law. Baden-Baden 2002.

Bradley, Anthony, The Sovereignty of Parliament – Form or Substance? In: Jeffrey Jowell/ Dawn Oliver (Hrsg.), The Changing Constitution. 6. Aufl. Oxford 2007, S. 25–58.

Cooke, Robin, The Law Lords: An Endangered Heritage. LQR 119 (2003) 49–67.

Craig, Paul, Britain in the European Union. In: Jeffrey Jowell/Dawn Oliver (Hrsg.), The Changing Constitution. 6. Aufl. Oxford 2007, S. 84–107.

Dawn, Oliver, Constitutional Reform in the UK. Oxford 2003.

Dicey, Albert Venn, Einführung in das Studium des Verfassungsrechts. 10. Aufl. Baden-Baden 2002.

– Introduction to the Study of the Law of Constitution. 10. Aufl. London 1959.

Ekins, Richard, Judicial Supremacy and the Rule of Law. LQR 119 (2003) 127–152.

Feldman, David, English Public Law. Oxford 2003.

---

[5] Siehe hierzu ausführlich II.A.

Irvine of Lairg, Lord, The Spirit of Magna Carta Continues to Resonate in Modern Law. LQR 119 (2003) 227–245.

Jowell, Jeffrey, The Rule of Law and Its Underlying Values. In: Jeffrey Jowell/Dawn Oliver (Hrsg.), The Changing Constitution. 6. Aufl. Oxford 2007, S. 5–24.

Klug, Francesca, A Bill of Rights: Do we need one or do we already have one? PL (2007) 701–719.

Lester QC, Anthony/Beattie, Kate, Human Rights and the British Constitution. In: Jeffrey Jowell/Dawn Oliver (Hrsg.), The Changing Constitution. 6. Aufl. Oxford 2007, S. 59–83.

O'Neill, Aidan, Fundamental Rights and the Constitutional Supremacy of Community law in the United Kingdom after Devolution and the Human Rights Act. PL (2002) 724–742.

Oliver, Dawn, Constitutional Reform in the UK. Oxford 2003, S. 96–107.

Perreau-Saussine, Amanda, A tale of two supremacies, four greengrocers, a fishmonger, and the seeds of a constitutional court. CLJ (2002) 527–530.

Phillips, Owen Hood/Jackson, Paul/Leopold, Patricia, Constitutional and Administrative Law. 8. Aufl. London 2001.

Wadham, John/Mountfield, Helen/Edmundson, Anna/Gallagher, Caoilfhionn, Blackstone's Guide to the Human Rights Act 1998. 4. Aufl. Oxford 2007.

Rechtsprechung

ECJ, Case 6/64, *Costa v. ENEL* [1964] ECR 585

R v Secretary of State for Transport, ex parte Factortame Ltd [1990] 2 AC 85

R v Secretary of State for Transport, ex parte Factortame Ltd (No. 2) [1991] 1 AC 603

R v Secretary of State for Transport, ex parte Factortame Ltd (No. 3) [1991] 2 Lloyd's Rep 648

R v Secretary of State for Transport, ex parte Factortame Ltd (No. 4) [1996] QB 404

R v Secretary of State for Transport, ex parte Factortame Ltd (No. 5) [1999] 3 WLR 1062

D. Strafrechtstheoretische Grundlagen

1. Aufgaben des Strafrechts

Heutzutage lässt sich Strafrecht nicht mehr allein als Instrument zur Ahndung schwer sozialschädlichen Verhaltens begreifen. Die Kriminalisierung von Verhaltensweisen, die nicht zwingend strafwürdig erscheinen und denen es an der allgemeinen gesellschaftlichen Stigmatisierung mangelt, hat auch in England und Wales dazu geführt, dass die Aufgaben und Grenzen des Strafrechts zunehmend verwischen. Es gibt keine allgemeingültige Trennlinie zwischen strafbarem und nichtstrafbarem Verhalten, die mit einer Unterscheidung zwischen sittlichem und unsittlichem Verhalten korrespondieren würde. Dennoch lässt sich das Strafrecht auch heute noch als das zentrale Instrument der sozialen Kontrolle der Bürger durch den Staat beschreiben. Durch das Strafrecht werden die Parameter für die Ausübung des staatlichen Gewaltmonopols gesetzt, sodass es auch die Aufgabe übernimmt, staatliche Gewalt zu begrenzen und zu lenken. Als Mittel der sozialen Kontrolle spiegelt es die Moralvorstellungen der Gesellschaft wider und soll die fundamentalen Werte schützen, auf denen die Gesellschaft fußt.

Eine wichtige Aufgabe des Strafrechts ist die Verfolgung und Ahndung begangener Zuwiderhandlungen. Bestraft werden sollen diejenigen, die Strafe verdienen. Daher wird mithilfe des Strafrechts auch der Wunsch der Gesellschaft nach Vergeltung *(vengeance)* befriedigt. Allerdings ist die Vergeltung nur ein Teilaspekt der Bestrafung. Zugleich sollen die betreffenden Verhaltensweisen gebrandmarkt *(stigmatisation)* und potentielle Straftäter abgeschreckt werden *(deterrence)*. In diesem Zusammenhang wird in der Strafrechtswissenschaft meist nicht zwischen den Aufgaben des Strafrechts und den Strafzwecken unterschieden.[1] Als weitere Ziele des Strafrechts werden insbesondere folgende Aspekte genannt: Schutz der Öffentlichkeit vor Schaden beziehungsweise das Prinzip der Vermeidung von Schaden *(protection of the public from harm)*, Erziehung zu richtigem Verhalten *(education about appropriate conduct and behaviour)*, Aufrechterhaltung der öffentlichen Ordnung *(preservation of public order)* sowie die Bewahrung schutzbedürftiger Personen vor Ausbeutung *(protection of vulnerable people from exploitation and corruption)*.

Versuche, die Aufgaben des Strafrechts zu definieren, wurden insbesondere durch verschiedene Rechtsphilosophen unternommen. Im 19. Jahrhundert gab es eine Strömung, die als *libertarian* bezeichnet wird und vom Prinzip der Willensfreiheit *(principle of autonomy)* ausging. Nach *John Stuart Mill*, dem bekanntesten Vertreter dieser Theorie, darf eine Einschränkung der Freiheit nur zum Selbstschutz und zur Verhütung von Schaden für andere erfolgen. Eine Gegenmeinung

---

1 Siehe unten 3.

vertrat hingegen einen obrigkeitsstaatlichen Ansatz, wonach es auch zur Aufgabe des Staates und des Strafrechts gehört, die Allgemeinheit zu schützen und allgemeine Moralvorstellungen zum Schutz der Gesellschaft durchzusetzen. Diese Strömung wird als *authoritarian* bezeichnet. Der Gegensatz beider Ansichten wird vor allem bei der Strafbarkeit von Prostitution oder bestimmten sexuellen Handlungen deutlich.

Mit einem strengen liberalen Ansatz ist die heutige Strafbarkeit zahlreicher Verhaltensweisen, die dem Schutz öffentlicher Interessen dient, nicht vereinbar. Dies gilt insbesondere für viele Straßenverkehrsdelikte, wie zu schnelles Fahren oder der Verstoß gegen die Gurtpflicht. Der Begriff des Schadens *(harm)* kann jedoch unterschiedlich weit ausgelegt werden und damit auch Schaden für die Allgemeinheit umfassen. Damit können Moralvorstellungen einfließen, indem der Begriff auch auf „moralischen Schaden“ ausgedehnt wird.

Tatsächlich wird das Strafrecht häufig als Mittel der Kriminalpolitik zur (vermeintlichen) Lösung aktueller Probleme eingesetzt, ohne dass dabei im Einzelfall eine Diskussion über die Ziele und Aufgaben des Strafrechts stattfindet. Wenngleich Strafrecht heutzutage alle Lebensbereiche betrifft und die Befugnis des Parlaments, neue Straftatbestände zu schaffen, nur durch politische Zwänge eingeschränkt ist, wird diskutiert, wie weit Strafrecht gehen darf. So wird vertreten, dass bei der Einführung neuer Straftaten zu berücksichtigen sei, ob das betreffende Verhalten schwerwiegend genug ist, um strafrechtliche Intervention zu rechtfertigen; ob bestehendes Recht ausreicht; ob das neue Recht in der Praxis durchsetzbar ist; ob es klar formuliert und rechtlich vernünftig ist und ob die vorgeschlagene Strafe in einem angemessenen Verhältnis zur Tat und im Einklang mit anderen Strafen steht.[2]

2. Rechtsstaatliche Grenzen des Strafrechts

Das englische Strafrecht wird durch verschiedene rechtsstaatliche Prinzipien begrenzt, die vorwiegend in der Strafrechtswissenschaft erörtert und befürwortet werden. Bei der tatsächlichen Gestaltung des aktuellen Strafrechts in England und Wales spielen diese jedoch eine äußerst geringe Rolle. Zu den rechtsstaatlichen Grenzen zählen insbesondere das Gesetzlichkeitsprinzip *(principle of legality)*,[3] das Prinzip der persönlichen Verantwortlichkeit des Täters *(principle of responsibility)*, das Prinzip des Schadens *(harm principle)* und der Grundsatz, dass Strafrecht nur das letzte Mittel *(last resort)* sein soll.

---

2 Siehe auch unten 2.

3 Siehe hierzu ausführlich II.A.

In der Praxis ist der Grundsatz des *criminal law as last resort* – auch als *principle of urgency* oder *principle of minimal criminalization* bezeichnet – ebenso wie das Prinzip des Schadens *(harm principle)*, demzufolge eine strafrechtliche Reaktion nur dann gerechtfertigt ist, wenn ein Verhalten zu einem beachtlichen Schaden führt, inzwischen fast bedeutungslos. Strafrechtliche Vorschriften werden immer mehr auf die Regelung von sozialen und politischen Problemen ausgedehnt. Das Gesetzlichkeitsprinzip findet indessen auch in der Praxis als rechtsstaatliche Grenze des Strafrechts weiterhin Beachtung.[4] Hingegen ist auch der Grundsatz der individuellen Verantwortlichkeit des Täters *(principle of responsibility)*, der voraussetzt, dass dessen Verhalten ein moralisches Fehlverhalten ist, nur von theoretischer Bedeutung. Diesem Prinzip widerspricht, dass eine Vielzahl von Straftaten, vor allem *statutory offences* in den Bereichen Straßenverkehr, Umwelt und Sicherheit, keine subjektiven Voraussetzungen haben, da sie als sogenannte *strict liability offences* ausgestaltet sind.[5]

3. Strafzwecke

Die Strafzwecke sind in England traditionell nicht gesetzlich oder verfassungsrechtlich festgelegt. Seit dem Inkrafttreten des *Criminal Justice Act* 2003 gibt es allerdings mit Section 142 eine Gesetzesnorm, die die Strafzwecke im Zusammenhang mit der Strafzumessung festlegt. Section 142 *Criminal Justice Act* 2003 besagt, dass bei der Strafzumessung die folgenden Strafzwecke zu berücksichtigen sind: die Bestrafung des Täters, die Verbrechensreduzierung einschließlich der Abschreckung, die Besserung und Rehabilitation des Täters, der Schutz der Öffentlichkeit sowie der Gedanke der Wiedergutmachung. Diese Aufzählung zeigt, dass im englischen Strafrecht die Vergeltung *(retribution)*, die Abschreckung *(deterrence)* und die Rehabilitation *(rehabilitation)* sowie der Schutz der Öffentlichkeit durch spezialpräventive Freiheitsentziehung *(incapacitation)* als wichtigste Strafzwecke erachtet werden. Da in Section 142 *Criminal Justice Act* 2003 keine Rangfolge festgelegt ist, führt die Vielfalt der zu berücksichtigenden Prinzipien dazu, dass bis heute die im Einzelfall zum Tragen kommenden Strafzwecke variieren können.

Section 142 Criminal Justice Act 2003

142. Purposes of sentencing

(1) Any court dealing with an offender in respect of his offence must have regard to the following purposes of sentencing–

(a) the punishment of offenders,

(b) the reduction of crime (including its reduction by deterrence),

---

4 Sie ausführlich II.A.

5 Siehe II.E.4.

(c) the reform and rehabilitation of offenders,
(d) the protection of the public, and
(e) the making of reparation by offenders to persons affected by their offences.

[...]

Eine erste gesetzliche Normierung, in der auch die Strafzwecke zum Ausdruck kamen, gab es im *Criminal Justice Act* 1991. Die in diesem Gesetz enthaltenen Strafzumessungsregelungen zeigten, dass Strafe insbesondere der Vergeltung dienen sollte. Allgemeines Ziel der Strafzumessung sollte die Proportionalität zwischen Schuld und Strafe sein. Neben dem vorrangig geltenden Vergeltungsprinzip spielte und spielt bis heute bei bestimmten Verbrechen als weiterer Strafzweck auch die negative Spezialprävention eine Rolle. Bis 1990 blieb es im Allgemeinen dem strafzumessenden Richter überlassen, ob er eher den Gedanken der Allgemeinabschreckung, der Abschreckung des individuellen Täters, des Schutzes der Allgemeinheit, der Resozialisierung, des Schuldausgleichs oder eines anderen Zwecks bevorzugte und welche Prinzipien er für die Bemessung der Strafe im Einzelfall heranzog.

4. Grundlegende Prinzipien des Strafverfahrensrechts

Das englische Strafverfahrensrecht ist bis heute nicht kodifiziert. Auch die grundlegenden Prinzipien sind nicht systematisch niedergelegt. Quellen dieser Prinzipien sind das *common law* und die ungeschriebene Verfassung.[6] Einige der bis heute geltenden Prinzipien wurden bereits im 13. Jahrhundert in Clause 29 der *Magna Charta* 1215 festgeschrieben und seitdem fortentwickelt.

Clause 29

No freeman shall be taken or imprisoned, or be disseised of his freehold, or liberties, or free customs, or be outlawed, or exiled, or any other wise destroyed; nor will we pass upon him nor condemn him, unless by the lawful judgment of his peers, or by the law of the land. We will sell to no man, we will not deny or defer to any man either justice or right.

Aus dieser Vorschrift werden folgende grundlegende Prinzipien des Strafverfahrens hergeleitet:

- Gesetzlichkeitsprinzip *(principle of legality)*;
- Anspruch auf ein rechtsstaatliches Verfahren *(due process)*;
- Unschuldsvermutung *(presumption of innocence)*, *Woolmington v DPP* [1935];
- *Habeas Corpus* (Haftbeschwerde);

---

[6] Siehe I.C.

- *audi alteram partem* (Der Angeklagte muss wissen, was ihm vorgeworfen wird, und ihm muss eine faire Möglichkeit gegeben werden, sich hiergegen zu verteidigen.);
- Durchführung des Verfahrens binnen angemessener Zeit/Beschleunigungsgebot *(speedy trial)*.

Ein weiteres grundlegendes Prinzip des Strafverfahrens lässt sich aus dem *Bill of Rights Act* 1688 ableiten. Hierbei handelt es sich um den Grundsatz der Verhältnismäßigkeit der verhängten Sanktion, der jedoch strenggenommen ein Grundsatz des Strafzumessungs- und nicht des Verfahrensrechts ist. Bis zum Inkrafttreten des *Human Rights Act* 1998 ließen sich weitere strafverfahrensrechtliche Grundsätze nur aus Gerichtsentscheidungen herleiten. Zu diesen Grundsätzen zählen insbesondere:

- Öffentlichkeit des Verfahrens, *Scott v Scott* (1913);
- Mündlichkeit des Verfahrens, *R. v Collins* (1938);
- Ausgestaltung des Verfahrens als Akkusationsprozess *(accusatorial trial)*; aufgrund des Rechts der Verteidigung zum Kreuzverhör der Belastungszeugen auch als kontradiktorisch bezeichnet *(adversarial trial)*;
- Unmittelbarkeit der Beweismittel, keine sogenannten *hearsay*-Beweise;
- *ne bis in idem* (im englischen Strafverfahrensrecht auch *double jeopardy* oder *autrefois convit, autrefois acquis* genannt).

In jüngerer Zeit wird den fundamentalen Prinzipien auch durch die EMRK und die *Criminal Procedure Rules* 2005 Ausdruck verliehen. Bei Letzteren handelt es sich allerdings nicht um eine Strafprozessordnung nach dem Vorbild kontinentaleuropäischer Rechtsordnungen, sondern um eine Sammlung der bereits bestehenden Regelungen. Durch die Zusammenfassung in den *Criminal Procedure Rules* 2005 sollen die einzelnen Vorschriften leichter zugänglich sein und hierdurch ein effizienterer Ablauf des Strafverfahrens gewährleistet werden. In diesem Zusammenhang wurde betont, dass die Richter eine aktive Rolle bei der Leitung und für den Fortgang des Verfahrens spielen sollen *(active case management)*. Die *Criminal Procedure Rules* 2005 sind kein Parlamentsgesetz, sondern werden auf der Grundlage des *Courts Act* 2003 von einem eigens hierfür eingerichteten Komitee, dem *Rules Committee*, zwei Mal im Jahr aktualisiert. Das Fernziel dieses Komitees ist die Schaffung einer „echten Strafprozessordnung". Am Anfang der *Criminal Procedure Rules* 2005 sind unter der Überschrift „übergeordnetes Ziel" *(overriding objective)* nunmehr die wichtigsten Prinzipien und Grundregeln für englische Strafverfahren zusammengefasst:

Part 1 Criminal Procedure Rules 2005

1.1 The overriding objective

(1) The overriding objective of this new code is that criminal cases be dealt with justly.

(2) Dealing with a criminal case justly includes–

(a) acquitting the innocent and convicting the guilty;

(b) dealing with the prosecution and the defence fairly;

(c) recognizing the rights of a defendant, particularly those under Article 6 of the European Convention on Human Rights;

(d) respecting the interests of witnesses, victims and jurors and keeping them informed of the progress of the case;

(e) dealing with the case efficiently and expeditiously;

(f) ensuring that the appropriate information is available to the court when bail and sentence are considered; and

(g) dealing with the case in ways that take into account –

(i) the gravity of the offence alleged,

(ii) the complexity of what is at issue,

(iii) the severity of the consequences for the defendant and others affected, and

(iv) the needs of other cases.

Seit dem Inkrafttreten des *Human Rights Act* 1998 lassen sich zahlreiche grundlegende Prinzipien, insbesondere die Teilaspekte des Grundsatzes des fairen Verfahrens sowie die Regelungen über die Freiheitsentziehung, unmittelbar aus Art. 5 und Art. 6 EMRK entnehmen. Wie bereits erwähnt, handelt es sich hierbei jedoch überwiegend um Rechte, die bereits vor der Niederlegung in der EMRK bestanden.

Als Konkretisierung des Rechts auf ein faires Verfahren sind vor allem die folgenden Prinzipien von großer Relevanz für das Strafverfahrensrecht:

- Recht auf Zugang zum Gericht *(right to be heard)*,
- Unabhängigkeit der Gerichte *(independence of the judiciary)*,
- Unparteilichkeit der Gerichte *(nemo judex in causa sua)*,
- Grundsatz der Waffengleichheit *(equality of arms)*,
- Recht zu schweigen *(right of silence)*,
- Zeugnisverweigerungsrecht, *nemo tenetur se ipsum accusare (privilege against self-incrimination)*,
- Recht auf Verteidigung *(right to legal advice and representation)*.

Ein weiteres grundlegendes Prinzip des englischen Strafverfahrens betrifft die Beweislastverteilung *(burden of proof)*. Grundsätzlich muss der Ankläger die Schuld des Angeklagten beweisen. Für eine Verurteilung muss die Schuld des Angeklagten für das Gericht ohne begründeten Zweifel feststehen *(beyond reasonable doubt)*. Dies ist Ausfluss der Unschuldsvermutung. Allerdings gibt es inzwischen zahlreiche Straftatbestände, für die eine Beweislastumkehr *(reverse burden)* gilt. Da diese im Hinblick auf ihre Vereinbarkeit mit dem Grundsatz des fairen Verfahrens nach Art. 6 EMRK problematisch sind, wird zwischen der Beweisbeibringungslast *(evidential burden)* und der Beweislast im engeren Sinne *(legal burden)* unterschieden. Regelmäßig werden Regelungen, die eine Beweislastumkehr enthalten, so ausgelegt, dass hierdurch nur die Beweisbeibringungslast dem Angeklagten auferlegt wird. Die Beweislast im engeren Sinne liegt hingegen weiterhin bei dem Vertreter der Anklage.

Literaturhinweise zu Abschnitt D.

Allen, Michael, Criminal Law. 10. Aufl. Oxford 2009, S. 1–16.

Ashworth, Andrew, Sentencing and Criminal Justice. 4. Aufl. Oxford 2005.

– Principles of Criminal Law. 6. Aufl. Oxford 2009, S. 1–83.

Ashworth, Andrew/Blake, Meredith, The Presumption of Innocence in English Criminal Law. CrimLR (1996) 306–317.

Ashworth, Andrew/Redmayne, Mike, The Criminal Process. 3. Aufl. Oxford 2005.

Atkinson, Duncan/Moloney, Tim, Blackstone's Guide to the Criminal Procedure Rules 2005. Oxford 2005.

Clarkson, C.M.V./Keating, H.M./Cunningham, S.R., Clarkson and Keating – Criminal Law. 6. Aufl. London 2007, S. 1–72.

Darbyshire, Penny, Criminal Procedure in England and Wales. In: Richard Vogler/Barbara Huber (eds.), Criminal Procedure in Europe. Berlin 2008, S. 39–169.

Devlin, Patrick, The Enforcement of Morals. London 1973.

Husak, Douglas, The Criminal Law as Last Resort. OJLS 24 (2004) 207–235.

Jefferson, Michael, Criminal Law. 8. Aufl. Harlow 2008, S. 3–40.

Lacey, Nicola/Wells, Celia/Quick, Oliver, Reconstructing Criminal Law. Text and Materials. 3. Aufl. London 2003, S. 1–110.

Mill, John Stuart, On Liberty. Harmondsworth 1983.

Molan, Mike/Lanser, Denis/Bloy, Duncan, Bloy and Parry's Principles of Criminal Law. 4. Aufl. London 2000.

Spencer, John R., Evidence. In: Mireille Delmas-Marty/John R. Spencer (eds.), European Criminal Procedure. Cambridge 2006, S. 594–640.

Thomas, D.A., Form and Function in Criminal Law. In: P.R. Glazebrook (ed.), Reshaping Criminal Law: Essays in honour of Glanville Williams. London 1978, S. 21–36.

Walker, Nigel, Why Punish? Oxford 1991.

Walker, Nigel/Padfield, Nicola, Sentencing: Theory, Law and Practice. 2. Aufl. London 1996.

Williams, Glanville Llewelyn, Criminal Law: The General Part. 2. Aufl. London 1961.

Wilson, William, Criminal Law: Doctrine and Theory. 2. Aufl. Harlow 2003.

Rechtsprechung

R. v Brown [1993] 2 WLR 556

R. v Collins (William Patrick) (1938) 26 Cr App R 177

Scott v Scott [1913] AC 417

Sheldrake v DPP [2005] UKHL 43

Woolmington v DPP [1935] AC 462

E. Abgrenzung und Einordnung des Strafrechts

1. Begriffliche und sachliche Umgrenzung des Strafrechts

Auf den ersten Blick erscheint die Umgrenzung des Strafrechts recht einfach: Strafrecht ist die Beschreibung von Verhaltensweisen, die der Staat unter Strafe gestellt hat. Eine Straftat ist daher Unrecht *(legal wrong)*, auf das mit einer Bestrafung *(punishment)* reagiert werden kann. Dennoch zeigt sich, dass eine präzise Umgrenzung des Strafrechts äußerst schwierig ist.

Es gibt im englischen Recht keine klare Definition des Begriffs „Strafrecht". Strafrecht ist der Teil des Rechts, der Straftaten verbietet. Straftaten sind solche Verhaltensweisen, deren rechtliche Folge ein Strafverfahren mit der entsprechenden Konsequenz einer möglichen Verurteilung und Strafe ist ("A crime is an act capable of being followed by criminal proceedings having a criminal outcome," *Glanville Williams)*.[1] Grundsätzlich wird das Strafrecht – in Abgrenzung zum Privatrecht *(civil law)* – als Teil des öffentlichen Rechts *(public law)* angesehen. Allerdings ist zu berücksichtigen, dass im englischen Recht die entscheidende Abgrenzung zwischen dem Privat- und dem Strafrecht erfolgt und weniger stark zwischen öffentlichem Recht und dem Privatrecht unterschieden wird. Strafrecht wird von anderen Rechtsgebieten in erster Linie durch das unterschiedliche Verfahren abgegrenzt. Die jeweilige Zuordnung entscheidet, welches Verfahren Anwendung findet. Dies ist wiederum von großer Bedeutung für Fragen der Verfahrensrechte, des Beweisstandards und verschiedener Grundrechte der Art. 5, 6 und 7 EMRK, die nur für das Strafrecht und im Strafprozess, nicht aber für das Zivilrecht und für Zivilprozesse gelten.[2]

Das Strafrecht wird untergliedert in das materielle Strafrecht *(criminal law, substantive criminal law)* und das Strafverfahrensrecht *(criminal procedure)*, wobei hier häufig das Beweisrecht *(evidence)* als eigenes Rechtsgebiet genannt wird. Das Strafzumessungsrecht *(sentencing)* bildet einen deutlich stärkeren eigenständigen Teil als in vielen anderen Rechtsordnungen. Ferner gehört zum Strafrecht auch das Strafvollzugsrecht *(prison law)*.

Weder das materielle Strafrecht noch das Strafprozessrecht sind bis heute in Form eines Strafgesetzbuchs beziehungsweise einer Strafprozessordnung kodifiziert.[3] Die gesetzlich festgelegten Straftatbestände sind stattdessen über eine Vielzahl von Einzelgesetzen verstreut, die häufig nur eine bestimmte Materie regeln. So regelt beispielsweise der *Fraud Act* 2006 ausschließlich aber umfassend Betrugsdelikte jeglicher Art. Ferner finden sich zahlreiche Straftatbestände in Gesetzen, die

---

1 Siehe hierzu auch II.C.1.

2 Siehe hierzu ausführlich I.C.1 und 2.

3 Siehe hierzu I.F.2.

sich nicht primär dem Strafrecht zuordnen lassen. Dies gilt etwa für Umweltstraftaten, die in Gesetzen wie dem *Water Resources Act* 1991 und dem *Environment Act* 1995 verankert sind. Eine Unterteilung in Kern- und Nebenstrafrecht ist dem englischen Strafrecht fremd.

2. Abgrenzung zu anderen repressiven Ordnungssystemen

Da es keine eindeutige Definition des Begriffs „Strafrecht" gibt, ist auch eine klare Abgrenzung zu anderen repressiven Ordnungssystemen schwierig. Strafrecht beinhaltet die Durchsetzung *(enforcement)* bestimmter, vom Staat vorgegebener Verhaltensweisen. Unerwünschtes Verhalten wird pönalisiert und im Namen des Staates beziehungsweise der Krone verfolgt. Letzteres wird auch durch die Bezeichnung der Strafurteile mit *R* v *XY* deutlich. Das *R* steht für *Regina/Rex*, also die Königin oder den König; diese gelten wiederum als Inbegriff des Staates. Oft wird Strafrecht als das in einem Strafprozess vor den Strafgerichten verhandelte Recht abgegrenzt. Dies bedeutet, dass eine Abgrenzung überwiegend nach dem Rechtsweg erfolgt.

Die Unterscheidung wird heutzutage zunehmend ungenau, da etwa durch die Einführung von sogenannten *civil penalties*, zivilrechtlichen Strafgeldern, und Anordnungen wie den *anti-social behaviour orders*, kurz ASBOs, die Grenzen zwischen Zivil- und Strafrecht weiter verwischt wurden. ASBOs, die gemäß Section 1 *Crime and Disorder Act* 1998 verhängt werden können, werden nicht als strafrechtliche Sanktion, sondern als zivilrechtliche Maßnahme angesehen, da die Strafverfolgungsbehörde nicht an der Entscheidung beteiligt ist, sie nicht im Strafregister erscheinen, nicht unmittelbar eine Haftstrafe verhängt werden kann und das schottische Äquivalent eindeutig zivilrechtlicher Natur ist. Als wichtigste Begründung wird jedoch angeführt, dass ASBOs, im Gegensatz zu gewöhnlichen strafrechtlichen Sanktionen, nicht dazu bestimmt seien, den Täter zu bestrafen, sondern vielmehr antisoziales Verhalten verhindern sollen. Durch ASBOs können nur Verbote ausgesprochen, nicht aber Pflichten auferlegt werden. Meist enthalten sie Verbote hinsichtlich des Aufenthalts an bestimmten öffentlichen Orten oder des Umgangs mit einem bestimmten Personenkreis. Es wird keine strafrechtliche Verantwortlichkeit vorausgesetzt. Immer häufiger finden sich im englischen Recht zivilrechtliche Anordnungen, auf die bei Zuwiderhandlungen mit strafrechtlichen Sanktionen reagiert wird, beziehungsweise bei denen Zuwiderhandlungen als Straftat *(offence)* angesehen werden. Diese Straftaten können mit bis zu fünf Jahren Freiheitsstrafe geahndet werden. Außer den ASBOs lassen sich als Beispiele für derartige zivilrechtliche Anordnungen die *Sex Offender Orders* (Section 2 *Crime and Disorder Act* 1998), die in der Regel eine Meldepflicht für Sexualtäter beinhalten,[4] und die Kontrollverfügungen *(control orders)* nennen. Letztere werden zur Terrorismusbekämpfung eingesetzt.

Bei Anordnungen, die unmittelbar durch die Exekutive getroffen werden können, handelt es sich meist um Maßnahmen mit präventiver Zielrichtung. Aufgrund der Ausgestaltung als zivil- beziehungsweise verwaltungsrechtliches Instrument gelten die speziellen Rechtsgarantien des Strafrechts für diese nicht. Dies betrifft insbesondere die Unschuldsvermutung und die Anforderungen an den Beweisstandard. Ob eine Maßnahme tatsächlich eine verwaltungsrechtliche Maßnahme ist oder ob es sich eigentlich um eine strafrechtliche Sanktion handelt, ist im Zweifelsfall von den Gerichten zu entscheiden. Ausschlaggebend ist, ob der Maßnahme eine *criminal charge*, eine Anklage wegen einer Straftat im Sinne des Art. 6 Abs. 2 EMRK, vorausgeht. Als Bewertungsmaßstab dienen inzwischen auch den englischen Gerichten die vom EGMR in der Entscheidung *Engel and others v the Netherlands* aufgestellten Kriterien. Diese werden auch als „Engel-Kriterien" bezeichnet.

Besonders anschaulich stellt sich das Abgrenzungsproblem bei der Einordung der Kontrollverfügungen *(control orders)* zur Verhinderung terroristischer Aktivitäten dar. Mittels einer Kontrollverfügung können einer Person, die verdächtigt wird, in terroristische Aktivitäten verstrickt zu sein, umfangreiche Auflagen gemacht werden. Diese können unter anderem Ausgangssperren von bis zu 16 Stunden täglich beinhalten. Eine Kontrollverfügung wird vom Innenminister *(Secretary of State for the Home Department)* erlassen. Das (Verwaltungs-)Gericht muss dem Erlass jedoch zustimmen. Umstritten ist, ob es sich bei dem Kontrollverfügungsverfahren tatsächlich um ein Verwaltungsverfahren handelt, oder ob es aufgrund der sanktionsähnlichen Wirkung für die Betroffenen tatsächlich ein Strafverfahren ist. Das Oberste Gericht, das *House of Lords*, hat entschieden, dass es sich nicht um ein Strafverfahren handele und dass daher die Rechtsgarantien des Art. 6 Abs. 2 und 3 EMRK nicht anwendbar seien. Allerdings entschied es zugleich, dass wegen der Eingriffsintensität der Kontrollverfügungen der Schutz der Betroffenen dem des Art. 6 Abs. 2 und 3 EMRK entsprechen müsse.

Auch außerhalb des klassischen Strafrechts werden Verhaltensweisen, die verhältnismäßig leichte Übertretungen von Verwaltungsrecht darstellen, als *regulatory offences* verfolgt. Außerdem gibt es im englischen Recht beispielsweise das Institut der Privatklage, die es einer Einzelperson ermöglicht, ein Strafverfahren gegen einen anderen vor den Strafgerichten durchzuführen. Für den Bereich des Militärs gibt es besondere Gerichte, die *Courts-Martial*, und speziell für Angehörige des Militärs geltende Gesetze, aber auch hier ist die Abgrenzung zur zivilen Gerichtsbarkeit nicht eindeutig, da in bestimmten Fällen Straftaten von Angehörigen des Militärs vor zivilen Gerichten nach allgemeinem Strafrecht abgeurteilt werden.

---

[4] Siehe hierzu auch unten 3.

3. Einordnung spezieller Maßnahmen für bestimmte Tätergruppen

Neben den Strafen, die allgemein für alle erwachsenen, strafrechtlich voll verantwortlichen Straftäter gelten, gibt es eine Reihe spezieller Maßnahmen, die nur auf bestimmte Tätergruppen Anwendung finden.

– *Kinder und Jugendliche*

Seit Inkrafttreten der Section 34 *Crime and Disorder Act* 1998 beginnt im englischen Recht die strafrechtliche Verantwortlichkeit im Alter von zehn Jahren. Der im *common law* vermutete Ausschluss der strafrechtlichen Verantwortlichkeit für Kinder, der *doli incapax*, gilt heute nicht mehr bis zum Alter von 14 Jahren, sondern nur noch für Kinder unter zehn Jahren.[5] Allerdings stellt das Alter bei Straftätern unter 14 Jahren weiterhin einen wichtigen Faktor für das Vorliegen von allgemeinen Strafausschließungsgründen *(defences)* und bezüglich der subjektiven Tatseite *(mens rea)* dar. Ab der Vollendung des 21. Lebensjahres gelten grundsätzlich die Regelungen für erwachsene Straftäter.

Für junge Straftäter bis zum Alter von 21 Jahren können spezielle Maßnahmen verhängt werden, wobei die Gruppe der 18- bis 20-Jährigen anders behandelt wird als Straftäter, die bei Tatbegehung das 18. Lebensjahr noch nicht vollendet hatten. Section 37 *Crime and Disorder Act* 1998 bestimmt als Ziel der Maßnahmen für junge Straftäter die Vermeidung von Straftaten. Auf der Grundlage von Section 41 *Crime and Disorder Act* 1998 wurde das *Youth Justice Board* für England und Wales geschaffen, das die Jugendstrafjustiz überwachen und Vorschläge zur Verbesserung des Systems machen soll.

Zeitlich begrenzte Haftstrafen *(determinate custodial sentence)* in einer Jugendhaftanstalt *(young offender institution)* sind grundsätzlich für alle Straftäter unter 21 Jahren möglich. Für die Gruppe der 18- bis 20-Jährigen kann das Gericht entscheiden, ob die Haftstrafe in einer Jugendhaftanstalt oder in einer Haftanstalt für erwachsene Straftäter verbüßt wird (Section 96 *Power of Criminal Courts (Sentencing) Act* 2000). Eine lebenslange *(custody for life)* beziehungsweise zeitlich unbefristete Freiheitsstrafe *(indeterminate custodial sentence)* kommt nur für Straftäter ab dem 18. Lebensjahr in Betracht. Die Verbindung der Haftstrafe mit einem speziellen Training *(detention and training order)* ist für Straftäter unter 18 Jahren möglich, gegen die eine zeitlich befristete Haftstrafe *(determinate custodial sentence)* verhängt wurde.

Für weniger schwere Straftaten können Täter im Alter zwischen 16 und 18 Jahren auch dazu verurteilt werden, sich auf der Grundlage einer *community order* in ihrer Gemeinde bestimmten Maßnahmen zu unterziehen. Mittels einer *community*

---

[5] Siehe ausführlich in II.J.

order kann beispielsweise das Leisten gemeinnütziger Arbeit oder die Teilnahme an einem Rehabilitationsprogramm auferlegt werden. Ferner gibt es zahlreiche weitere Sanktionsmöglichkeiten für jugendliche Straftäter wie Verwarnungen *(reprimands and warnings)*, Verwarnungen kombiniert mit Auflagen *(youth conditional cautions)*, Anordnungen zur Wiedergutmachung des Schadens *(reparation order)* und Anordnungen zur Besserung *(youth rehabilitation orders)*.

– *Psychisch Kranke und Unzurechnungsfähige*

Wird eine Person, die zum Zeitpunkt der Aburteilung unter einer psychischen Störung *(mental disorder)* leidet, wegen einer Straftat, die mit Freiheitsstrafe bedroht ist *(imprisonable offence)*, verurteilt, kann der *Crown Court* nach Section 37 *Mental Health Act* 1983 anordnen, sie in ein psychiatrisches Krankenhaus einzuweisen *(hospital order)*. Das Gericht muss der Überzeugung sein, dass eine Behandlung der psychischen Störung in einem solchen Krankenhaus der Besserung dient oder hierdurch eine Verschlechterung vermieden werden kann. Alternativ könnte das Gericht aber auch die Unterstellung unter die Obhut der lokalen Behörden anordnen *(guardianship)*. Ähnliche Entscheidungen dürfen bei weniger schweren Straftaten auch von den *Magistrates' Courts* getroffen werden. Zusätzlich zur Einweisung in ein Krankenhaus kann das Gericht weitere Restriktionen verhängen *(restriction orders)*, durch die verhindert werden soll, dass die Person weitere Straftaten begeht. Für eine Person, deren strafrechtliche Verantwortlichkeit aufgrund von Unzurechnungsfähigkeit *(insanity)* ausgeschlossen ist, bestehen im Wesentlichen die gleichen Möglichkeiten wie für psychisch Kranke. Zusätzlich kann die Betreuung angeordnet werden *(supervision order)*. Die Rechtsgrundlage für Maßnahmen gegenüber Unzurechnungsfähigen findet sich jedoch im *Criminal Procedure (Insanity) Act* 1964.

– *Gefährliche Täter*

Seit dem Inkrafttreten des *Criminal Justice Act* 2003 werden „gefährliche Straftäter“ als eigene Kategorie von Straftätern verstanden. Für diese gelten Besonderheiten bei der Strafzumessung und den möglichen Strafen und Sicherungsmaßnahmen. Gegen Täter, die mehrfach schwere Gewalttaten oder Sexualdelikte begangen haben, kann eine lebenslange Freiheitsstrafe *(life imprisonment)*, eine zeitlich unbestimmte Inhaftierung zum Schutz der Öffentlichkeit im Anschluss an die Strafhaft *(imprisonment for public protection, IPP)* oder auch eine zeitige Freiheitsstrafe mit verlängerter Bewährungsdauer *(extended sentence)* verhängt werden. Die Sicherungsmaßnahmen sind zwar Teil des Strafzumessungsrechts, werden jedoch neben der Strafe für die Anlasstat verhängt. Was unter „Gefährlichkeit“ zu verstehen ist, ist im *Criminal Justice Act* 2003 definiert. Da der Anwendungsbereich dieser Sanktionsformen jedoch sehr weit und den Gerichten bei ihrer Entscheidung über die Strafzumessung kein Ermessen eingeräumt war, zeigte sich recht schnell, dass das Gesetz nachgebessert werden musste. Dies erfolgte durch den *Criminal Justice and Immigration Act* 2008. Die Maßnahmen sind zeitlich in zwei Abschnitte unterteilt: Zunächst wird die Strafhaft für die Anlasstat verbüßt und im Anschluss daran bleibt der Täter zum Schutz der Öffentlichkeit in Haft. Der zweite Teil ist als IPP grundsätzlich unbefristet, die zuständigen Behörden müssen jedoch in regelmäßigen Abständen überprüfen, ob der Betroffene weiterhin als gefährlich anzusehen ist und ob eine Fortdauer der Haft weiterhin gerechtfertigt ist.

– *Sexualtäter*

Für Personen, die wegen bestimmter Sexualdelikte verurteilt, wegen Unzurechnungsfähigkeit als nicht schuldig befunden oder wegen eines solchen Delikts verwarnt wurden, besteht eine Meldepflicht *(notification requirement)* nach Section 83 *Sexual Offences Act* 2003. Die von der Meldepflicht erfassten Delikte sind in Schedule 3 des Gesetzes aufgelistet und reichen von der Vergewaltigung über Sexualdelikte gegen Kinder bis hin zum Inzest unter einverständlich handelnden Erwachsenen. In der Regel setzt die Meldepflicht jedoch voraus, dass der Täter zu einer Freiheitsstrafe von mindestens 12 Monaten verurteilt wurde. Die Meldepflicht wird neben der Strafe verhängt, jedoch nicht als (zusätzliche) Form der Bestrafung angesehen. Daher darf sie auch rückwirkend auf Straftäter angewandt werden, die die Tat bereits vor Einführung der Meldepflicht begangen hatten. Der verurteilte Straftäter ist verpflichtet, sich unmittelbar nach Aburteilung der betreffenden Tat bei der Polizei zu melden und dort seinen Namen, Geburtsdatum, nationale Versicherungsnummer sowie seine Adresse anzugeben. Jegliche Änderungen dieser Angaben müssen der Polizei mitgeteilt werden. Die Meldepflicht gilt für eine Dauer von mindestens fünf Jahren; bei besonders schweren Delikten kann sie lebenslang gelten. Zuwiderhandlungen werden als Straftat geahndet.

– *Mutmaßliche Terroristen*

Besondere Strafen für Täter, die Straftaten mit einem terroristischen Hintergrund begangen haben, gibt es im englischen Strafrecht nicht. Terroristen werden wie herkömmliche Straftäter behandelt. Der Terrorismusbezug wird aber als strafschärfender Faktor bei der Strafzumessung berücksichtigt. In aller Regel werden lange oder auch lebenslange Freiheitsstrafen verhängt. Diese werden meist in Hochsicherheitsgefängnissen vollstreckt.[6] Kann ein mutmaßlicher Terrorist mangels gerichtsfester Beweise nicht angeklagt und gegebenenfalls verurteilt werden, kommt als präventives Mittel die Verhängung einer Kontrollverfügung in Betracht. Diese soll jedoch nur für den Fall verhängt werden und nur so lange gelten, wie eine Strafverfolgung nicht möglich ist.[7]

---

[6] Zur Einteilung der Haftanstalten siehe I.A.5.e.

[7] Siehe hierzu auch oben 2.

Literaturhinweise zu Abschnitt E.

Ashworth, Andrew, Is the Criminal Law a Lost Cause? LQR 116 (2000) 225–256.

– Responsibilities, Rights and Restorative Justice. BritJCriminology 42 (2002) 578–595.

– Social Control and “Anti-Social Behaviour”: the Subversion of Human Rights? LQR 120 (2004) 263–291.

– Principles of Criminal Law. 6. Aufl. Oxford 2009, S. 1–83.

Bakalis, Chara, Anti-Social Behaviour Orders – Criminal Penalties or Civil Injunctions? CLJ (2003) 583–586.

Elliott, Catherine/Quinn, Frances, English Legal System. 10. Aufl. Harlow 2009, S. 444–509.

Hooper, Lord Justice/Ormerod, David/Murphy, Peter (Hrsg.), Blackstone’s Criminal Practice 2009; Section E7, S. 2160–2215; Section E22, S. 2300–2305; E23, S. 2306–2310. Oxford 2008.

Burton, Mandy, Criminalising Breaches of Civil Orders for Protection from Domestic Violence. CrimLR (2003) 301–313.

Emmerson, Ben/Ashworth, Andrew/Macdonald, Alison, Human Rights and Criminal Justice. 2. Aufl. London 2007, S. 191–235.

Lacey, Nicola/Wells, Celia/Quick, Oliver, Reconstructing Criminal Law. Text and Materials. 3. Aufl. London 2003, S. 2–13, 136–191.

Macdonald, Stuart, The Nature of the Anti-Social Behaviour Order – *R (McCann & Others)* v *Crown Court at Manchester*. MLR 66 (2003) 630–639.

Moore, Robin, The Use of Financial Penalties and the Amounts Imposed: The Need for a New Approach. CrimLR (2003) 13–27.

Sandell, Adam, Liberty, Fairness and the UK Control Order Cases: Two Steps Forward, Two Steps Back. EHRLR (2008) 120–131.

Simester, A.P./von Hirsch, Andrew, Rethinking the Offense Principle. Legal Theory 8 (2002) 269–295.

Slapper, Gary/Kelly, David, English Law. 9. Aufl. London 2009.

Starmer, Keir, Setting the Record Straight: Human Rights in an Era of International Terrorism. EHRLR (2007) 123–132.

Taylor, Richard/Wasik, Martin/Leng, Roger, Blackstone’s Guide to the Criminal Justice Act 2003. Oxford 2004, S. 251–258.

Walker, Clive, Keeping Control of Terrorists Without Losing Control of Constitutionalism. StanLRev 59 (2007) 1395–1463.

Ward, Richard/Bettinson, Vanessa, Criminal Justice and Immigration Act 2008. Bristol 2008, S. 23–30.

Williams, Glanville, The Definition of Crime. 8 CLP (1955) 107–130.

Rechtsprechung

C v DPP [1996] AC 1

DPP v P [2006] 4 All ER 268

Engel and others v the Netherlands (Appl. nos. 5100/71; 5101/71; 5102/71; 5354/72; 5370/72)

Ibbotson v United Kingdom [1999] CrimLR 153

R. v Birch (1990) 90 Cr App R 78

R. (McCann and others) v Crown Court at Manchester [2000] UKHL 39, [2000] 3 WLR 1313 (HL)

Secretary of State for the Home Department v E and another [2007] UKHL 47

Secretary of State for the Home Department v MB/AF [2007] UKHL 46

V and T v United Kingdom (1999) 30 EHRR 121

F. Strafrechtsquellen und Auslegungshilfen

1. Überblick

Das englische Strafrecht ist nicht in einem Strafgesetzbuch kodifiziert, sondern setzt sich aus einer Vielzahl einzelner Gesetze und dem ungeschriebenen Recht zusammen. Die wichtigsten Rechtsquellen sind daher traditionell einerseits das *common law*,[1] die aus richterlichen Entscheidungen entwickelten Regeln, und andererseits die Gesetze, die *statutes*.[2] *Common law* und Gesetze sind gleichwertige originäre Rechtsquellen. Aufgrund der Souveränität des Parlaments kann *common law* durch Gesetze geändert werden. Bei Widersprüchen gilt jeweils das jüngere Gesetz. Grundsätzlich kennt das englische Recht keine Normenhierarchie.[3]

Der Begriff *common law* wird oft für alle von Richtern entwickelten Regeln verwendet. Im strengen Sinn bezeichnet man damit aber nur wirklich neu geschaffenes Recht, während der Überbegriff *case law* (Fallrecht) die rechtlichen Grundsätze umfasst, die von der Rechtsprechung sowohl auf der Grundlage des *common law* als auch durch die Auslegung von Gesetzen entstanden sind. Weitere Rechtsquellen sind die *royal prerogatives*, die Vorrechte der Krone,[4] und das Völkerrecht, das sich aus geschriebenen Rechtsnormen, Gewohnheitsrecht und Rechtsprechung zusammensetzt. Daneben spielen insbesondere das Recht der Europäischen Union und die Europäische Menschenrechtskonvention eine wichtige Rolle.[5]

2. Geschriebene Rechtsnormen

Die Bedeutung von Parlamentsgesetzen als Rechtsquelle im Strafrecht ist zwar in der Vergangenheit enorm gestiegen, jedoch kam es bis heute weder zu einer Kodifizierung des materiellen Strafrechts noch des Strafverfahrensrechts. Während es für das materielle Strafrecht Pläne und einen Entwurf zur Kodifizierung gab, wurde der Versuch einer strafverfahrensrechtlichen Kodifizierung bisher nicht unternommen. Allerdings werden die Pläne für eine umfassende Kodifizierung des materiellen Strafrechts derzeit nicht mehr verfolgt. Inzwischen beschränkt sich die diesbezügliche Arbeit der *Law Commission*, einer mit der Entwicklung und Reform des Rechts betrauten Kommission, auf die Kodifizierung einzelner Bereiche des Allgemeinen Teils, wie etwa der Strafausschließungsgründe *(defences)*.[6] Allerdings ist

---

[1] Siehe unten 4.

[2] Siehe unten 2. sowie II.A.

[3] Siehe unten 2.

[4] Siehe unten 6.

[5] Siehe unten 2.

[6] Siehe hierzu auch II.J.

auch für diese Teilbereiche nicht absehbar, ob und wann es zu einer solchen Kodifizierung kommt.

Englische Gesetze sind meist sehr detailliert und umfassen häufig Regelungen zu verschiedenen Materien. Dies bedeutet, dass nicht nur das materielle Strafrecht, sondern zugleich auch verfahrensrechtliche Bestimmungen in ein und demselben Gesetz enthalten sind. Grundsätzlich werden Einzelheiten eher nicht durch Verordnungen, sondern unmittelbar im Gesetz geregelt. Dies gilt auch für das Strafrecht, wo es beispielsweise Definitionen von Straftatbeständen gibt, die sehr spezifisch und detailliert sind. Was in einem Gesetz geregelt wird, folgt keiner klaren Linie. Es gibt sowohl Gesetze, die eine bestimmte Straftat in ihren verschiedenen Ausprägungen und Erscheinungsformen regeln – wie den *Theft Act* 1968 oder den *Fraud Act* 2006 – als auch Gesetze für größere Deliktsgruppen – wie den *Sexual Offences Act* 2003 oder den *Offences Against the Person Act* 1861. Ferner wurden insbesondere in der jüngeren Zeit auch Gesetze geschaffen, die komplexe Kriminalitätsformen umfassend behandeln. Beispiele hierfür sind die Terrorismusgesetze und der *Serious Organised Crime and Police Act* 2005.

Parlamentsgesetze *(Acts of Parliament)* bilden die primäre Gesetzgebung. Sie werden als *bill* (Gesetzentwurf) in das Parlament eingebracht.[7] *Acts of Parliament* enthalten oft Ermächtigungen, durch welche Gesetzgebungsbefugnisse an Minister delegiert werden. Diese machen hiervon Gebrauch, indem sie *statutory instruments* (Verordnungen) erlassen. Eine solche sekundäre Gesetzgebung ist nur im Rahmen des ermächtigenden Gesetzes gültig. Bei Widersprüchen hat auch hier das jüngere Gesetz den Vorrang. Mit der ausdrücklichen oder konkludenten Aufhebung eines Gesetzes verliert auch eine auf Grundlage dieses Gesetzes erlassene Verordnung ihre Gültigkeit. Alle Gesetze und Verordnungen werden durch *Her Majesty's Stationary Office* (HMSO), die zentrale Einrichtung für die Veröffentlichung offizieller Dokumente, veröffentlicht. Ferner werden seit dem Jahr 1988 alle Gesetze und Verordnungen auch im Internet auf der Seite des *Office of Public Sector Information* (OPSI), einer Abteilung der Nationalarchive, veröffentlicht und sind dort im Volltext abrufbar.

Von Gesetzen und Verordnungen mit bindender Wirkung sind andere offizielle Dokumente wie *circulars* (ministerielle Rundschreiben) oder *Codes of Practice* (Verfahrensregeln) zu unterscheiden. Selbst wenn sie auf Grundlage eines Gesetzes erlassen und häufig ähnlich wie Gesetze angewandt werden, entfalten sie keine Bindungswirkung für die Gerichte.

Die Auslegung von Strafgesetzen soll grundsätzlich nicht zu Lasten eines Angeklagten erfolgen und die Strafbarkeit durch Auslegung nicht erweitert werden. Allerdings gilt dieser Grundsatz der engen Auslegung nur für gesetzlich festgelegte Straftatbestände, nicht jedoch für die Strafausschließungsgründe *(defences)*, die

---

[7] Siehe weiterführend I.A.4.

überwiegend bis heute nicht gesetzlich geregelt sind. Dennoch lassen sich in der Rechtsprechung nicht nur Beispiele für eine Einschränkung der Reichweite von Strafausschließungsgründen durch Auslegung finden; vielfach erweitern die Gerichte den Geltungsbereich eines Strafausschließungsgrundes zugunsten des Angeklagten.[8]

Bei der Auslegung von Gesetzen sind insbesondere die Bestimmungen des *Interpretation Act* 1978 zu berücksichtigen. Grundsätzlich gilt die Regel, dass zur Auslegung von Gesetzen nicht auf die Gesetzgebungsmaterialien zurückgegriffen werden darf. Dieses Prinzip wurde in der Entscheidung *Pepper v Hart* [1993] gelockert. Auf Material der Vorarbeiten darf nun Bezug genommen werden, wenn das Gesetz zweideutig oder unklar ist oder zu absurden Ergebnissen führen würde. Ferner darf das heranzuziehende Material nur aus einer oder mehreren Stellungnahmen eines Ministers oder einer den Gesetzentwurf unterstützenden Person bestehen, gegebenenfalls zusammen mit anderem parlamentarischem Material, das zum Verständnis der Stellungnahmen und ihrer Folgen nötig ist. Die Stellungnahmen müssen eindeutig sein. Weniger streng sind die Kriterien hinsichtlich der Auslegungshilfen, wenn es um die Auslegung von Gesetzen geht, die internationales Recht oder EU-Recht in englisches Recht umsetzen. Gerichte können bei der Auslegung des Rechts auch die Ansichten von Autoren und von Organisationen berücksichtigen, die sich mit Reformvorhaben befassen. Vor allem Schriften anerkannter Autoren, insbesondere ehemaliger Richter, oder die Auffassung der *Law Commission* werden herangezogen. Diese Quellen haben aber keinerlei bindende Wirkung.

Von zunehmender Bedeutung sind inzwischen auch für das Strafrecht das Recht der Europäischen Union und das Recht der Europäischen Gemeinschaften. EG-Recht ist von britischen Gerichten anzuwenden und britisches Recht entsprechend dem EG-Recht auszulegen und in dem Umfang nicht anzuwenden, wie es mit EG-Recht unvereinbar ist, Section 2 *European Communities Act* 1972.[9]

Eine besondere Stellung, wenn auch keinen formalen Vorrang, hat die Europäische Menschenrechtskonvention (EMRK).[10] Bis zum Inkrafttreten des *Human Rights Act* 1998 am 2. Oktober 2000 war die EMRK jedoch nicht Teil des nationalen britischen Rechts, und eine Verletzung von Konventionsrechten konnte nicht vor innerstaatlichen Gerichten geltend gemacht werden. Erst durch den *Human Rights Act* 1998 wurden die in Section 1 (1) aufgezählten Rechte aus der EMRK in das Recht des Vereinigten Königreichs inkorporiert. Nunmehr sind die Gerichte verpflichtet, von ihrer bisherigen Rechtsprechung abzuweichen, wenn Präzedenzfälle im Widerspruch mit der EMRK beziehungsweise dem *Human Rights Act*

[8] Siehe hierzu auch II.A.3.c.

[9] Siehe hierzu auch I.C.1.

[10] Siehe hierzu I.B.2.b. und I.C.2.

1998 stehen. Im Verhältnis zu anderen Gesetzen hat der *Human Rights Act* 1998 formal keinen Vorrang, da englisches Recht keine Normenhierarchie im Sinne eines Vorrangs etwa von verfassungsrechtlichen Bestimmungen kennt, die nicht durch einfaches Parlamentsgesetz wieder geändert werden könnten.[11] Bei Widersprüchen gilt das jüngere Gesetz; wobei Gesetze und Verordnungen gemäß Section 3 (1) *Human Rights Act* 1998 so auszulegen sind, dass sie in Einklang mit der EMRK stehen. Kommt ein Gericht zu der Auffassung, dass eine solche Auslegung nicht möglich ist, spricht es eine *declaration of incompatibility* (Feststellung der Unvereinbarkeit) aus. Diese berührt gemäß Section 4 *Human Rights Act* 1998 die weitere Geltung des Gesetzes nicht, da aufgrund seiner Souveränität allein das Parlament die Kompetenz besitzt, ein Gesetz für ungültig zu erklären.[12] Im Fall der Feststellung der Unvereinbarkeit sieht Section 10 *Human Rights Act* 1998 ein beschleunigtes Verfahren zur Änderung oder Ergänzung des betreffenden Gesetzes vor.

Eine weitere Rechtsquelle stellt das Völkerrecht dar. Völkerrechtliche Verträge müssen durch ein Parlamentsgesetz umgesetzt werden, um im nationalen Recht Geltung zu erlangen (dualistisches System). Bei Völkergewohnheitsrecht ist eine unmittelbare Anwendung möglich.[13]

3. Gewohnheitsrecht

Gewohnheitsrecht im Sinne von ungeschriebenem Recht, das allgemein anerkannt ist, aber noch nicht Gegenstand gerichtlicher Entscheidungen war, gibt es im englischen Recht kaum. Im Privatrecht sind die meisten gewohnheitsrechtlichen Sachverhalte bereits durch Gerichte entschieden und damit Bestandteil des *common law*.[14] Im Verfassungsrecht gibt es sogenannte *constitutional conventions*, die die Ausübung der Kompetenzen durch die Krone, die Regierung, das Parlament und die Judikative regeln. Hierzu zählt beispielsweise, dass die Königin oder der König die erforderliche Zustimmung *(royal assent)* zur Verabschiedung eines Gesetzes nicht verweigern darf, sofern das Gesetzgebungsverfahren im Parlament ordnungsgemäß durchlaufen wurde. Diese Regelungen sind nicht kodifiziert und können daher nach Bedarf modifiziert werden. Obwohl sie rechtlich nicht verbindlich sind, werden sie von den drei Gewalten beachtet, um ein möglichst reibungsloses Regieren zu gewährleisten.[15]

---

11 Siehe hierzu I.C.

12 Siehe hierzu I.C.1.

13 Siehe dazu auch I.B.2.b. unten 3.

14 Siehe dazu unten 4.

15 Siehe hierzu auch I.C.1. und 2.

Im Strafrecht ist Gewohnheitsrecht nur in Form von Völkergewohnheitsrecht bekannt. Eine unmittelbare Anwendung von Völkergewohnheitsrecht ist möglich. Grundsätzlich gilt, dass internationales Gewohnheitsrecht, soweit es nicht den englischen Gesetzen oder dem *common law* widerspricht, automatisch auch nationales Gewohnheitsrecht darstellt, ohne dass die ausdrückliche Inkorporierung in das innerstaatliche Recht nötig wäre. Im Strafrecht wurde eine Anwendung von Völkergewohnheitsrecht zur Schaffung neuer Straftatbestände vom *House of Lords*, dem obersten Gericht, abgelehnt; in diesem Bereich solle die Rechtsfortbildung dem Parlament vorbehalten bleiben.

4. Rechtsprechung und common law

Der Rechtsprechung kommt im englischen Recht eine besonders wichtige Stellung zu. Gerichte legen nicht nur die vom Parlament geschaffenen Gesetze aus, sondern sie schaffen auch selbst Recht, das sogenannte *common law*.

Der Begriff *common law* hat drei verschiedene Bedeutungen: Er bezeichnet zum einen das von der Rechtsprechung entwickelte Recht im Gegensatz zu den Gesetzen. Darüber hinaus wird er aber auch als Bezeichnung für das angloamerikanische Rechtssystem im Gegensatz zum kontinentaleuropäischen, sogenannten *civil law* verwendet.[16] Außerdem gibt es die Unterscheidung zwischen *common law* und *equity* (Billigkeit). Diese Bezeichnungen stehen für verschiedene Arten von Regeln, die von unterschiedlichen Gerichten entwickelt wurden. Die Differenzierung hat für das Strafrecht allerdings nur noch eine historische Bedeutung.

Richterliche Entscheidungen sind bis heute von großer Bedeutung, weil Teile davon als normativ angesehen werden und die gleiche Bindungswirkung haben wie gesetzliche Vorschriften. Daher spricht man auch von *case law*, Fallrecht. Wichtig bei der Anwendung von *case law* ist die Unterscheidung zwischen den eigentlichen Entscheidungsgründen (*ratio decidendi* oder kurz: *ratio*), die Bindungswirkung entfalten, und anderen Bemerkungen, die im Rahmen der Urteilsverkündung gemacht werden, aber für die Entscheidung im Einzelfall nicht ausschlaggebend sind *(obiter dicta)*. Was als *obiter dictum* verkündet wird, kann allerdings in einem anderen Verfahren „überzeugende" Wirkung haben *(persuasive)*.

Ob ein Gericht im Einzelfall an die Entscheidung eines anderen gebunden ist, hängt insbesondere von seiner Stellung ab.[17] Grundsätzlich sind Gerichte an die Rechtsprechung höherer Gerichte gebunden, teilweise auch an gleichrangige Gerichte beziehungsweise an ihre eigene frühere Rechtsprechung. Durch Entscheidungen der erstinstanzlichen Gerichte in Strafsachen, der *Magistrates' Courts* und

16 Siehe auch I.B.1.

17 Siehe hierzu I.A.5.c.

der *Crown Courts*, ist kein Gericht gebunden; an Rechtsprechung des *High Court (Queen's Bench Division)* sind die unteren Gerichte gebunden; an die des *Court of Appeal* sowohl die unteren Gerichte als auch der *Court of Appeal* selbst. Entscheidungen des *House of Lords* (in seiner Eigenschaft als Gericht) binden sowohl die unteren Gerichte als auch normalerweise das *House of Lords* selbst, wobei dieses in Ausnahmefällen eigene frühere Rechtsprechung abändert.

Die Bindung an frühere Entscheidungen wird als Grundsatz des *stare decisis*, des Festhaltens am bereits Entschiedenen, bezeichnet. In der Regel wird aber auch Urteilen oder Teilen von Urteilen gefolgt, die nicht bindend *(binding)*, sondern nur „überzeugend" *(persuasive)* sind, an die das Gericht also formell nicht gebunden ist, vor allem wenn es sich um Entscheidungen des *House of Lords* oder des *Court of Appeal* handelt. Gelegentlich wird auch auf Entscheidungen ausländischer, in erster Linie schottischer und nordirischer, vereinzelt auch anderer englischsprachiger Gerichte Bezug genommen. Entscheidungen des Europäischen Gerichtshofs sind nur für die Parteien bindend *(res judicata)* und enthalten keine *ratio decidendi*. Auch die Rechtsprechung anderer internationaler Gerichte hat keine bindende Wirkung, wie sie die Rechtsprechung höherer Gerichte innerhalb Englands hat. Jedoch berücksichtigen englische Gerichte die Rechtsprechung internationaler Gerichte als Auslegungshilfe. Im Fall des Internationalen Strafgerichtshofs ist die Berücksichtigung seiner Entscheidungen gesetzlich vorgeschrieben (Sections 50 (5), 54 (2), 65 (5), 66 (4) *International Criminal Court Act* 2001).

Welches Gewicht ein Präzedenzfall *(precedent)* hat, hängt von vielen Faktoren ab. Dazu gehören zum Beispiel das Alter der Entscheidung, die Zusammensetzung des Gerichts, die Einstimmigkeit der Entscheidung oder das Vorliegen abweichender Meinungen und die Bedeutung der Rechtsfrage für den Präzedenzfall. Eine der wichtigsten Aufgaben des Gerichts und der Anwälte ist es zu entscheiden, ob eine frühere Entscheidung im vorliegenden Verfahren anzuwenden ist oder ob die Sachverhalte so unterschiedlich sind, dass die Fälle zu differenzieren sind *(distinguishing precedents)*. Hierfür sind relevante von irrelevanten Tatsachen beider Fälle zu unterscheiden.

Was die Schaffung von Strafrecht durch die Gerichte betrifft, so gilt heute grundsätzlich, dass die Gerichte keine neuen Straftatbestände (mehr) konstruieren. Etwas anders gilt etwa für die Entwicklung neuer Strafausschließungsgründe *(defences)*. Diese ist den Gerichten weiterhin gestattet.[18] Ein markanter Fall zur Frage des *judicial law-making* im Strafrecht ist die Strafbarkeit von Vergewaltigung in der Ehe. In einer Entscheidung des *House of Lords* im Jahr 1992 wurde die Strafbarkeit erstmals gerichtlich festgestellt. Es ist streitig, ob es sich hierbei um die Auslegung des bestehenden Tatbestands der Vergewaltigung oder um die Schaffung eines neuen Tatbestands handelt. Die Entscheidung wurde vom Europäi-

---

[18] Siehe II.J.

schen Gerichtshof für Menschenrechte nicht als Verletzung des Gesetzlichkeitsprinzips des Art. 7 EMRK angesehen.[19]

Da im englischen Recht die Rechtsprechung auch die Rechtsetzung umfasste und dies zum Teil bis heute so ist, war die Veröffentlichung von Gerichtsurteilen seit jeher bedeutsam, um das geltende Recht und die grundlegenden Rechtsprinzipien publik zu machen. Heutzutage werden jährlich etwa 2.000 Gerichtsurteile veröffentlicht. Einige dieser Urteile stammen von vor 700 Jahren. Gerichtsurteile werden in verschiedenen Entscheidungssammlungen, den *law reports*, veröffentlicht. Einerseits gibt es allgemeine Sammlungen für Urteile aller Rechtsgebiete und Obergerichte, wie die *All England Law Reports* (All ER) und die *Weekly Law Reports* (WLR). Andererseits gibt es jedoch auch Entscheidungssammlungen, die nur strafrechtliche Urteile enthalten. Einige Sammlungen sind allgemein benannt, etwa als Rechtsmittelentscheidungen, wie die Sammlung *Appeal Cases* (AC) und die *Criminal Appeal Reports* (Cr App R). Zum Teil ergibt sich der Name für die Entscheidungssammlung aber auch aus der Bezeichnung des Instanzgerichts, wie *Queen's Bench Division* (QB, High Court) oder *Chancery Division* (Ch D, High Court). Ferner bietet das *British and Irish Legal Information Institute* (BAILII) inzwischen eine umfassende und kostenfrei über das Internet abrufbare Volltextsammlung von Gerichtsurteilen an. Um Urteile auch unabhängig von der entsprechenden Entscheidungssammlung auffinden zu können, hat sich inzwischen neben der herkömmlichen Zitierweise, die den Namen der Entscheidungssammlung in abgekürzter Form enthält, auch eine neutrale Zitierung durchgesetzt, die nur eine Abkürzung für das erkennende Gericht enthält: UKHL für *United Kingdom House of Lords*, EWCA Crim für *England and Wales Court of Appeal Criminal Division* und EWHC (QB) für *England and Wales High Court* (Queen's Bench Division).

5. Schrifttum

Schriften anerkannter Autoren, insbesondere ehemaliger Richter, oder die Auffassung der *Law Commission* werden von den Gerichten mit großem Respekt behandelt und zur Auslegung von Gesetzen und Rechtsprechung herangezogen. Zu den wichtigsten Autoren, deren Werke bis heute als Autoritäten anerkannt sind, zählen vor allem Sir *Edward Coke* (1552–1634), Sir *Matthew Hale* (1609–1676), Sir *Michael Foster* (1689–1763) und Sir *William Blackstone* (1723–1780). Das Schrifttum hat aber keinerlei bindende Wirkung für die Gerichte.

---

[19] Siehe hierzu II.A.3.c.

6. Sonstiges

Die Krone verfügt neben den aus Gesetzen hergeleiteten Befugnissen über eine Reihe von *royal prerogatives* (königlichen Vorrechten), zum Beispiel im Bereich der auswärtigen Beziehungen. Strafrechtlich relevant ist das Recht der Begnadigung *(pardon, royal prerogative of mercy)*.[20]

Literaturhinweise zu Abschnitt F.

Ashworth, Andrew, Interpreting criminal statutes: a crisis of legality? LQR 107 (1991) 419–449.

– Criminal Proceedings After The Human Rights Act: The First Year. CrimLR (2001) 855–972.

Atiyah, P.S., Common Law and Statute Law. MLR (1985) 1–28.

British and Irish Legal Information Institute (BAILII): http://www.bailii.org

Bennion, Francis, Consequences of an overrule. PL (2001) 450–456.

Blackburn, Robert, The Royal Assent to legislation and a monarch's fundamental human rights. PL (2003) 205–210.

Card, Richard, Card, Cross & Jones, Criminal Law. 18. Aufl. Oxford 2008, S. 13–38.

Cownie, Fiona/Bradney, Anthony/Burton, Mandy, English Legal System in Context. 4. Aufl. Oxford 2006, S. 84–126.

Cross, Rupert, Precedent in English Law. 3. Aufl. Oxford 1977.

Darbyshire, Penny, Criminal Procedure in England and Wales. In: Richard Vogler/Barbara Huber (eds.), Criminal Procedure in Europe. Berlin 2008, S. 39–169.

Elliott, Catherine/Quinn, Frances, English Legal System. 10. Aufl. Harlow 2009, S. xxx–xxxiii, 11–142.

English, Rosalind, Nuclear cell transfer of statutory language. NLJ 152 (2002) 161.

Evans, Jim, Dilemma of Proof and the Extension of Criminal Statutes. CrimLR (2003) 183–189.

Ferguson, Pamela R., Codifying Criminal Law (2): The Scots and English Draft Codes Compared. CrimLR (2004) 105–119.

Giles, Marianne, Judicial Law-Making in the Criminal Court. CrimLR (1992), 407–417.

Huber, Barbara, Statutory Interpretation: Zur Auslegung englischer Gesetze. ZStW 115 (2003), 723–741.

Jefferson, Michael, Criminal Law. 8. Aufl. Harlow 2007, S. 18–40.

---

[20] Siehe hierzu I.C.1. sowie II.K.

Kavanagh, Aileen, The Elusive Divide between Interpretation and Legislation under the Human Rights Act 1998. OJLS 24 (2004) 259–285.

Law Commission, A Criminal Code for England and Wales. No. 177, HMSO London 1989.

Law Commission, Annual Report 2003/2004 (http://www.lawcom.gov.uk/files/lc288.pdf).

Manchester, Colin/Salter, David/Moodie, Peter, Exploring the Law: The Dynamics of Precedent and Statutory Interpretation. 2. Aufl. London 2000.

Marshall, Geoffrey, The lynchpin of parliamentary intention: lost, stolen or strained? PL (2003) 236–248.

Office of Public Sector Information (OPSI): http://www.opsi.gov.uk/acts.htm

O'Neill, Aidan, Fundamental Rights and the Constitutional Supremacy of Community Law in the United Kingdom after Devolution and the Human Rights Act. PL (2002) 724–742.

Opeskin, Brian R., Constitutional Modelling: The Domestic Effect of International Law in Commonwealth Countries – Part I, PL (2000) 607–626; Part II, PL (2001) 97–114.

Ormerod, David, Smith and Hogan Criminal Law. 12. Aufl. Oxford 2008, S. 18–33.

Padfield, Nicola, Criminal Law. 6. Aufl. Oxford 2008, S. 11–21.

Steyn, Johan, *Pepper v Hart*; A Re-examination. OJLS 21 (2001) 59–72.

Wasik, Martin, Legislating in the Shadow of the Human Rights Act: The Criminal Justice and Police Act 2001. CrimLR (2001) 931–947.

Wheeler, John, Essentials of the English Legal System. 2. Aufl. Harlow 2006, S. 49–153.

Zander, Michael, The Law-Making Process. 5. Aufl. London 1999.

– Reviving the criminal code. CrimLR (2001) 261–264.

Rechtsprechung

Attorney General's Reference (No. 1 of 1988) [1989] AC 971 (HL)

Camplin [1978] AC 705 HL

Chung Chi Cheung v R [1939] AC 160

Fisher v Bell [1961] 1 QB 394

Kassim [1992] 1 AC 9

Knuller v DPP [1973] AC 435

Pepper v Hart [1993] AC 593 HL

R v R [1992] 1 AC 111 HL

R v Bow Street Metropolitan Stipendiary Magistrate, ex parte Pinochet Ugarte (No. 3) [2000] AC 147

R v Secretary of State for Transport, ex parte Factortame (No. 2) [1991] 1 AC 603

Rimmington v Goldstein [2005] UKHL 63

S.W. v United Kingdom (1996) (Application No. 20166/92)

Sweet v Parsley [1970] AC 132 (HL)

Thet v DPP [2006] EWHC 2701

Three Rivers District Council v Bank of England (No. 2) [1996] 2 All ER 363

Trendtex Trading Corporation v Central Bank of Nigeria [1977] 1 QB 529

G. Entwicklung des Strafrechts, Strafverfahrensrechts und Strafvollstreckungsrechts

1. Überblick

"The miserable history of crime in England can shortly be told. Nothing worthwhile was created." *(S.F.C. Milsom)*

Dieser Satz beschreibt sehr treffend die historische Entwicklung des Strafrechts von England und Wales. Anders als das Zivilrecht, das sich durch die Rechtsprechung in Form eines „gemeinen Rechts" *(common law)* kontinuierlich fortentwickelte, war das Strafrecht über lange Zeit nur bruchstückhaft vorhanden. Es gab daher nur wenige Parallelen zwischen den beiden Rechtsgebieten. Begründet war dies insbesondere dadurch, dass im Strafrecht über lange Zeit allein eine *Jury* über Schuld oder Unschuld eines Angeklagten entschied und diese ihre Entscheidungen nicht begründen musste. Ausschlaggebend war jeweils die Frage, ob die dem Angeklagten vorgeworfene Tat als bewiesen erachtet wurde. Angeklagt wurden die Taten, die allgemein als Straftat anerkannt waren; präzise Definitionen für die einzelnen Straftaten bildeten sich daher durch die Rechtsprechung zunächst nicht heraus. Auch fehlte es an einer zweiten gerichtlichen Instanz, die sich mit dem Urteil und den Urteilsgründen hätte auseinandersetzen und hierdurch grundlegende Prinzipien zum Strafrecht hätte entwickeln können. Erst während des 19. Jahrhunderts kam es zur Entwicklung eines modernen Rechtsmittelrechts *(appeals)*. Ohne größere Hindernisse bezüglich der Zulassung ist das Einlegen eines Rechtsmittels erst seit 1907 möglich.

Die Ursprünge des englischen Strafrechts lassen sich bis ins 6. Jahrhundert und damit bis in die Zeit der Angelsachsen zurückverfolgen. Dem Einfluss der Kirche ist es zu verdanken, dass bereits zu diesem Zeitpunkt Gesetze niedergeschrieben wurden. Allerdings bedeutet dies nicht, dass sich bereits zu dieser Zeit ein echtes Rechtssystem herausgebildet hätte. Über viele Jahrhunderte war dieses in England und Wales geprägt von privater Rache, Selbstjustiz und Blutfehden. Nach und nach wichen die private Rache *(vengeance)* und Bestrafung *(punishment)* der Wiedergutmachung durch Ausgleichszahlungen *(scales of fixed compensation)*, deren Summen durch königliche Richtlinien festgelegt waren. Darauf folgte die Zeit der Gottesbeweise und der Duelle, die mit Einführung der *Jury* zunehmend durch Strafprozesse abgelöst wurden und sich schließlich zum heutigen Strafverfahren unter Beteiligung sowohl der *Jury* als auch eines oder mehrerer Richter entwickelte. Ferner wurden nach und nach bestimmte Prozessgrundsätze entwickelt und verschiedene Verfahrensrechte für den Beschuldigten geschaffen.[1]

---

1 Siehe zu den heute geltenden Grundsätzen des Strafverfahrens I.D.4.

In Ermangelung einer Kodifizierung strafrechtlicher und strafprozessrechtlicher Regeln in Form eines Strafgesetzbuchs und einer Strafprozessordnung lassen sich nur schwer konkrete Zeitpunkte nennen, die als Beginn eines modernen Strafrechts angesehen werden könnten. Die geschichtliche Entwicklung zeigt jedoch, dass entscheidende Veränderungen und eine daraus resultierende Fortentwicklung des Strafrechts über lange Zeit nur durch Einzelgesetze und, anders als im Zivilrecht, nicht durch die Rechtsprechung herbeigeführt wurden. Ein Beispiel hierfür ist der *Treason Act* 1351, der den Straftatbestand des Hochverrats *(high treason)* regelte. Waren Gesetze einmal in Kraft, entwickelte sich das Recht kontinuierlich fort. Viele Gesetze aus dem 19. Jahrhundert gehören bis heute zum geltenden Recht. Dies gilt beispielsweise für den *Offences against the Person Act* 1861, in dem die wichtigsten Körperverletzungsdelikte geregelt sind. Seit Mitte der 1980er Jahre ist es allerdings durch immer häufigere und schnellere Reformen zu vielen Änderungen im Strafrecht und im Strafverfahrensrecht gekommen. Auch nimmt seitdem die Zahl der Straftatbestände stetig zu.

In der jüngerer Zeit hat die EMRK einen großen Einfluss auf das Straf- und das Strafverfahrensrecht. Zunächst zeigte sich dies durch die Rechtsprechung des EGMR. Seit der Inkorporierung in das nationale Recht durch den *Human Rights Act* 1998 ist die EMRK auch in der Rechtsprechung der nationalen Gerichte sehr präsent. Während hierdurch ein besserer Schutz der Menschenrechte erreicht werden soll, gibt es zugleich eine Tendenz der Einschränkung grundlegender Rechte im Strafverfahren. Diese wurde insbesondere durch den *Criminal Justice and Public Order Act* 1994, den *Criminal Justice Act* 2003 und den *Criminal Justice and Immigration Act* 2008 bewirkt.[2] Darüber hinaus spielen die Bekämpfung der Organisierten Kriminalität und des Terrorismus während der jüngeren Vergangenheit eine wichtige Rolle im Strafrecht.[3]

2. Entwicklung des materiellen Strafrechts

Die Entwicklung des materiellen Strafrechts verlief zunächst nur sehr schleppend. Sie wurde durch die Veränderungen im Strafverfahren beeinflusst, da sie eng mit der Rolle des Richters im Strafverfahren verknüpft war. Erst ab dem Zeitpunkt, ab dem die einem Fall zugrunde liegenden Tatsachen nicht nur der *Jury* bekannt waren, sondern auch dem Richter mitgeteilt werden mussten, konnte sich eine systematische Behandlung der Fälle entwickeln. Diese Entwicklung setzte gegen Ende des 15. Jahrhunderts ein. Eine Diskussion abstrakter strafrechtlicher Prinzipien erfolgte zumeist in den *Inns of Court*, einer Art Gilde für Juristen, und bei Gericht, sofern ein Richter beschloss, ein Verfahren auszusetzen, um sich hinsichtlich der

---

[2] Siehe hierzu auch unten 3.

[3] Siehe auch unten 2.

Beantwortung einer komplizierten Rechtsfrage mit anderen Mitgliedern des *Serjeants' Inn* oder der *Exchequer Chamber* zu beraten. Diese Vorgehensweise führte auf informellem Wege zu einer Zentralisierung der Zuständigkeit für die Fortentwicklung des Strafrechts. Hauptsächlich wurden hier Fragen zu Mord und anderen schweren Straftaten, den *felonies*, erörtert. Fragen hinsichtlich minder schwerer Straftaten, den *misdemeanours*, wurden von der zentral errichteten *Star Chamber* diskutiert. Die Unterscheidung zwischen *felonies* und *misdemeanours* war bis zu ihrer Abschaffung durch den *Criminal Law Act* 1967 von großer Bedeutung.[4] Bei den *felonies* handelte es sich um Kapitalverbrechen. *Misdemeanours* hingegen waren weniger schwere Straftaten, die mit Geld- oder Freiheitsstrafe geahndet werden konnten. Die Entwicklung einzelner Straftatbestände lässt sich etwa ab dem 14. Jahrhundert beobachten. Zu dieser Zeit wurde Hochverrat *(high treason)* als das schwerste aller Delikte betrachtet. Daneben spielten insbesondere Tötungsdelikte *(homicide)*, Körperverletzungsdelikte *(personal injuries)*, Brandstiftung *(arson)*, (Einbruchs-)Diebstahl *(burglary)* sowie Raub und schwerer Diebstahl *(robbery and larceny)* eine Rolle. Die meisten dieser Delikte wurden als sogenannte *common law felonies* betrachtet. Die Bestrafung einer *felony*-Tat lag im Ermessen des Königs. Grundsätzlich wurde die Todesstrafe verhängt; eine Abstufung bestand lediglich in der Art ihrer Vollstreckung. Bei Hochverrat wurde der Tod des Verurteilten auf besonders grausame Weise herbeigeführt, bei Mord und den meisten anderen *felonies* wurde der Verurteilte erhängt. Auch die Begnadigung *(pardon)* durch den König war bei (fast) allen *felonies* außer dem Hochverrat möglich.

Im Bereich der allgemeinen Voraussetzungen der Strafbarkeit[5] kam es während des 19. Jahrhunderts zu einer Aufweichung der Maxime *actus non facit reum nisi mens sit rea*, nach der die Strafbarkeit voraussetzt, dass der Täter nicht nur objektiv eine strafbare Handlung begangen hat, sondern auch die subjektiven Elemente einer Straftat erfüllt.[6] Ab Mitte des 19. Jahrhunderts erachteten die Gerichte zunehmend das Vorliegen von *mens rea* nicht mehr als zwingende Voraussetzung der Strafbarkeit. Hieraus ging schließlich die Lehre der *strict liability* hervor. Diese findet bis heute traditionell nur auf gesetzlich festgeschriebene Straftatbestände *(statutory offences)* Anwendung.[7]

In der jüngeren Vergangenheit wurde der Anwendungsbereich des Strafrechts deutlich erweitert. Es wurde eine Vielzahl neuer Straftatbestände geschaffen. Meist wurden entsprechende Neuregelungen aus einem konkreten Anlass verabschiedet. So wurde etwa die Schaffung eines permanenten Anti-Terror-Gesetzes, dem *Terrorism Act* 2000, durch die Entwicklungen in Nordirland geprägt. Infolge der Anschläge von New York am 11. September 2001 und der Terror-Anschläge in Lon-

---

4 Zur heutigen Einteilung siehe II.C.1.b.

5 Siehe hierzu ausführlich Kapitel II.C., II.D. und II.E.

6 Siehe II.E.1.

7 Siehe zur *strict liability* II.E.4.

don am 7. Juli 2005 wurde dieses Gesetz jedoch als unzureichend erachtet und als Konsequenz der *Anti-Terrorism, Crime and Security Act* 2001 und der *Terrorism Act* 2006 verabschiedet. Beide schufen zusätzliche besondere Straftatbestände wie etwa die Strafbarkeit des Aufenthalts in einem terroristischen Ausbildungslager oder auch der Verbreitung terroristischer Äußerungen. Ferner wurde der Beginn der strafrechtlichen Verantwortlichkeit deutlich vorverlagert.[8]

Abgesehen von den Gesetzen zur Bekämpfung von Terrorismus und Organisierter Kriminalität sind als wichtige Gesetze der jüngeren Zeit im Bereich des materiellen Strafrechts der *Corporate Manslaughter and Corporate Homicide Act* 2007, der *Fraud Act* 2006 und der *Racial and Religious Hatred Act* 2006 zu nennen. Ferner gab es umfassende Reformen und eine mit diesen einhergehende Konsolidierung der Sexualdelikte durch den *Sexual Offences Act* 2003. Außerdem wurde durch den *Criminal Justice Act* 2003 das Strafzumessungsrecht grundlegend reformiert. Insbesondere wurden Strafen und freiheitsentziehende Maßnahmen gegenüber „gefährlichen Straftätern“ *(dangerous offenders)* neu geregelt und die Möglichkeit geschaffen, Straftäter im Anschluss an die Verbüßung einer Strafhaft zum Schutz der Öffentlichkeit weiterhin zu inhaftieren (*imprisonment for public protection*, kurz IPP).[9]

3. Entwicklung des Strafverfahrens(rechts)

Seit jeher hatte die Entwicklung des Verfahrensrechts eine besondere Bedeutung für die gesamte Entwicklung des Strafrechts. Bis heute ist eines der markantesten Merkmale des englischen Strafverfahrens die *Jury*, wenngleich die Zahl der mithilfe einer *Jury* gefällten Urteile inzwischen nur noch einen geringen Anteil an der Summe der Strafverfahren hat. Als Ursprung der *Juries* wird von vielen die Magna Charta 1215 erachtet. Aus dieser wird ein Anspruch jedes Bürgers auf eine Aburteilung durch seinesgleichen *(right of a citizen to be tried by his or her peers)* hergeleitet. Diese Begründung ist jedoch umstritten. Vielmehr sei für die Etablierung der *Juries* entscheidend gewesen, dass der Papst die im englischen Strafverfahren damals üblichen Gottesurteile *(ordeal)* nicht länger unterstützen wollte. In der Praxis spielte die *Jury* eine widersprüchliche Rolle. Zum einen war sie die Institution, die über Schuld und Unschuld entschied. Zugleich sorgte sie aber auch für eine Milderung der drakonischen Strafen. Man könnte dies auch als Rechtsbeugung zur Verminderung der Ungerechtigkeit des Rechts bezeichnen. Zur Milderung von Strafen bestanden drei Möglichkeiten: Kirchenasyl *(sanctuary)*, Begnadigung *(pardon)* und die Milderung durch die Jury *(jury mitigation)*. Ferner wurden Geist-

---

[8] Siehe ausführlich zum strafbaren Verhalten vor der Tatvollendung II.F.

[9] Siehe auch unten 4. sowie I.D.3. und I.E.3.

liche weniger hart bestraft *(benefit of clergy)*, insbesondere entgingen sie meist der Todesstrafe, indem sie an die geistliche Obrigkeit überstellt wurden.

Ab dem 17. Jahrhundert begann die Entwicklung des modernen Strafverfahrensrechts. Es bildeten sich die Grundlagen für die Etablierung eines rechtsförmigen Strafprozesses *(due process)* heraus. Dokumentiert wird dies durch die *Petition of Rights* (1627), den *Habeas Corpus Act* (1679) und die *Bill of Rights* (1689).[10] Außerdem wurde der bis heute für das englische Strafverfahren charakteristische Parteienprozess *(adversarial trial)* eingeführt.[11] Im Rahmen dieses Prozesses wurde die Anklage ursprünglich nicht von Vertretern des Staates übernommen, sondern die Betroffenen mussten selbst vor Gericht gehen oder einen Anwalt einschalten. Ab 1829 wurden Polizeibehörden eingerichtet, die teilweise die Rolle der Anklage übernahmen. Durch den *Prosecution of Offences Act* 1879 wurde schließlich eine Art Staatsanwaltschaft geschaffen. Im Jahr 1880 wurde der erste *Director of Public Prosecutions* (DPP) ernannt. Hierbei handelte es sich um ein Mitglied des Innenministeriums, das ähnlich einem obersten Staatsanwalt agierte. Während der 1960er Jahre wurde Kritik laut, die Polizei dürfe nicht weiterhin zugleich die Rolle des Ermittlers und des Anklägers übernehmen. Dies führte schließlich zu einer der wichtigsten Änderungen im englischen Strafverfahrensrecht: der Gründung einer selbstständigen staatlichen Anklagebehörde, des *Crown Prosecution Service*, im Jahr 1985.[12] Die Rolle des Anklägers vor Gericht wird aber weiterhin von verschiedenen Behörden übernommen. Dies liegt insbesondere darin begründet, dass für verschiedene komplexe Kriminalitätsbereiche spezialisierte Behörden geschaffen wurden. Beispiele hierfür sind die *Serious Organised Crime Agency*, das *Serious Fraud Office*, die Zollbehörden *(HM Revenues & Customs)* sowie verschiedene Sondereinheiten zur Terrorbekämpfung. Die Behörden werden vor Gericht jedoch von Anwälten vertreten, die innerhalb der Behörde angesiedelt sind.

Seit dem Beginn des 21. Jahrhunderts durchläuft das Vereinigte Königreich sowohl eine Verfassungs- als auch eine Justizreform. Eine ihrer wichtigsten Rechtsgrundlagen ist der *Constitutional Reform Act* 2005. Diese Reformen wirken sich auch auf das Strafverfahren aus. Dies gilt insbesondere für die Zuständigkeiten der Ministerien und der Minister in bestimmten Bereichen. So wurden im Jahr 2007 das Justizministerium geschaffen und dem Justizminister zahlreiche Aufgaben übertragen, die zuvor beim Innenminister *(Secretary of State for the Home Department)* oder beim Minister für Verfassungsangelegenheiten *(Secretary of State for Constitutional Affairs)* lagen. Der Justizminister ist nun unter anderem für Entscheidungen über die Begnadigung von Straftätern zuständig. Die Justizreform betrifft zum einen die Gerichte, zum anderen aber auch die Anwaltschaft. Bei den Gerichten dürfte die Errichtung eines *Supreme Court* die wichtigste Neuerung dar-

---

10 Siehe hierzu auch I.C.1.

11 Siehe hierzu I.C. und I.D.4

12 Siehe auch I.A.5.

stellen. Bezüglich der Anwaltschaft brachte der *Legal Services Act* 2007 eine bedeutende Änderung der Postulationsfähigkeit in Strafverfahren mit sich. Nunmehr dürfen beide Gruppen von englischen Rechtsanwälten, das heißt auch die *solicitors*, vor Gericht auftreten. Zuvor war dies den *barristers* vorbehalten.

Seit den 1990er Jahren kam es zu gravierenden Einschnitten in die Beschuldigtenrechte. Zum Teil wurden diese zunächst zum Zweck der Bekämpfung der Organisierten Kriminalität und des Terrorismus eingeführt, später aber dann auf das allgemeine Strafverfahrensrecht ausgedehnt. Dies gilt beispielsweise für das Schweigerecht *(right to silence)*. Nach den Sections 34–37 *Criminal Justice and Public Order Act* 1994 dürfen negative Schlüsse aus dem Schweigen eines Beschuldigten *(adverse inferences)* gezogen werden. Ferner ist die Verteidigung nach Section 33 *Criminal Justice Act* 2003 verpflichtet, bereits vor Beginn der Hauptverhandlung ihre Argumente zur Verteidigung offenzulegen *(disclosure)*. Tut sie dies erst in der Hauptverhandlung, kann sich der Beschuldigte nicht auf die betreffenden Beweise und Argumente berufen.

Weitere gravierende Einschränkungen der Beschuldigtenrechte wurden in der Vergangenheit dadurch bewirkt, dass besondere Verfahren geschaffen wurden, die nicht als Straf-, sondern als Zivil- beziehungsweise Verwaltungsverfahren ausgestaltet sind.[13] Für diese Verfahren gelten nicht die strafverfahrensrechtlichen Regelungen, wie etwa das Recht auf Anwesenheit während der Verhandlung oder die Bestimmungen über die Zulässigkeit von Beweismitteln, obwohl die Situation für die betroffene Person der einer strafrechtlichen Beschuldigung entspricht. Jüngstes Beispiel hierfür sind die Kontrollverfügungen zur präventiven Bekämpfung von Terrorismus, die nach dem *Prevention of Terrorism Act* 2005 verhängt werden können. Als Grundlage für deren Verhängung dürfen Geheimdienstinformationen verwendet werden, die im Rahmen einer Verhandlung offengelegt werden, bei der der Kontrollverfügungsempfänger und sein Rechtsbeistand nicht anwesend sein dürfen *(closed sessions)*. Zur Wahrung der Fairness des Verfahrens nimmt stattdessen ein sogenannter *special advocate*, ein Anwalt, der eine besondere Sicherheitsüberprüfung durchlaufen hat, an der Sitzung teil. Insgesamt ist wegen dieser verfahrensrechtlichen Besonderheiten umstritten, ob das Kontrollverfügungssystem mit der EMRK vereinbar ist.

4. Entwicklung (des Rechts) der Strafvollstreckung

Im 18. Jahrhundert waren die Todesstrafe *(death penalty, capital punishment)* und Deportationen *(transportation)* die gängigen Sanktionen für schwere Straftaten. Als mildere Strafen wurden körperliche Züchtigung *(corporal punishment)*,

---

[13] Siehe hierzu auch I.E.1 und I.E.2.

wie etwa das Auspeitschen *(whipping)*, und Freiheitsstrafe *(imprisonment)* erachtet. Deportation *(transportation)* als Strafe bedeutete, dass verurteilte Straftäter quasi als Sklaven zur See fuhren. Die Deportationen begannen bereits im 17. Jahrhundert und erfolgten bis zum Ende des Unabhängigkeitskrieges nach Amerika. Später wurden die Straftäter nach Australien, Tasmanien und Gibraltar deportiert. Es war üblich, die Strafe der *transportation* für sieben oder 14 Jahre oder auch lebenslang zu verhängen. Vorkehrungen für eine Rückkehr der Straftäter nach England nach Verbüßung ihrer Strafe gab es nicht. In England wurden die Deportationen schließlich durch Freiheitsstrafen in Gefängnissen ersetzt. Im Zeitraum von 1788 bis 1853 wurden rund 152.000 verurteilte Straftäter deportiert. Von diesen erreichten etwa 149.500 lebend den Zielort.

Gegen Ende des 18. Jahrhunderts begann die Zentralregierung mit der Einrichtung eigener Strafvollzugseinrichtungen. Die Bedeutung der Gefängnisse stieg, zugleich nahmen körperliche Züchtigungen als Strafe ab. Im Jahr 1779 wurde mit dem *Penitentiary Act* ein Gesetz verabschiedet, das harte körperliche Arbeit verbunden mit Freiheitsstrafe als alternative Strafe zur Deportation vorsah. Ab Mitte des 19. Jahrhunderts wurde die Freiheitsstrafe die übliche Sanktionsform für erwachsene Straftäter. Zuvor wurde die Inhaftierung nur selten als Sanktionsmittel verhängt, sondern diente lediglich der Sicherung der Anwesenheit des Beschuldigten bei der Verhandlung. Der ursprüngliche Zweck von Freiheitsentziehungen entsprach daher der heutigen Untersuchungshaft. Die Freiheitsstrafen wurden in zwei verschiedenen Arten von Gefängnissen verbüßt. Für Freiheitsstrafen von bis zu zwei Jahren waren die lokalen Gefängnisse *(local prisons)* vorgesehen; längere Freiheitsstrafen sollten in speziellen, zentralen Gefängnissen verbüßt werden.

Ende des 19. Jahrhunderts kreisten heftige Diskussionen um die mangelnde Abschreckung von Straftätern, gleichzeitig aber auch um die zu harschen Zustände in den Gefängnissen. Der *Gladstone Report* von 1895 stellte die Reform des Gefängnissystems in den Vordergrund und führte mit dem Erlass des *Prison Act* 1898 zu einer Umgestaltung des Gefängniswesens in den folgenden zwei Jahrzehnten. Junge Straftäter wurden von älteren, Erst- von Wiederholungstätern getrennt und es wurde mehr auf die Bedürfnisse des einzelnen Gefangenen eingegangen. Ferner wurde eine Reihe neuer Sanktionen eingeführt oder formalisiert, wie die Freilassung auf Bewährung *(probation)* und unter Auflagen. Für jugendliche Straftäter zwischen 15 und 21 Jahren wurde das sogenannte *borstal training* eingeführt, eine Freiheitsstrafe, auf die ein Zeitraum der Überwachung folgte. Gefängnisstrafen für Kinder wurden eingeschränkt. Zudem kam es Anfang des 20. Jahrhunderts zur Schaffung neuer Institutionen, zum Beispiel einer Behörde, die für die Überwachung freigelassener Häftlinge zuständig war, und zahlreicher Einrichtungen speziell für jugendliche Straftäter. Der Strafvollzug richtete sich mehr auf die Resozialisierung der Täter als auf Abschreckung. Diese Entwicklungen setzten sich mit kaum schwankenden Gefangenenzahlen bis zur Zeit des 2. Weltkrieges fort.

Ein Meilenstein in der Entwicklung des englischen Strafvollstreckungsrechts war die Abschaffung der Todesstrafe *(death penalty)*. Bereits ab 1837 wurde diese nur noch für Mord und Hochverrat verhängt. Trotz wachsender Ablehnung der Todesstrafe erfolgte ihre Abschaffung erst über 100 Jahre später. Zum einen war in der Strafrechtswissenschaft wie auch in der Politik umstritten, ob eine 20-jährige Freiheitsstrafe tatsächlich humaner sei als die Todesstrafe. Zum anderen bremsten verschiedene spektakuläre Verbrechen den Entschluss zur Abschaffung. Erst mit der Verabschiedung des *Murder (Abolition of Death Penalty) Act* 1965 wurde die Todesstrafe abgeschafft. Zunächst galt dies nur vorläufig für eine Dauer von fünf Jahren. Am 18. Dezember 1969 wurde schließlich ihre permanente Abschaffung beschlossen. Bis zur Unterzeichnung des 6. Zusatzprotokolls zur EMRK über die Abschaffung der Todesstrafe durch das Vereinigte Königreich, die am 27. Januar 1999 erfolgte, konnte die Todesstrafe jedoch theoretisch weiterhin verhängt werden für Hochverrat, gewalttätige Piraterie sowie Brandstiftung in den königlichen Werften. Im Jahr 2003 trat das Vereinigte Königreich schließlich auch dem 13. Zusatzprotokoll zur EMRK bei, durch das die Todesstrafe vollständig abgeschafft wurde.

Die Zeit zwischen dem 2. Weltkrieg und den frühen 1970er Jahren stellte den Höhepunkt des Resozialisierungsideals dar, obwohl mit der Anzahl der registrierten Straftaten die Gefangenenzahl kontinuierlich anstieg. Eine Reihe von teilweise spektakulären Ausbrüchen und Ausbruchsversuchen Ende der 1960er Jahre setzte eine Diskussion über die Sicherheit der Gefängnisse in Gang und führte zu einem System der Einteilung von Gefangenen nach dem Grad ihrer Gefährlichkeit und ihrer Unterbringung in unterschiedlichen Haftanstalten. Obwohl der Anteil der Geldstrafe mehr und mehr zunahm, stiegen die Gefangenenzahlen weiter. Vorzeitige Freilassung unter Auflagen, und später auch ohne Auflagen, wurde zunächst im Rahmen der Resozialisierung eingesetzt, dann vornehmlich, um die Gefängnisse zu entlasten. Im *Criminal Justice Act* 1967 wurde erstmals eine völlig neue Sanktion eingeführt: die zur Bewährung ausgesetzte Freiheitsstrafe *(suspended sentence of imprisonment)*; aber auch diese konnte nur kurzfristig zu einer Entlastung der Gefängnisse beitragen. Die Überfüllung der Vollzugsanstalten führte sowohl zu Protesten des Personals als auch zu Aufständen von Gefangenen, sodass das Hauptanliegen in den 1970ern die Herstellung von Sicherheit und Ordnung in den Haftanstalten war. Mit dem Bericht eines Ausschusses kehrte man vom Behandlungsvollzug ab und setzte auf „positive Haft" *(positive custody)*. Der Versuch, Haftstrafen möglichst selten anzuwenden, scheiterte; 1982 folgte das größte Programm zum Bau von neuen Gefängnissen.

In den 1990er Jahren erreichte das englische Gefängniswesen eine neue Dimension. Durch den *Criminal Justice Act* 1991 wurde dem Innenminister die Kompetenz verliehen, den Unterhalt von Gefängnissen zu privatisieren. Im April 1992 wurde das erste private Gefängnis eröffnet. Bis heute gibt es jedoch nur eine recht geringe Zahl vollständig privatisierter Gefängnisse.

Bis heute steigen die Gefangenenzahlen kontinuierlich. In England und Wales herrscht eine Überbelegung der Gefängnisse von 113 %. Dem wird zum einen mit dem Bau neuer Gefängnisse begegnet, zum anderen mit dem Versuch, alternative Sanktionen einzuführen, bei denen der Täter keine Freiheitsstrafe verbüßen muss. Diese lassen sich unter dem Begriff der ambulanten Sanktion, der *community sentence*, zusammenfassen. Sie reichen von gemeinnütziger Arbeit bis bin zum Hausarrest mit elektronischer Überwachung.[14] Die allgemeine Tendenz bei der Strafzumessung geht aber weiterhin zur Verschärfung durch die Schaffung neuer Straftatbestände sowie Einführung von Mindest- und der Erhöhung der Höchststrafen.

Literaturhinweise zu Abschnitt G.

Ashworth, Andrew, Principles of Criminal Law. 6. Aufl. Oxford 2009.

Baker, J.H., An Introduction to English Legal History. 3. Aufl. London 1990, S. 570–609.

Ball, Caroline, Youth Justice? Half a Century of Responses to Youth Offending. CrimLR (2004) 167–180.

Blackstone's Criminal Practice 2009. Lord Justice Hooper/David Ormerod (eds.). Oxford 2008, Section D3: Court, Judges and Parties, S. 1266–1311.

Blackstone, Sir William, Commentaries on the laws of England in four books. Hrsg. von Thomas M. Coley. 3. Aufl. London 2003.

Elliott, Catherine/Quinn, Frances, English Legal System. 10. Aufl. Harlow 2009.

Gibson, Bryan, The New Home Office. 2. Aufl. Winchester 2008.

– The New Ministry of Justice. 2. Aufl. Winchester 2008.

Halsbury's Statutes of England and Wales. 4. Aufl. Vol. 12 (1), 2008 Reissue. London 2008, S. 4–75.

Hostettler, John, A History of Criminal Justice in England and Wales. Hook 2009.

Ip, John, The Rise and Spread of the Special Advocate. PL (2008) 717–741.

Livingstone, Stephen/Owen, Tim/Macdonald, Alison, Prison Law. 4. Aufl. Oxford 2008, S. 1–39.

Manchester, A.H., Modern Legal History of England and Wales 1750–1950. London 1980, S. 160–170; 180–260.

Milsom, S.F.C., Historical Foundations of the Common Law. 2. Aufl. London 1981, S. 403–428.

---

[14] Siehe hierzu auch oben I.A.5.d. und e.

Newburn, Tim/Reiner, Robert, From PC Dixon to Dixon Plc: Policing Policing Powers Since 1954. CrimLR (2004) 601–618.

Radzinowicz, Leon/Hood, Roger, A History of English Criminal Law and Its Administration from 1750, vol. 5 The Emergence of Penal Policy. London 1986.

Saunders, Andrew/Young, Richard, Criminal Justice. 3. Aufl. Oxford 2007.

Stephen, Sir James Fitzjames, A History of the Criminal Law of England, vol. I–III. London 1883.

Taylor, Richard/Wasik, Martin/Lenger, Roger, Blackstone's Guide to the Criminal Justice Act 2003. Oxford 2004.

Thornton, Peter, Trial by Jury: 50 Years of Change. CrimLR (2004) 683–701.

Vogler, Richard, A World View of Criminal Justice. Aldershot 2005, S. 127–155; 199–214.

Walker, Clive, Blackstone's Guide to the Anti-Terrorism Legislation. 2. Aufl. Oxford 2009.

Ward, Richard/Bettinson, Vanessa, Criminal Justice and Immigration Act 2008. A Practitioner's Guide. Bristol 2008.

Wasik, Martin, Going Around in Circles? Reflections on Fifty Years of Change in Sentencing. CrimLR (2004) 253–265.

Rechtsprechung

Secretary of State for the Home Department v AF and another and one other action [2009] UKHL 28

Condron v United Kingdom (Appl. no. 35718/97)

R v Prince (1875) 2 LR CCR 154

R v Woodrow (1848) 15 M & W 404

Abkürzungsverzeichnis zum Landesbericht England und Wales

AC	Appeal Cases (Entscheidungssammlung)
All ER	All England Law Reports (Entscheidungssammlung)
Appl. no.	Application no. (Beschwerde Nr.)
BAILII	British and Irish Legal Information Institute
BritJCriminology	British Journal of Criminology (Fachzeitschrift)
BSC	British Crime Survey
CL	Criminal Lawyer (Fachzeitschrift)
CLJ	Cambridge Law Journal (Fachzeitschrift)
CLP	Current Legal Problems (Fachzeitschrift)
CoE	Council of Europe / Europarat
CPS	Crown Prosection Service
Cr App R	Criminal Appeal Reports (Entscheidungssammlung)
CrimLR	Criminal Law Review (Fachzeitschrift)
DPP	Director of Public Prosecutions
ECJ	European Court of Justice
ECR	European Court Reports (Entscheidungssammlung)
EGMR	Europäischer Gerichtshof für Menschenrechte
EHRLR	European Human Rights Law Review (Fachzeitschrift)
EHRR	European Human Rights Report (Entscheidungssammlung)
EMRK	Europäische Konvention zum Schutze der Menschenrechte und Grundfreiheiten
EU	Europäische Union
EWHC	England and Wales High Court
EWR	Europäischer Wirtschaftsraum
HL	House of Lords
HM	Her Majesty
HMSO	Her Majesty's Stationary Office
ICPS	International Centre for Prison Studies
IPP	Imprisonment for Public Protection
Lloyd's Rep	Lloyd's Law Report (Entscheidungssammlung)
LQR	Law Quarterly Review (Fachzeitschrift)
LR CCR	Law Reports, Crown Cases Reserved (Entscheidungssammlung)

M & W	Meeson & Welsby's Exchequer Reports (Entscheidungssammlung)
Mio.	Millionen
MLR	Modern Law Review (Fachzeitschrift)
Mrd.	Milliarden
NATO	North Atlantic Treaty Organisation
NLJ	New Law Journal (Fachzeitschrift)
OECD	Organisation für wirtschaftliche Zusammenarbeit und Entwicklung
OJLS	Oxford Journal of Legal Studies (Fachzeitschrift)
OPSI	Office of Public Sector Information
OSZE	Organisation für Sicherheit und Zusammenarbeit in Europa
PL	Public Law (Fachzeitschrift)
QB	Queen's Bench (Entscheidungssammlung)
R	Rex, Regina
StanLRev	Stanford Law Review (Fachzeitschrift)
UKHL	United Kingdom House of Lords (neutrale Zitierweise)
UN	United Nations
UNO	United Nations Organization
v	versus
Vol.	Volume
WLR	Weekly Law Reports (Entscheidungssammlung)
ZStW	Zeitschrift für die gesamte Strafrechtswissenschaft

Rahmenbedingungen, Vorgaben, Grundlagen und Entwicklung des Strafrechts in

Frankreich

Peggy Pfützner • Sabine Adams • Leveke Neumann

Inhaltsverzeichnis

A. Nationale Rahmenbedingungen

1. Geografie

Die französische Republik *(République française)* liegt im Westen Europas. Mit einer Fläche von 543.965 km² (2008)[1] (beziehungsweise 632.834 km² inklusive der *Départements d'outre-mer*)[2] ist Frankreich eines der größten europäischen Länder und vor Spanien das flächenmäßig größte Land in der EU. Nachbarländer sind Belgien, Luxemburg, Deutschland, die Schweiz, Italien, Monaco, Spanien und Andorra. Frankreich hat mehrere Zugänge zum Meer: im Süden zum Mittelmeer, im Westen zum Atlantik und im Norden zum Ärmelkanal. An der Grenze zu Spanien, im Südwesten des Landes, liegen die Pyrenäen. Das Zentralmassiv und die Alpen sind im Südosten gelegen. Das französische Staatsgebiet hat die Form eines Sechsecks, weshalb Frankreich auch als „L'Hexagone" bezeichnet wird.

Zu Frankreich gehören die Insel Korsika und neben dem Mutterland *(France métropolitaine)* in Europa auch die externen Landesteile Französisch-Guayana, Französisch-Polynesien, Guadeloupe, Martinique, Mayotte, Neukaledonien, La Réunion, Saint-Pierre und Miquelon, Wallis und Futuna sowie die Süd- und Antarktisgebiete St. Martin und St. Barthélemy. Diese außereuropäischen Gebiete sind das Erbe kolonialer Vergangenheit. Sie gehören zum Einheitsstaat Frankreich, haben jedoch jeweils einen besonderen Status.[3]

Die größte Stadt Frankreichs ist mit geschätzten 2.153.600 Einwohnern (2005)[4] die Hauptstadt Paris. Weitere Großstädte sind etwa Marseille (820.900), Lyon (466.400), Toulouse (435.000), Nizza (347.000), Nantes (281.800) und Straßburg (272.700).[5]

---

1 Fischer Weltalmanach 2009.

2 La France en bref (siehe unten Quellenhinweise).

3 Mehr dazu unten A.4.

4 La France en bref.

5 La France en bref.

2. Bevölkerung

a) Bevölkerungszahl und -gruppen

Am 1. Januar 1999 (Stichtag der letzten offiziellen Volkszählung) wurden in Frankreich 58.518.395 Einwohner gezählt.[6] Zum 1. Januar 2008 wurde die Bevölkerung auf 61.875.000 Einwohner (63.753.000 einschließlich der in den externen Landesteilen lebenden Menschen) geschätzt.[7] Damit liegt Frankreich mit etwa 114 Einwohnern pro km² (nur bezogen auf das Mutterland) nach Deutschland auf Platz zwei der bevölkerungsreichsten Länder in der EU (Weltrang 20)[8] und hat einen Bevölkerungsanteil von etwa 13 % (2007)[9] innerhalb der EU. Allerdings ist die Bevölkerungsdichte innerhalb Frankreichs ungleich verteilt. Dicht besiedelten Ballungszentren um große Städte wie Paris, Marseille, Lyon und Toulouse stehen wenig besiedelte ländliche Regionen gegenüber. Damit ist die Bevölkerung vorwiegend in den Städten konzentriert (44,2 Millionen); nur etwa 14,3 Millionen der Einwohner leben auf dem Land.[10] Das Bevölkerungswachstum liegt aufgrund einer vergleichsweise hohen Geburtenrate von zwei Kindern pro Frau bei 0,6 % (2007).[11]

Die Altersstruktur der Bevölkerung stellt sich wie folgt dar: 24,7 % sind unter 20 Jahren, 54 % zwischen 20 und 59 Jahren und 21,3 % über 60 Jahren (davon 8,4 % über 75 Jahren).[12] Der Anteil der Frauen (geschätzt auf 31.801.000 im Jahr 2008) an der Gesamtbevölkerung war schon seit Ende des Zweiten Weltkrieges höher als der der Männer (geschätzt auf circa 30 Millionen im Jahr 2008).[13]

Rund 90 % (2005) der Einwohner des Landes sind gebürtige Franzosen. Durch Einbürgerung erwarben 4,3 % (2005) die französische Staatsangehörigkeit. Der Ausländeranteil liegt bei 5,7 % (2005).[14] Die stärkste Gruppe bilden dabei Algerier und Marokkaner, viele Immigranten stammen auch aus dem europäischen Ausland (insbesondere aus Portugal, Italien und Spanien). Einen großen Anteil stellen darüber hinaus türkischstämmige Einwohner sowie Tunesier.[15] Die Einwanderungszahl wird für 2007 auf 71.000 Personen geschätzt; sie ist im Vergleich zu früheren Zahlen (um 100.000 Personen) rückläufig. Im Jahr 2007 war nur ein Fünftel des Bevölkerungswachstums auf Immigration zurückzuführen. Der größte Teil beruht im Gegensatz zu anderen europäischen Ländern auf einem natürlichen Bevölkerungswachstum.

---

6 Population en France métropolitaine (siehe unten Quellenhinweise).

7 Bilan démographique 2007 (siehe unten Quellenhinweise).

8 Fischer Weltalmanach 2009.

9 Bilan démographique 2007.

10 Population urbaine et rurale (siehe unten Quellenhinweise).

11 La France en bref.

12 La France en bref.

13 Evolution du nombre de femmes et d'hommes (siehe unten Quellenhinweise).

14 Population selon la nationalité (siehe unten Quellenhinweise).

15 Les immigrés selon leur pays de naissance (siehe unten Quellenhinweise).

b) Sprache

Die Landessprache ist Französisch. Regional werden jedoch auch Baskisch, Bretonisch, Elsässisch, Flämisch, (Mosel)Fränkisch, Katalanisch, Korsisch und Okzitanisch gesprochen.[16]

c) Religion

Frankreich ist ein laizistischer Staat. Glaubensgemeinschaften und Staat sind streng voneinander getrennt. Daher gibt es auch keine staatlichen Erhebungen über die Religionszugehörigkeit der Einwohner. Nach Schätzungen sind 83–88 % der Franzosen katholisch, 2 % protestantisch, 1 % jüdisch und 5–10 % muslimisch.[17]

3. Wirtschaft

Die französische Wirtschaft ist traditionell von vergleichsweise starken staatlichen Eingriffen geprägt. Waren früher Colbertismus und Etatismus vorherrschend, so hat sich die Rolle des Staates im Wirtschaftsleben seit den 1980er Jahren durch Reformen, insbesondere durch die Privatisierung staatlicher Unternehmen und durch Deregulierungsmaßnahmen, gewandelt. Die europäischen Regelwerke zwangen Frankreich bei der Eingliederung in die EU dazu, seine staatliche Regulierung zugunsten marktwirtschaftlicher Strukturen abzubauen.

Mit einem Bruttoinlandsprodukt (BIP) von 2.248,091 Milliarden US-$ (2006) ist Frankreich die sechstgrößte Wirtschaftsmacht der Welt. Der größte Anteil des BIP wird im Dienstleistungssektor erwirtschaftet (77,2 %), einen bedeutenden Anteil macht auch die Industrie (20,8 %) aus. 2 % des BIP entfallen auf den Agrarbereich. Wichtigster Handelspartner ist die Bundesrepublik Deutschland: 17 % der Importe stammten aus Deutschland und 15 % der Exporte gingen in die Bundesrepublik.[18]

Die Erwerbsquote (Erwerbstätige und Arbeitslose) beträgt bei den Männern 61,7 % und 49,3 % bei den Frauen. Rund 76 % der Erwerbstätigen arbeiten im Dienstleistungsbereich, circa 14 % in der Industrie, 6,4 % im Bausektor und 3,6 % in der Landwirtschaft.[19] Etwa jeder fünfte französische Staatsbürger arbeitet als Staatsdiener. Die Arbeitslosigkeit lag im Jahr 2007 bei 7,9 % und ist damit im Vergleich zum Jahr 2005 (9,8 %) gesunken.[20]

---

16 Fischer Weltalmanach 2009.

17 CIA – The World Factbook.

18 Fischer Weltalmanach, 2009.

19 La France en bref.

20 CIA – The World Factbook, La France en bref.

Das Bruttonationaleinkommen betrug 2006 je Einwohner 36.560 US-$.[21] Es gibt ein garantiertes Mindesteinkommen (*salaire minimum interprofessionnel de croissance*, SMIC), welches stetig angepasst wird. Lag der Minimalstundenlohn 2006 noch bei 8,27 Euro,[22] wurde er zum 1. Juli 2008 auf 8,71 Euro angehoben.

4. Staatsorganisation

Amtlich wird Frankreich als *République française* bezeichnet und ist eine zentralistisch organisierte Demokratie mit einem semi-präsidentiellen Regierungssystem, das sich an demokratischen, sozialen und liberalen Grundsätzen orientiert, dem Laizismus verpflichtet ist und sich auf das allgemeine Wahlrecht, die Vorherrschaft des Rechts *(suprématie du droit)* und einen politischen Pluralismus gründet. Das politische System ist in erster Linie durch die Verfassung bestimmt, die auf den wesentlichen Prinzipien von Demokratie, Gewaltenteilung und Parlamentarismus aufgebaut ist. Die Verfassung wurde nach der Proklamation der V. Republik (1958) durch das Referendum am 28. September 1958 angenommen und trat am 4. Oktober 1958 in Kraft. Ihr liegt die republikanische Tradition im Sinne eines letzten Zufluchtorts des gesunden Menschenverstands und der Demokratie zugrunde, die im Anschluss an den Sturz Napoleons III. mit Beginn der III. Republik (1870/71) begründet worden war. Nach dem Ende der von großer Instabilität geprägten IV. Republik (Algerienkrieg, instabiles parlamentarisches System mit kurzlebigen Kabinetten) zielte die neue Verfassung nunmehr vor allem auf die Etablierung eines stabilen und langlebigen politischen Systems. Mit dem Beginn der V. Republik unter *De Gaulle* wurde daher auch die Staatsorganisation neu gestaltet. Wesentliche verfassungsrechtliche Neuerungen waren die Stärkung der Staatsgewalt durch eine Begrenzung der Parlamentszuständigkeit, eine Erschwerung der Möglichkeiten des Parlaments, die Regierung zu stürzen, sowie eine Förderung der demokratischen Legitimität des Staatspräsidenten durch die Einführung der Direktwahl. In Frankreich herrscht heute ein Dualismus von parlamentarischem und präsidialem Prinzip.

Zentralfigur des politischen Systems ist der Staatspräsident (II. Titel der Verfassung, Art. 5–19). Die Verfassung gibt das Bild eines überparteilichen Schiedsrichters vor, der Hüter der Verfassung und der Institutionen sowie der nationalen Unabhängigkeit ist (Art. 5 Verfassung). Der Präsident steht (gemeinsam mit dem Premierminister als Regierungschef) an der Spitze der Exekutive und ist Befehlshaber der Streitkräfte (Art. 15 Verfassung). Er hat weitreichende Machtbefugnisse, die er teils in eigener Zuständigkeit, teils gemeinsam mit dem Premierminister oder einem zuständigen Fachminister ausübt. Die Macht des Präsidenten ergibt sich vor

---

21 Fischer Weltalmanach, 2009.

22 La France en bref.

allem aus den ihm allein zustehenden Befugnissen: Ihm obliegt die Ernennung des Premierministers und auf dessen Vorschlag die der weiteren Minister (Art. 8 Verfassung). Er beraumt Referenden an (Art. 11 Verfassung) und hat die Möglichkeit, Mitteilungen an das Parlament zu senden (Art. 18 Verfassung). Wichtigste Machtbefugnisse des Präsidenten sind die Möglichkeit der Auflösung der Nationalversammlung (Art. 12 Verfassung) sowie weitreichende Befugnisse im Fall der Verkündung des Notstands (Art. 16 Verfassung). Er ist zudem traditionell Vorsitzender des Ministerrates und verkündet die Gesetze (Art. 13 Verfassung). Er unterliegt allerdings keiner politischen Verantwortlichkeit. Während seiner Amtszeit kann er weder vom Parlament gestürzt noch vom Volk abgewählt werden. Allein im Fall einer Anklage wegen Hochverrats (Art. 67 und 68 Verfassung) kann er zur Verantwortung gezogen werden. Während seiner Amtzeit genießt der Präsident zudem strafrechtliche Immunität. Der im *Palais de l'Elysée* in Paris residierende Staatspräsident wird für eine fünfjährige Amtszeit direkt vom Volk gewählt, eine Wiederwahl ist nur einmal möglich.

Die Regierung, bestehend aus dem Premierminister und den Fachministern, bestimmt und leitet die Politik der Nation (Art. 20 Verfassung). In Zeiten der Kohabitation, das heißt, wenn die parlamentarische Mehrheit von der präsidialen Mehrheit abweicht, bildet der Premierminister ein Gegengewicht zum Staatspräsidenten. Die Regierung ist darüber hinaus der Nationalversammlung gegenüber verantwortlich (Art. 20 Verfassung). Ein „Sturz" der Regierung ist mit Beginn der V. Republik durch die Einführung eines Verfahrens des Misstrauensantrags *(motion de censure)* mit besonderen formellen Anforderungen deutlich schwieriger geworden (Art. 49 und 50 Verfassung). Dem Premierminister steht als wesentliche Befugnis das Recht der Gesetzesinitiative zu (Art. 39 Verfassung). Auch in diesem Punkt fand eine Stärkung der Stellung der Regierung gegenüber dem Parlament statt. Zwar werden die Gesetze weiterhin vom Parlament verabschiedet. Doch muss dies in einer Weise geschehen, die sicherstellt, dass sich ein Regierungsvorhaben auch tatsächlich realisieren lässt.

Die Aufgabe der Gesetzgebung liegt beim Parlament (Art. 24 Verfassung), das aus zwei Kammern besteht: der Nationalversammlung *(Assemblée Nationale)* und dem Senat *(Sénat)*, wobei ersterer größere Bedeutung zukommt. Die Nationalversammlung setzt sich zusammen aus 577 vom Volk gewählten Abgeordneten, der Senat aus 331 indirekt gewählten Senatoren (die Anzahl der Senatoren soll bis 2010 auf 346 angehoben werden). Dem Parlament kommt neben der Gesetzgebung insbesondere die Aufgabe der Kontrolle der Regierung zu. Im Gegensatz zur III. und IV. Republik sind die parlamentarischen Machtbefugnisse heute dahingehend beschränkt, dass die parlamentarischen Handlungen einer Rechtskontrolle zugänglich sind. Hintergrund ist, dass die parlamentarischen Verhältnisse in der III. und IV. Republik zu großer ministerieller Instabilität und einer Stagnation der Regierungsgeschäfte führten, sodass eine Einschränkung der parlamentarischen Kräfte erforderlich wurde.

Der Verfassungsrat *(Conseil constitutionnel)* ist eine institutionelle Neuheit der V. Republik und ansatzweise – zumindest in seiner Funktion – einem Verfassungsgericht vergleichbar. Er besteht aus neun Mitgliedern (nicht zwingend Juristen), die für neun Jahre zu je einem Drittel vom Staatspräsidenten, dem Präsidenten der Nationalversammlung und dem Senatspräsidenten bestimmt werden. Alle ehemaligen Staatpräsidenten gehören dem Verfassungsrat automatisch auf Lebenszeit an. Der Verfassungsrat kann vom Staatspräsidenten, dem Premierminister, dem Präsidenten der Nationalversammlung und dem Senatspräsidenten sowie von je 60 Abgeordneten oder Senatoren angerufen werden. Zu seinen Aufgaben gehört etwa die Überwachung der ordnungsgemäßen Durchführung der Wahlen und des Verfahrens bei Volksentscheiden. Er überprüft zudem die verfassungsergänzenden Gesetze *(lois organiques)* und kontrolliert internationale Verträge auf ihre Übereinstimmung mit der Verfassung (Art. 54 Verfassung). Gemäß Art. 61 Abs. 2 Verfassung können im Rahmen eines Normenkontrollverfahrens dem Verfassungsrat auch Gesetze vor ihrer Verkündung zur Begutachtung vorgelegt werden. Erklärt der Verfassungsrat ein Gesetz für verfassungswidrig, kann es weder verkündet noch angewandt werden. Bedeutend ist, dass eine Kontrolle nach Verkündung eines Gesetzes hingegen nicht stattfindet und eine nachträgliche verfassungsrechtliche Überprüfbarkeit damit ausgeschlossen ist. Schließlich kann der Verfassungsrat bei Fragen oder Streitigkeiten über Gesetzgebungskompetenzen (Art. 34 Verfassung) um eine Entscheidung innerhalb von acht Tagen ersucht werden.

Frankreich ist ein zentral organisierter Einheitsstaat. Dies kommt insbesondere in der Verwaltungsorganisation zum Ausdruck. Sie ist davon geprägt, dass sich auf der einen Seite der Zentralstaat und auf der anderen die Gebietskörperschaften (Regionen, Departements und Gemeinden) gegenüberstehen. Der Zentralstaat ist vor allem in Paris durch seine Ministerien präsent. Die Zentralregierung lenkt jedoch von Paris aus die gesamte staatliche Verwaltung, indem sie durch dekonzentrierte Dienststellen ihren Wirkungsbereich sehr weit ausdehnt. Diesen nachgeordneten staatlichen Behörden stehen jeweils die Gebietskörperschaften *(collectivités territoriales)* mit ihren eigenen Verwaltungen gegenüber. Diese sind Ausdruck bestehender Dezentralisierungstendenzen.

Dekonzentration *(déconcentration)* und Dezentralisierung *(décentralisation)* sind streng voneinander zu unterscheiden. Erstere bedeutet eine Verlagerung der Verwaltungszuständigkeiten auf lokale Dienststellen, die dennoch zentral gelenkt werden. Die Dezentralisierung stützt sich hingegen auf autonome Gebietskörperschaften mit eigener Rechtspersönlichkeit. Verwaltungseinheiten im Rahmen der Dekonzentration sind zunächst die 26 Regionen (4 davon in Übersee), in welche Frankreich unterteilt ist. Jede Region ist in mehrere *Departements* untergliedert (insgesamt 96, davon 4 in Übersee), welche wiederum in *Arrondissements* gegliedert sind, die ihrerseits in *Cantons* unterteilt sind. Als autonome Gebietskörperschaft auf der untersten Ebene ist zunächst die Gemeinde *(commune)* von Bedeutung. In Frankreich gibt es 36.564 Kommunen (36.778 einschließlich der überseeischen Gebiete). Organe der Gemeinde sind der Gemeinderat und der Bürgermeister. Die Gemeindeverwaltung wird durch den auf sechs Jahre direkt gewählten Gemeinderat, an dessen Spitze der Bürgermeister steht, organisiert. Der Bürgermeister hat jedoch eine doppelte Stellung. Als Folge des Zentralstaats ist er Repräsentant des Staates in der Gemeinde. Im Rahmen der Selbstverwaltung ist er Vertreter der Kommune. Auch auf der Ebene der Departements kommen sowohl zentralstaatliche- als auch Dezentralisierungselemente zur Geltung. Vertreter der Staatsgewalt im Departement ist der von der Regierung ernannte Präfekt *(préfet)*. Er verkörpert die Einheit der Nation und ist Symbol der territorialen Verankerung des Staates. Selbstverwaltungsorgan ist der Departementsrat *(conseil général)*, dem die Generalräte *(conseillers généraux)* angehören. Durch den Wegfall der Staatsaufsicht *(tutelle)* und die Dezentralisierungsgesetze haben sich seit 1982 die Machtbefugnisse zugunsten des Präsidenten des Generalrates verlagert. Auch die Stellung der Regionen hat sich im Lauf der Zeit gewandelt. Durch die Dezentralisierungsgesetze erhielten die Regionen den Status selbstständiger Gebietskörperschaften. Ihre Stellung ist seit 2003 auch in der Verfassung verankert (Art. 72). Organ der Region ist der Regionalrat. Der Zentralstaat wird durch den Regionalpräfekten vertreten. Der Präfekt des Departements, in dem sich die regionale Hauptstadt befindet, ist in Personalunion auch Regionalpräfekt.

In den überseeischen Gebieten wird zwischen den vier *Départements d'outre-mer* (DOM: Französisch-Guayana, Guadeloupe, Martinique und La Réunion) und den *Collectivités d'outre-mer* (COM) unterschieden. Die DOM haben den Status eines Departements und einer Region. Die COM hingegen haben eine größere Autonomie in Fragen der Selbstverwaltung. Alle Bürger der überseeischen Gebiete sind französische Staatsbürger und in der Nationalversammlung wie dem Senat durch Repräsentanten vertreten.

Unter den verschiedenen Interessenverbänden gibt es auf Arbeitnehmerseite zwar mehrere Gewerkschaften, doch spielen diese in Frankreich eine eher untergeordnete Rolle. Nur etwa 8 % der Beschäftigten sind in Gewerkschaften organisiert. Grund für diese geringe Organisationsdichte ist die Zersplitterung in Richtungsgewerkschaften und ein starker Mitgliederschwund. Die französischen Gewerkschaften haben weniger die Verhandlung um Tarifabschlüsse als vielmehr direkte Aktionen, hauptsächlich Streiks zum Ziel. Das Streikrecht ist über die Präambel der Verfassung von 1958, die auf die Präambel von 1946 verweist, verfassungsrechtlich garantiert und gilt als hohes soziales Gut. Die Arbeitgeber sind hauptsächlich in zwei Arbeitgeberverbänden organisiert. Von Bedeutung sind ferner der Lehrerverband und mehrere Bauernverbände. Einfluss auf die Politik nehmen die verschiedenen Interessenverbände durch Kontakte zu den jeweiligen Ministerien sowie durch die Mitwirkung in Beratungsgremien.

5. Kriminalität und Strafverfolgung

a) Ermittlungsbehörden

Nach Art. 1 Abs. 1 in Verbindung mit Art. 31 des Strafprozessgesetzes (*Code de procédure pénale*, CPP) ist die Staatsanwaltschaft *(ministère public)* für die Strafverfolgung *(action publique)* zuständig. Der Staatsanwaltschaft sind Beamte der Kriminalpolizei *(police judiciaire)* – zu unterscheiden von der administrativen Polizei *(police administrative)* – als Hilfsbeamte unterstellt, die sie bei der Strafverfolgung unterstützen (Art. 12, 41 CPP). Von dem polizeilichen Ermittlungsverfahren *(enquête policière)* ist das Untersuchungsverfahren (*instruction* oder *information judiciaire*) zu unterscheiden. Dieses liegt in der Zuständigkeit des Untersuchungsrichters *(juge d'instruction)*. Der Untersuchungsrichter wird in schwierigen Verfahren oder obligatorisch bei der Verfolgung von Verbrechen eingeschaltet. Er wird jedoch nur auf Antrag der Staatsanwaltschaft *(réquisitoire introductif)* tätig. Ist der Untersuchungsrichter in ein Verfahren eingeschaltet, so ist er bis zur Anklageerhebung Herr des Ermittlungsverfahrens. Danach übernimmt der Staatsanwalt (*procureur* oder *magistrat du parquet*) die Anklagevertretung. Das Verfahren vor dem Untersuchungsrichter ist im Unterschied zu dem späteren Anklageverfahren inquisitorisch geprägt. Über die vom Untersuchungsrichter ergriffenen Maßnahmen wacht die Untersuchungskammer *(chambre de l'instruction)*. Der Untersuchungsrichter kann grundsätzlich alle Maßnahmen ergreifen, die der Ermittlung des strafrechtlich relevanten Vorgangs dienlich sind (Art. 81 CPP). Die Untersuchungshaft *(détention provisoire)* muss hingegen beim Freiheits- und Haftrichter *(juge des libertés et de la détention)* beantragt werden.

Die Anwärter des höheren Polizeidienstes *(commissaires de police)* besuchen für zwei Jahre die *École nationale supérieure de la police* in Saint-Cyr-au-Mont-d'Or bei Lyon, wobei theoretisches Studium und praktische Ausbildung sich abwechseln. Die Anwärter des gehobenen Polizeidienstes der Kriminalpolizei *(inspecteurs de police)* werden an der *École supérieure des inspecteurs de la police* in Cannes über 16 Monate – auch hier im Wechsel zwischen Theorie und Praxis – ausgebildet.[23]

Das *Observatoire national de la délinquance* (OND) gibt monatlich eine Übersicht über die bekanntgewordenen Straftaten heraus. Die Jahresübersicht für 2007 weist 2.363.519 Straftaten gegen Sachwerte *(atteintes aux biens)* und damit 6,7 % weniger als im Jahr 2006 aus. Es wurden 433.284 vorsätzliche Angriffe auf die körperliche Unversehrtheit (*atteintes volontés à l'intégrité physique* – umfasst auch sexuelle Übergriffe und Bedrohungen) verzeichnet, wobei ein leichter Rückgang um 0,2 % zu verzeichnen ist. Im Bereich der Betrugs-, Wirtschafts- und Finanzstraftaten ist hingegen ein Anstieg um 3,4 % auf 345.419 bekannt gewordene Fälle registriert worden. Die Aufklärungsquote lag 2007 bei 36,1 %.[24]

---

[23] Zur Ausbildung der Staatsanwälte und Untersuchungsrichter siehe unten 5.c.

[24] Bulletin pour l'année 2007 (siehe unten Quellenhinweise).

b) Anklagebehörden

Die Strafverfolgung *(poursuite)* wird grundsätzlich durch die Staatsanwaltschaft als öffentliche Strafverfolgung *(action publique)* eingeleitet. Der Staatsanwaltschaft ist bei der Frage der Verfolgung und Anklageerhebung ein Ermessensspielraum gegeben *(opportunité des poursuites)*. Eine Verfolgungspflicht, wie sie in Systemen besteht, denen das Gesetzlichkeitsprinzip zugrunde liegt, kennt das französische Strafverfahrensrecht nicht. Entscheidet sich die Staatsanwaltschaft jedoch gegen die Einleitung eines Verfahrens, so kann jede Person, die durch die Straftat verletzt wurde, selbst ein Verfahren vor den Strafgerichten einleiten (Art. 2 Abs. 1 CPP) *(action civile)*. Dazu muss sie sich je nach Straftat vor dem *tribunal de police* (bei Übertretungen), *tribunal correctionnel* (bei Vergehen) oder dem Untersuchungsrichter (bei Verbrechen) als Zivilpartei bestellen lassen und so das richterliche Ermittlungsverfahren einleiten *(plainte avec constitution de partie civile)*. Dies ist zumindest bei Verbrechen zwingend notwendig, kann bei Übertretungen und Vergehen aber auch durch das Verfahren der unmittelbaren Vorladung *(citation directe)* vor das Strafgericht ersetzt werden. Formell unterliegt die Privatklage denselben Voraussetzungen wie die Erhebung der öffentlichen Klage, es dürfen also keine Verfahrenshindernisse bestehen. Materiell muss der Privatkläger einen eigenen, auf dem angeklagten Geschehen beruhenden Nachteil schlüssig behaupten. Hält das jeweilige Gericht die Anklage für begründet, entscheidet es nicht nur über Schuld- und Straffrage, sondern auch über die zivilrechtliche Frage des Schadensersatzes (Art. 3 Abs. 2 CPP).

Das genannte Verfolgungsermessen des Staatsanwalts endet jedoch dort, wo zur Strafverfolgung ein Strafantrag *(plainte préalable)* nötig ist. Dies gilt nur bei wenigen Delikten, insbesondere bei Straftaten die ausschließlich ein privates Interesse verletzen, wie etwa der Verleumdung *(diffamation)* oder bei Angriffen auf die Privatsphäre *(atteintes à la vie privée)*. Der Staatsanwalt ist bei fehlendem Strafantrag gehindert, ein Verfahren einzuleiten, muss umgekehrt aber nicht tätig werden, selbst wenn ihm ein entsprechender Antrag vorliegt. Hat die Staatsanwaltschaft das Verfahren eröffnet, so kann sich der Geschädigte im Rahmen einer Nebenklage *(intervention)* am Verfahren beteiligen.

Im Jahr 2005 ermittelte die Staatsanwaltschaft in 4.838.441 Fällen, wovon 1.461.904 Fälle als verfolgbar eingestuft wurden. In 677.107 Fällen kam es zu einer Verfolgung, davon 32.613 vor dem Untersuchungsrichter.[25] Die Verurteilungsstatistik des Nationalen Statistikamtes wies im Jahr 2006 eine Verurteilung von 654.229 Personen aus.[26]

---

25 Annuaire statistique de la Justice (siehe unten Quellenhinweise).

26 Condamnés selon l'âge, le sexe et la nationalité (siehe unten Quellenhinweise).

c) Strafgerichte

Das französische Gerichtssystem ist durch eine Trennung zwischen ordentlicher Gerichtsbarkeit und Verwaltungsgerichtsbarkeit gekennzeichnet. Der ordentlichen Gerichtsbarkeit gehören sowohl die Zivilgerichte als auch die Strafgerichte an.

Die Strafgerichtsbarkeit wird von den sogenannten „Hohen Beamten des Richterstuhls" *(magistrats du siège)* ausgeübt. Traditionell wird zwischen Untersuchungsgerichten *(juridictions d'instruction)* und erkennenden Gerichten *(juridictions de jugement)* unterschieden, was mit der Stellung des Untersuchungsrichters im Strafverfahren zusammenhängt.[27] Dabei gehört der Untersuchungsrichter dem *tribunal de grande instance* (Großinstanzgericht) an, seine Funktion kann von jedem *magistrat du siège* beim Großinstanzgericht wahrgenommen werden.

Die sachliche Zuständigkeit der Strafgerichte erster Instanz orientiert sich an der Deliktsschwere. Dabei wird zwischen Übertretungen, Vergehen und Verbrechen unterschieden.[28] Für Übertretungen ist grundsätzlich das als Einzelrichter *(juge unique)* tagende „Polizeigericht" *(tribunal de police)* beim *tribunal d'instance* (Instanzgericht) zuständig (daneben gibt es noch das mit einem Laienrichter besetzte „wohnortnahe Gericht" *[juridiction de proximité]*, welches ebenfalls zur Aburteilung von Übertretungen zuständig ist). Landesweit gibt es 473 Polizeigerichte. Das Korrektionalgericht *(tribunal correctionnel)* beim *tribunal de grande instance* ist für Vergehen zuständig. Es gibt 181 Korrektionalgerichte, welche grundsätzlich mit jeweils drei Berufsrichtern besetzt sind und als eigene allgemeine Strafkammer beim jeweiligen Großinstanzgericht gebildet werden, aber auch als Einzelrichter entscheiden können (so beispielsweise für den Fall einer verhältnismäßig langen Prozessdauer, Art. 398 Abs. 1 CPP). Für spezielle Tatbestände sieht das Strafverfahrensgesetz die Bildung besonderer Strafgerichtskammern bei bestimmten Korrektionalgerichten vor. Dies gilt etwa für Wirtschafts- und Finanzstraftaten, terroristische Handlungen oder für Straftaten der organisierten Kriminalität. Für die Aburteilung der Verbrechen sind die Schwurgerichte *(cours d'assises)* zuständig. Dabei handelt es sich nicht um permanente Gerichte, sondern um solche, die für jedes Departement alle drei Monate aus drei Richtern, die permanenten Gerichten angehören, und neun Geschworenen *(jurés)* gebildet werden. Alle zwölf Personen entscheiden gemeinsam über Schuld- und Straffrage. Für minderjährige Straftäter (16- bis 18-Jährige) ist die *cour d'assises pour mineurs* zuständig.

In der Berufungsinstanz *(appel)* sind 33 Berufungsgerichte *(cours d'appel)* für Berufungen gegen erstinstanzliche Urteile des *tribunal de police*, der *juridiction de proximité* und des *tribunal correctionnel* zuständig. Die Berufungskammern sind mit drei Berufsrichtern besetzt. Für Berufungen gegen erstinstanzliche Urteile des Schwurgerichts ist jeweils eine andere Kammer des selben Schwurgerichts zustän-

---

[27] Siehe dazu oben 5.a.

[28] Siehe dazu II.C.1.b.

dig. In der Funktion als Berufungsinstanz ist das Schwurgericht mit drei Berufsrichtern und zwölf Geschworenen besetzt. Als Rechtskontrollinstanz *(pourvoi)* fungiert die Strafkammer beim Kassationsgerichtshof *(Chambre criminelle auprès de la Cour de cassation)*. Sie ist für Rechtskontrollen *(pourvois)* wegen Rechtsverletzung oder Nichtbeachtung der wesentlichen Formvorschriften oder fundamentaler Grundsätze aller unterinstanzlichen Strafgerichte zuständig. Zudem kommt ihr die Aufgabe der Harmonisierung der Gesetzesauslegung zu. In der Vollbesetzung *(assemblée plénière)* besteht die Strafkammer neben dem Vorsitzenden und sieben Generalstaatsanwälten *(avocats généraux)* noch aus 25 erkennenden Hauptrichtern *(conseillers)* und neun zeitweilig abgeordneten Richtern mit beratender Funktion *(conseillers référendaires)*.

Richter *(juges)* und Staatsanwälte *(magistrats)* haben die gleiche Ausbildung, denn in Frankreich gehören auch die Staatsanwälte dem Richterstand an. Traditionell wird zwischen dem *magistrat du siège* und dem *magistrat du ministère publique/magistrat debout* unterschieden. Erstere sind die rechtsprechenden Richter im eigentlichen Sinne (die ihrer Tätigkeit sitzend nachgehen). Letzteren obliegt die Verteidigung der Interessen der Allgemeinheit und die Sicherstellung der Einhaltung der Rechtsordnung als Staatsanwälte (die in der Regel stehend plädieren). Grundsätzlich muss nach dem Abitur zunächst das rechtswissenschaftliche Studium absolviert werden, welches teilweise durch ein Studium der Politikwissenschaften ersetzt werden kann. Dabei erwirbt der Student nach zwei Jahren das *diplôme d'études universitaires générales* (DEUG – *mention droit*), nach drei Jahren die *licence en droit* und nach vier Jahren die *maîtrise en droit*. Auch Nicht-Abiturienten können durch eine zweijährige Ausbildung die *capacité en droit* erwerben. Voraussetzung für den Beruf des Richters oder Staatsanwalts ist dann eine Ausbildung an der *Ecole nationale de la magistrature* (ENM). Nach Erreichen der *maîtrise en droit* müssen die Anwärter einen sogenannten *concours*, ein strenges Auswahl- und Rekrutierungsverfahren, bestehen, um an der ENM angenommen zu werden. Zur Vorbereitung dieser Bestenauslese gibt es die Möglichkeit, am *Institut d'études judiciaires* ein Vorbereitungsjahr zu absolvieren. Bei der ENM handelt es sich um eine öffentliche Einrichtung, die dem Justizministerium *(Garde des sceaux)* untersteht und die eine umfassende Ausbildung der zukünftigen Richter und Staatsanwälte garantieren soll. Allgemeine Einstellungsvoraussetzungen sind die französische Staatsbürgerschaft, bestimmte physische Anforderungen, geordnete Verhältnisse im Hinblick auf die militärischen Verpflichtungen, gute Moralvorstellungen sowie der Besitz aller zivilen Rechte. Neben der Rekrutierung aus den Reihen der Universitätsabgänger gibt es auch ein Auswahlverfahren, welches anderen Berufsgruppen mit Erfahrung auf rechtlichem Gebiet offen steht.

d) Sanktionen

Das Sanktionsrecht wird vom Grundsatz der Individualisierung *(individualisation)* beherrscht, das heißt, dass die jeweilige Strafe an die Schwere der Straftat und die Persönlichkeit des Täters angepasst sein soll. Darüber hinaus wird generell zwischen Strafe *(peine)* und Sicherungsmaßnahme *(mesure de sûreté)* unterschieden. Während erstere der Bestrafung einer in der Vergangenheit liegenden Tat dient, zielt die Sicherungsmaßnahme darauf ab, der vom Täter (auch noch) zukünftig ausgehenden Gefährlichkeit entgegenzuwirken, und stellt daher vielmehr eine Hilfsmaßnahme als eine Strafe dar. Die beiden Sanktionsarten bedienen damit unterschiedliche Funktionen des Strafrechts.[29]

Bezüglich der einzelnen Strafmöglichkeiten für natürliche Personen werden entsprechend der Deliktseinteilung im Strafgesetzbuch (*Code Pénal*, CP) – je nach Schwere der Straftat – Verbrechens-, Vergehens- und Übertretungsstrafen unterschieden (Art. 131-1 bis 131-18 CP). Daneben gibt es die Klassifizierung in Haupt- *(peine principale)*, Zusatz- *(peine accessoire)* und Ergänzungsstrafe *(peine complémentaire)*. Während die Hauptstrafe explizit durch den Richter verhängt werden muss und damit die eigentliche Strafe darstellt, tritt die Zusatzstrafe, wie zum Beispiel ein Berufsverbot, automatisch ein, wenn sie für den jeweiligen Straftatbestand vorgesehen ist. Zusatzstrafen finden sich überwiegend in strafrechtlichen Nebengesetzen. Die Ergänzungsstrafe wiederum muss – wie die Hauptstrafe – durch den Richter ausgesprochen werden. Zum Teil stellt das Gesetz ihre Verhängung ins richterliche Ermessen (dies gilt beispielsweise für das Verbot, sich an einem bestimmten Ort aufzuhalten). Darüber hinaus können Strafen in der Regel nebeneinander verhängt werden, sodass etwa eine Gefängnisstrafe grundsätzlich mit einer Geldstrafe kombiniert werden kann. Das Gericht kann eine Hauptstrafe auch durch eine der in jüngerer Zeit eingeführten Alternativstrafen *(peines principales alternatives)* ersetzen, wenn dies gesetzlich vorgesehen ist. Sinn und Zweck dieser Alternativstrafen ist die Vermeidung der Hauptstrafe. Die Alternativstrafe wird gern unter der Auflage der Erfüllung einer Auflage *(sursis-peine alternative)* verhängt: Erfüllt der Täter die Auflage nicht, so kann immer noch zur eigentlichen Hauptstrafe übergegangen werden. Das Sanktionensystem gliedert sich wie folgt:

---

[29] Zu den einzelnen Aufgaben und Zwecken des Strafrechts siehe D. Strafrechtstheoretische Grundlagen.

Verbrechensstrafen

peines criminelles

Zuchthaus *(réclusion criminelle)* auf Lebenszeit beziehungsweise bis zu 30, 20 oder 15 Jahren

Festungshaft (*détention criminelle*, bei politischen Straftaten) auf Lebenszeit beziehungsweise bis zu 30, 20 oder 15 Jahren

Geldstrafe *(amende)*

Ergänzungsstrafen *(peines complémentaires)*, etwa die Anweisung, sich einer Behandlung zu unterziehen, Aberkennung, oder Entziehung eines Rechts

Vergehensstrafen

peines correctionnelles

Gefängnis *(emprisonnement)* von 2 Monaten bis zu 10 Jahren

Geldstrafe von mindestens 3.750 Euro

Als alternative Hauptstrafen:
– Geldstrafe in Tagessätzen *(jour-amende)*
– Staatsbürgerpraktikum *(stage de citoyenneté)* bis zu 1 Monat
– gemeinnützige Arbeit *(travail d'intérêt général)*, 210 Stunden
– rechtsentziehende und rechtseinschränkende Strafen *(peines privatives ou restrictives de droits)*, etwa zeitige Aussetzung der Fahrerlaubnis, zeitiges Berufsverbot

Ergänzungsstrafen wie oben

Übertretungsstrafen

peines contraventionnelles

Geldstrafe von höchstens 3.000 Euro

rechtsentziehende und rechtseinschränkende Strafen (wie oben, aber nur bei bestimmten Übertretungen)

Ergänzungsstrafen, etwa zeitiges Verbot der Scheckausstellung, Entzug der Fahrerlaubnis

e) Strafvollzug

Am 1. Januar 2008 gab es in Frankreich 195 Einrichtungen für den Strafvollzug, davon 114 Untersuchungsgefängnisse *(maisons d'arrêts)*, 60 Strafvollzugsanstalten *(établissements pour peine)*, 13 offene Strafvollzugszentren *(centres de semi-liberté)*, ein Zentrum für Reststrafenaussetzung *(centre pour peines aménagées)* und sechs Strafvollzugsanstalten für Minderjährige *(établissements pénitentiaires pour mineurs)*. Daneben existiert für schwere beziehungsweise pflegeintensive medizinische Eingriffe bei Strafgefangenen eine nationale öffentliche Einrichtung für die Gesundheit *(établissement public de santé national)* in Fresnes.[30] Insgesamt entspricht dies 50.610 Vollzugsplätzen. Durch den Bau neuer Strafanstalten sollen bis 2012 bis zu 13.200 neue Plätze entstehen. Seit 1997 wird daneben als Maßnahme gegen die Überbelegung der französischen Gefängnisse[31] auch mit der elektronischen Fußfessel *(bracelet émetteur électronique)* gearbeitet.

In den *maisons d'arrêts* werden zum einen die Beschuldigten zur Untersuchungshaft untergebracht, zum anderen verbüßen dort diejenigen ihre Strafe, die zu einer kurzen Freiheitsstrafe von weniger als einem Jahr verurteilt wurden.

Die *établissements pour peine* sind, um den unterschiedlichen Bedürfnissen der Gefangenen und den unterschiedlichen Sicherheitsstufen Rechnung zu tragen, in Haupthäuser *(maisons centrales)* und Haftzentren *(centres de détention)* unterteilt. In den Haupthäusern werden diejenigen Gefangenen untergebracht, die zu einer langen Freiheitsstrafe verurteilt wurden und/oder ein erhöhtes Sicherheitsrisiko darstellen. In den Haftzentren werden durchschnittlich lange Freiheitsstrafen vollstreckt; dort befinden sich Verurteilte mit einer positiven Sozialprognose.

In den *centres de semi-liberté* werden die zu einem offenen Vollzug der Freiheitsstrafe Verurteilten untergebracht. Sie können außerhalb des Gefängnisses einer regulären Tätigkeit nachgehen und müssen sich erst am Abend wieder im Strafvollzugszentrum einfinden.

Um den Gefangenen konkrete Projekte zur Resozialisierung zu ermöglichen, gibt es das *centre pour peines aménagées*, in dem sich zur Teilnahme an entsprechenden Programmen freiwillig solche Personen befinden, die zu einem offenen Vollzug ihrer Freiheitsstrafe verurteilt wurden oder eine Reststrafe von weniger als einem Jahr verbüßen müssen.

Zur Unterstützung der Gefangenen am Ende des Vollzugs und nach ihrer Entlassung gibt es schließlich 103 Servicestellen für ehemalige Strafgefangene zur Wiedereingliederungs- und Bewährungshilfe *(services pénitentiaires d'insertion et de probation)*.

---

[30] L'administration pénitentiaire (siehe Quellenhinweise).

[31] Siehe dazu näher I.G.

Nach den offiziellen Zahlen des Justizministeriums[32] befanden sich am 1. September 2008 insgesamt 62.843 Personen in Haft. Davon waren 16.731 Untersuchungshäftlinge *(prévenues)* (15.867 Männer und 864 Frauen) und 46.112 Verurteilte *(condamnés)* in regulärer Haft (44.741 Männer und 1.371 Frauen). Am 1. Januar 2008 kamen auf 100.000 Einwohner 100,3 Gefangene. Damit liegt Frankreich in Europa auf Platz 8 und international auf dem 29. Platz.[33] Die durchschnittlich zu verbüßende Haftdauer lag im Jahr 2007 bei 8,4 Monaten. 80,9 % der Insassen waren französische Staatsbürger, die Übrigen Ausländer.[34]

Literatur- und Quellenhinweise zu Abschnitt A.

Geografie:

Der Fischer Weltalmanach 2009. Zahlen, Daten, Fakten. Frankfurt am Main 2008, S. 176–178.

La France en bref. France en figures (Frankreich in Kurzdarstellung. Frankreich in Zahlen) INSEE: http://www.insee.fr/fr/pdf/intfrcbref.pdf

Bevölkerung:

Der Fischer Weltalmanach 2009. Zahlen, Daten, Fakten. Frankfurt am Main 2008, S. 176.

Population en France métropolitaine depuis 1851 (Bevölkerung im Mutterland Frankreich seit 1851), INSEE: http://www.insee.fr/fr/themes/tableau.asp?reg_id=0&ref_id=NATnon02145

Bilan démographique (Demografischer Bericht) 2007, INSEE: http://www.insee.fr/fr/ffc/ipweb/ip1170/ip1170.pdf

Population urbaine et rurale en France métropolitaine, recensements de la population 1999 (Stadt- und Landbevölkerung im Mutterland Frankreich, Volkszählung 1999), INSEE: http://www.insee.fr/fr/themes/tableau.asp?reg_id=0&ref_id=NATTEF01205

La France en bref, France en figures (Frankreich in Kurzdarstellung, Frankreich in Zahlen), INSEE: http://www.insee.fr/fr/pdf/intfrcbref.pdf

Evolution du nombre de femmes et d'hommes (Entwicklung der Anzahl von Frauen und Männern), INSEE: http://www.insee.fr/fr/themes/tableau.asp?reg_id=0&ref_id=NATCCF02108

Population selon la nationalité (Bevölkerung dargestellt nach Nationalität), INSEE: http://www.insee.fr/fr/themes/tableau.asp?reg_id=0&ref_id=NATTEF02131

Les immigrés selon leur pays de naissance, enquêtes annuelles de recensement 2004 et 2005 (Immigranten dargestellt nach Geburtsland, jährliche Erhebungsumfragen 2004 und 2005), INSEE: http://www.insee.fr/fr/ffc/ipweb/ip1098/ip1098.pdf

---

32 Statistique mensuelle (siehe Quellenhinweise).

33 ICPS World Prison Brief (siehe Quellenhinweise).

34 L'administration pénitentiaire.

CIA – The World Factbook:
https://www.cia.gov/library/publications/the-world-factbook/geos/fr.html

Wirtschaft:

Der Fischer Weltalmanach 2009. Zahlen, Daten, Fakten. Frankfurt am Main 2008, S. 176–177.

Uterwedde, Henrik, Kapitalismus à la française. Die mühsame Erneuerung eines Modells. In: Adolf Kimmel/Henrik Uterwedde (Hrsg.), Länderbericht Frankreich, Geschichte – Politik – Wirtschaft – Gesellschaft, Bundeszentrale für politische Bildung. 2. Aufl. Bonn 2005, S. 173–191.

La France en bref, France en figures (Frankreich in Kurzdarstellung, Frankreich in Zahlen), INSEE: http://www.insee.fr/fr/pdf/intfrcbref.pdf

Staatsorganisation:

Ardant, Philippe, Institutions politiques & Droit constitutionnel (Politische Institutionen & Verfassungsrecht). 3. Teil: Les institutions politiques de la France (Die politischen Institutionen Frankreichs). 16. Aufl. Paris 2004, S. 361–600.

Favoreu, Louis/Gaïa, Patrick et al., Droit constitutionnel (Verfassungsrecht). 8. Aufl. Paris 2005, Livre 2, Première Partie, Titre 1, Chapitre 2: L'Exécutif sous la Ve République (Die Exekutive in der V. Republik), S. 593–619 und Livre 2, Première Partie, Titre 2, Chapitre 2: Le Parlement sous la Ve République (Das Parlament in der V. Republik), S. 639–674.

Hoffmann-Martinot, Vincent, Zentralisierung und Dezentralisierung in Frankreich. In: Adolf Kimmel/Henrik Uterwedde (Hrsg.), Länderbericht Frankreich, Geschichte – Politik – Wirtschaft – Gesellschaft, Bundeszentrale für politische Bildung. 2. Aufl. Bonn 2005, S. 323–341.

Kempf, Udo, Das politische System Frankreichs. 4. Aufl. Wiesbaden 2007.

Kimmel, Adolf, Der Verfassungstext und die lebende Verfassung. In: Adolf Kimmel/ Henrik Uterwedde (Hrsg.), Länderbericht Frankreich, Geschichte – Politik – Wirtschaft – Gesellschaft, Bundeszentrale für politische Bildung. 2. Aufl. Bonn 2005, S. 247–267.

Kimmel, Adolf/Uterwedde, Henrik (Hrsg.), Länderbericht Frankreich, Geschichte – Politik – Wirtschaft – Gesellschaft, Bundeszentrale für politische Bildung. 2. Aufl. Bonn 2005.

Schnapauff, Klaus-Dieter/Capitant, David, Staats- und Verwaltungsorganisation in Deutschland und Frankreich. Straßburg u.a. 2007.

Kriminalität und Strafverfolgung:

Perrot, Roger, Institutions judiciaires (Gerichtliche Institutionen) 11. Aufl. Paris 2004, Deuxième Partie, Section 2: Juridictions pénales (Strafgerichtsbarkeiten), S. 148–200 und Troisième Partie, Chapitre 1: Magistrats et Juges (Staatsanwälte und Richter), S. 269–326.

Pfefferkorn, Fabian, Einführung in das französische Strafverfahren. Hamburg 2006, S. 26–36, 42, 57–59, 61–64, 95–129.

Pfützner Peggy, Organisierte Kriminalität im französischen Strafverfahren. Berlin 2008, Teil 1, II.: Einschlägige Grundlagen des französischen Strafverfahrens, S. 6–16.

– Strafrechtspflege in Frankreich. Überlegungen zu einer europäischen Strafrechtspflege, Berlin (noch nicht veröffentlicht), I. Allgemeine Informationen zum Land, S. 8–13 und II. Institutionen im Bereich der Strafrechtspflege, S. 13–79.

Vitu, André, Die Grundzüge des französischen Strafverfahrens. In: Heike Jung (Hrsg.), Der Strafprozess im Spiegel ausländischer Verfahrensordnungen. Berlin 1990, S. 7–46.

Bulletin pour l'année 2007, Criminalité et délinquance enregistrées en 2007 (Jahresbericht 2007, Registrierte Kriminalität und Delinquenz im Jahr 2007), OND: http://www.inhes.interieur.gouv.fr/fichiers/OND_BulletinAnnuel_2007.pdf

Annuaire statistique de la Justice, édition 2007, Ministère de la Justice (Statistisches Jahrbuch, Ausgabe 2007, Justizministerium): http://www.justice.gouv.fr/art_pix/1_annuaire 2007.pdf

Condamnés selon l'âge, le sexe et la nationalité (Verurteilte dargestellt nach Alter, Geschlecht und Nationalität), INSEE: http://www.insee.fr/fr/themes/tableau.asp?reg_id=0&ref_id=NATTEF05313

L'administration pénitentiaire en chiffres au 1er janvier 2008, Ministère de la Justice (Gefängnisverwaltung in Zahlen am 1. Januar 2008, Justizministerium): http://www.justice.gouv.fr/art_pix/Chiffrescles1erjanv2008.pdf

Statistique mensuelle de la population écrouée et détenue en France au 1er septembre 2008, Ministère de la Justice (Monatliche Statistik der Gefangenenpopulation in Frankreich am 1. September 2008, Justizministerium): http://www.justice.gouv.fr/art_pix/mensuelle_inTERnet_septembre08.pdf

King's College London, ICPS World Prison Brief: http://www.kcl.ac.uk/depsta/law/research/icps/worldbrief/wpb_country.php?country=138

http://www.kcl.ac.uk/depsta/law/research/icps/worldbrief/wpb_stats.php?area=all&category=wb_poptotal

http://www.kcl.ac.uk/depsta/law/research/icps/worldbrief/wpb_stats.php?area=europe&category=wb_poptotal

B. Rechtsvergleichende und internationale Einordnung

1. Rechtsvergleichende Einordnung des Landesrechts

Das französische Recht wird der kontinentaleuropäischen Rechtsfamilie, die auch als romanisch-germanische Rechtsfamilie bezeichnet wird, zugeordnet. Beide Bezeichnungen sollen gleichermaßen Geltung haben. Diese Rechtsfamilie ist insbesondere dadurch gekennzeichnet, dass sich die Rechtssysteme auf der Grundlage des römischen Rechts entwickelt haben. Sie wurden jedoch auch von Überlieferungen germanischer Volksrechte beeinflusst und stellen daher eine Kombination aus beiden Rechtstraditionen dar.

Zum Teil wird vertreten, dass innerhalb des kontinentaleuropäischen Rechtskreises eine Gruppe von Ländern, die der germanischen Rechtsfamilie angehören, von einer anderen Gruppe derer, die der romanischen Rechtsfamilie zugeordnet werden, unterschieden werden könne, und das französische Recht sich in diesen letzteren „romanischen Rechtskreis" einordnen lasse. Dies wird damit begründet, dass der Einfluss des römischen Rechts in diesen Ländern stärker fortwirke als im germanischen Rechtskreis, in dem überwiegend germanische Volksrechte Berücksichtigung fanden. So sei nämlich in Frankreich auch nach dem Untergang des weströmischen Reiches, insbesondere im Süden des Landes, der Einfluss des römischen Rechts bestehen geblieben. Von anderer Seite wird dem entgegengehalten, man könne eine solche Einteilung nicht vornehmen, da sich auch die Rechtsordnungen der vom römischen Recht beeinflussten Länder trotz vieler Gemeinsamkeiten erheblich unterschieden. Zudem bleiben auch in diesen Ländern germanische Traditionen nicht ganz unberücksichtigt. Es wird deshalb hier vorgezogen, von einer romanisch-germanischen Rechtsfamilie zu sprechen.

Allen Rechtsordnungen innerhalb dieser Familie ist gemeinsam, dass sie eine Unterscheidung von öffentlichem Recht und Privatrecht vornehmen, wobei auch die wesentlichen Untergliederungen in verschiedene Rechtszweige große Ähnlichkeiten aufweisen. Eine weitere Gemeinsamkeit besteht in der umfassenden Kodifikation des Rechts. Dabei steht das kodifizierte Recht dieser Rechtsfamilie in einer bestimmten Rangfolge, wobei an der Spitze der Hierarchie stets die Verfassung des jeweiligen Landes steht (alle Rechtsordnungen dieser Rechtsfamilie haben eine schriftliche Verfassung). Neben dem geschriebenen Recht spielt auch das Gewohnheitsrecht eine Rolle, welches meist ergänzend herangezogen wird. Rechtsprechung und Lehre tragen im romanisch-germanischen Rechtskreis zur Rechtsfortbildung (vor allem durch die Auslegung der Rechtsnormen und die Entwicklung allgemeiner Grundsätze) bei, sind jedoch selbst keine Quellen bindenden Rechts.

Das römische Recht hatte insbesondere auf das im Süden vorherrschende *droit écrit* starken Einfluss. Im Norden des Landes galt indessen das Gewohnheitsrecht *(droit coutumier)* der germanischen und gallischen Bevölkerung. Im 13. Jahrhundert gewann das römische Recht mit der Gründung der Universitäten weiter an Bedeutung. Der Einfluss auf die Entwicklung des Rechts blieb hingegen bei königlichen Verfügungen *(ordonnances)* mit Gesetzescharakter für das gesamte Königreich und bei den Dekreten *(décrets)* eher gering, obwohl sie bis Ende des 17. Jahrhunderts in vielen Bereichen (beispielsweise rechtlichen, finanziellen, kirchlichen oder auch universitären Angelegenheiten) verfügt wurden. Schließlich war die Lehre *(doctrine)* von großer Bedeutung für die Vereinheitlichung des Rechts, das aufgrund unterschiedlicher Ausprägungen des Gewohnheitsrechts, vorwiegend im Norden, sehr zersplittert war. Auch der Einfluss des kanonischen Rechts war nicht unbedeutend, da es bereits einheitlich für alle Religionszugehörigen galt. Eine entscheidende Rolle spielte darüber hinaus die Rechtsprechung *(jurisprudence)*; sie trug ebenfalls zu einer Harmonisierung des Rechts bei, auch wenn ihr nicht die gleiche Bedeutung als Rechtsquelle mit bindender Wirkung wie in *common-law*-Systemen zukam.

Wegen der Zersplitterung des Rechts traten vermehrt dort Probleme auf, wo ein Fall verschiedene örtliche Bezüge hatte. Es ist somit nicht verwunderlich, dass bereits im 16. Jahrhundert das heute sogenannte internationale Privatrecht eine lebhafte Entwicklung erfuhr. Auch der Gedanke an die Notwendigkeit eines gemeinfranzösischen Zivilrechts kam auf. Trotz dieser frühen Bestrebungen war Frankreich vor der Revolution jedoch von einem einheitlichen Zivilrecht noch weit entfernt. Erst in der Zeit nach der Revolution wurde verstärkt eine einheitliche Kodifikation für das gesamte Staatsgebiet angestrebt. Es war schließlich das Werk Napoleons, einheitliche Gesetzbücher zum Zivilrecht (*Code civil* – 1804), Handelsrecht (*Code de commerce* – 1807) und zum Strafrecht (*Code pénal* – 1810) zu schaffen. Der *Code pénal* in seiner Fassung von 1810 auch *Code pénal impérial* genannt, war ein stark repressives Gesetzeswerk, dessen Hauptziel mit dem Begriff „Einschüchterung" beschrieben werden kann.

Auch das Prozessrecht wurde in eigenen Kodifikationen festgehalten. Trat der erste *Code de procédure civile* bereits 1807 in Kraft, geschah dies für den *Code de procédure pénale* erst 1959. Das strafrechtliche Prozessrecht zeichnet sich dadurch aus, dass die Ermittlungsphase durch inquisitorische Elemente gekennzeichnet ist, und steht damit in der Tradition des kontinentaleuropäischen Rechts. Das Hauptverfahren ist hingegen von akkusatorischen Elementen geprägt, die aus dem angloamerikanischen Prozessrecht entlehnt sind.[1]

---

[1] Siehe dazu näher D.4.

2. Einfluss internationaler Bindungen

a) Mitgliedschaft in internationalen und regionalen Organisationen

Die französische Außenpolitik und das Selbstverständnis Frankreichs beruhen auf Grundsätzen wie der Anerkennung und Förderung des Selbstbestimmungsrechts der Völker, der Achtung und dem Schutz der Menschenrechte und demokratischen Prinzipien, der Rechtsstaatlichkeit und der Zusammenarbeit der Nationen. Zur Verfolgung dieser Ziele ist das Land Mitglied in verschiedenen internationalen und regionalen Organisationen.

Frankreich ist eines der Gründungsmitglieder der Vereinten Nationen (1945) und seitdem ständiges Mitglied im Sicherheitsrat. Seit 1949 ist es in der NATO, seit 1961 Mitglied der OECD und seit 1973 Mitglied der OSZE. Es gehört zu den Gründungsstaaten des Europarats (1949), der seinen Sitz in Straßburg hat, der drei Europäischen Gemeinschaften (Europäische Gemeinschaft für Kohle und Stahl, Europäische Wirtschaftgemeinschaft und Europäische Atomgemeinschaft, 1951 bzw. 1957) und damit auch der Europäischen Union (1993). Die französische Republik ist zudem Gründungsmitglied (1923) von Interpol, dem weltweit wichtigsten Instrument für polizeiliche Zusammenarbeit. Zwischen den Mitgliedstaaten der Europäischen Union wird die polizeiliche Zusammenarbeit jedoch über das Schengener Informationssystem koordiniert, das durch das Schengener Abkommen von 1985 ins Leben gerufen wurde.

Auch wenn eine originäre Strafrechtsetzungskompetenz der EU (noch) nicht besteht, so hat das europäische Recht doch bereits seit Längerem einen nicht unerheblichen Einfluss auf das nationale materielle Strafrecht sowie das Strafverfahrensrecht. Beispielsweise müssen gemeinschaftsrechtliche Schutzgüter in den Anwendungsbereich des nationalen Strafrechts einbezogen werden und ihre Verletzung in gleicher Weise wie Verletzungen nationaler Rechtsgüter geahndet werden (diese sogenannte Assimilierung folgt bereits direkt aus dem Grundsatz der Gemeinschaftstreue des Art. 10 EGV). Zudem enthielten in den letzten Jahren verschiedene Verordnungen, Richtlinien oder Rahmenbeschlüsse Anweisungen zur Schaffung von bestimmten Straftatbeständen, die von den Mitgliedstaaten erfüllt werden mussten (etwa die Richtlinie 91/308/EWG des Rates der Europäischen Gemeinschaften vom 10. Juni 1991 zur Verhinderung der Nutzung des Finanzsystems zum Zwecke der Geldwäsche oder der Rahmenbeschluss vom 29. Mai 2000 zur Verstärkung des Schutzes gegen die Geldfälschung im Hinblick auf die Einführung des Euros).

Daneben gibt es Bestrebungen des Europarates, gegen bestimmte Kriminalitätsbereiche vorzugehen. So geht es beispielsweise in verschiedenen Übereinkommen des Europarates um die Bekämpfung der organisierten Kriminalität. Diese ist unter anderem Gegenstand des EuR-Übereinkommens n° 141 aus dem Jahr 1990 über Geldwäsche sowie die Ermittlung, Beschlagnahme und Einziehung von Erträgen aus Straftaten, des EuR-Übereinkommens n° 173 aus dem Jahr 1999 zur Korruption und des EuR-Cyberkriminalitäts-Übereinkommens n° 185 von 2001.

Auch auf der Ebene der Vereinten Nationen gibt es strafrechtliche Aktivitäten. So erzielte zum Beispiel die Konvention der Vereinten Nationen gegen transnationale organisierte Kriminalität im Jahr 2000 eine Einigung über eine Definition der organisierten Kriminalität.[2] Seit 1970 gehört Frankreich der Francophonie *(Organisation internationale de la Francophonie)* an. Dabei handelt es sich um eine Organisation, der 70 Staaten und Regierungen angehören und die sich der Förderung des Französischen und der dahinter stehenden Werte verschrieben hat.

b) Beteiligung an völkerrechtlichen Verträgen

Frankreich ist an zahlreichen völkerrechtlichen Verträgen beteiligt, die sich auch auf das Strafrecht auswirken. Im Folgenden sollen nur einige Verträge exemplarisch hervorgehoben werden:

– *Menschenrechte*

Um das Ziel der Achtung der Menschenrechte zu verwirklichen, ist Frankreich an mehreren Verträgen über menschenrechtliche Mindeststandards beteiligt. Als wichtigster europäischer Text ist die Europäische Konvention zum Schutze der Menschenrechte und Grundfreiheiten (EMRK) von 1950 zu nennen, welche Frankreich im Jahr 1974 ratifizierte. Ihre Bestimmungen haben insbesondere Einfluss auf das Strafverfahrensrecht, etwa in Bezug auf die Wahrung eines fairen Verfahrens und die Rechte der Verteidigung. Zudem wurden das Protokoll Nr. 6 über die Abschaffung der Todesstrafe und das Protokoll Nr. 13 über die vollständige Abschaffung der Todesstrafe 1986 beziehungsweise 2007 ratifiziert. Da das französische monistische System von dem Bestehen nur einer Rechtsordnung ausgeht, ist die EMRK unmittelbar geltendes Recht. Gemäß Art. 55 der Verfassung steht sie (wie alle internationalen Verträge) im Rang über dem nationalen Recht. Damit genießt die EMRK im Fall eines Konflikts mit dem nationalen Recht Vorrang. Zudem ist der Gesetzgeber angehalten, im Falle eines Verstoßes des nationalen Rechts gegen die Konvention, das Recht konventionskonform neu zu gestalten. Natürlichen und juristischen Personen ist das Recht eingeräumt worden, Konventionsverletzungen im Wege der Individualbeschwerde vor dem Europäischen Gerichtshof für Menschenrechte zu rügen.

Als weitere europäische Übereinkommen sind zu nennen das Abkommen zur Verhütung von Folter und unmenschlicher oder erniedrigender Behandlung oder Strafe, welches 1989 ratifiziert wurde, und das Übereinkommen des Europarates zum Schutz von Kindern vor sexueller Ausbeutung und sexuellem Missbrauch, welches zwar 2007 unterzeichnet wurde, dessen Ratifizierung aber noch aussteht.

---

[2] Siehe dazu unten 2.b.

Neben diesen europäischen Übereinkommen ist Frankreich nahezu allen von der UNO erarbeiteten Übereinkommen zum Schutz der Menschenrechte beigetreten: im Jahr 1964 dem UN-Übereinkommen über die Abschaffung der Sklaverei, des Sklavenhandels und der Sklaverei ähnlichen Einrichtungen, sowie 1986 dem UN-Übereinkommen gegen Folter und andere grausame, unmenschliche oder erniedrigende Behandlung oder Strafe. Der Internationale Pakt über bürgerliche und politische Rechte (IPbpR) wurde 1980 ratifiziert.

– *Humanitäres Völkerrecht*

In Bezug auf das humanitäre Völkerrecht hat Frankreich insbesondere die Völkermord-Konvention (1950) und die Genfer Konventionen (1951) ratifiziert. Im nationalen Recht beschäftigt sich bereits der erste Titel des Besonderen Teils des *Code pénal* mit den Verbrechen gegen die Menschlichkeit *(crimes contre l'humanité)*, wobei die Strafbarkeit des Völkermordes *(génocide)* an der Spitze steht (Art. 211-1 CP) und unmittelbar folgend andere Verbrechen gegen die Menschlichkeit gemeinsam in einem Untertitel geregelt sind (Art. 212-1 CP).

Im Bereich des Völkerstrafrechts ist an dieser Stelle vor allem das Rom-Statut des Internationalen Strafgerichtshofs hervorzuheben, das Frankreich im Jahr 2000 annahm. Zurzeit wird über einen Gesetzesvorschlag *(Projet de loi portant adaptation du droit pénal à l'institution de la Cour pénale internationale)* zur Anpassung des materiellen Strafrechts an die Vorgaben des Statuts diskutiert, welcher insbesondere die bereits bestehenden Regelungen ergänzen und präzisieren will. Im Bereich des Strafverfahrenrechts wurden Vorschriften hinsichtlich der Zusammenarbeit mit dem Internationalen Strafgerichtshof bereits durch Gesetz n° 2002-268 vom 26. Februar 2002 in den *Code de procédure pénale* eingefügt (siehe dort die Art. 627 bis 627-20: *De la coopération avec la Cour pénale internationale*).

– *Drogen- und Dopingbekämpfung*

Hinsichtlich der Drogen- und Dopingbekämpfung sind das UN-Übereinkommen gegen illegalen Handel mit Suchtstoffen und psychotropen Substanzen (ratifiziert 1990) und das internationale Übereinkommen gegen Doping im Sport (ratifiziert 2007) zu nennen.

– *Organisierte Kriminalität*

Zur Bekämpfung der organisierten Kriminalität ratifizierte Frankreich im Jahr 2002 das UN-Übereinkommen gegen die grenzüberschreitende organisierte Kriminalität sowie die Zusatzprotokolle 12 a über Menschenhandel und 12 b über Menschenschmuggel. Im Jahr 2004 wurde für die organisierte Kriminalität ein besonderes Strafverfahren in den *Code de procédure pénale* eingeführt.

– *Terrorismusbekämpfung*

Auf dem Gebiet der Terrorismusbekämpfung wurden das UN-Übereinkommen über die Bekämpfung terroristischer Bombenanschläge 1999 und das UN-Übereinkommen zur Bekämpfung der Finanzierung von Terrorismus 2002 ratifiziert. Das UN-Übereinkommen zur Bekämpfung nuklearterroristischer Handlungen wurde 2005 unterzeichnet, aber noch nicht ratifiziert. Das Europäische Übereinkommen zur Bekämpfung des Terrorismus wurde 1987 ratifiziert, dessen Änderungsprotokoll 2008. Im Jahr 1991 wurde dem Terrorismus ein eigener Titel (Viertes Buch, Titel II) im *Code pénal* gewidmet sowie bereits 1986 ein eigenes besonderes Strafverfahren in den *Code de procédure pénale* eingeführt.

– *Wirtschaftskriminalität*

Auch die Bekämpfung der Wirtschaftskriminalität wird durch internationale Übereinkommen beeinflusst. Das Übereinkommen des Europarates über Geldwäsche sowie Ermittlung, Beschlagnahme und Einziehung von Erträgen aus Straftaten wurde 1996 angenommen und durch Gesetz n° 96-329 vom 13. Mai 1996 umgesetzt, indem unter anderem die Art. 324-1 ff. über einfache und schwere Geldwäsche in den *Code pénal* aufgenommen wurden. Die OECD-Konvention gegen die Bestechung ausländischer Amtsträger ratifizierte Frankreich im Jahr 2002. Das UN-Übereinkommen gegen Korruption wurde 2005 ratifiziert. Seit 2008 sind auch das Strafrechtsübereinkommen des Europarates gegen Korruption sowie dessen Zusatzprotokoll ratifiziert.

– *Rechtshilfe und justizielle Zusammenarbeit in Strafsachen*

Hinsichtlich der Rechtshilfe und justiziellen Zusammenarbeit in Strafsachen sind das Europäische Übereinkommen über die Rechtshilfe in Strafsachen (ratifiziert 1967) und das Europäische Auslieferungsübereinkommen (ratifiziert 1986) hervorzuheben. Auch das Europäische Übereinkommen über die Überstellung verurteilter Personen wurde 1985 ratifiziert, dessen Zusatzprotokoll 2006. Von herausragender Bedeutung ist ferner das Schengener Abkommen von 1985, flankiert vom Schengener Durchführungsübereinkommen (1990).

Das Übereinkommen zwischen den Mitgliedstaaten der Europäischen Gemeinschaften über die Anwendung des Grundsatzes *ne bis in idem* ratifizierte Frankreich 1991 (Gesetz n° 91-1116 vom 25. Oktober 1991). Dieser Grundsatz fand auch Eingang in den *Code de procédure pénale* (Art. 692, 693).

Im Juli 1999 ist das Übereinkommen über die Errichtung eines Europäischen Polizeiamts (Europol) in Kraft getreten.

Das Übereinkommen über die Rechtshilfe in Strafsachen zwischen den Mitgliedstaaten der Europäischen Union wurde 2004 durch Gesetz n° 2004-204 vom

9. März 2004 (*Loi portant adaption de la justice aux évolutions de la criminalité, loi Perben II)* umgesetzt und entsprechende Vorschriften in den *Code de procédure pénale* (Art. 695 ff.) eingefügt.

Das Übereinkommen über ein vereinfachtes Auslieferungsverfahren zwischen den Mitgliedstaaten der Europäischen Union von 1995 und das Übereinkommen über die Auslieferung zwischen den Mitgliedstaaten von 1996 hat Frankreich nicht ratifiziert. Beide Übereinkommen wurden jedoch am 1. Januar 2004 durch den Rahmenbeschluss des Rates vom 13. Juni 2002 über den Europäischen Haftbefehl und die Übergabeverfahren zwischen den Mitgliedstaaten ersetzt. Dieser Rahmenbeschluss wurde in Frankreich durch verschiedene Rechtsakte umgesetzt *(Loi constitutionelle n° 2003-267 du 25 mars 2003 relative au mandat d'arrêt européen; Art. 17 – 20 de la Loi n° 2004-204 du 9 mars 2004 portant adaptation de la justice aux évolutions de la criminalité (Loi Perben II); Loi n° 2005-1549 du 12 décembre 2005 relative au traitement de la récidive des infractions pénales; Circulaire de la direction des affaires criminelles et des grâces du 31 mai 2005 relative à Eurojust).* Im *Code de procédure pénale* wurden die Art. 695-11 bis 695-51 dem Europäischen Haftbefehl gewidmet. Die wesentlichen Änderungen bestehen zum einen in der „Justizialisierung" des gesamten Übergabeverfahrens, das die verwaltungsrechtliche Phase eines Verwaltungsdekrets ausspart, und zum anderen in der Übergabe auch eigener Staatsangehöriger.

– *Umweltschutz und sonstige Abkommen*

Im Bereich des Umweltschutzes ist insbesondere die Konvention über den internationalen Handel mit gefährdeten Arten freilebender Tiere und Pflanzen (Washingtoner Artenschutzübereinkommen) zu nennen, welches 1975 ratifiziert wurde.

Daneben sind schließlich das UN-Seerechtsübereinkommen (ratifiziert 1996) und das Übereinkommen des Europarates über Datennetzkriminalität und dessen Zusatzprotokoll (ratifiziert 2006) zu erwähnen.

Literaturhinweise zu Abschnitt B.

Rechtsvergleichende Einordnung des Landesrechts:

David, René/Jauffret-Spinosi, Camille, Les grands systèmes de droit contemporains (Die großen Rechtssysteme der Gegenwart). 11. Aufl. Paris 2002, insbesondere: Première Partie: La famille romano-germanique (Die römisch-germanische Familie), S. 24–55.

David, René/Grasmann, Günther (Hrsg.), Einführung in die großen Rechtssysteme der Gegenwart. 2. Aufl. München 1988, insbesondere: Erster Teil, V. Titel. Die Rechtsvergleichung in Lehre und Forschung, insbesondere Rn. 24; Zweiter Teil, I. Titel. Die geschichtliche Entstehung, insbesondere Rn. 60; Zweiter Teil, II. Titel. Die gegenwärtige Struktur der zur römisch-germanischen Rechtsfamilie gehörenden Rechtsordnungen, insbesondere Rn. 65.

Guimezanes, Nicole, Introduction au droit français (Einführung in das französische Recht). Baden-Baden 1995, insbesondere: 1. Introduction, S. 23 ff.; 3. Le droit pénal (Das Strafrecht), S. 141 ff.

Hübner, Ulrich/Constantinesco, Vlad, Einführung in das französische Recht. 3. Aufl. München 1994, insbesondere: S. 1–31.

Mayaud, Yves/Remillieux, Pascal (Hrsg.), Encyclopédie Juridique Dalloz (Juristische Enzyklopädie Dalloz), Band IV. 2. Aufl. Paris 2000, insbesondere: Histoire des doctrines pénales (Geschichte der Strafrechtslehren), bearbeitet von *Édouard Tillet.*

Terré, François, Introduction générale au droit (Allgemeine Einführung in das Recht). 3. Aufl. Paris 1996, S. 36 ff.

Zweigert, Konrad/Kötz, Hein, Einführung in die Rechtsvergleichung. 3. Aufl. Tübingen 1996, insbesondere: B. Die Rechtskreise der Welt, §§ 5, 6 und 8.

Einfluss internationaler Bindungen:

Cartier, Marie-Elisabeth, Le mandat d'arrêt européen (Der Europäische Haftbefehl). Brüssel 2005, insbesondere: S. 13–91.

Pfützner, Peggy, Der Europäische Haftbefehl und seine Umsetzung in das französische Recht. eucrim 2006, Heft 1/2, S. 18–20.

Pradel, Jean/Corstens, Geert, Droit pénal européen (Europäisches Strafrecht). 2. Aufl. Paris 2002, insbesondere: Introduction (Einführung), S. 1–35.

Informationen des Ministère des Affaires Étrangères et Européennes (Ministerium für Auswärtige und Europäische Angelegenheiten), http://www.diplomatie.gouv.fr/de/frankreich_3/frankreich-entdecken_244/die-aubenpolitik_259/index.html

C. Verfassungsrechtliche Vorgaben

1. Übergesetzliche Regelungen als Träger strafrechtlicher Prinzipien

– *Die Verfassung*

Die Verfassung Frankreichs ist der Gründungstext der derzeitigen V. Republik vom 4. Oktober 1958. Sie wurde am 28. September 1958 durch ein Referendum angenommen und beruht auf den wesentlichen Prinzipien von Demokratie, Gewaltenteilung und Parlamentarismus. Frankreich ist von der Staatsform her eine Republik, die sich an demokratischen, sozialen und liberalen Grundsätzen orientiert, dem Laizismus verpflichtet ist und sich auf das allgemeine Wahlrecht, die Vorherrschaft des Rechts *(suprématie du droit)* und einen politischen Pluralismus gründet. Der Staat und seine Bürger sind gemäß dem Leitbild der Verfassung untrennbar miteinander verbunden. Der Staat wird als organisierte Form der Nation verstanden, welche wiederum durch die Gesamtheit aller Bürger geprägt wird. Diesem Bild entspringt auch die Bezeichnung als unteilbare Republik *(république indivisible)* in Art. 1 Verfassung.

Art. 1 Verfassung
Frankreich ist eine unteilbare, laizistische, demokratische und soziale Republik. (…)

Die Verfassung beschreibt den Bürger als einen mündigen Teil des gesamten Volkes, der sich durch Wahlen und Abstimmungen am Funktionieren des Staates beteiligt. Sie enthält in ihrem Art. 2 die Grundprinzipien Frankreichs: Freiheit, Gleichheit, Brüderlichkeit *(liberté, égalité, fraternité)* und ein Bekenntnis zur Demokratie: Regierung des Volkes durch das Volk und für das Volk *(gouvernement du peuple, par le peuple et pour le peuple)*.

In seiner Präambel verweist der Verfassungstext auf die Erklärung der Menschen- und Bürgerrechte von 1789 *(Déclaration des droits de l'homme et du citoyen)*, auf die Präambel der Verfassung von 1946 und die Umweltcharta von 2004 *(Charte de l'environnement)*. Durch diese Bezugnahme sind alle drei Texte als mit Verfassungsrang ausgestattetes Recht unmittelbar anwendbar.[1] In der Erklärung der Menschen- und Bürgerrechte von 1789 ist auch das Gesetzlichkeitsprinzip niedergelegt (Art. 5 und 8), welches somit Verfassungsrang genießt.[2]

---

1 Näher dazu unten 2.

2 Zum Gesetzlichkeitsprinzip ausführlich II.A.1.

– *Andere übergesetzliche Regelungen*

Frankreich hat 1974 die Europäische Menschenrechtskonvention (EMRK) ratifiziert, welche seitdem unmittelbar geltendes Recht im Rang über dem nationalen Recht darstellt.[3] Aus den in der EMRK enthaltenen Grundgarantien ergeben sich verschiedene strafrechtlich relevante Prinzipien wie das Recht auf Leben (Art. 2 in Verbindung mit den Zusatzprotokollen zur Abschaffung der Todesstrafe), das Folterverbot (Art. 3), das Recht auf Freiheit und Sicherheit (Art. 5), der Anspruch auf ein faires Verfahren (Art. 6), das Gesetzlichkeitsprinzip (Art. 7), das Recht auf Achtung des Privat- und Familienlebens (Art. 8), die Gedanken-, Gewissens- und Religionsfreiheit (Art. 9), die Freiheit der Meinungsäußerung (Art. 10) und schließlich die Versammlungs- und Vereinigungsfreiheit (Art. 11). Durch die Ratifikation der EMRK hat Frankreich sich verpflichtet, diese Rechte und Freiheiten allen im Hoheitsgebiet ansässigen Personen zu garantieren (vgl. Art. 1). Zudem kann jede Person im Fall der Verletzung ihrer garantierten Rechte eine Beschwerde erheben, notfalls als letzte Instanz (der nationale Rechtsweg muss ausgeschöpft sein) auch den Europäischen Gerichtshof für Menschenrechte in Straßburg anrufen (Art. 13 und 34).

Auch der Internationale Pakt über bürgerliche und politische Rechte (IPbpR) beinhaltet Rechte und Freiheiten, welche sich die Vertragsstaaten, zu denen auch Frankreich gehört,[4] zu achten verpflichtet haben (vgl. Art. 2 IPbpR). Garantiert wird auch hier das Recht auf Leben (Art. 6), das Verbot der Folter (Art. 7), das Recht auf persönliche Freiheit und Sicherheit (Art. 9, welcher auch Bestimmungen hinsichtlich der Festnahme eines Verdächtigten und der ihm zu gewährenden Rechte enthält), die Unschuldsvermutung (Art. 14 Abs. 2), das Recht auf ein faires Verfahren (Art. 14 Abs. 3), das Gesetzlichkeitsprinzip (Art. 15), der Schutz des Privatlebens (Art. 17), die Gedanken-, Gewissens- und Religionsfreiheit (Art. 18), die Freiheit der Meinungsäußerung (Art. 19), die Versammlungs- und Vereinigungsfreiheit (Art. 21 und 22) und schließlich die Gleichheit vor dem Gesetz (Art. 26).

2. Grundrechte und Grundfreiheiten

Die Verfassung beinhaltet die Garantie bestimmter Grundrechte und Grundfreiheiten, die sogenannten *libertés publiques*. Der Verfassungstext selbst enthält zwar unmittelbar keine Grundrechte, doch verweist die Verfassung in ihrer Präambel auf die Erklärung der Menschen- und Bürgerrechte von 1789 und auf die Präambel der Verfassung von 1946. Diese sind damit nach heute ganz herrschender Meinung in Rechtsprechung und Literatur unmittelbar geltendes und gleichermaßen verbind-

---

[3] Siehe I.B.2.b.

[4] Siehe I.B.2.b.

liches Recht von Verfassungsrang, auch wenn sie „nur“ in der Präambel des Verfassungstextes stehen.

Die Erklärung der Menschen- und Bürgerrechte von 1789 ist vom Geist der Aufklärung geprägt. Sie legt demzufolge den Schwerpunkt auf die Gewährung von Individualrechten gegenüber dem Staat. Dies beruhte auf dem in der damaligen Epoche vorherrschenden Gedanken, dass alle noch so verschiedenartigen Menschen von Geburt an die gleichen Rechte genießen. Die Erklärung garantiert unter anderem das Rechte auf Freiheit (Art. 1, 2 und 4), Eigentum (Art. 2 und 17), Sicherheit (Art. 2), das Recht zum Widerstand gegen Unterdrückung (Art. 2), Meinungsfreiheit (Art. 11) und das Recht auf gleichen Zugang zu öffentlichen Ämtern (Art. 6). Außerdem genießt der allgemeine Gleichheitssatz *(droit à l'égalité)* Verfassungsrang, der sich auf Art. 5 der Erklärung zurückführen lässt. Sie sichert Individualrechte jedoch nur auf abstrakte und allgemeine Weise zu, ohne konkrete Schutzsituationen oder gar -mechanismen vor Augen zu haben oder bestimmte Verfahrensgarantien vorzusehen. Der Rechtsschutz bei Grundrechtsverletzungen ist auch heute noch problematisch, da es ein Institut, das der deutschen Verfassungsbeschwerde vergleichbar wäre, nicht gibt. Ein gewisser, jedoch nicht lückenloser Schutz wird durch den Verfassungsrat *(Conseil constitutionnel)*, das oberste französische Verwaltungsgericht *(Conseil d'État)* und die ordentliche Gerichtsbarkeit *(juridiction de droit commun)* gewährt.[5]

Die kollektiven Menschenrechte oder Sozialrechte fanden erst – und das auch nur zum Teil – in die Präambel der Verfassung von 1946 Eingang, die durch den Verweis in der Präambel der Verfassung von 1958 zur Anwendung gelangt. Sie gewährt den wesentlichen Grundsätzen, die von der Rechtsordnung getragen sind *(principes fondamentaux reconnus par les lois de la République)*, Verfassungsrang. Diese Prinzipien gehören also auch zu den Normen, deren Einhaltung durch den Gesetzgeber der Verfassungsrat garantieren soll *(bloc de constitutionnalité)*. Diese Gesamtheit der verfassungsrechtlich zu schützenden Prinzipien wurde durch Entscheidungen des Verfassungsrates über die Jahre sukzessive erweitert und hat ihm eine klare Rolle als Schützer der Rechte und Freiheiten verliehen sowie seine Autorität gestärkt. Als vom Verfassungsrat zu schützende Prinzipien gelten nunmehr beispielsweise die Gewissensfreiheit *(liberté de conscience)*, die persönliche Freiheit *(liberté individuelle)*, die Individualisierung der Strafe *(individualisation de la peine)*,[6] das Recht auf Verteidigung vor Gericht *(droit de la défense devant les juridictions répressives)*,[7] aber auch die Vereinigungsfreiheit *(liberté d'association)* und die Freiheit der Lehre *(liberté d'enseignement)*.

---

[5] Siehe I.A.4. und 5.c.

[6] Siehe I.D.3.

[7] Siehe auch I.D.4.

Darüber hinaus gibt es noch die sogenannten allgemeinen Rechtsgarantien *(droits-garanties)*, die sich vielfach aus der Erklärung der Menschen- und Bürgerrechte von 1789 ergeben. Dazu gehören das Recht auf den gesetzlichen Richter *(droit au juge)* und das Recht auf Verteidigung *(droit à la défense)*, sowie das strafrechtliche Gesetzlichkeitsprinzip (Art. 5, 7 und 8) *(le principe de légalité des délits et des peines)*,[8] das Rückwirkungsverbot für strengere Strafgesetze *(non-rétroactivité des lois pénales d'incrimination plus sévère)*,[9] das Prinzip der Verhältnismäßigkeit der Strafe (Art. 8) *(nécessité et proportionnalité des peines)* und das Recht auf Unschuldsvermutung (Art. 9) *(droit à la présomption d'innocence)*. Im Allgemeinen Teil des Strafgesetzbuchs (*Code pénal*, CP) sind nochmals einige für das Strafrecht besonders wichtige Prinzipien festgehalten: das Gesetzlichkeitsprinzip (= Legalitätsprinzip) in Art. 111-3 CP, das Analogieverbot in Art. 111-4 CP und das Rückwirkungsverbot in Art. 112-1 CP.[10]

3. Sonstige übergesetzliche Normen von strafrechtlicher Relevanz

Nach der Verfassung von 1958 gibt es neben der ordentlichen Gerichtsbarkeit besondere Gerichtshöfe von Verfassungsrang. Der Hohe Gerichtshof *(Haute Cour de justice)* ist gemäß Art. 68 Verfassung für die Verurteilung des Staatspräsidenten für Handlungen, die er während seiner Amtszeit begangen hat, (nur) im Fall von Hochverrat zuständig; für alle anderen Straftaten genießt er während seiner Amtszeit volle Immunität.

Der Gerichtshof der Republik *(Cour de justice de la République)* hat eine ähnliche Aufgabe hinsichtlich der Regierungsmitglieder für von ihnen begangene Verbrechen oder Vergehen (Art. 68-1 Verfassung). Die parlamentarischen Abgeordneten genießen in den Grenzen des Art. 26 Verfassung eine gewisse Immunität.

Die Unabhängigkeit der Gerichtsbarkeit und die Unabsetzbarkeit der Richter werden in Art. 64 Verfassung garantiert.[11]

Die endgültige Abschaffung der Todesstrafe 1981 folgt aus den Zusatzprotokollen der EMRK und Art. 66-1 Verfassung, wonach niemand zur Todesstrafe verurteilt werden darf.

---

8 Siehe II.A.3.a.

9 Siehe II.A.3.d.

10 Siehe II.A.

11 Siehe auch I.D.3.

Literaturhinweise zu Abschnitt C.

Favoreu, Louis/Gaïa, Patrick u.a., Droit constitutionnel (Verfassungsrecht). 8. Aufl. Paris 2005, insbesondere: Rn. 1216 ff.; Rn. 1361 ff.

Guimezanes, Nicole, Introduction au droit français (Einführung in das französische Recht). Baden-Baden 1995, insbesondere: 1.2. L'organisation des juridictions (Die Organisation der Gerichtsbarkeiten), S. 35 ff.; 2.2.2. Le domaine du droit constitutionnel (Der Bereich des Verfassungsrechts), S. 63 ff.

Hübner, Ulrich/Constantinesco, Vlad, Einführung in das französische Recht. 3. Aufl. München 1994, insbesondere: 2. Teil § 7: Die Verfassung vom 4. Oktober 1958, S. 36 ff. und 2. Teil § 9: Die Grundrechte (Libertés Publiques), S. 55 ff.

Lavroff, Dmitri Georges, Le droit constitutionnel de la Ve République (Das Verfassungsrecht der V. Republik). 3. Aufl. Paris 1999, insbesondere: Titre 3, Le peuple souverain (Das souveräne Volk), S. 256–442.

Pactet, Pierre, Institutions politiques. Droit constitutionnel (Politische Institutionen. Verfassungsrecht). 19. Aufl. Paris 2000, insbesondere: S. 516, 580 ff.

Pradel, Jean, Les principes constitutionnels du procès pénal (Die Verfassungsprinzipien des Strafprozesses). In: Hubert Dalle/Jean Danet/ Michael Janas/François Molins/Lionel Rinuy/François Saint-Pierre/Marc Schwendener (Hrsg.), Le nouveau procès pénal après la loi Perben II (Der neue Strafprozess nach dem Gesetz Perben II). Paris 2004, S. 270–274.

Entscheidungen

Entscheidung des *Conseil constitutionnel* zur Vereinigungsfreiheit unter quantitativer wie qualitativer Ausweitung des „bloc de constitutionnalité“ vom 16.7.1971 DC 44.

Entscheidung des *Conseil constitutionnel* zum Internationalen Strafgerichtshof unter Auflistung verfassungsrechtlich geschützter Prinzipien des Strafverfahrensrechts vom 22.1.1999 DC 98-408.

D. Strafrechtstheoretische Grundlagen

1. Aufgaben des Strafrechts

Die Aufgabe des Strafrechts wird in Frankreich vor allem darin gesehen, solche Handlungen zu sanktionieren, die die Werte und die allgemeinen Verhaltensnormen der Gesellschaft verletzen oder nicht mit ihr in Einklang stehen *(fonction répressive)*. Das Strafrecht stellt also in erster Linie eine Verteidigungsreaktion der Gesellschaft gegen schädigende Handlungen beziehungsweise Schädiger (Täter) dar und dient dem Schutz des allgemeinen Interesses *(intérêt général)*. Dies basiert auf dem Leitgedanken, dass ohne Sicherheit jegliche Ausübung von Freiheit unmöglich ist.

Welche Werte in einer Gesellschaft von solcher Bedeutung sind, dass ihre Verletzung eine Strafbarkeit begründet, lässt sich nicht universell und für alle Zeiten bestimmen, sondern unterliegt vielmehr dem gesellschaftlichen Wandel. Aufgabe des Strafrechts ist es also auch, die jeweils schützenswerten gesellschaftlichen und individuellen Werte zu benennen *(fonction expressive)*. Während sich in einigen Gesellschaften die zu verteidigenden Werte stark an der Religion oder an mystischen Vorstellungen orientieren, werden in Frankreich als einem aufgeklärten Staat insbesondere solche materiellen, ökonomischen und sozialen Werte geschützt, die sich aus einem gesellschaftlichen Konsens ergeben. Zwar zählen daneben moralische Wertvorstellungen auch in Frankreich weiterhin zu den schützenswerten Gütern, dies ändert jedoch nichts daran, dass der Schutz der Gesellschaft, das heißt die Sorge des Staates um das Allgemeinwohl, für das französische Strafrecht stark im Vordergrund steht.

Ferner wird dem Strafrecht eine den Bürger vor dem Staat schützende Garantiefunktion zugesprochen *(fonction protectrice)*. Da das Gesetzlichkeitsprinzip[1] eine Strafbarkeit nur aufgrund eines zur Zeit der Tat existierenden Gesetzes erlaubt, erfüllt das Strafrecht seine Garantiefunktion in der Hinsicht, dass eine Bestrafung von Handlungen, die nicht in einem Gesetz mit Strafe bedroht sind, nicht möglich ist. Das Strafrecht schützt den Bürger damit nicht nur vor dem Schädiger (siehe oben *fonction répressive*), sondern auch vor Übergriffen des Staates in seine Freiheitssphäre und bietet somit auch einen Schutz des Einzelnen gegenüber dem Staat.

Ein wesentliches Ziel der Strafrechtsordnung ist schließlich der Schutz der Gesellschaft vor gefährlichen Tätern, deren Bestrafung der öffentlichen Sicherheit dient. Nach überwiegender Ansicht liegt die Hauptaufgabe des französischen Strafrechts in der Unterbindung sozialschädlichen Verhaltens zum Wohle der Gesellschaft, während der Rechtsgüterschutz, und dabei insbesondere der Individualrechtsgüterschutz, kaum thematisiert wird.

---

[1] Siehe II.A., I.C.3. und unten D.2.

Das Strafrecht kann jedoch trotz seiner vielfältigen Funktionen und Aufgaben immer nur *ultima ratio*, also letztes mögliches Mittel sein. Eine Handlung darf nur dann mit Strafe bedroht sein, wenn andere Sanktionsmöglichkeiten, etwa des Zivil- oder Verwaltungsrechts, keinen ausreichenden Schutz bieten. Dieser Grundsatz kann aus Art. 5 der Erklärung der Menschen- und Bürgerrechte von 1789 gefolgert werden, wo es heißt, dass das Gesetz nur solche Handlungen unter Strafe stellen darf, die für die Gesellschaft schädlich sind. Als weiterer Anknüpfungspunkt des *ultima-ratio*-Gedankens kann auch der Grundsatz der Notwendigkeit und der Verhältnismäßigkeit der Strafe *(nécessité et proportionnalité des peines)*[2] angesehen werden. Dieser wurde von der Rechtsprechung entwickelt und lässt sich auf Art. 8 der Erklärung der Menschen- und Bürgerrechte von 1789 zurückführen. Danach darf das Gesetz nur solche Strafen vorsehen, die unbedingt und offenbar notwendig sind.

2. Rechtsstaatliche Grenzen des Strafrechts

Aus der Erklärung der Menschen- und Bürgerrechte von 1789, die Verfassungsrang genießt,[3] geht als eine rechtsstaatliche Grenze des Strafrechts das Gesetzlichkeitsprinzip[4] *(principe de la légalité des peines et des délits)* hervor. Während sich dies für das materielle Strafrecht aus Art. 111-3 *Code Pénal* (CP) ergibt, folgt es strafverfahrensrechtlich aus Art. 7 der Menschen- und Bürgerrechtserklärung von 1789. Materiell-rechtlich besagt das Gesetzlichkeitsprinzip, dass niemand wegen einer Tat bestraft werden kann, deren Strafbarkeit nicht bereits vor der Begehung der Tat gesetzlich vorgeschrieben war. Strafverfahrensrechtlich verlangt es, dass die Prozessregelungen bei der Wahrheitsfindung den betroffenen Personen die größtmögliche Freiheit gewähren müssen (verfahrensrechtlich auch Prinzip der persönlichen Freiheit = *principe de la liberté individuelle*). Das Gesetzlichkeitsprinzip macht das Strafrecht in einer freiheitlich-demokratisch organisierten Gesellschaft zu einer wesentlichen Garantie der verfassungsrechtlich geschützten persönlichen Freiheit (Art. 66 Verfassung), da durch die exakte Festlegung des Verbots und die verfahrensrechtlichen Strafverfolgungsregelungen auch die Grenzen der persönlichen Freiheit genau festgelegt sind und eine willkürliche Verfolgung damit ausgeschlossen wird. Materiell-rechtlich wird dieses Prinzip durch das Rückwirkungsverbot (*non-rétroactivité de la loi pénale,* Art. 112-1 CP), das Analogieverbot (*interdiction de l'interprétation analogique*, Art. 111-4 CP) und den Bestimmtheitsgrundsatz *(l'incrimination doit être précise)* ausgefüllt.[5]

---

[2] Siehe unten D.2.

[3] Siehe dazu I.C.2.

[4] Siehe zum Gesetzlichkeitsprinzip II.A.

[5] Siehe ausführlich II.A.3.b.–d.

Das Schuldprinzip ist im französischen Strafrecht nicht so fest verankert wie in den meisten anderen Rechtsordnungen. Zwar bestimmt Art. 122-1 Abs. 1 CP den Ausschluss der strafrechtlichen Verantwortlichkeit, wenn der Täter aufgrund einer psychischen oder neuropsychischen Störung zum Tatzeitpunkt die Einsichtsfähigkeit oder Kontrolle über seine Handlungen verloren hatte. Doch finden sich allgemein im *Code pénal* von 1994 noch weniger Anzeichen als zuvor für ein am Schuldausgleich orientiertes Strafrecht. So legt Art. 122-1 Abs. 2 CP nicht ausdrücklich fest, dass eine verminderte Schuldfähigkeit strafmildernd zu berücksichtigen ist, sondern bestimmt nur, dass dieser Umstand gewürdigt werden muss. Dabei wird jedoch offen gelassen, in welcher Form dies geschehen soll, sodass sich die verminderte Schuldfähigkeit durchaus auch strafschärfend (etwa bei zwanghaften Sexualtätern) auswirken kann.

Die auch im französischen Strafrecht geforderte Verhältnismäßigkeit zwischen Tat und Strafe wird ebenfalls nicht mit dem Gedanken eines Schuldstrafrechts begründet, sondern als eigener Grundsatz der Notwendigkeit und der Verhältnismäßigkeit der Strafe verstanden.[6] Nach diesem Grundsatz darf das Gesetz nur solche Strafen vorsehen, die unbedingt und offenbar notwendig sind.

Ein weiteres grundlegendes Prinzip, welches als Grenze des Strafrechts betrachtet werden kann, ist das in Art. 121-1 CP normierte Prinzip der persönlichen Verantwortlichkeit/Prinzip der persönlichen Strafe *(principe de la responsabilité personnelle/principe de la personnalité des peines)*. Dieses besagt, dass jeder nur für seine eigenen Handlungen verantwortlich ist. Niemand darf – wie dies etwa im Zivilrecht möglich ist – für Handlungen eines Dritten verantwortlich gemacht werden *(rejet de la responsabilité du fait d'autrui)*. Eine direkte Folge daraus ist, dass die Strafverfolgung mit dem Tod des Beschuldigten endet (Art. 6 CPP) und nicht etwa gegen die Erben fortgeführt wird. Einschränkungen erfährt dieser Grundsatz jedoch hinsichtlich der strafrechtlichen Verantwortung des Betriebsleiters für Straftaten seiner Angestellten *(responsabilité pénale du chef d'entreprise)*.[7]

Auch im Strafrecht hat die Beachtung der Menschenwürde oberste Priorität. Dies gilt sowohl in Bezug auf Strafen als auch für Sicherungsmaßnahmen und ist damit Ausdruck des Humanitätsgrundsatzes, der für das Strafverfahren aus der einleitenden Bestimmung[8] des Strafverfahrensgesetzbuchs (*Code de procédure pénale*, CPP) hervorgeht.

---

[6] Siehe auch oben D.1.

[7] Siehe dazu II.D.4.a. und II.H.1.

[8] Siehe zum *article préliminaire* unten D.4.

3. Strafzwecke

Der *Code pénal* enthält keine Vorschrift, in der die mit der Strafe verfolgten Zwecke definiert sind. Betrachtet man jedoch die historische Entwicklung des Strafrechts,[9] stellt man fest, dass mit der Verhängung einer Strafe unterschiedliche Zwecke verfolgt wurden, die in den verschiedenen Epochen mehr oder weniger ausgeprägt waren und auch heute noch von Bedeutung für die Begründung der Strafe sind. Dies waren zum einen die Vergeltung *(rétribution)* als eine auf die Vergangenheit abzielende Sanktion mit Blick auf das begangene Unrecht und zum anderen solche Zwecke, die auf eine Auswirkung in der Zukunft gerichtet waren, nämlich die Abschreckung beziehungsweise Einschüchterung *(intimidation)*, die Ausschaltung des Täters *(élimination)* und dessen (Verhaltens-)Änderung beziehungsweise Besserung *(amendement)*.

Zu Beginn der Zivilisation stand die Vergeltung *(rétribution)*, also der Ausgleich des Unrechts der Tat im Vordergrund. Der Täter sollte in dem Maße, wie er durch seine Tat Schaden zugefügt hatte, dafür büßen. Wurde in der Antike zur Vergeltung einer Straftat noch von der Familie oder dem Stamm des Opfers Rache *(vengeance)* geübt, sollte gerade durch die staatlich kontrollierte Vergeltung die Abschaffung der Privatjustiz und die Einführung verhältnismäßiger Strafen erreicht werden. Der Gedanke der Vergeltung ist also darauf gerichtet, ein gewisses Maß an Gerechtigkeit zu etablieren und einen Ausgleich für das geschehene Unrecht herzustellen. Auch heute noch wird unter dem moralischen Ziel von Strafe ihr Vergeltungscharakter verstanden. Dies entspricht nach mancher Ansicht jedoch mehr einer Forderung der Gesellschaft und des Opfers nach Kompensation des erlittenen Schadens, als dass die Vergeltung erklärtes Ziel der Justiz wäre. Umstritten ist, ob die Vergeltung heutzutage als Haupt- oder Nebenzweck der Strafe einzuordnen ist. Unter Berufung auf die repressive Funktion des Strafrechts wird sie von einem Teil der Lehrmeinung als Hauptzweck angesehen. Von anderer Seite wird dem entgegen gehalten, dass sich das Strafrecht (im Rahmen der neuen Sozialverteidigung[10]) an der Gefährlichkeit des Täters für die Gesellschaft orientiere und daher die Begriffe von Unrecht und Schuld sowie der Vergeltungs- und Sühnegedanke in den Hintergrund träten. Daher könne die Vergeltung nur ein Nebenzweck einer Strafe sein.

Im 17. Jahrhundert trat die Idee der Abschreckung oder Einschüchterung durch die Androhung von Strafe in den Vordergrund. Zum einen sollte so der Täter von Wiederholungen abgehalten werden, was als individuelle Abschreckung *(intimidation individuelle, prévention spéciale)* bezeichnet wurde. Zum anderen sollte die Strafandrohung potentielle Täter davon abhalten, überhaupt Straftaten zu begehen, was unter den Begriff der allgemeinen Abschreckung *(intimidation collective,*

---

[9] Siehe zur Entwicklung des Strafrechts ausführlich I.G.2.

[10] Siehe dazu weiter unten.

prévention générale) gefasst wurde. Diese Spezial- und Generalprävention sind heute nach wie vor erklärte Zwecke der Strafe. Geändert hat sich allerdings, dass keine grausamen Strafen mehr angedroht, verhängt oder öffentlich vollzogen werden. Vielmehr hat sich inzwischen der am Humanismus orientierte Gedanke des erzieherischen Umgangs mit dem Täter und seiner Resozialisierung durchgesetzt.

Des Weiteren bestand ein Strafzweck in der Beseitigung und Ausschaltung des Täters. Insbesondere durch die Verhängung der Todesstrafe oder die Verbannung war es möglich, Personen, die die Gesellschaft durch ihr Verhalten schädigten, „auszuschalten“. Heutzutage sind von diesem Strafzweck nur noch Reminiszenzen übrig, denn die Todesstrafe ist – wenn auch erst seit 1981 – abgeschafft; jedoch erlaubt auch die lebenslange Freiheitsstrafe, den Täter für einen längeren Zeitraum zu neutralisieren. Dem Schutz der Bevölkerung vor gefährlichen Straftätern dient insbesondere auch die durch Gesetz vom 25. Februar 2008 *(Loi n° 2008-174)* neu in den *Code de procédure pénale* (Art. 706-53-13 ff.) eingeführte Sicherungsverwahrung *(rétention de sûreté)*.

Dass die Abschreckung und die Ausschaltung des Täters weiterhin zu den Strafzwecken zählen, lässt sich zum Beispiel daran erkennen, dass mit dem *Code pénal* von 1994 die Höchststrafen für viele Tatbestände angehoben worden sind. Daneben wurden für den Rückfall *(récidive)* erhöhte Strafen angedroht und neue Tatbestände und Qualifikationen eingeführt, die insbesondere abschreckende Wirkung haben sollen. Einen zusätzlichen Schutz für die Allgemeinheit bietet auch die sogenannte Sicherheitsperiode *(période de sûreté)*, die darin besteht, dass der Täter während einer bestimmten Zeit der Verbüßung der Strafe keine Vollzugslockerungen erhalten darf.

Unter dem Einfluss der christlich geprägten Tradition Frankreichs trat im 20. Jahrhundert als weiterer Zweck der Strafe die (Verhaltens-)Änderung, das heißt die Besserung des Täters hinzu. Die Strafe sollte dazu beitragen, den Täter in einen besseren Menschen zu verwandeln und ihn wieder in die Gesellschaft einzugliedern. Nach dem Zweiten Weltkrieg verstärkte sich die Idee der Resozialisierung *(résocialisation)* des Täters, die im Schrifttum teilweise „Neue Sozialverteidigung“ *(défense sociale nouvelle)* genannt wird. Dies zeigte sich an Reformen des repressiven Systems, die wesentlich auf humanistischem Gedankengut beruhten und erzieherische Maßnahmen zugunsten des Täters einführten. Die Vielfalt der möglichen Strafen oder auch anderer Maßnahmen und die Individualisierung der Strafe *(individualisation de la peine)*[11] bei ihrer konkreten Verhängung haben zu einer allgemeinen Humanisierung der Bestrafung geführt und sind heute wesentliche Merkmale des Sanktionensystems. Die Resozialisierung des Täters ist auch nach Einführung des *Code pénal* von 1994 weiterhin ein sehr wichtiges Ziel des französischen Strafrechts.

---

[11] Siehe dazu auch I.C.2.

Zusammenfassend kann festgehalten werden, dass mehrere Strafzwecke die französischen Strafgesetze auf unterschiedliche Weise geprägt haben und heute nebeneinander existieren. Von besonderer Bedeutung sind dabei die Resozialisierung, die General- und Spezialprävention sowie die Neutralisierung des Täters. Die Bedeutung des Strafzwecks der Vergeltung ist dagegen umstritten und wird teilweise nur noch als Nebenzweck der Strafe eingeordnet.

4. Grundlegende Prinzipien des Strafverfahrensrechts

Bei der in Frankreich herrschenden Diskussion um die grundlegenden Prinzipien des Strafverfahrens wird zwischen akkusatorischen und inquisitorischen Systemen unterschieden. Das Strafverfahrensrecht ist bestrebt, ein Gleichgewicht zwischen beiden Systemen herzustellen. Es verfügt daher über zahlreiche Prinzipien mit „zwei Gesichtern“ *(à double face)*. So lassen sich beispielsweise folgende Beobachtungen machen:

Während es grundsätzlich dem Staatsanwalt obliegt, ein Verfahren anzustrengen, hat auch das Opfer die Möglichkeit dazu, falls der Staatsanwalt untätig bleibt. Das Untersuchungsverfahren ist eher nicht-öffentlicher Natur, die anschließende Hauptverhandlung findet hingegen öffentlich statt. Der Untersuchungsrichter besitzt einerseits weitreichende Befugnisse, andererseits haben die Parteien sich beraten zu lassen, sich mit dem Akteninhalt vertraut zu machen und bestimmten Verfahrenshandlungen beizuwohnen. Darüber hinaus gelten teilweise Vermutungen, die dem Staatsanwalt die Beweisführung erleichtern, obwohl die Unschuldsvermutung *(présomption d'innocence)* als ein aus dem Vorartikel zum Strafverfahrensgesetzbuch resultierendes übergreifendes Prinzip anwendbar bleibt. Die Existenz zahlreicher beschleunigter Verfahren wird durch die Möglichkeit der Anhörung der betroffenen Person oder auch einer erneuten Prüfung auf nächsthöherer Stufe zumindest teilweise relativiert. Gleiches gilt für die umfassende Entscheidungskraft der Gerichtsurteile, die im Fall eines Irrtums von der betroffenen Person meist mittels Rechtsbehelfs angefochten werden können. Schließlich bietet das Strafverfahrensrecht einerseits die Möglichkeit der Einschränkung der persönlichen Freiheit bereits vor Urteilsfindung, versucht aber andererseits, der betroffenen Person Kontrollmöglichkeiten an die Hand zu geben.

All dies lässt darauf schließen, dass das französische System grundsätzlich um eine Positionierung zwischen akkusatorischem und inquisitorischem System bemüht ist. Allerdings wird darauf hingewiesen, dass die polizeilichen und staatsanwaltlichen Befugnisse in den letzten Jahren kontinuierlich erweitert wurden und die Beschuldigtenrechte allein im Untersuchungsverfahren maximale Standards erreichen. Vor diesem Hintergrund gilt im Einzelnen Folgendes:

Das Strafverfahrensrecht ist wie auch das Strafrecht selbst von Grundsätzen geprägt, welche insbesondere den Schutz des Beschuldigten vor staatlichen Übergriffen in seine Freiheitssphäre bezwecken. Das Strafverfahrensgesetz enthält seit dem Gesetz vom 15. Juni 2000 *(Loi n° 2000-516)* einen einleitenden Artikel *(article préliminaire)*, der einige grundlegende Prinzipien des Strafprozesses normiert. Andere Grundsätze wurden von der Rechtsprechung entwickelt oder folgen aus internationalen Verträgen, wie der Europäischen Menschenrechtskonvention und dem Internationalen Pakt über bürgerliche und politische Rechte. Allen grundlegenden Prinzipien des Strafverfahrensrechts ist gemein, dass sie nicht mit allerletzter Schärfe zu handhaben sind und die jeweiligen Richter bei ihrer Anwendung über eine gewisse Freiheit verfügen. Dennoch verleihen die grundlegenden Verfahrensprinzipien der Strafgerichtsbarkeit eine größere Legitimität, indem sie diese Prinzipien als übergeordnet anerkennt, sich ihnen also unterwirft und ihre Geltung an sich nicht in Frage stellt.

Die im *article préliminaire* des Strafverfahrensgesetzes enthaltenen Prinzipien sind die Folgenden:

Article préliminaire CPP

I. Das Strafverfahren muss gerecht und kontradiktorisch sein und das Gleichgewicht der Rechte der Parteien schützen.

Es muss die Trennung der ermittelnden und der urteilenden Gewalt garantieren.

Personen, die sich in ähnlicher Lage befinden und die für die gleiche Tat verfolgt werden, müssen nach denselben Regeln verurteilt werden.

II. Die Gerichtsbarkeit *[l'autorité judiciaire]* wacht über die Unterrichtung und die Garantie der Rechte der Opfer während des gesamten Strafverfahrens.

III. Jede verdächtigte oder verfolgte Person ist als unschuldig anzusehen, solange ihre Schuld nicht festgestellt ist. Angriffe auf die Unschuldsvermutung werden nach Maßgabe der Gesetze verhindert, ausgeglichen und geahndet.

Sie hat das Recht, über die ihr vorgeworfenen Tatsachen unterrichtet und von einem Verteidiger rechtlich vertreten zu werden.

Zwangsmaßnahmen gegen Personen werden von der Gerichtsbarkeit oder unter ihrer Kontrolle angeordnet. Sie sind strikt durch die Notwendigkeit des Verfahrens zu begrenzen, müssen im Verhältnis zur vorgeworfenen Tat stehen und dürfen die Menschenwürde nicht verletzen.

Über die Anklage gegen eine Person muss innerhalb eines angemessenen Zeitraums endgültig entschieden werden.

Jede verurteilte Person hat das Recht, ihre Verurteilung von einem anderen Gericht überprüfen zu lassen.

Zu Beginn des ersten Absatzes wird das aus der Europäischen Menschenrechtskonvention (Art. 6 § 1) und dem Internationalen Pakt über bürgerliche und politische Rechte (Art. 14 § 1) übernommene Prinzip des fairen Verfahrens *(procès équitable)* und der Waffengleichheit zwischen den Parteien des Strafprozesses *(l'équilibre des droits des parties)* genannt. Letztere ist nun zum ersten Mal im französischen Strafverfahrensgesetz normiert, war jedoch bereits zuvor in der Rechtsprechung des Verfassungsrats *(Conseil constitutionnel)* anerkannt. Des Weiteren muss der Strafprozess als kontradiktorisches Verfahren geführt werden, was verschiedene Auswirkungen im Rahmen anderer Prinzipien hat.[12]

Daneben enthält der erste Absatz das sogenannte funktionale Trennungsprinzip *(principe de séparation des fonctions judiciaires)*, welches ebenfalls aus Art. 6 § 1 EMRK folgt und auch schon zuvor von der Rechtsprechung angewendet wurde. Danach muss die objektiv-funktionelle Unvoreingenommenheit und Unabhängigkeit des Gerichts gewährleistet sein. Dem entspricht es, dass im französischen Recht Strafverfolgung *(poursuite)*, richterliche Ermittlung *(instruction)* und das Hauptverfahren, also die Urteilsfindung *(juridiction)*, separat und von unterschiedlichen Organen durchgeführt werden müssen.

Absatz 1 enthält weiterhin das Gleichhcitsprinzip *(principe d'égalité)*, welches im Sinne einer Gleichheit vor dem Gesetz *(égalité devant la loi)* bereits in Art. 5 der Erklärung der Menschen- und Bürgerrechte von 1789 normiert ist. Dort heißt es, dass das Gesetz für alle gleich ist, sei es beschützend oder bestrafend. Der *article préliminaire* des CPP verlangt zudem, dass Personen, die sich in vergleichbaren Situationen befinden und wegen gleicher Straftaten verfolgt werden, nach gleichen Regeln behandelt werden müssen *(égalité devant la justice)*. Der *Conseil constitutionnel* hat in einer Entscheidung aus dem Jahr 1975 entschieden, dass das Prinzip der Gleichheit im Verfahren ein Teil des Prinzips der Gleichheit vor dem Gesetz ist.

Der zweite Absatz ist dem Opferschutzprinzip *(protection des droits de la victime)* gewidmet, wonach die Rechte des Opfers in jedem Strafprozess garantiert werden. Dieses Prinzip manifestiert sich beispielsweise in Gesetzen zur Entschädigung von Opfern sowie in der Möglichkeit der Initiierung der Strafverfolgung durch das Opfer als Privatkläger[13] oder dessen Prozessteilnahme als Nebenkläger.

Im dritten Absatz sind wiederum mehrere Prinzipien gemeinsam geregelt. Zunächst wird hier erstmals im Strafverfahrensgesetz der Grundsatz der Unschuldsvermutung *(présomption d'innocence)* genannt. Dieser Grundsatz folgte bisher nur aus übergesetzlichen Regelungen wie Art. 9 der Erklärung der Menschen- und Bürgerrechte von 1789, Art. 6 § 2 EMRK und Art. 14 § 2 IPbpR und lässt sich auf eine Erklärung Ludwig XVI. von 1788 zurückführen. Daraus ergibt sich, dass im Strafprozess die Beweislast grundsätzlich (bis auf wenige Ausnahmen) auf Seiten der Strafverfolgung liegt. Zweifel an der Schuld des Angeklagten führen zu dessen Freispruch *(in dubio pro reo)*. Dies schließt jedoch nicht die Methode der Beweislastumkehr *(renversement de la charge de la preuve)* aus, die vor allem im Bereich der Übertretungen teilweise Anwendung findet. So lässt der *Conseil constitutionnel* eine solche „Schuldvermutung" zu, solange diese nicht unwiderleglich *(présomp-*

---

12 Siehe dazu weiter unten.

13 Siehe näher I.A.5.b.

tion irréfragable) ist, die Rechte der Verteidigung gewahrt bleiben und sich die Wahrscheinlichkeit der Tatbegehung aus den Tatsachen vernünftigerweise ableiten lässt. Der Grundsatz der Unschuldsvermutung ist damit kein absolutes Prinzip.

Eng mit dem Prinzip der Unschuldsvermutung verbunden ist das Recht des Beschuldigten, von einem Verteidiger beraten zu werden. Über dieses Recht auf Verteidigung *(droit à la défense)* ist er auch zu informieren. Das Recht auf Verteidigung sowie die Rechte der Verteidigung *(droits de la défense)* werden auch als Teil des Rechts auf ein faires Verfahren *(droit à un procès équitable)* angesehen (Art. 6 § 1 EMRK, Art. 14 § 1 IPbpR) und sind sowohl in der Rechtsprechung des *Conseil constitutionnel* als auch des Kassationsgerichtshofs *(Cour de cassation)* anerkannt. Verfassungsrechtlich werden die Rechte der Verteidigung aus den wesentlichen Grundsätzen, die von den Gesetzen der Republik anerkannt sind *(principes fondamentaux reconnus par les lois de la République)*, abgeleitet, die einen Bestandteil des *bloc de constitutionnalité* bilden.[14]

Die gegenüber einem Beschuldigten angewandten prozessualen Zwangsmaßnahmen müssen stets dem Grundsatz der Notwendigkeit und Proportionalität genügen und die Menschenwürde des Betroffenen wahren. Außerdem ist die Gerichtsbarkeit verpflichtet, über die persönliche Freiheit des Einzelnen zu wachen (*l'autorité judiciaire, gardienne des libertés individuelles*, siehe Art. 66 Verfassung). Dies spiegelt sich insbesondere darin wider, dass bei Freiheitsentziehungen ein Richtervorbehalt gilt, der Richter also grundsätzlich die freiheitsentziehende Maßnahme anordnen oder wenigstens ihre Anwendung nachträglich kontrollieren muss.

Der Beschleunigungsgrundsatz *(principe de la célérité de la procédure)* dient der Effektivität der Strafe, die möglichst zeitnah auf die Tat folgen sollte. Er ist jedoch durch Art. 5 § 2, 3 und 4 sowie Art. 6 § 1 EMRK auch zu einem Recht des Beschuldigten geworden. Gemäß Absatz 3 des *article préliminaire* muss über die Anklage innerhalb eines angemessenen *(raisonnable)* Zeitraums endgültig entschieden werden. Welcher Zeitraum als angemessen angesehen werden kann, ist von der Komplexität und dem Umfang des Falls abhängig und muss im Einzelfall entschieden werden. Ein überlanges Verfahren zieht jedoch nicht die Nichtigkeit des Verfahrens nach sich.

Zuletzt bestimmt Absatz 3, dass jeder das Recht hat, Rechtsmittel zur Überprüfung einer gegen ihn ergangenen Entscheidung einzulegen *(principe du double degré de juridiction)*. Dass Rechtsmitteln ein Suspensiveffekt zukommt, folgt zudem aus Art. 2 des Protokolls Nr. 7 zur EMRK *(effet suspensif des voies de recours)*.

---

[14] Siehe dazu II.C.2.

– *Weitere grundlegende Prinzipien des Strafprozesses*

Im französischen Strafverfahren gilt der Opportunitätsgrundsatz *(règle de l'opportunité des poursuites)*, welcher in Art. 40-1 CPP normiert ist und dem zuständigen Staatsanwalt die Entscheidung über die Zweckmäßigkeit einer Strafverfolgung überlässt.[15] Dieser Grundsatz stellt insoweit eine Durchbrechung des Gesetzlichkeitsprinzips dar. Er wurde mit Gesetz n° 2004-204 vom 9. März 2004 gesetzlich näher ausgestaltet und präzisiert, war aber bereits zuvor wesentlicher Bestandteil der staatsanwaltlichen Praxis.

Der Opportunitätsgrundsatz ist vom Akkusationsprinzip zu unterscheiden, das zur Einleitung eines Strafverfahrens in der Regel einen Antrag des Staatsanwalts verlangt, denn grundsätzlich obliegt es dem Staatsanwalt, die Beweise für die Schuld des Angeklagten zu erbringen.

Im Vordergrund des Strafverfahrens steht der Wahrheitsfindungsgrundsatz *(principe de la recherche de la vérité)*, der jedoch keine Wahrheitsfindung um jeden Preis erfordert. Vielmehr sind die Rechte des Beschuldigten und aller sonst betroffenen Personen zu achten und können der Wahrheitsfindung Grenzen setzen. Eine Ausprägung dieses Grundsatzes findet sich beispielsweise in Art. 81 CPP, der es dem Untersuchungsrichter prinzipiell erlaubt, jede Maßnahme zu ergreifen, die er zur Auffindung der Wahrheit als dienlich erachtet.

Vor den Tatsachengerichten gelten die allgemeinen Verfahrensgrundsätze der Mündlichkeit, Öffentlichkeit, Unmittelbarkeit, des kontradiktorischen Verfahrens und der freien Beweiswürdigung. Der *Conseil constitutionnel* hat entschieden, dass dies aus einem Zusammenspiel der Art. 6, 8, 9 und 16 der Erklärung der Menschen- und Bürgerrechte von 1789 folgt. Das Prinzip der Mündlichkeit der Hauptverhandlung *(principe d'oralité)* verlangt, dass der Angeklagte, Zeugen und Sachverständige von dem erkennenden Gericht persönlich angehört werden müssen, vgl. Art 452 Abs. 1 CPP für Zeugen. Nach Art. 306, 400 CPP (sowie Art. 512 in Verbindung mit Art. 400 oder Art. 535 in Verbindung mit Art. 400 CPP), welche den Öffentlichkeitsgrundsatz *(principe de la publicité)* normieren, und Art. 6 § 1 EMRK haben die Hauptverhandlung und die sich anschließende Urteilsverkündung öffentlich zu erfolgen. Ein Ausschluss der Öffentlichkeit von der Hauptverhandlung kann jedoch in bestimmten Fällen, etwa zur Aufrechterhaltung der Sicherheit und Ordnung, angeordnet werden. Die Urteilsverkündung ist hingegen stets öffentlich. Das strafrechtliche Erkenntnisverfahren ist als kontradiktorisches Verfahren *(caractère contradictoire de la procédure du jugement)* ausgestaltet. Dies geht aus dem *article préliminaire* des CPP hervor und wird in Art. 427 Abs. 2 CPP konkretisiert. Danach gilt für Verhandlungen vor dem Korrektionalgericht, dass der Richter seine Entscheidung nur auf solche Beweise stützen darf, die ihm im Verlauf des Prozesses vorgetragen und kontradiktorisch verhandelt wurden.

---

15 Siehe dazu näher I.A.5.b.

Die Beweiserhebung und Beweiswürdigung sind ebenfalls von verschiedenen Prinzipien geprägt. Das Prinzip des Freibeweises *(principe de la liberté de la preuve)*, welches in Art. 427 CPP normiert ist, sieht vor, dass im Strafverfahren bis auf wenige gesetzliche Ausnahmen alle Beweismittel (Zeugen, Urkunden, Indizien) zugelassen sind, solange sie nicht mit den ethischen Grundzügen des Strafverfahrensrechts kollidieren. Jedoch hat der Gesetzgeber die Erlangung bestimmter Beweise an gewisse Voraussetzungen geknüpft. So ist die Beweisfindung durch Zwangsmaßnahmen an besondere Bedingungen und vielfach an die Ermächtigung durch den Staatsanwalt, den Untersuchungsrichter oder den Freiheits- und Haftrichter gebunden.

Auch im Übrigen gelten Einschränkungen. Neben verschiedenen gesetzlichen Regelungen folgt aus dem von der Rechtsprechung entwickelten Redlichkeitsprinzip *(principe de loyauté des preuves)*, dass einige Methoden der Beweisfindung nicht zulässig sind. Dieses Prinzip besagt, dass die Beweisführung zwar grundsätzlich frei stattfinden muss, dabei aber nicht unredlich sein darf, und elementare Garantien der Verteidigung zu berücksichtigen sind. So können etwa der Einsatz eines *agent provocateur* oder die Telefonfalle unzulässig sein. Ein unzulässigerweise erhobener Beweis wird unter bestimmten Voraussetzungen vom Gericht für nichtig erklärt und kann damit nicht mehr verwertet werden. Es ist jedoch auch möglich, dass die Nichtigkeit nicht festgestellt wird, der Beweis somit verwertbar bleibt, das Gericht allerdings nicht seinen vollen Beweiswert, sondern nur einen geringeren Beweiswert berücksichtigen darf. Über die Frage der Nichtigkeit entscheidet allein der jeweilige Richter nach seinem gesunden Menschenverstand und jeweils für den Einzelfall. In der Regel wird eine Nichtigkeit aber nur bei schweren Angriffen auf Grundrechte *(droits fondamentaux)* oder eklatanten Kompetenzüberschreitungen *(détournement de procédure)* angenommen. Das Redlichkeitsprinzip fungiert auf diese Weise als Anknüpfungspunkt für die Frage der Verhältnismäßigkeit von Ermittlungsmaßnahmen im Rahmen der Beweisfindung und entspricht so funktional dem Grundsatz des fairen Verfahrens. Daneben erfordert der Humanitätsgrundsatz die Beachtung der Privatsphäre und der Menschenwürde *(respect de la dignité humaine)*, was insbesondere ein Folterverbot begründet. Auch die Rechte der Verteidigung müssen bei der Beweisfindung beachtet werden.

Des Weiteren kann nach dem kontradiktorischen Prinzip *(principe du contradictoire)* das Gericht sein Urteil nur auf solche Beweise stützen, die im Prozess kontradiktorisch erörtert wurden (siehe dazu bereits oben). Nach dem Grundsatz der freien Beweiswürdigung *(principe de l'intime conviction)*, welcher aus Art. 427 CPP folgt, unterliegt das Gericht in der Würdigung der vorgetragenen Beweise keinerlei Bindung an feste Beweisregeln. Beispielswiese bestimmt Art. 428 CPP ausdrücklich, dass das Geständnis *(aveu)* – wie alle anderen Beweise – der freien Würdigung des Gerichts zugänglich ist.

Gemäß dem Prinzip *ne bis in idem* darf niemand für eine Tat verfolgt oder verurteilt werden, aufgrund derer er bereits rechtskräftig verurteilt wurde. Dieses Prinzip beschreibt damit einen Teilaspekt der Rechtskraft von Urteilen *(autorité de la chose jugée)*. Ein unanfechtbar gewordenes Urteil regelt den abgeurteilten Sachverhalt abschließend, sodass dieser nicht erneut Gegenstand einer Untersuchung werden darf. Das Verbot der Doppelverfolgung und -bestrafung ist in Art. 6 CPP, Art. 54 des Schengener Durchführungsübereinkommens und Art. 4 des Zusatzprotokolls Nr. 7 zur EMRK normiert.

Frankreich liefert nur im Rahmen des Europäischen Haftbefehls und anderer internationaler Verpflichtungen seine Staatsbürger an Drittstaaten aus (Art. 696 und 696-2 CPP).

Literaturhinweise zu Abschnitt D.

Alland, Denis/Rials, Stéphane (Hrsg.), Dictionnaire de la culture juridique (Wörterbuch der Rechtskultur). Paris 2003, insbesondere: Peine (Strafe), S. 1138–1141.

Ambroise-Casterot, Coralie, Recherche et administration des preuves en procédure pénale: la quête du Graal de la Vérité (Beweisgewinnung und -verwendung im Strafverfahren: die Suche nach dem Gral der Wahrheit). AJ Pénal Nr. 7–8/2005, 261–267.

Bouloc, Bernard, Droit pénal général (Strafrecht Allgemeiner Teil). 20. Aufl. Paris 2007, Introduction (Einführung), S. 26.

Céré, Jean-Paul, Peine (Nature et prononcé) (Strafe [Natur und Ausspruch]). In: Yves Mayaud/Pascal Remillieux (Hrsg.), Répertoire de droit pénal et de procédure pénale. Encyclopédie Juridique Dalloz (Textsammlung zum Strafrecht und Strafverfahren), Band V. Paris 2000.

Decocq, André, Réflexions sur l'article préliminaire du code de procédure pénale (Überlegungen über den Vorartikel des Strafverfahrensgesetzes). In: Principes de justice. Mélanges en l'honneur de Jean-François Burgelin (Prinzipien des Rechts. Festschrift zu Ehren Jean-François Burgelin). Paris 2008, S. 115–123.

Desportes, Fréderic/Le Gunehec, Francis, Droit pénal général (Strafrecht Allgemeiner Teil). 13. Aufl. Paris 2006, Introduction Section I, § 4: Les fonctions du droit pénal (Die Aufgaben des Strafrechts), und Section 2, § 3, B.: Les incertitudes sur la finalité de la peine (Die Unsicherheiten über den Strafzweck).

Herzog-Evans, Martine, Procédure pénale (Strafverfahren). 2. Aufl. Paris 2009, insbesondere: S. 49–84.

Lelieur-Fischer, Juliette, La règle ne bis in idem. Du principe de l'autorité de la chose jugée au principe d'unicité d'action répressive. Étude à la lumière de droit français, allemand et européen (Der Grundsatz ne bis in idem. Vom Prinzip der Rechtskraft zum Prinzip der Einmaligkeit der Strafverfolgung. Untersuchung im Lichte des französischen, deutschen und europäischen Rechts). Université Panthéon Sorbonne, Paris I. 2005.

Lopez, Gérard/Tzitzis, Stamatios, Dictionnaire des sciences criminelles (Wörterbuch der Kriminalwissenschaften). Paris 2004, insbesondere: Peine (Strafe), S. 686–689.

Merle, Roger/Vitu, André, Traité de droit criminel. Problèmes généraux de la science criminelle. Droit pénal général (Abhandlung zum Kriminalstrafrecht. Allgemeine Probleme der Strafrechtswissenschaft. Strafrecht Allgemeiner Teil). 7. Aufl. Paris 1997, Partie I, Livre I, Titre I, Chapitre 1: Le crime (Das Verbrechen), n° 5-11; Partie I, Livre IV, Titre I, Chapitre 1: La notion de la sanction criminelle (Der Begriff der Kriminalstrafe), S. 652–665.

Müller, Susanne, Sanktionen und Strafauswahl in Frankreich. Freiburg 2003, insbesondere: 1. Kapitel: Das aktuelle Recht, S. 10 ff., 36, und 2. Kapitel: Die Entwicklung des Rechtsfolgensystems unter dem Gesichtspunkt der Individualisierung, S. 133 ff.

Pfefferkorn, Fabian, Einführung in das französische Strafverfahren. Hamburg 2006, S. 1–25, 65–68, 95–101, 187–192.

Pfützner, Peggy, Organisierte Kriminalität im französischen Strafverfahren. Berlin 2008, Teil 4, I.B.: Das Redlichkeitsprinzip in der Beweisgewinnung, S. 112–119.

– Strafrechtspflege in Frankreich. Überlegungen zu einer europäischen Strafrechtspflege. I.C.2.: Tragende Prinzipien der Strafrechtspflege, S. 8–13 (noch nicht veröffentlicht).

Pradel, Jean, Procédure pénale (Strafverfahren). 13. Aufl. Paris 2006/2007, S. 321–357.

Renault-Brahinsky, Corinne, Procédure pénale (Strafverfahren). 2. Aufl. Paris 2008, insbesondere: S. 29–45.

Stefani, Gaston/Levasseur, Georges/Bouloc, Bernard, Droit pénal général (Strafrecht Allgemeiner Teil). 20. Aufl. Paris 2007, insbesondere: Introduction (Einführung) Rn. 27 ff.; Rn. 98 ff.; Rn. 463 ff.

Vergès, Étienne, Procédure pénale (Strafverfahren). 2. Aufl. Paris 2007, insbesondere: S. 23–62.

Verny, Édouard, Procédure pénale (Strafverfahren). 2. Aufl. Paris 2008, insbesondere: S. 4–23.

Entscheidungen

Entscheidung des *Conseil constitutionnel* zum Gleichheitsprinzip vom 23.7.1975 DC 75-76.

Entscheidung des *Conseil constitutionnel* zur Sicherheit und Freiheit unter Berücksichtigung des Gesetzlichkeits- und Verhältnismäßigkeitsprinzips, des Rückwirkungsverbots, der Unschuldvermutung und der Verteidigungsrechte vom 19./20.1.1981 DC 127.

Entscheidung des *Conseil constitutionnel* zum Recht auf Verteidigung vom 11.8.1993 DC 93-326.

Entscheidung des *Conseil constitutionnel* zum fairen Verfahren vom 2.2.1995 DC 95-360.

Entscheidung der Vollversammlung *(assemblée plénière)* der Strafkammer des Kassationsgerichtshofs vom 30.6.1995 D. 1995, 513.

Entscheidung des *Conseil constitutionnel* zu Mündlichkeit, Öffentlichkeit und dem kontradiktorischen Verfahren vom 2.3.2004 DC 2004-492.

Entscheidung der Strafkammer des Kassationsgerichtshofs zur überlangen Verfahrensdauer. Cass. crim. 17.11.2004, Bull. crim. Nr. 291.

E. Abgrenzung und Einordnung des Strafrechts

1. Begriffliche und sachliche Umgrenzung des Strafrechts

Im französischen Recht wird der Begriff „Strafrecht" in einem weiten und einem engen Verständnis gebraucht. Als Strafrecht im weiten Sinne wird die Gesamtheit der juristischen Regeln verstanden, die die Reaktion des Staates im Hinblick auf Straftaten und Straftäter zum Gegenstand haben. Gemeint ist damit sowohl das materielle Strafrecht als auch das Strafprozessrecht. Das Strafvollstreckungsrecht wird, soweit es nicht als eigenes Regelungsgebiet aufgefasst wird, dem Strafprozessrecht zugeordnet. Dem engen Strafrechtsbegriff unterfällt hingegen nur das materielle Strafrecht. Dieses wird definiert als die Gesamtheit aller Regelungen, die zum Ziel haben, gesellschaftsschädigende Handlungen zu definieren, die Personen, die dafür verantwortlich sein können, zu bestimmen und die Strafen, die verhängt werden können, festzulegen. Dieses enge Begriffsverständnis soll im Folgenden zugrunde gelegt werden.

Ein großer Teil der materiellen Normen findet sich im Strafgesetzbuch, dem *Code pénal* (CP); weitere strafrechtliche Normen stehen in anderen Gesetzbüchern *(codes)*, Gesetzen *(lois)* oder Dekreten *(décrets)*. Dennoch nimmt die französische Literatur nach diesen Kategorien sprachlich keine Unterteilung in Kern- und Nebenstrafrecht vor. Abgegrenzt wird regelmäßig das allgemeine Strafrecht *(droit pénal général)* vom besonderen Strafrecht *(droit pénal spécial)*. Unter Ersterem werden die allgemeinen Regeln und Prinzipien des Strafrechts verstanden, die sich auf alle Straftaten anwenden lassen und im Ersten Buch des *Code pénal* zusammengefasst sind. Das besondere Strafrecht umfasst die Definitionen der einzelnen Straftaten, die sowohl im *Code pénal* als auch in Nebengesetzen zu finden sind. Sprachlich und inhaltlich werden Einteilungen in Deliktsgruppen wie beispielsweise Wirtschaftsstrafrecht *(droit pénal des affaires)*, Kommunikationsstrafrecht *(droit pénal de la communication)* und Umweltstrafrecht *(droit pénal de l'environnement)* vorgenommen. Das Sechste Buch des *Code pénal* regelt die Übertretungen *(contraventions)*. Dabei handelt es sich um Rechtsbrüche, deren Unrecht als geringer angesehen wird, die aber dennoch für strafwürdig gehalten werden; allerdings kann keine Freiheitsstrafe verhängt werden.[1]

Vom materiellen Strafrecht unterscheidet sich das strafrechtliche Prozessrecht dadurch, dass es im Strafverfahrensgesetz (*Code de procédure pénale*, CPP) die Regeln hinsichtlich der Ermittlung, Verfolgung und Aburteilung von Straftaten beinhaltet und damit der Durchsetzung des materiellen Strafrechts dient. Das Strafrecht ist weiterhin von anderen Materien abzugrenzen, die sich mit Straftaten beschäftigen. Dies sind etwa die Kriminalpolitik, also die politischen Reaktionen des

---

[1] Zum Begriff der Straftat siehe II.C.1.

Staates auf Kriminalität, die Kriminologie, welche sich mit der Frage nach der Ursache von Kriminalität beschäftigt, und die Kriminalistik als die Wissenschaft zur Erforschung der Straftaten und Ermittlung ihrer Verursacher.

Das Strafrecht ist nach französischem Recht weder rein öffentliches noch reines Privatrecht; es genießt aufgrund seines gemischten Charakters vielmehr eine eigenständige Stellung. Die öffentlich-rechtlichen Elemente zeigen sich darin, dass das Strafrecht im Verhältnis Bürger-Staat Anwendung findet. Auf der anderen Seite erlaubt es die Sanktionierung unterschiedlicher Rechtsbrüche und erfasst dabei auch die Verletzung privater Interessen. Zudem sind die Strafgerichte der ordentlichen Gerichtsbarkeit und nicht der Verwaltungsgerichtsbarkeit zugeordnet. Insgesamt ist das Strafrecht jedoch mehr dem öffentlichen Recht angenähert, da dem Staat das Gewaltmonopol zukommt, welches er im Namen der gesamten Gesellschaft wahrnimmt.

2. Abgrenzung zu anderen repressiven Ordnungssystemen

Das französische Strafrecht lässt sich zum Disziplinarrecht, zum Militärstrafrecht und zum Verwaltungsstrafrecht abgrenzen.

Das Disziplinarrecht *(droit disciplinaire)* wird oftmals als „Strafrecht der Berufsstände“ bezeichnet, da es gleich dem Strafrecht repressive Züge aufweist. Disziplinarrechtliche Regelungen existieren insbesondere im Bereich von Berufsvereinigungen sowie auch für Beamte und dienen der Aufrechterhaltung der internen Ordnung eines Berufsstands. Gemeinsam ist dem Strafrecht und dem Disziplinarrecht, dass Verstöße gegen die einzuhaltenden Regeln sanktioniert werden. Unterschiedlich sind hingegen die Sanktionen, mit denen auf einen solchen Verstoß reagiert wird. Disziplinarrechtliche Sanktionen haben teilweise moralischen Charakter, wie etwa Abmahnung und Tadel, und teilweise beruflichen Bezug, wie Degradierung oder Entfernung aus dem Amt beziehungsweise Ausschluss aus der Berufsvereinigung. Geldstrafen, wie sie das Strafrecht kennt, sind selten und die Freiheitsstrafe nicht zulässig. Zudem werden die Sanktionen gerade nicht im Namen der Allgemeinheit verhängt, wie dies beim Strafrecht der Fall ist. Welche Stelle für die Verhängung der Sanktion zuständig ist, variiert je nach Gruppierung. In privaten Unternehmen ist beispielsweise der Arbeitgeber berechtigt, disziplinarrechtliche Maßnahmen auszusprechen, wobei eine Überprüfung vor den ordentlichen Gerichten als Rechtsmittel möglich ist. Ein weiterer wesentlicher Unterschied zum Strafrecht besteht darin, dass im Disziplinarrecht rechtsstaatliche Garantien wie das Gesetzlichkeitsprinzip[2] und verfahrensrechtliche Prinzipien wie das Trennungsprinzip[3] keine Geltung haben.

---

[2] Siehe dazu II.A.

[3] Siehe dazu I.D.4.

Das Militärstrafrecht ist im Militärstrafgesetzbuch *(Code de justice militaire)* geregelt, welches materielle Normen und einen prozessualen Teil enthält. Es sieht eigene militärstrafrechtliche Tatbestände vor, die in verschiedene Kategorien geordnet sind: Straftaten, durch die sich der Täter seiner Verpflichtung entziehen will, wie eigenmächtige Abwesenheit *(insoumission)*, Fahnenflucht *(désertion)* oder vorsätzliche Verstümmelung *(mutilation volontaire)*; Straftaten gegen die Ehre oder die Pflicht, wie Kapitulation *(capitulation)* oder Plünderei *(pillage)*; Straftaten gegen die Disziplin, wie Revolte *(révolte)* oder Gehorsamsverweigerung *(refus d'obéissance)*. Daneben enthält das Militärstrafgesetzbuch Verweise auf das Strafgesetzbuch und verschärft die Strafen für Verrat und Spionage (Art. 411-2 bis 411-11 CP) in Kriegszeiten. In prozessrechtlicher Hinsicht sieht es für Kriegszeiten allgemein und für französische Militäreinheiten, die sich in Friedenszeiten außerhalb des französischen Hoheitsgebiets befinden, das Verfahren vor einem Militärgericht vor. In allen übrigen Fällen sind in Friedenszeiten die allgemeinen Gerichte zuständig. Die Militärgerichte können die allgemeinen Strafen[4] verhängen, zudem aber auch militärische Strafen wie die Amtsenthebung *(destitution)* und Degradierung *(perte du grade)* aussprechen.

Schließlich ist das Strafrecht abzugrenzen vom Verwaltungsstrafrecht *(droit administratif pénal)*. Darunter wird die Gesamtheit der repressiven Regelungen verstanden, die von der Verwaltung erlassen werden. Sie sind aber weder in einem Gesetz oder Gesetzbuch zusammengefasst, noch ist festgelegt, welche gemeinsamen Charakteristika sie besitzen. Die Verwaltung kann beispielsweise beim Steuerrecht, der Gesundheit und der Umwelt, beim Verkehr und im Informations- und Kommunikationsbereich Sanktionen – insbesondere erhebliche Geldbußen – verhängen. Das Verwaltungsstrafrecht stellt eine eigene repressive Ordnung neben der strafrechtlichen dar. Dabei können unabhängige Verwaltungsorgane, wie zum Beispiel der Wettbewerbsrat *(Conseil de la concurrence)*, der Hohe Rundfunk- und Fernsehrat *(Conseil supérieur de l'audiovisuel)* oder die Kommission für Börsengeschäfte *(Commission des opérations de Bourse)* in bestimmten, gesetzlich geregelten Fällen Sanktionen verhängen, gegen die der Rechtsweg zum Verwaltungsgericht möglich ist. Aufgrund dieser parallel zur strafrechtlichen Ordnung bestehenden repressiven verwaltungsrechtlichen Ordnung besteht jedoch die Gefahr der Umgehung straf- und strafverfahrensrechtlicher Garantien, da diese im Rahmen eines verwaltungsrechtlichen Verfahrens keine Geltung haben. Der Europäische Gerichtshof für Menschenrechte hat in seinem „Öztürk-Urteil" 1984 jedoch bereits entschieden, dass unabhängig von einer nationalen Qualifizierung des verbotenen Handelns als Straftat oder als verwaltungsrechtlicher Verstoß die elementaren Garantien für strafrechtlich Verfolgte gemäß Art. 6 EMRK jedenfalls dann Anwendung finden, wenn es sich um die Verhängung von Sanktionen mit strafähnlichem Charakter handelt. Damit hat die Abgrenzung von Straf- und Verwaltungsrecht zumindest für den Bereich der Verfahrensgarantien an Bedeutung verloren.

---

4 Siehe dazu I.A.5.d.

3. Einordnung spezieller Maßnahmen für bestimmte Tätergruppen

– *Zurechnungsunfähige*

Prinzipiell gilt, dass gegen einen Täter, bei dem ein Grund vorliegt, aus dem ihm die Tat nicht vorgeworfen werden kann (*cause de non-imputabilité* = subjektive Ausschlussgründe der strafrechtlichen Verantwortlichkeit), keine Strafe verhängt werden darf.[5] Stellt sich etwa während des Verfahrens heraus, dass der Täter die Tat unter dem Einfluss einer psychischen Störung begangen hat, so stellt das Gericht seine Zurechnungsunfähigkeit fest *(déclaration d'irresponsabilité pénale pour cause de trouble mental)*, was einen Schuldspruch ausschließt. Allerdings erklärt das Gericht zugleich, dass genügend Beweise für die Begehung der vorgeworfenen Tat vorgelegen haben. Sollte der Täter jedoch weiterhin ein Gefährdungspotential aufweisen – dies ist insbesondere dann der Fall, wenn eine hohe Wahrscheinlichkeit der Begehung weiterer Straftaten besteht – dann können ihm Sicherungsmaßnahmen *(mesures de sûreté)* auferlegt werden. Insbesondere besteht die Möglichkeit der Zwangseinweisung in eine psychiatrische Anstalt *(hospitalisation d'office)*. Noch bis vor Kurzem war diese Einweisungsentscheidung den Verwaltungsgerichten überlassen (Art. L.3213-7 *Code de la santé publique*), und dem Strafrichter selbst blieb nur die Benachrichtigung des Präfekten. Durch das Gesetz vom 25. Februar 2008 *(Loi n° 2008-174)* wurde in Art. 706-135 CPP dem Strafrichter nun ebenfalls die Kompetenz zur Einweisung eines Unzurechnungsfähigen in eine psychiatrische Anstalt im Anschluss an die Erklärung der Zurechnungsunfähigkeit des Täters aufgrund einer psychischen Störung eingeräumt. Erscheint eine Zwangseinweisung unverhältnismäßig, kommen auch freiheitseinschränkende Sicherungsmaßnahmen *(mesures de sûreté restrictives de liberté)*, wie ein Kontaktverbot mit dem Opfer, ein Aufenthaltsverbot an bestimmten Orten, der Entzug des Führerscheins, ein Berufsverbot oder Ähnliches in Betracht. Sowohl die Zwangseinweisung als auch die freiheitseinschränkenden Sicherungsmaßnahmen sind keine Strafen *(peines)*, sondern Maßnahmen *(mesures)*, und können als solche gegen zurechnungsunfähige Personen verhängt werden. Allerdings ist zu beachten, dass es eine eindeutige Zweiteilung des Systems in Strafen einerseits und Maßregeln (der Besserung und Sicherung) andererseits, wie sie andere Rechtsordnungen kennen, im französischen Strafrecht nicht gibt. Die Strafgerichte können generell nur Strafen verhängen, wobei unter diesen Begriff nach materieller Betrachtungsweise auch einige Maßnahmen fallen. Grundsätzlich besteht Uneinigkeit darüber, welche Sanktionen als Maßnahmen und welche als Strafen im materiellen Sinne einzuordnen sind, da eine entsprechende Unterteilung im *Code pénal* nicht vorgenommen worden ist. So entscheidet vielmehr die Rechtsprechung darüber, welche Sanktionen ihrem materiellen Charakter nach als Strafen und welche als Maßnahmen anzusehen sind.

---

[5] Zu den Ausschlussgründen im Einzelnen siehe II.J.

– *Drogen- und Alkoholabhängige*

Neben den Maßnahmen mit Strafcharakter existieren weitere Sicherungsmaßnahmen, die nicht von einem Strafgericht verhängt werden können. Darunter fällt insbesondere die Einweisung von gefährlichen Drogen- oder Alkoholabhängigen in eine Entziehungsanstalt. Diese kann entweder von einer Zivilkammer des *Tribunal de Grande Instance* ausgesprochen oder aber durch den Ermittlungsrichter im Rahmen der *contrôle judiciaire* oder durch die Staatsanwaltschaft im Gegenzug zu einem Absehen von Strafe verhängt werden (Art. 137, 138 CPP).

– *Kinder und Jugendliche*

Auch für Kinder und Jugendliche gibt es spezielle Reaktionsformen, die die eingeschränkte Verantwortlichkeit Minderjähriger und das grundlegende Ziel der Begünstigung ihrer Erziehung und Resozialisierung verstärkt berücksichtigen. [6] Grundsätzlich besteht keine strafrechtliche Verantwortlichkeit für Minderjährige, denen die erforderliche Einsichtsfähigkeit fehlt. Für einsichtsfähige Minderjährige hingegen gilt, dass sie in allen Altersstufen strafrechtlich verantwortlich sein können. Die zu verhängenden Sanktionen, die sich nach Altersgruppen unterscheiden, verfolgen insbesondere erzieherische Zwecke. So können für Kinder unter zehn Jahren Erziehungsmaßnahmen *(mesures éducatives)* getroffen werden. Nach Vollendung des zehnten Lebensjahres ist die Verhängung von Erziehungssanktionen *(sanctions éducatives)*, wie die förmliche Ermahnung, ein Umgangsverbot mit den Beteiligten der Straftat oder auch der Besuch eines Erziehungsheims oder einer Internatsschule zulässig. Sie sind ebenso wie die Erziehungsmaßnahmen in einer besonderen Verordnung *(ordonnance n° 45-174 du 2 février 1945 relative à l'enfance délinquante)* geregelt. Für Kinder ab 13 Jahren kommen auch Strafen *(peines)* wie gemeinnützige Arbeit in Betracht, jedoch unter Berücksichtigung der eingeschränkten Verantwortlichkeit von Minderjährigen (Art. 122-8 CP). Ab dem Alter von 16 Jahren kann die Vermutung der eingeschränkten Verantwortlichkeit widerlegt und der Minderjährige als strafrechtlich voll verantwortlich verurteilt werden.

– *Täter schwerer Straftaten, bei denen die Gefahr eines Rückfalls besteht*

Im Jahr 2005 wurde durch Gesetz *(Loi n° 2005-1549)* vom 12. Dezember die gerichtliche Aufsicht *(surveillance judiciaire)* für rückfallgefährdete Täter bestimmter schwerer Verbrechen und Vergehen in das Strafverfahrensgesetz (Art. 723-29 bis 723-37 CPP) eingeführt. Danach kann eine zu Freiheitsstrafe von zehn Jahren oder darüber verurteilte Person vom Vollstreckungsgericht *(juge d'application des peines)* auf Antrag der Staatsanwaltschaft ab dem Zeitpunkt der Entlassung aus dem

---

[6] Zur Minderjährigkeit siehe auch II.J.5.

Strafvollzug unter gerichtliche Aufsicht gestellt werden. Voraussetzung ist, dass die Möglichkeit der sozial-gerichtlichen Aufsicht *(suivi socio-judiciaire)* für die begangene Tat vorgesehen ist und bei dem Täter das erwiesene Risiko eines Rückfalls besteht. Dabei handelt es sich um eine Sicherungsmaßnahme, deren einziger Zweck die Prävention der Begehung weiterer Straftaten ist und die mit Gesetz vom 17. Juni 1998 zur Bekämpfung sexueller Straftaten eingeführt worden ist (Art. 131-36-1 bis 131-36-8 CP beziehungsweise Art. 763-1 bis 763-9 CPP). Diese Aufsicht soll die betroffene Person zugleich kontrollieren und betreuen. Sie kann nur für bestimmte Straftaten, wie etwa Totschlag mit vorausgegangener Vergewaltigung, und nur dann verhängt werden, wenn sie gesetzlich vorgesehen ist. Die sozial-gerichtliche Aufsicht kann sogar im Fall einer lebenslangen Zuchthausstrafe verhängt werden, solange das Vollstreckungsgericht sich die Möglichkeit vorbehält, die ausgesprochene Maßnahme nach einer Frist von 30 Jahren zu beenden. Sowohl mit der gerichtlichen als auch mit der sozial-gerichtlichen Aufsicht sind verschiedene Auflagen verbunden, wie die Zusammenarbeit mit einem Sozialarbeiter oder die Verpflichtung, sich einer medizinischen Untersuchung oder Behandlung zu unterziehen. Kommt der Betroffene diesen Verpflichtungen nicht nach, so kann das Vollstreckungsgericht die Strafrestaussetzung teilweise oder ganz aufheben und anordnen, den Betroffenen wieder in Haft zu nehmen.

– *Gefährliche Täter*

Zur Sicherung der Gesellschaft vor gefährlichen Straftätern wurde die Sicherungsverwahrung *(rétention de sûreté)* durch Gesetz vom 25. Februar 2008 *(Loi n° 2008-174)* in das Strafverfahrensgesetz eingeführt. Die Sicherungsverwahrung kann nur gegen strafrechtlich verantwortliche und rechtskräftig verurteilte Personen im Anschluss an die Strafverbüßung aufgrund bestimmter Delikte angeordnet werden:

- Bei Straftaten gegen ein minderjähriges Opfer – wenn der Täter zu einer Freiheitsstrafe von 15 oder mehr Jahren für eines der folgenden Delikte verurteilt wurde: Mord oder Totschlag, Folterung oder brutale Misshandlung, Vergewaltigung, Entführung oder Freiheitsberaubung.
- Bei Straftaten gegen ein volljähriges Opfer: Mord oder qualifizierter Totschlag, qualifizierte Folterung oder brutale Misshandlung, qualifizierte Vergewaltigung, qualifizierte Entführung oder Freiheitsberaubung (Art. 221-2, 221-3, 221-4, 222-2, 222-3, 222-4, 222-5, 222-6, 222-24, 222-25, 222-26, 224-2, 224-3 und 224-5-2 CP und Art. 706-53-13 CPP).

Die Einordnung der Sicherungsverwahrung als Strafe oder Maßnahme ist umstritten. Der *Conseil constitutionnel (Décision Nr. 2008-562 DC)* hat entschieden, dass es sich weder um eine Strafe noch um eine Maßnahme mit Strafcharakter handelt. Da die Sicherungsverwahrung an die bestehende Gefährlichkeit des Täters und nicht an seine Schuld anknüpft und zudem allein der Prävention weiterer Straftaten dient, ist sie eher als Maßnahme anzusehen. Allerdings hat der *Conseil constitutionnel* eine rückwirkende Anwendung, wie sie bei Maßnahmen grundsätzlich möglich ist, im Fall der Sicherungsverwahrung wegen ihres freiheitsentziehenden Charakters für verfassungswidrig erklärt.

Das verurteilende Gericht selbst ordnet die Sicherungsverwahrung nicht an, muss in seinem Urteil jedoch ihre spätere Anordnung vorbehalten (Art. 706-53-13 Abs. 3 CPP). Ein Jahr vor Beendigung der Strafverbüßung wird eine Expertenkommission berufen, welche die Gefährlichkeit des Täters und die Notwendigkeit der Anordnung der Sicherungsverwahrung prüft und eine entsprechende Empfehlung abgibt. Voraussetzung sind die „sehr hohe Wahrscheinlichkeit" eines Rückfalls, die besondere Gefährlichkeit des Täters und die Unzulänglichkeit anderer Maßnahmen, sodass die Sicherungsverwahrung als letztes Mittel der Rückfallprävention angezeigt ist (Art. 706-53-14 CPP). Die Entscheidung über die Anordnung der Sicherungsverwahrung liegt bei der *juridiction régionale de la rétention de sûreté*, gegen deren Entscheidung Rechtsmittel zulässig sind. Dieser Spruchkörper wird jeweils für eine Dauer von drei Jahren einberufen und setzt sich gemäß Art. 706-53-15 Abs. 1 CPP aus einem Kammervorsitzenden *(président de chambre)* und zwei Beratern *(conseillers)* des regional zuständigen Berufungsgerichts *(cour d'appel)* zusammen.

Die Sicherungsverwahrung wird zunächst für ein Jahr angeordnet, kann jedoch, wenn die Voraussetzungen des Art. 706-53-14 CPP weiter vorliegen, unbegrenzt oft verlängert werden (Art. 706-53-17 CPP). Liegen diese jedoch nicht mehr vor, muss die *juridiction régionale de la rétention de sûreté* die Maßnahme von Amts wegen beenden (Art. 706-53-18 CPP). Drei Monate nach der Anordnung kann der Betroffene einen Antrag auf Beendigung der Maßnahme an die *juridiction régionale de la rétention de sûreté* stellen. Über diesen muss innerhalb von drei Monaten entschieden werden, sonst wird die Maßnahme von Amts wegen beendet. Im Fall einer Ablehnung kann der Betroffene nach Ablauf von drei Monaten erneut einen solchen Antrag stellen. Zudem stehen ihm Rechtsmittel gegen die ablehnende Entscheidung offen (Art. 706-53-17 CPP).

Wird die Sicherungsverwahrung beendet oder nicht verlängert, stellt aber der Betroffene noch eine Gefahr dar, so besteht die Möglichkeit, ihn der *surveillance de sûreté* (Sicherheitsaufsicht) zu unterstellen (Art. 706-53-19 CPP). Damit sind dieselben Verpflichtungen wie bei der gerichtlichen Aufsicht (*surveillance judiciaire,* Art. 723-30 CPP) verbunden: beispielsweise die Zusammenarbeit mit einem Sozialarbeiter oder die Verpflichtung, sich einer medizinischen Untersuchung oder Behandlung zu unterziehen (Art. L.3711-1 bis L.3711-5 *Code de la santé publique*). Zudem besteht die Möglichkeit der elektronischen Überwachung unter den Voraussetzungen der Art. 706-12, 706-13 CPP. Verstößt der Betroffene gegen die Anweisungen und beweist dadurch seine erneute Gefährlichkeit in der Art, dass die Begehung einer der in Art. 706-53-13 CPP genannten Straftaten sehr wahrscheinlich ist, kann eine Notfallunterbringung in der Sicherungsverwahrung angeordnet werden.

Diese Unterbringung muss innerhalb von drei Monaten von der *juridiction régionale de la rétention de sûreté* bestätigt werden (Art. 706-53-19 CPP).

– *Sexualstraftäter und Gewalttäter*

Durch das Gesetz vom 9. März 2004 *(Loi n° 2004-204)* wurde ein automatisiertes nationales Strafregister für Täter von Sexual- oder Gewaltstraftaten (*fichier judiciaire national automatisé des auteurs d'infractions sexuelles ou violentes*, FIJAIS) eingeführt, um die Wiederholung von Straftaten zu verhindern und die Identifizierung der Täter zu erleichtern (Art. 706-53-1 CPP). Im FIJAIS werden die Identität und Adresse von Sexual- und Gewaltstraftätern nach einer Verurteilung automatisch und vergleichsweise lange (20–30 Jahre) gespeichert sowie den Betroffenen als Sicherungsmaßnahme auferlegt, die Aktualität ihrer Daten zu gewährleisten. Dem Eintrag in FIJAIS steht es nicht entgegen, wenn die betreffende Person für unzurechnungsfähig erklärt wurde, da die Eintragung keine Strafe ist und somit nicht an die strafrechtliche Verantwortlichkeit und Schuld der Person anknüpft.[7]

Literaturhinweise zu Abschnitt E.

Bouzat, Pierre/Pinatel, Jean, Traité de droit pénal et de criminologie (Abhandlung zu Strafrecht und Kriminologie). 2. Aufl. Paris 1970, Introduction générale. Le droit pénal et les sciences pénales (Allgemeine Einführung. Das Strafrecht und die Strafrechtswissenschaften), n° 1–19.

Dellis, Georges, Droit pénal et droit administratif. L'influence des principes du droit pénal sur le droit administratif répressif (Strafrecht und Verwaltungsrecht. Der Einfluss der Prinzipien des Strafrechts auf das repressive Verwaltungsrecht). Paris 1997.

Delmas-Marty, Mireille/Teitgen-Colly, Catherine, Punir sans juger? De la répression administrative au droit administratif pénal (Bestrafen ohne zu urteilen? Von der Verwaltungsrepression zum Verwaltungsstrafrecht). Paris 1992.

Desportes, Fréderic/Le Gunehec, Francis, Droit pénal général (Strafrecht Allgemeiner Teil). 15. Aufl. Paris 2008, Introduction (Einführung), Section 1: La notion de droit pénal (Der Begriff des Strafrechts), n° 3–46, und Section 2: L'évolution du droit pénal (Die Entwicklung des Strafrechts), n° 79–80; Titre II, Sous-titre III, Chapitre I, Section 1, § 1: Le trouble mental provoquant la disparition du discernement (Die geistige Störung als Ursache für Zurechnungsunfähigkeit), n° 632–644; Titre III: Les peines (Die Strafen), n° 761-1, Titre IV: Les mesures de sûreté (Die Sicherungsmaßnahmen), n° 1159–1252.

---

[7] Zur sozial-gerichtlichen Aufsicht für Sexualstraftäter siehe oben.

Merle, Roger/Vitu, André, Traité de droit criminel. Problèmes généraux de la science criminelle. Droit pénal général (Abhandlungen zum Kriminalstrafrecht. Allgemeine Probleme der Strafrechtswissenschaft. Strafrecht Allgemeiner Teil). 7. Aufl. Paris 1997, Partie I, Livre III, Titre I: Les caractères spécifiques du droit criminel (Die spezifischen Merkmale des Kriminalstrafrechts), n° 142–150.

– Traité de droit criminel. Procédure pénale (Abhandlungen zum Kriminalstrafrecht. Strafverfahren). 5. Aufl. Paris 2001, Livre III, Titre I, Chapitre II: La compétence des juridictions de jugement (Die Zuständigkeit der erkennenden Gerichtsbarkeiten), n° 688 f.

Müller, Susanne, Sanktionen und Strafauswahl in Frankreich. Freiburg 2003, insbesondere: 1. Kapitel: Das aktuelle Recht, S. 22, und 2. Kapitel: Die Entwicklung des Rechtsfolgensystems unter dem Gesichtspunkt der Individualisierung, S. 178 ff.

Pralus-Dupuy, Joëlle, Discipline (Disziplin). In: Yves Mayaud/Pascal Remillieux (Hrsg.), Répertoire de droit pénal et de procédure pénale. Encyclopédie Juridique Dalloz (Textsammlung zum Strafrecht und Strafverfahrensrecht), Band III. Paris 1997.

Stefani, Gaston/Levasseur, Georges/Bouloc, Bernard, Droit pénal général (Strafrecht Allgemeiner Teil). 20. Aufl. Paris 2007, insbesondere: Les causes subjectives de non-responsabilité (Die subjektiven Strafausschließungsgründe), Rn. 416–459 und Rn. 460–505.

F. Strafrechtsquellen und Auslegungshilfen

1. Überblick

In Frankreich sind das geschriebene Recht und das Gewohnheitsrecht als klassische Rechtsquellen anerkannt. Aber auch die Rechtsprechung und das Schrifttum sind insbesondere für die Auslegung und Anwendung des Rechts von großer Bedeutung.

2. Geschriebene Rechtsnormen

Die wichtigste Rechtsquelle des französischen Rechts ist das geschriebene Recht, das heißt Gesetze *(lois)* im weiteren Sinne. Dabei handelt es sich um Rechtsvorschriften, die vom zuständigen Staatsorgan erlassen wurden und die allgemein, abstrakt und dauerhaft sind. Die ranghöchste Norm ist die Verfassung *(constitution)*. Sie legt vor allem die Hierarchie der Normen *(hiérarchie des normes)* fest und regelt die Aufgaben und Kompetenzen der einzelnen Staatsorgane.[1]

Internationale Verträge *(traités internationaux)* haben gemäß Art. 55 Verfassung Vorrang vor Gesetzen und Exekutivverordnungen *(règlements)*. Dies beruht im Wesentlichen darauf, dass Frankreich als monistisches System von nur einer bestehenden Rechtsordnung ausgeht, in die sich die unterschiedlichen Rechtsnormen nach hierarchischen Regeln einfügen. So ist zum Beispiel die Europäische Menschenrechtskonvention in Frankreich unmittelbar geltendes Recht. Ihre Bestimmungen haben sowohl Einfluss auf das Strafprozessrecht – etwa in Bezug auf die Wahrung eines fairen Verfahrens und die Rechte der Verteidigung – als auch auf das materielle Strafrecht. Das oberste französische Verwaltungsgericht *(Conseil d'Etat)* entschied in seinem Urteil *Nicolo (arrêt Nicolo)* nach langer Kontroverse, dass internationale Verträge – zum Beispiel auch die Verträge der Europäischen Union – nicht nur gegenüber früher, sondern auch gegenüber später ergangenen Gesetzen Vorrang haben; damit setzte es eindeutig die in Art. 55 Verfassung festgelegte Hierarchie der Normen in die Praxis um. Gemäß Art. 54 Verfassung besteht die Möglichkeit, zur Überprüfung der Verfassungsmäßigkeit von internationalen Verträgen vor deren Ratifikation den Verfassungsrat *(Conseil constitutionnel)* anzurufen. Im Fall der Verfassungswidrigkeit darf der Vertrag erst dann ratifiziert werden, wenn die Verfassung entsprechend geändert worden ist.

In Art. 34 Verfassung ist festgelegt, in welchen Rechtsbereichen Gesetze vom Parlament verabschiedet werden können. Dazu gehört nach Unterpunkt 4 auch „die Festlegung der Verbrechen und Vergehen sowie die darauf stehenden Strafen, das

---

1 Zur Verfassung siehe auch I.C.1.a.

Strafverfahren, die Amnestie, die Schaffung neuer Gerichtsbarkeiten und die Rechtsstellung der Richter und Staatsanwälte". Auch in anderen Bereichen, die von besonders großer Bedeutung für Staat und Bürger sind, muss ein Parlamentsgesetz verabschiedet werden, so zum Beispiel in Angelegenheiten, die die Bürgerrechte und die den Staatsbürgern zur Ausübung ihrer Grundrechte gewährten grundlegenden Garantien, die Staatsangehörigkeit, den Personenstand, die Rechtsfähigkeit oder die Verstaatlichung oder Privatisierung von Unternehmen betreffen.

In allen anderen Materien ist die Exekutive gemäß Art. 37 Verfassung befugt, sogenannte eigenständige Exekutivverordnungen *(règlements autonomes)* zu erlassen. Diese stehen in ihrer Wirkung Gesetzen gleich und unterliegen hinsichtlich ihrer Verfassungsmäßigkeit ebenfalls einer Kontrolle durch den Verfassungsrat. Diese Regelung besteht erst seit der Verfassung von 1958. Zuvor war für den Erlass von generellen und abstrakten Vorschriften ausschließlich das Parlament zuständig. Da sich das Parlament aber während der IV. Republik in seiner Funktionstüchtigkeit häufig sehr eingeschränkt gesehen hatte, wurden seine Zuständigkeiten ob dieser geschichtlichen Erfahrung in der Verfassung von 1958 von vornherein auf besonders wichtige Bereiche begrenzt.

Das Strafgesetzbuch, der *Code pénal* (CP) ist die wichtigste geschriebene Rechtsquelle im Strafrecht. Er gliedert sich in einen Gesetzesteil und einen Verordnungsteil. Der erste – vom Gesetzgeber verabschiedete – Teil umfasst insgesamt sieben Bücher: I. Allgemeine Bestimmungen *(dispositions générales)*, II. Verbrechen und Vergehen gegen Personen *(crimes et délits contre les personnes)*, III. Verbrechen und Vergehen gegen Sachen *(crimes et délits contre les biens)*, IV. Verbrechen und Vergehen gegen die Nation, den Staat und den öffentlichen Frieden *(crimes et délits contre la nation, l'Etat et la paix publique)*, V. Andere Verbrechen und Vergehen *(autres crimes et délits)*, VI. Übertretungen *(contraventions)*, VII. In den überseeischen Gebieten und dem Territorialgebiet Mayotte anwendbare Bestimmungen *(dispositions applicables dans les territoires d'outre-mer et dans la collectivité territoriale de Mayotte)*. Der zweite – verordnungsrechtliche – Teil umfasst ebenfalls sieben Bücher mit den gleichen Titeln und enthält die zur Konkretisierung der gesetzlichen Bestimmungen erlassenen Dekrete *(décrets)*. Die Artikel dieses Teils beginnen jeweils mit „R." für *règlement* und sind dadurch klar von den Artikeln des ersten Teils zu unterscheiden. Methodisch folgt das Strafgesetzbuch einer dezimalen Nummerierung, indem es mit der ersten Ziffer das Buch, mit der zweiten den Titel und mit der dritten das Kapitel angibt. Erst die Ziffer nach dem Gedankenstrich bezeichnet den eigentlichen Artikel. So beginnt der *Code pénal* mit Art. 111-1, das heißt dem ersten Artikel im ersten Kapitel des ersten Titels des ersten Buches. Der Umstand, dass ein Teil des Strafgesetzbuchs von der Exekutive stammt, stellt eine gewisse Durchbrechung des strengen Gesetzlichkeitsprinzips[2] dar. Damit können zwar auch Akte der Exekutive eine Quelle des

---

[2] Siehe zum Gesetzlichkeitsprinzip II.A.

Strafrechts darstellen, doch unterliegt das Verordnungsrecht gemäß Art. 37 Verfassung Einschränkungen. Die Übertretungen können nämlich nur in den vom Gesetz bestimmten Grenzen und innerhalb der vom Gesetz getroffenen Unterscheidungen geregelt werden. So kann etwa durch eine Verordnung keine neue Übertretung geschaffen werden, da dies allein dem Gesetzgeber vorbehalten ist.

Im Bereich des Strafverfahrensrechts ist der *Code de procédure pénale* (CPP) das maßgebliche Regelungswerk. Im Übrigen befinden sich weitere Regelungen in Spezialgesetzen, wie dem Gesetz über die Freiheit der Presse *(Loi sur la liberté de la presse)* und dem Straßenverkehrsgesetzbuch *(Code de la route)*.

Der *Code pénal* und der *Code de procédure pénale* werden jährlich von den Verlagshäusern *Dalloz* und *Litec* neu herausgegeben. Im *Journal officiel de la République française*, dem französischen Amtsblatt, werden jeweils aktuell die neuen Gesetze und Dekrete veröffentlicht.

3. Gewohnheitsrecht

Das Gewohnheitsrecht *(coutume)* spielt aufgrund des aus der Erklärung der Menschen- und Bürgerrechte von 1789 resultierenden Gesetzlichkeitsprinzips nur eine untergeordnete Rolle. Wann Gewohnheitsrecht entsteht, wird danach definiert, ob innerhalb einer Gruppe und binnen gewisser Zeit aufgrund von Wiederholungen eine bestimmte Handlung entsteht (gängige Praxis – *répétition d'actes*), die mit der Überzeugung vorgenommen wird, dass alle sich an diese zwingende Regelung halten müssen (gemeinsame Überzeugung – *conviction commune*). Gewohnheitsrecht findet in solchen Fällen Anwendung, in denen das Gesetz einer Ergänzung bedarf oder in denen es unvollständig ist. Zu dem sehr begrenzten Anwendungsbereich des Gewohnheitsrechts zählt zum Beispiel das französische Handelsrecht *(lex mercatoria)*.

Im Strafrecht können aufgrund des Gesetzlichkeitsprinzips keine neuen Strafvorschriften durch Gewohnheitsrecht geschaffen oder verändert werden.[3] Hingegen ist es möglich, aufgrund von Gewohnheitsrecht ausnahmsweise bestimmte gesetzliche Vorschriften unangewendet zu lassen; beispielsweise kommt die grundsätzliche Strafbarkeit der Durchführung von Stierkämpfen, die sich aus Art. 521-1 CP ergibt, in manchen Gebieten wegen einer gewohnheitsrechtlich regionalen Zulässigkeit dieser Kämpfe nicht zum Tragen. Gleiches gilt zum Beispiel auch für die traditionellen Hahnenkämpfe auf den Antillen. Das Gewohnheitsrecht kann auch bei der Auslegung von Gesetzen eine Rolle spielen, zum Beispiel bei der Frage nach allgemeinen Sitten und Gebräuchen, um bestimmen zu können, ob etwa der Fall einer Ruhestörung gegeben ist.

---

[3] Siehe zu den Anforderungen an die Regelungsform II.A.3.a.

4. Rechtsprechung

Die Rechtsprechung *(jurisprudence)* umfasst alle ergangenen gerichtlichen Entscheidungen. Uneinigkeit besteht darüber, ob die Rechtsprechung durch die Interpretation des Rechts neues Recht entstehen lassen kann. Diejenigen, die die Rechtsprechung nicht als Rechtsquelle anerkennen, argumentieren, dass es dem Prinzip der Gewaltenteilung widerspräche, wenn die Judikative sich durch Rechtsauslegung in klassische Aufgaben der Legislative einmischen könnte. Außerdem sprächen die mit einer sich ändernden Rechtsprechung verbundenen Unsicherheiten dagegen, sie als Rechtsquelle einzuordnen; sie solle lediglich als moralische Autorität dienen. Überwiegend wird die Rechtsprechung aber als Rechtsquelle anerkannt, da sie sich zwischen der Auslegung von Gesetzen und der Schaffung neuen Rechts bewege. Nicht zuletzt gehe dies bereits aus der Aufgabe des Kassationsgerichtshofs *(Cour de cassation)*, die Auslegung der Gesetze zu harmonisieren, hervor.[4] Auch wenn die Urteile des Kassationsgerichtshofs keine bindende Präzedenzwirkung für die Untergerichte besäßen, orientierten sich diese doch an seiner Rechtsprechung. Sie können zwar anders entscheiden, würden dann aber riskieren, dass ihre Entscheidung vom Kassationsgerichtshof aufgehoben würde.

Eine Sammlung der Rechtsprechung des Kassationsgerichtshofs enthält das *Bulletin des arrêts de la Cour de cassation*. Die Entscheidungen des Verfassungsrates sind im *Recueil des décisions du Conseil constitutionnel* veröffentlicht. Im Übrigen gibt es Rechtsprechungssammlungen, die die wichtigsten Entscheidungen eines jeweiligen Rechtsgebiets enthalten und auch kommentieren. Schließlich enthalten die gängigen juristischen Zeitschriften, wie die *Gazette du Palais (Gaz. Pal.)*, der *Recueil Dalloz (D.)*, *La Semaine juridique (JCP)* oder die auf das Strafrecht spezialisierten Zeitschriften wie die *Revue de science criminelle et de droit pénal comparé (RSC)*, *Droit pénal (Dr. pén.)* und die *Revue internationale de droit pénal (RIDP)* viele gerichtliche Entscheidungen. Praxisnahe Kommentierungen zum Strafrecht finden sich in *Actualité juridique – Pénal (AJ pén.)*.

5. Schrifttum

Das Schrifttum *(doctrine)* setzt sich aus der Fülle juristischer Publikationen, die von Hochschullehrern oder Praktikern verfasst werden, zusammen. Ihre Bedeutung liegt vor allem darin, dass sie der Rechtsprechung in Fragen schwieriger Rechtsprobleme eine Lösung anbieten, dem Gesetzgeber Defizite aufzeigen und Reformvorschläge unterbreiten. Daher wird die Lehre von vielen streng genommen nicht als Rechtsquelle eingeordnet, sondern als „Autorität“ bezeichnet, die das Recht beeinflusst. In Frankreich publiziert die Fachwelt insbesondere in systematisch

---

[4] Siehe zum Kassationsgerichtshof I.A.5.c.

aufgebauten Lehrbüchern *(manuels, traités)*, aber auch in Rechtswörterbüchern *(répertoires)*, Enzyklopädien *(encyclopédies)*, Zeitschriften *(revues)* und Loseblattsammlungen wie den *Jurisclasseurs*, die wissenschaftliche Darstellungen zu einzelnen Sachgebieten enthalten; im Strafrecht sind auch Kommentare gebräuchlich.

Literaturhinweise zu Abschnitt F.

David, René/Grasmann, Günther (Hrsg.), Einführung in die großen Rechtssysteme der Gegenwart. 2. Aufl. München 1988, III. Titel: Rechtsquellen und Kräfte, insbesondere: Rn. 86 ff., Rn. 116 f.

Desportes, Fréderic/Le Gunehec, Francis, Droit pénal général (Strafrecht Allgemeiner Teil). 15. Aufl. Paris 2008, Titre I, Sous-titre II: Les sources de la loi pénale (Die Quellen des Strafgesetzes), n° 195 ff.

Gridel, Jean-Pierre, Introduction au droit et au droit français (Einführung in das Recht und in das französische Recht). 2. Aufl. Paris 1994, Les sources du droit (Die Rechtsquellen), S. 27 ff.

Guimezanes, Nicole, Introduction au droit français (Einführung in des französische Recht). Baden-Baden 1995, 1.1.3. Les sources du droit (Die Rechtsquellen), S. 29 ff., und 1.4. La littérature juridique (Die juristische Literatur), S. 56 ff.

Hübner, Ulrich/Constantinesco, Vlad, Einführung in das französische Recht. 3. Aufl. München 1994, § 2: Rechtsquellen.

Merle, Roger/Vitu, André, Traité de droit criminel. Problèmes généraux de la science criminelle. Droit pénal général (Abhandlung zum Kriminalstrafrecht. Allgemeine Probleme der Strafrechtswissenschaft. Strafrecht Allgemeiner Teil). 7. Aufl. Paris 1997, Partie I, Livre III, Titre II: La règle de droit criminel (Die Vorschrift des Kriminalstrafrechts), n° 195 und n° 202–238.

Roujou de Boubée, Gabriel/Bouloc, Bernard/Francillon, Jacques/Mayaud, Yves, Code pénal commenté (Kommentiertes Strafgesetzbuch). Paris 1996.

Stefani, Gaston/Levasseur, Georges/Bouloc, Bernard, Droit pénal général (Strafrecht Allgemeiner Teil). 20. Aufl. Paris 2007, Chapitre 1: La légalité pénale (Das Gesetzlichkeitsprinzip im Strafrecht), Section 1: Les sources du droit pénal (Die Strafrechtsquellen), n° 104–120.

G. Entwicklung des Strafrechts, Strafverfahrensrechts und Strafvollstreckungsrechts

1. Überblick

Zunächst bestand das französische Strafrecht nur als Gewohnheitsrecht und war von Privatjustiz geprägt. Nach und nach wurden die privaten Strafen durch öffentliche Strafen ersetzt. Im Zuge der Christianisierung strebte man durch Individualisierung der Strafe eine Besserung des Täters an. Nach der französischen Revolution 1789 erfolgte die Einführung des Gesetzlichkeitsprinzips,[1] und 1810 wurde das erste Strafgesetzbuchs erlassen. Positivistische Strömungen unter gleichzeitiger Wiederaufnahme des Gedankens der Christianisierung führten im 19. Jahrhundert zu einer besseren Anpassung der Strafe an die Persönlichkeit des Täters und mündeten später in die Bewegung der Neuen Sozialverteidigung *(défense sociale nouvelle)*, die die Resozialisierung des Straftäters durch eine stärkere Individualisierung der Strafe in den Mittelpunkt rückte; dies wurde jedoch durch nachfolgende repressive Strömungen wieder konterkariert. Steigende Kriminalitätsraten und neue Kriminalitätsformen führten zur Erarbeitung des Strafgesetzbuchs von 1994.

Das Strafverfahren folgte zunächst dem akkusatorischen Prinzip. Später herrschte dagegen – vor allem in den Inquisitionsprozessen gegen Ende des Mittelalters – der Untersuchungsgrundsatz vor. In der zweiten Hälfte des 18. Jahrhunderts wurden vor allem der Einsatz von Folter, die Ungleichheit zwischen den Verfahrensbeteiligten und die Willkürlichkeit des Verfahrens heftiger Kritik unterzogen. Die Folge waren zahlreiche Reformgesetze, auf die 1808 das Gesetzbuch der Kriminaluntersuchung *(Code d'instruction criminelle)* folgte, ein Mischwerk aus der Anwendung des Untersuchungsgrundsatzes und des akkusatorischen Prinzips. Das neue Strafverfahrensgesetzbuch *(Code de procédure pénale)* von 1958/59 entstand unter dem Eindruck des Zweiten Weltkrieges und verfolgte das Ziel einer stärkeren Akzentuierung der Freiheitsrechte des Einzelnen bei gleichzeitiger Stärkung der Autorität des Richters und der Effizienz des Strafverfahrens. Die zweite Hälfte des 20. Jahrhunderts wurde darüber hinaus von zahlreichen Reformgesetzen zur Verbesserung der Bürger- und Opferrechte sowie zur Prozessbeschleunigung bestimmt, die zu einer bis heute bestehenden Zersplitterung des gesamten Verfahrensrechts geführt haben.

Die Strafvollstreckung war ursprünglich von den Gedanken der Einschüchterung des Täters und der Eliminierung seiner kriminellen Anlagen beherrscht. Eine wissenschaftliche Betrachtung des Strafvollstreckungsrechts erfolgt erst ab dem 17. Jahrhundert im klerikalen Bereich. Dabei sah man im antisozialen Verhalten der Straftäter eine Sünde, von der der Sünder durch Isolierung und Buße wieder auf

---

[1] Siehe zum Gesetzlichkeitsprinzip II.A.

den rechten Weg gebracht werden musste, sodass auch hier der Gedanke der Christianisierung aufgegriffen wurde. Schließlich wurden mit der Verfassung von 1791 alle körperlichen Strafen sowie die Verschickung auf Galeeren abgeschafft. Am Ende des 19. Jahrhunderts stand das Strafvollstreckungsrecht unter dem Einfluss der sich in Italien entwickelnden positivistischen Schule. Vorherrschend war der Gedanke der Bestrafung des Täters im Hinblick auf eine in der Zukunft liegende Besserung seiner Persönlichkeitsstruktur. Zu Beginn und in der Mitte des 20. Jahrhunderts mündeten diese positivistischen Strömungen in die Bewegung der Neuen Sozialverteidigung, die den Dualismus von Strafen und Sicherungsmaßnahmen durch ein Gesamtsystem sozialer Verteidigungsmaßnahmen zu ersetzen suchte. Die in der zweiten Hälfte des 20. Jahrhunderts einsetzende verschärfte Pönalisierung führte dagegen zwangsläufig zu einer bis heute bestehenden Überbelegung der Gefängnisse.[2]

Waren aufkommende Sicherheitsbedenken in den 1980er Jahren noch auf Teilbereiche wie die Einführung eines eigenen Strafverfahrens für terroristische Handlungen, beschränkt, entwickelte sich ab Mitte der 1990er Jahre eine bis heute anhaltende Tendenz der in viele Bereiche hineinreichenden Politik der Sicherheit. Dieser Prozess lässt eine eindeutige Akzentuierung des repressiven Gedankens gegenüber dem präventiven Pol erkennen. Zu den Gründen für diese Politik zählen unter anderem neue Formen der Gewalt, insbesondere an Schulen und in öffentlichen Verkehrsmitteln größerer Ballungsgebiete, die durch mediale Verbreitung die öffentliche Meinung stark bewegen. Gleichzeitig greifen die Medien die in der Bevölkerung bestehenden Sicherheitsbedenken auf, sodass sich öffentliche Meinung und Medialisierung gegenseitig beeinflussen. Die Sicherheit nimmt beispielsweise im „Prioritätenranking" oft ihren Platz vor der Arbeitsmarktpolitik ein, und der traditionelle Gegensatz von Freiheit und Sicherheit beginnt, an Kontur zu verlieren. Damit verbunden ist das Aufgreifen einer angelsächsischen Betrachtungsweise, die davon ausgeht, dass vor allem die Mittellosen unter der Unsicherheit zu leiden hätten, sodass sich ein Anspruch auf Sicherheit entwickelt hat, der als Mittel zur Herstellung der Gleichheit verstanden wird.

Die aktuelle Kriminalpolitik scheint neben der Repression auch den Gedanken der Prävention zu verfolgen. So wurde schon gegen Ende des 20. Jahrhunderts die Trias „Prävention, Repression und Solidarität" *(prévention, répression et solidarité)* betont, die unter anderem auf eine Stärkung der Opferrechte zielte. Gegenstand einer in diesem Zusammenhang geführten Diskussion war zum Beispiel die Frage nach geeigneten Schutzmaßnahmen für minderjährige Täter, aber auch die Möglichkeit einer anderweitigen Verfahrenserledigung durch Mediation. Thematisiert wurden ferner strafvollzugsrechtliche Fragen zur besseren Vorbereitung auf die Haftentlassung durch eine einzelfallbezogene Behandlung und die Einführung haftalternativer Maßnahmen. Auf europäischer Ebene kommt der Präventions-

2 Siehe dazu näher am Ende dieses Kapitels.

gedanke in der Gründung des von Frankreich mit initiierten Europäischen Netzes zur Kriminalprävention *(Réseau européen sur la Prévention de la Criminalité)* zum Ausdruck.

Zu einem wahren Dualismus von Sicherheit und Prävention kam es jedoch bislang nicht. Neue Kriminalitätsformen und der Anstieg der organisierten Kriminalität lassen den Gesetzgeber an seinem repressiven Kurs festhalten. Eine Abkehr von der oft als „Politik der Nulltoleranz" *(politique de tolérance zéro)* bezeichneten Politik zeichnet sich nicht ab. Dies liegt wohl auch daran, dass eine Tendenz zur Repression moralisch verwerflichen Verhaltens besteht, das bestimmten Wertvorstellungen nicht entspricht (beispielsweise Pornografie). Schwerpunkt der heutigen Kriminalitätsbekämpfung scheint daher nicht mehr die Armutskriminalität, das heißt, die aus existentiellen Gründen begangene Kriminalität zu sein, sondern eine Kriminalität, die weitergehende Bedürfnisse wie sexuelle Wunschvorstellungen oder auch ein Macht- und Gewinnstreben um jeden Preis im Bereich der organisierten Kriminalität befriedigen soll (zum Beispiel die sogenannten *white collar crimes*). Diese Kriminalität des „Wohlstands" ruft in der Bevölkerung größere Verachtung hervor als die „existentielle" Kriminalität und begünstigt oder veranlasst somit die Durchführung repressiv geprägter Reformen.

2. Entwicklung des Strafrechts

– *Die Zeit bis zum Beginn des Ancien Regime (Mitte des 18. Jahrhunderts)*

Zu Beginn der Zivilisation erfolgten Bestrafungen meist durch die Familien oder die jeweils herrschende Gruppe und unterlagen damit der Privatjustiz *(justice privée)*. Vielfach war es das Familienoberhaupt, das ein Familienmitglied bestrafte, wenn dieses ein anderes verletzt hatte. Bei Übergriffen auf Mitglieder fremder Familien wurde Rache durch ein anderes Mitglied der verletzten Familie geübt. Dies konnte bis hin zur wechselseitigen Ausrottung einzelner Familien führen. Es bestand aber auch die Möglichkeit, diese Verkettung durch freiwillige Entschädigungszahlungen abzuwenden.

Mit Zunahme der Staatsgewalt legte man dem Familienoberhaupt verschiedene Beschränkungen auf. So nahm man ihm zunächst das Recht zur Entscheidung über Leben und Tod der eigenen Kinder sowie der Sklaven und unterwarf das Racherecht dem Verhältnismäßigkeitsprinzip. Das an der Verhältnismäßigkeit orientierte Gesetz *Loi du talion* („Auge um Auge, Zahn um Zahn") mag aus heutiger Sicht grausam erscheinen, führte aber ursprünglich zu einer Mäßigung der damals herrschenden Barbarei. Auch konnte sich der Täter der Familie des Opfers ausliefern, um so seine eigene Familie vor Bestrafung zu bewahren. Damit ging die zunächst vorherrschende strafrechtliche Verantwortlichkeit der Familie in eine strafrechtliche Verantwortlichkeit des einzelnen Individuums über. Darüber hinaus wurden

Akte der Privatjustiz an bestimmten Orten, zum Beispiel an heiligen Zufluchtsstätten, oder zu bestimmten Zeiten verboten. Schließlich strebte man danach, ein System der finanziellen Entschädigung zu etablieren und zwischen den Parteien eine gütliche Einigung herbeizuführen. So wurde die zunächst freiwillig gezahlte Entschädigung später zwangsweise durchgesetzt, indem man den Täter zur Zahlung und das Opfer zum Verzicht auf die Ausübung der Rache verpflichtete. Die Höhe dieser „Zwangsgelder" war in dem Gesetz der zwölf Tafeln *(Loi des XII Tables)* aus dem 5. Jahrhundert vor Christus und vor allem in den germanischen Gesetzen verankert. Das bekannteste Beispiel ist das Franken-Salier-Gesetz, in dem der Preis eines Totschlags unterschiedlich festgelegt wurde, je nachdem, ob es sich bei dem Opfer um einen Franko-Salier oder einen Gallo-Römer, einen freien Mann oder einen Sklaven gehandelt hatte.

Diese Entwicklung mündete in der Substituierung der privaten Strafe *(peine privée)* durch die öffentliche Strafe *(peine publique)*, indem die Liste der *crimes publics*, das heißt derjenigen Straftaten, die als sozialschädlich galten und daher durch den Staat sanktioniert werden sollten, stetig erweitert wurde. Diese Entwicklung wurde dadurch forciert, dass der Staat nun einen Teil der Entschädigungszahlung als Courtage beziehungsweise Abgabe für sein Einschreiten für sich beanspruchte. Dies war das sogenannte *fredum*, das bis zum Beginn des 17. Jahrhunderts mehr und mehr zu einer Geldstrafe *(amende)* wurde, während die Entschädigungszahlung für das Opfer zu einer nur zivilrechtlichen Wiedergutmachung herabgestuft wurde.

Schließlich hielten im Mittelalter mit der Christianisierung *(christianisme)* moralische Wertvorstellungen Einzug in das klerikale Gerichtswesen *(justice écclésiastique)*, dem die Aufrechterhaltung des strafrechtlich relevanten Kirchenrechts und der herrschenden Glaubensvorstellungen oblag. So fand der Begriff der Sühne *(expiation)* nicht nur im Zusammenhang mit rein religiösen Straftaten wie der Ketzerei, der Blasphemie oder der Hexerei Anwendung, sondern auch auf Straftaten, die die soziale Ordnung störten, ohne dabei religiöser Natur zu sein, wie zum Beispiel der Ehebruch. Auch der Gedanke der angestrebten Besserung *(amendement)* und der damit verbundenen Barmherzigkeit *(charité)* ließ die klerikalen Strafen humaner und milder werden. Denn die Verhängung der Strafe wurde erstmals weniger von der Natur der Straftat als von der Persönlichkeit ihres Täters bestimmt. Man strebte nun durch eine Individualisierung der Strafe eine Besserung des Täters an. Diese Entwicklung erklärt auch die weit verbreitete kanonische Praxis der Einzelzellenhaft *(emprisonnement individuel cellulaire)*, die in Form des Arrests in Klöstern zur Förderung der Meditation und der Reue durchgeführt wurde.

– *Vom Ende des Ancien Regime bis zum Strafgesetzbuch von 1810*

Im Gegensatz zum klerikalen Gerichtswesen wies das herrschaftliche Gerichtswesen *(justice seigneuriale)* in der Zeit der absolutistischen Monarchie vor 1789 vor allem – aus heutiger Sicht – negative Aspekte auf. Zum einen beruhte es größtenteils auf Gewohnheitsrecht, denn weder die Straftatbestände noch die angewandten Strafen waren gesetzlich normiert. Zum anderen war es willkürlich, da der Richter große Freiheiten bei der Festlegung der Sanktion genoss. Darüber hinaus war es introspektiv, weil häufig ein Verhalten unter Strafe gestellt wurde, das aus einem Verstoß gegen moralische oder religiöse Überzeugungen wie der Blasphemie oder der Ketzerei resultierte. Schließlich war es brutal, weil die verhängten Strafen grausamer Natur waren und neben der Bestrafung vor allem dazu dienten, die begangene Schuld bildlich aus dem Körper des Täters herauszutreiben.

Die wenigen positiven Aspekte des unter dem *Ancien Regime* angewandten Strafrechts beschränkten sich auf die Existenz von klerikalen Gerichten, die die viel weicheren Strafen des kanonischen Rechts anwandten und auf der Idee des Besserungsvermögens eines jeden Menschen beruhten. Davon abgesehen besaß das damalige Strafrecht bereits ausgearbeitete Theorien wie die der strafrechtlichen Verantwortlichkeit *(théorie de la responsabilité pénale)*. Als legislative Errungenschaft des *Ancien Regime* gilt die „Kriminalverordnung" *(Ordonnance criminelle)* von 1670, die vor allem das Strafverfahren, aber auch vereinzelte strafrechtliche Regelungen in den königlichen Erlassen betraf.

Nach der französischen Revolution und der Ausrufung der Erklärung der Menschen- und Bürgerrechte von 1789 wurde das für Straftaten und ihre Strafen geltende Gesetzlichkeitsprinzip eingeführt, das bis dahin geltende Gewohnheitsrecht nunmehr in geschriebenes Recht umwandelte.[3] Das zuvor willkürliche Strafrecht gewann damit erstmals an Bestimmtheit und Stabilität. Das Strafgesetzbuch von 1791, das nach der Überzeugung der Revolutionsväter auf einem gemeinsamen Volkswillen *(volonté générale)* beruhte, schoss über sein Ziel hinaus, indem es das geschriebene Wort als allgemein verbindlich ansah und fixe Strafen normierte. Jegliche Anpassung und Individualisierung der Strafe durch den Richter wurde generell verboten. Gleichwohl wurde das Strafrecht dadurch objektiver, da man als strafrechtlich relevantes Verhalten nunmehr Handlungen ansah, die die öffentliche Ordnung bedrohten, und weniger versuchte, moralische oder religiöse Verhaltensweisen unter Strafe zu stellen. Außer der Todesstrafe wurden alle körperlichen Strafen abgeschafft; die verbleibenden Strafen wurden systematisch abgemildert.

Das Strafgesetzbuch von 1810, das am 1. Januar 1811 in Kraft trat, stellte eine Synthese aus dem unter dem *Ancien Regime* angewandten Strafrecht und den während der Revolution erreichten Errungenschaften dar. Das aus der Zeit der Revolution stammende Gesetzlichkeitsprinzip und die klassische Einteilung der Straftaten in drei Kategorien (Übertretungen, Vergehen und Verbrechen)[4] wurden beibehalten. In Anlehnung an die Rechtslage unter der absolutistischen Monarchie kehrte

---

3 Zum Gesetzlichkeitsprinzip siehe II.A.

4 Zur Einteilung der Straftaten siehe II.C.1.b.

das Strafgesetzbuch jedoch vom System der festen Strafen *(système des peines fixes)* zur Ermessensfreiheit des Richters bei der Verhängung der Strafe zurück. So bestimmte das Strafgesetzbuch von 1810 zwar Mindeststrafen für jeden Straftatbestand; diese konnten jedoch durch die Einführung mildernder Umstände *(circonstances atténuantes)* vom erkennenden Richter unterschritten werden. Zusätzlich wurden bestimmte, zuvor abgeschaffte körperliche Strafen wie das Halseisen *(le carcan)* und die Brandmarkung *(la marque)* wieder eingeführt.

Trotz seiner zahlreichen Mängel und Lücken blieb das Strafgesetzbuch von 1810 fast zwei Jahrhunderte in Kraft und wurde in dieser Zeit sowohl von Belgien als auch von Luxemburg übernommen und somit zum Vorbild für andere europäische Länder. Es galt als sprachlich gelungen, sein Aufbau stellte sich jedoch als inkonsequent heraus. So begann es zunächst mit einer Erläuterung der Strafen und legte erst daran anschließend die Voraussetzungen der strafrechtlichen Verantwortlichkeit fest, um dann einzelne Straftatbestände zu definieren. Darüber hinaus waren viele der strafausschließenden Gründe unsystematisch über den gesamten Besonderen Teil des Strafgesetzbuchs verteilt. Wichtige Fragen wie die der zeitlichen Anwendbarkeit des Strafgesetzes *(application de la loi pénale dans le temps)* sowie Fragen der Gesamtstrafenbildung *(cumul des peines)* wurden gar nicht behandelt.

– *Vom Strafgesetzbuch von 1810 bis zum Ende des Zweiten Weltkrieges 1945*

Bis zum Ende des Zweiten Weltkrieges erfuhr das Strafrecht einige Reformen. Das Strafgesetzbuch von 1810 blieb aber in seiner Gesamtheit im Wesentlichen unverändert und stellte weiterhin das einschlägige Werk für das materielle Strafrecht dar.

In der ersten Hälfte des 19. Jahrhunderts hatten die Reformgesetze eine Abmilderung der Strafen zum Gegenstand. So schaffte das Gesetz vom 28. April 1832 die körperlichen Strafen erneut ab, setzte den Strafrahmen zahlreicher anderer Strafen wieder herab, erweiterte den Anwendungsbereich der mildernden Umstände und richtete eine neue, von den allgemeinen Strafen zu unterscheidende Sanktionsart der politischen Strafe ein, die bei Verbrechen in Form einer Gefängnisstrafe, der Verbannung oder der Aberkennung staatsbürgerlicher Rechte verhängt werden konnte. Sie ist heute nur noch durch die spezielle Bezeichnung der Gefängnisstrafe für politische Delikte als *détention criminelle* von der allgemeinen *réclusion criminelle* zu unterscheiden. Durch die Verfassung vom 4. November 1848 wurde darüber hinaus die Todesstrafe für den Bereich der politischen Straftaten abgeschafft.

In der zweiten Hälfte des 19. Jahrhunderts hielt der Positivismus unter Entwicklung der Humanwissenschaften Einzug in das Strafrecht. Die in dieser Zeit erlassenen Gesetze erlaubten eine Abschottung der Gesellschaft gegenüber dem gefährlichen Straftäter durch die Einführung von Sicherungsmaßnahmen, die den bisher bekannten Strafen ähnelten. Gleichzeitig wurde die Strafe besser an die Persönlichkeit des Täters angepasst und damit der Gedanke der Christianisierung wieder aufgegriffen. So führte ein Gesetz von 1885 die Verbannung *(relégation)* und das Aufenthaltsverbot *(interdiction de séjour)* ein, während das „Gesetz Béranger" vom 26. März 1891 die Möglichkeit der Aussetzung der Strafe für Ersttäter *(sursis aux délinquants primaires)* eröffnete. Zu diesem humanistischen Streben gehörte auch das Gesetz vom 22. Juli 1912, das besondere Bestimmungen für minderjährige Straffällige festlegte.

– *Vom Ende des Zweiten Weltkrieges bis zur großen Strafrechtsreform von 1994*

Nach dem Zweiten Weltkrieg begann für das französische Strafrecht eine turbulente Zeit. Zunächst wurden die Menschenrechte durch die Unterzeichnung und Ratifizierung der Menschrechtskonvention tatsächlich festgeschrieben. Über den Strafzweck bestand dagegen keine Einigkeit. Kriminalität auf der einen und Reglementierungen auf der anderen Seite nahmen stetig zu. Darüber hinaus entwickelte sich neben dem klassischen Strafrecht ein repressives Verwaltungsrechtssystem.

Waren die Menschenrechte ehemals ein theoretisches Ideal gewesen, so fanden sie nunmehr ihren konkreten Niederschlag in der am 4. November 1950 verabschiedeten und von Frankreich am 3. Mai 1974 ratifizierten Europäischen Menschenrechtskonvention. Denn diese Konvention begnügte sich nicht mit der Festlegung grundlegender Rechte *(droits fondamentaux)*, sondern schuf zugleich mit dem Europäischen Gerichtshof in Straßburg eine besondere Gerichtsbarkeit zur Wahrung und Durchsetzung dieser Rechte. So lassen sich vor allem die Verfahrensgarantien, die Unschuldsvermutung und die Abschaffung der Todesstrafe auf die Europäische Menschenrechtskonvention zurückführen. Einen weiteren Schritt zur Konsolidierung der Menschenrechte ging dann der französische Verfassungsrat *(Conseil constitutionnel)*, als er die Erklärung der Menschen- und Bürgerrechte von 1789 zu einem der Bestandteile des „verfassungsrechtlichen Blocks" *(bloc de la constitutionnalité)* erklärte. Dadurch gab sich der Verfassungsrat selbst die Befugnis, den Gesetzgeber von nun an bei der Wahrung der Menschenrechte zu kontrollieren. Darüber hinaus wurde im Rahmen der Vereinten Nationen am 19. Dezember 1966 der Internationale Pakt über die bürgerlichen und politischen Rechte geschlossen, der in Frankreich am 4. Februar 1981 in Kraft trat.

War der Strafzweck[5] bislang von den Ideen der Kompensation, der Prävention und der Einschüchterung geleitet worden, so wurden diese drei Funktionen nun infrage gestellt. Man hatte den desozialisierenden und korrupten Charakter der Gefängnisse erkannt und wusste auch, dass der Kompensationsgedanke bei vielen Straffälligen ins Leere ging, da diese nicht – wie erwartet – ein Schädigungsbewusstsein gegenüber der Gesellschaft entwickelten. Die Einschüchterung wurde häufig in ihr Gegenteil verkehrt. Die gemeinsame Gefangenschaft bildete den

---

5 Zu den Strafzwecken siehe I.D.3.

Nährboden für eine wahre Schule der Kriminalität in den Gefängnissen. Schließlich wirkte die Prävention häufig nur vorübergehend.

Vor dem Hintergrund dieser Erkenntnisse entwickelte sich die Bewegung der Neuen Sozialverteidigung *(défense sociale nouvelle)*, die die Resozialisierung des Straftäters durch eine stärkere Individualisierung der Strafe in den Mittelpunkt rückte. Die Idee fand vor allem in der Verordnung über die Straffälligkeit Minderjähriger vom 2. Februar 1945 ihren Niederschlag, in der vor allem Schutz- und Erziehungsmaßnahmen vorgesehen waren.[6] Ebenso erlaubte ein Gesetz vom 15. April 1954 die richterliche Anordnung zur Durchführung einer Entgiftung für gefährliche Alkoholiker. Die gleiche Befugnis erhielt der Staatsanwalt in Bezug auf Drogenabhängige durch ein Gesetz vom 31. Dezember 1970.[7] Darüber hinaus ermöglichten zahlreiche Gesetze eine bessere Anpassung der Strafe sowohl im Moment ihrer Verhängung als auch während ihrer Vollstreckung: Das Gesetz vom 11. Juli 1975 schaffte Alternativen zur Verbüßung einer Freiheitsstrafe im Gefängnis, führte den Straferlass ein, erleichterte die Aussetzung der Strafvollstreckung und verbesserte die Vollzugsbedingungen.

Trotzdem wurde diese Tendenz durch eine repressive Strömung konterkariert. So wollte man der ansteigenden Kriminalität durch das Gesetz vom 22. November 1978 Einhalt gebieten, das eine Sicherheitsperiode einrichtete, während der ein zu einer Freiheitsstrafe Verurteilter keiner Maßnahme zu seinen Gunsten unterzogen werden durfte. Aufgrund dieser Strömung wurde man sich des Dilemmas bewusst: Zwar konnten die klassischen Strafzwecke die Verhängung einer Strafe nicht mehr ausreichend begründen; man sah aber auch in der neuen Idee der sozialen Verteidigung kein ausreichendes Mittel zur Bekämpfung der Kriminalität. Man versuchte dann, die beiden Ideen zu verbinden und schrieb der Strafe neben ihrem Sanktionscharakter die Aufgabe der Unterstützung im Hinblick auf eine positive Veränderung des Täters zu. In Frankreich hieß es fortan „punir pour soutenir", eine Bestrafung um der Besserung willen. Damit wurde auch hier der aus der Christianisierung stammende Gedanke der Besserung des Täters wieder aufgegriffen.

Vor diesem Hintergrund kam es aufgrund steigender Kriminalitätszahlen zu einer Inflation von Gesetzestexten, auch in Bereichen, die bis dato nicht der klassischen Strafrechtsmaterie angehörten, wie zum Beispiel im Gesellschafts-, Kommunikations-, Umwelt- und Arbeitsrecht. Auf diese Weise entwickelte sich außerhalb des Strafgesetzbuchs erstmals ein Nebenstrafrecht, über das bis heute – trotz zahlreicher Versuche – keine abschließende Auflistung existiert. Einzig die Gerichte sind in Besitz einer Aufstellung – genannt *NATINF (NATure d'INFractions)* – der am häufigsten begangenen Delikte, die jedoch nicht abschießend ist und zurzeit etwa 13.000 Delikte enthält. Folge ist eine bis heute bestehende und weiter zuneh-

---

[6] Siehe dazu II.J.6.

[7] Siehe zu speziellen Maßnahmen gegen Alkohol- und Drogenabhängige I.E.3.

mende Überlastung der Gerichte, die mit der Aburteilung der klassischen Straftaten bereits voll ausgelastet sind und sich daher wenig mit neuen strafrechtlich relevanten Bereichen auseinandersetzen. Zudem besteht die Gefahr, dass die Effizienz des Strafrechts mit einer Überreglementierung stetig abnimmt, was noch durch eine Uneinheitlichkeit bei der Anwendung verschiedener Strafrahmen verstärkt wird. Darüber hinaus kann das Strafrecht nur dort abschreckende Wirkung entfalten, wo es dem Täter bekannt ist. Diese Kenntnis ist in vielen der neu geregelten Bereiche nicht mehr ohne Weiteres zu erlangen, was zu großer juristischer Unsicherheit führt. In den letzten zehn Jahren gab es daher bedeutende Kodifikationsanstrengungen auf bestimmten Gebieten, sodass die neuen Gesetzbücher, wie zum Beispiel das Handels- und das Umweltgesetzbuch, immer auch eine Regruppierung der repressiven Normen enthalten.

Zu dieser Fülle von Gesetzestexten kam die Errichtung eines verwaltungsrechtlichen Sanktionensystems *(ordre répressif administratif)* hinzu.[8] Zwar hatten die Präfekten bereits seit dem Gesetz vom 21. April 1951 zum Beispiel das Recht, als verwaltungsrechtliche Maßnahme die Fahrerlaubnis zu entziehen. Das Phänomen der Ermächtigung zur Sanktionierung durch unabhängige verwaltungsrechtliche Organe nahm aber vor allem in den 80er Jahren noch zu. So wurden 1986 das Kartellamt *(Conseil de la concurrence)* sowie 1989 der Oberste Rat für Funk- und Fernsehen *(Conseil supérieur de l'audiovisuel)* und die Börsenaufsichtsbehörde *(Commission des opérations de Bourse)* eingerichtet, die alle mit einer Befugnis zur Verhängung verwaltungsrechtlicher Sanktionen, vor allem beträchtlicher Geldbußen, ausgestattet wurden.

– *Die große Strafrechtsreform von 1994*

Mit steigender Kriminalität traten auch neue Kriminalitätsformen hinzu. Es entwickelten sich zum Beispiel neue Formen der Wirtschaftskriminalität, denen das Strafgesetzbuch von 1810 nicht mehr gewachsen war. Daher begann die Geschichte des Strafgesetzbuchs von 1994 im Jahr 1974 mit der Einsetzung einer Revisionskommission zur kompletten Überarbeitung des alten Strafgesetzbuchs. Nach einem ersten Vorentwurf im Juli 1976, einem zweiten „definitiven" Entwurf 1978 und lebhafter Kritik während des ersten Kongresses der französischen Strafrechtsvereinigung kam es in der Folge eines politischen Umschwungs 1981 zu einer Überarbeitung der vorgelegten Texte bis 1985. Ein auf diesen Texten basierender Gesetzentwurf von 1986 war unvollständig und wurde lediglich aus politischen Gründen vor einer absehbaren Änderung der parlamentarischen Mehrheitsverhältnisse eingereicht, mit seiner Verabschiedung war nie ernsthaft gerechnet worden. Nach überraschender Wiederwahl des Präsidenten *Mitterand* 1989 machte dieser die Reform des Strafgesetzbuchs jedoch zu einer der Prioritäten seiner Amtszeit,

---

[8] Siehe dazu auch I.E.2.

sodass nach weiteren drei Jahren 1992 fünf Reformgesetze (vier Gesetze vom 22. Juli und ein Gesetz vom 16. Dezember 1992) mit großer Mehrheit verabschiedet werden konnten. Nach mehreren Verzögerungen trat das neue Strafgesetzbuch mit Wirkung zum 1. März 1994 – nach nunmehr 20jähriger Reformarbeit – endgültig in Kraft.

Unter Beibehaltung seiner wesentlichen Grundzüge brach das neue Strafgesetzbuch in seiner Struktur mit nahezu allen Vorschriften des alten napoleonischen Gesetzbuchs, indem es fast sämtliche Artikel aufhob und neue Institute wie die Strafbarkeit der juristischen Person *(personne morale)* und die Straftat der bewussten Gefährdung *(mise en danger)* schuf. Kontinuität bewahrte das neue Strafgesetzbuch dagegen in Bezug auf die klassische Dreiteilung der Straftaten (Verbrechen, Vergehen und Übertretungen) sowie die strenge Trennung zwischen strafrechtlicher Verantwortlichkeit und den anzuwendenden Strafen.

Der Aufbau des neuen Strafgesetzbuchs folgt einer klaren Struktur. Es beinhaltet heute in seiner Gesamtheit nahezu 1000 Artikel und besteht aus einem Gesetzesteil und einem Verordnungsteil, die je sieben Bücher umfassen. Das jeweils erste Buch enthält allgemeine Bestimmungen und die weiteren Bücher die einzelnen Straftatbestände.[9]

Inhaltlich strebte das neue Strafgesetzbuch die Festlegung allgemeiner Definitionen an, wie zum Beispiel die Definition des subjektiven Elements gemäß Art. 121-3 CP oder des Begriffs der Waffe nach Art. 132-2 CP. Daneben wurden zahlreiche Vereinfachungen, etwa bei der Strafaussetzung durch eine Annäherung des Widerrufs *(révocation)* und der Aussetzung *(mise à exécution)* der Strafe, erreicht. Auf der Ebene der Strafandrohung hat man eine Neuordnung der Höchststrafen vorgenommen, die schwerpunktmäßig eine Verschärfung der Sanktionen für Straftaten gegen die Rechte der Person bedeutete. Darüber hinaus wurden zahlreiche neue Straftatbestände wie die der Verbrechen gegen die Menschlichkeit gemäß Art. 211-1, 212-1, 212-2 und 212-3 CP geschaffen. Andere, eher archaische Straftatbestände wie die Landstreicherei und der von einer Schwangeren selbst vorgenommene Schwangerschaftsabbruch wurden dagegen abgeschafft. Es handelt sich daher bei dem neuen Strafgesetzbuch weder um ein „weicheres" noch um ein „härteres" Strafrecht, sondern lediglich um ein Strafrecht, das den im Zeitpunkt seiner Verabschiedung geltenden gesellschaftlichen Diskussionsstand über strafrechtlich relevantes Verhalten widerspiegelt.

Gilt das neue Strafgesetzbuch auch heute noch als wesentlich effizienter als sein Vorgängerwerk (vor allem weil es dem Richter einen größeren Ermessenspielraum bei der Verhängung von Strafen einräumt und ihm eine große Anzahl alternativer Sanktionsformen an die Hand gibt), so bleibt es dennoch lückenhaft im Hinblick auf einen Großteil neuer technischer Vorschriften des Besonderen Strafrechts *(droit*

---

[9] Siehe näher dazu I.F.2.

pénal spécial technique). Es bestehen jedoch Bestrebungen, diese neuen Straftatbestände, die aufgrund ihrer hohen Komplexität keinen Eingang mehr in die Reform von 1994 gefunden haben, in das fünfte Buch „Andere Verbrechen und Vergehen“ einzuarbeiten. In Bezug auf den Kampf gegen das organisierte Verbrechen und die schwere Kriminalität gab es in jüngster Zeit neue Reformgesetzgebungen zum Allgemeinen und Besonderen Strafrecht sowie zum Strafverfahrensrecht.

– *Die Zeit seit 1995*

Im Zusammenhang mit der allgemeinen Sicherheitspolitik sind seit 1995 verschiedene sogenannte Sicherheitsgesetze *(lois de sécurité)* erlassen worden. Das Sicherheitsgesetz vom 21. Januar 1995 legte dauerhafte Maßgaben für die Sicherheitspolitik und die vorrangigen Aufgaben für die Jahre bis 1999 fest. Darunter fasste man zum einen den Kampf gegen die Gewalt in den Städten, gegen die Kleinkriminalität und für mehr Sicherheit im Straßenverkehr. Zum anderen gehörten dazu aber auch Bereiche der „schweren Kriminalität“ *(criminalité grave)*, wie der Handel mit Betäubungsmitteln, die organisierte Kriminalität, die großen Wirtschafts- und Finanzstraftaten und der Terrorismus sowie damit verbundene Angriffe auf fundamentale Interessen der Nation. Darüber hinaus verschärfte man die Kontrolle der illegalen Einwanderung und Beschäftigung.

Am 15. November 2001 wurde unter dem Aspekt eines gesellschaftlichen Bedürfnisses nach Sicherheit *(demande sociale de sécurité)* ein weiteres Sicherheitsgesetz erlassen, das zum einen verschiedene Kontrollinstanzen stärkte und gleichzeitig auch repressive Maßnahmen enthielt. Dies liegt wohl mit darin begründet, dass es erst nach den New Yorker Ereignissen des 11. September 2001 verabschiedet wurde und so Gegenstand nachträglicher, verschärfender Korrekturen, vor allem im Bereich des Terrorismus, wurde. Neben einer Ausweitung der Polizei- und Gendarmeriezuständigkeiten im Bereich der Identitätskontrollen beinhaltet es strengere Vorschriften für Kreditkartenzahlungen sowie für den Verkauf von Feuerwaffen.

Die Entwicklung einer allgemeinen Politik der Sicherheit zeigte sich vor allem in der Drogenpolitik. Diese musste landesweit an die unterschiedlichen lokalen Verhältnisse angepasst werden. Wurde zum Beispiel in Lille der Besitz eines Betäubungsmittels erst ab 20 Gramm verfolgt, so geschah dies in grenznahen Städten wie Vesoul bereits ab 5 Gramm. Das Verfahren der unmittelbaren Vorführung *(comparution immédiate)*, das ursprünglich als Ausnahmeverfahren eingeführt wurde, ist mittlerweile zum Regelverfahren in Fällen von geringem Betäubungsmittelbesitz geworden. Neben dieser verfahrensrechtlichen Verschärfung wurden materiellrechtlich viele Vergehen des Betäubungsmittelstrafrechts zu Verbrechen erhoben.

Mit dem Orientierungs- und Programmgesetz vom 9. September 2002 wurde eine Neuordnung des Jugendstrafrechts unter Einführung eigener Haftzentren durchgesetzt.[10] Die aktuelle Diskussion beschäftigt sich mit einer umfassenden Überarbeitung der gesamten Materie und könnte in ein eigenes Strafgesetzbuch für Minderjährige *(Code de la justice pénale des mineurs)* münden. Der vom Justizministerium in Auftrag gegebene Kommissionsbericht *Varinard* vom 3. Dezember 2008 schlägt zur Stärkung der strafrechtlichen Verantwortlichkeit von Minderjährigen ein einheitliches Mindestalter von 12 Jahren sowie eine adäquate, abgestufte und vereinfachte Sanktionsstruktur einschließlich spezieller Sanktionen für Minderjährige vor (z.B. Wochenendgefängnis, Beschlagnahme von Gegenständen im Eigentum Minderjähriger, auch wenn diese nicht in Verbindung mit der Straftat stehen). Darüber hinaus verspricht man sich eine bessere Lesbarkeit der Bestimmungen in einem einheitlichen Gesetzbuch, als dies die „veraltete" Verordnung von 1945 derzeit gewährleistet. Durch das Orientierungs- und Programmgesetz wurden der Diebstahlstatbestand um die Qualifikation der Begehung unter Mithilfe von Minderjährigen und die Rechtsfolgen für Sachbeschädigungsdelikte um die Sanktion der gemeinnützigen Arbeit ergänzt.

Ein weiteres Gesetz zur inneren Sicherheit vom 18. März 2003 führte neue Straftatbestände, wie zum Beispiel Körperverletzung im Straßenverkehr *(violence routière)* und Beleidigung der französischen Flagge *(outrage au drapeau français)* ein, die jeweils erhebliche Strafrahmen eröffnen. Die Körperverletzung im Straßenverkehr kann im Fall des Fahrens ohne Fahrerlaubnis mit bis zu drei Jahren, die Flaggenbeleidigung im Fall der kollektiven Begehung mit bis zu sechs Monaten Gefängnis bestraft werden. Des Weiteren wurde die Cybercrime-Konvention des Europarates am 10. Januar 2006 ratifiziert und trat am 1. Mai 2006 in Kraft, wodurch auch zahlreiche neue Straftatbestände im Bereich des Internetstrafrechts und der Computerkriminalität geschaffen wurden.

Sanktionsrechtlich ist wiederholt eine Ausweitung des Aufenthaltsverbots *(interdiction de séjour)* diskutiert worden, das zum Beispiel auch auf ausländische Schwarzarbeiter als Arbeitnehmer angewendet werden soll. Dies hätte zur Folge, dass eine gemeinsame strafrechtliche Verantwortlichkeit von Arbeitgeber und Arbeitnehmer für die Einhaltung der gesetzlichen Vorschriften entstünde, während Arbeitsverhältnisse zuvor stets von einem Über- und Unterordnungsverhältnis geprägt waren. Zudem würde dies bei ausländischen Schwarzarbeitern zu einer neuen Form der Doppelbestrafung führen. Denn sie würden sowohl wegen gesetzwidriger Schwarzarbeit bestraft als auch ein Aufenthaltsverbot auferlegt bekommen. Bisher ist nur für den Arbeitgeber ein solches Aufenthaltsverbot gesetzlich vorgesehen.

Die Tendenz zu einer repressiven Kriminalpolitik wurde durch die Verabschiedung des umfangreichen Reformgesetzes vom 9. März 2004 *(Loi Perben II)* bestä-

---

[10] Zu seinen Vorgängern siehe weiter oben.

tigt, das zum einen das Strafverfahrensrecht betraf, aber zum anderen auch zahlreiche Änderungen im Bereich des materiellen Strafrechts mit sich brachte. Es enthält unter anderem einen Straftatenkatalog der organisierten Kriminalität sowie zahlreiche neue Qualifikationstatbestände und Anhebungen der Strafrahmen in vielen Bereichen.

3. Entwicklung des Strafverfahrensrechts

– *Vom feudalistischen Frankreich bis zum Mittelalter*

Das früheste Strafverfahren in Frankreich folgte dem akkusatorischen Prinzip *(principe accusatoire)*. Es wurde nach den barbarischen Invasionen (4. Jahrhundert nach Christus) und unter der Herrschaft der Karolinger (Mitte des 8. bis Ende des 10. Jahrhunderts) bis zum feudalistischen Frankreich des 11. Jahrhunderts angewandt. Da die Straftaten privater Natur waren, war auch das Strafverfahren zunächst als Parteiprozess ausgestaltet. Dieser war ein streitiger (kontradiktorischer), öffentlicher und mündlicher Strafprozess, in dem der Richter als einfacher Beteiligter auch zurückgewiesen werden und das Opfer die Strafverfolgung allein auslösen konnte. Die Vorteile lagen in einer freien Diskussion, bei der die Beteiligten auf einer Ebene agierten, und in einer untechnischen Verfahrensweise. Die Interessen der Repression kamen jedoch vielfach zu kurz, weil viele Straftaten von den Opfern nicht angeklagt wurden und die Untersuchungsbefugnisse des Richters nicht ausreichend waren.

Vor allem in den Inquisitionsprozessen gegen Ende des Mittelalters und später auch in den laizistischen Verfahren herrschte der Untersuchungsgrundsatz *(principe inquisitorial)* vor. Diese Prozessart war dadurch geprägt, dass das gesamte Verfahren vor einer öffentlich eingesetzten Amtsperson stattfand, die die Strafverfolgung auch unabhängig von dem Verhalten des Opfers betreiben und die notwendigen Beweise selbstständig erheben konnte. Der Strafprozess fand daher nicht kontradiktorisch, sondern geheim und schriftlich statt und beinhaltete eine vorbereitende Untersuchungsphase. Dies hatte den Vorteil einer stringenten und lückenlosen Strafverfolgung, für die man eine Verkürzung der Verteidigungsrechte und eventuelle Justizirrtümer in Kauf nahm. Mit dem Inquisitionsprozess stieg auch die Bedeutung der Anklagebehörde. So gab es seit dem 13. Jahrhundert n. Chr. sogenannte *procuratores*, die die Aufgabe der Repräsentation der Parteien übernahmen. Mitte des 14. Jahrhunderts wurde dann auch ein „Staatsanwalt des Königs" *(procureur du roi)* als Vorläufer der heutigen Staatsanwaltschaft *(ministère publique)* in das Strafverfahren eingeführt. Vor allem in der späteren „Kriminalverordnung" *(Ordonnance criminelle)* von 1670 fand der Untersuchungsgrundsatz seinen Höhepunkt.

– *Vom Ancien Regime bis zur Revolution von 1789*

In der zweiten Hälfte des 18. Jahrhunderts wurde das vom Untersuchungsgrundsatz geprägte Verfahren heftiger Kritik – maßgeblich durch *Montesquieu* und *Beccaria* und den Staatsanwalt *Servan* – unterzogen. Sie wandten sich vor allem gegen die zur Erlangung von Geständnissen angewandte Folter, die Ungleichheit zwischen den Verfahrensbeteiligten und die Willkür des Verfahrens. Die Folgen waren zahlreiche Reformgesetze. So untersagte Ludwig XVI. mit einer königlichen Erklärung vom 24. August 1780 die vorbereitende Befragung und damit auch die Anwendung der Folter im Untersuchungsverfahren. Eine ähnliche Wirkung besaß das Edikt vom 1. Mai 1788, mit dem ein deutlicheres Mehrheitsvotum der Richter für die Verhängung der Todesstrafe verlangt und eine einmonatige Frist vor ihrer Vollstreckung eingeführt wurden, um die Möglichkeit der Begnadigung zu erleichtern.

Das Parlament weigerte sich jedoch, diese Gesetze zu erlassen, sodass die Generalstände *(états généraux)* einberufen wurden und es zu einer Übergangsphase kam, in der die „Kriminalverordnung" von 1670 zwar ihre vorläufige Anwendbarkeit behielt, aber mehrfach im Sinne eines akkusatorischen Verfahrens abgeändert wurde. Schließlich erhielt Frankreich durch die verfassungsgebende Nationalversammlung eine neue Verwaltungsstruktur, auf welcher auch die neue Gerichtsorganisation basierte. Die strafrechtliche Gerichtsstruktur und der Strafprozess wurden durch die Gesetze vom 19. bis 22. Juli 1791 sowie vom 29. September und 6. Oktober 1791 neu geregelt. Diese Gesetze passten das Strafverfahren der soeben entstandenen Verwaltungsstruktur an und nahmen eine neue Einteilung der Straftaten vor.

Dieses System hielt der wachsenden Kriminalität – vor allem der durch das Direktorium selbst verübten Kriminalität – der Revolutionsjahre nicht stand. Dadurch, dass die neuen Richter nunmehr frei gewählt wurden, wobei häufig keine besondere juristische Qualifikation notwendig war, wurden sie anfällig für politische Strömungen und waren leicht korrumpierbar. Zudem mussten sie ihre Aufgabe ohne Unterstützung der Ordnungskräfte bewältigen, da diese während der Revolutionsjahre desorganisiert waren. So kam es kurze Zeit später zu einer Konsularsverordnung *(arrêté consulaire)*, mit der die Vorbereitung eines Kriminalgesetzbuchs *(Code criminel)* beschlossen wurde.

– *Das Gesetzbuch der Kriminaluntersuchung von 1808*

Das neue Gesetzbuch der Kriminaluntersuchung *(Code d'instruction criminelle)* wurde am 16. Dezember 1808 verkündet und trat am 1. Januar 1811 in Kraft. Bei seiner Abfassung bestand ursprünglich die Wahl zwischen dem vom Untersuchungsgrundsatz geprägten Verfahren des *Ancien Regime* und der vom akkusatorischen Prinzip geprägten Übergangsphase der Revolution. Es wurde ein Mischwerk, denn das Gesetzbuch von 1808 beinhaltete Elemente sowohl des Anklage- als auch des Untersuchungsgrundsatzes. Man entschied sich, im Verfahrensstadium vor der mündlichen Verhandlung den Untersuchungsgrundsatz walten zu lassen; ab der mündlichen Verhandlung fand dann das akkusatorische Prinzip Anwendung. So stärkte man die Befugnisse des Untersuchungsrichters bei der Beweisfindung sowie die Rolle der streng hierarchisch organisierten Anklagebehörde bei der Entscheidung über die Einleitung der Strafverfolgung gemäß dem inquisitorischen Prinzip. Der Verfahrensabschnitt der Hauptverhandlung wurde dagegen insoweit akkusatorisch ausgestaltet, als die Urteilsfindung öffentlich, mündlich und kontradiktorisch stattfand. Mit der Einführung eines Schwurgerichts, der sogenannten *Cour d'assises*, vereinte man beide Grundsätze miteinander, indem sich das Schwurgericht bis heute aus Berufsrichtern *(magistrats professionnels)* und einfachen Geschworenen *(jurés)* zusammensetzt. Der erkennende Berufsrichter wird also durch sogenannte Laienrichter unterstützt, die voll und ganz auf der Grundlage der Parteivorträge entscheiden und damit eher in akkusatorisch geprägten Rechtsordnungen zu finden sind.

Inhaltlich gab es unter anderem folgende Regelungen: Die Feststellung der Straftat und die Untersuchung von Straftaten, die sensible Bereiche berührten, erfolgten geheim, schriftlich und nicht kontradiktorisch. Ein Anwalt war für die Phase der Untersuchung nicht zugelassen, die von einem speziell zuständigen Richter, dem Untersuchungsrichter *(juge d'instruction)*, durchgeführt wurde. Die Ermittlung der Straftaten oblag der Kriminalpolizei *(police judiciaire)*. In Bezug auf Verbrechen entschieden über die Schuldfrage allein die Geschworenen. Die Berufsrichter hatten lediglich über das zu verhängende Strafmaß zu urteilen.

Bei näherer Betrachtung lassen sich dem Gesetzbuch der Kriminaluntersuchung verschiedene Leitsätze entnehmen. So ging es von der Einheit der Zivil- und Strafgerichtsbarkeit *(unité de la justice civile et de la justice répressive)* aus. Dies stellte eine Neuerung gegenüber den Gebräuchen des *Ancien Regime* dar. Darüber hinaus führte es die Trennung der Justizorgane nach ihren Aufgaben ein, indem es die Verfolgung *(poursuite)*, die Untersuchung *(instruction)* und die Aburteilung *(jugement)* verschiedenen Behörden beziehungsweise Richtern überantwortete. Von nun an waren die Staatsanwaltschaft *(ministère public)* für die Strafverfolgung, der Untersuchungsrichter *(juge d'instruction)* für die Untersuchung und die erkennenden Gerichte *(juridictions de jugement)* für die Aburteilung zuständig.[11] Letztere entschieden – außer in Verfahren vor dem Schwurgericht – in erster und zweiter Instanz, sodass im Gesetzbuch von 1808 auch das Prinzip der zweistufigen Gerichtsbarkeit verankert wurde. Darüber hinaus bestanden sowohl die Untersuchungsgerichte als auch die erkennenden Gerichte, wenn sie eine Entscheidung zu treffen hatten, – außer bei Übertretungen – aus mehreren Richtern, sodass auch das Kollegialitätsprinzip im neuen Gesetzbuch seinen Niederschlag fand.

---

[11] Siehe zum Trennungsprinzip auch I.D.4.

– *Vom Gesetzbuch der Kriminaluntersuchung von 1808 bis zur III. Republik*

In der Restaurationszeit *(Restauration)* gab es nur wenige Änderungen. Die Institution der Schwurgerichte wurde nicht in Frage gestellt. 1824 erfolgte lediglich eine Erweiterung des Anwendungsbereichs der mildernden Umstände.

Während der Juli-Monarchie gab es liberale Tendenzen, die die Achtung der individuellen Freiheit stärken sollten. So wurden 1830 die noch bestehenden Ausnahmegerichte *(cours spéciales)* abgeschafft und damit der Anwendungsbereich der Schwurgerichte erweitert. Darüber hinaus wurde mit Gesetz vom 28. April 1832 das Feststellen mildernder Umstände den Geschworenen überantwortet; zur gleichen Zeit erhielten die Schwurgerichte aufgrund anhaltender Kampagnen für die Pressefreiheit auch die Zuständigkeit für Pressedelikte.

Hatte der Untersuchungsrichter in der Zeit der Juli-Monarchie nur die Rolle eines Ermittlers *(enquêteur)*, bekam er während des Zweiten Kaiserreichs *(Le Second Empire)* Entscheidungskompetenzen für die Streitfragen der Freilassung *(mise en liberté)* und des Abschlusses der Ermittlungen *(clôture de l'information)*, worüber er durch Erlass einer Verfügung nun selbst entscheiden konnte. Mit Gesetz vom 20. Mai 1863 erhielt der Staatsanwalt besondere Befugnisse im Bereich der auf frischer Tat entdeckten Straftaten *(délits flagrants)*. Zudem wurden Sondergerichte *(juridictions d'exception)* für politische Straftaten und aufrührerische Bewegungen geschaffen. Dagegen gab es aber auch liberale Tendenzen in Bezug auf die Haft vor Verurteilung und die Revision.

Die Dritte Republik setzte die liberalen Tendenzen in den Jahren von 1870 bis 1935 fort. Zunächst erhielt der Beschuldigte durch Gesetz vom 8. Dezember 1897 das Recht, sich ab der Vorführung vor den Untersuchungsrichter von einem Berater *(conseiller)* begleiten zu lassen, der während des gesamten Verfahrens auch Zugang zu allen Akten hatte. Mit Gesetz vom 7. Februar 1933 wurden die Voraussetzungen der Haft vor Verurteilung streng definiert und die Durchsuchung *(perquisition)* und die Sicherstellung *(saisie)* als Untersuchungshandlungen *(actes d'instruction)* anerkannt, die nun auch mit der Berufung angefochten werden konnten. Kurz zuvor hatten die Geschworenen mit Gesetz vom 5. März 1932 die Befugnis erhalten, nicht nur über das Vorliegen einer Straftat, sondern gemeinsam mit den Berufsrichtern auch über die Höhe des Strafmaßes zu entscheiden. Mit dieser Änderung begann auch die bis heute anhaltende Praxis der „correctionalisation judiciaire“, die darin besteht, eine tatsächlich als Verbrechen zu qualifizierende Straftat als Vergehen anzuklagen, um der Verhandlung vor dem Schwurgericht zu entgehen. Unter dem Vichy-Regime von 1935 bis 1945 und durch den Kontakt mit den totalitären Nachbarstaaten kam es jedoch zu stark reaktionären Gesetzen, die zum einen eine Rückkehr zum Verfahren der Haft vor Aburteilung von 1865 bedeuteten und zum anderen die Befugnisse des Schwurgerichts stark beschnitten. So wurden mit Gesetz vom 25. November 1941 die Zahl der Geschworenen von zwölf auf sechs reduziert und die Berufsrichter nun an der Entscheidung über die Schuldfrage beteiligt. Darüber hinaus wurden die Pressedelikte der Zuständigkeit des Schwurgerichts entzogen, zahlreiche Sondergerichte eingerichtet und das Rechtsmittel der Berufung und der Revision gegen verschiedene, dem eigentlichen Urteil vorausgehende Entscheidungen abgeschafft.

– *Das Strafverfahrensgesetzbuch von 1958/59*

Die Kriegsjahre führten dem Gesetzgeber die Barbarei der Vorgehensweise der nationalsozialistischen Polizei und die Brutalität der von ihr durchgeführten Vernehmungen vor Augen, sodass die Organisation der Verteidigung zur Wahrung der Beschuldigtenrechte in den Vordergrund rückte. Technische Errungenschaften wie der Lügendetektor *(détecteur de mensonge)* und narkotische Verfahren *(procédures narcotiques)* zeigten darüber hinaus, dass notwendige Informationen auch ohne Folter zu erlangen waren. Schließlich führte die im materiellen Strafrecht vorherrschende Tendenz, die Strafe nun nach der Persönlichkeit des Täters und nicht mehr nach der Art der Straftat zu bestimmen, dazu, dass nach Erkenntnismöglichkeiten über die Täterstruktur gesucht wurde. All dies machte eine strafprozessuale Reform unerlässlich.

Nachdem bereits 1930 eine Kommission zur Erarbeitung eines Gesetzentwurfs eingesetzt worden war, wurde ihr Vorschlag dem Parlament 1938 vorgelegt. Er geriet dann in die Kriegswirren und so kam es erst 1949 zu einem überarbeiteten Entwurf. Aber auch dieser Vorschlag wurde so heftig kritisiert, dass 1953 eine neue Kommission gebildet wurde, deren Arbeit in die Verabschiedung des neuen Strafverfahrensgesetzbuchs am 31. Dezember 1957 mündete. Nach geringfügigen Änderungen im Folgejahr trat es am 2. März 1959 in Kraft.

Das Strafverfahrensgesetzbuch von 1958/59 ist noch heute Grundlage des Strafverfahrensrechts. Sein Gesetzesteil gliedert sich in fünf Bücher, von denen das erste „über die Durchführung der Strafverfolgung und der Untersuchung“ („de l'exercice de l'action publique et de l'instruction“) den Hauptteil bildet. Das zweite Buch regelt die erkennenden Gerichte, das dritte behandelt außerordentliche Rechtsbehelfe, das vierte besondere Verfahrensarten und das fünfte das Vollstreckungsverfahren im Bereich der Freiheitsstrafen. Darüber hinaus enthält es in einem zweiten Teil Verordnungen, die die gesetzlichen Regelungen konkretisierten.

Mit dem neuen Strafverfahrensgesetzbuch verfolgte man das Ziel der Förderung der Freiheitsrechte der Person unter Stärkung der Autorität der Richter und der Effizienz des Strafverfahrens. So strebte es nach einer Verbesserung der Gewaltenteilung und einer größeren Unabhängigkeit des Untersuchungsrichters. Das Ausmaß dieser Unabhängigkeit stellt bis heute ein zentrales Thema des französischen Strafprozessrechts dar. Das erste Buch über die Durchführung der Strafverfolgung und der Untersuchung scheint unter Beibehaltung der geheimen vorbereitenden Untersuchung von der Rückkehr zum akkusatorischen Prinzip geprägt zu sein. Die Verteidigungsrechte wurden dagegen in der polizeilichen Ermittlungsphase *(phase policière)* und der Vorermittlung *(enquête préliminaire)* weitgehend verdrängt.

– *Weitere Reformen in der zweiten Hälfte des 20. Jahrhunderts*

Zum einen hatten die Reformgesetze die Verbesserung der Bürgerrechte zum Gegenstand. Dies wurde vor allem durch das Gesetz vom 17. Juli 1970 erreicht, das die Haft vor Verurteilung unter Einführung der gerichtlichen Aufsicht *(contrôle judiciaire)* auf Ausnahmefälle beschränkte und dieser Form der Haft ihre heutige Bezeichnung als Untersuchungshaft *(détention provisoire)* gab. Das darauf folgende Gesetz vom 6. August 1975 vervollständigte und verbesserte die Regelungen der Untersuchungshaft und der gerichtlichen Aufsicht *(suivi judiciaire)*. Zahlreiche weitere Reformgesetze in den 1980er und 1990er Jahren betrafen vor allem die Untersuchungshaft.

Andere Reformgesetze hatten die Beschleunigung der Justiz, insbesondere für die Erledigung kleinerer Strafverfahren, zum Gegenstand. So führte das Gesetz vom 3. Januar 1972 das Verfahren der strafrechtlichen Verfügung *(ordonnance pénale)* ein, die ein vereinfachtes Verfahren für bestimmte Übertretungen ermöglichte. Ebenso erlaubten die Gesetze vom 29. Januar 1972 und vom 8. Februar 1995, eine bestimmte Anzahl von Strafverfahren an Strafgerichte für Vergehen *(tribunals correctionnels)* abzugeben, die ausnahmsweise als Einzelrichter *(juge unique)* entscheiden durften. Das Gesetz vom 6. August 1975 erweiterte den Anwendungsbereich des Verfahrens für die auf frischer Tat entdeckten Straftaten und richtete spezielle Gerichtszuständigkeiten für Verfahren in komplexen Wirtschafts- und Finanzstrafsachen ein. In den 1980er Jahren wurde das Verfahren des sofortigen Erscheinens *(comparution immédiate)* und in den 1990er Jahren das Verfahren des strafrechtlichen Vergleichs eingeführt, bei dem einem Beschuldigten wegen kleinerer Straftaten angeboten werden konnte, durch die Zahlung einer Geldstrafe *(amende de composition)* die Eröffnung eines Strafverfahrens zu vermeiden. Beide Änderungen führten zu einer Stärkung der Staatsanwaltschaft und der Prozessökonomie.

Weitere Reformgesetze dienten der Verbesserung der Opferrechte. So verschaffte das Gesetz vom 3. Januar 1977 den Opfern von Straftaten die Möglichkeit der Entschädigung, insbesondere bei Angriffen auf die körperliche Unversehrtheit. Ebenso wurde mit Gesetz vom 23. Dezember 1980 die Verjährung der öffentlichen Anklage *(action publique)* von der Verjährung der Zivilklage *(action civile)* abgetrennt.

Seit den 1980er Jahren wurde die Reformgesetzgebung von steigenden Kriminalitätszahlen dominiert, die ein Gefühl der Unsicherheit hervorriefen. Zum Beispiel wurde die Personenkontrolle explizit geregelt und für terroristische Handlungen ein eigenes Strafverfahren eingeführt. Dennoch schaffte man Ausnahmegerichte wie den Staatssicherheitshof *(Cour de sûreté de l'Etat)* und die permanenten Wehrstrafgerichte *(tribunaux des forces armées)* in Friedenszeiten ab.

In den 1990er Jahren war vor allem die große Reform vom 4. Januar 1993 von Bedeutung, die über 250, auf 15 verschiedene Titel aufgeteilte Artikel betraf. Sie umfasste Bestimmungen im Bereich des Polizeigewahrsams *(garde à vue)*, der Befugnisse des Untersuchungsrichters, der Rechte der Parteien, der Untersuchungshaft und der Nichtigkeit von Verfahrensverstößen. Darüber hinaus wurde die Unschuldsvermutung bekräftigt, indem man Vorschriften zu ihrem Schutz einführte.

Auch die große Strafrechtsreform von 1994 brachte Änderungen des Strafverfahrensgesetzbuchs mit sich. So musste die Einführung der strafrechtlichen Verantwortlichkeit von Unternehmen im materiellen Strafrecht auch in das Prozessrecht eingebettet werden. Es wurden auch neue Vorschriften zur internationalen Zuständigkeit der französischen Gerichtsbarkeit sowie besondere Verfahrensbestimmungen für spezielle Straftaten wie das Handeln mit Betäubungsmitteln und die Zuhälterei eingeführt.

– *Neuere Tendenzen*

Die oben beschriebene Tendenz zu einer repressiven Kriminalpolitik[12] wurde durch die Verabschiedung des umfangreichen Reformgesetzes vom 9. März 2004 *(Loi Perben II)* bestätigt, mit dem das Strafverfahrensrecht eine der größten Reformen seit 1958/59 erfuhr. Nach zahlreichen Protesten der Anwaltschaft und der Anrufung des Verfassungsrates wurde das Reformgesetz mit fast all seinen Bestimmungen (die endgültige Fassung enthält 224 Artikel) für verfassungskonform erklärt.

Als Kernstück der Reform wurde ein neues Strafverfahren für die organisierte und schwere Kriminalität eingeführt, das im Wesentlichen die Anwendung verschärfter strafprozessualer Eingriffsbefugnisse ermöglicht (insbesondere Polizeigewahrsam bis zu 96 Stunden, nächtliche Durchsuchungen, akustische und optische Überwachung bestimmter Örtlichkeiten) und einen Straftatenkatalog der organisierten Kriminalität beinhaltet. In Anlehnung an die angelsächsische Rechtskultur wurde das Verfahren des „plea bargaining“ *(plaider coupable)* eingeführt. Dieses erlaubt zur Vermeidung eines Prozesses einen Strafvorschlag des Staatsanwalts, der weit unter dem eigentlichen Strafrahmen liegen kann, sofern der Beschuldigte geständig ist. Im Gegensatz zum angelsächsischen Recht wird das Strafmaß vom Staatsanwalt vorgeschlagen und kann vom Richter nur angenommen oder verworfen, aber nicht abgeändert werden.

Gleichzeitig hat man mit dieser Reform das EU-Übereinkommen zur Rechtshilfe in Strafsachen vom 29. Mai 2000, den Ratsbeschluss vom 28. Februar 2002 zur Einsetzung von Eurojust als neues Organ, das die Ermittlung und Verfolgung schwerer Grenz- und organisierter Kriminalität zwischen den Mitgliedstaaten erleichtern soll, und den Rahmenbeschluss vom 13. Juni 2002 zum Europäischen Haftbefehl umgesetzt und damit das Kapitel des Strafverfahrensgesetzbuchs zur internationalen Rechtshilfe neu gestaltet.

---

[12] Siehe oben G.1. und 2.

Weitere Reformgesetze zu Beginn des 21. Jahrhunderts zeigen, dass das französische Strafverfahrensrecht immer wieder Gegenstand vieler vereinzelter Reformvorhaben ist, was zu seiner Zersplitterung und Unübersichtlichkeit beiträgt. Dabei bleibt es im Kampf um Aktualität oftmals hinter der tatsächlichen Kriminalitätsentwicklung zurück.

4. Entwicklung (des Rechts) der Strafvollstreckung

Die Strafvollstreckung *(exécution des peines)* ist in erster Linie Aufgabe des Staatsanwalts und wird oft mit der Inhaftierung *(incarcération)* oder der Einziehung der Geldstrafe *(recouvrement des amendes)* gleichgesetzt. Der Begriff der Strafvollstreckung ist aber viel komplexer, als dass er sich auf diese beiden Faktoren reduzieren ließe. Im engen juristischen Sinne beginnt die Ausführung einer Strafe mit der Unterschrift des Staatsanwalts, mit der die Strafe amtlich gemacht und die materielle Vollstreckung durch die zuständigen Behörden ausgelöst wird. Im weiteren Sinne umfasst die Strafvollstreckung aber auch die Gesamtheit der Überprüfungen, Vorgänge und Kontrollen vor dieser Unterschrift. Dazu gehören zum Beispiel auch die Eintragung des Täters ins Strafregister *(casier judiciaire)* sowie die Maßnahmen im Vorfeld zur Sicherung einer späteren Vollstreckung, wie zum Beispiel der Haftbefehl *(mandat d'arrêt)* und die Verfügung einer sofortigen Inhaftierung *(ordre de l'incarcération immédiate)*. Historisch betrachtet verbindet man mit der Lehre von der Strafvollstreckung meist den Vollzug der Gefängnisstrafe, da dieser besonders weitreichende Folgen für den Straftäter hat.

– *Vom Mittelalter bis zum Ancien Regime (Mitte des 18. Jahrhunderts)*

Im Mittelalter erlaubten die überbelegten und schlecht unterhaltenen Gefängnisse nicht, die Angeklagten für einen längeren Zeitraum als bis zur Verurteilung festzuhalten. Gegen Ende des Mittelalters dienten jedoch einige Festungen der lebenslangen Inhaftierung von politischen Straftätern. Die Todesstrafe wurde bereits für den Wiederholungstäter eines einfachen Diebstahls, häufig in Verbindung mit vorhergehender Folter verhängt. Im Spätmittelalter wurden auch körperliche Strafen in verschiedenen Abwandlungen angewendet. Vereinzelt wurde die Verbannung ins Exil ausgesprochen; am häufigsten war jedoch die Verschickung auf Galeeren, die zwar zunächst eine gewisse Sozialnützlichkeit besaß, mit der Entwicklung der Segelschifffahrt jedoch verschwand. Mit der Grausamkeit der Strafen im Mittelalter wurde vor allem das Ziel verfolgt, die Seele des Täters zu läutern.

Erste Ansätze einer wissenschaftlichen Betrachtung des Strafvollzugsrechts gab es ab dem 17. Jahrhundert im klerikalen Bereich. Lange Zeit schon sah das kanonische Recht im antisozialen Verhalten der Straftäter eine Sünde, von der der Sünder durch Isolierung und Buße wieder auf den rechten Weg gebracht werden musste. Zu Beginn des 17. Jahrhunderts organisierte ein Priester in Italien ein Modellerziehungsheim für Kinder. Diese Einrichtung besichtigte der französische Benediktinermönch *Mabillon* und veröffentlichte daraufhin im Jahr 1690 das Werk „Reflexions sur les prisons des ordres religieux", das bis heute als erste wissenschaftliche Abhandlung des Strafvollzugsrechts *(science pénitentiaire)* gilt. Darin zeigte sich *Mabillon* als Gegner der absoluten Isolationshaft, schlug verschiedene Reformen in den Bereichen Arbeit und Hygiene, für das Besuchsrecht und Ähnliches vor und skizzierte Regeln für ein Modellgefängnis.

– *Von der Revolution 1789 bis zum Ende des 19. Jahrhunderts*

Mit der Verfassung von 1791 wurden alle körperlichen Strafen und die Verschickung auf Galeeren abgeschafft und durch die Freiheitsstrafe ersetzt. Die Unterbringung erfolgte in alten Abteien oder Kasernen oder man richtete Gefängnisse in Gebäuden ein, die nicht zu diesem Zweck erbaut worden waren. Meist blieb es daher bei den miserablen Verhältnissen in den Gefängnissen wie zu Zeiten des *Ancien Regime*. Mit dem Strafgesetzbuch von 1810 wurde die Strafe der Zwangsarbeit eingeführt.

Während der Juli-Monarchie sandte die Regierung 1831 die Juristen *de Beaumont* und *de Tocqueville* in die USA, um das dortige Gefängnissystem zu erkunden. 1836 veröffentlichte der Gefängnisinspektor *Lucas* sein bis heute als Klassiker geltendes Werk „Théorie de l'emprisonnement" (Theorie der Inhaftierung). Im Jahr 1840 legte die Regierung einen Gesetzentwurf zu verschiedenen Gefängnissystemen vor, deren Diskussion sich jedoch so langwierig gestaltete, dass die Revolution von 1848 den Abschluss der Reform verhinderte.

Im Zweiten Kaiserreich wurde die Einzelzellenhaft nur noch für die Gefängnisstrafe *(peine d'emprisonnement)* beibehalten, die damals noch auf ein Jahr begrenzt war. Die schwere Verbrechensstrafe der Zwangsarbeit wurde dagegen durch das Verfahren der Deportation vollstreckt. Nach dem Staatsstreich von 1852 verfolgte man verstärkt politische Straftäter, die zur Kolonialisierung in die überseeischen Gebiete *(territoires d'outre-mer)* und nach Algerien verschickt wurden. Bald wollte die Regierung dieses Verfahren auch auf die allgemeinen Straftäter anwenden, da sich der Gedanke verbreitete, Straftäter als Arbeitskräfte zur Förderung des Allgemeinwohls einzusetzen. Mit Gesetz vom 30. Mai 1854, das die Grundlage dafür schuf, sollten die Kolonien aufgewertet und die Gefangenen einem weniger harten Verfahren unterworfen werden. Das Gesetz legte fest, dass jeder Gefangene, der zu mehr als sieben Jahren Zwangsarbeit verurteilt worden war, auch nach dem Ablauf seiner Strafzeit in der Kolonie verbleiben musste. War er zu einer Strafe zwischen fünf und sieben Jahren verurteilt worden, musste er nach der Verbüßung noch einmal für den gleichen Zeitraum auf eigene Kosten in der Kolonie verweilen. Aufgrund des ungewohnten Klimas der überseeischen Gebiete überlebten viele Gefangene die Deportation nicht. Der Versuch der Kolonialisierung durch Zwangsarbeiter schlug deshalb fehl, sodass die Deportation als allgemeine Sanktion 1938 abgeschafft wurde. Für politische Straftäter wurde sie dagegen noch bis 1970 – wenn auch mit Unterbrechungen und in abgewandelter Form der Ausweisung *(rélégation)* – beibehalten.

– *Die Entwicklung seit dem Ende des 19. Jahrhunderts*

Das Ende des 19. Jahrhunderts stand unter dem Einfluss der sich in Italien entwickelnden positivistischen Schule. Dabei herrschte vor allem der Gedanke der Bestrafung des Täters im Hinblick auf eine in der Zukunft liegende Besserung seiner Persönlichkeitsstruktur und nicht lediglich der Vergeltung seiner in der Vergangenheit liegenden Straftat vor. So wurde mit Gesetz vom 14. August 1885 die bedingte Haftentlassung *(libération conditionnelle)* und mit Gesetz vom 26. März 1891 die Möglichkeit eingeführt, die Vollstreckung der Strafe bei Erst- und Gelegenheitstätern aufzuschieben. Darüber hinaus entwickelte man neben den bereits existierenden Strafen Sicherungsmaßnahmen *(mesures de sûreté)*, die den Gedanken der sozialen Verteidigung *(défense sociale)* der Gesellschaft in den Vordergrund stellten. Die positivistische Schule basierte damit auf der Idee der Individualisierung der Strafe und des Schutzes der Gesellschaft vor dem gefährlichen Straftäter, die bereits im klerikalen Gerichtswesen des Mittelalters ihren Ursprung gefunden hatte. Diese Entwicklung führte zu einem tatsächlichen Dualismus von Strafe und Sicherungsmaßnahme, die als Nebenstrafe *(peine complémentaire)* oder Nebenfolge in das Sanktionensystem eingefügt wurde.

Die Gründung der Internationalen Strafrechtsvereinigung *(Union internationale de droit pénal)* im Jahr 1889 durch den Belgier *Prinz*, den Holländer *Van Hamel* und den Deutschen *von Liszt* war von der Idee getragen, auch auf internationaler Ebene die soziale Verteidigung der Gesellschaft durch Maßnahmen, die auf den jeweiligen Täter zugeschnitten waren, zu gewährleisten. Gemeinsam wollte man auf wissenschaftliche Weise die besten Methoden einer Kriminalpolitik, insbesondere die Organisation und das Funktionieren der Gefängnisse, entwickeln. Da die Mitglieder der Vereinigung kurzen Freiheitsstrafen ablehnend gegenüberstanden und die Trennung zwischen den erkennenden Strafgerichten und der Strafvollzugsverwaltung für irrational und schädlich hielten, ebneten sie den Weg für die spätere Einsetzung eines Strafvollstreckungsrichters *(juge de l'application des peines)*.

Zu Beginn und in der Mitte des 20. Jahrhunderts mündeten die positivistischen Strömungen in die Bewegung der Neuen Sozialverteidigung *(Défense Sociale Nouvelle)*, die den Dualismus von Strafen und Sicherungsmaßnahmen durch ein Gesamtsystem sozialer Verteidigungsmaßnahmen *(système de mesures de défense sociale)* zu ersetzen suchte. Diese Strömungen beeinflussten die damaligen Reformvorhaben in erheblichem Maße. So stammen wesentliche Reformgesetze zur Humanisierung des Strafvollzugs, zur Besserung und Wiedereingliederung des Täters, zur Einrichtung eines sozialen und medizinisch-psychologischen Dienstes sowie einer Vollzugs- und Nachvollzugshilfe und zur Verallgemeinerung der bedingten Haftentlassung aus dieser Zeit.

– *Die Entwicklungen von 1958 bis zum neuen Strafgesetzbuch von 1994*

Das Strafverfahrensgesetzbuch vom 23. Dezember 1958 legte erstmals die Aussetzung der Strafe zur Bewährung *(sursis avec mise à l'épreuve)* und die Grundregeln des geschlossenen Strafvollzugs fest und verfolgte damit weiterhin die bereits bestehende Strömung einer sozialen Verteidigung. Mit dem Gesetz vom 29. Dezember 1972 folgte die Einsetzung des Vollstreckungsrichters und die Einführung der Möglichkeit einer Befreiung *(relèvement)* von bestimmten Sanktionsarten, um die Wiedereingliederung bestimmter Straftäter zu erleichtern. Das Gesetz vom 11. Juli 1975 verringerte einen Teil der „unbeliebten" kurzen Freiheitsstrafen, indem es das Verfahren und den Widerruf der Bewährung erleichterte. Aufgrund der von Frankreich im Jahr 1973 ratifizierten Europäischen Menschenrechtskonvention, die sowohl die Folter wie auch eine unmenschliche und herabwürdigende Behandlung verbietet, erging am 23. Mai 1975 ein wichtiges Dekret, das die weitere Humanisierung des Strafvollzugs zum Gegenstand hatte. Mit Gesetz vom 9. Oktober 1981 kam es schließlich zur Abschaffung der Todesstrafe.

Nachdem in bestimmten Kriminalitätsbereichen eine verstärkte Aktivität zu beobachten war, erließ der Gesetzgeber am 22. November 1978 ein Gesetz, durch das er auf das gestiegene Sicherheitsbedürfnis der Allgemeinheit mit einer Verhärtung der Strafpolitik reagierte. Inhaltlich wurden mit diesem Gesetz die Vergünstigungen der Berechtigung zum Ausgang, der Unterbringung in einer offenen Anstalt *(sémi-liberté)* und der bedingten Haftentlassung *(liberté conditionnelle)* für bestimmte Straftatbestände abgeschafft. Mit einem weiteren Gesetz vom 2. Februar 1981 wurde ein spezielles Strafverfahren für die neu geschaffene Deliktskategorie der „Gewaltstraftaten" *(infractions de violence)* eingeführt. Wesentliche Teile dieses Gesetzes wurden mit Gesetz vom 10. Juni 1983, das unter anderem auch die gemeinnützige Arbeit als Ersatz für die Freiheitsstrafe einführte und damit eine Rückentwicklung anstieß, wieder abgeschafft. Die terroristischen Anschläge von 1986 führten jedoch dazu, dass man sich bald für die Wiedereinführung eines besonderen Strafverfahrens entschied, und zwar nunmehr bei terroristischen Straftaten, eine Regelung, die bis heute gilt (Art. 706-16 ff. CPP).

Die verschärfte Pönalisierung im strafrechtlichen Bereich führte zwangsläufig zu mehr Gefängnisinsassen. Nach einer anfänglichen Diskussion um die Einführung privater Strafvollzugsanstalten beschloss die Regierung den Bau neuer Gefängnisse und setzte mit dem Gesetz vom 22. Juni 1987 den öffentlichen Strafvollzugsdienst *(service public pénitentiaire)* ein. Dieser beteiligt sich an den strafgerichtlichen Entscheidungen und Urteilen und der Aufrechterhaltung der öffentlichen Ordnung, indem er die gesellschaftliche Wiedereingliederung der ihm gerichtlich überstellten Straftäter fördert. Das Konzept, der Bau und die Einrichtung der Strafvollzugsanstalten können auf private Träger übertragen werden; die Leitung und Überwachung der Anstalten bleibt dagegen der Verwaltung vorbehalten. Die Strafvollzugsanstalten selbst unterliegen zwar der Aufsicht des Staates, sind aber eigene juristische Personen und genießen finanzielle Autonomie. Sie werden von einem

Verwaltungsrat *(conseil d'administration)* verwaltet, der sich mehrheitlich aus Staatsvertretern zusammensetzt und dem das technische und das Betreuungspersonal sowie das Verwaltungspersonal unterstellt werden kann. Das Personal der Leitung und Überwachung wird dagegen vom Minister benannt. Bis 1990 wurden im Zuge dieser Reform circa 13.000 neue Vollzugsplätze durch Neubauten und 4.000 weitere durch Umbauten bereits vorhandener Einrichtungen geschaffen.

Das neue Strafgesetzbuch von 1994 behielt die bis dahin eingeführten Alternativen zur Gefängnisstrafe bei. Das Prinzip der Individualisierung der Strafe wurde mit der Verankerung der persönlichen strafrechtlichen Verantwortlichkeit im neuen Strafgesetzbuch ebenfalls – wenn auch – implizit niedergelegt. So bestimmt Art. 132-24 CP, „dass das Gericht die Strafe verhängt und das Verfahren ihrer Vollstreckung nach den Tatumständen und der Täterpersönlichkeit festlegt". Handelt es sich um eine Geldstrafe, so wird sie anhand des Vermögens und der Schulden des Täters bestimmt. Der Strafzweck wird dagegen an keiner Stelle des Strafgesetzbuchs erwähnt. Lediglich der Verfassungsrat benannte in einer Entscheidung von 1994 die Besserung und die soziale Wiedereingliederung als Strafzwecke. Das Prinzip der Individualisierung der Strafe beinhaltet auch das Prinzip der Verhältnismäßigkeit der Strafe, das das alte Talion-Gesetz aufgreift. Es wurde jedoch ebenfalls nicht gesetzlich verankert, sondern lediglich von der Rechtsprechung angeführt. So erfährt das neue Strafgesetzbuch im Bereich der Strafzumessung seine Konkretisierung im Wesentlichen durch die Rechtsprechung.

– *Neuere Tendenzen*

Eine Folge der fortschreitenden repressiven Entwicklung in der französischen Kriminalpolitik ist die weiterhin bestehende Überbelegung der Gefängnisse. Sie stellte im Jahr 2002 einen der Hauptverstöße Frankreichs gegen die EMRK dar. An dieser Situation können voraussichtlich auch die neuen Reformbestrebungen im Strafvollstreckungsrecht nur bedingt etwas ändern. Zwar versucht ein Gesetzentwurf zum Strafvollstreckungsrecht vom 6. März 2009, die Dauer der Inhaftierung durch eine Ausweitung der elektronischen Überwachung *(surveillance électronique)* und eine Verkürzung der Haftzeiten *(réduction du temps d'incarcération)* in bestimmten Fällen zu reduzieren. Die Einzelhaft *(encellulement individuel)* ist jedoch nicht als grundlegendes Prinzip verankert worden, sodass hiervon in bestimmten Fällen abgewichen werden kann. Teilweise sieht der Entwurf aber auch eine konkrete Stärkung der Rechte der Inhaftierten vor (wie zum Beispiel das Recht, im Gefängnis ein Telefon benutzen zu dürfen oder auf eigene Rechnung arbeiten zu können).

Literaturhinweise zu Abschnitt G.

Entwicklung des Strafrechts:

Bouzat, Pierre/Pinatel, Jean, Traité de droit pénal et de criminologie, Band I, Droit pénal général, 2. Aufl. Paris 1970, Introduction historique et philosophique – L'évolution du droit pénal (Historische und philosophische Einführung – Die Entwicklung des Strafrechts), n° 21–62.

Carbasse, Jean-Marie, Histoire du droit pénal et de la justice criminelle (Die Geschichte des Strafrechts und der Kriminalgerichtsbarkeit). Paris 2000.

Charles, Raymond, Histoire du droit pénal (Geschichte des Strafrechts). 2. Aufl. Paris 1963.

Desportes, Frédéric/Le Gunehec, Francis, Droit pénal général. 10. Aufl. Paris 2003, Introduction, Section 2: L'évolution du droit pénal (Die Entwicklung des Strafrechts), n° 54-105.

Martinage, Rénée, Histoire du droit pénal en Europe (Geschichte des Strafrechts in Europa). Paris 1998.

Mayaud, Yves/Remillieux, Pascal (Hrsg.), Encyclopédie Juridique Dalloz (Juristische Enzyklopädie Dalloz), Histoire des doctrines pénales (Geschichte der Strafrechtslehren), Band IV. Paris 2000.

Entwicklung des Strafverfahrensrechts:

Carbasse, Jean-Marie, Histoire du droit pénal et de la justice criminelle (Die Geschichte des Strafrechts und der Kriminalgerichtsbarkeit). Paris 2000.

Esmein, A., Histoire de la procédure criminelle en France (Die Geschichte des Kriminalverfahrens in Frankreich). Paris 1882.

Stefani, Gaston/Levasseur, Georges/Bouloc, Bernard, Procédure pénale. 17. Aufl. Paris 2000, Histoire de la procédure pénale (Geschichte des Strafverfahrensrechts), n° 52-98-1.

Entwicklung (des Rechts) der Strafvollstreckung:

Bouloc, Bernard, Pénologie. 2. Aufl. Paris 1998, Introduction, Section 1: L'évolution des idées en matière pénitentiaire (Entwicklung strafvollzugsrechtlicher Ideen), n° 15-39-3.

Foucault, Michel, Surveiller et punir (Überwachen und Strafen). Paris 1989.

Poncela, Pierette, Droit de la peine. 2. Aufl. Paris 2001, Partie I, Chapitre 2: Formations et transformations des peines (1791–1975) (Entstehung und Wandel der Strafen [1791–1975]), S. 80–111.

Abkürzungsverzeichnis zum Landesbericht Frankreich

AJ pén.	Actualité juridique – Pénal (Fachzeitschrift)
BIP	Bruttoinlandsprodukt
Bull. crim.	Bulletin des arrêts de la Chambre criminelle de la Cour de cassation (Amtliche Sammlung der Entscheidungen der Strafkammer des Kassationsgerichtshofs)
Cass. crim.	Chambre criminelle de la Cour de cassation (Strafkammer des Kassationsgerichtshofs)
COM	Collectivité d'outre-mer
CP	Code pénal (französisches Strafgesetzbuch)
CPP	Code de procédure pénale (französische Strafprozess-ordnung)
D	Recueil Dalloz
DC	Recueil Dalloz critique
DCJP	Direction nationale de la Police Judiciaire
DEUG	Diplôme d'études universitaires générales
DOM	Département d'outre-mer
Dr. pén.	Droit pénal (Fachzeitschrift)
EGV	Vertrag zur Gründung der Europäischen Gemeinschaft
EMRK	Europäische Konvention zum Schutze der Menschenrechte und Grundfreiheiten
ENM	École nationale de la magistrature
EU	Europäische Union
EuR	Europarat
EWG	Europäische Wirtschaftsgemeinschaft
FIJAIS	Fichier judiciaire national automatisé des auteurs d'infractions sexuelles ou violentes (Automatisiertes nationales Strafregister für Täter von Sexual- oder Gewaltstraftaten)
Gaz. Pal.	Gazette du Palais (Fachzeitschrift)
INSEE	Institut national de la statistique et des études économiques
IPbpR	Internationaler Pakt über bürgerliche und politische Rechte
JCP	La Semaine juridique (Fachzeitschrift)
km	Kilometer
NATO	North Atlantic Treaty Organisation
OECD	Organisation for Economic Cooperation and Development
OND	Observatoire national de la délinquance

OSZE	Organisation für Sicherheit und Zusammenarbeit in Europa
RIDP	Revue internationale de droit pénal (Fachzeitschrift)
RSC	Revue de science criminelle et de droit pénal comparé (Fachzeitschrift)
SMIC	Salaire minimum interprofessionnel de croissance (garantiertes Mindesteinkommen)
UN	United Nations

Rahmenbedingungen, Vorgaben, Grundlagen und Entwicklung des Strafrechts in

Italien

Konstanze Jarvers

Inhaltsverzeichnis

A. Nationale Rahmenbedingungen

1. Geografie

Italien liegt in Südeuropa, und zwar im Wesentlichen auf der vom Mittelmeer umschlossenen Apenninenhalbinsel. Es erstreckt sich von den Alpen bis zum zentralen Mittelmeer. Im Nordwesten grenzt es an Frankreich, im Norden an die Schweiz und Österreich und im Nordosten an Slowenien. Abgesehen von der Poebene ist die Landschaft überwiegend von Bergen geprägt. Von den zahlreichen Flüssen ist der längste der Po mit 652 km. In Italien finden sich zahlreiche Vulkane, von denen einige noch aktiv sind. Dabei sind die größten der Ätna mit 3.340 m und der Vesuv mit 1.277 m Höhe. Hiermit verbunden ist eine erhebliche Erdbebengefahr.

Neben den großen Inseln Sizilien und Sardinien gehören zahlreiche weitere Inseln und Inselgruppen zu Italien. Ferner besitzt Italien mit der Gemeinde Campione eine Exklave in der Schweiz. Das italienische Staatsgebiet umschließt zwei souveräne Zwergstaaten, die Republik San Marino *(Repubblica di San Marino)* und den Vatikanstaat *(Città del Vaticano)*. Es umfasst eine Gesamtfläche von 301.336 km² und steht damit in der Europäischen Union nach Frankreich, Spanien, Schweden, Deutschland, Finnland und Polen an siebter Stelle.

2. Bevölkerung

a) Bevölkerungszahl und -gruppen

Italien hat eine Bevölkerung von 59.619.290 (31.12.2007)[1] Einwohnern und liegt damit hinter Deutschland, Frankreich und dem Vereinigten Königreich an vierter Stelle in der Europäischen Union. Die Bevölkerungsdichte beträgt 196 pro km².

67 % der Italiener leben in Städten. Vor allem in den 1950er und 1960er Jahren gab es eine starke Landflucht. Dieser Trend scheint inzwischen gebremst. Die größten Städte sind Rom (2.705.603 Einwohner), Mailand (1.303.437), Neapel (975.139), Turin (900.569), Palermo (666.552) und Genua (615.686).[2]

---

[1] Istituto nazionale di statistica (siehe unten Quellenhinweise).

[2] Stand: 2007, Fischer Weltalmanach 2009.

Der Frauenanteil in der Bevölkerung beträgt circa 51,5 %. In den letzten drei Jahrzehnten ist ein stetiger Geburtenrückgang zu verzeichnen. Die Altersgruppen zwischen 0 und 19 machen circa 19 %, zwischen 20 und 39 27 %, zwischen 40 und 59 28 %, zwischen 60 und 79 20 % und die über 80 5 % aus.[3] In Italien leben 2.938.922, also knapp 5 % Personen anderer Staatsangehörigkeit (davon 1.473.073 Männer und 1.465.849 Frauen). Die meisten stammen aus Albanien (375.947), Marokko (343.228), Rumänien (342.200), der Volksrepublik China (144.885), der Ukraine (120.070) und den Philippinen (101.337).[4]

b) Sprache

Amtssprache ist Italienisch. Daneben gibt es die regionalen Amtssprachen Französisch (in der Region Aostatal), Slowenisch (in den Provinzen Triest und Gorizia) sowie Deutsch und Ladinisch (in der Provinz Bozen-Südtirol). Seit 1999 (durch L. 15 dicembre 1999, n. 482) sollen darüber hinaus regional begrenzt die historisch vorhandenen Minderheitensprachen Albanisch, Katalanisch, Deutsch, Griechisch, Slowenisch, Kroatisch, Franco-Provenzalisch, Friulisch, Ladinisch, Okzitanisch und Sardisch besonders geschützt werden. In Italien werden 782.342, also circa 1,4 % Analphabeten gezählt, davon 280.031 Männer und 502.311 Frauen.[5]

c) Religion

Die weitaus überwiegende Religion ist der Katholizismus, dem über 90 % der Italiener angehören.[6] Ferner gibt es über 1 Million Muslime, circa 120.000 Buddhisten, 50.000 Protestanten und 40.000 Juden.[7]

3. Wirtschaft

Italien ist ein Industriestaat mit sozialer Marktwirtschaft. Der ursprünglich sehr hohe Anteil an staatlichen Unternehmen wird durch zahlreiche Privatisierungen immer geringer. Das Bruttoinlandsprodukt beträgt 2.239,008 Milliarden US-$[8] (26.100 Euro pro Kopf).[9] Davon entfallen auf die Landwirtschaft 2 %, auf die In-

---

3 Stand: 1.1.2007, Istituto nazionale di statistica (siehe unten Quellenhinweise).
4 Stand: 31.12.2006, Istituto nazionale di statistica (siehe unten Quellenhinweise).
5 Stand: 2001, Istituto nazionale di statistica (siehe unten Quellenhinweise).
6 Stand: 2006, Fischer Weltalmanach 2008.
7 Stand: Mai 2008, Auswärtiges Amt (siehe unten Quellenhinweise).
8 Stand: 2008, Weltbank (siehe unten Quellenhinweise).
9 Stand: 2007, Auswärtiges Amt (siehe unten Quellenhinweise).

dustrie 26,6 % und auf Dienstleistungen 71,4 %.[10] Die Erwerbstätigkeit teilt sich in Landwirtschaft (4 %), Industrie (31 %) und Dienstleistungen (65 %).[11] Das Bruttonationaleinkommen pro Kopf beträgt 35.240 US-$.[12]

Die Arbeitslosigkeit ist, nachdem sie in den letzten Jahren gesunken war (1. Quartal 2004: 8,7 %; 1. Quartal 2005: 8,2 %; 1. Quartal 2006: 7,6 %; 1. Quartal 2007: 6,4 %), wieder leicht angestiegen und betrug im 1. Quartal 2008 7,7 %, im 2. Quartal 2008 jedoch wieder nur 6,7 %. Zu beachten sind hierbei aber die großen regionalen Unterschiede. So lag im 2. Quartal 2008 die Arbeitslosenquote in Norditalien bei 3,8 %, in der Mitte bei 6,4 % und in Süditalien bei 11,8 %. Auch die Geschlechter sind unterschiedlich von Arbeitslosigkeit betroffen. Bei Männern beträgt die Quote 5,4 %, bei Frauen 8,7 % (in Süditalien sogar 15,9 %). Nicht erwerbstätig sind 36,5 % der Bevölkerung, der Anteil nicht erwerbstätiger Frauen in Süditalien beträgt 62,2%.[13]

4. Staatsorganisation

Mit der Einigung Italiens im Jahr 1861 wurde ein einheitlicher Nationalstaat, das Königreich Italien *(Regno d'Italia)* mit monarchischer Staatsform gegründet. 1922 übernahmen die Faschisten unter Führung von Benito Mussolini die Macht, wandelten das Königreich in einen totalitären Staat um und traten an der Seite Hitlers in den Zweiten Weltkrieg ein. Mit dem Sturz der italienischen Regierung wechselte Italien die Fronten und erklärte den ehemals Verbündeten den Krieg. Nach dem Zweiten Weltkrieg sollte das italienische Volk in einem Referendum über die Staatsform abstimmen. Am 2. Juni 1946 fiel die Entscheidung gegen die Monarchie und die Republik Italien *(Repubblica Italiana)* wurde gegründet. Kurz zuvor hatte König Vittorio Emanuele II abgedankt und war ins Exil gegangen. Seit dieser Zeit ist Italien eine parlamentarische Republik.

Die Republik Italien mit der Hauptstadt Rom ist in 20 Regionen *(regioni)* gegliedert (Valle d'Aosta, Piemonte, Liguria, Lombardia, Trentino-Alto Adige, Veneto, Friuli-Venezia Giulia, Emilia-Romagna, Toscana, Umbria, Marche, Lazio, Abruzzo, Molise, Campania, Puglia, Basilicata, Calabria, Sicilia, Sardegna), die eine mittlere politisch administrative Ebene bilden. Die Regelungskompetenz der Regionen ist erheblich geringer als beispielsweise die der deutschen Länder, sodass man nicht von Föderalismus sprechen kann. Vor Kurzem wurde aber vom Parlament ein Gesetz über den sogenannten Steuerföderalismus *(federalismo fiscale)* verabschiedet (L. 5 maggio 2009, n. 42). Um separatistische Bewegungen zu unter-

---

10 Stand: 2006, Fischer Weltalmanach 2009.

11 Stand: 2005, Fischer Weltalmanach 2009.

12 Stand: 2008, Weltbank (siehe unten Quellenhinweise).

13 Istituto nazionale di statistica (siehe unten Quellenhinweise).

laufen, wurde fünf Regionen (Valle d'Aosta, Trentino-Alto Adige, Friuli-Venezia Giulia, Sicilia und Sardegna) ein Sonderstatus *(statuto speciale)* gewährt, der mit umfangreichen Autonomien verbunden ist. Den Regionen untergeordnet sind jeweils 1 bis 11 (insgesamt 107) Provinzen *(province)*, die wiederum in bis zu 300 Gemeinden *(comuni)* aufgeteilt sind.

Staatsoberhaupt ist der Staatspräsident *(Presidente della Repubblica)*, der vom Parlament und von Vertretern der Regionen auf sieben Jahre gewählt wird und die Einheit der Nation *(unità nazionale)* repräsentiert. Er verfügt über einen stärkeren Einfluss als der deutsche Bundespräsident, hat aber bei weitem nicht so weitreichende Kompetenzen wie die Präsidenten in Ländern mit Präsidialsystemen.

Das Parlament besteht aus zwei Kammern *(parlamento bicamerale)*: dem Abgeordnetenhaus *(Camera dei Deputati)* und dem Senat *(Senato)*, die auf der Grundlage allgemeiner und direkter Wahlen zu drei Vierteln nach Mehrheitswahl und zu einem Viertel nach Verhältniswahl auf fünf Jahre gewählt werden. Für das Abgeordnetenhaus gilt seit 1993 eine 4 %-Klausel, um stabilere parlamentarische Mehrheiten zu erreichen. Beide Kammern sind nach der Verfassung mit der gleichen Macht ausgestattet und üben gemeinsam die Gesetzgebung aus.

Die Regierung *(governo)* besteht aus dem Ministerpräsidenten *(Presidente del Consiglio)* und den von ihm vorgeschlagenen Ministern *(ministri)*. Nach ihrer Ernennung durch den Staatspräsidenten müssen ihr innerhalb von zehn Tagen beide Kammern des Parlaments ihr Vertrauen aussprechen.

Die Gesetzgebungskompetenz liegt im Wesentlichen in der Hand der beiden Kammern des nationalen Parlaments. Im Strafrecht haben die Regionen und autonomen Provinzen keine Gesetzgebungszuständigkeit. Ein Gesetz kann durch Volksentscheid *(referendum)* aufgehoben werden. Ein solcher wird durchgeführt, wenn 500.000 Wähler dies beantragen. Ausgenommen hiervon sind Steuer- und Bilanzgesetze, Gesetze über Amnestie und Straferlass sowie Gesetze, durch die internationale Abkommen ratifiziert werden.

Institutionalisierte Einflüsse von gesellschaftlichen oder religiösen Gruppierungen auf Recht, Gesetzgebung oder Rechtsprechung gibt es nicht. Der informelle Einfluss des Katholizismus ist aber sehr groß. So wird die Abtreibungsregelung von der katholischen Kirche immer wieder in Frage gestellt und auch die Regelung über die künstliche Befruchtung (L. 19 febbraio 2004, n. 40) wurde von der katholischen Kirche stark beeinflusst.

5. Kriminalität und Strafverfolgung

a) Ermittlungsbehörden

Nach Art. 327 der Strafprozessordnung (*codice di procedura penale*, c.p.p.) wird das Ermittlungsverfahren *(indagini preliminari)* durch den Staatsanwalt *(pubblico ministero)* geleitet. Die Staatsanwaltschaft ist Herrin des Verfahrens. Zur Durchführung der Ermittlungen bedient sie sich der weisungsgebundenen Gerichtspolizei *(polizia giudiziaria)*. Für bestimmte Ermittlungshandlungen ist die Entscheidung des Ermittlungsrichters *(giudice per gli indagini preliminari)* notwendig (Art. 328 c.p.p). Die Staatsanwaltschaften *(procure della Repubblica)* sind bei den jeweiligen Landgerichten, Berufungsgerichten und beim Kassationsgerichtshof angesiedelt und diesen zugeordnet (Art. 51 c.p.p., Art. 2 Gerichtsverfassungsgesetz, *ordinamento giudiziario*). Zur Gerichtspolizei gehören nach Art. 57 c.p.p. unter anderem die Beamten der Polizei *(Polizia di Stato)*, der Carabinieri, des Polizeikorps für die Zoll- und Steuerkontrolle *(guardia di finanza)*, der Strafvollzugspolizei *(polizia penitenziaria)* und der Forstwache *(corpo forestale)*.

Seit 1991 gibt es daneben die Antimafia-Ermittlungsdirektion *(direzione investigativa antimafia)* zur Bekämpfung der organisierten Kriminalität. Diese hat sowohl präventive als auch repressive Funktionen und die Gerichtspolizei hat die Pflicht, mit ihr zusammenzuarbeiten.

Die Staatsanwälte sind ein Teil der Richterschaft *(ordine giudiziario)*. Ausbildungsvoraussetzung ist entweder ein abgeschlossenes Studium der Rechtswissenschaften oder eine vorherige Tätigkeit in der Justiz, die aber ein solches Studium sowieso voraussetzt (Art. 2 D.Lgs. 5 aprile 2006, n. 160). Auch für die Führungskräfte der Polizei *(Commissari)* ist ein abgeschlossenes Studium der Rechtswissenschaften erforderlich.

2003 gingen bei den Justizbehörden insgesamt 2.456.887 Anzeigen der Ordnungskräfte ein, das sind 4.224,2 je 100.000 Einwohner.[14]

Im Jahr 2005 wurden insgesamt 2.752.514 Strafverfahren eingeleitet, davon 2.175.262 gegen unbekannte Täter. Die angezeigten Straftaten waren zu 72 % Eigentums- und Vermögensdelikte, zu 11 % Delikte gegen die Person und zu 8 % Delikte gegen die Wirtschaft und den öffentlichen Glauben (meist Drogendelikte).[15]

---

[14] Istituto nazionale di statistica (siehe unten Quellenhinweise).

[15] Istituto nazionale di statistica (siehe unten Quellenhinweise).

b) Anklagebehörden

Anklagebehörde ist nach Art. 50 c.p.p. ausschließlich die Staatsanwaltschaft.[16] Anklagestatistiken sind leider nicht verfügbar.

c) Strafgerichte

In Italien gibt es einen dreistufigen Gerichtsaufbau. Eingangsgericht sind je nach Art und Schwere der Straftat der Friedensrichter *(giudice di pace)*, das Landgericht *(tribunale)* – als Einzelrichter *(tribunale in composizione monocratica)* oder als Kollegialgericht *(tribunale in composizione collegiale)* – und das Schwurgericht *(Corte di assise)*.

Zur Überprüfung der meisten erstinstanzlichen Urteile gibt es eine zweite Tatsacheninstanz. Die Entscheidungen des Friedensrichters werden vom Einzelrichter am Landgericht überprüft. Das allgemeine Berufungsgericht *(Corte di appello)* ist für Berufungen gegen erstinstanzliche Urteile des Landgerichts zuständig, und zwar sowohl des Kollegialgerichts als auch des Einzelrichters. Über Berufungen *(appello)* gegen die Entscheidungen des Schwurgerichts entscheidet das Berufungsgericht des Schwurgerichts *(Corte di assise di appello)*.

Zuständig für die Rechtmäßigkeitskontrolle *(ricorso per cassazione)* von Entscheidungen der Berufungsgerichte ist der Kassationshof *(Corte di Cassazione)*. Dieser entscheidet auch über die Sprungrevision *(ricorso immediato)* gegen erstinstanzliche Urteile.

Die Berufsrichter haben dieselben Ausbildungsvoraussetzungen wie die Staatsanwälte. Beide sind Angehörige der Justiz *(magistrati)* und gehören dem Richterstand *(ordine giudiziario)* an.[17]

Eine Laienbeteiligung ist nur am Schwurgericht und am Berufungsgericht des Schwurgerichts vorgesehen. Diese bestehen jeweils aus sechs Laienrichtern und zwei Berufsrichtern. Die Friedensrichter hingegen sind zwar auch keine Berufsrichter, aber auch keine Laienrichter. Diese ehrenamtlichen Richter sind ausgebildete Juristen und gehören dem Richterstand an. Um die Tätigkeit als Friedensrichter ausüben zu können, müssen sie darüber hinaus ein Praktikum von sechs Monaten absolvieren.

Im Jahr 2005 wurden insgesamt 221.381 Personen wegen eines Verbrechens verurteilt. Die meisten davon waren erwachsene männliche Italiener, 14 % waren Frauen, 21 % Ausländer und 1,3 % Minderjährige. Die Verurteilungen verteilten sich auf folgende Delikte: 0,4 % vorsätzliche Tötung; 3,4 % vorsätzliche Körperverletzung; 4 % Nötigung, Drohung und Ähnliches; 0,6 % sexuelle Nötigung;

---

16 Zu den Ausbildungsvoraussetzungen siehe bereits oben 5.a.

17 Siehe hierzu oben 5.a.

13,6 % Diebstahl; 3,5 % Raub; 3,8 % Sachbeschädigung und Ähnliches; 1,8 % Betrug; 9 % Hehlerei; 10 % Drogendelikte; 1,6 % Schmuggel; 4,5 % Gewalt oder Widerstand gegen Staatsbeamte und 43,8 % Sonstige.[18] Die Zahl der Freisprüche ist nicht bekannt.

d) Sanktionen

Das Strafgesetzbuch sieht ein zweispuriges System von Strafen und Sicherungsmaßnahmen vor. Für die Verhängung einer Strafe *(pena)* ist die Zurechnungsfähigkeit des Täters notwendig. Als Hauptstrafen *(pene principali)* gibt es für Verbrechen die lebenslange Gefängnisstrafe *(ergastolo)*, die zeitige Gefängnisstrafe *(reclusione)* von 15 Tagen bis 24 Jahren und die Geldstrafe *(multa)*. Bei lebenslanger Gefängnisstrafe ist nach 26 Jahren eine bedingte Entlassung möglich (Art. 176 Abs. 3 *codice penale*, c.p.) Für Übertretungen sind Haftstrafe *(arresto)* von fünf Tagen bis drei Jahren und Geldbuße *(ammenda)* vorgesehen. Bei vielen Straftaten können zusätzlich Nebenstrafen *(pene accessorie)* verhängt werden. Dies sind zum Beispiel bestimmte Berufsverbote oder der Entzug der elterlichen Gewalt. 1981 wurden zudem die sogenannten Ersatzstrafen *(pene sostitutive)* eingeführt, die der Richter bei Ersttätern anstelle von kurzen Freiheitsstrafen verhängen kann. Hierzu gehören die Halbgefangenschaft *(semidetenzione)*, das heißt der Aufenthalt von mindestens zehn Stunden täglich in der Vollzugsanstalt, die kontrollierte Freiheit *(libertà controllata)*, in der der Verurteilte unter anderem seinen Wohnort ohne besondere Erlaubnis nicht verlassen darf und sich täglich bei den Behörden melden muss, sowie die Geldstrafe *(pena pecuniaria)*.

Alternativ oder zusätzlich zu den Strafen können Sicherungsmaßnahmen *(misure di sicurezza)* angeordnet werden, bei denen es nicht auf die Schuld, sondern auf die Gefährlichkeit des Täters ankommt. Dies sind zum Beispiel die Unterbringung in einem psychiatrischen Krankenhaus, verschiedene Aufenthaltsverbote oder die Einziehung von Gegenständen.

Von den insgesamt 221.381 Verurteilungen des Jahres 2005 wegen eines Verbrechens erfolgten 35,1 % zu einer Geldstrafe; 46,3 % zu Gefängnis bis zu 1 Jahr; 11,5 % zu Gefängnis von 1 bis 2 Jahren; 2,9 % zu Gefängnis von 2 bis 3 Jahren; 2,7 % zu Gefängnis von 3 bis 5 Jahren; 1 % zu Gefängnis von 5 bis 10 Jahren; 0,4 % zu Gefängnis von über 10 Jahren; 0,1 % zu lebenslangem Gefängnis.[19]

---

[18] Istituto nazionale di statistica (siehe unten Quellenhinweise).

[19] Istituto nazionale di statistica (siehe unten Quellenhinweise).

e) Strafvollzug

In Italien gibt es verschiedene Formen von Strafvollzugsanstalten *(istituti penitenzari)*. Bei Erwachsenen sind dies nach Art. 59 der Strafvollzugsordnung (*ordinamento penitenziario*, o.p.) die Untersuchungshaftanstalten *(istituti di custodia cautelare)*, die Anstalten zur Strafvollstreckung *(istituti per l'esecuzione delle pene)*, die zum Vollzug von Sicherungsmaßnahmen *(istituti per le misure di sicurezza)*, die Beobachtungszentren *(centri di osservazione)* und die Anstalten für Geisteskranke und Behinderte (*istituti per infermi e minorati psichici*, Art. 65 o.p.).

Zu den Untersuchungshaftanstalten (Art. 60 o.p.) gehören die Bezirksgefängnisse *(case mandamentali)*. Hierin befinden sich Beschuldigte, die dem Einzelrichter am Landgericht zur Verfügung stehen sollen. Die Strafanstalten *(case circondariali)* dienen dem Gewahrsam *(custodia)* sonstiger Beschuldigter. Beide Anstalten können aber auch als Vollstreckungsanstalt fungieren.

In den Strafvollstreckungsanstalten (Art. 61 o.p.) sind Gefangene untergebracht, die von den Justizbehörden zu einer Freiheitsstrafe verurteilt wurden. Hier werden die Haftanstalten *(case di arresto)* und die Gefängnisse *(case di reclusione)* unterschieden, je nachdem, ob es sich um die Vollstreckung einer Haftstrafe wegen einer Übertretung oder um die Vollstreckung einer Gefängnisstrafe wegen eines Verbrechens handelt. Hier ist aber zu beachten, dass die Haftanstalten, obwohl sie gesetzlich vorgesehen sind, in der Praxis bislang noch nicht eingerichtet wurden.

Anstalten zum Vollzug von Sicherungsmaßnahmen (Art. 62 o.p.) sind die landwirtschaftlichen Kolonien *(colonie agricole)*, die Arbeitshäuser *(case di lavoro)*, die Heil- und Bewahrungsanstalten *(case di cura e di custodia)* und die gerichtlichen psychiatrischen Krankenhäuser *(ospedali psichiatrici)*.

Die Beobachtungszentren (Art. 63 o.p.) dienen nicht der eigentlichen Strafvollstreckung. Hierin wird wissenschaftlich erforscht, welche Behandlung für den Verurteilten die geeignete ist, während die Anstalten für Geisteskranke und Behinderte (*istituti per infermi e minorati*, Art. 65 o.p.) solche Personen aufnehmen, die das disziplinarische und arbeitsmäßige System der normalen Anstalten nicht ertragen könnten.

Insgesamt gibt es 206 Vollzugsanstalten, davon 38 Gefängnisse *(case di reclusione)*, 161 Strafanstalten *(case circondariali)* und 7 Anstalten zum Vollzug von Sicherungsmaßnahmen *(istituti per le misure di sicurezza)*.[20]

Am 30. Juni 2008 befanden sich 55.057 erwachsene Personen in Haft, davon 8.027 in den Gefängnissen, 45.576 in den Strafanstalten und 1.454 in den Anstalten zum Vollzug von Sicherungsmaßnahmen. Der Frauenanteil betrug 4,15 %. Was die altersmäßige Verteilung betrifft, so waren 3,1 % der Inhaftierten zwischen 18 und

---

20 Stand: 30. Juni 2008, Ministero della Giustizia (siehe unten Quellenhinweise).

20, 26 % zwischen 20 und 30, 34 % zwischen 30 und 40, 22,4 % zwischen 40 und 50, 10,4 % zwischen 50 und 60, 3,2 % zwischen 60 und 70 und 0,7 % über 70 Jahre alt.[21]

Bei den rechtskräftig Verurteilten saßen 29,9 % wegen Eigentums- und Vermögensdelikten ein, 16,2 % wegen Verbrechen gegen die Person, 15,5 % wegen Drogendelikten, 14,7 % wegen Verstößen gegen das Waffengesetz, 4 % wegen Verbrechen gegen die öffentliche Verwaltung, 3,4 % wegen Verbrechen gegen den öffentlichen Glauben, 3 % wegen mafiaartiger Vereinigung, 2,7 % wegen Verbrechen gegen die Rechtspflege, 2,2 % wegen Übertretungen, 1,6 % wegen Verbrechen gegen die öffentliche Ordnung und 1,3 % wegen Verletzung ausländischer Gesetze.[22] Die Dauer der verhängten Freiheitsstrafen der Inhaftierten betrug zu 36 % bis zu drei Jahre, zu 13,9 % zwischen 3 und 6 Jahren, zu 13,2 % zwischen 6 und 10 Jahren, zu 14 % zwischen 10 und 20 Jahren und zu 12,9 % über 20 Jahre oder lebenslang.[23]

Mit einer Gefangenenrate von 95 (2001) beziehungsweise 96 (2004) pro 100.000 Einwohner liegt Italien etwa im europäischen Durchschnitt.[24] Beklagt wird allerdings die Überfüllung der Haftanstalten. Ausgerichtet auf 43.262 Häftlinge sind dort derzeit 57.187 Gefangene untergebracht.

Literatur- und Quellenhinweise zu Abschnitt A.

Allgemeine Literatur:

Brütting, Richard (Hrsg.), Italienlexikon. Berlin 1995.

Grundmann, Stefan/Zaccaria, Alessio (Hrsg.), Einführung in das italienische Recht. Frankfurt 2007, S. 22–76.

Bevölkerungszahl und -gruppen:

Der Fischer Weltalmanach 2009. Zahlen, Daten, Fakten. Frankfurt am Main 2008, S. 250–254.

Istituto nazionale di statistica (italienisches nationales statistisches Institut):

– Demografische Bilanz und die in Italien wohnhafte Bevölkerung am 31.12.2007: http://demo.istat.it/bil2007/index.html

---

[21] Stand: 30. Juni 2008, Ministero della Giustizia (siehe unten Quellenhinweise).

[22] Stand: 30. Juni 2008, Ministero della Giustizia (siehe unten Quellenhinweise).

[23] Stand: 30. Juni 2008, Ministero della Giustizia (siehe unten Quellenhinweise).

[24] Council of Europe Annual Penal Statistics Survey 2005; King's College London (siehe unten Quellenhinweise).

In Italien wohnhafte Bevölkerung am 1.1.2007 nach Alter, Geschlecht und Familienstand:
http://demo.istat.it/pop2007/index.html

– Ausländische Bürger. Demografische Bilanz im Jahr 2006 und die in Italien wohnhafte Bevölkerung am 31,12.2006 – Alle Länder ihrer Staatsangehörigkeit:
http://demo.istat.it/strasa2007/index.html

Sprache:

Istituto nazionale di statistica:
– Analphabethen in Italien:
http://www.istat.it/salastampa/comunicati/non_calendario/20051115_00/testointegrale.pdf

Religion:

Der Fischer Weltalmanach 2009. Zahlen, Daten, Fakten. Frankfurt am Main 2008, S. 250.

Auswärtiges Amt:
– Religionen in Italien, Mai 2008:
http://www.auswaertiges-amt.de/diplo/de/Laenderinformationen/01-Laender/Italien.html

Wirtschaft:

Der Fischer Weltalmanach 2009. Zahlen, Daten, Fakten. Frankfurt am Main 2008, S. 450.

Auswärtiges Amt:
– Pro-Kopf-Bruttoinlandsprodukt, Mai 2008:
http://www.auswaertiges-amt.de/diplo/de/Laenderinformationen/01-Laender/Italien.html

Weltbank:
– Gross national income per capita 2008, Atlas method and PPP:
http://siteresources.worldbank.org/DATASTATISTICS/Resources/GNIPC.pdf
– Gross domestic product 2008:
http://siteresources.worldbank.org/DATASTATISTICS/Resources/GDP.pdf

Istituto nazionale di statistica:
– Beschäftigungszahlen, 1. Quartal 2004:
http://www.istat.it/salastampa/comunicati/in_calendario/forzelav/20040928_00/testointegrale.pdf
– Beschäftigungszahlen, 1. Quartal 2005:
http://www.istat.it/salastampa/comunicati/in_calendario/forzelav/20050620_00/testointegrale.pdf
– Beschäftigungszahlen, 1. Quartal 2006:
http://www.istat.it/salastampa/comunicati/in_calendario/forzelav/20060620_00/testointegrale.pdf

– Beschäftigungszahlen, 1. Quartal 2007:

http://www.istat.it/salastampa/comunicati/in_calendario/forzelav/20070619_00/testointegrale.pdf

– Beschäftigungszahlen, 1. Quartal 2008:

http://www.istat.it/salastampa/comunicati/in_calendario/forzelav/20080619_00/testointegrale20080619.pdf

– Beschäftigungszahlen, 2. Quartal 2008:

http://www.istat.it/salastampa/comunicati/in_calendario/forzelav/20080929_00/testointegrale20080929.pdf

Kriminalität und Strafverfolgung:

Chiavario, Mario, Diritto processuale penale (Strafprozessrecht). 3. Aufl. Turin 2007, S. 53–150 und 511–518.

Maiwald, Manfred, Einführung in das italienische Strafrecht und Strafprozessrecht. Frankfurt 2009, S. 169–178.

Pisani, Mario/Molari, Alfredo/Perchinunno, Vincenzo/Corso, Piermaria/Dominioni, Oreste/Gaito, Alfredo/Spangher, Giorgio, Manuale di procedura penale (Lehrbuch des Strafverfahrens). 8. Aufl. Bologna 2008, S. 23–83.

Siracusano, Delfino/Galati, Antonio/Tranchina, Giovanni/Zappalà, Enzo, Diritto processuale penale (Strafprozessrecht), Band I. Mailand 2006, S. 55–161.

– Diritto processuale penale (Strafprozessrecht), Band II. Mailand 2006, S. 455–580.

Tonini, Paolo, Manuale di procedura penale (Lehrbuch des Strafverfahrens). 9. Aufl. Mailand 2008, S. 59–115.

Ermittlungsbehörden:

Istituto nazionale di statistica:

– Durch die Ordnungskräfte den Justizbehörden angezeigte Delikte und Personen, 2003:

http://giustiziaincifre.istat.it/jsp/dawinci.jsp?q=pl01-0010011000&an=2003&ig=1&ct=67&id=4A|18A

– Angezeigte Straftaten und Personen, wegen derer die Justizbehörden ein Ermittlungsverfahren eingeleitet haben, 2005:

http://www.istat.it/dati/dataset/20080124_00/

Strafgerichte und Sanktionen:

Istituto nazionale di statistica:

– Wegen eines Verbrechens verurteilte Personen, 2005:

http://giustiziaincifre.istat.it/Nemesis/jsp/dawinci.jsp?q=pl0100010011000&an=2005&ig=1&ct=40&id=4A|5A|23A

Strafvollzug:

Di Ronza, Paolo, Manuale di diritto dell'esecuzione penale (Lehrbuch der Strafvollstreckung). 5. Aufl. Padua 2003, S. 112–117.

Ministero della Giustizia (italienisches Justizministerium):

– Aufenthalt in den Strafvollzugsanstalten:

http://www.giustizia.it/statistiche/statistiche_dap/det/detg11_presenti.htm

– Nach Dauer der verhängten Strafe:

http://www.giustizia.it/statistiche/statistiche_dap/det/detg52_pena_inflitta.htm

– Nach den zugeschriebenen Taten:

http://www.giustizia.it/statistiche/statistiche_dap/detdetg54_reati.htm

– Nach Alter:

http://www.giustizia.it/statistiche/statistiche_dap/det/detg22_eta.htm

King's College London:

– Gefangenenraten 31.12.2007:

http://www.kcl.ac.uk/depsta/law/research/icps/worldbrief/wpb_country.php?country=147

B. Rechtsvergleichende und internationale Einordnung

1. Rechtsvergleichende Einordnung des Landesrechts

Italien gehört traditionell zum kontinentaleuropäischen oder auch römisch-germanischen Rechtskreis. Dieser umfasst die Rechtsordnungen, die sich aus dem römischen Recht entwickelt haben und ist im materiellen Recht von weitgehenden Kodifikationen und Rechtsfortbildung durch die Lehre geprägt. Im Strafprozess zeichnet sich das kontinentaleuropäische Recht durch inquisitorische Elemente aus, bei denen die Strafverfolgung in den Händen des Staates liegt und in erster Linie die Erforschung der Wahrheit angestrebt wird. Innerhalb des kontinentaleuropäischen Rechtskreises wird Italien meist dem romanischen Rechtskreis zugeordnet, zu dem die durch das französische Recht beeinflussten Rechtsordnungen gehören.

Das italienische Recht zeichnet sich durch eine sehr weitgehende Kodifizierung aus. Seine Einordnung in den romanischen Rechtskreis rechtfertigt sich aus historischer Sicht insbesondere durch den wesentlichen Einfluss des Code Napoléon. Auf dem Gebiet des Strafrechts gibt es neben den beiden große Kodizes, dem Strafgesetzbuch (*codice penale*, c.p.) und der Strafprozessordnung (*codice di procedura penale*, c.p.p.), zahlreiche Nebengesetze, die diese ergänzen beziehungsweise Ausnahmen davon bestimmen. Traditionell ist die Rechtsfortbildung insbesondere seit dem 19. Jahrhundert von der Lehre beeinflusst.[1] Dies belegen im Strafrecht vor allem Namen wie *Francesco Carrara* oder *Cesare Beccaria*, aber auch *Cesare Lombroso*, *Enrico Ferri* und *Raffaele Garofalo*. Heute tritt dieses Element wie in anderen kontinentaleuropäischen Staaten langsam auch in Italien etwas zurück. Präjudize höchstrichterlicher Entscheidungen sind von wachsender Bedeutung und tragen in steigendem Maße zur Rechtsfortbildung bei. Im Strafrecht spielt vor allem die Rechtsprechung des Verfassungsgerichtshofs *(Corte Costituzionale)* und des Kassationshofs *(Corte di Cassazione)* eine große Rolle. Die italienische Literatur bildet aber auch heute noch den wesentlichsten Faktor der Rechtsfortbildung.[2]

Die Zuordnung des italienischen Rechts zum kontinentaleuropäischen Rechtskreis hat daher auch heute noch ihre grundsätzliche Berechtigung. Dies gilt in weiten Teilen insbesondere des materiellen Strafrechts uneingeschränkt. Im Strafverfahrensrecht hat allerdings die neue Strafprozessordnung von 1989 (D.P.R. 22 settembre 1988, n. 447) eine Kehrtwende markiert. Insbesondere in das Hauptverfahren wurden zahlreiche Elemente eines Parteienprozesses eingefügt, die eine starke Orientierung am angloamerikanischen Prozess mit sich bringen. Beispielsweise hat der erkennende Richter keine Kenntnis von den Ermittlungsakten, die Beweise müssen im Wesentlichen durch die Parteien eingebracht werden und die

---

1 Siehe dazu ausführlich unten I.G.

2 Zu den Strafrechtsquellen siehe näher I.F.

Zeugenvernehmung erfolgt im Wege eines Kreuzverhörs. Was das Ermittlungsverfahren anbelangt, so wurde im Rahmen der Reform der Untersuchungsrichter abgeschafft. Leiter dieses Verfahrensteils ist nunmehr der Staatsanwalt, der eine stärkere und unabhängigere Stellung bekommen hat.[3] Lediglich für bestimmte Handlungen, die in Grundrechte des Beschuldigten eingreifen, ist die Entscheidung des Ermittlungsrichters (*giudice per gli indagini preliminari*, GIP) erforderlich. Auf diese Weise ist aus dem italienischen Strafprozess eine Art Mischform, jedoch mit starkem Übergewicht des akkusatorischen Systems geworden. Insoweit ist die Zuordnung des italienischen Rechts zum kontinentaleuropäischen Rechtskreis heute nicht mehr uneingeschränkt zutreffend.

2. Einfluss internationaler Bindungen

a) Mitgliedschaft in internationalen und regionalen Organisationen

Was die internationalen Organisationen betrifft, ist Italien Gründungsmitglied der NATO (1949) und gehört seit 1955 den Vereinten Nationen (*Organizzazione delle Nazione Unite*, ONU) an. 2007/2008 war Italien eines der nicht ständigen Mitglieder des UN-Sicherheitsrates; gegenwärtig ist es Mitglied im Human Rights Council. Italien gehört außerdem zu den G7- und G8-Staaten und seit 1962 zur OECD.

Auf regionaler Ebene ist Italien Gründungsmitglied des Europarats (*Consiglio d'Europa*, 1949) und der Europäischen Gemeinschaften. Die Vorgaben der Europäischen Union (*Unione Europea*, UE) haben einen großen Einfluss auf die italienische Gesetzgebung, insbesondere durch die Umsetzung der Richtlinien und Rahmenbeschlüsse. Im Bereich des Strafrechts wurde aber beispielsweise der Rahmenbeschluss zum Europäischen Haftbefehl *(Mandato d'arresto Europeo)* in Italien erst verspätet durch L. 22 aprile 2005, n. 69 umgesetzt. Seit 1973 gehört Italien der OSZE an.

b) Beteiligung an völkerrechtlichen Verträgen

Das italienische Strafrecht ist auch durch die Beteiligung an völkerrechtlichen Verträgen bestimmt.

Im Zusammenhang mit den Menschenrechten ist hier vor allem die Europäische Menschenrechtskonvention von 1950 zu nennen. Diese wurde von Italien 1955 ratifiziert, das Zusatzprotokoll VI über die Abschaffung der Todesstrafe 1988 (noch nicht ratifiziert wurde hingegen das Zusatzprotokoll XIII über die vollständige Abschaffung der Todesstrafe, die inzwischen dennoch auch im Rahmen des

---

[3] Siehe bereits oben I.A.5.a. sowie auch unten I.G.3.

Kriegsmilitärstrafgesetzbuchs vollständig abgeschafft wurde). In der Rechtsprechung des Europäischen Gerichtshofs für Menschenrechte wurde Italien bislang in den meisten Fällen wegen zu langer Dauer der Strafverfahren verurteilt. Italien ist ferner am Internationalen Pakt über bürgerliche und politische Rechte von 1966 beteiligt (ratifiziert 1978), am Internationalen Übereinkommen gegen Geiselnahme von 1979 (ratifiziert 1986) sowie am UN-Übereinkommen gegen Folter und andere grausame, unmenschliche oder erniedrigende Behandlung oder Strafe von 1984 (ratifiziert 1989).

Während die Haager Landkriegsordnung in Italien nicht ratifiziert worden war, gelten auf dem Gebiet des humanitären Völkerrechts die vier Genfer Konventionen (ratifiziert 1951) und die Zusatzprotokolle I und II von 1977 (ratifiziert 1986, das Protokoll I allerdings mit Vorbehalt). Das Zusatzprotokoll III von 2005 wurde zwar unterzeichnet, aber nicht ratifiziert. Italien ist auch am UN-Übereinkommen zur Verhütung und Bestrafung des Völkermordes von 1948 (ratifiziert 1952) beteiligt. Dieses wurde durch die Einführung eines detaillierten Katalogs von Straftatbeständen durch das Gesetz L. 9 ottobre 1967, n. 962 umgesetzt. Das Römische Statut *(Statuto di Roma)* des Internationalen Strafgerichtshofs *(Corte penale internazionale)* von 1998 hat Italien als einer der ersten Staaten durch L. 12 luglio 1999, n. 232 ratifiziert, seine nationale Strafrechtsordnung bis auf wenige punktuelle Änderungen aber noch nicht an dessen Vorgaben angepasst.

Zur Bekämpfung der organisierten Kriminalität hat Italien im Jahr 2006 das UN-Übereinkommen gegen die grenzüberschreitende organisierte Kriminalität von 2000 einschließlich der Zusatzprotokolle 12a, 12b und 12c von 2000 und 2001 ratifiziert und in nationales Recht umgesetzt (L. 16 marzo 2006, n. 146).

Von den völkerrechtlichen Verträgen zur Terrorismusbekämpfung gelten das UN-Übereinkommen über die Bekämpfung terroristischer Bombenanschläge von 1997 (ratifiziert 2003), das UN-Übereinkommen für die Bekämpfung der Finanzierung von Terrorismus von 1999 (ratifiziert 2003) und das Europäische Übereinkommen zur Bekämpfung des Terrorismus von 1977 (ratifiziert 1986).

Im Bereich der Wirtschaftskriminalität ist Italien am Übereinkommen des Europarats über Geldwäsche sowie Ermittlung, Beschlagnahme und Einziehung von Erträgen aus Straftaten von 1990 (ratifiziert 1994) und an der OECDKonvention gegen Bestechung ausländischer Amtsträger von 1997 (ratifiziert 2000) beteiligt. Nicht ratifiziert wurden hingegen das UN-Übereinkommen gegen Korruption von 2003 sowie das Strafrechtsübereinkommen des Europarats gegen Korruption.

Was das Thema Rechtshilfe und justizielle Zusammenarbeit in Strafsachen betrifft, so ist Italien am Europäischen Auslieferungsübereinkommen von 1957 (ratifiziert 1963) und dessen 2. Zusatzprotokoll von 1978 (ratifiziert 1985) beteiligt sowie am Europäischen Übereinkommen über die Rechtshilfe in Strafsachen von 1959 (ratifiziert 1961) einschließlich dessen 1. Zusatzprotokoll von 1978 (ratifiziert 1985). Von entscheidender Bedeutung sind in diesem Zusammenhang das Schengener Abkommen von 1985 und das Schengener Durchführungsübereinkommen von 1990, denen Italien 1990 beigetreten ist (ratifiziert und ausgeführt durch L. 30 settembre 1993, n. 388). Jedoch wurden im Ratifizierungsgesetz Einschränkungen in Bezug auf das Doppelbestrafungsverbot gemacht.

Durch L. 23 marzo 1998, n. 93 erfolgte die Ratifikation und Ausführung des Übereinkommens über die Errichtung eines Europäischen Polizeiamts (Europol) von 1995.

Im Bereich des Umweltschutzes hat Italien 1979 die Konvention über den internationalen Handel mit gefährdeten Arten freilebender Tiere und Pflanzen (Washingtoner Artenschutzübereinkommen von 1979) ratifiziert.

Im Übrigen sind für das Strafrecht noch die italienische Mitgliedschaft am UN-Seerechtsübereinkommen von 1982 (ratifiziert 1995) und am Übereinkommen des Europarats über Datennetzkriminalität von 2001 (ratifiziert 2008) von Bedeutung.

Literaturhinweise zu Abschnitt B.

Rechtsvergleichende Einordnung des Landesrechts:

Amati, Enrico, Introduzione al diritto penale internazionale (Einführung in das internationale Strafrecht). Mailand 2006.

Armone, Giovanni M./Cimini, Biagio Roberto/Gandini, Fabrizio/Iuzzolino, Gabriele/Nicastro, Giuseppe/Pioletti, Alberto, Diritto penale europeo e ordinamento italiano (Europäisches Strafrecht und italienische Rechtsordnung). Mailand 2006.

Bartone, Nicola (Hrsg.), Diritto penale europeo (Europäisches Strafrecht). Padua 2001.

Caianiello, Michele/Orlandi, Renzo, Landesbericht Italien. In: Sabine Gleß/Rainer Grote/Günter Heine (Hrsg.), Justizielle Einbindung und Kontrolle von Europol. Band 1: Nationale und europäische Strafverfolgung. Freiburg 2001, S. 329–382.

Certoma, G. Leroy, The Italian legal system (Das italienische Rechtssystem). London 1985.

Constantinesco, Léontin-Jean, Rechtsvergleichung. Band III: Die rechtsvergleichende Wissenschaft. Köln 1983.

Foffani, Luigi (Hrsg.), Diritto penale comparato, europeo e internazionale: prospettive per il XXI secolo; omaggio a Hans-Heinrich Jescheck per il 92. compleanno (Vergleichendes, europäisches und internationales Strafrecht: Perspektiven für das XXI. Jahrhundert; Festschrift für Hans-Heinrich Jescheck zum 92. Geburtstag). Mailand 2006.

Foffani, Luigi/Orlandi, Renzo, Landesbericht Italien. In: Walter Gropp/Arndt Sinn (Hrsg.), Organisierte Kriminalität und kriminelle Organisationen. Präventive und repressive Maßnahmen vor dem Hintergrund des 11. September 2001. Baden-Baden 2006, S. 221–260.

Filice, Stefania, Landesbericht Italien. In: Sabine Gleß (Hrsg.), Auslieferungsrecht der Schengen-Vertragsstaaten. Neuere Entwicklungen. Freiburg 2002, S. 265–295.

Grasmann, Günter/David, René, Einführung in die großen Rechtssysteme der Gegenwart. 2. Aufl. München 1988.

Grundmann, Stefan/Zaccaria, Alessio (Hrsg.), Einführung in das italienische Recht. Frankfurt 2007.

Jarvers, Konstanze/Grammer, Christoph, Grundlagen der Strafverfolgung völkerrechtlicher Verbrechen in Italien. In: Albin Eser/Ulrich Sieber/Helmut Kreicker (Hrsg.), Nationale Strafverfolgung völkerrechtlicher Verbrechen. National Prosecution of International Crimes. Teilband 4: Côte d'Ivoire, España, Frankreich, Italien, Lateinamerika. Berlin 2005, S. 337–467.

Luther, Gerhard, Einführung in das italienische Recht. Darmstadt 1968.

Oellers-Frahm, Karin, Landesbericht Italien. In: Sabine Gleß/Rainer Grote/Günter Heine (Hrsg.), Justizielle Einbindung und Kontrolle von Europol. Band 2: Polizeiliche Ermittlungstätigkeit und Grundrechtsschutz. Freiburg 2001, S. 279–346.

Rheinstein, Max, Einführung in die Rechtsvergleichung. 2. Aufl. München 1987, S. 77–114.

Riz, Roland/Happacher Brezinka, Esther, Grundzüge des italienischen Verfassungsrechts. 3. Aufl. Innsbruck 2008, S. 39–51.

Zweigert, Konrad/Kötz, Hein, Einführung in die Rechtsvergleichung auf dem Gebiet des Privatrechts. 3. Aufl. Tübingen 1996, S. 72–86 und 99–155.

C. Verfassungsrechtliche Vorgaben

1. Übergesetzliche Regelungen als Träger strafrechtlicher Prinzipien

– *Die Verfassung*

Der Vorläufer der heutigen Verfassung war das sogenannte Albertinische Statut (Statuto Albertino = *Statuto del Regno*), das am 4. März 1848 von König *Carlo Alberto* von Sardinien erlassen worden war und mit der Gründung des Königreichs Italien am 17. März 1861 auf die neuen Gebiete ausgedehnt wurde. Es blieb auch während der Zeit des Faschismus (1922–1944) in Kraft. Am 2. Juni 1946 wählte das italienische Volk die Verfassunggebende Versammlung *(Assemblea Costituente)*, die eine neue Verfassung erarbeitete. Diese neue italienische Verfassung (*Costituzione della Repubblica italiana* = Cost.) wurde am 22. Dezember 1947 von der Verfassunggebenden Versammlung angenommen, am 27. Dezember 1947 feierlich verkündet und trat am 1. Januar 1948 in Kraft. Sie wird als nichtoktroyierte, geschriebene, starre und lange Verfassung klassifiziert.

Die Verfassung steht im Rang über den einfachen Gesetzen. Für eine Änderung ist ein besonderes Verfahren vorgesehen. Im Parlament findet zunächst ein erschwertes Gesetzgebungsverfahren mit zweifacher Beschlussfassung im Abstand von drei Monaten statt. Wird dort keine 2/3-Mehrheit, sondern nur eine einfache Mehrheit erreicht, wird das Gesetzgebungsverfahren unterbrochen und eine Volksabstimmung ermöglicht (Art. 138 Cost.). In der Verfassung ist ausdrücklich nur eine Schranke für ihre Reform vorgesehen: Nach Art. 139 Cost. darf die republikanische Staatsform nicht Gegenstand einer Verfassungsänderung sein.

Die italienische Verfassung enthält in Art. 1–12 Cost. zunächst die grundlegenden Prinzipien und beginnt mit der Feststellung, dass Italien eine demokratische, auf Arbeit gegründete Republik ist. Die Souveränität steht dem Volke zu, das sie in den Formen und Grenzen der Verfassung ausübt (Art. 1 Cost.). Zu den grundlegenden Prinzipien gehören unter anderem auch das Bekenntnis zu den Menschenrechten (Art. 2 Cost.), der Gleichheitsgrundsatz (Art. 3 Cost.), das Prinzip der Einheit der Republik und der Selbstverwaltung (Art. 5 Cost.) und der Schutz sprachlicher Minderheiten (Art. 6 Cost.). Die Verfassung lehnt den Krieg als Mittel zur Konfliktlösung ab (Art. 11 Cost.). Die italienische Rechtsordnung richtet sich nach den allgemein anerkannten Grundsätzen des Völkerrechts (Art. 10 Abs. 1 Cost.). Im darauffolgenden ersten Teil geht es um die Rechte und Pflichten der Staatsbürger (Art. 13–54 Cost.).[1]

---

1 Siehe näher dazu unten C.2.

Der zweite Teil (Art. 55–139 Cost.) enthält die Regelungen über die Staatsorganisation.[2] Die aufgrund der schwierigen Regierbarkeit der italienischen Republik seit den 1970er Jahren erhobenen Forderungen nach einer Verfassungsreform führten nicht zum Erfolg. Es gab jedoch einige punktuelle Änderungen. Diese betrafen vor allem die Regierungsform der Regionen (L. cost. 22 novembre 1999, n. 1 und L. cost. 18 ottobre 2001, n. 3). Eine für das Strafrecht bedeutsame Verfassungsänderung war die Neufassung von Art. 111 Cost. im Jahr 1999 (durch L. cost. 23 novembre 1999, n. 2). Dieser enthält nun das Prinzip des fairen Verfahrens *(principio del giusto processo)* und seine Ausgestaltungen.[3]

– *Andere übergesetzliche Regelungen*

Gemäß Art. 10 Abs. 1 Cost. passt sich die italienische Rechtsordnung an die allgemein anerkannten Normen des Völkerrechts an. Eine Grenze bilden lediglich die Grundprinzipien der eigenen Verfassungsordnung *(principi fondamentali dell'ordinamento costituzionale)*. Die Normen des Völkergewohnheitsrechts *(diritto internazionale consuetudinario)* sind unmittelbar anwendbar und haben nach herrschender Ansicht Verfassungsrang. Völkervertragsrecht *(diritto internazionale pattizio)* ist in Italien nicht unmittelbar anwendbar, sondern die entsprechenden Verträge werden normalerweise durch eine parlamentarische Vollzugsanordnung *(ordine di esecuzione)* in die Rechtsordnung übernommen. Diese Übernahme ist in den meisten Fällen in der Genehmigung der Ratifizierung durch das Parlament enthalten. Nach dem Rang der Vollzugsanordnung richtet sich auch der Status des entsprechenden Vertragsinhalts. In der Regel werden Verträge mit Rang eines einfachen Gesetzes übernommen. Ein völkerrechtlicher Vertrag, der verfassungsändernde Elemente enthält, sollte jedoch durch ein Verfassungsgesetz für anwendbar erklärt werden. Seit der Reform von 2001 ist die Beachtung der internationalen Verpflichtungen Italiens ausdrücklich als Schranke für die Gesetzgebungskompetenz des Staates und der Regionen bestimmt (Art. 117 Abs. 1 Cost.). Eine Besonderheit bilden jedoch die Ausführungsgesetze zu den Lateranverträgen *(Patti Lateranensi)*, die das Verhältnis zwischen der Republik Italien und dem Heiligen Stuhl regeln. Diese können nur durch ein Gesetz geändert werden, das wiederum auf einer bilateralen Vereinbarung beruht. Insofern können sie – soweit nicht die verfassungsrechtlichen Grundprinzipien betroffen sind – auch von der Verfassung abweichen.

Die im Rahmen des Europarats entstandene Europäische Konvention zum Schutz der Menschenrechte und Grundfreiheiten (EMRK) wurde von Italien 1955 ratifiziert (L. 4 agosto 1955, n. 848).[4] Nach dem italienischen Verfassungsgerichtshof

---

[2] Siehe hierzu I.A.4.

[3] Siehe hierzu unten C.3.

[4] Siehe dazu näher I.B.2.b.

hat die Konvention zwar keinen Verfassungsrang, sie hat aber – einschließlich der Interpretation durch den Europäischen Gerichtshof für Menschenrechte – die Funktion, den verfassungsrechtlichen Parameter zur Überprüfung der staatlichen und regionalen Gesetzgebung inhaltlich zu ergänzen. Italien hat sich außerdem zur Beachtung der Rechte und Freiheiten verpflichtet, die im Internationalen Pakt über bürgerliche und politische Rechte *(Patto Internazionale relativo ai Diritti civili e politici)* von 1966 (ratifiziert durch L. 25 ottobre 1977, n. 881) festgelegt sind.[5]

2. Grundrechte und Grundfreiheiten

Die italienische Verfassung garantiert eine Reihe von Grundrechten und Grundfreiheiten. Teils stehen sie allen zu und teils nur italienischen Staatsangehörigen.

In Art. 2 bekennt sich die Verfassung zu den unverletzlichen Menschenrechten *(diritti inviolabili dell'uomo)*, verlangt aber auch die Erfüllung der unabdingbaren Pflichten politischer, wirtschaftlicher und sozialer Solidarität. Diese Menschenrechte dürfen in ihrem Kern durch eine Verfassungsrevision nicht geändert oder verletzt werden.

Art. 3 Cost. enthält den Gleichheitsgrundsatz *(principio di egualianza)* und bestimmt eine Pflicht des Staates, die Hindernisse zu beseitigen, die die Freiheit und Gleichheit der Bürger beschränken.

Zu den verfassungsrechtlich geschützten Freiheitsrechten gehören ferner:

- das Recht auf persönliche Freiheit *(libertà personale)*, Art. 13 Cost.
- die Unverletzlichkeit der Wohnung *(libertà di domicilio)*, Art. 14 Cost.
- der Schutz des Brief- und Fernmeldegeheimnisses *(libertà di comunicare riservatamente)*, Art. 15 Cost.
- das Recht auf Freizügigkeit, Aufenthalt, Ausreise und Emigration *(libertà di circolazione, soggiorno, espatrio ed emigrazione)*, Art. 16 Cost.
- die Versammlungsfreiheit *(libertà di riunione)*, Art. 17 Cost.
- die Vereinigungsfreiheit *(libertà di associazione)*, Art. 18 Cost.
- die Religionsfreiheit *(libertà religiosa)*, Art. 19 Cost.
- die Meinungsfreiheit *(libertà di manifestazione del pensiero)*, Art. 21 Cost.
- das Recht auf Rechtsfähigkeit, Staatsbürgerschaft und Namen *(capacità giuridica, cittadinanza, nome)*, Art. 22 Cost.
- die Freiheit der Kunst und der Wissenschaft *(libertà dell'arte e della scienza)*, Art. 33 Cost.

---

[5] Siehe dazu näher I.B.2.b.

3. Sonstige übergesetzliche Normen von strafrechtlicher Relevanz

Art. 24 Cost.

Jedermann darf zum Schutz der eigenen Rechte und der rechtmäßigen Interessen vor einem Gericht Klage erheben.

Die Verteidigung ist in jedem Stand und in jeder Stufe des Verfahrens ein unverletzliches Recht.

Den Mittellosen werden durch eigene Einrichtungen die Mittel zur Klage und zur Verteidigung bei jedem Gerichtsverfahren zugesichert.

Das Gesetz bestimmt die Bedingungen und Formen für die Wiedergutmachung von Justizirrtümern.

Art. 25 Cost.

Niemand darf seinem ordentlichen, durch Gesetz vorbestimmten Richter entzogen werden.

Niemand darf bestraft werden außer kraft eines Gesetzes, das vor Ausführung der Tat in Kraft getreten ist.

Außer in den durch Gesetz vorgesehenen Fällen darf niemand einer Sicherheitsmaßnahme unterworfen werden.

Art. 26 Cost.

Die Auslieferung eines Staatsbürgers kann nur dann gestattet werden, wenn sie durch zwischenstaatliche Vereinbarungen ausdrücklich vorgesehen ist.

Sie kann keinesfalls wegen politischer Verbrechen zugelassen werden.

Art. 27 Cost.

Die strafrechtliche Verantwortlichkeit ist persönlich.

Der Angeklagte wird bis zur endgültigen Verurteilung als nicht schuldig betrachtet.

Die Strafen dürfen nicht in einer gegen das Empfinden der Menschlichkeit verstoßenden Behandlung bestehen und sollen die Umerziehung des Verurteilten anstreben.

Die Todesstrafe ist unzulässig.

Art. 111 Cost.

Die Rechtsprechung wird im Rahmen eines gesetzlich geregelten fairen Verfahrens ausgeübt.

Jedes Verfahren ist von einem unbefangenen und unparteiischen Richter so abzuwickeln, dass das rechtliche Gehör der Parteien gewahrt wird. Das Gesetz hat die angemessene Dauer des Verfahrens zu gewährleisten.

Für das Strafverfahren muss das Gesetz gewährleisten, dass die einer strafbaren Handlung beschuldigte Person in der kürzest möglichen Zeit über den Inhalt und die Gründe der gegen sie erhobenen Anklage vertraulich verständigt wird; dass ihr die für die Vorbereitung ihrer Verteidigung nötige Zeit und die dazu erforderlichen Gelegenheiten eingeräumt werden; dass ihr Möglichkeit gegeben wird, jene Personen vor Gericht zu vernehmen oder vernehmen zu lassen, die für sie nachteilige Erklärungen abgeben, die Vorladung und die Vernehmung der zur eigenen Entlastung aufgebotenen Personen unter Bedingungen zu erwirken, wie sie für die Anklage gelten, sowie jedes sonstige für sie günstige Beweismittel beibringen zu dürfen; dass ihr ein Dolmetscher beisteht, wenn sie die im Verfahren verwendete Sprache nicht spricht.

Für das Strafverfahren gilt hinsichtlich der Beweisbildung der Grundsatz der Wahrung des rechtlichen Gehörs. Die Schuld des Angeklagten darf nicht durch Erklärungen bewiesen werden, die von jemandem abgegeben worden sind, der sich einer freien Entscheidung zufolge immer willentlich der Vernehmung durch den Angeklagten oder durch dessen Verteidiger entzogen hat.

Das Gesetz regelt die Fälle, in denen die Beweisbildung wegen Zustimmung des Angeklagten oder wegen feststehender objektiver Unmöglichkeit oder in Folge eines nachweislich rechtswidrigen Verhaltens auch ohne Wahrung des rechtlichen Gehörs erfolgen darf.

Alle Maßnahmen der Rechtsprechung müssen begründet sein.

Gegen Urteile und Maßnahmen, die die Freiheit der Personen betreffen, seien sie von ordentlichen Gerichten oder Sonderorganen der Rechtsprechung erlassen worden, ist immer Revision an den Kassationsgerichtshof wegen Gesetzesverletzung zulässig. Von dieser Bestimmung darf nur bei Urteilen der Militärgerichte in Kriegszeiten abgewichen werden.

Gegen die Entscheidungen des Staatsrats und des Obersten Rechnungshofs ist die Revision an den Kassationsgerichtshof nur aus Gründen, welche die Rechtsprechungsgewalt betreffen, zulässig.

Art. 112 Cost.

Der Staatsanwalt hat die Pflicht, das Klagerecht in Strafsachen auszuüben.

Abgesehen von den unter 2. aufgeführten Grundrechten sind zahlreiche Verfassungsnormen strafrechtlich oder strafprozessrechtlich relevant:

- das Klagerecht und das Recht auf Verteidigung *(diritto di azione e di difesa)*, Art. 24 Cost.
- der Anspruch auf einen gesetzlichen Richter *(giudice naturale)*, Art. 25 Abs. 1 Cost.
- das Gesetzlichkeitsprinzip *(principio di legalità)*, Art. 25 Abs. 2 Cost.[6]
- das Rückwirkungsverbot *(principio di irretroattività)*, Art. 25 Abs. 2 Cost.[7]
- der Grundsatz der persönlichen strafrechtlichen Verantwortlichkeit *(principio della responsabilità personale in materia penale)*, Art. 27 Abs. 1 Cost.
- die Unschuldsvermutung *(presunzione di non colpevolezza)*, Art. 27 Abs. 2 Cost.
- das Verbot unmenschlicher Strafen *(divieto di pene contrari al senso di umanità)*, Art. 27 Abs. 3 Cost.
- das Prinzip der Erziehung des Verurteilten *(principio di rieducazione del condannato)*, Art. 27 Abs. 3 Cost.
- das Verbot der Todesstrafe *(divieto della pena di morte)*, Art. 27 Abs. 4 Cost.
- das Verbot der Auslieferung von Ausländern wegen politischer Straftaten (mit Ausnahme des Völkermordes), Art. 10 Abs. 4 Cost.

---

6 Siehe hierzu eingehend II.A.

7 Siehe hierzu näher II.A.3.d.

- das Gesetzlichkeitsprinzip und der Richtervorbehalt für jegliche freiheitsentziehende Maßnahme, Art. 13 Abs. 2 Cost.
- das Verbot jeder Art körperlicher oder psychischer Gewalt gegenüber Inhaftierten, Art. 13 Abs. 4 Cost.
- die gesetzliche Bestimmung der maximalen Dauer einer vorbeugenden Inhaftierung, Art. 13 Abs. 5 Cost.
- der Richtervorbehalt für Durchsuchungen und Beschlagnahmen in Privaträumen, für Einschränkungen des Kommunikationsgeheimnisses und die Beschlagnahme von Druckwerken Art. 14, 15 und 21 Abs. 3 Cost.
- das Verbot der Auslieferung italienischer Staatsangehöriger, soweit dies nicht in internationalen Konventionen ausdrücklich vorgesehen ist, Art. 26 Cost.
- die Rechtsstellung der Parlamentsabgeordneten, Art. 68 Cost.
- die Grenzen der Verantwortlichkeit des Präsidenten der Republik, Art. 90 Cost.
- die Grenzen der Verantwortlichkeit von Ministerpräsident und Ministern, Art. 96 Cost.
- Amnestie, Straferlass und Begnadigung, Art. 79, 87 Cost.[8]
- die Unterwerfung der Gerichte ausschließlich unter das Gesetz, Art. 101 Abs. 2 Cost.
- das Prinzip des fairen Verfahrens *(giusto processo)*, Art. 111 Cost. Hierzu gehören unter anderem das Recht auf ein kontradiktorisches Verfahren, eine angemessene Verfahrensdauer, das Fragerecht, das Recht auf einen Übersetzer etc.
- das Legalitätsprinzip, Art. 112 Cost.

---

[8] Siehe hierzu eingehend II.K.

Literaturhinweise zu Abschnitt C.

Antolisei, Francesco, Manuale di diritto penale. Parte generale (Lehrbuch des Strafrechts. Allgemeiner Teil). 16. Aufl. Mailand 2003, S. 5–10.

Canestrari, Stefano/Cornacchia, Luigi/De Simone, Giulio, Manuale di diritto penale. Parte generale (Lehrbuch des Strafrechts. Allgemeiner Teil). Bologna 2007, S. 40–42.

Cocozza, Vincenzo, Voce "Costituzione (italiana)" (Stichwort „(italienische) Verfassung"). Enciclopedia giuridica Treccani Vol. X. Rom 1999, S. 1–9.

Fiandaca, Giovanni/Musco, Enzo, Diritto penale. Parte generale (Strafrecht. Allgemeiner Teil). 5. Aufl. Bologna 2007, S. 47–110.

Grundmann, Stefan/Zaccaria, Alessio (Hrsg.), Einführung in das italienische Recht. Frankfurt 2007, S. 22–107.

Luther, Gerhard, Einführung in das italienische Recht. Darmstadt 1968, S. 21–34 und 124–147.

Mantovani, Ferrando, Diritto penale (Strafrecht). 5. Aufl. Padua 2007, S. XLIII–XLVII.

Marinucci, Giorgio/Dolcini, Emilio, Corso di diritto penale Vol. 1. Le norme penali: Fonti e limiti di applicabilità. Il reato: nozione, struttura e sistematica (Lehrgang des Strafrechts Band 1. Die Strafnormen: Quellen und Grenzen der Anwendung. Die Straftat: Begriff, Struktur und Systematik). 3. Aufl. Mailand 2001, S. 5–386.

Mortatai, Costantino, Voce "Costituzione della Repubblica Italiana" (Stichwort „Verfassung der Republik Italien"). Enciclopedia del Diritto Vol. XI. Mailand 1962, S. 214–231.

Onida, Valerio, Voce "Costituzione italiana" (Stichwort „italienische Verfassung"). Digesto delle Discipline Pubblicistiche Vol. IV. Turin 1989, S. 321–339.

Onida, Valerio/Pedrazza Gorlero, Maurizio (Hrsg.), Compendio di Diritto Costituzionale. (Grundriss des Verfassungsrechts). Mailand 2009, S. 1–27 und 77–135.

Riz, Roland/Happacher Brezinka, Esther, Grundzüge des italienischen Verfassungsrechts. 3. Aufl. Innsbruck 2008, S. 52–57 und 147–181.

Romano, Mario, Commentario sistematico del codice penale (Systematischer Strafrechtskommentar). Band I: Art. 1–84. 3. Aufl. Mailand 2004, Pre-Art. 1, Rn. 27–63.

Rechtsprechung

Corte Cost. 18 giugno 1979, n. 48, Giur. Cost. 1979 I, S. 373–382.

Corte Cost. 24 ottobre 2007, n. 348, Giur. Cost. 2007, S. 3475–3517.

D. Strafrechtstheoretische Grundlagen

1. Aufgaben des Strafrechts

Das Strafrecht findet seine Rechtfertigung durch die verschiedenen Aufgaben, die es zu erfüllen hat. Zum einen soll es die Gesellschaft und den Einzelnen gegen Straftaten verteidigen. Das moderne Strafrecht dient aber auch als individuelle Garantie für den Täter, indem es die Strafgewalt des Staates begrenzt.[1] Da strafrechtliche Sanktionen massiv in die Grundrechte des Einzelnen eingreifen, dürfen sie nur verwendet werden, wenn dies unbedingt notwendig ist. Schließlich dient das Strafrecht auch zur Lösung des sozialen Konflikts auf der einen Seite und des Konflikts zwischen Täter und Opfer auf der anderen Seite.

– *Strafrecht als Mittel zur sozialen Kontrolle*

Das Strafrecht soll zunächst Kriminalität bekämpfen und verhindern. Zu diesem Zweck bestimmt es die Grenzen, in denen der Einzelne frei handeln kann. Es dient insofern also als eine (die schärfste) Form der sozialen Kontrolle. Daneben hat das Strafrecht aber auch die Aufgabe, den Menschen in der Gesellschaft zu schützen. Es soll die grundlegenden Bedingungen des menschlichen Zusammenlebens und der gegenseitigen Rücksichtnahme gewährleisten und die Sanktionen festlegen, die jeweils für die Verteidigung der (in der entsprechenden Zeit) als sozial erheblich angesehenen Rechtsgüter oder Werte als angemessen erachtet werden. Hierdurch trägt es dazu bei, den Frieden und die soziale Ordnung zu bewahren.

Der Gesetzgeber ist daher nicht völlig frei bei seiner Entscheidung, welches Verhalten er kriminalisiert und welches nicht. Er muss unter Berücksichtigung der Tatsache, dass die persönliche Freiheit primären Verfassungsrang hat, in jeder Strafbestimmung die reale Sozialschädlichkeit beachten und den Bereich des strafrechtlich relevanten Verhaltens umschreiben.

– *Strafrecht als Mittel des Rechtsgüterschutzes*

Das Strafrecht schützt die Gesellschaft durch den Schutz von Individual- und Universalrechtsgütern *(beni giuridici individuali e universali)*. Die Ausrichtung am Modell des Rechtsgüterschutzes ist nach italienischer Auffassung ein entscheidendes Merkmal für eine liberale und demokratische Rechtsordnung. Ein solches Strafrecht wird nicht nach dem Gutdünken des Gesetzgebers gestaltet, sondern es zielt auf den Schutz von authentischen, in der Gesellschaft bereits vorhandenen Rechtsgütern. Die Straftat ist in diesem Sinne die Verletzung eines Rechtsguts und gleichzeitig eine Pflichtverletzung. Dementsprechend ist nach italienischem Ver-

---

[1] Vergleiche auch unten 2.

ständnis für die Strafbarkeit zwingend die Verletzung eines Rechtsguts erforderlich *(principio di offensività)*.[2] Rechtsgut in diesem Sinne ist ein Gut, das aufgrund seiner Bedeutung als strafrechtlich schützenswert anzusehen ist. Das Problem, welche Rechtsgüter im Einzelnen schützenswert sind und welche nicht, ist in gewissem Sinne wandelbar, denn diese existieren nur in dem Maß, in dem sie im gesellschaftlichen Leben von Nutzen sind. Da das Strafrecht nicht nur in die persönliche Freiheit, sondern auch in die gesellschaftliche Würde eingreift, wird in der Lehre teils die Ansicht vertreten, dass das Strafrecht verfassungsmäßig relevante Rechtsgüter schützen müsse.

– *Strafrecht als ultima ratio*

Einigkeit herrscht in der Lehre darüber, dass die Verletzung eines schützenswerten Rechtsguts allein noch nicht ausreicht, um den Rückgriff auf das Strafrecht zu rechtfertigen. Nach dem Prinzip der Subsidiarität *(principio di sussidiarietà)* ist das Strafrecht nur das letzte Mittel. Es muss also zum einen notwendig sein, das heißt, dass andere Schutzinstrumente etwa des Zivilrechts oder des Verwaltungsrechts nicht ausreichend sind. Zum anderen muss es auch dem Zweck entsprechend, also tatsächlich geeignet sein, um seine Ziele erreichen. Der Gesetzgeber muss sich somit möglichst empirischer Studien bedienen, um die Sozialschädlichkeit des zu inkriminierenden Verhaltens und die Effektivität der verschiedenen Sanktionsinstrumente zu überprüfen. So verstanden bekommt der *ultima-ratio*-Gedanke einen Zusammenhang mit dem Verhältnismäßigkeitsgrundsatz. Das Strafrecht hat ferner einen fragmentarischen Charakter *(principio di frammentarietà)*, denn nicht alle Angriffe auf Rechtsgüter werden unter Strafe gestellt.

2. Rechtsstaatliche Grenzen des Strafrechts

Art. 27 Cost.

Die strafrechtliche Verantwortlichkeit ist persönlich.

Der Angeklagte wird bis zur endgültigen Verurteilung als nicht schuldig betrachtet.

Die Strafen dürfen nicht in einer gegen das Empfinden der Menschlichkeit verstoßenden Behandlung bestehen und sollen die Umerziehung des Verurteilten anstreben.

Die Todesstrafe ist unzulässig.

In der italienischen Strafrechtstradition besteht Konsens darüber, dass sich das Strafrecht an den – vor allem in der Verfassung enthaltenen – allgemeinen Prinzipien zu orientieren hat. Dies liegt zum einen daran, dass das heute geltende Strafgesetzbuch von 1930 immer noch die autoritären Züge aus seiner Entstehungszeit aufweist. Aber auch das neu geschaffene Strafrecht ist an diesen Prinzipien zu mes-

---

[2] Vgl. im Einzelnen II.D.5. und unten 2.

sen, da es häufig politisch motiviert ist. Zu den zahlreiche Prinzipien zählen unter anderen das Gesetzlichkeitsprinzip (*principio di legalità*, Art. 25 Abs. 2 Cost);[3] das Prinzip der persönlichen Verantwortlichkeit (*principio di personalità*, Art. 27 Abs. 1 Cost.); das Prinzip der Erziehung des Verurteilten (*principio di rieducazione*, Art. 27 Abs. 3 Cost.)[4] sowie das Prinzip der Erforderlichkeit einer Rechtsgutsverletzung *(principio di offensività)*.

Das Prinzip der persönlichen Verantwortlichkeit ist in Art. 27 Abs. 1 der Verfassung enthalten. Es hat eine doppelte Bedeutung. Zum einen bestimmt es die Verantwortlichkeit für die eigene Tat *(responsabilità per fatto proprio)*. Es verbietet es also, jemandem die Verantwortlichkeit für die Tat eines anderen *(responsabilità per fatto altrui)* aufgrund der Zugehörigkeit zu einer Gruppe *(responsabilità collettiva)*, aufgrund einer bestimmten Stellung *(responsabilità di posizione)* oder wegen zufälliger Umstände *(responsabilità per il caso)* aufzuerlegen. Zum anderen muss die Tat schuldhaft begangen sein. Das Schuldprinzip *(principio di colpevolezza)* ist auch in Italien seit der Anerkennung seines verfassungsrechtlichen Rangs durch den Verfassungsgerichtshof im Jahr 1988 der Angelpunkt des Strafrechtssystems. Nach der Rechtsprechung des Verfassungsgerichtshofs muss bezüglich aller Elemente, die den Unwert des jeweiligen Tatbestands kennzeichnen, Vorsatz oder Fahrlässigkeit gegeben sein, damit die Tat dem Täter vorgeworfen werden kann.[5] Problematisch sind allerdings die Figuren der objektiven Verantwortlichkeit.[6] Daran erkennt man, dass in Italien das Schuldprinzip noch nicht in vollem Umfang umgesetzt ist.

Der Verhältnismäßigkeitsgrundsatz *(principio di proporzione)* wird auch an Art. 27 Abs. 1 Cost. festgemacht. Die Strafe muss der individuellen Verantwortlichkeit und der Schuld entsprechen. Dementsprechend wird dieser Grundsatz – ebenso wie der Humanitätsgrundsatz – bei den Strafzwecken behandelt.[7]

Eine weitere wichtige Grenze des Strafrechts bildet traditionell in Italien das nicht ausdrücklich geregelte Prinzip der notwendigen Rechtsgutsverletzung *(principio di offensività)*. Die Straftat muss in der Verletzung eines Rechtsguts bestehen, da ansonsten eine Straftat nicht vorstellbar ist, wobei eine solche bereits in der konkreten Gefährdung des Rechtsguts liegen kann. Dies erklärt auch die Straflosigkeit des Wahndelikts und des untauglichen Versuchs (Art. 49, 56 Abs. 1 c.p.). Problematisch sind in diesem Zusammenhang allerdings die abstrakten Gefährdungsdelikte, deren Zulässigkeit nicht unumstritten ist. Das *principio di offensività* dient zum einen als Kriterium zur abstrakten gesetzgeberischen Gestaltung des

---

3 Hierzu ausführlich II.A.

4 Siehe hierzu unten 3.

5 Zum systematischen Aufbau der Straftat II.C.2.c.

6 Zu den Fallgruppen der objektiven Verantwortlichkeit siehe II.E.4.b.

7 Vgl. unten 3.

Straftatbestands. Der Gesetzgeber darf nur Verhaltensweisen unter Strafe stellen, die ein oder mehrere Rechtsgüter beeinträchtigen. Auf der anderen Seite dient das Prinzip als Interpretationskriterium für den Richter. Dieser darf nur dann einen Tatbestand als erfüllt ansehen, wenn im konkreten Fall tatsächlich das Rechtsgut verletzt oder gefährdet wurde. Verhaltensweisen, die dem ersten Anschein nach den Tatbestand einer Straftat erfüllen, das geschützte Rechtsgut aber nicht gefährden, werden hierdurch – ähnlich wie bei einer teleologischen Reduktion – ausgeschieden.

3. Strafzwecke

Strafrechtliche Sanktionen haben nicht nur eine symbolische Bedeutung, da sie eine soziale Missbilligung der Tat und ihres Täter zum Ausdruck bringen. Sie beinhalten darüber hinaus stets eine erhebliche Beeinträchtigung für den Verurteilten. Dies legt schon der italienische Begriff für Strafe *(pena)* nahe, der außerdem Leid, Qual, Pein, aber auch Mitleid bedeutet. Die Strafe ist zudem eine öffentliche Sanktion, die aufgrund eines Strafprozesses von einem Gericht verhängt wird. Strafen bedürfen daher besonderer Rechtfertigung. Aus diesem Grund haben sich schon seit Langem Theorien entwickelt, die den Zweck der Strafe zu identifizieren suchen. Traditionell werden diese unterschieden in absolute und relative Theorien.

Nach den absoluten Theorien *(teorie assolute)* ist eine Strafe zu verhängen, weil eine Straftat begangen worden ist. Die Strafe findet hier ihren Zweck in sich selbst. Sie ist eine Kompensation der Schuld, deren Vergeltung *(retribuzione)* beziehungsweise eine Sühne *(espiazione)* des Täters für die begangene Tat. Der Strafzweck der Vergeltung schließt dabei auch immer die Verhältnismäßigkeit mit ein: Wenn die Strafe das durch die verbotene Handlung verursachte Übel ausgleichen soll, darf sie nicht außer Verhältnis zur ihrer Schwere stehen.[8] Die absolute Theorie hat außerdem den Vorteil, dass die konkrete präventive Wirkung der Strafe nicht nachgewiesen werden muss. Auf der anderen Seite wird ihr entgegengehalten, dass, abgesehen davon, dass es nicht immer leicht zu bestimmen ist, worin das Übel eigentlich liegt, nicht alles Übel bestraft werden kann und auch nicht alle, die es begehen. Manchmal sei es sinnvoller, ein bestimmtes Verhalten nicht zu bestrafen, und der Staat müsse auch die Freiheit haben, dies nicht zu tun.

Die relativen Theorien *(teorie relative)* fragen danach, wie in Zukunft Straftaten verhindert werden können. Die Strafe ist also kein Selbstzweck, sondern ein Mittel zur Prävention. Dabei versteht man unter Generalprävention *(prevenzione generale)* die Wirkung der Strafe auf die Allgemeinheit, um diese von der Begehung von Straftaten abzuhalten. Die Idee von der Abschreckung *(intimidazione)* als Zweck

---

[8] Siehe auch oben 2.

der Strafe geht davon aus, dass die Angst vor den Konsequenzen kriminelles Verhalten unterbindet. Allerdings handelt der Mensch nicht immer so rational, dass er Pro und Contra sorgfältig abwägt. Straftaten werden im Gegenteil häufig aus schwer kontrollierbarem unbewusstem oder emotionalem Antrieb begangen. Man kann die Generalprävention aber auch positiv verstehen *(prevenzione generale c.d. positiva)*. In diesem Sinne wird in der Strafandrohung ein Symbol für die soziale Missbilligung gesehen, die dazu beiträgt, dass die Mehrheit der Bürger sich mit dem System der von der Rechtsordnung geschützten Werte identifiziert. Diese Wirkung der Ermahnung und Moralisierung wird allerdings umso geringer, je weniger auf die Androhung der Strafe ihre effektive Verhängung und auch Vollstreckung folgt.

Die Spezialprävention *(prevenzione speciale)* betrachtet die Wirksamkeit der Strafe auf den jeweiligen Täter, um dafür zu sorgen, dass er das Strafgesetz nicht wieder verletzt. Sie kann zum einen negativ verstanden werden als Mittel, um den Täter unschädlich zu machen *(neutralizzazione)*. Ein Mensch, der sich in Haft befindet, kann bestimmte Straftaten nicht mehr begehen. Aber auch die verschiedenen rechtlichen Verbote und Untersagungen, die häufig als Nebenstrafen dienen, zielen in diese Richtung. Auf der anderen Seite versteht man die Spezialprävention auch positiv als Mittel für die Besserung *(emenda)* und Resozialisierung *(risocializzazione)* des Täters. Das in Art. 27 Abs. 3 Cost. enthaltene Prinzip, dass die Strafe die Umerziehung des Verurteilten zum Ziel haben muss *(principio di rieducazione)*, wird im Sinne seiner Resozialisierung interpretiert. Dieses Prinzip leitet im Wesentlichen die Phase der Strafvollstreckung, aber auch bei der Verhängung und Bemessung der Strafe hat der Richter die bestmögliche Wiedereingliederung *(recupero)* des Verurteilten zu berücksichtigen. Auch der Gedanke der Spezialprävention findet heute keine uneingeschränkte Zustimmung mehr.

Die gemischten Theorien *(teorie miste)* versuchen, die Elemente der absoluten und relativen Theorien miteinander zu kombinieren. Die Strafe wird verhängt, um die Schuld zu vergelten, um Straftaten zu verhindern und um den Täter wiedereinzugliedern. Die Ziele General- und Spezialprävention sollen bestmöglich durch eine „angemessene" Vergeltung verfolgt werden. Ein solcher „mehrfunktionaler" *(plurifunzionale)* Ansatz wird von der heutigen Lehre allgemein vertreten, wenn auch die Ansichten im Einzelnen unterschiedlich ausgestalten sind.

Nach Art. 27 Abs. 3 Cost. dürfen die Strafen nicht in einer Behandlung bestehen, die dem Empfinden der Menschlichkeit widerspricht. Dieser Humanitätsgrundsatz *(principio di umanità)* wird in Art. 1 der Strafvollzugsordnung (*ordinamento penitenziario*, L. 26 luglio 1975, n. 354) nochmals bestätigt und ist Inhalt zahlreicher internationaler Dokumente (beispielsweise der Europäischen Menschenrechtskonvention). Aus diesem Grundsatz lässt sich das Verbot der Todesstrafe, von körperlichen Strafen oder der Unterbringung in überfüllten Haftanstalten herleiten.

Ebenfalls in Art. 27 Abs. 3 Cost. ist der in Italien als Leitlinie geltende Strafzweck der Umerziehung *(finalismo rieducativo)* festgehalten. Heute ist man der Meinung, dass der Begriff „Umerziehung“ nicht im Sinne einer moralischen Besserung zu verstehen sei, da ein demokratischer Rechtsstaat sich nicht um das Gewissen und die innere Einstellung seiner Bürger kümmern dürfe. Die Umerziehung sei vielmehr im Sinne der Resozialisierung zu begreifen. Es soll also – soweit möglich – die Wiedereingliederung des Verurteilten in die Gesellschaft gefördert werden und dass er sich von den früheren Verhaltensweisen distanziert und die grundlegenden Werte des menschlichen Zusammenlebens – zumindest diejenigen, die durch die anzuwendende Strafnorm, die er verletzt hat, geschützt werden sollen – wieder erwirbt. Auf der anderen Seite darf auch kein Verurteilter zu seiner Resozialisierung gezwungen werden. Ansonsten wäre sie nicht nur ineffektiv, da der Verurteilte nur noch mehr Aversionen gegen das System entwickeln würde, sondern dies würde auch die Würde und die Möglichkeit der Selbstbestimmung verletzen. Der Verurteilte ist also in seiner Entscheidung frei, ob er das Angebot zur Resozialisierung annehmen möchte oder nicht.

Zum Strafzweck der Umerziehung gehört auch das Verhältnismäßigkeitsprinzip *(principio di proporzionalità)*. Dieses bildet eines der Leitkriterien für das Funktionieren des Rechtsstaats und ist damit auch ein wesentlicher Maßstab für die Theorien über die Funktion von Strafe. Sie ist unabdingbare Folge des Vergeltungsgedankens. Ferner kann aus generalpräventiver Sicht die Androhung einer unverhältnismäßig hohen Strafe bei potentiellen Tätern zu einer Gleichgültigkeit führen und allgemein das Wertesystem durcheinanderbringen, das sich eigentlich im Verhältnis zwischen Straftat und entsprechender Sanktion widerspiegeln soll. Was schließlich den spezialpräventiven Zweck der Umerziehung betrifft, so ist Voraussetzung hierfür, dass der Adressat sich des Unrechts seiner Tat bewusst wird und die verhängte Sanktion als richtig und verhältnismäßig begreift. Die Verhältnismäßigkeit darf sich aber nicht nur auf die Tat im objektiven Sinne, sondern muss sich auch auf den Grad der Vorwerfbarkeit, also auf die Schuld des Täters beziehen.

4. Grundlegende Prinzipien des Strafverfahrensrechts

1989 trat in Italien eine neue Strafprozessordnung in Kraft, die auf dem akkusatorischen System basiert. Der Strafprozess ist seither im Wesentlichen als Parteiprozess im kontradiktorischen Verfahren konzipiert, enthält aber – vor allem im Ermittlungsverfahren – auch inquisitorische Elemente. Die wesentlichen Prinzipien des Strafverfahrensrechts sind bereits in der Verfassung enthalten.[9]

---

9 Vergleiche auch I.C.3.

Diese statuiert ein allgemeines Klagerecht (Art. 24 Abs. 1 Cost.), das Recht auf Verteidigung (*diritto di difesa*, Art. 24 Abs. 2 Cost) in jedem Stand und jeder Stufe des Verfahrens, sowie – um dies auch durchzusetzen – das Recht auf Unterstützung für Mittellose (*patrocinio per i non abbienti*, Art. 24 Abs. 3 Cost.). Für Fehlurteile *(errori giudiziari)* ist nach Art. 24 Abs. 4 grundsätzlich Wiedergutmachung zu leisten.

Das Prinzip des gesetzlichen Richters (*giudice naturale*, Art. 25 Abs. 1 Cost.) besagt, dass niemand seinem durch Gesetz vorbestimmten Richter entzogen werden darf. Hierin sind sowohl die Aspekte des Gesetzlichkeitsprinzips als auch des Rückwirkungsverbots enthalten, deren allgemeine Geltung für Strafen und Maßregeln in den folgenden Absätzen (Art. 25 Abs. 2 und 3 Cost.) geregelt ist.

Im Ermittlungsverfahren gilt in der Regel das Geheimhaltungsgebot (*obbligo di segreto*, Art. 329 Abs. 1 c.p.p.), bis der Angeklagte Kenntnis von den Ermittlungshandlungen haben darf. Die Staatsanwaltschaft ist (ebenso wie die Gerichte) unabhängig (Art. 104 ff. Cost.) und hat in gewissem Maße auch objektiv zu sein, denn sie muss auch Tatsachen und Umstände zugunsten des Beschuldigten ermitteln (Art. 358 Abs. 1 c.p.p.). In Italien herrscht bei Offizialdelikten eine unbedingte Verfolgungspflicht. Dieses Legalitätsprinzip *(principio dell'obbligatorietà)* hat sogar Verfassungsrang (Art. 112 Cost.).

Entscheidende Bedeutung hat in Italien das Prinzip des fairen Verfahrens gewonnen. Dieses wurde durch eine Verfassungsänderung 1999 (L. cost. 23 novembre 1999, n. 2) unfassend neu geregelt. Seitdem wird vom „gerechten Prozess" *(giusto processo)* gesprochen. Neben dem Grundsatz des gesetzlich geregelten fairen Verfahrens (Art. 111 Abs. 1 Cost.) enthält Art. 111 Cost. zahlreiche weitere daraus entwickelte verfahrensrechtliche Prinzipien. Hierzu gehören in Abs. 2: Die Unbefangenheit und Unabhängigkeit der Richter (*terzietà e imparzialità del giudice*, siehe auch Art. 101 Cost.), die Gleichheit der Parteien *(parità tra le parti)* sowie eine angemessene Verfahrensdauer *(ragionevole durata)*. In Abs. 3: Das Recht auf Verteidigung *(diritto alla difesa)* mit allen ihren Ausprägungen einschließlich des Rechts auf einen Übersetzer. Abs. 4 und 5 enthalten im Wesentlichen das Prinzip des rechtlichen Gehörs beziehungsweise das Prinzip des kontradiktorischen Verfahrens *(principio del contraddittorio)* einschließlich seiner Ausnahmen. Abs. 6 statuiert die Begründungspflicht *(obbligo di motivazione)* bei allen Maßnahmen der Rechtsprechung. Schließlich ergibt sich aus Abs. 7, dass gegen alle freiheitsentziehenden Maßnahmen Rechtsmittel beim Kassationshof wegen Gesetzesverletzung eingelegt werden können.

Im Hauptverfahren gelten das kontradiktorische Prinzip *(principio del contraddittorio)* auch in Bezug auf die Beweisbildung (Art. 498 c.p.p.), das Unmittelbarkeitsprinzip (*principio di immediatezza*, Art. 526 Abs. 1 c.p.p.), das Mündlichkeitsprinzip *(principio di oralità)*, das Öffentlichkeitsprinzip (*principio di pubblicità*, Art. 471 Abs. 1 c.p.p.), der Beschleunigungsgrundsatz (*ragionevole durata*, Art. 111

Abs. 2 Cost.), der Grundsatz der Konzentration der Hauptverhandlung (*principio di concentrazione* Art. 477 c.p.p.), der Grundsatz der Unveränderlichkeit der Anklage und ihrer Übereinstimmung mit dem Urteil (*immutabilità dell'acusa e correlazione con la sentenza*, Art. 521 c.p.p.), der Grundsatz der Nicht-Umkehrbarkeit des Verfahrens *(principio della non regressione)* und der Grundsatz der freien Beweiswürdigung (*libero convincimento*, Art. 192, 546 Abs. 1e c.p.p.). Zweifel gehen nach dem Grundsatz *in dubio pro reo* zugunsten des Angeklagten (Art. 533 Abs. 2 c.p.p.). Bis zu seiner rechtskräftigen Verurteilung gilt für ihn zudem die Unschuldsvermutung (*presunzione d'innocenza*, Art. 27 Abs. 2 Cost.). Danach kann nach dem Grundsatz *ne bis in idem* wegen derselben Tat kein neuerliches Strafverfahren durchgeführt werden (Art. 649 c.p.p.).

Die Auslieferung eigener Staatsbürger ist nach Art. 26 Cost. nur möglich, wenn sie durch zwischenstaatliche Vereinbarungen ausdrücklich vorgesehen ist. Keinesfalls ist sie wegen politischer Verbrechen zulässig.

Literaturhinweise zu Abschnitt D.

Antolisei, Francesco, Manuale di diritto penale. Parte generale (Lehrbuch des Strafrechts. Allgemeiner Teil). 16. Aufl. Mailand 2003, S. 5–10 und 675–700.

Bettiol, Giuseppe/Pettoello-Mantovani, Luciano, Diritto Penale (Strafrecht). 12. Aufl. Padua 1986, S. 3–53 und 779–830.

Bricola, Franco, Voce "Teoria generale del reato" (Stichwort „Allgemeine Verbrechenslehre"). Novissimo Digesto Italiano, Band XIV. Turin 1973, S. 7–93.

Cadoppi, Alberto/Veneziani, Paolo, Elementi di diritto penale. Parte generale (Grundbegriffe des Strafrechts. Allgemeiner Teil). 3. Aufl. Padua, 2007, S. 3–18 und 59–110.

Canestrari, Stefano/Cornacchia, Luigi/De Simone, Giulio, Manuale di diritto penale. Parte generale (Lehrbuch des Strafrechts. Allgemeiner Teil). Bologna 2007, S. 33–38, 45–77 und 93–245.

Chiavario, Mario, Diritto processuale penale (Strafprozessrecht). 3. Aufl. Turin 2007, S. 13–20, 87–94, 110–112, 174–176 und 509–511.

Cordero, Franco, Procedura penale (Strafverfahren). 8. Aufl. Mailand 2006.

De Francesco, Giovannangelo, Diritto penale. I fondamenti (Strafrecht. Die Grundlagen). Turin 2008, S. 1–152 und 335–366.

De Vero, Giancarlo, Introduzione al diritto penale (Einführung in das Strafrecht). Turin 2002.

Donini, Massimo, Teoria del reato. Una introduzione (Allgemeine Verbrechenslehre. Eine Einführung). Padua 1996.

– Verbrechenslehre. Eine Betrachtung aus der Sicht des italienischen Strafrechts. Berlin 2005.

Fiandaca, Giovanni/Musco, Enzo, Diritto penale. Parte generale (Strafrecht. Allgemeiner Teil). 5. Aufl. Bologna 2007, S. 3–36, 307–324 und 683–714.

Maiwald, Manfred, Einführung in das italienische Strafrecht und Strafprozessrecht. Frankfurt 2009, S. 29–31 und 37–48.

Mantovani, Ferrando, Diritto penale. Parte generale (Strafrecht. Allgemeiner Teil). 5. Aufl. Padua 2007, S. 179–222 und 714–720.

Marinucci, Giorgio/Dolcini, Emilio, Corso di diritto penale Vol. 1. Le norme penali: Fonti e limiti di applicabilità. Il reato: nozione, struttura e sistematica (Lehrgang des Strafrechts Band 1. Die Strafnormen: Quellen und Grenzen der Anwendung. Die Straftat: Begriff, Struktur und Systematik). 3. Aufl. Mailand 2001, S. 5–386.

Padovani, Tullio, Diritto penale (Strafrecht). 9. Aufl. Mailand 2008, S. 1–49.

Pagliaro, Antonio, Principi di diritto penale. Parte generale (Prinzipien des Strafrechts. Allgemeiner Teil). 8. Aufl. Mailand 2003, S. 319–325 und 671–687.

Palazzo, Francesco, Corso di diritto penale. Parte generale (Lehrgang des Strafrechts. Allgemeiner Teil). 3. Aufl. Turin 2008, S. 3–188.

Pisani, Mario/Molari, Alfredo/Perchinunno, Vincenzo/Corso, Piermaria/Dominioni, Oreste/Gaito, Alfredo/Spangher, Giorgio, Manuale di procedura penale (Lehrbuch des Strafverfahrens). 8. Aufl. Bologna 2008, S. 11–22 und 474–483.

Pulitanò, Domenico, Diritto penale (Strafrecht). 2. Aufl. Turin 2007, S. 15–35.

Riz, Roland/Happacher Brezinka, Esther, Grundzüge des italienischen Verfassungsrechts. 3. Aufl. Innsbruck 2008, S. 181–210.

Romano, Mario, Commentario sistematico del codice penale (Systematischer Kommentar des Strafgesetzbuchs), I. (Art. 1–84). 3. Aufl. Mailand 2004, Pre-Art. 1 und Pre-Art. 39, Rn. 1–16 und 66–87.

– (Hrsg), Teoria e prassi della prevenzione generale (Theorie und Praxis der Generalprävention). Bologna 1980.

Siracusano, Delfino/Galati, Antonino/Tranchina, Giovanni/Zappalà, Enzo, Diritto processuale penale (Strafprozessrecht), Band I. Mailand 2006, S. 16–18, 56–60 und 180–181.

– Diritto processuale penale (Strafprozessrecht), Band II. Mailand 2006, S. 280–321.

Tonini, Paolo, Manuale di procedura penale (Lehrbuch des Strafverfahrens). 9. Aufl. Mailand 2008, S. 4–11, 39–47 und 553–564.

Rechtsprechung

Corte Cost. 24 marzo 1988, n. 364, Giur. Cost. 1988, S. 1504–1539.

Corte Cost. 13 dicembre 1988, n. 1085, Giur. Cost. 1988, S. 5270–5287.

Corte Cost. 7 luglio 2005, n. 265, Giur. Cost. 2005, S. 2432–2438.

E. Abgrenzung und Einordnung des Strafrechts

1. Begriffliche und sachliche Umgrenzung des Strafrechts

– *Definition des Strafrechts*

In Italien wird Strafrecht definiert als die Gesamtheit der Normen des öffentlichen Rechts, in denen für bestimmte unrechtmäßige Taten strafrechtliche Rechtsfolgen angedroht werden, die auch im Verhältnis zur Persönlichkeit des Täters veränderlich sind. Das Strafrecht besteht demnach aus drei Elementen:

– Die unrechtmäßige Tat *(fatto illecito)* bildet die wesentliche und unabdingbare Grundlage für ein zivilisiertes Strafrecht. An die reine kriminelle Absicht, die sich nicht in deliktischem Verhalten verwirklicht, werden keine Rechtsfolgen geknüpft. Der Täter soll nicht für das verfolgt werden, was er denkt, sondern für das, was er tut. Da die verbotenen Handlungen immer durch den Gesetzgeber festgelegt werden, ist das Strafrecht in gewisser Weise immer durch Politik und Geschichte bestimmt.

– An die Tat werden strafrechtliche Rechtsfolgen *(conseguenze penali)* geknüpft. Hierdurch unterscheidet sich das strafrechtliche Unrecht von anderen Formen rechtswidrigen Verhaltens. Unter Strafe werden die Nachteile verstanden, die einer Person auferlegt werden, weil sie eine Rechtsnorm verletzt hat. Eine Kriminalstrafe besteht grundsätzlich im Entzug oder der Einschränkung von Rechten (etwa der Freiheit oder des Vermögens). Sie soll der Abschreckung und Resozialisierung dienen, womit jede organisierte Gesellschaft die Kriminalität bekämpft und kontrolliert.[1]

– Schließlich spielt die Persönlichkeit des Täters *(personalità dell'autore)* eine besondere Rolle zum einen für die unrechtmäßige Tat, da diese ein Abbild der Persönlichkeit des Täters ist, zum anderen auch für die Bestimmung der strafrechtlichen Rechtsfolgen, die nur dann ihren vernünftigen Zweck haben, wenn sie auch an die Persönlichkeit des Täters angepasst werden.

Folgende wesentliche Eigenschaften des Strafrechts werden in der Lehre genannt:

– Strafrecht ist positives Recht, denn es entspringt aus Rechtsnormen.

– Strafrecht ist staatliches Recht, denn es entstammt der staatlichen Rechtsetzung.

– Strafrecht ist öffentliches Recht, denn die Verhütung und Bestrafung von Straftaten dient dem Interesse eines friedlichen Zusammenlebens der Gesellschaft.

---

[1] Siehe näher I.D.3.

– Strafrecht ist autonomes Recht, denn es sanktioniert nicht Verhaltensweisen, die durch andere Rechtsgebiete verboten sind, sondern es schützt selbst bestimmte Rechtsgüter und/oder Interessen.

– *Strafrecht als Teil des öffentlichen Rechts*

Das Strafrecht ist ein Teil des öffentlichen Rechts. Zum einen, weil der strafrechtliche Schutz öffentlich-rechtlich ist. Dieser wirkt nämlich in der Regel unabhängig vom Willen des Rechtsgutsinhabers. Zum anderen ist auch die Strafgewalt eine öffentlich-rechtliche. Die Anwendung der Strafnorm ist für die Strafverfolgungsorgane unabdingbar und der Täter wird dieser unterworfen.

– *Abgrenzung zum Zivil- und Verwaltungsrecht*

Die formelle Abgrenzung zum Zivilrecht ergibt sich aus der Bezeichnung der angedrohten Sanktion. Die strafrechtlichen Sanktionen sind in Art. 17 ff c.p. aufgezählt und werden durch diejenigen ergänzt, die der Friedensrichter verhängen kann (Art. 52 ff. D.Lgs. 28 agosto 2000, n. 274).[2] Eine materielle Unterscheidung folgt bereits aus der Natur des Unrechts. Strafrechtliches Unrecht *(illecito penale)* wiegt nicht nur schwerer, sondern schädigt die Gesellschaft, während das zivilrechtliche Unrecht *(illecito civile)* einen Schaden zwischen Privaten mit sich bringt, an dem der Staat nur insofern ein Interesse hat, als er dem Geschädigten Rechtsschutzmöglichkeiten zur Verfügung stellt. Außerdem haben die strafrechtlichen Sanktionen punitiven Charakter, denn sie bestehen in einem Entzug der persönlichen Freiheit oder in der Zahlung einer Geldsumme an den Staat.

Formell wird das Strafrecht durch die Bezeichnung der Sanktionen auch vom Verwaltungsrecht abgegrenzt. Eine materielle Unterscheidung ist schwierig, da die Grenzen fließend und die Strukturen ähnlich sind. Vielfach wurde in Italien nämlich bereits durch Entkriminalisierungsmaßnahmen strafrechtliches in verwaltungsrechtliches Unrecht *(illecito amministrativo)* umgewandelt.[3] Zumindest ist Letzteres in der Regel weniger schwerwiegend als das strafrechtliche. Es gibt aber auch wichtige Ausnahmen: Im Bereich der Neuregelung des Marktmissbrauchs sind die Geldbußen beispielsweise höher als die Geldstrafen im selben Bereich.

– *Abgrenzung materielles Strafrecht, Strafverfahrensrecht, Strafvollstreckungsrecht*

Vom Strafverfahrensrecht *(diritto penale processuale)* ist das materielle Strafrecht *(diritto penale sostanziale)* in erster Linie nach seiner Funktion zu unter-

---

[2] Siehe dazu I.A.5.c.

[3] Siehe unten 2.

scheiden. Das materielle Strafrecht bestimmt die Bedingungen für das Vorliegen einer Straftat sowie die Art und die Modalitäten der anzuwendenden Sanktion. Das Strafprozessrecht hingegen regelt die Tätigkeiten, die nach der Verletzung einer strafrechtlichen Norm zum Ziel haben, die hierdurch festgelegte Sanktion auf den Täter anzuwenden. Im Einzelnen können sich aber Abgrenzungsschwierigkeiten bei der Frage ergeben, ob eine konkrete Norm eine Bedingung für die Strafbarkeit, also materiellrechtlicher Natur ist, oder aber eine Bedingung für die Verfolgbarkeit und damit verfahrensrechtlicher Natur ist, wie beispielsweise bei den Gründen für das Erlöschen der Straftat (Tod des Angeklagten, Rücknahme des Strafantrags, Verjährung etc.). Die Abgrenzung wird besonders für zwei Problembereiche wichtig: Das Analogie- und das Rückwirkungsverbot gelten nämlich nur im materiellen Recht, nicht aber im Strafprozessrecht.[4]

Die Rechtsnatur des Strafvollstreckungsrechts *(diritto dell'esecuzione penale)* schließlich war lange Zeit umstritten. Teilweise wurde vertreten, es sei ein Konglomerat von Normen, die teils dem materiellen, teils dem formellen Strafrecht zuzuordnen seien. Andere wiederum sahen darin ausschließlich verwaltungsrechtliche oder aber auch gerichtliche Vorschriften beziehungsweise eine Mischung aus beidem. Heute geht man immer häufiger davon aus, dass das Strafvollstreckungsrecht eine autonome Materie darstelle.

– *Kern- und Nebenstrafrecht*

Das italienische Kernstrafrecht *(diritto penale fondamentale)* ist das im Strafgesetzbuch (*codice penale*, c.p.) enthaltene Recht. Das Nebenstrafrecht *(diritto penale complementare)* hingegen ist in verschiedenen Nebengesetzen *(leggi speciali)* geregelt, die eigene Straftatbestände vorsehen. Das Nebenstrafrecht hat in Italien eine erhebliche Bedeutung. Viele wichtige Bereiche des Strafrechts sind in gesonderten Gesetzen geregelt, so zum Beispiel der Bereich der öffentlichen Sicherheit (*testo unico delle leggi di pubblica sicurezza*, R.D. 18 giugno 1931, n. 773, reformiert durch D.Lgs. 13 luglio 1995, n. 480), das Militärstrafrecht (R.D. 20 febbraio 1941, n. 303), das Abtreibungsrecht (L. 22 maggio 1978, n. 194), das Drogenstrafrecht (D.P.R. 9 ottobre 1990, n. 309), das Arbeitsstrafrecht (D.Lgs. 19 dicembre 1994, n. 758), das Anti-Dopingrecht (L. 14 dicembre 2000, n. 376), das Datenschutzrecht (D.Lgs. 30 giugno 2003, n. 196), das Umweltschutzrecht (D.Lgs. 3 aprile 2006, n. 152) und die verschiedenen Bereiche des Wirtschaftsstrafrechts: Konkursstrafrecht (R.D. 16 marzo 1942, n. 267), Handelsgesellschaftsstrafrecht (Art. 2621–2642 c.c.), Bankenstrafrecht (D.Lgs. 1 settembre 1993, n. 385), Finanzmarktstrafrecht (D.Lgs. 24 febbraio 1998, n. 58), Steuerstrafrecht (D.Lgs. 10 marzo 2000, n. 74) etc.

---

4 Siehe ausführlich II.A.2. und 3.

2. Abgrenzung zu anderen repressiven Ordnungssystemen

Was die Abgrenzung zu anderen repressiven Ordnungen betrifft, so ist hier insbesondere das Verwaltungsstrafrecht *(diritto penale amministrativo)* zu nennen. Auch in diesem gibt es Normen, die der Abschreckung und der Besserung dienen. Sie sehen Sanktionen vor, die gewöhnlich als verwaltungsrechtliche Sanktionen (*sanzione amministrativa*) bezeichnet werden (beispielsweise disziplinarische, polizeiliche oder steuerliche Sanktionen) und die von der öffentlichen Verwaltung in einem Verwaltungsverfahren verhängt werden. Sie können auch gegen juristische Personen verhängt werden (D.Lgs. 8 giugno 2001, n. 231). Die Rechtsnatur dieser neuen Sanktionen wird heftig diskutiert. Nach einem Teil der Lehre handelt es sich um eine echte strafrechtliche Verantwortlichkeit. Zur Abgrenzung von der (Kriminal-)Strafe wird meist nach dem primären Zweck der Maßnahme gefragt, der bei der verwaltungsrechtlichen Sanktion nicht in der Abschreckung und Besserung, sondern in erster Linie im Selbstschutz der öffentlichen Verwaltung liegt.

Einen Sonderfall stellt das sogenannte entkriminalisierte Unrecht *(illecito depenalizzato)* dar, das dadurch entstanden ist, dass in den letzten Jahrzehnten, insbesondere in den Jahren 1967, 1975, 1981 und 1999 (durch: L. 3 maggio 1967, n. 317; L. 24 dicembre 1975, n. 706; L. 24 novembre 1981, n. 689; D.Lgs. 30 dicembre, n. 507) zahlreiche Übertretungen und auch Verbrechen[5] in Verwaltungsunrecht umgewandelt wurden. Die Tatbestände sehen verwaltungsrechtliche Sanktionen wie die Zahlung einer Geldsumme oder die Entziehung der Fahrerlaubnis vor. Zudem wurde durch das Gesetz von 1981 die Geltung einiger grundlegender Prinzipien wie das Gesetzlichkeitsprinzip und das Schuldprinzip auch für verwaltungsrechtliches Unrecht bestimmt. Aus diesem Grund ist die Rechtsnatur dieser Form des Unrechts umstritten. Es wird teilweise dargelegt, es handele sich um eine dritte Form der Verantwortlichkeit, die zwischen der strafrechtlichen und der verwaltungsrechtlichen angesiedelt sei, während andere es wiederum für ein Untersystem des Strafrechts halten. Eine dritte, vermittelnde Auffassung hält das entkriminalisierte Unrecht für eine selbstständige Form, die vom strafrechtlichen dadurch zu unterscheiden sei, dass damit nicht die wesentlichen Werte des menschlichen Zusammenlebens geschützt werden sollen, sondern spezifische und zufällige öffentliche Interessen, die der Sorge der öffentlichen Verwaltung anvertraut sind.

3. Einordnung spezieller Maßnahmen für bestimmte Tätergruppen

Das italienische Strafrechtssystem ist ein zweispuriges System *(sistema del doppio binario)*. Neben und zusätzlich zur traditionellen Strafe *(pena)*, die an die

---

[5] Zur Unterscheidung zwischen Verbrechen und Übertretungen siehe II.C.1.b.

Schuld *(colpevolezza)* des Täters anknüpft, kann eine Sicherungsmaßnahme *(misure di sicurezza)* verhängt werden, deren entscheidender Maßstab die Gefährlichkeit des Täters für die Allgemeinheit *(pericolosità sociale)* ist. Solche Sicherungsmaßnahmen können daher gegen zurechnungsfähige wie zurechnungsunfähige Personen verhängt werden. Sie zielen auf die Resozialisierung des Täters, weshalb spezialpräventive Erwägungen im Vordergrund stehen.

Für Jugendliche zwischen 14 und 18 Jahren bestehen Sonderregelungen im materiellen Strafrecht, im Strafprozessrecht und im Strafvollzugsrecht. So findet eine gesonderte Untersuchung der Persönlichkeit des minderjährigen Täters statt, um den Grad seiner Zurechnungsfähigkeit *(capacità)* zu bestimmen, für die seine geistige Reife *(maturità)* das entscheidende Kriterium ist. Die Sanktionen, die gegen Jugendliche verhängt werden, sind im Vergleich zum Erwachsenen um ein Drittel (Art. 98 Abs. 2 c.p.) herabgesetzt und im Wesentlichen präventiv-erzieherisch und individueller ausgerichtet. Als spezielle Sicherungsmaßnahmen für Jugendliche sind beispielsweise das besondere Institut der gerichtlichen Verzeihung (*perdono giudiziale*, Art. 169 c.p.) und erweiterte Möglichkeiten der bedingten Strafaussetzung (*sospensione condizionale della pena*, Art. 163 Abs. 2 c.p.) vorgesehen. Zudem gibt es ein eigenes Jugendgericht *(tribunale dei minorenni)*, das mit spezialisierten Richtern besetzt ist, sowie ein Jugendstrafverfahren, das in vielen Punkten vom Normalverfahren abweicht.

Gegenüber Drogen- und Alkoholabhängigen kann die Strafe um bis zu einem Drittel erhöht werden (Art. 94 c.p.). Außerdem kann zusätzlich zu einer Freiheitsstrafe die Sicherungsmaßnahme der Unterbringung in einer Heilanstalt angeordnet werden (Art. 221 c.p.).

Bei Sexualstraftätern müssen nach Art. 609-*nonies* c.p. in bestimmten Fällen zwingend einige Nebenstrafen angeordnet werden, wie zum Beispiel der Verlust der elterlichen Sorge, das Verbot der Ausübung vormundschaftlicher Tätigkeiten, das Verbot der Berufsausübung in Schulen oder der Verlust von Unterhaltsansprüchen gegen das Tatopfer.

Auch für Mafiatäter und Terroristen gibt es zahlreiche Sonderregelungen im materiellen Strafrecht, im Prozessrecht und im Strafvollzugsrecht. Bei einer Verurteilung wegen mafiaartiger oder terroristischer Vereinigung ist jeweils zwingend die Nebenstrafe der Einziehung der Sachen, die zur Begehung der Straftat dienten oder ihren Ertrag bilden (Art. 170-*bis* Abs. 4 beziehungsweise Art. 416-*bis* Abs. 7 c.p.) vorgesehen. Besondere Ermittlungsmaßnahmen wie Telefon-, Internet- oder Wohnraumüberwachung oder verdeckte Ermittlungen können leichter angeordnet werden (D.L. 18 ottobre 2001, n. 374 in Verbindung mit Art. 13 D.L. 13 maggio 1991, n. 152 und Art. 25-*bis* D.L. 8 giugno 1992, n. 306; Art. 9 L. 16 marzo 2006, n. 146). In der Hauptverhandlung gibt es ferner die Möglichkeit der audiovisuellen Zeugenvernehmung (Art. 146-*bis*, 147-*bis* disp. att. c.p.p.). Im Strafvollzug können Hafterleichterungen beziehungsweise -verkürzungen ausschließlich für Kronzeugen gewährt werden.

Literaturhinweise zu Abschnitt E.

Antolisei, Francesco, Manuale di diritto penale. Parte generale (Lehrbuch des Strafrechts. Allgemeiner Teil). 16. Aufl. Mailand 2003, S. 3–21.

Cadoppi, Alberto/Veneziani, Paolo, Elementi di diritto penale. Parte generale (Grundbegriffe des Strafrechts. Allgemeiner Teil). 3. Aufl. Padua 2007, S. 3–10.

Canestrari, Stefano/Cornacchia, Luigi/De Simone, Giulio, Manuale di diritto penale. Parte generale (Lehrbuch des Strafrechts. Allgemeiner Teil). Bologna 2007, S. 33–44.

Certoma, G. Leroy, The Italian legal system (Das italienische Rechtssystem). London 1985, S. 267–314.

De Marsico, Alfredo, Lezioni di Diritto Processuale Penale (Lektionen des Strafrechts). 3. Aufl. Neapel 1952, S. 307–310.

Di Ronza, Paolo, Manuale di diritto dell'esecuzione penale (Lehrbuch des Strafvollstreckungsrechts). 5. Aufl. Padua 2003, S. 1–28.

Falchi, Giuseppino Ferruccio, Diritto penale esecutivo, Vol. I. Teoria (Strafvollstreckungsrecht, Band I. Theorie). Padua 1934, S. 16–37.

Fiandaca, Giovanni/Musco, Enzo, Diritto penale. Parte generale (Strafrecht. Allgemeiner Teil). 5. Aufl. Bologna 2007, S. 3–38, 807–837, 839–846 und 849–871.

Foffani, Luigi/Orlandi, Renzo, Landesbericht Italien. In: Walter Gropp/Arndt Sinn (Hrsg.), Organisierte Kriminalität und kriminelle Organisationen. Präventive und repressive Maßnahmen vor dem Hintergrund des 11. September 2001. Baden-Baden 2006, S. 221–260.

Luther, Gerhard, Einführung in das italienische Recht. Darmstadt 1968, S. 124–127.

Mantovani, Ferrando, Diritto penale. Parte generale (Strafrecht. Allgemeiner Teil). 5. Aufl. Padua 2007, S XXIII–XXXIV, 654–659 und 937–953.

Marinucci, Giorgio/Dolcini, Emilio, Corso di diritto penale Vol. 1. Le norme penali: Fonti e limiti di applicabilità. Il reato: nozione, struttura e sistematica (Lehrgang des Strafrechts Band 1. Die Strafnormen: Quellen und Grenzen der Anwendung. Die Straftat: Begriff, Struktur und Systematik). 3. Aufl. Mailand 2001, S. 5–36 und 387–428.

Orlandi, Renzo, Landesbericht Italien. In: Walter Gropp (Hrsg.), Besondere Ermittlungsmaßnahmen zur Bekämpfung der Organisierten Kriminalität. Freiburg 1993, S. 407–450.

– Landesbericht Italien. In: Walter Gropp/Barbara Huber (Hrsg.), Rechtliche Initiativen gegen organisierte Kriminalität. Freiburg 2001, S. 443–480.

Padovani, Tullio, Diritto Penale (Strafrecht). 9. Aufl. Milano 2008, S. 1–11.

Pagliaro, Antonio, Principi di diritto penale. Parte generale (Prinzipien des Strafrechts. Allgemeiner Teil). 8. Aufl. Mailand 2003, S. 3–34.

Pulitanò, Domenico, Diritto penale (Strafrecht). 2. Aufl. Turin 2007, S. 8–10.

Romano, Mario, Commentario sistematico del codice penale (Systematischer Kommentar des Strafgesetzbuchs), I. (Art. 1–84). 3. Aufl. Mailand 2004, Pre-Art. 1.

Santoro Arturo, L'esecuzione penale (Die Strafvollstreckung). 2. Aufl. Turin 1953, S. 134–165.

F. Strafrechtsquellen und Auslegungshilfen

1. Überblick

An der Spitze der italienischen Rechtsordnung stehen die Verfassung *(costituzione)* und die Verfassungsgesetze *(leggi costituzionali)*. In zweiter Ebene folgen zum einen formelle Gesetze *(leggi formali)*, und zwar Staats- *(leggi statali)*, Regional- *(leggi regionali)* und Provinzialgesetze *(leggi provinciali)* der Provinzen Trient und Bozen. Zum anderen gehören hierzu auch die von der Regierung erlassenen Bestimmungen mit Gesetzeskraft. Dies sind das gesetzesvertretende Dekret *(decreto legislativo)* und das Gesetzesdekret *(decreto legge)*. In dritter Ebene befinden sich die Verordnungen *(regolamenti)*. Auf unterster Stufe ist nach herrschender Meinung das Gewohnheitsrecht *(consuetudine)* einzuordnen. Es wird allerdings auch vertreten, dass es nicht allgemein in diese Hierarchie eingeordnet werden kann, da es auch das Verfassungs- und das Völkergewohnheitsrecht umfasse.[1] Als Strafrechtsquelle kann aufgrund des Gesetzlichkeitsprinzips *(principio di legalità)*, das in Art. 25 Abs. 2 und 3 Cost. sowie Art. 1 und 199 c.p. verankert ist, eine Vorschrift nicht dienen, die im Rang unter dem eines förmlichen Gesetzes steht.[2]

2. Geschriebene Rechtsnormen

– *Wichtige nationale Kodifikationen*

Strafrechtsquellen sind zunächst förmliche Gesetze des nationalen Gesetzgebers. In der parlamentarischen und der Regierungspraxis wird aber von gesetzesvertretenden Dekreten und Gesetzesdekreten regelmäßig auch im Strafrecht Gebrauch gemacht. Das gesetzesvertretende Dekret (*decreto legislativo* oder *legge delegata*) wird aufgrund eines Ermächtigungsgesetzes *(legge delega)* von der Regierung erlassen. In außergewöhnlichen und dringenden Fällen erlässt die Regierung ein Gesetzesdekret *(decreto legge)*. Es muss innerhalb von 60 Tagen vom Parlament, gegebenenfalls mit Änderungen, in ein Gesetz umgewandelt werden. Anderenfalls verliert es seine Wirkung und kann nach der Rechtsprechung des Verfassungsgerichtshofs auch nicht nochmals erlassen werden. Auch die herrschende Lehre hält diese Dekrete für taugliche Strafrechtsquellen mit der Begründung, das Gesetzlichkeitsprinzip sei bereits dann ausreichend beachtet, wenn es sich um ein Gesetz im materiellen Sinne handele, also auch bei Normen der Exekutive mit Gesetzeskraft (Art. 76 und 77 Cost.). Diese seien im Voraus (durch das Ermächtigungsgesetz) beziehungsweise im Nachhinein (durch die Umwandlung in ein Gesetz) durch das Parlament legitimiert. Es wird aber auch die Gegenmeinung hierzu ver-

---

[1] Siehe hierzu auch unten 3.

[2] Vergleiche zum Gesetzlichkeitsprinzip eingehend II.B.

treten, wonach Gesetzesdekret und gesetzesvertretendes Dekret als Quelle strafrechtlicher Normen problematisch sind und die Gefahr eines Missbrauchs mit sich bringen.

Neben den in der am 1. Januar 1948 in Kraft getretenen Verfassung verankerten Grundprinzipien des Strafrechts ist die Hauptquelle des Strafrechts das Strafgesetzbuch (*codice penale*, R.D. 19 ottobre 1930, n. 1398), das am 1. Juli 1931 in Kraft trat. Es wird ergänzt durch die Koordinierungs- und Übergangsbestimmungen zum Strafgesetzbuch (*disposizioni di coordinamento e transitorie*, R.D. 28 maggio 1931, n. 601) und war im Lauf der Zeit vielen Veränderungen unterworfen. Diese waren vor allem notwendig geworden, um das Strafgesetzbuch, das noch von für die damalige faschistische Ideologie typischen autoritären Grundsätzen geprägt war, an die Verfassung der Republik Italien anzupassen. Durch die Änderungen wurde aber die Grundstruktur nur wenig angetastet, weshalb schon längere Zeit eine grundlegende Reform gefordert wird.[3]

Die Strafprozessordnung (*codice di procedura penale*, D.P.R. 22 settembre 1988, n. 447) bildet, ergänzt durch ihre Durchführungs- Übergangs- und Schlussbestimmungen (*norme di attuazione, di coordinamento e transitorie del codice di procedura penale*, D.Lgs. 28 luglio 1989, n. 271), die wesentliche gesetzliche Grundlage für das formelle Strafrecht. Trotz ihres kurzen Bestehens ist sie bereits mehrere Male entscheidend geändert worden, teils durch Reformen des Gesetzgebers, teils durch Entscheidungen des Verfassungsgerichtshofs, durch die einige Bestimmungen ganz oder teilweise für verfassungswidrig erklärt worden sind.

Bedeutend sind ferner auch die Gerichtsverfassung (*ordinamento giudiziario*, R.D. 30 gennaio 1941, n. 12) und die Strafvollzugsordnung (*ordinamento penitenziario*, L. 26 luglio 1975).

Als Quellen des italienischen Straf- und Strafprozessrechts spielen Nebengesetze eine sehr wichtige Rolle. Sie regeln bestimmte Sachbereiche im Zusammenhang und enthalten meist sowohl materiellrechtliche als auch prozessuale Regelungen. Nach Art. 16 c.p. sind die Vorschriften des Strafgesetzbuchs auch für diese Nebengesetze anwendbar, sofern diese nicht etwas anderes bestimmen. Von Bedeutung sind unter vielen anderen insbesondere folgende Nebengesetze:

- Steuerstrafgesetze (L. 7 gennaio 1929, n. 4; D.Lgs. 10 marzo 2000, n. 74);
- Gesetz über die öffentliche Sicherheit (*testo unico delle leggi di pubblica sicurezza*, R.D. 18 giugno 1931, n. 773);
- Jugendstrafgesetze (D.L. 20 luglio 1934, n. 1400; D.P.R. 22 settembre 1988, n. 448; D.Lgs. 28 luglio 1989, n. 272);
- Friedens- und Kriegs-Militärstrafgesetzbücher (*codici penali militari di pace e di guerra*, R.D. 20 febbraio 1941, n. 303);

---

3 Siehe hierzu im Einzelnen I.G.2.

- Handelsgesellschaftsstrafrecht (Art. 2621–2642 c.c., R.D. 16 marzo 1942, n. 262);
- Konkursstrafrecht (*disciplina del fallimento, del concordato preventivo, dell'amministrazione controllata e della liquidazione coatta amministrativa*, Art. 216–241 R.D. 16 marzo 1942, n. 267);
- Gesetz gegen Völkermord (*prevenzione e repressione del delitto di genocidio*, L. 9 ottobre 1967, n. 962);
- Mutterschafts- und Abtreibungsgesetz (*norme per la tutela sociale della maternità e sull'interruzione volontaria della gravidanza*, L. 22 maggio 1978, n. 194);
- Adoptionsgesetz (*diritto del minore ad una famiglia*, L. 4 maggio 1983, n. 184);
- Drogengesetz (*testo unico delle leggi in materia di stupefacenti e sostanze psicotrope, prevenzione, cura e riabilitazione dei relativi stati di tossicodipendenza*, D.P.R. 9 ottobre 1990, n. 309);
- Straßenverkehrsordnung (*codice della strada*, D.Lgs. 30 aprile 1992, n. 285);
- Bankenstrafrecht (*testo unico delle leggi in materia bancaria e creditizia*, Art. 130–143 D.Lgs. 1 settembre 1993, n. 385);
- Finanzmarktsstrafrecht (*testo unico delle disposizioni in materia di intermediazione finanziaria*, Art. 166-187 D.Lgs. 24 febbraio 1998, n. 58);
- Waffengesetze (L. 2 ottobre 1967, n. 895; L. 18 aprile 1975, n. 110; L. 21 febbraio 1990, n. 36; L. 9 luglio 1990, n. 185; L. 18 novembre 1995, n. 496; L. 20 dicembre 2000, n. 420);
- Anti-Dopinggesetz (*disciplina della tutela sanitaria delle attività sportive e della lotta contro il doping,* L. 14 dicembre 2000, n. 376);
- Gesetz über künstliche Befruchtung (*norme in materia di procreazione medicalmente assistita*, L. 19 febbraio 2004, n. 40).

Regional- und Provinzialgesetze können mangels Gesetzgebungszuständigkeit der Regionen beziehungsweise der Provinzen Trient und Bozen strafrechtliche Regelungen grundsätzlich weder schaffen noch außer Kraft setzen (Art. 117 Abs. 21 Cost.).[4]

– *Völkerrechtliche Verträge*

Völkerrechtliche Verträge können nicht direkt das nationale Strafrecht bestimmen, sondern nur, wenn die entsprechenden Ratifikations- und Ausführungsgesetze (Art. 80, 87 Abs. 8 Cost.) die internationalen Verpflichtungen in nationales Recht umsetzen.

---

4 Siehe auch I.C.1. und II.A.3.a.

– *Supranationales Recht*

Da die Europäische Union bislang keine eigene Strafgesetzgebungskompetenz besitzt, können EU-Normen grundsätzlich weder Straftatbestände enthalten noch italienische Strafnormen außer Kraft setzen. Das Gemeinschaftsrecht kann allenfalls verwaltungsrechtliche Sanktionen vorsehen. Nach dem 2001 neu gefassten Art. 117 Abs. 1 Cost. muss der Gesetzgeber aber nicht nur die Verfassung, sondern auch die Schranken, die sich aus der Gemeinschaftsordnung und internationalen Verpflichtungen ergeben, beachten. Normen der Europäischen Union können aber auch Einfluss auf bestehende italienischer Gesetze haben. So wird beispielsweise der Anwendungsbereich des Tatbestands der unbefugten Ausübung eines Berufs (*abusivo esercizio di una professione*, Art. 348 c.p.) durch das gemeinschafsrechtliche Recht auf freie Ausübung des Anwaltsberufs innerhalb der Europäischen Union begrenzt. Ein durch unmittelbar anwendbare Verordnung erlaubtes Verhalten wegen Erfüllung einer Pflicht (*adempimento di un dovere*, Art. 51 c.p.)[5] ist als gerechtfertigt anzusehen.[6] Schließlich ist der nationale Richter verpflichtet, die nationalen Normen gemeinschaftskonform auszulegen.

– *Gesetzgebungsmaterialien*

Gesetzgebungsmaterialien gehören im italienischen Recht nicht zu den Rechtsquellen, sie werden aber, insbesondere bei neueren Gesetzen, zu denen es noch wenig Rechtsprechung und Literatur gibt, zur Auslegung der Gesetze herangezogen.

3. Gewohnheitsrecht

Gewohnheitsrecht kann wegen des strengen Gesetzlichkeitsprinzips (Art. 25 Cost., Art. 1 c.p.) nicht als strafrechtliche Rechtsquelle herangezogen werden. Es können weder Garantenstellungen bei Unterlassungsdelikten noch Sorgfaltsnormen bei Fahrlässigkeitstaten gewohnheitsrechtlich hergeleitet werden. Möglich sind hingegen gewohnheitsrechtliche Rechtfertigungsgründe (so rechtfertigt beispielsweise der Brauch des Silvesterfeuerwerks den Straftatbestand der Störung der Arbeit oder der Ruhe von Personen, Art. 659 c.p.).[7]

Völkergewohnheitsrecht ist durch den Anwendungsbefehl des Art. 10 Abs. 1 Cost. direkt anwendbares Recht. Es bietet dem Richter Auslegungskriterien und zwingt den Gesetzgeber, international geschützte Interessen zu wahren.[8] § 15 des Internationalen Pakts über bürgerliche und politische Rechte (ratifiziert durch L. 25

---

[5] Vergleiche II.J.3.b.

[6] Siehe im Einzelnen II.A.3.a.

[7] Siehe im Einzelnen II.A.3.a.

[8] Siehe eingehend I.C.1.

ottobre 1977, n. 881) bestimmt das internationale Recht ausdrücklich als Strafrechtsquelle. Diese abstrakte Formulierung kann aber nur dann einen wirksamen Inhalt haben, wenn das internationale Recht nicht nur das zu bestrafende Unrecht, sondern auch die Art und das Maß der strafrechtlichen Sanktion regelt oder wenigstens die Staaten zur automatischen Ausführung der entsprechenden internationalen Konventionen verpflichtet.

4. Rechtsprechung

Im Gegensatz zu den *common law*-Ländern stellen in Italien Gerichtsentscheidungen keine Rechtsquellen dar. Vor allem die höchstrichterliche, aber auch die untergerichtliche Rechtsprechung hat jedoch eine zentrale Bedeutung als Auslegungshilfe. Sie dient daher der Rechtsfortbildung bei der Interpretation der Gesetze, sie ist aber nicht allgemein, sondern nur für den konkreten Fall verbindlich.

Auch durch Entscheidungen des Verfassungsgerichtshofs darf die Skala strafrechtlich relevanter Verhaltensweisen nicht erweitert werden. Möglich ist allerdings die Einschränkung von Strafnormen zugunsten des Angeklagten durch die verfassungsgerichtliche Kontrolle.

5. Schrifttum

Das Schrifttum spielt sowohl als Auslegungshilfe wie auch als Mittel zur Rechtsfortbildung eine wichtige Rolle. Von Bedeutung sind hier insbesondere Lehrbücher und Monografien. Kommentare gibt es für das Kernstrafrecht nur sehr wenige, es handelt sich dabei häufig um reine Rechtsprechungskommentare. An wichtigen Kommentaren sind insbesondere zu nennen: *Romano*, Commentario sistematico del codice penale; *Crespi/Forti/Zuccalà*, Commentario breve al codice penale; *Dolcini/Marinucci*, Codice penale commentato; *Padovani*, Codice penale; Ronco, Commentario. Im Nebenstrafrecht – insbesondere bei den neueren Gesetzen – stellt die Wissenschaft zunehmend detaillierte Kommentierungen zur Verfügung (siehe aber auch *Padovani*, Leggi penali complementari; *Palazzo/Paliero*, Commentario breve alle leggi penali complementari).

Literaturhinweise zu Abschnitt F.

Antolisei, Francesco, Manuale di diritto penale. Parte generale (Lehrbuch des Strafrechts. Allgemeiner Teil). 16. Aufl. Mailand 2003, S. 65–86.

Bernardi, Alessandro, L'europeizzazione del diritto e della scienza penale (Die Europäisierung des Strafrechts und der Strafrechtswissenschaft). Turin 2004.

Cadoppi, Alberto/Veneziani, Paolo, Elementi di diritto penale. Parte generale (Grundbegriffe des Strafrechts. Allgemeiner Teil). 3. Aufl. Padua 2007, S. 64–70.

Canestrari, Stefano/Cornacchia, Luigi/De Simone, Giulio, Manuale di diritto penale. Parte generale (Lehrbuch des Strafrechts. Allgemeiner Teil). Bologna 2007, S. 109–124.

Crespi, Alberto/Forti, Gabrio/Zuccalà, Giuseppe (Hrsg.), Commentario breve al codice penale (Kurzkommentar zum Strafgesetzbuch). 5. Aufl. Padua 2008, Art. 1.

Dolcini, Emilio/Marinucci, Giorgio (Hrsg.), Codice penale commentato (Kommentiertes Strafgesetzbuch). 2. Aufl. Mailand 2006, Art. 1.

Fiandaca, Giovanni/Musco, Enzo, Diritto penale. Parte generale (Strafrecht. Allgemeiner Teil). 5. Aufl. Bologna 2007, S. 54–73.

Grasso, Giovanni, Comunità Europee e diritto penale (Europäische Gemeinschaften und Strafrecht). Mailand 1989.

Mantovani, Ferrando, Diritto penale. Parte generale (Strafrecht. Allgemeiner Teil). 5. Aufl. Padua 2007, S 39–58.

Marinucci, Giorgio/Dolcini, Emilio, Manuale di diritto penale. Parte generale (Lehrbuch des Strafrechts. Allgemeiner Teil.). 2. Aufl. Mailand 2006, S. 31–42.

Onida, Valerio/Pedrazza Gorlero, Maurizio (Hrsg.), Compendio di Diritto Costituzionale (Grundriss des Verfassungsrechts). Mailand 2009, S. 29–65.

Padovani, Tullio, Diritto Penale (Strafrecht). 9. Aufl. Milano 2008, S. 5–14 und 18–26.

– (Hrsg.), Codice penale (Strafgesetzbuch). 4. Aufl. Mailand 2007.

– (Hrsg.), Leggi penali complementari (Strafrechtliche Nebengesetze). Mailand 2007.

Pagliaro, Antonio, Principi di diritto penale. Parte generale (Prinzipien des Strafrechts. Allgemeiner Teil). 8. Aufl. Mailand 2003, S. 35–51.

Palazzo, Francesco Carlo/Paliero, Carlo Enrico (Hrsg.), Commentario breve alle leggi penali complementari (Kurzkommentar zu den strafrechtlichen Nebengesetzen). 2. Aufl. Padua 2007.

Picotti, Lorenzo (Hrsg.), Possibilità e limiti di un diritto penale dell'Unione Europea. (Möglichkeiten und Grenzen eines Strafrechts der Europäischen Union). Mailand 1999.

Pulitanò, Domenico, Diritto penale (Strafrecht). 2. Aufl. Turin 2007, S. 112–123.

Riz, Roland/Happacher Brezinka, Esther, Grundzüge des italienischen Verfassungsrechts. 3. Aufl. Innsbruck 2008, S. 32–51.

Romano, Mario, Commentario sistematico del codice penale (Systematischer Kommentar des Strafgesetzbuchs), I. (Art. 1–84). 3. Aufl. Mailand 2004.

Romano, Mario/Grasso, Giovanni, Commentario sistematico del codice penale (Systematischer Kommentar des Strafgesetzbuchs), II. (Art. 85–149). 2. Aufl. Mailand 1996.

Romano, Mario/Grasso, Giovanni/Padovani, Tullio, Commentario sistematico del codice penale (Systematischer Kommentar des Strafgesetzbuchs), III. (Art. 150–240). Mailand 1994.

Ronco, Mauro (Hrsg.), Codice penale commentato (Kommentiertes Strafgesetzbuch). Bologna 2008.

Rechtsprechung

Corte Cost. 24 ottobre 1996, n. 360, Giur. Cost. 1996, S. 3147–3155.

G. Entwicklung des Strafrechts, Strafverfahrensrechts und Strafvollstreckungsrechts

1. Überblick

– *Vom römischen Recht zur Neuzeit*

Wesentliche Quelle des Römischen Rechts ist die Sammlung gültiger Rechte, das *Corpus Juris Civilis*, das der römische Kaiser Justinian I (527–565) zusammenstellen ließ und das 534 veröffentlicht wurde und die Grundlage des kontinentaleuropäischen Rechtsdenkens bildet. Dessen wichtigster Teil, der *Codex Justinianus*, wurde durch neue Gesetze immer auf aktuellem Stand gehalten. Das Strafrecht stellte zu diesem Zeitpunkt noch kein eigenes Rechtsgebiet dar. Es fehlte eine wissenschaftliche Ausarbeitung, die auch nur entfernt mit der des Zivilrechts vergleichbar war.

Im *Mittelalter* begann sehr langsam die Trennung von Straf- und Zivilrecht. Die Rechtsgelehrten führten zunächst die im römischen Recht begonnenen Arbeiten fort und nach dem Jahr 1000 finden sich erste strafrechtliche Vermerke in den sogenannten *Libri terribiles*. Damit sollten unter anderem in der Menge der Regelungen der justinianischen Sammlung die wesentlichen Linien eines neuen Rechts erfasst werden, das sich an die mittlerweile erfolgten gesellschaftlichen Veränderungen anpasste. Die Wissenschaftler des 14. und 15. Jahrhunderts orientierten sich in der Folge mehr an diesen als an den römischen Texten. In diesen und den folgenden beiden Jahrhunderten wurden die Grundlagen für die Strafrechtswissenschaft geschaffen, indem man von der praktischen Behandlung auf die dogmatische Konstruktion überging. Besonders zu erwähnen sind dabei die Prinzipien der persönlichen strafrechtlichen Verantwortlichkeit, des *nullum crimen sine culpa*, der Zurechnungsfähigkeit als Voraussetzung für die Strafbarkeit, der Notwendigkeit eines Handlungsunwerts sowie der Selbstständigkeit des Versuchs als weniger schwere Straftat.

– *Aufklärung*

Der politisch-kulturelle Ursprung des modernen italienischen Strafrechts liegt in großem Maße in der Zeit der Aufklärung in Europa am Ende des 18. Jahrhunderts. Durch diese Bewegung wurden Grundprinzipien erarbeitet, die einen Wendepunkt im Vergleich zum *Ancien Régime* darstellten und bis heute unter dem Gesichtspunkt Geltung haben, einen Ausgleich zwischen der Effizienz der Strafe und der Garantie individueller Rechte zu schaffen. Dabei sollte das Strafrechtssystem rationalisiert werden, damit es dazu dienen konnte, Straftaten wirksam vorzubeugen, richterliche Willkür zu bekämpfen und durch Vermeidung unnötiger Leiden die Strafen zu mildern. Der berühmteste italienische Denker dieser Epoche war *Cesare Beccaria*, der Autor des bedeutenden, 1764 in Livorno erschienenen Werkes „Dei delitti e delle pene“. Hierin benannte er die Missbräuche und Exzesse der Strafjustiz jener Zeit und verlangte Reformen, wie beispielsweise die Abschaffung der richterlichen Willkür, der Folter und der Todesstrafe, oder die Bemessung der Strafe nach der Schwere der Tat. Wesentlich hiervon beeinflusst war die Leopoldinische Reform, die 1786 in der Toskana eingeführt wurde. Diese neuen Prinzipien, die auch außerhalb Italiens vertreten wurden, triumphierten dann in der Französischen Revolution und fanden feierlich Eingang in die Erklärung der Menschen- und Bürgerrechte von 1789. Darauf folgte die Anerkennung in den Strafgesetzbüchern von 1791 und 1795 und schließlich im *Code Napoléon*. Diese Gesetze wurden unter der französischen Herrschaft auf weite Teile Italiens ausgedehnt. In anderen Regionen wurde hingegen zunächst das österreichische Strafgesetzbuch von 1803 angewendet (in der Lombardei bis 1859, im Veneto bis 1866, sowie in den neuen Provinzen Triest, Trient und Bozen bis 1918/1920).

– *Kodifikationen*

Das 19. Jahrhundert war auch in Italien das Jahrhundert der großen Kodifikationen. Beginnend mit den ersten Strafgesetzbüchern und Prozessordnungen in den einzelnen italienischen Staaten, erfolgte nach der Einigung Italiens eine liberale Neufassung dieser Gesetze sowie die Kodifizierung des Strafvollstreckungsrechts. Erst in den dreißiger Jahren des 20. Jahrhunderts, zur Zeit des italienischen Faschismus, wurden alle Kodifikationen neu gestaltet und erhielten eine autoritäre Ausrichtung.[1]

– *Die italienische Verfassung von 1949 und das neue Strafrecht*

Obwohl die strafrechtlichen Kodifikationen nach dem Zweiten Weltkrieg (zunächst) in Kraft blieben, hat die Schaffung der italienischen Verfassung von 1949 das materielle Strafrecht, das Strafprozessrecht und das Strafvollstreckungsrecht erheblich verändert. Dies geschah vor allem durch die Festlegung grundlegender strafrechtlicher Prinzipien, wie das Gesetzlichkeitsprinzip, das Prinzip der persönlichen strafrechtlichen Verantwortlichkeit, den Resozialisierungsgedanken, das Prinzip des Tatstrafrechts *(principio di materialità)*, das Prinzip der Rechtsgutsverletzung *(principio di offensività)*, das *extrema-ratio-* und das Subsidiaritätsprinzip, das Legalitätsprinzip, die Unschuldsvermutung und die Trennung der Funktionen von Anklage, Verteidigung und Gericht. Es folgten immer wieder neue Gesetzesänderungen, auch aufgrund von Entscheidungen des italienischen Verfassungsgerichtshofs. Diese konnten aber nur fragmentarisch bleiben und das Strafrechtssystem nicht automatisch in ein solches umgestalten, wie es die Verfassung intendierte. Dafür wäre eine Gesamtreform erforderlich gewesen, die bislang aber

---

[1] Siehe im Einzelnen unten 2., 3. und 4.

nur im Strafprozess und im Strafvollstreckungsrecht erfolgt ist.[2] Im materiellen Recht blieb der autoritäre Charakter bis heute erhalten.[3]

– *Neuere Tendenzen*[4]

Im italienischen Strafrecht lassen sich zwei wesentliche gegenläufige Tendenzen beobachten. Zum einen eine vernunftgeprägte Gesetzgebung *(legislazione della razionalità)*, die modernisierende und humanisierende internationale Bewegungen umsetzt. Hier sind unter anderem die umfangreichen Entkriminalisierungsmaßnahmen seit den siebziger Jahren zu nennen, die Abschaffung der Amtsgerichte sowie die Schaffung eines moderneren und milderen Strafrechts für Delikte der Klein- und Massenkriminalität durch deren Auslagerung auf den Friedensrichter *(giudice di pace)* und die Schaffung eines entsprechenden speziellen Sanktionensystems.

Zum anderen wird aber auch eine bedarfsorientierte oder gefühlsbetonte Gesetzgebung *(legislazione della necessità o delle emotività)* festgestellt. Sie sei beeinflusst durch das Bedürfnis nach Schutz vor (besonders organisierter) Kriminalität, durch den Selbsterhaltungstrieb, die Verbrechensfurcht und wohl auch durch die Stigmatisierung von Straftätern unter dem Einfluss bestimmter ideologischer, symbolischer und gefühlsmäßiger Optionen. Hierunter sind viele materiellrechtliche und prozessrechtliche Neuerungen zu fassen, wie die Mafiagesetzgebung der achtziger und neunziger Jahre, die Terrorismusgesetzgebung nach dem 11. September 2001, die Anti-Dopinggesetzgebung von 2000 nach den ersten Skandalen im Zusammenhang mit der Tour de France und dem Giro d'Italia, die Bestimmungen zur Bekämpfung von Gewalt anlässlich sportlicher Wettkämpfe und den zunehmend wahrgenommenen Ausschreitungen von Hooligans in italienischen Fußballstadien, die Verschärfung der Regelungen über den Rückfall in materieller verfahrensrechtlicher und vollstreckungsrechtlicher Hinsicht, die Erweiterung der Notwehrmöglichkeiten im Fall von Wohnungseinbrüchen sowie auch die Verschärfung der Vorschriften zum Schutz der öffentlichen Sicherheit im Zusammenhang mit der Behandlung von Ausländern und mit sexueller Gewalt in den Jahren 2008 und 2009. Häufig dienten bestimmte kriminelle Vorfälle, die in der Berichterstattung der Presse eine große Bedeutung erhalten hatten, als Anlass für diese Reformen. Hierbei ist zugleich ein allgemeiner Trend zur Verschärfung der strafrechtlichen Behandlung der Straßenkriminalität zu erkennen.

Das neuere italienische Strafrecht ist auch durch die Umsetzung internationaler Vorgaben geprägt und insbesondere durch die Harmonisierungsbestrebungen innerhalb der Europäischen Union. Beispiele hierfür sind die Normen über die ver-

---

2 Siehe hierzu unten 3. und 4.

3 Siehe auch unten 2.

4 Vergleiche hierzu auch jeweils unten 2., 3. und 4.

waltungsrechtliche Verantwortlichkeit juristischer Personen, das Gesetz über den Europäischen Haftbefehl und das Gesetz zur Ratifizierung des Übereinkommens der Vereinten Nationen gegen die grenzüberschreitende organisierte Kriminalität.

Was die Gesetzestechnik anbelangt, so zeigt sich die zunehmende Neigung des italienischen Gesetzgebers, bestimmte Sachgebiete umfassend außerhalb der Kodifikationen in einem Spezialgesetz zu regeln. Hierdurch haben sich zahlreiche unabhängige Mikrosysteme oder abweichende Untersysteme entwickelt, die häufig materielles Recht, Verfahrensrecht und Vollstreckungsrecht enthalten. In diesem Zusammenhang sind unter anderem das friedensgerichtliche Verfahrens- und Sanktionensystem, das Gesetz über die Verantwortlichkeit juristischer Personen, die Regelungen über den Schwangerschaftsabbruch, die künstliche Befruchtung, das Arbeitsstrafrecht, das Umweltstrafrecht und insgesamt das ganze Wirtschaftsstrafrecht (Insolvenz-, Handelsgesellschafts-, Finanzmarkts-, Steuerstrafrecht etc.) zu nennen.[5] Dieser Trend zur Dekodifizierung *(decodificazione)* wird in der Literatur häufig beklagt. Teilweise wird darin aber auch ein unvermeidbares Kennzeichen eines modernen Strafrechtssystems gesehen, das der Gesetzgeber in Kauf nehmen und rationalisieren muss. In einer neueren wissenschaftlichen Untersuchung wurden über 5.000 Strafvorschriften außerhalb des Strafgesetzbuchs gezählt.

2. Entwicklung des materiellen Strafrechts

– *Die ersten italienischen Strafgesetzbücher*

Nachdem während der Zeit der Restauration bezüglich der Erneuerung des Strafrechts ein zeitweiliger Rückschritt eingetreten war, gab es in Italien im 19. Jahrhundert eine Reihe neuer Strafgesetzbücher:

– das Strafgesetzbuch des Königreichs beider Sizilien von 1819;
– das Gesetz des Herzogtums Parma von 1820;
– die Regelung der Verbrechen und Strafen für die Kirchenstaaten von 1832;
– das Sardische Strafgesetzbuch von 1839;
– das Toskanische Strafgesetzbuch von 1853;
– das Strafgesetzbuch von Modena und Reggio Emilia von 1855;
– das Sardische Strafgesetzbuch von 1859.

Mitte des 19. Jahrhunderts wurden die Kodifikationen maßgeblich durch die Wissenschaft, insbesondere durch die klassische Schule und deren Hauptvertreter *Francesco Carrara* beeinflusst, später auch durch die positive Schule, insbesondere durch *Cesare Lombroso*.

---

[5] Vergleiche auch II.E.1. und II.F.2.

– *Einigung Italiens und der Codice Zanardelli von 1890*

Mit der Einigung Italiens im Jahr 1861 wurde zunächst der Geltungsbereich des sardischen Strafgesetzbuchs von 1859 auf das italienische Staatsgebiet (mit Ausnahme der Toscana) ausgedehnt. Gleichzeitig wurde mit den Arbeiten für ein neues Strafgesetzbuch begonnen. Nach einigen gescheiterten Reformprojekten (De Falco, Mancini, Zanardelli I, Pessina und Taiani) gelangte schließlich das Projekt Zanardelli II von 1887 zum Erfolg und wurde zum ersten italienischen Strafgesetzbuch, dem liberalen *Codice Zanardelli*, der am 30. Juni 1889 verkündet wurde und am 1. Januar 1890 in Kraft trat. Er war wesentlich von der klassischen Schule beeinflusst und wurde wegen seiner guten technischen Abfassung auch im Ausland geschätzt. Drei Jahrzehnte später, im Jahr 1921, wurde ein Reformentwurf für den Allgemeinen Teil des Strafgesetzbuchs vorgestellt, der unter der Leitung von *Enrico Ferri* entstanden *(Progetto Ferri)* und wesentlich von der positiven Schule beeinflusst war. Ausgehend von der kriminalanthropologischen Schule *Lombrosos* wurde großes Gewicht auf die organischen und biologischen Voraussetzungen des Straftäters gelegt und die Strafe durch Sicherungsmaßnahmen ersetzt. Aufgrund starker Widerstände, die dieses Projekt hervorgerufen hatte, wurde es jedoch nicht realisiert.

– *Der Codice Rocco von 1930 und seine Modifikationen*

Nach der Machtergreifung durch die Faschisten im Jahr 1922 sollte dem Land ein neues Strafgesetzbuch gegeben werden. Zu diesem Zweck wurde 1925 ein Ausschuss unter der Leitung von *Arturo Rocco* ernannt. Einem ersten Entwurf von 1927 folgte nach Stellungnahmen von Universitäten, königlichen Kommissionen, der Justiz und den Anwalts- und Staatsanwaltsverbänden im Jahr 1929 der endgültige Entwurf. Dieser wurde mit den Erläuterungen des damaligen Justizministers, *Alfredo Rocco*, dem Parlament vorgestellt und durch die parlamentarische Kommission angenommen. Das nunmehr *Codice Rocco* genannte Strafgesetzbuch wurde mit R.D. 19 ottobre 1930, n. 1398 erlassen und trat am 1. Juli 1931 in Kraft. Es führte zu einer teilweisen Richtungsänderung und zur Wahl des zweispurigen Systems von Strafen (für zurechnungsfähige Täter) und Sicherungsmaßnahmen (für gefährliche Täter, unabhängig von ihrer Zurechnungsfähigkeit).

Nach dem Untergang des faschistischen Regimes blieb der *Codice Rocco* zwar in Kraft. Die meisten Straftatbestände mit typisch faschistischem Inhalt wurden allerdings durch den Gesetzgeber oder den Verfassungsgerichtshof gestrichen (so unter anderem die zahlreichen Inkriminierungen über den Streik, die diskriminierenden Strafvorschriften über männlichen und weiblichen Ehebruch und der ganze Titel über die „Delikte gegen die Unversehrtheit und Gesundheit des Familienstammes"). Gleichzeitig gab es die Tendenz, die Härten des autoritären Strafgesetzbuchs zu mildern. Hierbei ging es insbesondere um die Abschaffung der Todesstrafe (1944 und 1994 auch im Militärstrafrecht für Kriegszeiten), die Entkriminalisierung *(depenalizzazione)* besonders leichter Straftaten, die Verringerung des Umfangs einiger Sanktionen, die Ersetzung kurzer Freiheitsstrafen etc. Besonders wichtig war in diesem Zusammenhang die umfangreiche Reform des Allgemeinen Teils des Strafgesetzbuchs (1974), die Reform der erschwerenden Umstände (1990) und die Entscheidung des Verfassungsgerichtshofs, durch die die Unerheblichkeit des unvermeidbaren Verbotsirrtums für verfassungswidrig erklärt und dem Schuldprinzip dadurch zum ersten Mal verfassungsrechtlicher Rang zugeschrieben wurde.

Ferner gab es weitgreifende, wenn auch fragmentarische Änderungen des Strafgesetzbuchs, um bestimmte Bereiche an die veränderten Verhältnisse anzupassen. So erfolgte unter vielem anderen die Schaffung neuer Straftatbestände der Geldwäsche (1978 und 1993), des Subventionsbetrugs (1990 und 2000), der Mitgliedschaft in einer terroristischen (1979 und 2001) beziehungsweise mafiaartigen Vereinigung (1982), weiterer Straftatbestände zur Bekämpfung des nationalen und internationalen Terrorismus (1979, 2001 und 2005), im Bereich des Computerstrafrechts (1993) und zum Schutz der Vertraulichkeit von Mitteilungen (1974 und 1993), die Neuregelung und Auslagerung des Schwangerschaftsabbruchs (1978), die Neufassung der Amtsdelikte (1990, 1997 und 2000) und der Sexualdelikte (1996), die Schaffung von Regelungen über die künstliche Befruchtung und den Schutz von Embryonen (2004), die Einführung des neuen Titels über die „Delikte gegen das Empfinden für Tiere“, sowie die Reform der bedingten Strafaussetzung. 2005 wurden durch das sogenannte *legge „ex-Cirielli“* der Allgemeine Teil des Strafgesetzbuchs in Bezug auf die unbestimmten Strafmilderungsgründe, den Rückfall und die Verjährung geändert. Verschärft und ergänzt wurden die Straftatbestände im Zusammenhang mit dem Menschenhandel, der Kinderprostitution, der sexuellen Ausbeutung Minderjähriger und Kinderpornografie (1998, 2003 und 2006), die Strafvorschriften, die eine Meinungsäußerung zum Gegenstand haben, hingegen bedeutend gemildert beziehungsweise abgeschafft (2006). Im selben Jahr wurde auch die Notwehrregelung bei Wohnungseinbrüchen erheblich erweitert. 2008 war das Jahr des sogenannten Sicherheitspakets *(pacchetto sicurezza)*, mit dem die Nebenstrafe der Ausweisung von Ausländern erweitert und der allgemeine Strafschärfungsgrund des illegalen Aufenthalts im Staatsgebiet geschaffen wurde. Einen Strafschärfungsgrund für die vorsätzliche Tötung im Zusammenhang mit Sexualdelikten sowie der Straftatbestand des Stalking wurden 2009 eingeführt. Ebenfalls 2009 erfolgten weitere Verschärfungen zum Schutz der öffentlichen Sicherheit.

Schließlich wurden einige Bestimmungen zu besonderen Rechtsgebieten aus dem Strafgesetzbuch herausgenommen und in Nebengesetzen geregelt (zum Beispiel im Umwelt- und Lebensmittelrecht, im Straßenverkehrsrecht, außerdem die Regelungen über den Schwangerschaftsabbruch und die künstliche Befruchtung und vieles mehr). Dieser Trend zur „Dekodifikation“ *(decodificazione)* wird oft kritisiert.[6]

Die Technik der partiellen Änderungen führte selbstverständlich zu Koordinationsproblemen und schadete der Harmonie des Systems. Es ergaben sich zudem häufig Probleme, die mit dem intertemporalen Verhältnis zwischen den zu häufig ersetzten oder veränderten Strafnormen im Zusammenhang stehen. Beklagt wird daher, dass diese Reformen ohne einheitlichen Plan und ausreichende Koordination mit einem klaren kriminalpolitischen Programm erfolgt seien, wodurch eine Antwort auf die Erfordernisse einer sich schnell verändernden Gesellschaft hätte gegeben werden können.

– *Reformbestrebungen*

Da seit der Abfassung des *Codice Rocco* bereits einige Jahrzehnte vergangen waren, in denen zudem tief greifende politische Veränderungen erfolgt waren, wurde allgemein eine komplette Reform des Strafgesetzbuchs für erforderlich gehalten. Nach einigen vergeblichen Versuchen in den fünfziger, sechziger und siebziger Jahren setzte Justizminister *Vassalli* 1988 eine Kommission unter dem Vorsitz von *Antonio Pagliaro* ein, die Anfang 1992 einen Reformentwurf *(Progetto Pagliaro)* für den Allgemeinen und den Besonderen Teil vorlegte, der teils begrüßt, teils aber auch heftig kritisiert wurde. Ende 1994 wurde bei der Justizkommission des Senats ein Ausschuss unter dem Vorsitz von *Roland Riz* gebildet, der 1995 einen Reformentwurf *(Progetto Riz)* – allerdings nur für den Allgemeinen Teil – vorlegte. Im Jahr 2000 erarbeitete eine Kommission unter der Leitung von *Carlo Federico Grosso* einen Entwurf für ein Ermächtigungsgesetz *(Progetto Grosso)*, das unter anderem wegen eines Regierungswechsels nicht mehr realisiert wurde. Unter Justizminister *Castelli* wurde unter dem Vorsitz von *Carlo Nordio* 2001 eine neue Kommission eingesetzt, die 2005 ihren Entwurf *(Progetto Nordio)* veröffentlichte. Der 2007 unter dem Vorsitz von *Giuliano Pisapia* veröffentlichte Entwurf *(Progetto Pisapia)*, der unter anderem die Abschaffung der lebenslangen Freiheitsstrafe vorsah, konnte in der Regierungszeit von *Romano Prodi* wiederum nicht mehr verwirklicht werden. Diese Vorgänge zeigen, dass ohne eine längerfristig stabile Regierung mit einer umfassenden Reform des italienischen Strafgesetzbuchs nicht zu rechnen ist, obwohl eine solche dringend notwendig wäre, auch um den Prozess der Dekodifizierung und Fragmentarisierung des Strafrechts umzukehren.

---

6 Siehe bereits oben 1.

3. Entwicklung des Strafverfahrens(rechts)

– *Erste italienische Kodifikationen*

Nachdem im Piemont zunächst 1848 und dann nochmals 1859 eine neue Strafprozessordnung geschaffen worden war, wurde Letztere nach der Einigung Italiens mit einigen Änderungen 1865 auf das gesamte Königreich ausgeweitet. Sie enthielt das sogenannte gemischte System napoleonischen Ursprungs, eine Kombination von inquisitorischen und akkusatorischen Elementen. Schon im Jahr 1866 begannen aber Reformüberlegungen, die allerdings erst 1892 zur Einsetzung einer Reformkommission führten. 1913 wurde dann eine neue Strafprozessordnung geschaffen, die das gemischte System zwar grundsätzlich beibehielt, es aber in Teilen erneuerte und einige Institute einführte, die an das akkusatorische Verfahren anknüpften. Hierzu gehörten beispielsweise weitgehende Rechte des Beschuldigten bereits im Ermittlungsverfahren und die Einführung einer Jury, die über die tatsächlichen Fragen zu entscheiden hatte, während das Gericht nur noch über die Höhe der Strafe entschied.

– *Der Codice Rocco von 1930*

Mit der Machtergreifung der Faschisten begann die Beseitigung des liberalen Systems. Zunächst wurde im Jahr 1923 der Regierung die Befugnis erteilt, alle Mitglieder des Obersten Justizrates zu ernennen, die bislang von den Richtern gewählt worden waren, und damit in die Unabhängigkeit der Justiz einzugreifen. Gleichzeitig mit dem Strafgesetzbuch trat 1931 auch die neue, im Wesentlichen vom inquisitorischen System dominierte Strafprozessordnung in Kraft, die ebenfalls *Codice Rocco* genannt wurde. Dabei sprach der damalige Justizminister, *Alfredo Rocco*, in seinen Erläuterungen von einem „Gleichgewicht zwischen den Interessen des Staates und denen des Beschuldigten". Die Rechte der Verteidigung im Ermittlungsverfahren wurden jedoch in Wahrheit beseitigt und Letzteres wieder vollständig geheim. Der Staatsanwalt erhielt dieselben Ermittlungsbefugnisse wie der Untersuchungsrichter. In einfachen Fällen, der sogenannten summarischen Ermittlung *(istruttoria sommaria)*, konnte der Staatsanwalt beispielsweise die persönliche Freiheit des Beschuldigten einschränken und Beweise erheben, erhielt also richterliche Befugnisse. Der Untersuchungsrichter, der in den anderen Fällen die sogenannte formale Ermittlung *(istruttoria formale)* leitete und darüber entschied, ob der Beschuldigte angeklagt werden sollte, erhielt seinerseits die Befugnisse der Anklage. Dies führte zur Aufhebung des Prinzips der Trennung der prozessualen Funktionen, einer Errungenschaft aus napoleonischer Zeit. Trotz eines scheinbar gemischten Systems überwogen inquisitorische Merkmale. Weitere Änderungen bestanden darin, dass der Staatsanwalt, der dem Justizministerium unterstand, selbstständig und unanfechtbar Verfahren einstellen konnte, sowie in der Abschaffung der automatischen Entlassung aus der Untersuchungshaft nach Ablauf der entsprechenden Maximalfrist, in der Abschaffung der Jury und der Einführung eines Schwurgerichts mit zwei Berufs- und fünf Laienrichtern.

Mit der Rückkehr zur Demokratie wurden zunächst einige der durch das faschistische Regime erlassenen Regelungen rückgängig gemacht (hier sind insbesondere die Wiederherstellung der Unabhängigkeit der Justiz und die Abschaffung der unanfechtbaren Einstellungsbefugnis durch den Staatsanwalt zu nennen). Mit der Schaffung der italienischen Verfassung im Jahr 1948 und der Ratifikation der Europäischen Menschenrechtskonvention 1955 wurden einige grundlegende Prinzipien eingeführt, die den Strafprozess entweder direkt betreffen oder ihn indirekt beeinflussen. Von besonderer Bedeutung sind hierbei das Legalitätsprinzip und die eher dem Akkusationsprinzip zugeschriebenen Garantien wie die Unschuldsvermutung und die Trennung der Funktionen von Anklage, Verteidigung und Gericht. In der Folge verlangte auch der italienische Verfassungsgerichtshof Änderungen der Strafprozessordnung und erklärte viele ihrer Vorschriften für verfassungswidrig. Meist waren dies Korrekturen in Richtung eines mehr akkusatorischen Systems. So gelangte man zu einem zwar gemischten System, dessen Schwerpunkt aber auf akkusatorischen Elementen lag.

In den sechziger Jahren begannen Arbeiten für eine komplette Reform der Strafprozessordnung. Da man die Ausarbeitung eines vollständigen Gesetzes durch das Parlament für unmöglich hielt, wählte man den Weg eines Ermächtigungsgesetzes, das nach vergeblichen Versuchen in den Jahren 1968 und 1972 schließlich im Jahr 1974 erlassen wurde und die wichtigsten Leitlinien für eine neue Strafprozessordnung vorgab, die Einzelheiten aber einem von der Regierung erlassenen gesetzesvertretenden Dekret überlassen sollte. Aufgrund der politischen Ereignisse Ende der siebziger Jahre, insbesondere der Entführung *Aldo Moros*, kam dieses Dekret jedoch nicht über den 1978 vorgestellten Entwurf hinaus.

– *Die neue Strafprozessordnung von 1989*

1987 schließlich wurde ein weiteres Ermächtigungsgesetz verabschiedet (L. delega 16 febbraio 1987, n. 81), das einen völlig neuen Strafprozess gestaltete, der auf dem akkusatorischen System basierte. Danach sollte die Beweisaufnahme nur in der kontradiktorischen Hauptverhandlung stattfinden, der nicht ein Untersuchungs-, sondern ein Ermittlungsverfahren vorgeschaltet ist, das in den Händen der Staatsanwaltschaft liegt. Der Untersuchungsrichter sollte abgeschafft und an seine Stelle zur Einhaltung der verfahrensrechtlichen Garantien durch Staatsanwaltschaft und Polizei ein besonderer Richter für die Vorerhebungen, eine Art Ermittlungsrichter *(giudice per le indagini preliminari)*, treten, der seinerseits aber nicht über Untersuchungsbefugnisse verfügen sollte. Weiterhin sollten alternative Verfahrensarten zur Vermeidung der Komplexität der Hauptverhandlung geschaffen werden. In der Folge arbeitete eine vom damaligen Justizminister *Giuliano Vassalli* eingesetzte Kommission unter der Leitung von *Gian Domenico Pisapia* an einem Entwurf für eine neue Strafprozessordnung. Diesen nahm die Regierung 1988 an, sodass die neue Strafprozessordnung (D.P.R. 22 settembre 1988, n. 447) am 24. Oktober 1989 in Kraft treten konnte.

Die neue Strafprozessordung war schon bald zahlreichen Änderungen unterworfen, teils durch Eingriffe des Verfassungsgerichtshofs, der nicht wenige Bestimmungen für verfassungswidrig erklärte, teils durch das Tätigwerden des Gesetzgebers. Letzteres fand insbesondere in folgenden Bereichen statt: Untersuchungshaft (1989 und 1991), organisierte Kriminalität (1992), mafiose Kriminalität (1992). Ferner sind drei weitere wichtige Reformen zu nennen: Die Abschaffung der Amtsgerichte und die Schaffung eines einheitlichen Eingangsgerichts *(giudice unico)* an den Landgerichten im Jahr 2000, die Umsetzung der unter dem Stichwort „faires Verfahren" *(giusto processo)* im Jahr 1999 erfolgten Verfassungsänderung (Stärkung der Rechte des Angeklagten, Möglichkeit des Verteidigers, eigene Ermittlungen vorzunehmen etc., Art. 111 Cost.), und schließlich 1999/2000 die Übertragung von strafrechtlichen Kompetenzen auf den Friedensrichter *(competenze penali del giudice di pace).*

Erst 2005 wurden in Italien die europäischen Normen über Eurojust und den Europäischen Haftbefehl umgesetzt. Aufgrund der vielen punktuellen Änderungen, die zu einer unübersichtlichen Situation geführt haben, wird eine Gesamtrevision der Strafprozessordnung für erforderlich gehalten. Zu diesem Zweck wurde 2004 eine Kommission unter dem Vorsitz von *Andrea Dalia* eingesetzt, deren Entwurf jedoch nicht weiterverfolgt wurde. Der Entwurf der 2006 eingesetzten Kommission unter dem Vorsitz von *Giuseppe Riccio* konnte wegen des zwischenzeitlich erfolgten Regierungswechsels ebenfalls nicht realisiert werden.

4. Entwicklung (des Rechts) der Strafvollstreckung

Die Frage einer Kontrolle der Modalitäten der Strafvollstreckung wurde in Italien zuerst unter sardischer Herrschaft im 17. Jahrhundert gestellt. Das Lombardische Königreich setzte als erstes besondere „Gerichte" ein, um den inneren Ablauf in den Strafanstalten zu überwachen. Dabei wurde 1770 eine Regelung erlassen, nach der die sogenannten „Gerichtsfamilien Turins und seiner Provinzen", die aus einem Hauptmann und einem Stellvertreter zusammengesetzt waren, die Verpflichtung hatten, regelmäßig die Gefängnisse zu besuchen und eventuelle Proteste der Gefangenen zu sammeln.

Im Jahr 1817 legte die savoyische Regierung fest, dass die Besuche ohne Vorankündigung auch mehrmals pro Woche zu erfolgen hätten. Dabei war die Verwaltung für die „korrektive Erziehung" der Gefangenen zuständig, während die Justiz die Kontrolle über Zustände in den Anstalten hatte, insbesondere um Willkür und Korruption zu vermeiden. Da diese doppelte Zuständigkeit zu Verwirrung führte wurde im Jahr 1847 ein „Generalinspektor für die Haftanstalten“ eingesetzt, der jährlich einen Bericht über die Situation in den Gefängnissen mit eventuellen Verbesserungsvorschlägen abfassen musste.

1853 erließ auch das Großherzogtum Toskana eine Regelung, nach der der Untersuchungsrichter und der Präsident des Schwurgerichts mindestens einmal monatlich die Gefangenen zu besuchen hatten.

Mit der Einigung Italiens ergab sich die Notwendigkeit einer Vereinheitlichung, und die Strafvollstreckung wurde in der Folge in der Strafprozessordnung von 1865 geregelt und der Zuständigkeit der Staatsanwaltschaft unterworfen. Das Strafvollzugsrecht, also die Behandlung der Verurteilten, erhielt 1862 seine erste einheitliche Regelung.

1891 wurde schließlich ein neues allgemeines Strafvollzugsgesetz erlassen, das die Materie einheitlich und systematisch regelte und einige unmenschliche Bedingungen für die Gefangenen verbesserte (beispielsweise die Abschaffung der Ketten für Zwangsarbeiter sowie der Bestrafung mittels Zwangsjacke oder Dunkelzelle). Nach dem Ersten Weltkrieg erfolgten einige Verbesserungen in der Behandlung der Gefangenen, weitere Reformversuche fanden jedoch mit dem Beginn des Faschismus ein jähes Ende. 1931 wurde eine neue Strafvollzugsordnung mit Regeln für das Gefängnisleben erlassen, die geeignet sein sollten, „die Situation der Gefangenen zu verbessern, die aber der Strafe ihren leidvollen und einschüchternden Charakter nicht nehmen und den Strafzielen der Repression, Sühne, Generalprävention und Besserung dienen“ sollten.

Nach einigen fehlgeschlagenen Reformversuchen in den fünfziger und sechziger Jahren wurde schließlich mit L. 26 luglio 1975, n. 354 die Strafvollzugsordnung *(ordinamento penitenziario)* erlassen, die heute noch in Kraft ist. Sie erwuchs aus einer neuen Vorstellung von der Stellung des Verurteilten und seinem Verhältnis zu den Vollstreckungsorganen. Es wurden subjektive Rechtspositionen sowie Organe und Verfahren geschaffen, die wie das Erkenntnisverfahren prozessuale Garantien gewähren und dadurch die Änderung des Vollstreckungstitels ermöglichen. Eine weitere Neuerung war die Schaffung von alternativen Maßnahmen *(misure alternative)* zur Haft, die meist nach Verbüßung eines bestimmten Teils der Strafe in Betracht kommen (Überweisung an den Sozialdienst zur Bewährung, Halbfreiheit, vorzeitige Entlassung und Hausarrest).

Auch die neue Strafvollzugsordnung war bereits teilweise tief greifenden Änderungen unterworfen. Hierzu gehören die Schaffung von Ersatzstrafen anstelle von kurzen Freiheitsstrafen im Jahr 1981 (Halbgefangenschaft, die kontrollierte Freiheit und Geldstrafe), die Möglichkeit der Verschärfung der Haftbedingungen im Fall von organisierter Kriminalität im Jahr 1992, Bestimmungen zur Förderung der Resozialisierung von Gefangenen (2000), die strafvollzugsrechtliche Begünstigung von Kronzeugen (2001), alternative Maßnahmen zur Haft zum Schutz des Verhältnisses der Gefangenen zu ihren minderjährigen Kindern (2001) sowie der Ausschluss von Vergünstigungen für Rückfalltäter (2005).

Literaturhinweise zu Abschnitt G.

Allgemeines:

Dezza, Ettore, Beiträge zur Geschichte des modernen italienischen Strafrechts. Berlin 2004.

Vinciguerra, Sergio, Le fonti culturali del diritto penale italiano (Die kulturellen Quellen des italienischen Strafrechts). Padua 2008.

Entwicklung der Strafrechtswissenschaft und des materiellen Strafrechts:

Antolisei, Francesco, Manuale di diritto penale. Parte generale (Lehrbuch des Strafrechts. Allgemeiner Teil). 16. Aufl. Mailand 2003, S. 21–29 und 41–49.

Cadoppi, Alberto/Veneziani, Paolo, Elementi di diritto penale. Parte generale (Grundbegriffe des Strafrechts. Allgemeiner Teil). 3. Aufl. Padua 2007, S. 19–60.

Donini, Massimo (Hrsg.), La riforma della legislazione penale complementare. Studi di diritto comparato (Die Reform der nebengesetzlichen Strafgesetzgebung. Rechtsvergleichende Studien). Padua 2000.

– (Hrsg.), Modelli ed esperienze di riforma del diritto penale complementare (Reformmodelle und -erfahrungen im Nebenstrafrecht). Mailand 2003.

Fiandaca, Giovanni/Musco, Enzo, Diritto penale. Parte generale (Strafrecht. Allgemeiner Teil). 5. Aufl. Bologna 2007, S. XV–XXXVIII und 39–45.

Grosso, Carlo Federico, Cinque anni di leggi penali: molte riforme (talune contestabili), nessun disegno organico (Fünf Jahre Strafgesetze: Viele Reformen [einige angreifbar], kein einheitlicher Plan). Dir. pen. e proc. 2006, S. 533–541.

Maiwald, Manfred, Einführung in das italienische Strafrecht und Strafprozessrecht. Frankfurt 2009, S. 21–28 und 169–172.

Mantovani, Ferrando, Diritto penale. Parte generale (Strafrecht. Allgemeiner Teil). 5. Aufl. Padua 2007, S. XXXIV–LIV und 25 f.

Padovani, Tullio, Diritto Penale (Strafrecht). 9. Aufl. Mailand 2008, S. 5–8.

Pagliaro, Antonio, Principi di diritto penale. Parte generale (Prinzipien des Strafrechts. Allgemeiner Teil). 8. Aufl. Mailand 2003, S. 66–76 und 95–98.

Pavarini, Massimo/Bertaccini, Davide, L'"altro" diritto penale (Das „andere" Strafrecht). Turin 2004.

Riz, Roland, Lineamenti di diritto penale. Parte generale (Grundzüge des Strafrechts. Allgemeiner Teil). 5. Aufl. Padua 2006, S. 1–9 und 53–62.

Romano, Mario, Commentario sistematico del codice penale (Systematischer Kommentar des Strafgesetzbuchs), I. (Art. 1–84). 3. Aufl. Mailand 2004, Pre-Art. 1, Rn. 1–18.

Entwicklung des Strafverfahrensrechts:

Chiavario, Mario, Diritto processuale penale (Strafprozessrecht). 3. Aufl. Turin 2007, S. 26–45.

Giarda, Angelo, Il processo penale nella XIV legislatura: buone intenzioni, qualche "dietrologia" di troppo e risultati non sempre appaganti (Der Strafprozess in der 14. Legislaturperiode: Gute Absichten, die eine oder andere „Dietrologia" zu viel und nicht immer befriedigende Ergebnisse). Dir. pen. e proc. 2006, S. 542–544.

Pisani, Mario/Molari, Alfredo/Perchinunno, Vincenzo/Corso Piermaria/Dominioni, Oreste/ Gaito, Alfredo/Spangher, Giorgio, Manuale di procedura penale (Lehrbuch des Strafverfahrens). 8. Aufl. Bologna 2008, S. 1–9.

Tonini, Paolo, Manuale di procedura penale (Lehrbuch des Strafverfahrens). 9. Aufl. Mailand 2008, S. 13–58.

Entwicklung des Strafvollzugsrechts:

Di Ronza, Paolo, Manuale di diritto dell'esecuzione penale (Lehrbuch des Rechts der Strafvollstreckung). 5. Aufl. Padua 2003, S. 1–24.

Rechtsprechung

Corte Cost. 4 maggio 1960, n. 29, Giur. Cost 1960, S. 497–523.

Corte Cost. 28 dicembre 1962, n. 123, Giur. Cost 1962, S. 1506–1519.

Corte Cost. 19 dicembre 1968, n. 126, Giur. Cost 1968, S. 2175–2208.

Corte Cost. 17 aprile 1969, n. 84, Giur. Cost 1969, S. 1175–1194.

Corte Cost. 3 dicembre 1969, n. 147, Giur. Cost 1969, S. 2230–2249.

Corte Cost. 27 dicembre 1974, n. 290, Giur. Cost 1974, S. 2984–2990.

Corte Cost. 17 luglio 1975, n. 222, Giur. Cost 1975, S. 1669–1674.

Corte Cost. 13 giugno 1983, n. 165, Giur. Cost 1983, S. 923–927.

Corte Cost. 24 marzo 1988, n. 364, Giur. Cost 1988, S. 1504–1539.

Gesetze

Entkriminalisierung	L. 24 dicembre 1975, n. 706; L. 24 novembre 1981, n. 689; D.Lgs. 30 dicembre 1999, n. 507.
Geldwäsche	D.L. 21 marzo 1978, n. 59, umgewandelt in L. 18 maggio 1978, n. 191 und neu gefasst durch L. 9 agosto 1993, n. 328.
Schwangerschaftsabbruch	L. 22 maggio 1978, n. 194.
Terroristische Vereinigung	D.L. 15 dicembre 1979, n. 625, umgewandelt in L. 6 febbraio 1980, n. 15; D.L. 18 ottobre 2001, n. 374, umgewandelt in L. 15 dicembre 2001, n. 438.
Ersatzstrafen	L. 24 novembre 1981, n. 689.
Mafia	L. 13 settembre 1982, n. 646; D.L. 15 gennaio 1991, n. 8, umgewandelt in L. 15 marzo 1991, n. 82; D.L. 13 maggio 1991, n. 152 umgewandelt in L. 12 giugno 1991, n. 203.
Subventionsbetrug	L. 19 marzo 1990, n. 55; L. 26 aprile 1990, n. 86; L. 29 settembre 2000, n. 300.

Amtsdelikte	L. 26 aprile 1990, n. 86; L. 16 luglio 1997, n. 234; L. 29 settembre 2000, n. 300.
Strafvollzug und Mafia	D.L. 8 giugno 1992, n. 306, umgewandelt in L. 7 agosto 1992, n. 356.
Computerstrafrecht	L. 23 dicembre 1993, n. 547.
Sexualdelikte	L. 15 febbraio 1996, n. 66.
Kinderschutz	L. 3 agosto 1998, n. 269; L. 11 agosto 2003, n. 228; L. 6 febbraio 2006, n. 38.
Einheitliches Eingangsgericht	L. 16 dicembre 1999, n. 479, sogenanntes *Legge Carotti.*
Resozialisierung	L. 22 giugno 2000, n. 193 und D.P.R. 30 giugno 2000, n. 230.
Friedensrichter	D.Lgs. 28 agosto 2000, n. 274.
Doping	L. 14 dicembre 2000, n. 376.
Kronzeugen	L. 13 febbraio 2001, n. 45.
Faires Verfahren	L. 1 marzo 2001, n. 63.
Alternative Maßnahmen zur Haft	L. 8 marzo 2001, n. 40.
Juristische Personen	D.Lgs. 8 giugno 2001, n. 231.
Internationaler Terrorismus	D.L. 18 ottobre 2001, n. 374, umgewandelt in L. 15 dicembre 2001, n. 374; D. L. 27 luglio 2005, n. 144, umgewandelt in L. 31 luglio 2005, n. 155.
Gewalt im Stadion	D.L. 24 febbraio 2003, n. 28, mit Änderungen umgewandelt in L. 24 aprile 2003, n. 88.
Künstliche Befruchtung	L. 19 febbraio 2004, n. 40.
Bedingte Strafaussetzung	L. 11 giugno 2004, n. 145.
Tierschutz	L. 20 luglio 2004, n. 189.
Eurojust	L. 14 marzo 2005, n. 41.
Europäischer Haftbefehl	L. 22 aprile 2005, n. 69.
Rückfall/Verjährung	L. 5 dicembre 2005, n. 251, sogenanntes *legge „ex-Cirielli".*
Notwehr bei Einbrüchen	L. 13 febbraio 2006, n. 59.
Meinungsdelikte	L. 24 febbraio 2006, n. 85.
Organisierte Kriminalität	L. 16 marzo 2006, n. 146.
Öffentliche Sicherheit	D.L. 23 maggio 2008, n. 92, umgewandelt in L. 24 luglio 2008, n. 125. Ferner L. 15 luglio 2009, n. 94, sogenanntes *pacchetto sicurezza.*
Sexuelle Gewalt und Stalking	L. 23 aprile 2009, n. 38.
Öffentliche Sicherheit	L. 15 luglio 2009, n. 94.

Abkürzungsverzeichnis zum Landesbericht Italien

c.c.	Codice civile (italienisches Bürgerliches Gesetzbuch)
c.d.	cosidetto (sogenannt)
Corte Cost.	Corte Costituzionale (italienischer Verfassungsgerichtshof)
Cost.	Costituzione (italienische Verfassung)
c.p.	Codice penale (italienisches Strafgesetzbuch)
c.p.p.	Codice di procedura penale (italienische Strafprozessordnung)
Dir. pen. e proc.	Diritto penale e processo (Fachzeitschrift)
disp. att. c.p.p.	Norme di attuazione, di coordinamento e transitorie del codice di procedura penale (Ausführungs- Koordinierungs- und Übergangsbestimmungen zur Strafprozessordnung)
D.L.	Decreto legge (Gesetzesdekret)
D.Lgs.	Decreto legislativo (gesetzesvertretendes Dekret)
D.P.R.	Decreto del Presidente della Repubblica (Dekret des Präsidenten der Republik)
EMRK	Europäische Konvention zum Schutze der Menschenrechte und Grundfreiheiten
GIP	Giudice per le indagini preliminari (Ermittlungsrichter)
Giur. Cost.	Giurisprudenza Costituzionale (Entscheidungssammlung)
km	Kilometer
L.	Legge (Gesetz)
L. cost.	Legge costituzionale (Verfassungsgesetz)
m.	Meter
n.	Numero (Nummer)
NATO	North Atlantic Treaty Organization (Nordatlantikpakt Organisation)
OECD	Organisation for Economic Co-operation and Development (Organisation für wirtschaftliche Zusammenarbeit und Entwicklung)
ONU	Organizzazione delle Nazione Unite (Vereinte Nationen)
o.p.	Ordinamento penitenziario (Strafvollzugsgesetz)
OSZE	Organisation für Sicherheit und Zusammenarbeit in Europa
R.D.	Regio decreto (königliches Dekret)
UE	Unione Europea (Europäische Union)
UN	United Nations (Vereinte Nationen)
Vol.	Volume (Band)

Rahmenbedingungen, Vorgaben, Grundlagen und Entwicklung des Strafrechts in

Korea

Misuk Son

Inhaltsverzeichnis

A. Nationale Rahmenbedingungen

1. Geografie

Die koreanische Halbinsel (한반도) liegt am östlichen Ende des asiatischen Kontinents und erstreckt sich über 1.020 km in nord-südlicher Richtung. Im Norden stößt sie an China und Russland und wird durch die Flüsse Apnok (auf Chinesisch als Yalu bekannt, 압록강) und Duman (두만강) begrenzt. Im Westen grenzt sie an das Gelbe Meer (황해) und im Osten an das Ostmeer (동해), auch als Japanisches Meer bezeichnet. Im Süden bildet die Koreastraße die Grenze zu Japan. Die koreanische Halbinsel stellt einen Übergang vom mandschurisch-nordchinesischen Kontinentalblock zum japanischen Inselland dar.

Seit dem Zweiten Weltkrieg ist Korea durch eine entmilitarisierte Zone, die entlang des 38. Breitengrads verläuft, in zwei Teile geteilt. Im Norden befindet sich die Demokratische Volksrepublik Korea (allgemein „Nordkorea" genannt, 북한; 조선민주주의인민공화국), die südliche Hälfte bildet die Republik Korea (allgemein „Südkorea" genannt, 남한, 한국; Daehan Minguk 대한민국). Neben dem Festlandsockel gehören zum Hoheitsgebiet von Südkorea mehr als 3.000 Inseln, von denen viele nur aus Felsen bestehen, aber rund 450 bewohnt sind. Die größte Insel ist Jeju-do (제주도). Sie liegt rund 150 km südlich des Festlands und hat eine Fläche von 1845,6 km².[1]

Die Gesamtfläche der koreanischen Halbinsel beträgt 223.337 km²; damit ist sie ungefähr so groß wie Großbritannien. 99.720 km² entfallen auf Südkorea,[2] was etwa 0,1 % der gesamten Erdfläche und 0,22 % des asiatischen Kontinents entspricht. Das Nachbarland China ist etwa 100-mal größer als Korea. Südkorea allein ist etwas größer als Portugal oder Ungarn und etwas kleiner als Island.

Anzumerken ist, dass Südkorea aufgrund von Trockenlegungsprojekten an der stark ausgebuchteten Westküste (서해안 간척사업) immer größer wird. Während die Landfläche Südkoreas 1949 nur 93.634 km² betrug, war sie im Jahr 2007 bereits auf 99.720 km² angewachsen.[3] Dies bedeutet einen Zuwachs von 6,1 % (6.086 km²) innerhalb der letzten 58 Jahre, und diese Tendenz setzt sich auch heute noch fort.

---

[1] Nach Art. 3 der südkoreanischen Verfassung umfasst das Territorium der Koreanischen Republik jedoch die gesamte koreanische Halbinsel und die umliegenden Inseln, vergleiche hierzu II.B.2.c.

[2] Koreanisches Amt für Statistik 2008.

[3] Der Fischer Weltalmanach 2008.

Die koreanische Halbinsel gehört zu den gebirgigsten Gegenden der Welt. Gebirge und Hügel ziehen sich an der gesamten Ostküste entlang und machen rund 70 % der Landesfläche aus. Südkoreas Oberfläche besteht zu 66 % aus Gebirge.

2. Bevölkerung

a) Bevölkerungszahl und -gruppen[4]

In Südkorea leben ungefähr 48,45 Millionen Menschen (Stand Dezember 2007), etwa doppelt so viele wie in Nordkorea. Die Bevölkerungsdichte ist mit 490 Personen pro km² rund 22-mal höher als der Durchschnittswert aller Industrieländer. Damit gehört Südkorea zu den am dichtesten besiedelten Gebieten Asiens. Das Bevölkerungswachstum liegt bei etwa 0,4 % jährlich.[5] Die Hauptstadt Seoul erstreckt sich über eine Fläche von 605,4 km² und hat über 10 Millionen Einwohner; die zweitgrößte Stadt Südkoreas, Busan, ist 436 km² groß und hat etwa 3,7 Millionen Einwohner.

Die Bevölkerung Nord- und Südkoreas ist in ethnischer Hinsicht weitgehend homogen. Dies beruht darauf, dass Korea seit der Vereinigung durch das Silla-Reich (통일신라시대) im Jahr 668 bis zur Teilung nach dem Zweiten Weltkrieg fast immer eine politische Einheit war. Deshalb entwickelte sich auch eine weitgehend einheitliche Kultur mit nur geringen regionalen Unterschieden.

Die einzige beachtliche Minderheit in Südkorea ist eine kleine chinesische Gemeinschaft (화교), die derzeit etwa 20.000 Personen umfasst. In den letzten Jahrzehnten ist jedoch eine große Zahl von Arbeitern aus anderen Ländern – vor allem aus anderen Teilen Asiens, wie zum Beispiel China, Vietnam, Thailand, den Philippinen und Indien – eingewandert. Durch die Beziehungen zu den USA seit der Nachkriegszeit haben sich inzwischen auch viele US-Amerikaner angesiedelt. Die Anzahl der registrierten Ausländer stieg von 124.000 im Jahr 1995 auf 765.429 im Jahr 2007.

Infolge der Industrialisierung des Landes nach dem Koreakrieg (1950–1953) setzte eine starke Migration aus ländlichen Gebieten in die Städte ein, insbesondere nach Seoul. Seit 1990 sind vermehrt die Vororte von Seoul das Ziel. Mit groß angelegten Bauprogrammen wurden hier ganze Satellitenstädte errichtet. Etwa 81 % der Bevölkerung leben in Städten mit mehr als 100.000 Einwohnern.

Bemerkenswert ist, dass der Anteil der Männer in der Bevölkerung ein wenig größer als der der Frauen ist (24.691.249 zu 24.577.679, Stand Dezember 2007). Das Verhältnis zwischen der männlichen und der weiblichen Bevölkerungsgruppe

---

4 Koreanisches Amt für Statistik 2008.

5 Der Fischer Weltalmanach 2008.

ist je nach Alter unterschiedlich; die jüngeren Altersgruppen bestehen aus mehr Männern als Frauen. Ein Grund dafür ist, dass Südkoreas Gesellschaft streng konfuzianisch geprägt ist und in einer solchen Gesellschaft Männer immer bevorzugt wurden. Im Jahr 2007 war jedoch die Zahl der männlichen und weiblichen Neugeborenen nahezu ausgeglichen. In den älteren Altersgruppen ist der Frauenanteil höher, denn Frauen haben auch in Südkorea eine höhere Lebenserwartung als Männer. Die durchschnittliche Lebenserwartung liegt bei 75,7 Jahren für Männer und bei 82,4 Jahren für Frauen. Während der Anteil der Altersgruppe über 65 im Jahr 2007 etwa 9,9 % der gesamten Bevölkerung betrug, lag der Anteil der Altersgruppe unter 14 bei 18,0 %. Die Erwerbsfähigen zwischen 15 und 64 Jahren machten 2007 etwa 71,9 % der Bevölkerung aus. Bedeutsam für die demografische Entwicklung ist aber auch, dass die Geburtenzahlen seit etwa 20 Jahren kontinuierlich sinken.

b) Sprache

Koreanisch ist sowohl in Süd- als auch in Nordkorea Amts- und Schriftsprache. Es gehört wie Finnisch, Mongolisch, Türkisch und Ungarisch zur ural-altaischen Sprachfamilie, wurde aber vom Chinesischen beeinflusst.

Die koreanische Schrift wird „Hangul“ (한글) genannt. Sie besteht aus 14 Konsonanten und 10 Vokalen und wird in einem quadratischen Silbensystem von links nach rechts geschrieben. Hangul wurde durch König Sejong (세종대왕) erfunden und im Jahr 1446 bekannt gemacht. Hangul ist eines der wenigen Schriftsysteme der Welt, die in bewusster Planung geschaffen wurden. Im Oktober 1997 wurde das „Hunmin Jeongeum“ (훈민정음), das Dokument, das die ursprüngliche Fassung des heutigen Hangul enthält, von der UNESCO zum Weltdokumentenerbe erklärt.

Obwohl Korea bereits seit dem 15. Jahrhundert eine eigene Schrift besitzt, war die chinesische Schrift bis zum Ende des Zweiten Weltkriegs Amtsschrift. Chinesische Zeichen haben zwar im heutigen Alltagsgebrauch eine deutlich geringere Bedeutung als in Japan, spielen jedoch in Fachsprachen – wie zum Beispiel in der Rechtswissenschaft – sowohl in Südkorea als auch in Japan noch immer eine große Rolle.

Weltweit sprechen etwa 78 Millionen Menschen Koreanisch. In Südkorea wird infolge der Globalisierung Englisch oft vom Kindergarten an unterrichtet.

Moderne Schulen wurden in Korea Mitte der 80er Jahre des 19. Jahrhunderts eingeführt. Seit 1953 besteht in Südkorea eine allgemeine Schulpflicht für die Grundschule. Die genaue Zahl der Analphabeten ist zwar nicht bekannt, jedoch liegen recht realistische Schätzungen vor: Während nach dem Zweiten Weltkrieg der Anteil der Analphabeten über 14 Jahre auf etwa 77 % geschätzt wurde, betrug er nach Angaben der UNESCO im Jahr 2000 nur etwa 2 %.

Ein Hauptgrund für diese positive Entwicklung besteht darin, dass die Bevölkerung seit der Neugründung des Landes nach dem Zweiten Weltkrieg schulische Bildung als Motor der sozialen Mobilität begriff und sich zu eigen machte. Südkorea investiert heute rund 7 % des Bruttoinlandsprodukts in Bildung und nimmt damit weltweit einen der Spitzenplatz ein.

c) Religion

Die Religionsfreiheit wird in Südkorea durch die Verfassung gewährleistet (Art. 20 Abs. 1: „Jeder Staatsbürger genießt die Freiheit der Religion"). Nach Art. 20 Abs. 2 Satz 1 Verfassung ist eine Staatsreligion verboten („Eine Staatsreligion ist nicht anzuerkennen, Religion und Politik werden voneinander getrennt"). Alle Weltreligionen haben in Südkorea ihre Anhänger, es soll über 200 Religionsarten geben. Die am häufigsten vertretenen Religionen sind jedoch Konfuzianismus, Buddhismus und Christentum.

Konfuzianismus und Buddhismus haben in der Geschichte Koreas als Staatsreligionen lange Zeit eine wichtige Rolle gespielt. Etwa 26 % der südkoreanischen Bevölkerung gehören derzeit dem Buddhismus an. Rund 30 % sind Christen; davon sind rund 23 % Protestanten und 7 % Katholiken.[6] Südkorea ist damit – nach den Philippinen – eines der asiatischen Länder mit dem höchsten Bevölkerungsanteil bekennender Christen.

Viele Südkoreaner (nach einer Statistik etwa 46 %) bezeichnen sich als religionslos. Ein Grund dafür könnte sein, dass die koreanische Gesellschaft über Jahrhunderte lang und auch immer noch stark konfuzianisch geprägt ist, der Konfuzianismus jedoch nicht als eine Religion, sondern als Lebensphilosophie oder Gesellschaftsordnung betrachtet wird, sodass kaum ein Koreaner ihn heute als seine Religion angibt. Tatsächlich wird der Konfuzianismus in Südkorea erst seit 1985 als Religion registriert.

3. Wirtschaft

– *Wirtschaftsverfassung*

Südkorea ist ein freiheitliches demokratisches Land. Die Wirtschaftsordnung ist dementsprechend in Art. 111 Abs. 1 Verfassung so geregelt, dass die wirtschaftliche Freiheit und Kreativität des Einzelnen und des Unternehmens zu respektieren sind.

---

[6] The World Factbook – Korea, South; Der Fischer Weltalmanach 2008.

– *Bruttoinlandsprodukt*

Das Bruttoinlandsprodukt (BIP, 국내총생산) betrug im Jahre 2007 etwa 970 Milliarden US-$;[7] damit entspricht es einem durchschnittlichen EU-Mitgliedsland. Vom gesamten BIP entfallen etwa 57,6 % auf den Dienstleistungssektor, etwa 28,3 % auf Industrie und Bauwirtschaft und etwa 3,0 % auf die Land-, Fischerei- und Forstwirtschaft. Die reale Wachstums- beziehungsweise Steigerungsrate liegt bei etwa 6,8 %.[8]

Südkorea hat sich in den letzten 50 Jahren von einem rückständigen Agrarland zu einer der modernsten Ökonomien und einem der bedeutendsten Industriestaaten der Welt entwickelt. In den 1960er Jahren zählte Südkorea noch zu den ärmsten Ländern der Welt. Damals betrug das durchschnittliche Pro-Kopf-Einkommen (1인당 국민소득) etwa 82 US-$. Ende 2007 lag es bei 20.045 US-$.

Der bemerkenswerte wirtschaftliche Aufschwung begann mit der Verabschiedung des „ersten Fünfjahresplans zur wirtschaftlichen Entwicklung“ (제1차 경제 개발 5개년 계획) im Jahr 1962. In den darauf folgenden Jahrzehnten stieg Südkorea unter der Ägide einer stark planwirtschaftlich beeinflussten staatlichen Entwicklungspolitik zum industriellen Schwellenland auf. In der Zeit von 1962 bis zur Asienkrise Mitte der 1990er Jahre wuchs die Wirtschaft im Durchschnitt um 9 % jährlich.

– *Erwerbstätigkeit*

Die Mehrheit der südkoreanischen Arbeitskräfte ist im Dienstleistungssektor beschäftigt. Ihr Anteil liegt bei etwa 75,2 %.[9] Die Hauptbeschäftigungsbereiche sind Finanzdienstleistung, Einzelhandel, Transport und Tourismus.

Rund 17,3 % aller Arbeitskräfte sind in der Industrie beschäftigt. Insbesondere elektronische Artikel (wie Computer, Telekommunikationsausrüstung und Unterhaltungselektronik), Fahrzeuge, Schiffe, Produkte der chemischen Industrie, Stahl und Produkte der Leichtindustrie (wie Textilien, Schuhe oder Lebensmittel) werden hergestellt.[10] In der Produktion von Halbleitern, Flachbildschirmen und Mobiltelefonen spielen koreanische Unternehmen weltweit eine führende Rolle.

Der Anteil der in der Land- und Fischereiwirtschaft Beschäftigten liegt bei etwa 7,5 % und geht immer mehr zurück. Das wichtigste landwirtschaftliche Produkt ist Reis, der in etwa 80 % aller Landwirtschaftsbetriebe angebaut wird. Weitere Produkte sind Roggen, Weizen, Sojabohnen, Kartoffeln, Gemüse und Obst, wobei die landwirtschaftlich genutzte Fläche jährlich kleiner wird und diese Produkte durch Importe ersetzt werden.

---

7 Koreanisches Amt für Statistik 2008.

8 Koreanisches Amt für Statistik 2008.

9 The World Factbook – Korea, South; Koreanisches Amt für Statistik 2008.

10 Der Fischer Weltalmanach 2008.

– *Arbeitslosigkeit*

Südkoreas Arbeitsmarkt umfasst etwa 22,8 Millionen Personen, was etwa 71,9 % der gesamten Bevölkerung entspricht. Die Arbeitslosenrate beträgt derzeit etwa 3,1 % (Stand März 2008).[11] Anzumerken ist, dass etwa die Hälfte der Frauen im arbeitsfähigen Alter berufstätig ist.

In den 1960er Jahren lag die Arbeitslosenquote bei etwa 8 %. Mit der rasanten wirtschaftlichen Entwicklung ab Mitte der 1960er Jahre ging die Arbeitslosigkeit immer weiter zurück. Durch die Wirtschaftskrise in Asien Ende der 1990er Jahre stieg die Arbeitslosenzahl zwischenzeitlich bis auf 8,6 %. Danach begann sich die Wirtschaft langsam wieder zu erholen.

4. Staatsorganisation

– *Staats- und Regierungsform*

Korea hatte infolge des durch Japan erzwungenen Annexionsvertrags zwischen 1910 und 1945 seine Eigenständigkeit vollständig verloren. Nach dem Zweiten Weltkrieg befreite sich Korea von der Fremdherrschaft. Seitdem ist das Land – wie oben erwähnt – in Süd- und Nordkorea geteilt.

Südkorea stand von 1945 bis 1948 unter amerikanischer Militärregierung. Nach der Gründung der Republik Korea im Jahr 1948 war das Land von großer politischer und sozialer Unruhe geprägt. 1950 brach der sogenannte Bruderkrieg (auch Koreakrieg genannt) aus (1950–1953). Das Verhältnis zwischen Süd- und Nordkorea ist seither sehr angespannt. Es gab und gibt jedoch immer wieder neue Versuche der gegenseitigen Annäherung.

In Südkorea herrschte von 1961 bis Mitte der 1980er Jahre eine autoritäre Militärregierung. Durch Verfassungsänderung von 1987 wurde die direkte Präsidentenwahl gewährleistet. Seitdem ist Südkorea nicht nur formell, sondern auch tatsächlich ein freiheitlicher und demokratischer Rechtsstaat.

Die Volkssouveränität wird vom Gewaltenteilungsprinzip geprägt: gesetzgebende, vollziehende und rechtsprechende Gewalt sind institutionell getrennt. Das Parlament bildet die legislative Gewalt (Art. 40 Verfassung). Die Abgeordneten des Parlaments werden in allgemeiner, gleicher, unmittelbarer und geheimer Wahl alle vier Jahre neu gewählt (Art. 41 Abs. 1 und Art. 42 Verfassung).

Die Exekutive besteht aus der vom Präsidenten geleiteten Regierung (Art. 66 Abs. 4 Verfassung). Der Präsident repräsentiert als Staatsoberhaupt das Land (Art. 66 Abs. 1 Verfassung). Er wird in allgemeiner, gleicher, unmittelbarer und geheimer Wahl alle fünf Jahre neu gewählt (Art. 67 Abs. 1 Verfassung); eine Wie-

---

[11] Auswärtiges Amt.

derwahl ist ausgeschlossen (Art. 70 Verfassung). Die Abgeordneten des Parlaments und die Regierung können Gesetze vorschlagen (Art. 52 Verfassung).

Die Judikative wird von den aus Berufsrichtern bestehenden Gerichten gebildet (Art. 101 Abs. 1 Verfassung);[12] die Richter sind unabhängig und nur der Verfassung, dem Gesetz und ihrem Gewissen unterworfen (Unabhängigkeit der Richter, Art. 103 Verfassung). Hält ein Gericht ein Gesetz, auf dessen Gültigkeit es bei einem Urteil ankommt, für verfassungswidrig, hat es das Verfassungsgericht anzurufen und nach der Entscheidung des Verfassungsgerichts zu urteilen (Art. 107 Verfassung). Das Verfassungsgericht (헌법재판소) entscheidet: 1. auf Antrag eines Gerichts über die Vereinbarkeit eines Gesetzes mit der Verfassung; 2. über Anklagen zur Amtsenthebung; 3. über die Auflösung einer Partei; 4. bei Meinungsverschiedenheiten über Rechte und Pflichten innerhalb der Staatsorgane, zwischen einem Staatsorgan und Gemeindeverbänden oder zwischen Gemeindeverbänden; und 5. über gesetzlich geregelte Verfassungsbeschwerden (Art. 111 Abs. 1 Verfassung).

– *Verwaltungseinheiten*

Die Verwaltungseinheiten Südkoreas bestehen aus sieben autonomen Städten (특별시와 광역시) und neun autonomen Provinzen (Do, 도). Zu den ersteren gehört auch die Hauptstadt Seoul, die jedoch administrativ als einzige Stadt einen Sonderstatus einnimmt, der höher ist als der einer Provinz. In den neun Provinzen gibt es 77 Städte (Si, 시) und 88 Landkreise (Gun, 군).

– *(Institutionalisierter) Einfluss von gesellschaftlichen oder religiösen Gruppierungen auf Recht, Gesetzgebung, Rechtsprechung*

In Südkorea gibt es viele Organisationen und NGOs in allen Bereichen. Sie bilden die argumentierende, kritische Öffentlichkeit. Von solchen Organisationen getragene Kampagnen und Meinungsäußerungen spielen für die Gesetzgebung und Rechtsprechung eine wichtige Rolle.

Eine bemerkenswerte Bedeutung kommt dem Internet zu. Es stellt heute, in der sogenannten Informationsgesellschaft, ein neues kulturelles Phänomen dar. Die Benutzer des Internets werden als „netizens" (von „internet citizens") bezeichnet. Ihr Engagement hat zur Weiterentwicklung des Landes in vielen Bereichen beigetragen. Korea gehört zu einem der am dichtesten vernetzten Länder der Welt und hat die höchste DSL-Dichte.

---

[12] Zur Strafgerichtsbarkeit siehe unten 5.c.

5. Kriminalität und Strafverfolgung

a) Ermittlungsbehörden

Zu den Ermittlungsbehörden gehören die Staatsanwaltschaft (§ 195 kStPO und § 4 Abs. 1 Nr. 1 Gesetz über die Staatsanwaltschaft, 검찰청법) und die Polizei (§ 196 kStPO in Verbindung mit § 3 Polizeigesetz, 경찰법 und § 2 Nr. 1 Gesetz über die Durchführung der Polizeiaufgaben, 경찰관직무집행법). Die Beamten des Polizeidienstes (사법경찰관리) haben unter Aufsicht der Staatsanwaltschaft Straftaten zu ermitteln (§ 196 kStPO und § 4 Abs. 1 Nr. 3 Gesetz über die Staatsanwaltschaft).

Voraussetzung für die Ernennung zum Staatsanwalt ist zunächst die Ablegung des juristischen Staatsexamens, das aus drei Prüfungen besteht (vergleiche § 29 Gesetz über die Staatsanwaltschaft): Die erste besteht aus Multiple-Choice-Fragen, die zweite aus einer kleinen Falllösung einschließlich Themenklausur und die dritte aus einer mündlichen Prüfung. Das Bestehen dieser Prüfungen befähigt zu einem zweijährigen Rechtspraktikum. Danach kann der Absolvent als Richter, Staatsanwalt oder Rechtsanwalt zugelassen werden.

Anzumerken ist, dass bisher ein rechtswissenschaftliches Studium für die Zulassung zum juristischen Staatsexamen in Korea keine zwingende Voraussetzung war (vergleiche dazu § 5 Abs. 1 Gesetz über das juristische Staatsexamen, 사법시험법). Die geltende Prüfungsordnung für juristische Staatsexamen läuft allerdings mit dem Jahr 2017 aus. Ab 2009 werden aufgrund der Einführung des US-amerikanisch beeinflussten „Law-School-Systems" die koreanische Juristenausbildung sowie die Voraussetzungen zur Befähigung als Staatsanwalt geändert:[13] Danach können im Unterschied zur bisherigen Prüfungsordnung nur die Law-School-Absolventen zum juristischen Staatsexamen zugelassen werden. Bis zum Jahr 2017 gilt eine Übergangsregelung.

Die Grundvoraussetzung für die Befähigung zum polizeilichen Dienst ist das Ablegen der Prüfung für Polizeibeamte oder die Absolvierung der Polizeischule beziehungsweise der Polizeiuniversität (vergleiche § 7, § 8 Abs. 1 und 2 Polizeibeamtengesetz 경찰공무원법).

b) Anklagebehörden

Anklagebehörde ist in Südkorea allein die Staatsanwaltschaft (§ 246 kStPO und § 4 Abs. 1 Nr. 1 Gesetze über die Staatsanwaltschaft), eine Privatklage gibt es nicht. Die Staatsanwaltschaften werden – entsprechend dem Gerichtsaufbau[14] – in Oberste, hohe und regionale Staatsanwaltschaften (대검찰청, 고등검찰청,

---

[13] Vergleiche dazu I.B.1.b.

[14] Siehe unten 5.c.

지방검찰청) unterteilt (vergleiche §§ 2 f. Gesetz über die Staatsanwaltschaft) und sind bei den Gerichten ansässig. Derzeit gibt es in Südkorea 1.627 Staatsanwälte (Stand 31.12.2006).

Im Jahr 2006 wurden insgesamt 2.402.972 Straftaten angezeigt, davon kam es in 1.094.113 Fällen zur Anklage, die restlichen Verfahren wurden eingestellt.[15] In diesem Zusammenhang ist darauf hinzuweisen, dass der koreanischen Staatsanwaltschaft aufgrund des Opportunitätsprinzips ein wesentlich weiterer Ermessensspielraum geöffnet ist als etwa der deutschen.

Bemerkenswert ist allerdings, dass die Polizei in Korea in bestimmten Fällen geringerer Delinquenz ohne Einschaltung der Staatsanwaltschaft selbstständig eine gerichtliche Sanktion beantragen kann (vergleiche das Gesetz über das Verfahren bei Strafverfügungen, 즉결심판에 관한 절차법).

c) Strafgerichte

Die Gerichtsbarkeit wird in Korea nach Art. 101 Abs. 2 Verfassung vom Obersten Gerichtshof und den unteren Gerichten ausgeübt. Ihr Aufbau wird gesetzlich bestimmt (Art. 102 Abs. 3 Verfassung). Das koreanische Gerichtsverfassungsgesetz (kGVG, 법원조직법) kennt nach § 3 verschiedene Arten von Gerichten: 1. den Obersten Gerichtshof (대법원), 2. das hohe Gericht (고등법원), 3. das Patentgericht (특허법원), 4. das regionale Gericht (지방법원), 5. das Familiengericht (가정법원) und 6. das Verwaltungsgericht (행정법원). Seit 1988 gibt es außerdem ein Verfassungsgericht. Es besteht aus neun Richtern (§ 3 Gesetz über das Verfassungsgericht).

Ferner existiert das Militärgericht (군사법원) nach Art. 110 Abs. 1 Verfassung als Sondergericht (특별법원). Es ist zuständig für die Straftaten von Soldaten und Zivilbediensteten der Streitkräfte, für militärische Spionagefälle, für gesetzlich bestimmte Straftaten im Zusammenhang mit dem militärischen Wachdienst, für gemeingefährliche Vergiftung von Nahrungsmitteln und für Kriegsgefangene. Im außerordentlichen Kriegszustand sind die Entscheidungen des Militärgerichts unanfechtbar (Art. 110 Abs. 4 Satz 1 Verfassung); dies gilt aber nicht im Fall eines Todesurteils (Art. 110 Abs. 4 Satz 2 Verfassung).

Die allgemeine Gerichtsbarkeit ist grundsätzlich in drei Instanzen unterteilt: den Obersten Gerichtshof, das hohe Gericht und das örtliche (regionale) Gericht. Der Oberste Gerichtshof ist als höchste Instanz im koreanischen Rechtssystem (§ 11 kGVG) zuständig für alle Revisionssachen, Wahl- und Patentsachen (§ 14 kGVG). Er besteht aus 14 Richtern einschließlich des Gerichtspräsidenten (§ 4 Abs. 2 kGVG). Es gibt fünf hohe Gerichte, die als Berufungsinstanz fungieren. Die erste

---

[15] Vergleiche Das Jahrbuch der Staatsanwaltschaft 2007; Weißbuch der Kriminalität 2007.

Instanz bilden die 18 regionalen Gerichte, die für insgesamt 42 Gerichtsbezirke zuständig sind. In der Sondergerichtsbarkeit gibt es je ein Patent- und ein Verwaltungsgericht.

Die Strafrechtspflege für Erwachsene wird von regionalen Gerichten, hohen Gerichten und dem Obersten Gerichtshof ausgeübt. Für Straftaten von Jugendlichen sind ausschließlich das Familiengericht und die regionalen Gerichte zuständig (vergleiche § 3 Abs. 2 koreanisches Jugendgerichtsgesetz, 소년법).[16]

Derzeit gibt es in Korea 2.618 Berufsrichter (Stand August 2008). Die Voraussetzungen für die Befähigung zum Richteramt sind gesetzlich festgelegt (Art. 101 Abs. 3 Verfassung). Nach § 42 Abs. 2 kGVG können die Absolventen des Rechtsreferendariats und die als Rechtsanwalt Zugelassenen zum Richter ernannt werden.

Ferner kennt das geltende koreanische Recht seit Einführung des „Gesetzes über die Beteiligung der Bevölkerung an Strafverfahren" (국민의 형사재판참여에 관한 법률) im Januar 2008 das sogenannte Laienrichtersystem (배심원제도). Durch die Beteiligung von Laienrichtern sollen die demokratische Legitimation und das Vertrauen der Allgemeinheit in die Justizförmlichkeit des Strafverfahrens gestärkt werden (vergleiche § 1 des oben genannten Gesetzes). Je nach Schwere der Straftat sind fünf bis neun Laienrichter am Strafverfahren beteiligt (§ 13 des oben genannten Gesetzes). Das Gericht ist jedoch unabhängig von den Urteilen und Meinungen der Laienrichter, denn sie üben nur eine beratende Rolle aus (vergleiche § 46 Abs. 5 des oben genannten Gesetzes). Die Voraussetzungen zur Befähigung als Laienrichter sind in § 16 des oben genannten Gesetzes bestimmt. In der Regel kann jeder koreanische Staatsbürger, der über 20 Jahre alt ist, Laienrichter werden (zur Ausnahmeregelung siehe §§ 17 ff. des oben genannten Gesetzes).

d) Sanktionen

Das koreanische Strafgesetzbuch kennt insgesamt neun verschiedene Strafarten ohne zwischen Haupt- und Nebenstrafen zu unterscheiden. Nach § 41 kStGB werden die Strafen wie folgt eingeteilt: 1. Todesstrafe (사형), 2. Zuchthaus (징역), 3. Einschließung (금고), 4. Entzug von Rechten (자격상실), 5. Einstellung von Rechten (자격정지), 6. Geldstrafe (벌금), 7. Strafhaft (구류), 8. Mindere Geldstrafe (과료) und 9. Einziehung (몰수).

Die schwerste Strafe ist die Todesstrafe, die als Lebensstrafe (생명형) bezeichnet wird. Zur Freiheitsstrafe (자유형) gehören Zuchthaus, Einschließung und Strafhaft. Zuchthaus und Einschließung sind lebenslang oder zeitig (§ 42 Satz 1 kStGB). Die Dauer der zeitigen Zuchthausstrafe und der Einschließung beträgt mindestens einen Monat und höchstens 16 Jahre (§ 42 Satz 1 kStGB). Im Fall einer Verschärfung können sie jedoch über das Höchstmaß hinaus auf bis zu 25 Jahren

---

16 Siehe dazu auch I.E.3.

verhängt werden (§ 42 Satz 2 kStGB). Bei einer Minderung können sie um die Hälfte der Strafdauer herabgesetzt werden (§ 55 Abs. 1 Nr. 3 kStGB). Die Strafhaft ist die kürzeste Form im geltenden koreanischen Freiheitsstrafensystem. Das Mindestmaß der Strafhaft ist ein Tag, ihr Höchstmaß beträgt 30 Tage (§ 46 kStGB).

Geldstrafe, mindere Geldstrafe sowie Einziehung sind Vermögensstrafen (재산형). Die Geldstrafe und die mindere Geldstrafe unterscheiden sich nur durch die Höhe des Betrags. Die mindere Geldstrafe beträgt mindestens 2.000 Won, höchstens 49.000 Won (§ 47 kStGB).[17] Dagegen ist der Mindestbetrag der Geldstrafe 50.000 Won (§ 45 kStGB). Das koreanische Strafgesetzbuch kennt in seinem Allgemeinen Teil keine generelle Bestimmung zum Höchstbetrag der Geldstrafe. Sie ist im Rahmen der bei dem jeweiligen Tatbestand bestimmten Beträge zu verhängen. Ferner kennt das koreanische Strafgesetzbuch kein Tagessatzsystem (일수벌금제), sondern nur eine Endsummengeldstrafe (총액벌금제, § 45 kStGB).

Die Einziehung eines durch die Straftat erlangten Vermögensgegenstands ist als Strafe normiert (§§ 41, 48 kStGB). Sie ist grundsätzlich nur fakultativ vorgesehen und erfolgt nach freiem Ermessen des Richters (§ 48 Abs. 1 kStGB).

Entzug und Einstellung von Rechten werden als Ehrenstrafen (명예형) bezeichnet. Der Entzug von Rechten ist als Strafe und als Nebenfolge vorgesehen, die zeitige Einstellung von Rechten ist als selbstständige Strafe, Nebenfolge und als Nebenstrafe ausgestaltet (§§ 41, 43 kStGB).

Wer zum Tode, zu lebenslangem Zuchthaus oder zu lebenslanger Einschließung verurteilt wird, verliert die folgenden Rechte (§ 43 Abs. 1 kStGB): 1. das Recht, ein öffentliches Amt zu bekleiden (Amtsfähigkeit), 2. das öffentlich-rechtliche Wahlrecht (Stimmrecht) und die öffentlich-rechtliche Wählbarkeit, 3. das Recht, öffentlich-rechtliche Funktionen auszuüben, für die das öffentliche Recht die Voraussetzungen der Fähigkeit festlegt, 4. das Recht, Vorsitzender, Rechnungsprüfer oder Geschäftsführer einer juristischen Person oder Aufsichtsrat oder Treuhänder des Geschäftsbetriebs einer juristischen Person zu werden.

Das koreanische Strafgesetzbuch kennt ferner die Strafaussetzung zur Bewährung (집행유예). Nach §§ 62 ff. kStGB können Zuchthaus- und Einschließungsstrafen bis zu drei Jahren unter bestimmten Voraussetzungen zur Bewährung ausgesetzt werden. Außerdem ermöglicht das StGB eine Aussetzung des Urteilsspruchs (§ 59 kStGB, 선고유예) sowie die gemeinnützige Arbeit (사회봉사) in Form von Arbeitsauflagen oder -weisungen bei der Aussetzung einer Freiheitsstrafe zur Bewährung (vergleiche § 62-2 kStGB).

Zu den Maßregeln gehören zum Beispiel die Unterbringung in einer Entziehungsanstalt als freiheitsentziehende Maßregel (치료감호, § 16 Gesetz über Therapie und Sicherungsverwahrung, 치료감호법) und die Führungsaufsicht (보호관찰과

[17] 1 Euro beträgt derzeit etwa 1820 Won (Stand April 2009).

보안관찰) als freiheitseinschränkende Maßregel (vergleiche §§ 59-2, 62-2 Abs. 1 Alt. 1 und Abs. 2 kStGB, § 32 Gesetz über die Führungsaufsicht, 보호관찰 등에 관한 법률 und §§ 4 ff. Gesetz zur Führungssicherheit, 보안관찰법).[18]

Die Todesstrafe wird selten verhängt und wurde in den letzten zehn Jahren nicht mehr vollstreckt. Die am häufigsten verhängte Strafe ist die Geldstrafe. Gemeinsam mit der minderen Geldstrafe spielt sie bei den summarischen Verfahren (약식재판), die zur schnellen Erledigung geringfügiger Delikte dienen, eine dominierende Rolle (über 90 %).

Bei den ordentlichen Strafverfahren erster Instanz steht aber noch die Freiheitsstrafe im Vordergrund.[19] Ihr Anteil lag im Jahr 2007 bei etwa 49 % der insgesamt 241.486 Verurteilungen. Davon wurden etwa 32 % zur Bewährung ausgesetzt. Der Anteil der Geldstrafe betrug etwa 35 % bezogen auf die Gesamtzahl der Verurteilungen.

Die Verurteilungsstatistik der ersten Instanz im Jahr 2008 lautet wie folgt: Von 268.531 Verurteilungen kam es dreimal zur Todesstrafe; 47,5 % aller Verfahren endeten mit einer Freiheitsstrafe, davon wurden 30,8 % zur Bewährung ausgesetzt. Der Anteil der Geldstrafe betrug 36 %. In 1,5 % der Fälle (2007: 1,3 %) kam es zu Freisprüchen.[20] Die geringe Zahl der Freisprüche beruht darauf, dass wegen des geltenden Opportunitätsprinzips viele Fälle gar nicht zur Anklage kommen.

e) Strafvollzug

Die gegenwärtig geltende gesetzliche Grundlage für den Vollzug der Freiheitsstrafe ist das Strafvollzugsgesetz (형의 집행 및 수용자의 처우에 관한 법률: Gesetz über die Vollstreckung der Strafe und die Behandlung der Gefangenen), das am 2.5.1950 in Kraft trat und bis jetzt zehnmal abgeändert worden ist.[21] Es enthält die allgemeinen Richtlinien und Vorschriften über die Organisation des Strafvollzugs insgesamt.[22]

Derzeit gibt es in Korea insgesamt 47 Haftanstalten (Stand 2007). Davon sind 29 Justizvollzugsanstalten (교도소) für Männer, vier Bezirksanstalten (지소), zehn Polizeihaftanstalten (구치소), des Weiteren gibt es eine Justizvollzugsanstalt für Frauen, eine Jugendstrafvollzugsanstalt, eine offene Justizvollzugsanstalt (개방교도소) und eine Justizvollzugsanstalt (청송직업훈련소), in der die Inhaftierten eine Berufsausbildung erhalten können. Die Anzahl der Strafgefangenen betrug im Jahr 2008 insgesamt 47.097 Personen (Stand 30.6.2008). Davon waren

---

18 Vergleiche dazu I.E.3.

19 Das Jahrbuch der Justizstatistik 2008, S. 852 ff.

20 Das Jahrbuch der Justizstatistik 2009.

21 Zur Geschichte des koreanischen Strafvollzugsgesetzes siehe I.G.4.

22 Siehe dazu I.G.4.

5,3 % Frauen, 0,6 % Jugendliche unter 18 Jahren und 2,7 % Ausländer. Die Gefangenenrate betrug damit 98 pro 100.000 Einwohner.[23] Im selben Jahr herrschte eine Überbelegungszahl von 109,3 %.

Literatur- und Quellenhinweise zu Abschnitt A.

Allgemeine Literatur:

Daul, Hansjoachim/Pfatteicher, Hermann, Korea von A – Z. Bonn 1966.

Eggert, Marion/Plassen, Jörg, Kleine Geschichte Koreas. München 2005.

Kleiner, Jürgen, Korea. Betrachtungen über ein fernliegendes Land. Frankfurt am Main 1980.

Machetzki, Rüdiger/Pohl, Manfred (Hrsg.), Korea: Wirtschaft, Politik, Kultur, Gesellschaft, Natur, Geschichte, Reisen, Sport. Stuttgart 1988.

Geografie:

Dege, Eckart, Brücke zwischen Festland- und Inselasien. In: Rüdiger Machetzki/Manfred Pohl (Hrsg.), Korea: Wirtschaft, Politik, Kultur, Gesellschaft, Natur, Geschichte, Reisen, Sport. Stuttgart 1988, S. 26–42.

Der Fischer Weltalmanach 2008. Zahlen, Daten, Fakten. Frankfurt am Main 2006/2007, S. 293–295.

CIA The World Factbook:
www.cia.gov/library/publications/the-world-factbook/geos/ks.html#Geo

Bevölkerung:

Bosch, Gerhard, Erwachsenenbildung in Süd-Korea, Asien 98 (Januar 2006), S. 45–65.

Choi, Chongko, Staat und Religion in Korea. Zur Grundlegung eines koreanischen Religionsrechts. Dissertation Universität Freiburg 1979.

Prunner, Gernot, Religion in Korea. In: Rüdiger Machetzki/Manfred Pohl (Hrsg.), Korea: Wirtschaft, Politik, Kultur, Gesellschaft, Natur, Geschichte, Reisen, Sport. Stuttgart 1988, S. 296–302.

Sasse, Werner, Koreanische Sprache und Schrift. In: Rüdiger Machetzki/Manfred Pohl (Hrsg.), Korea: Wirtschaft, Politik, Kultur, Gesellschaft, Natur, Geschichte, Reisen, Sport. Stuttgart 1988, S. 322–327.

Seelmann, Hoo Nam, Neue Zürcher Zeitung vom 15.3.2002, S. 62.

---

[23] Koreanisches Justizministerium; King's College London (siehe unten Quellenhinweise).

Zaborowski, Hans-Jürgen, Bildungs- und Wertsystem. In: Rüdiger Machetzki/Manfred Pohl (Hrsg.), Korea: Wirtschaft, Politik, Kultur, Gesellschaft, Natur, Geschichte, Reisen, Sport. Stuttgart 1988. S. 268–279.

Der Fischer Weltalmanach 2008. Zahlen, Daten, Fakten. Frankfurt am Main 2006/2007, S. 293–295.

Koreanisches Amt für Statistik (통계청) (Hrsg.), Bodozaryo, Tonggero Bon Daehanminguk Yukshipnyuneui Kyoungzae Sahoesangeui Byunhwa (보도자료, 통계로 본 대한민국 60년의 경제, 사회상 변화; Pressemitteilung „Über die Veränderung der wirtschaftlichen und sozialen Verhältnisse in Korea während der letzten 60 Jahre“). Seoul 2008: http://www.nso.go.kr

CIA The World Factbook:
www.cia.gov/library/publications/the-world-factbook/geos/ks.html#Geo

Wirtschaft:

Beez, Peter, Wirtschaftliche Entwicklung in Südkorea: Wachstum als Folge eines Reformprozesses. Eine polit- und institutionenökonomische Interpretation. Mitteilungen des Instituts für Asienkunde. Hamburg 2000.

Machetzki, Rüdiger, Die Wirtschaft der Republik Korea. In: Rüdiger Machetzki/Manfred Pohl (Hrsg.), Korea: Wirtschaft, Politik, Kultur, Gesellschaft, Natur, Geschichte, Reisen, Sport. Stuttgart 1988, S. 175–219.

Der Fischer Weltalmanach 2008. Zahlen, Daten, Fakten. Frankfurt am Main 2006/2007, S. 293–295.

Koreanisches Amt für Statistik (통계청) (Hrsg.), Bodozaryo, Tonggero Bon Daehanminguk Yukshipnyuneui Kyoungzae Sahoesangeui Byunhwa (보도자료, 통계로 본 대한민국 60년의 경제, 사회상 변화; Pressemitteilung „Über die Veränderung der wirtschaftlichen und sozialen Verhältnisse in Korea während der letzten 60 Jahre). Seoul 2008: http://www.nso.go.kr

Korean Statistical Information Service (KOSIS 국가통계포털): http://www.kosis.kr/; http://www.kosis.kr/html/autoJipyo/jipyo_h_view.jsp

Auswärtiges Amt: www.auswaertiges-amt.de/diplo/de/Laenderinformationen/Korea

CIA The World Factbook:
www.cia.gov/library/publications/the-world-factbook/geos/ks.html#Geo

Staatsorganisation:

Choe, Hyondok/Drescher, Lutz/Werning, Rainer (Hrsg.), Korea. Entfremdung und Annäherung. Köln 2007.

Croissant, Aurel, Südkorea: Von der Militärdiktatur zur Demokratie. In: Derichs, Claudia/Heberer, Thomas (Hrsg.), Einführung in die politischen Systeme Ostasiens. Opladen 2003, S. 225–270.

Kern, Thomas, Südkoreas Pfad zur Demokratie. Modernisierung, Protest, Regimewechsel. Frankfurt am Main 2005.

Kim, Geonwoo, Um die koreanische Wiedervereinigung – Die Sonnenscheinpolitik Kim Dae Jungs im Vergleich mit der Ostpolitik Willy Brandts. Dissertation Universität Freiburg 2007.

Kim, Hiyoul, Koreanische Geschichte. Einführung in die koreanische Geschichte von der Vorgeschichte bis zur Moderne. St. Augustin 2004.

Kindermann, Gottfried-Karl, Der Aufstieg Koreas in der Weltpolitik. Von der Landesöffnung bis zur Gegenwart. München 2005.

Lim, Jung-Pyung, Der Einfluss des Buddhismus auf die Gesellschaft und das Recht Koreas. ARSP 1971, S. 429–441.

Werning, Rainer (Hrsg.), Südkorea. Politik und Geschichte im Land der Morgenstille. Köln 1988.

CIA The World Factbook:
www.cia.gov/library/publications/the-world-factbook/geos/ks.html#Geo

Kriminalität und Strafverfolgung:

– **Ermittlungsbehörden**

Koreanische Oberste Staatsanwaltschaft (대검찰청): http://www.spo.go.kr/user.tdf?a=user.board.BoardApp&c=2001&board_id=sppo_mannual&chungcd=01000000&catmenu=030101

Koreanisches Polizeiamt (경찰청): http://www.police.go.kr/main/index.do

– **Anklagebehörden**

Shin, Dong-Woon, Anklagepflicht und Opportunitätsprinzip im deutschen und koreanischen Recht. Pfaffenweiler 1984, S. 134 ff.

Koreanische Oberste Staatsanwaltschaft (Hrsg.), Kumchal Yungam (검찰연감, Das Jahrbuch der Staatsanwaltschaft), Seoul 2007: http://www.spo.go.kr

Koreanisches Justizministerium (Hrsg.): Bumzaeh Baeksuh (범죄백서, Weißbuch der Kriminalität), 2007: http://www.spo.go.kr

– **Strafgerichte**

Koreanisches Oberstes Gericht (대법원):
http://www.scourt.go.kr/info/scrt_intro/judicial/index.html

– **Sanktionen**

Cho, Byong-Sun, South Korea's changing capital punishment policy. The road from de facto formal abolition. Punishment & Society, vol. 10 (2008), S. 171–205. Abrufbar unter http://pun.sagepub.com.

Han, Young-Soo, Die Bedeutung und Einschätzung der kurzen Freiheitsstrafe in Deutschland und Südkorea. Frankfurt am Main 1997, S. 197 ff.

Son, Misuk, Straftatfolgen im deutschen und koreanischen Strafrecht. Ein prinzipieller Vergleich. Frankfurt am Main 2004, S. 280 ff.

Son, Misuk, Rechtsvergleichende und rechtsphilosophische Betrachtungen zur Todesstrafe und der Aussetzung ihrer Vollstreckung in Korea. Rechtspolitisches Forum, Heft Nr. 42. Trier 2008.

Suh, Bo-Hak, Der Rechtsfolgenteil des neuen koreanischen StGB von 1995 im Vergleich zu den Regelungen im deutschen StGB. Unter besonderer Berücksichtigung der Regelungen des Entwurfes von 1992 in Korea. Frankfurt am Main 1996, S. 51 ff.

Das koreanische Oberste Gericht (대법원). In: Koreanisches Oberstes Gericht (Hrsg.), Jahrbuch der Justizstatistik (Sabop Yungam, 사법연감). Seoul 2008, S. 853 ff.: http://www.scourt.go.kr/news/NewsViewAction.work?gubun=6&seqnum=529

– **Strafvollzug**

Koreanisches Justizministerium (법무부): www.corrections.go.kr

King's College London:
http://www.kcl.ac.uk/depsta/law/research/icps/worldbrief/wpb_country.php?country=109

B. Rechtsvergleichende und internationale Einordnung

1. Rechtsvergleichende Einordnung des Landesrechts

a) Typisierung

Das koreanische Rechtssystem weist einen kontinentaleuropäischen Charakter (대륙법체계) auf. Grund dafür ist vor allem die Rezeption (계수) des deutschen Rechts zu Beginn des 20. Jahrhunderts.[1] Die gegenwärtige koreanische Rechtswissenschaft ist daher trotz der seit dem Zweiten Weltkrieg zunehmenden amerikanischen Einflüsse immer noch primär am deutschen Recht orientiert. Das koreanische Recht ist damit nicht vom *case law* geprägt, sondern ein Gesetzesrecht mit Begriffen, die in systematischem Zusammenhang stehen. Allerdings sind die kontinentaleuropäischen Einflüsse nur im materiellen Recht deutlich, das heißt zum Beispiel im Zivil- und im Strafrecht, während im Bereich des Verfassungs- und Strafprozessrechts der amerikanische Einfluss spürbar durchdringt.

b) Hintergrund dieser Typisierung

Das gegenwärtige koreanische Rechtssystem basiert nicht auf einer geschichtlichen Kontinuität. Über 600 Jahre lang war Korea ein nach außen hin abgeschlossenes Agrarland unter absolutistischer Herrschaft. Wie viele andere Bereiche stand auch das traditionelle koreanische Recht in dieser Zeit unter dem Einfluss der chinesischen konfuzianischen Gedankenwelt,[2] bis infolge der Niederlage Chinas im Krieg gegen Japan (청일전쟁, 1894–1895) die Beziehungen zu China abbrachen und Korea Ende des 19. und Anfang des 20. Jahrhunderts durch Japan ein neues Rechtssystem und eine neue, westliche Rechtskultur erhielt.

Die Rechtsgeschichte Koreas teilt sich insofern in zwei scharf voneinander getrennte Phasen, zwischen denen keine inhaltliche Verbindung besteht: die Zeit der Rezeption des chinesischen Rechtsdenkens bis gegen Ende des 19. Jahrhunderts und die Zeit des Einflusses des kontinentaleuropäischen Rechtssystems in den letzten 100 Jahren. Jedes System bewegt sich in seinem eigenen Gedankengefüge und beruht auf völlig unterschiedlichen Grundsätzen. Das geltende koreanische Recht hat daher mit der rechtsgeschichtlichen Vergangenheit wenig zu tun. Alle wichtigen strafrechtlichen Gesetzesnormen sind heute kontinentaleuropäisch orientiert.

Die Hauptgründe, warum Korea trotz seiner mehr als fünf Jahrtausende alten Geschichte und seiner ursprünglich völlig anderen Rechtskultur das deutsche Rechtssystem nahezu komplett übernommen hat, sind nicht nur im fremdbestimmten poli-

---

1 Siehe eingehend dazu I.G.2.

2 Zum Konfuzianismus siehe I.G.2.

tischen Schicksal Koreas zu Beginn des 20. Jahrhunderts zu suchen.[3] Sie liegen auch in der damals generell zu beobachtenden Tendenz Ostasiens zur internationalen Ausrichtung.

Die Entwicklungen des koreanischen Strafrechts nach dem Zweiten Weltkrieg bestehen in Anlehnung an das deutsche Recht vor allem in der Ausformung der fundamentalen Rechtsidee, die in der Vernunft des Menschen und seiner Freiheit begründet ist. Das deutsche Recht beruht auf apriorischen Rechtsgrundsätzen und gilt als „Vernunftrecht" (인간의 이성에 근거한 법), weil es als letzten Grund des Rechts die in jedem Menschen angelegte Vernunft sieht. Dieser Rechtsgrund und diese Rechtsidee konnten über die nationalen Grenzen hinaus das geistige Fundament des koreanischen Rechtssystems bilden.

Ein weiterer wichtiger Grund für den – trotz des starken politischen Drucks seitens der USA nach der Neugründung des Landes – geringen Einfluss des angloamerikanischen Rechtsdenkens ist darin zu sehen, dass dessen wesentliche Merkmalszüge nicht auf einem Gesetzesrecht im eigentlichen Sinne, sondern auf dem *common law* beruhen. Diese hätten sich in einer dafür geeigneten Rechtskultur entwickeln können, korrespondierten jedoch nicht mit den völlig anderen Rechtstheorien und Auslegungsgrundsätzen Koreas.

Darüber hinaus stellten die grundlegenden Unterschiede im politischen, gesellschaftlichen und wirtschaftlichen Leben zwischen den Vereinigten Staaten und Korea in den Jahren nach dem Zweiten Weltkrieg ein schwerwiegendes Hindernis für eine potenzielle Befruchtung der koreanischen Rechtskultur durch die US-amerikanische dar. Da eine in ihren Grundzügen gleichartige Kultur und Lebensanschauung die Voraussetzung für die Übernahme des amerikanischen Gewohnheitsrechts gewesen wäre, kam eine Übertragung dieses Rechtsdenkens auf Korea schon allein deshalb nicht in Betracht.

Im Gegensatz zum materiellen Recht enthält, wie bereits oben erwähnt, die 1954 in Kraft getretene koreanische Strafprozessordnung (kStPO, 형사소송법) viele Elemente des angloamerikanischen Rechts. Im Unterschied zur japanischen StPO von 1948 hat die koreanische dennoch überwiegend einen kontinentaleuropäischen, insbesondere deutschen Charakter beibehalten, obwohl inzwischen der Gehalt an US-amerikanischen Rechtselementen durch mehrere Reformen weiter erhöht worden ist.[4] So liegt der Struktur des koreanischen Strafverfahrens das Prinzip des US-amerikanischen Parteiprozesses zugrunde, das allerdings in der Lehre sehr umstritten ist (vergleiche Hunjaegyl (헌재결), 30.11.1995, 92Hunma44; 27.11.1997, 94Hunma60; Daepan (대판), 8.3.1983, 82Do3248; 23.8.1983, 83Do1632; 12.6.1984, 84Do796; 28.3.1991, 91Mo24).

---

3 Näher dazu siehe I.G.2.

4 Im Einzelnen siehe I.G.3.

Die im Jahr 2008 neu eingeführte Laienbeteiligung (배심제) im Strafverfahren unterscheidet sich sowohl vom US-amerikanischen Jury-System als auch vom deutschen Schöffensystem, da das koreanische Gericht unabhängig von den Urteilen und Meinungen der Laienrichter ist, die somit nur eine beratende Funktion haben.[5]

Ein Beispiel für den zunehmenden US-amerikanischen Einfluss ist die Einführung des sogenannten *Law-School*-Systems. Das Gesetz über die Einrichtung der *Law School* (법학전문대학원 설치 운영에 관한 법률) wurde trotz großer Skepsis und vieler Gegenstimmen am 27.7.2007 verabschiedet und trat im selben Jahr in Kraft.[6] Die Einführung dieses Systems bedeutet einen grundlegenden Wandel der Juristenausbildung in Korea, in dem sich auch ein Paradigmenwechsel der Rechtswissenschaft widerspiegelt.

Die gegenwärtige koreanische Gesellschaft ist im soziokulturellen Bereich einerseits stark US-amerikanisch geprägt und hat andererseits dennoch unverkennbar etwas von ihren Wurzeln aus konfuzianischer Zeit beibehalten. Die Antwort auf die Frage, wie sich das inzwischen tief verwurzelte kontinentaleuropäische Rechtssystem auf die weitere Entwicklung der Rechtswissenschaft und der Rechtskultur in Korea auswirken wird, bleibt abzuwarten.

2. Einfluss internationaler Bindungen

a) Mitgliedschaft in internationalen und regionalen Organisationen

Nach der Neugründung des Landes im Jahr 1948 wurde Korea Mitglied in verschiedenen internationalen und regionalen Organisationen. Seit 1991 gehört das Land den Vereinten Nationen an, wobei besonders hervorzuheben ist, dass es seit dem 1.1.2007 mit *Ban, Ki-Moon* (반기문) den UNO-Generalsekretär stellt. 1996 wurde Korea Mitglied der OECD. Auf regionaler Ebene ist es an der Organisation ASEAN plus three, einem Kooperationsforum zwischen den Mitgliedstaaten der ASEAN und den drei ostasiatischen Staaten (Süd-)Korea, China und Japan, beteiligt.

b) Beteiligung an völkerrechtlichen Verträgen

Korea hat sich, wie viele andere Länder auch, besonders an solchen Verträgen beteiligt, die dem Schutz der *Menschenrechte* dienen. Hier sind besonders zu nennen:

---

[5] Siehe dazu I.A.5.c.

[6] Siehe dazu I.A.5.a.

- UN-Konvention zur Unterbindung des Menschenhandels und der Ausnutzung der Prostitution anderer (Beitritt am 13.2.1962);
- Internationales Übereinkommen gegen Geiselnahme (Beitritt am 4.5.1983);
- Internationaler Pakt über bürgerliche und politische Rechte (unterzeichnet am 16.12.1966; ratifiziert am 10.7.1990);
- UN-Übereinkommen gegen Folter und andere grausame, unmenschliche oder erniedrigende Behandlung oder Strafe (unterzeichnet am 8.2.1995; ratifiziert am 9.1.1995).

Ferner gelten in Korea die allgemeinen Regeln des *humanitären Völkerrechts*, wie sie zum Beispiel in den folgenden Konventionen festgelegt sind:

- UN-Übereinkommen zur Verhütung und Bestrafung des Völkermordes (Beitritt am 14.10.1950; ratifiziert am 12.1.1951);
- Genfer Konvention vom 12.8.1949 (ratifiziert am 16.8.1966);
- Zusatzprotokoll I und II zur Genfer Konvention (unterzeichnet am 7.12.1977; ratifiziert am 15.1.1982);
- Zusatzprotokoll III zur Genfer Konvention (unterzeichnet am 2.8.2006);
- Rom-Statut des Internationalen Strafgerichtshofs (unterzeichnet am 8.3.2000; ratifiziert am 13.11.2002).

Bei der internationalen *Drogenbekämpfung* ist Korea ebenfalls engagiert beteiligt:

- Convention on psychotropic substances (Beitritt am 12.1.1978);
- UN-Übereinkommen gegen den illegalen Handel mit Suchtstoffen und psychotropen Substanzen (Beitritt am 28.12.1998).

Zur Bekämpfung der *Organisierten Kriminalität* im internationalen Zusammenhang hat Korea folgende Verträge abgeschlossen:

- UN-Übereinkommen gegen die grenzüberschreitende organisierte Kriminalität (unterzeichnet am 13.12.2000);
- Zusatzprotokoll 12 a über Menschenhandel (unterzeichnet am 13.12.2000);
- Zusatzprotokoll 12 b über Menschenschmuggel (unterzeichnet am 13.12.2000);
- Zusatzprotokoll 12 c gegen die unerlaubte Herstellung von Feuerwaffen, deren Teile, Komponenten und Munition sowie gegen den unerlaubten Handel damit (unterzeichnet am 4.10.2001).

Um sich an der internationalen *Terrorismusbekämpfung* zu beteiligen, hat sich Korea unter anderem folgenden Konventionen angeschlossen:

- UN-Übereinkommen über die Bekämpfung terroristischer Bombenanschläge (unterzeichnet am 3.12.1999; ratifiziert am 17.2.2004);

- UN-Übereinkommen für die Bekämpfung der Finanzierung von Terrorismus (unterzeichnet am 9.10.2001; ratifiziert am 17.2.2004);
- UN-Übereinkommen zur Bekämpfung nuklearterroristischer Handlungen (unterzeichnet am 16.9.2005).

Zur Förderung der Verfolgung internationaler *Wirtschaftskriminalität* ist Korea unter anderem der OECD-Konvention gegen die Bestechung ausländischer Amtsträger (Inkrafttreten des Umsetzungsgesetzes am 5.2.1999) und dem UN-Übereinkommen gegen Korruption (unterzeichnet am 10.12.2003; ratifiziert am 27.3.2008) beigetreten.

Zur Erleichterung der *internationalen Rechtshilfe in Strafsachen* generell hat sich Korea unter anderem dem Übereinkommen über die Überstellung verurteilter Personen SEV-Nr.: 112 (Beitritt am 20.7.2005; Inkrafttreten am 1.11.2005) angeschlossen.

Literaturhinweise zu Abschnitt B.

Choe, Byoung Jo, Die Rezeption deutschen Zivilrechts in Korea. In: Newsletter der deutsch-chinesischen Juristenvereinigung e.V., 7. Jahrgang, Heft 4 (2000), S. 111–124.

Choi, Chong-Go, Über die Rezeption westlichen Rechts in Korea. In: Manfred Rehbinder/Ju-Chan Sonn (Hrsg.), Zur Rezeption des deutschen Rechts in Korea. Baden-Baden 1990, S. 29–58.

Chung, In-Sup, Gukjae Inkwon Chojakzip (국제인권조약집, Sammlung der internationalen menschenrechtlichen Abkommen). Seoul 2008.

Das koreanische Strafgesetzbuch. Deutsche Übersetzung und Einführung von *Paul K. Ryu.* Berlin 1968.

Huh, Young, Begegnung europäischer und ostasiatischer Rechtskultur. Geistige Grundlagen des koreanischen Rechts. Verfassung und Recht in Übersee 1977, S. 117–123.

Huh, Young, Hanguk Hunbopron (Das koreanische Verfassungsrecht, 한국헌법론). 3. Aufl. Seoul 2005, S. 173–180.

Hyun, Soong-Jong, Das traditionelle koreanische und das moderne westliche Recht. In: Manfred Rehbinder/Ju-Chan Sonn (Hrsg.), Zur Rezeption des deutschen Rechts in Korea. Baden-Baden 1990, S. 17–28.

Kim, Hyo-Jeon, Hundert Jahre Verfassungsrecht in Korea und Deutschland. JöR 35 (1986), S. 575–604.

Kim, Youn-Soo, Die Verfassung der Republik Korea – Geschichte und Kommentar. Verfassung und Recht in Übersee 1971, S. 31–40.

Kim, Young-Hwan, Zur Rezeption des deutschen Strafrechts in Korea. In: Fritjof Haft u.a. (Hrsg.), Strafgerechtigkeit. Festschrift für Arthur Kaufmann. Heidelberg 1993, S. 695–707.

Koreanisches Bürgerliches Gesetzbuch. Textausgabe mit Einleitung und Erklärungen koreanischer Rechtsbegriffe von *Cho, Kyu-Chang*. Frankfurt am Main 1980.

Lee, Hyung-Kook, Über den Einfluss der deutschen Strafrechtslehre auf das koreanische Strafrecht nach dem Zweiten Weltkrieg. In: Erik Jayme (Hrsg.), Festschrift für Hubert Niederländer. Heidelberg 1991, S. 321–328.

Lim, Jung-Pyung, Der Einfluss des Buddhismus auf die Gesellschaft und das Recht Koreas. ARSP 1971, S. 429–441.

Oppert, Ernst Jacob, Ein verschlossenes Land. Reisen nach Korea. Leipzig 1880; koreanische Übersetzung von *Han, U-Gun*, Chonsun Gihaeng (조선기행). Seoul 1974.

Park, Chul Un, Reformtendenzen im koreanischen Strafrecht. ZStW 97 (1985), S. 454–464.

Riedel, Jürgen, Gelebtes und geschriebenes Recht. In: Rüdiger Machetzki/Manfred Pohl (Hrsg.), Korea: Wirtschaft, Politik, Kultur, Gesellschaft, Natur, Geschichte, Reisen, Sport. Stuttgart 1988, S. 280–285.

Shin, Dong Woon, Anklagepflicht und Opportunitätsprinzip im deutschen und koreanischen Recht. Pfaffenweiler 1984, S. 96 ff.

Son, Misuk, Straftatfolgen im deutschen und koreanischen Strafrecht. Ein prinzipieller Vergleich. Frankfurt am Main 2004, S. 226 ff.

– Die mittelbare Täterschaft und das System der Tatbeteiligung im koreanischen StGB. ZStW 119 (2007), S. 750–767.

– Rechtsvergleichende und rechtsphilosophische Betrachtungen zur Todesstrafe und der Aussetzung ihrer Vollstreckung in Korea. Rechtspolitisches Forum, Heft Nr. 42. Trier 2008.

Sonn, Ju-Chan, Die Entwicklung des koreanischen Gesellschaftsrechts. In: Manfred Rehbinder/Ju-Chan Sonn (Hrsg.), Zur Rezeption des deutschen Rechts in Korea. Baden-Baden 1990, S. 75–82.

Tjong, Zong Uk, Zur Geschichte der Kodifikation des Strafrechts in Ostasien. ZStW 84 (1972), S. 1088–1199.

– Beziehungen zwischen dem deutschen und koreanischen Strafrecht. In: Günter Stratenwerth (Hrsg.), Festschrift für Hans Welzel. Berlin 1974, S. 277–288.

– Traditionelles und modernes Strafrecht in Korea. ZStW 88 (1976), S. 785–812.

Tjong, Zong Uk/Eubel, Paul, Strafrecht. In: Paul Eubel (Hrsg.), Das japanische Rechtssystem. Frankfurt am Main 1979, S. 205–254.

Yi, Zoon-Il, Hunbophak Gangeui (Verfassungsrecht, 헌법학강의). 3. Aufl. Seoul 2008, S. 211–218.

Yun, Kun-Shik, Die Verfassungsentwicklung der Republik Korea seit 1948. JöR 12 (1963), S. 461–491.

Rechtsprechung

Entscheidungen des koreanischen Verfassungsgerichts

Hunjaegyl (헌재결), 30.11.1995, 92Hunma44

Hunjaegyl, 27.11.1997, 94Hunma60

Entscheidungen des koreanischen Obersten Gerichthofs

Daepan (대판), 8.3.1983, 82Do3248

Daepan, 23.8.1983, 83Do1632

Daepan, 12.6.1984, 84Do796

Daepan, 28.3.1991, 91Mo24

C. Verfassungsrechtliche Vorgaben

1. Übergesetzliche Regelungen als Träger strafrechtlicher Prinzipien

Das geltende Strafrecht Koreas[1] beruht auf der Verfassung (대한민국헌법), die am 12.7.1948 erlassen und bis heute mehrmals, zuletzt im Jahr 1987, abgeändert wurde. Danach ist Südkorea eine demokratische Republik (Art. 1 Abs. 1 Verfassung). Die Demokratie ist als unabdingbare Voraussetzung für die Verwirklichung und Gewährleistung der Freiheit des einzelnen Bürgers ein fundamentales Prinzip der koreanischen Verfassung. Das Volk ist Träger der Souveränität der Republik Korea und alle Staatsgewalt geht vom Volke aus (Prinzip der Volkssouveränität, Art. 1 Abs. 2 Verfassung).

Die Verfassung betont außerdem den Wohlfahrtsstaat (Art. 34, 36 Verfassung) und den Kulturstaat. Sie verpflichtet den Staat, für die Bewahrung und Fortentwicklung des kulturellen Erbes und die kreative Entwicklung der nationalen Kultur Sorge zu tragen (Art. 9 Verfassung). Die Republik Korea strebt nach internationalem Frieden und lehnt den Angriffskrieg ab (Art. 5 Abs. 1 Verfassung). In diesem Zusammenhang sei festgehalten, dass Korea aktives Mitglied in verschiedenen internationalen und regionalen Organisationen ist und sich an zahlreichen Abkommen beteiligt.[2]

Art. 10 Satz 1 Verfassung betont den Wert und die Menschenwürde der Bürger und ihr Recht auf Streben nach Glück. Daraus ist abzuleiten, dass niemand zum bloßen Objekt der staatlichen Macht gemacht werden darf. Der Staat ist verpflichtet, die unantastbaren fundamentalen Menschrechte jeder einzelnen Person zu garantieren und zu schützen (Art. 10 Satz 2 Verfassung).

Eine Entscheidung des Verfassungsgerichts konkretisiert das Menschenbild der Verfassung. Danach ist der Mensch ein selbstbestimmter und selbstständiger Bürger. Als solcher lebt er in einem demokratischen Staatswesen in Verantwortung für sich und andere (vergleiche Hunjaegyl (헌재결), 28.5.1998, 96Hunga5).

Zu diesen Fundamentalaussagen treten weitere Regelungen. So genießen nach Art. 6 Abs. 1 Verfassung die verfassungsgemäß zustande gekommenen völkerrechtlichen Verträge und die allgemein anerkannten internationalen Vorschriften den gleichen Rang wie die nationalen Gesetze.

---

1 Im Folgenden ist mit Korea in der Regel Südkorea gemeint.

2 Siehe dazu I.B.

2. Grundrechte und Grundfreiheiten

Die koreanische Verfassung garantiert umfassende Grundrechte als Fundament für das freiheitliche Leben des Bürgers, zum Beispiel: Gleichheit vor dem Gesetz (Art. 11 Abs. 1 Satz 1 Verfassung), persönliche Freiheitsrechte (Art. 12 Abs. 1 Verfassung), Freizügigkeit (Art. 14 Verfassung), Berufsfreiheit (Art. 15 Verfassung), Unverletzlichkeit von Wohnung und Privatgeheimnissen sowie Freiheit des Privatlebens (Art. 16, 17 Verfassung), Unverletzlichkeit von Kommunikationsgeheimnissen (Art. 18 Verfassung), Gewissens- und Religionsfreiheit (Art. 19, 20 Verfassung), Meinungsäußerungs- und Pressefreiheit, Versammlungs- und Vereinigungsfreiheit (Art. 21 Verfassung), Freiheit der Wissenschaft und der Kunst (Art. 22 Verfassung), Eigentumsgarantie (Art. 23 Abs. 1 Verfassung), Wahlrecht (Art. 24 Verfassung), Petitionsrecht (Art. 26 Abs. 1 Verfassung).

Freiheiten und Rechte aller dürfen nicht deswegen unbeachtet bleiben, weil sie nicht besonders in der Verfassung erwähnt sind (Art. 37 Abs. 1 Verfassung). Alle Freiheiten und Rechte des Bürgers können, wenn es für die Garantie der nationalen Sicherheit, die Aufrechterhaltung der öffentlichen Ordnung und das Gemeinwohl erforderlich ist, durch Gesetz eingeschränkt werden (Vorbehalt des Gesetzes), in keinem Fall aber darf ihr Wesensgehalt angetastet werden (Art. 37 Abs. 2 Verfassung).

3. Sonstige übergesetzliche Normen von strafrechtlicher Relevanz

Der Inhalt der koreanischen Verfassung wirkt in das Strafrecht hinein. Auf dem Grundrecht der Menschenwürde (Art. 10 Abs. 1 Verfassung), die die Person nicht als bloßes Objekt staatlichen Handelns, sondern als eigenverantwortlich handelndes Rechtssubjekt voraussetzt, beruht das Schuldprinzip *(nulla poena sine culpa)*. Das Schuldprinzip (책임원칙) bedeutet die subjektive Zurechenbarkeit des objektiven Verbrechens aufgrund der selbstbestimmt begangenen Tat des Täters.

Was die Rechtsgarantien bei Freiheitsentziehung und das Strafprozessrecht insgesamt anbelangt, so sind wichtige Prinzipien anders als in anderen Ländern in der koreanischen Verfassung sehr konkret und ausführlich genannt:

- Festnahme, Freiheitsentziehung, Beschlagnahme, Durchsuchung oder Verhöre sind ohne gesetzliche Grundlage unzulässig, niemand darf ohne gesetzliche Grundlage und ein faires Verfahren zu einer Strafe, Maßregel oder Zwangsarbeit verurteilt werden (Prinzip des fairen Verfahrens und Gesetzlichkeitsprinzip des Strafverfahrens, Art. 12 Abs. 1 Satz 2 Verfassung).
- Niemand darf der Folter unterworfen werden und kein Bürger ist zu einer Aussage gegen sich selbst verpflichtet (Folterverbot und Aussageverweigerungsrecht, Art. 12 Abs. 2 Verfassung).

- Bei Festnahme oder Freiheitsentziehung, Beschlagnahme und Durchsuchung muss die vom Richter auf Antrag des Staatsanwalts ausgestellte Anordnung des Zwangseingriffs nach gesetzmäßigem Verfahren vorgewiesen werden (Art. 12 Abs. 3 Verfassung).
- Jeder Festgehaltene oder Festgenommene hat das Recht auf den Beistand eines Anwalts. Wenn ein Angeklagter nicht in der Lage ist, sich selbst einen Anwalt zu besorgen, muss ihm nach dem Gesetz der Staat einen Anwalt stellen (Recht auf anwaltlichen Beistand, Art. 12 Abs. 4 Verfassung).
- Von jeder Festnahme oder Freiheitsentziehung ist unverzüglich ein Angehöriger des Festgehaltenen oder eine gesetzlich bestimmte Person zu benachrichtigen (Art. 12 Abs. 5 Satz 2 Verfassung).
- Jeder hat in Fällen der Festnahme oder Freiheitsentziehung ein Recht darauf, bei Gericht die Feststellung der Zulässigkeit dieser Maßnahme zu beantragen (Art. 12 Abs. 6 Verfassung).
- Ein Geständnis des Angeklagten, das durch Folter, Gewaltanwendung, Drohung, unangemessen lange Festnahme, Täuschung oder Ähnliches zustande gekommen ist, kann ebenso wenig zum Nachteil des Angeklagten verwertet werden wie ein Geständnis, das in einem Verfahren gegen ihn das einzige belastende Beweismittel ist (Art. 12 Abs. 7 Verfassung).
- Niemand darf nachträglich bestraft werden, wenn die Tat bei der Begehung nicht strafbar war, und niemand darf wegen derselben Tat aufgrund der allgemeinen Strafgesetze mehrmals bestraft werden (Gesetzlichkeitsprinzip und Doppelbestrafungsverbot, Art. 13 Abs. 1 Verfassung).
- Art. 27 Abs. 1 Verfassung garantiert den gesetzlichen Richter.
- Nach Art. 27 Abs. 2 Verfassung darf grundsätzlich niemand einer Sondergerichtsbarkeit unterworfen werden.
- Jeder Bürger hat das Recht auf ein schnelles Verfahren (Beschleunigungsgebot, Art. 27 Abs. 3 Satz 1 Verfassung).
- Das Verfahren ist prinzipiell öffentlich (Art. 27 Abs. 3 Satz 2 und Art. 109 Satz 1 Verfassung).
- Die Unschuld des Angeklagten ist zu vermuten, solange seine Schuld nicht gerichtlich festgestellt wurde (Unschuldsvermutung, Art. 27 Abs. 4 Verfassung).
- Jeder Angeklagte hat Anspruch auf rechtliches Gehör (Art. 27 Abs. 5 Verfassung).
- Ein unschuldig der Strafverfolgung Ausgesetzter hat Anspruch auf Wiedergutmachung (Art. 28 Verfassung).
- Bürger, die aufgrund einer Straftat anderer körperlich verletzt wurden, können nach dem Gesetz staatliche Hilfe in Anspruch nehmen (Art. 30 Verfassung).

- Wegen einer mit Strafe bedrohten Handlung darf ein Abgeordneter nur mit Genehmigung des Parlaments festgenommen oder verhaftet werden, es sei denn, dass er bei Begehung der Tat festgenommen wird (Art. 44 Abs. 1 Verfassung).
- Die Strafverfolgung des Staatspräsidenten während seiner Amtszeit ist außer im Fall des Hoch- und Landesverrats ausgeschlossen (Art. 84 Verfassung).
- Die Richter sind unabhängig und nur der Verfassung, dem Gesetz und ihrem Gewissen unterworfen (Richterliche Unabhängigkeit, Art. 103 Verfassung).

Literaturhinweise zu Abschnitt C.

Cha, Yong Seok, Hyungbop Chongnon Gangeui (형법총론강의, Strafrecht Allgemeiner Teil). 2. Aufl. Seoul 1988, S. 724–751.

Huh, Young, Hankuk Hunbopnon (한국헌법론, Die koreanische Verfassung). Seoul 2005, S. 135–136.

Kim, Hyo-Jeon, Hundert Jahre Verfassungsrecht in Korea und Deutschland. JöR 35 (1986), S. 575–604.

Kim, Youn-Soo, Die Verfassung der Republik Korea – Geschichte und Kommentar. Verfassung und Recht in Übersee 1971, S. 31–40.

Kwon, Young-Sung, Die Verfassung Koreas von 1972. JöR Bd. 24 (1975), S. 619 ff.

Lee, Jae-Sang, Shin Hyongsa Sosongbop (신형사소송법, Das neue Strafverfahrensrecht). 2. Aufl. Seoul 2008, § 1.

Lim, Dong-Gyu, Hyungsa Sosongbop (형사소송법, Strafverfahrensrecht). 5. Aufl. Seoul 2008, S. 8–15.

Shin, Dong-Woon, Shin Hyungsa Sosongbop (Das neue Strafverfahrensrecht). Seoul 2008, S. 4–23.

Yi, Zoonil, Hunbophak Gangeui (헌법학강의, Verfassungsrecht). 3. Aufl. Seoul 2008, S. 69 ff.

Yun, Kun-Shik, Die Verfassungsentwicklung der Republik Korea seit 1948. JöR Bd. 12 (1963), S. 461–491.

Rechtsprechung

Entscheidungen des koreanischen Verfassungsgerichts

Hunjaegyl (헌재결), 28.5.1998, 96Hunga5

D. Strafrechtstheoretische Grundlagen

1. Aufgaben des Strafrechts

Während der Gegenstand von Straftheorien (형벌이론) die Begründung des Strafzwecks und die Rechtfertigung der staatlichen Strafe ist,[1] stellt die Strafrechtstheorie (형법이론) die allgemeine Wissenschaftslehre des Strafrechts und die Theorie strafrechtlicher Dogmatik dar.

Die dogmatischen Grundlagen des koreanischen Strafrechts stehen infolge der Rezeptionsgeschichte stark unter deutschem Einfluss.[2] Aus diesem Grund beruhen die in koreanischen Lehrbüchern dargestellten Theorien meist auf deutschem Gedankengut und man findet dort häufig Hinweise auf die deutsche Literatur. Es gibt zwar einige Versuche, aus dem Gedankengut der traditionellen koreanischen Philosophen die geistigen Grundlagen des koreanischen Strafrechts aufzuspüren und herauszufiltern; jedoch erweisen sich solche Versuche in ihrer Durchführung zumeist als schwierig, da sich eine unmittelbare Verbindung zu strafrechtlichen Grundlagenfragen kaum herstellen lässt.

Die Bestimmung der Aufgaben des Strafrechts steht in einem engen Zusammenhang mit derjenigen der Strafe; beide sind zueinander in Beziehung zu setzen. In der koreanischen Literatur werden, wie auch in vielen anderen Ländern, die unterschiedlichen Funktionen und Aufgaben des Strafrechts betont. Dabei werden stets die Ansichten von deutschen Strafrechtswissenschaftlern mit einbezogen. Im Folgenden sind jedoch nur die zwei wesentlichen Aufgaben des Strafrechts zusammengefasst, da sie im Grunde die anderen Aufgaben beinhalten.

– *Strafrecht als Mittel des Rechtsgüterschutzes*

Die erste und eigentliche Aufgabe des Strafrechts besteht – im Unterschied zum privatrechtlichen Unrechtsausgleich und zur polizeilichen Gefahrenvorbeugung – nach herrschender Meinung im Rechtsgüterschutz (법익보호). Als Rechtsgüter werden die substantiell und strafrechtlich anerkannten wichtigsten Freiheitsinteressen des Einzelnen oder der Allgemeinheit bezeichnet. Sie sind auch nach Errichtung des Staatswesens nicht neu erfundene Zuschreibungen des Gesetzgebers, sondern grundlegende Elemente der Freiheit des Einzelnen (zum Beispiel Körper, Eigentum) oder der Allgemeinheit (zum Beispiel Urkundensicherheit, Umwelt).

Die koreanische Verfassung ist die positive Quelle, aus der man den Rechtsgutsbegriff herleiten kann, da sie die Würde und Freiheit des Menschen garantiert.[3] Der

---

1 Siehe dazu gleich unten 3.

2 Siehe dazu vor allem I.B.1. und I.G.2.

3 Siehe dazu I.C.1.

Rechtsgutsbegriff ist zwar normativ, aber nicht statisch, sondern beweglich und wechselseitig. Er ist von der gesellschaftlichen Entwicklung abhängig und reagiert auf ihren sozialen Wandel, weil sich die menschliche Freiheit in natürlichen und gesellschaftlichen Verhältnissen fortentwickelt.

Ferner ist der Begriff des Rechtsguts von dem des Handlungsobjekts zu unterscheiden. Ein Handlungsobjekt ist der konkrete Gegenstand der Verbrechenshandlung (Beispiele: ein Mensch beim Totschlag; eine fremde Sache beim Diebstahl).[4]

Die Rechtsgutslehre des Strafrechts verbietet es, einen Verstoß gegen eine Religions- oder Moralnorm zu kriminalisieren. Wenn aber ein solches Verhalten das konkrete Interesse des Anderen oder der Allgemeinheit – eben Rechtsgüter – verletzt, dann kann der Einsatz strafrechtlicher Mittel legitimiert sein. Um ein bestimmtes menschliches Verhalten für strafbar zu erklären, muss der Gesetzgeber das geschützte Interesse definieren und dessen Gefährdung oder Verletzung nachweisen.

– *Strafrecht als letztes Mittel der sozialen Kontrolle*

Soziale Ordnung und soziale Kontrolle sind von Sozial- und Rechtsnormen geprägt. Rechtsnormen ergänzen die Sozialnormen lediglich. Das Strafrecht wird als ein Teil der sozialen Normen und nur als ein Teilbereich der gesamten Rechtsordnung verstanden. Es garantiert nicht die soziale Ordnung im Allgemeinen und kann auch nicht vor jedem Normverstoß schützen (der sogenannte fragmentarische Charakter des Strafrechts). Das Strafrecht hat im gesamten Rechtssystem bloß subsidiären Charakter und darf deshalb nur als das letzte Mittel eingesetzt werden.

Das Strafrecht wendet unter allen Rechtsnormen das stärkste Mittel der sozialen Sanktionen an. Die Strafe ist die für den Einzelnen am meisten beeinträchtigende Maßnahme und gilt daher als die schwerste und härteste staatliche Sanktion. Das Strafrecht wird folglich als *ultima ratio*, das heißt, als letztes und äußerstes Mittel der Rechtsordnung, aufgefasst. Dieser *ultima ratio*-Charakter des Strafrechts bestimmt seine besondere Position nicht nur im Gesamtsystem der Sozialkontrolle, sondern auch in der Rechtsordnung. Das bedeutet, dass das Strafrecht gegenüber der sozialen Kontrolle durch andere Normen nur ergänzender Natur ist und gegenüber anderen Rechtsgebieten nur eine dienende Funktion hat. Der *ultima ratio*-Charakter des Strafrechts und seine daraus folgende besondere Position im gesamten sozialen Kontrollsystem bestimmen insofern weiterhin seine Aufgabe und seinen Zweck.

Ferner ist der Verhältnismäßigkeitsgrundsatz (das Übermaßverbot) als allgemein anerkanntes Rechtsstaatsprinzip für das Strafrecht von elementarer Bedeutung. Er besagt: Eingriffe in die Grundrechte des Einzelnen müssen zur Erreichung des

4 Vergleiche II.D.5.

damit verfolgten Zwecks geeignet, erforderlich und angemessen sein. Der grundlegende strafrechtliche Rechtsgüterschutz muss daher subsidiär, verhältnismäßig und formalisiert ausgeführt werden.

– *Strafrecht als Magna Charta für den Straftäter*

Eine weitere Aufgabe des Strafrechts besteht darin, rechtsstaatliche Garantien für den Straftäter zu schaffen. Alle rechtlichen Institute haben eine Berechtigung, wenn sie zum Wohl der Bürger existieren. Das Strafrecht ist dabei keine Ausnahme. Aus strafrechtlicher Sicht kann man die Bürger, deren Schutz letztendlich alle Rechtsnormen dienen, in zwei Gruppen einteilen: die Allgemeinheit und die Straftäter. Die Schaffung von rechtsstaatlichen Garantien für die Straftäter ist eine genauso wichtige Aufgabe des Strafrechts wie der Schutz der Allgemeinheit. Die Aufgabe des Strafrechts besteht somit darin, den Rechtsgüterschutz im höchsten Maß zu formalisieren und auf das Notwendige begrenzt auszuführen. Viele normative Grundsätze (das heißt rechtsstaatliche Prinzipien) im Straf- und Strafprozessrecht schränken daher die positive Schutzaufgabe des Gesetzes ein.[5] Sie sind auch notwendig, um die staatlichen Reaktionen gegenüber dem Straftäter rechtsstaatlich zu begrenzen.

2. Rechtsstaatliche Grenzen des Strafrechts

Das Strafrecht beruht auf dem Schuldprinzip.[6] Dieses wird definiert als die subjektive Zurechnung des objektiven Verbrechens aufgrund der selbstbestimmten Tatentscheidung des Täters. Die Strafe ist daher nur durch das Schuldprinzip zu rechtfertigen. Das heißt: Strafe setzt Schuld voraus und muss in ihrem Maß dem Schuldgehalt der Tat entsprechen. Die rechtliche Mündigkeit des Menschen und seine Selbstverantwortung kommen im Schuldprinzip zum Ausdruck. Das Strafrecht begründet sich als ein der Tatschuld angemessener und ausgleichender Eingriff in die dem Täter an sich gewährleistete äußere Freiheit. Damit hat es auch eingriffsbegrenzende und schützende Qualität.

3. Strafzwecke

In der Lehre ist sehr umstritten, welchen Sinn und Zweck die staatliche Strafe haben soll oder muss, da die Verfassung und das Strafgesetzbuch keine Umschreibung der Strafzwecke enthalten. Die Diskussion über den Zweck der Strafe – tradi-

---

[5] Siehe dazu auch I.C.2.und 3.

[6] Vergleiche dazu I.C.3.

tionellerweise werden Vergeltung, Abschreckung oder Besserung des überführten Täters genannt – wird in Anlehnung an die deutsche Lehre auch als Straftheorie bezeichnet.

Alle Straftheorien (die sogenannte absolute und relative Straftheorie sowie die Vereinigungstheorie) werden in einschlägigen koreanischen Lehrbüchern ungefähr auch in der Form dargestellt, wie sie in der deutschen Strafrechtswissenschaft diskutiert wurden und werden. Keine einzige Straftheorie wird im Strafgesetzbuch gesetzlich anerkannt, lediglich im koreanischen Strafvollzugsgesetz (형의 집행 및 수용자의 처우에 관한 법률: Gesetz über die Vollstreckung der Strafe und die Behandlung der Gefangenen) wird der spezialpräventive Gesichtspunkt der Resozialisierung als Vollzugsziel genannt (§ 1). Der im Jahr 1995 neu eingeführte § 59-2 kStGB (Führungsaufsicht, 보호관찰) bestimmt, dass bei der Aussetzung des Urteilsspruchs eine Führungsaufsicht angeordnet werden kann, wenn Betreuung und Hilfe für die Verhinderung eines Rückfalls erforderlich sind. Die Vorschrift gibt aber über Sinn und Zweck der eigentlichen Kriminalstrafe keinen Aufschluss.

Der Begriff „Prävention" wird auch in Korea häufig benutzt und für modern gehalten. Während die absolute Straftheorie als kriminalpolitisch bedeutungslos angesehen wird, dominieren im Strafrecht gegenwärtig die präventiven Strafzwecke. Ohne eingehende Auseinandersetzung wird die Vergeltungstheorie im Allgemeinen kategorisch abgelehnt und als inhuman und überholt bezeichnet. Selbst die Todesstrafe wurde nicht aus einem strengen Schuldgedanken heraus, sondern aus generalpräventiven Gründen von der Rechtsprechung für verfassungskonform erklärt (vergleiche Hunjaegyl, 28.11.1996, 95Hunba1). Anzumerken ist jedoch, dass die absolute Straftheorie aufgrund ihrer Wertschätzung für die Menschenwürde in der Lehre nach und nach zunehmend Anerkennung findet.

4. Grundlegende Prinzipien des Strafverfahrensrechts

Die in der Verfassung,[7] der Strafprozessordnung sowie in der Lehre anerkannten allgemeinen Prinzipien des Strafverfahrensrechts können wie folgt zusammengefasst werden:

- Prinzip des fairen Verfahrens und Gesetzlichkeitsprinzip des Strafverfahrens[8] (*fair trial und due process of law,* Art. 12 Abs. 1 und Abs. 3 Verfassung);
- Prinzip der materiellen Wahrheit;
- Unschuldsvermutung (*in dubio pro reo*, Art. 27 Abs. 4 Verfassung, § 275-2 kStPO);
- Grundsatz der Fürsorgepflicht des Gerichts;

---

7 Zu den verfassungsrechtlich garantierten Prinzipien siehe I.C.3.

8 Siehe dazu auch II.A.

- Offizialprinzip (der Grundsatz der Strafverfolgung durch den Staat von Amts wegen, § 246 kStPO);
- Akkusationsprinzip (der Anklagegrundsatz, vergleiche § 246 kStPO);
- Grundsatz des gesetzlichen Richters (Art. 27 Abs. 1 Verfassung);
- Richterliche Unabhängigkeit (Art. 103 Verfassung);
- Opportunitätsgrundsatz (§ 247 Abs. 1 kStPO);
- Möglichkeit der Klageerzwingung durch das Opfer beziehungsweise den Anzeigeerstatter (§ 260 kStPO);
- Recht auf anwaltlichen Beistand (Art. 12 Abs. 4 Verfassung);
- Grundsatz des rechtlichen Gehörs (Art. 27 Abs. 5 Verfassung);
- Beschleunigungsgrundsatz (Art. 27 Abs. 3 Satz 1 Verfassung);
- Konzentration der Hauptverhandlung (§ 267-2 kStPO);
- Öffentlichkeit der Hauptverhandlung (Art. 27 Abs. 3 Satz 2 und Art. 109 Satz 1 Verfassung und § 57 kGVG);
- Mündlichkeit der Hauptverhandlung (§ 275-3 kStPO);
- Grundsatz der Unmittelbarkeit der Beweiserhebung;
- Grundsatz der freien Beweiswürdigung (§ 308 kStPO);
- Beweisverwertungsverbot bei rechtswidrig erlangten Beweismitteln (§ 308-2 kStPO);
- Verbot der Verwertung eines durch Folter, Gewaltanwendung, Drohung, unangemessen lange Festnahme, Täuschung oder Ähnliches erlangten Geständnisses des Angeklagten (Art. 12 Abs. 7 Verfassung, § 309 kStPO);
- Grundsatz der Waffengleichheit;
- Doppelbestrafungsverbot (Art. 13 Abs. 1 Verfassung);
- Nach Art. 27 Abs. 2 Verfassung darf grundsätzlich niemand einer Sondergerichtsbarkeit unterworfen werden;
- Grundsatz der Verhältnismäßigkeit von Zwangsmaßnahmen (§ 199 Abs. 1 kStPO);
- Entschädigung für Fehlurteile (ein unschuldig der Strafverfolgung Ausgesetzter hat Anspruch auf Wiedergutmachung, Art. 28 Verfassung);
- Bürger, die aufgrund einer Straftat anderer körperlich verletzt wurden, können nach dem Gesetz staatliche Hilfe in Anspruch nehmen (Art. 30 Verfassung);
- Instanzenzug vor Gerichten.

Literaturhinweise zu Abschnitt D.

Back, Hyung-Gu, Algi Shiun Hyongsa Sosongbop (알기쉬운 형사소송법, Strafverfahrensrecht). 4. Aufl. Seoul 2007, S. 6–10, 19–24.

Bae, Jong-Dae, Hyungbop Chongnon (형법총론, Strafrecht Allgemeiner Teil). 9. Aufl. Seoul 2008, S. 22–70.

Cha, Yong-Seok, Hyungbop Chongnon Gangeui (형법총론강의, Strafrecht Allgemeiner Teil). 2. Aufl. Seoul 1988, S. 11–33, 87–104.

Cha, Yong-Seok/Choi, Yong-Seoung, Hyungsa Sosongbop (형사소송법, Strafverfahrensrecht). 3. Aufl. Seoul 2008, S. 19–41.

Cho, Jun-Hyun, Hyungbop Chongnon (Strafrecht Allgemeiner Teil). 3. Aufl. Seoul 2004, S. 8–39.

Chong, Seong-Kun/Park, Kwang-Min, Hyungbop Chongnon (Strafrecht Allgemeiner Teil). 2. Aufl. Seoul 2005, S. 5–9, 34–43.

Chong, Young-Il, Hyungbop Chongnon (Strafrecht Allgemeiner Teil). 2. Aufl. Seoul 2007, S. 9–13.

Hwang, San-Dok, Hyungbop Chongnon (Strafrecht Allgemeiner Teil). 5. Aufl. Seoul 1986, § 1.

Kim, Il-Su/Suh, Bo-Hak, Hyungbop Chongnon (Strafrecht Allgemeiner Teil). 10. Aufl. Seoul 2004, S. 17–32.

Kim, Seoung-Chun/Kim, Hyoung-Jun, Hyungbop Chongnon (Strafrecht Allgemeiner Teil). 3. Aufl. Seoul 2005, S. 5–9.

Kim, Seoung-Don, Hyungbop Chongnon (Strafrecht Allgemeiner Teil). Seoul 2008, S. 33–46.

Lee, Jae-Sang, Hyungbop Chongnon (Strafrecht Allgemeiner Teil). 5. Aufl. Seoul 2003, § 1, § 4.

– Shin Hyongsa Sosongbop (신형사소송법, Das neue Strafverfahrensrecht). 2. Aufl. Seoul 2008, § 4.

Lim, Dong-Gyu, Hyungsa Sosongbop (Strafverfahrensrecht). 5. Aufl. Seoul 2008, S. 8–13.

Oh, Young-Gun, Hyungbop Chongnon (Strafrecht Allgemeiner Teil). Seoul 2005, § 1 II, III.

Park, Sang-Ki, Hyungbop Chongnon (Strafrecht Allgemeiner Teil). 7. Aufl. Seoul 2007, S. 6–20.

Ryu, Ki-Chun, Hyongbophak (형법학, Strafrechtswissenschaft). 22. Aufl. Seoul 1982, §§ 2, 3, 4.

Shin, Dong Woon, Anklagepflicht und Opportunitätsprinzip im deutschen und koreanischen Recht. Pfaffenweiler 1984, S. 142 ff.

– Hyungbop Chongnon (Strafrecht Allgemeiner Teil). 2. Aufl. Seoul 2006, S. 4–8.

– Shin Hyungsa Sosongbop (Das neue Strafverfahrensrecht). Seoul 2008, insbesondere S. 7–19.

Son, Dong-Kwon, Hyungsa Sosongbop (Strafverfahrensrecht). Seoul 2008, §§ 2, 3.

Son, Misuk, Straftatfolgen im deutschen und koreanischen Strafrecht. Ein prinzipieller Vergleich. Frankfurt am Main 2004, S. 226 ff.

– Die mittelbare Täterschaft und das System der Tatbeteiligung im koreanischen StGB. ZStW 119 (2007), S. 750–767.

– Rechtsvergleichende und rechtsphilosophische Betrachtungen zur Todesstrafe und der Aussetzung ihrer Vollstreckung in Korea. Rechtspolitisches Forum, Heft Nr. 42. Trier 2008.

Yim, Woong, Hyungbop Chongnon (Strafrecht Allgemeiner Teil). 2. Aufl. Seoul 2002, S. 4–11.

Rechtsprechung

Entscheidungen des koreanischen Verfassungsgerichts

Hunjaegyl (헌재결), 28.11.1996, 95Hunba1

E. Abgrenzung und Einordnung des Strafrechts

1. Begriffliche und sachliche Umgrenzung des Strafrechts

Das Strafrecht ist der Teil des Rechtssystems, der die rechtlichen Voraussetzungen der Straftaten und ihre rechtlichen Folgen enthält. Das Strafrecht ist nur ein Teil der sozialen Normen und nur ein Teilbereich der gesamten Rechtsordnung.[1] Das grundlegende Unterscheidungskriterium des Strafrechts von anderen Rechtsgebieten ist, dass das Strafrecht von allen Rechtsnormen das stärkste Mittel der sozialen Sanktionen bereithält. Die Strafe ist die den Einzelnen am stärksten beeinträchtigende Maßnahme und gilt deswegen als die schwerste und härteste staatliche Sanktion. Die Todesstrafe (사형) kann sogar den Verurteilten ihr Leben nehmen (das koreanische Strafgesetzbuch kennt noch die Todesstrafe).[2] Das Strafrecht als *ultima ratio* und Teil des öffentlichen Rechts hat gegenüber der sozialen Kontrolle anderer Normen nur ergänzenden Charakter und gegenüber anderen Rechtsgebieten eine dienende Funktion (fragmentarischer Charakter und Subsidiarität des Strafrechts).[3]

Am bedeutendsten für das materielle Strafrecht im engeren Sinne ist in Südkorea das Strafgesetzbuch (한국형법전) von 1953. Es ist der Hauptgegenstand der Strafrechtswissenschaft und hat trotz mehrmaliger Reformen bis heute keine wesentlichen Änderungen erfahren. Der Klassifikation in den kontinentaleuropäischen Rechtssystemen entsprechend, ist es in einen Allgemeinen Teil (총칙, §§ 1–86) und einen Besonderen Teil (각칙, §§ 87–372) untergliedert. Der Allgemeine Teil enthält allgemeine Bestimmungen über das Strafgesetz und seine Geltung sowie über die Voraussetzungen der Strafbarkeit und die Rechtsfolgen der Tat. Im Besonderen Teil sind die Regelungen über die einzelnen Straftaten nach betroffenen Rechtsgütern aufgeführt.

Weitere materiell-strafrechtliche Normen sind in vielen Neben- und Sondergesetzen[4] enthalten, von denen es gegenwärtig über 200 verschiedene gibt. Nach diesen Gesetzen wird derzeit über die Hälfte der Straftäter verurteilt.[5] Ausmaß und Umfang der Strafandrohung der Sonderstrafgesetze sind im Allgemeinen viel höher als die des Strafgesetzbuches. Die große Zahl der strafrechtlichen Sondergesetze ist sehr bedenklich, denn das Strafrecht sollte grundsätzlich nicht über den notwendigen fundamentalen Bereich hinaus ausgedehnt werden. Das Strafgesetzbuch sowie

---

1 Vergleiche dazu I.D.1.

2 Siehe näher I.A.5.d.

3 Siehe dazu auch I.D.1.

4 Zur Unterscheidung des Neben- und Sonderstrafgesetzes siehe I.F.2.

5 Vergleiche Weißbuch der Kriminalität 2008, S. 43 ff.

alle strafrechtlichen Neben- und Sondergesetze bilden das materielle Strafrecht im weiteren Sinne.

Das materielle Strafrecht wird im Einzelfall in Form des öffentlichen Strafverfahrens durch die Strafjustiz angewendet und vollzogen. Die Aufgabe des Strafens liegt in den Händen des Staates. Private Strafen sind daher verboten. Die Form des öffentlichen Schuldspruchs gehört zum Strafrecht, da hierbei das Rechtsverhältnis des Täters zur Allgemeinheit betroffen ist.

Vom Begriff des Strafrechts im materiellen Sinne ist das Strafverfahrensrecht (형사소송법), auch formelles Strafrecht genannt, zu unterscheiden. Dieses stellt die Summe aller Vorschriften dar, die den Regelungsbereich des Strafverfahrens betreffen. Hauptquellen des Strafverfahrensrechts sind die Verfassung (헌법)[6] und die Strafprozessordnung vom 23.9.1954,[7] ebenso die damit zusammenhängenden Gesetze, ferner auch die durch den Obersten Gerichtshof erlassenen Verordnungen (대법원규칙), wie zum Beispiel die Strafprozessverordnung (형사소송규칙).

Die Strafprozessordnung enthält die wichtigsten und grundlegenden Regelungen für den Strafprozess; die Strafprozessverordnung – eine Ausnahme zum Gesetzlichkeitsprinzip des Strafverfahrens – ergänzt die Strafprozessordnung und enthält rein technische Hinweise über das Verfahren.[8] Das Verhältnis zwischen Strafrecht und Strafverfahrensrecht ist normativ und beruht auf Wechselseitigkeit. Wie das Strafrecht zu seiner Verwirklichung das Prozessrecht braucht, so ist das prozessuale Verhalten mit den materiellen strafrechtlichen Begriffen verbunden.

Das Strafvollzugsgesetz (seit 2007 bezeichnet als „Gesetz über die Vollstreckung der Strafe und die Behandlung der Gefangenen“, 형의 집행 및 수용자의 처우에 관한 법률), das am 2.3.1950 in Kraft trat und bis heute zehn Mal, zuletzt im Jahr 2007, abgeändert wurde, enthält Regelungen über den Vollzug von Freiheitsstrafen, ferner die freiheitsentziehenden Maßnahmen sowie die Vollstreckung der Todesstrafe.[9] Es umfasst ferner die allgemeinen Richtlinien und Vorschriften über die Organisation des Strafvollzugs insgesamt.

2. Abgrenzung zu anderen repressiven Ordnungssystemen

Das Strafrecht ist vom bloßen *Ordnungswidrigkeitenrecht* (질서위반법) zu unterscheiden. Die Unterscheidung zwischen Straftaten und Ordnungswidrigkeiten ist jedoch im koreanischen Recht nicht einfach durchzuführen, da Letztere, anders als im deutschen Recht, nicht allgemein geregelt sind. Eine formale Legaldefinition

---

[6] Siehe dazu I.C.1.

[7] Näher dazu I.G.3.

[8] Vergleiche I.C.3.

[9] Näher dazu I.G.4.

der Ordnungswidrigkeit kennt das koreanische Recht nicht. In zahlreichen Verwaltungsgesetzen sind sowohl Strafen als auch verwaltungsrechtliche Maßnahmen vorgesehen. Nach allgemeiner Ansicht ist die Ahndung einer schweren Rechtsgutsverletzung dem Strafrecht vorbehalten; dagegen werden Taten mit geringerem Unrechtsgehalt, insbesondere Verstöße gegen Regelungen zur Erleichterung der Verwaltungstätigkeit, meist in Verwaltungsverfahren mit Verwaltungsmaßnahmen sanktioniert.

Im Jahre 1973 wurden in Korea zum ersten Mal verschiedene Verkehrsdelikte, die bisher grundsätzlich als Straftaten durch die Staatsanwaltschaft verfolgt wurden, als Ordnungswidrigkeiten deklariert. Weiterhin sind Verstöße gegen einige Übertretungsvorschriften seit 1981 mit Bußgeld (과태료) sanktioniert. Zudem wurden einige weniger verwerfliche Handlungen entkriminalisiert und die entsprechenden Vorschriften, die eher verwaltungszweckorientierten Charakter hatten, als Ordnungswidrigkeiten ausgestaltet. Im Gegensatz zur Kriminalstraftat wird die Ordnungswidrigkeit, wie angedeutet, durch Verwaltungsbehörden verfolgt.

Im Unterschied zur *Geldstrafe* als Rechtsfolge einer Straftat soll das *Bußgeld* eine bloße Warnung darstellen, die zur künftigen Pflichterfüllung ermahnen soll. Daher gilt für das Bußgeld nicht das Doppelbestrafungsverbot nach Art. 13 Abs. 1 Verfassung. Ein besonderes Ordnungswidrigkeitenverfahren ist in der „Verfahrensordnung für nichtprozessuale Fälle“ (비송사건 절차법, vergleiche §§ 247 ff.) geregelt.

Das koreanische Recht kennt ferner die *Geldbuße* (범칙금). Sie ist zwischen der Geldstrafe als Kriminalstrafe und dem Bußgeld angesiedelt. In vielen Gesetzen sind sowohl Kriminalstrafe als auch Geldbuße vorgesehen. Die Geldbuße wird durch den Polizeipräsidenten eingefordert. Bei fristgerechter Bezahlung der Geldbuße wird weder die Tat als Straftat noch der Täter als vorbestraft angesehen. Wird jedoch die Geldbuße nicht gezahlt, ist die Staatsanwaltschaft zur Einleitung eines normalen Strafverfahrens angehalten. In der Lehre wird seit Langem ein einheitliches Ordnungswidrigkeitengesetz wie im deutschen Recht gefordert.

Manche Autoren vertreten die Ansicht, dass die allgemeinen Bestimmungen des StGB, wie zum Beispiel die Regelungen über Vorsatz, Fahrlässigkeit, Versuch oder Teilnahme, grundsätzlich auch für Ordnungswidrigkeiten gelten, soweit dies nicht durch spezielle Gesetze anders bestimmt ist; denn das Ordnungswidrigkeitenrecht und das Strafrecht behandelten prinzipiell analoge Gegenstände und unterschieden sich lediglich in der qualitativen Bewertung der Tat und im quantitativen Ausmaß der verhängten Sanktionen.

Ferner existiert in Korea ein sogenanntes *Disziplinarrecht* (징계법) für bestimmte Berufsgruppen (zum Beispiel für Beamte, Anwälte und Ärzte). Das Disziplinarrecht ermöglicht eine bestimmte Art von Bestrafung bei Verstößen gegen besondere Berufspflichten. Beispielsweise kennt das Beamtengesetz (공무원법) verschiedene Disziplinarmaßnahmen, wie etwa Entlassung, Kündigung, Entfernung aus dem Dienst, Gehaltskürzung und Verwarnung. Nach dem geltenden koreanischen Recht können Strafen und Disziplinarmaßnahmen nebeneinander verhängt werden, da Art. 13 Abs. 1 Verfassung nur verbietet, dass ein Verhalten „aufgrund der allgemeinen Strafgesetze mehrmals bestraft“ wird.

3. Einordnung spezieller Maßnahmen für bestimmte Tätergruppen

Das koreanische Rechtssystem folgt der sogenannten Zweispurigkeit von Strafen und Maßregeln (형벌과 보안처분의 이원주의). Die Strafe wird heute durch die Maßregeln der Besserung und Sicherung ergänzt. Während die Strafe die begangene Tat und die Schuld des Täters voraussetzt, ist das entscheidende Kriterium für die Maßregeln die besondere Schwere der Tat und eine bestehende Rückfallgefahr für den Täter. Maßregeln sollen künftige Rechtsbrüche des Täters unabhängig davon verhindern, ob die mit der begangenen Tat verbundene Schuld für sich genommen einen solchen Eingriff rechtfertigen würde oder nicht. Anknüpfungspunkt für Anordnung, Ausgestaltung und zeitliche Dauer der Maßregel ist nicht die Schuld, sondern die in der Tat zutage getretene Gefährlichkeit des Täters. Maßregeln sind somit nach ihrer Begründung rein spezialpräventiv orientierte Zweckmaßnahmen.

Die Maßregel kann entweder anstelle der Strafe oder neben der Strafe angeordnet werden (vergleiche § 18 Gesetz über Therapie und Sicherungsverwahrung, 치료감호법). Die rechtliche Grundlage für Maßregeln wurde durch die Verfassung von 1972 geschaffen (Art. 12 Abs. 1). Danach dürfen Strafen und Maßregeln nur per Gesetz angeordnet werden.[10] Im Jahr 1980 wurde das „Gesetz zum Schutz der Gesellschaft“ (사회보호법) erlassen, das die Maßregel als strafrechtliche Sanktion neben der Strafe einführte. Es wurde im Jahr 2005 wieder aufgehoben und durch das „Gesetz über Therapie und Sicherungsverwahrung“ (치료감호법) ersetzt.

Der Strafgesetzentwurf von 1992 löste die Maßregeln (die Unterbringung in der Sicherungsverwahrung, die Unterbringung in einer klinischen Anstalt und die Führungsaufsicht) aus dem „Gesetz zum Schutz der Gesellschaft“ heraus und gliederte sie in den neu geschaffenen vierten Abschnitt des Strafgesetzbuchs ein. Das Strafgesetzbuch von 1995 übernahm daraus jedoch nur die Führungsaufsicht (보호관찰, vergleiche § 59-2, § 62-2 kStGB).

Das koreanische Recht kennt kein umfassendes einheitliches Gesetz für die Maßregeln. Sie sind primär nicht im StGB, sondern in einzelnen strafrechtlichen Sondergesetzen geregelt. Ein Grund dafür liegt wohl darin, dass die Maßregeln in Korea zuerst nicht nur zum Schutz der Allgemeinheit vor der Gefährlichkeit des

---

[10] Vergleiche dazu auch I.C.3.

Täters und zur Resozialisierung rückfälliger Täter, sondern auch für politische Zwecke eingesetzt wurden. Ein Beispiel dafür war die Führungsaufsicht (보호관찰처분과 보호감호처분) im „Gesetz zur sozialen Sicherheit" (사회안전법, §§ 3 ff. a.F.), das allerdings im Jahr 1989 abgeschafft wurde. Einigkeit besteht jedoch in der Lehre, dass zukünftig einheitliche Regelungen für Maßregeln im Strafgesetzbuch geschaffen werden sollen, um die Zweispurigkeit des strafrechtlichen Sanktionensystems deutlicher hervorzuheben und auch, um die Maßregeln der Sicherung und Besserung rechtsstaatlich besser kontrollieren zu können.

Die wichtigsten, im Folgenden kurz skizzierten Gesetze zu Maßregeln in Korea sind das „Gesetz über Therapie und Sicherungsverwahrung" (치료감호법), das „Gesetz über die Maßnahme der Sicherheitsaufsicht" (보안관찰법) und das „Gesetz über die Führungsaufsicht" (보호관찰 등에 관한 법률):

Das „Gesetz über Therapie und Sicherungsverwahrung" findet Anwendung auf Straftäter, die eine Straftat in einer Geistesstörung, in einem drogen- oder alkoholabhängigen Zustand oder im Rahmen einer sexuellen Verhaltensstörung begangen haben. Außerdem muss Rückfallgefahr bestehen oder es müssen besondere Maßnahmen zur Erziehung, Besserung oder Heilung erforderlich sein (§ 1 des genannten Gesetzes). Bei Delikten aufgrund von Geistesstörungen oder sexuell gestörtem Verhalten darf die Höchstdauer der Sicherungsverwahrung nicht 15 Jahre, bei Delikten im drogen- oder alkoholabhängigen Zustand nicht zwei Jahre überschreiten (§ 16 Abs. 2 Nr. 1 des genannten Gesetzes).

Das „Gesetz über die Maßnahme der Sicherheitsaufsicht" ist anwendbar auf Straftäter, die bestimmte staatssicherheitsgefährdende Straftaten begangen haben und bei denen Rückfallgefahr besteht (§ 2 des genannten Gesetzes). Zweck dieses Gesetzes ist, durch die Maßnahme der Sicherheitsaufsicht, die ähnlich ausgestaltet ist wie die Führungsaufsicht,[11] die Staatssicherheit und das Gemeinwohl der Gesellschaft zu erhalten. Die Dauer der Sicherheitsaufsicht beträgt in der Regel zwei Jahre (§ 5 Abs. 1 des genannten Gesetzes). Der Justizminister kann jedoch auf Antrag des Staatsanwalts und nach Prüfung durch die Kommission der Sicherheitsaufsicht (보안관찰심의위원회) die Dauer der Führungssicherheit verlängern (§ 5 Abs. 2 des genannten Gesetzes).

Das „Gesetz über die Führungsaufsicht" bezweckt, einen Rückfall des Straftäters zu verhindern (vergleiche § 1 des genannten Gesetzes). Es gilt für diejenigen, bei denen aufgrund einer Straftat die Führungsaufsicht angeordnet wird (vergleiche § 3 des genannten Gesetzes). Die Führungsaufsicht im Sinne dieses Gesetzes vereint Elemente der deutschen Führungsaufsicht mit solchen der angloamerikanischen Probation. Der Rechtscharakter der Führungsaufsicht in Korea ist jedoch nicht ganz klar. Da das Strafgesetzbuch keine allgemeinen Regelungen über die Maßregeln

[11] Dazu siehe gleich unten.

enthält, ist die Führungsaufsicht im Abschnitt über die Strafen, und zwar im Zusammenhang mit einer Aussetzung des Urteilsspruchs, einer Strafaussetzung zur Bewährung und einer bedingten Entlassung geregelt (vergleiche § 59-2, § 62-2, § 73-2 Abs. 2 kStGB). Der Inhalt der Führungsaufsicht ist ebenfalls nicht im koreanischen Strafgesetzbuch geregelt. Nach dem „Gesetz über die Führungsaufsicht" können dem Verurteilten zur Verhinderung weiterer Straftaten Weisungen erteilt werden (vergleiche § 32 Abs. 3). Der Verurteilte muss erteilte Weisungen erfüllen und sich den Anordnungen und der Aufsicht des Führungsaufsehers unterstellen (vergleiche § 32 Gesetze über die Führungsaufsicht). Die Dauer der Führungsaufsicht beträgt bei der Aussetzung des Urteilspruchs ein Jahr (§ 59-2 kStGB) und entspricht bei der Aussetzung zur Bewährung der Bewährungszeit (§ 62-2 Abs. 2 kStGB). Das Gericht kann innerhalb der Bewährungszeit eine kürzere Zeit für die Führungsaufsicht anordnen (§ 62-2 Abs. 2 kStGB). Wenn die Führungsaufsicht bei der bedingten Entlassung angeordnet wird, gilt sie während der Bewährungszeit (§ 73-2 Abs. 2 kStGB).

Während es sich bei der Führungsaufsicht und der Sicherheitsaufsicht um freiheitseinschränkende Maßregeln (보호관찰과 보안관찰, vergleiche §§ 29 ff. Gesetz über die Führungsaufsicht und §§ 18 ff. Gesetz über die Maßnahme der Sicherheitsaufsicht) handelt, stellt die Unterbringung in einer Entziehungs- und Sicherungsverwahrungsanstalt eine freiheitsentziehende Maßregel (치료감호, vergleiche § 16 Abs. 1 Gesetz über Therapie und Sicherungsverwahrung) dar.

Auf Jugendliche findet das koreanische Jugendgerichtsgesetz (kJGG, 소년법) Anwendung. Für Straftaten von Jugendlichen sind das Familiengericht oder das regionale Gericht (가정법원소년부 또는 지방법원소년부) zuständig; dabei ist das Familiengericht dem amerikanischen *Family Court* nachgebildet. Zweck des Jugendgerichtsgesetzes ist Hilfeleistung und Erziehung zur charakterlichen Veränderung von unsozialen Jugendlichen durch Fürsorgemaßnahmen und Umgestaltung der Umgebung durch andere besondere Maßnahmen. Die Besonderheit des Jugendgerichtsgesetzes besteht damit in der Fürsorge und Erziehung unter Berücksichtigung der Zukunft des Jugendlichen.

Das Verfahren für Jugendliche steht ebenfalls ganz unter dem Gedanken von Fürsorge und Erziehung; der Staatsanwalt ist von der Mitwirkung grundsätzlich ausgeschlossen. Hat ein Jugendlicher jedoch eine besonders schwere Straftat begangen, so kann sein Verfahren an den Staatsanwalt zur Anklageerhebung bei einem entsprechenden regionalen Gericht überwiesen werden (vergleiche § 7 kJGG).

Gemäß § 2 kJGG ist Jugendlicher jede Person unter 19 Jahren. Das Strafgesetzbuch setzt die Strafmündigkeit auf 14 Jahre fest (§ 9). Das bedeutet: Ein strafmündiger Jugendlicher im koreanischen Recht ist, wer das 14. Lebensjahr, aber noch nicht das 19. Lebensjahr vollendet hat. Für jugendliche Täter gelten nach dem Jugendgerichtsgesetz primär Fürsorgemaßnahmen. Ferner kennt das koreanische Jugendgerichtsgesetz Fürsorgemaßnahmen auch für Jugendliche zwischen zehn und

14 Jahren, die straffällig oder gefährdet sind (vergleiche § 4 Abs. 1 Nr. 2, 3 kJGG). Die Fürsorgemaßnahme ist keine strafrechtliche Sanktion, sondern eine Erziehungsmaßregel und soll sich nicht nachteilig auf die Zukunft des Jugendlichen auswirken (§ 32 Abs. 6 kJGG). Fürsorgemaßnahmen sind zum Beispiel Teilnahme an bestimmtem Unterricht, gemeinnützige Arbeit, Führungsaufsicht, Einweisung in ein Krankenhaus oder Erweisung in die Jugendanstalt (§ 32 kJGG).

Das koreanische Strafrecht und das Jugendgerichtsgesetz kennen keine besonders geregelten Sanktionen für strafmündige Jugendliche. Für Straftaten von Jugendlichen gelten daher das Strafgesetzbuch und die allgemeinen Vorschriften des Strafverfahrens, soweit im Jugendgerichtsgesetz nichts anderes bestimmt ist (§ 48 kJGG). Strafverfahren gegen Jugendliche richten sich grundsätzlich nach den gleichen Prozessvorschriften, wie sie bei Straftaten gegen Erwachsene angewandt werden. Führt ein Strafverfahren gegen Jugendliche zur Verurteilung, so muss jedoch die Strafe gemildert werden. Das Jugendgerichtsgesetz sieht einige Sonderregelungen für das Strafverfahren gegen strafmündige Jugendliche vor (vergleiche §§ 59 f. kJGG). Wenn zum Beispiel jemand bei der Begehung der Tat unter 18 Jahre alt war und mit der Todesstrafe oder lebenslanger Freiheitsstrafe bestraft werden müsste, wird er zu 15 Jahren Zuchthausstrafe verurteilt (§ 59 kJGG).

Literaturhinweise zu Abschnitt E.

Back, Hyung-Gu, Algi Shiun Hyongsa Sosongbop (알기쉬운 형사소송법, Strafverfahrensrecht). 4. Aufl. Seoul 2007, S. 3–6.

Bae, Jong-Dae, Hyungbop Chongnon (형법총론, Strafrecht Allgemeiner Teil). 9. Aufl. Seoul 2008, S. 43–47, 850–857.

– Hyunhaeng Boanchubun Jaedoeui Munjaechum (현행 보안처분제도의 문제점, Problematik des geltenden koreanischen Maßregelrechts), Hyongsa Chongchak Yungu (형사정책연구, Korean Journal of Criminology) 3 (1988), S. 115–122.

Cha, Yong-Seok, Hyungbop Chongnon Gangeui (형법총론강의, Strafrecht Allgemeiner Teil). 2. Aufl. Seoul 1988, S. 11–15.

Cha, Yong-Seok/Choi, Yong-Seoung, Hyungsa Sosongbop (형사소송법, Strafverfahrensrecht). 3. Aufl. Seoul 2008, S. 5 ff.

Chang, Gyu-Won, Rückfall und Strafzumessung. Rechtsvergleichende Untersuchung zur Behandlung des Rückfalls im deutschen und koreanischen Strafrecht und kritische Studie zur Strafschärfung wegen Rückfalls. Pfaffenweiler 1993, S. 120 ff.

Cho, Byong-Sun, South Korea's changing capital punishment policy. The road from de facto formal abolition. Punishment & Society, vol. 10 (2008), S. 171–205. Abrufbar unter http://pun.sagepub.com.

Cho, Jun-Hyun, Hyungbop Chongnon (Strafrecht Allgemeiner Teil). 3. Aufl. Seoul 2004, S. 39–44, 57–66.

Chong, Seong-Kun/Park, Kwang-Min, Hyungbop Chongnon (Strafrecht Allgemeiner Teil). 2. Aufl. Seoul 2005, S. 2–5, 700–716.

Chong, Young-Il, Hyungbop Chongnon (Strafrecht Allgemeiner Teil). 2. Aufl. Seoul 2007, S. 3 f., S. 535–555.

Hwang, San-Dok, Hyungbop Chongnon (Strafrecht Allgemeiner Teil). 5. Aufl. Seoul 1986, § 1 (1).

Kim, Il-Su, Die Strafrechtsreform in Korea. ZStW 106 (1994), S. 405–423.

Kim, Il-Su/Suh, Bo-Hak, Hyungbop Chongnon (Strafrecht Allgemeiner Teil). 10. Aufl. Seoul 2004, S. 4–7, 807–823.

Kim, Seoung-Chun/Kim, Hyoung-Jun, Hyungbop Chongnon (Strafrecht Allgemeiner Teil). 3. Aufl. Seoul 2005, S. 5–9.

Kim, Seoung-Don, Hyungbop Chongnon (Strafrecht Allgemeiner Teil). Seoul 2008, S. 745–815.

Koreanisches Justizministerium (Hrsg.), Bomzae Baksuh (범죄백서, Weißbuch der Kriminalität). Seoul 2008.

Lee, Jae-Sang, Hyungbop Chongnon (Strafrecht Allgemeiner Teil). 5. Aufl. Seoul 2003, § 1, § 45.

– Shin Hyongsa Sosongbop (Das neue Strafverfahrensrecht). 2. Aufl. Seoul 2008, § 2.

Lim, Dong-Gyu, Hyungsa Sosongbop (Strafverfahrensrecht). 5. Aufl. Seoul 2008, S. 3 ff.

Oh, Young-Gun, Hyungbop Chongnon (Strafrecht Allgemeiner Teil). Seoul 2005, § 1.

Park, Sang-Ki, Hyungbop Chongnon (Strafrecht Allgemeiner Teil). 7. Aufl. Seoul 2007, S. 3 ff., 552 ff.

Ryu, Ki-Chun, Hyongbophak Chongnon Gangeui (형법학 총론강의, Strafrechtswissenschaft Allgemeiner Teil). 22. Aufl. Seoul 1982, § 1.

Das koreanische Strafgesetzbuch. Deutsche Übersetzung und Einführung von *Paul K. Ryu*. Berlin 1968.

Shin, Dong-Woon, Hyungbop Chongnon (Strafrecht. Allgemeiner Teil). 2. Aufl. Seoul 2006, S. 765–827.

– Shin Hyungsa Sosongbop (Das neue Strafverfahrensrecht). Seoul 2008, S. 19–23.

Son, Dong-Kwon, Hyungsa Sosongbop (Strafverfahrensrecht). Seoul 2008, § 1.

Son, Misuk, Straftatfolgen im deutschen und koreanischen Strafrecht. Ein prinzipieller Vergleich. Frankfurt am Main 2004, S. 297 ff.

– Rechtsvergleichende und rechtsphilosophische Betrachtungen zur Todesstrafe und der Aussetzung ihrer Vollstreckung in Korea. Rechtspolitisches Forum, Heft Nr. 42. Trier 2008.

Suh, Bo-Hak, Der Rechtsfolgenteil des neuen koreanischen StGB von 1995 im Vergleich zu den Regelungen im deutschen StGB – unter besonderer Berücksichtigung der Regelungen des Entwurfes von 1992 in Korea. Frankfurt am Main 1996, S. 82 ff.

Yim, Woong, Hyungbop Chongnon (Strafrecht Allgemeiner Teil). 2. Aufl. Seoul 2002, S. 3–5.

Rechtsprechung

Entscheidungen des koreanischen Verfassungsgerichts

Hunjaegyl (헌재결), 28.11.1996, 95Hunba1

F. Strafrechtsquellen und Auslegungshilfen

1. Überblick

Rechtsnormen lassen sich nach der Art der Rechtsquelle unterscheiden. Rechtsquellen sind in Korea die Verfassung (헌법),[1] Gesetze (법률), Rechtsverordnungen (명령), öffentlich-rechtliche Satzungen (조례) und technische Regeln (규칙).

Die Verfassung ist die ranghöchste Norm der gesamten Rechtsordnung. An ihr müssen sich alle Rechtsnormen orientieren. Sie garantiert ausdrücklich die Würde und die Freiheit sowie die fundamentalen Grundrechte des Bürgers und ist eine reale Rechtsquelle für die Herleitung und Anwendung aller Rechtsnormen.[2] Das Verfassungsgericht (헌법재판소) entscheidet nach Anrufung durch ein Gericht über die Vereinbarkeit eines Gesetzes mit der Verfassung.[3] Die Hierarchie der Rechtsquellen in der koreanischen Rechtsordnung bietet folgende Reihenfolge: zuerst die Verfassung, dann das einfache Gesetz, danach die Rechtsverordnung und die öffentlich-rechtliche Satzung und schließlich die technische Regel. Die ranghöhere Norm verdrängt die rangniedrigere (상위법 우선의 원칙). Neue Gesetze werden zweimal monatlich amtlich veröffentlicht.

2. Geschriebene Rechtsnormen

Die Verfassung von 1948 enthält eine Reihe von Rechtsnormen und Prinzipien, die materielles und formales Strafrecht betreffen.[4] Daneben sind die Hauptquellen des materiellen Strafrechts das Strafgesetzbuch (형법) vom 18.9.1953, das inzwischen vielfach, zuletzt im Jahre 2001, geändert worden ist, die zahlreichen strafrechtlichen Neben- und Sondergesetze sowie das Jugendgerichtsgesetz (소년법), welches das materielle Strafrecht und Strafprozessrecht für Jugendliche enthält.[5] Sondergesetze betreffen spezielle Tätergruppen und Straftaten, zum Beispiel das Gesetz zur nationalen Sicherheit. Sie genießen Vorrang gegenüber den allgemeinen Gesetzen (특별법 우선의 원칙). Nebengesetze, wie zum Beispiel das Lebensmittelstrafrecht, beziehen sich auf die strafrechtliche Regelung bestimmter Lebensbereiche. Die strafrechtlichen Sonder- und Nebengesetze spielen in Korea keine geringere Rolle als das Strafgesetzbuch: auf der Grundlage von Sondergesetzen werden über die Hälfte der Straftäter verurteilt. Die Gesetze dürfen den verfassungsrechtlichen Grundprinzipien nicht widersprechen.

---

1 Siehe dazu I.C.

2 Siehe dazu I.C.3.

3 Siehe dazu I.A.4.

4 Siehe dazu I.C.3.

5 Siehe dazu I.E.3.

Die Gesetzgebungsmaterialien bilden keine direkte Rechtsquelle und haben keine unmittelbare Auswirkung auf die Gesetzesanwendung; sie stellen aber eine Auslegungshilfe dar und bieten wichtige materielle Anhaltspunkte für weitere Rechtsreformen.

3. Gewohnheitsrecht

Aufgrund des Gesetzlichkeitsprinzips ist Gewohnheitsrecht (관습법) als ungeschriebenes Recht im Strafrecht grundsätzlich verboten.[6] Das Verbot des Gewohnheitsrechts beruht auf dem Rechtsstaats- und Gewaltenteilungsprinzip.[7] Eingriffe in verfassungsmäßig gewährleistete Grundrechte benötigen demnach eine gesetzliche Grundlage. Dieser Gesetzesvorbehalt ist für das Strafrecht in Art. 12 Abs. 1, Art. 13 Abs. 1 Verfassung und § 1 Abs. 1 kStGB *(nullum crimen, nulla poena sine lege)* besonders geregelt. Nicht-gesetzliche Rechtsquellen sind damit für das Strafrecht ausgeschlossen. Daraus folgt das Verbot des strafbegründenden Gewohnheitsrechts. Im Zivilrecht stellt dagegen das Gewohnheitsrecht eine Rechtsquelle dar (§ 1 kBGB).

In der Lehre wird jedoch die Meinung vertreten, dass ein strafausschließendes oder strafmilderndes Gewohnheitsrecht (형을 배제하거나 감경하는 관습법) im Gegensatz zu einem strafbegründenden oder strafschärfenden Gewohnheitsrecht (가벌성을 인정하거나 형을 가중하는 관습법) zulässig sei und dass auch eine gewohnheitsrechtliche Legitimation von Rechtfertigungs-, Schuldausschließungs- sowie persönlichen Strafausschließungsgründen anzuerkennen sei.[8] Die gewohnheitsrechtliche Legitimation von Rechtfertigungsgründen ist danach besonders als übergesetzlicher Rechtfertigungsgrund von Bedeutung. Das Verbot von Gewohnheitsrecht bedeute, dass dieses zwar keine unmittelbare Strafrechtsquelle darstelle, heiße aber nicht, dass das Gewohnheitsrecht nicht mittelbar für die Strafrechtsauslegung ein Hilfsmittel sein könne (sogenanntes ergänzendes Gewohnheitsrecht, 보충적 관습법). Eine starke Mindermeinung wendet dagegen ein, dass nicht nur das strafbegründende und strafschärfende, sondern auch das strafausschließende und strafmildernde Gewohnheitsrecht streng unter dem Gesetzlichkeitsprinzip stehe und deshalb ausgeschlossen sei.

Die von Korea ratifizierten und verfassungsgemäß inkorporierten internationalen Abkommen sowie die allgemein anerkannten Rechtsgrundsätze des Völkerrechts haben den gleichen Rang wie ein innerstaatliches Gesetz (Art. 6 Abs. 1 Verfassung).[9]

---

6 Siehe dazu II.A.3.a.

7 Siehe dazu II.A.1.

8 Siehe dazu II.A.3.a.

9 Siehe dazu I.B.2.b.

4. Rechtsprechung

Die Richter sind unabhängig und nur der Verfassung, dem Gesetz und ihrem Gewissen unterworfen (Art. 103 Verfassung).[10] In Korea gibt es grundsätzlich keine Präjudizienbindung, abgesehen von § 8 des Gerichtsverfassungsgesetzes (법원조직법, „Die Entscheidungen des höheren Gerichts binden im selben Verfahren das untere Gericht") und einigen anderen Ausnahmeregelungen. Demgemäß haben die Gerichtsentscheidungen keine Bindungswirkung; sie stellen also keine Rechtsquelle dar. Gleichwohl hat die Rechtsprechung eine große Bedeutung für das Strafrecht, da sie die Umsetzung des Rechts in die Wirklichkeit leistet. Die Entscheidungen des koreanischen Obersten Gerichtshofs werden in einer amtlichen Sammlung veröffentlicht.

5. Schrifttum

Das Schrifttum ist keine direkte Rechtsquelle, es hat keine unmittelbar bindende Wirkung. Ein Rechtssystem ist aber ohne entsprechende wissenschaftliche Systematisierung nur schwer denkbar. Selbst bei Einhaltung des Bestimmtheitsgebots sind die Strafrechtsnormen aufgrund der Mannigfaltigkeit des Lebens, des Wandels der Verhältnisse und der Besonderheiten des Einzelfalls oft auslegungsbedürftig. Ein nach seinem Wortlaut vager Straftatbestand muss durch die Rechtspraxis konkretisiert werden. Andererseits kann eine rein subjektive Anwendung durch den einzelnen Richter ohne objektives Auslegungskriterium zu beliebigen Ergebnissen führen. Bei der Konkretisierung des Strafrechts durch die Gerichte erfüllt das Schrifttum auf der Grundlage wissenschaftlich gesicherter Erkenntnisse die Funktion eines objektiven Wegweisers. Die Rechtswissenschaft hat jedoch keinen großen Einfluss auf die koreanische Rechtsprechung: Die Gerichte zitieren in ihren Entscheidungen fast nie Äußerungen der Strafrechtslehre; jedoch berücksichtigen sie bei der Auslegung der Strafrechtsnormen den Meinungsstand im Schrifttum. Erheblich größer ist der Einfluss der Strafrechtswissenschaft auf die Gesetzgebung. Ein engeres Zusammenwirken von Rechtsprechung und Rechtswissenschaft ist für das koreanische Strafrecht nicht nur wünschenswert, sondern auch notwendig, da Erkennen und Handeln nicht zweierlei sein sollten.

---

[10] Siehe dazu I.A.4.

Literaturhinweise zu Abschnitt F.

Bae, Jong-Dae, Hyungbop Chongnon (형법총론, Strafrecht Allgemeiner Teil). 9. Aufl. Seoul 2008, S. 81–92, 299 f.

– Hyungbop Gaknon (형법각론, Strafrecht Besonderer Teil). 5. Aufl. Seoul 2004, S. 24 f.

Cha, Yong-Seok, Hyungbop Chongnon Gangeui (형법총론강의, Strafrecht Allgemeiner Teil). 2. Aufl. Seoul 1988, S. 125–137.

Cho, Jun-Hyun, Hyungbop Chongnon (Strafrecht Allgemeiner Teil). 3. Aufl. Seoul 2004, S. 86 f.

Chong, Seong-Kun/Park, Kwang-Min, Hyungbop Chongnon (Strafrecht Allgemeiner Teil). 2. Aufl. Seoul 2005, S. 13–16.

Chong, Young-Il, Hyungbop Chongnon (Strafrecht Allgemeiner Teil). 2. Aufl. Seoul 2007, S. 34 ff.

Huh, Young, Hanguk Honbopron (한국헌법론, Koreanische Verfassung). 3. Aufl. Seoul 2005, S. 23 f.

Hwang, San-Dok, Hyungbop Chongnon (Strafrecht Allgemeiner Teil). 5. Aufl. Seoul 1986, § 3.

Kim, Seoung-Chun/Kim, Hyoung-Jun, Hyungbop Chongnon (Strafrecht Allgemeiner Teil). 3. Aufl. Seoul 2005, S. 25 f.

Kim, Seoung-Don, Hyungbop Chongnon (Strafrecht Allgemeiner Teil). Seoul 2008, S. 55–57.

Kim, Il-Su/Suh, Bo-Hak, Hyungbop Chongnon (Strafrecht Allgemeiner Teil). 10. Aufl. Seoul 2004, S. 76–80.

Lee, Jae-Sang, Hyungbop Chongnon (Strafrecht Allgemeiner Teil). 5. Aufl. Seoul 2003, § 2 IV 1.

– Shin Hyongsa Sosongbop (신형사소송법, Das neue Strafverfahrensrecht). 2. Aufl. Seoul 2008, § 2 I.

Oh, Young-Gun, Hyungbop Chongnon (Strafrecht Allgemeiner Teil). Seoul 2005, § 1, § 3.

Park, Sang-Ki, Hyungbop Chongnon (Strafrecht Allgemeiner Teil). 7. Aufl. Seoul 2007, S. 24–26.

Ryu, Ki-Chun, Hyongbophak Chongnon Gangeui (형법학 총론강의, Strafrechtswissenschaft Allgemeiner Teil). 22. Aufl. Seoul 1982, § 8.

Das koreanische Strafgesetzbuch. Deutsche Übersetzung und Einführung von *Paul K. Ryu*. Berlin 1968.

Shin, Dong-Woon, Hyungbop Chongnon (Strafrecht Allgemeiner Teil). 2. Aufl. Seoul 2006, S. 20–23.

– Shin Hyungsa Sosongbop (Das neue Strafverfahrensrecht). Seoul 2008, S. 19–23.

Son, Misuk, Straftatfolgen im deutschen und koreanischen Strafrecht. Ein prinzipieller Vergleich. Frankfurt am Main 2004, S. 317 ff.

– Rechtsvergleichende und rechtsphilosophische Betrachtungen zur Todesstrafe und der Aussetzung ihrer Vollstreckung in Korea. Rechtspolitisches Forum, Heft Nr. 42. Trier 2008.

Yim, Woong, Hyungbop Chongnon (Strafrecht. Allgemeiner Teil). 2. Aufl. Seoul 2002, S. 24–27.

G. Entwicklung des Strafrechts, Strafverfahrensrechts und Strafvollstreckungsrechts

1. Einführung

Das koreanische Strafrecht steht – wie andere Rechtssysteme auch – in engem Zusammenhang mit der geschichtlichen Entwicklung des Landes. Da das geltende Recht nicht getrennt von seiner historischen Entwicklung betrachtet werden kann, ist die Kenntnis der traditionellen koreanischen Jurisprudenz für das Verständnis des gegenwärtigen Strafrechts unerlässlich. Seine Geschichte kann in vier Perioden eingeteilt werden. Die erste reicht von den Anfängen des Strafrechts (etwa 4. Jahrhundert vor Christus) bis zur sogenannten Gabo-Reform (갑오경장) von 1894, die zweite von der Gabo-Reform bis zur Annexion durch Japan (1910), die dritte Periode von 1910 bis 1945 steht im Zeichen der japanischen Herrschaft, und die letzte Periode reicht schließlich vom Zeitpunkt der Befreiung aus der fremden Herrschaft (1945) bis zur Gegenwart.

Der ersten Epoche des koreanischen Strafrechts liegt, wie auch anderen früheren Kulturen, ein theokratischer Strafgedanke zugrunde. Die Reaktion auf eine Straftat war reine Vergeltung. Im alten Korea (im sogenannten Gochosun 고조선, etwa 190 vor Christus) gab es die „Acht Verbote" (8조 법금), von denen uns heute nur noch drei Artikel bekannt sind: „Wer jemanden tötet, wird sofort mit dem Tode bestraft; wer einem anderen einen körperlichen Schaden zufügt, soll Entschädigung mit Getreide leisten; wer eine fremde Sache stiehlt, wird verurteilt, entweder als Sklave für die Geschädigten zu arbeiten, oder wer die Tat freiwillig sühnen will, soll eine Geldstrafe bis zu 500.000 Kupfermünzen entrichten".

Im Lauf der folgenden Jahrhunderte herrschten in Korea ähnliche Rechtsgewohnheiten wie Gochosun im alten Korea. Das Land bewahrte sein eigenständiges Rechtsleben und seine eigenen Kodifikationen zunächst durch alle Dynastien hindurch. Seit dem 3. Jahrhundert nach Christus gewann jedoch die chinesische Rechtskultur allmählich an Einfluss. Das traditionelle koreanische Strafrecht war fortan bis zum Ende des 19. Jahrhunderts mehr oder weniger durch das chinesische konfuzianische Rechtsdenken geprägt.

Im Folgenden wird zunächst die Entwicklung des Strafrechts im Zusammenhang mit der traditionellen koreanischen Jurisprudenz dargelegt. Anschließend werden die Entwicklungen des Strafverfahrens- und des Strafvollstreckungsrechts chronologisch zusammengefasst. Dabei sei jedoch eingeräumt, dass es bis heute an einer umfassenden, vertieften Untersuchung der koreanischen Rechtsgeschichte fehlt.

2. Entwicklung des materiellen Strafrechts

– *Überblick*

Der älteste Strafkodex war das „Koryo Hyongbop" (das koreanische Strafgesetzbuch, 고려형법), das gegen Ende des 10. Jahrhunderts nach dem Vorbild des chinesischen Dang Strafkodex verfasst wurde. Ab Beginn der Chosun-Dynastie (조선왕조, 1392–1910) fand der „Daemyongyul" (대명률), der große chinesische Kodex der Myong Zeit (1368–1644), in Korea unmittelbar Anwendung. Dieser wurde jedoch durch einheimische Gesetzgebung, wie den Großen Kodex zum Regieren von 1484 (Gyongguk Daejon, 경국대전), den Nachtrag zum Großen Kodex von 1746 (Sokdaejon, 속대전) und die allgemeine Ergänzung des Großen Kodex von 1865 (Daejon Hoetong, 대전회통), nach und nach verdrängt. „Gyongguk Daejon" spielte als Grundlage des Strafrechtssystems in der Chosun-Dynastie eine wichtige Rolle. Diese einheimische Gesetzgebung war aber wie oben bereits erwähnt noch immer stark durch das chinesische konfuzianische Recht geprägt. Erst Ende des 19. Jahrhunderts begann Korea, sich an der westlichen Rechtskultur zu orientieren.

– *Die Zeit bis zur Gabo-Reform von 1894*

Es gab schon in der traditionellen koreanischen Gesellschaft verschiedene Philosophien und geistige Kulturelemente, zum Beispiel den Buddhismus und den Schamanismus. Als eigentliche Kultur nahmen diese jedoch nicht unmittelbar auf die Gestaltung der staatlichen und rechtlichen Normen, sondern vielmehr auf das religiöse und kulturelle Leben Einfluss. Der Konfuzianismus gewann ab dem Ende der Koryo-Dynastie (고려왕조, 918–1391) immer mehr an Bedeutung für Staat und Individuum. Seit der Entstehung der Chosun-Dynastie nahm er bereits die Hauptrolle ein, da die Gründer dieser Dynastie alle Anhänger des Konfuzianismus waren und dieser von ihnen zur Herrschaftsideologie der feudalistischen Regierung entwickelt wurde.

Der Konfuzianismus (유교) ist die traditionelle chinesische politische Idee, deren ideologischer Ursprung auf der Philosophie von Konfuzius (공자, 551–479 vor Christus) basiert. Die von diesem gewünschte politische Ordnung war die tugendhafte Rechtsordnung, verwirklicht durch eine gerechte Herrschaftspolitik. Die gerechte Herrschaftspolitik nach konfuzianischer Vorstellung ist eine ideale politische Form, die von der moralischen und charakterlichen Vollkommenheit des Herrschers ausgeht und aus der harmonischen Einheit des Individuums und der Gesamtheit besteht.

Nach dieser Weltanschauung beruht die staatliche und gesellschaftliche Ordnung allein auf dem *Ye* (예), das Sittlichkeit, Höflichkeit, Ethik, Riten, Naturrecht und moralische Regeln des richtigen Verhaltens und guten Betragens umfasst. *Ye* ist damit der Inbegriff aller Sozialnormen und galt im Osten als allgemeingültiges Lebensprinzip oder fundamentale Naturordnung.

Das Daemyongyul (der große chinesische Myongkodex) von 1398 fand unmittelbar nach der Gründung der Chosun-Dynastie in Korea Anwendung, jedoch nicht in seiner ursprünglichen, sondern in einer den nationalen Verhältnissen angepassten Form.

Dieser Strafkodex der Chosun-Dynastie hatte zwei inhaltliche Besonderheiten: Zum einen diente die Gesetzgebung dem Zweck der Erhaltung der autokratischen Dynastie; zum anderen wurde der Kodex nicht von Rechtsexperten, sondern von Konfuzianisten erlassen. Er beinhaltete und spiegelte konfuzianische Ethik und Gedanken wider, um die streng hierarchisch und autokratisch angelegte Gesellschaftsstruktur der Chosun-Dynastie zu erhalten. Der Gesetzesinhalt basierte daher auf der absoluten Autorität des Monarchen. Der konfuzianische Gedanke differenzierte je nach gesellschaftlicher Stellung zwischen Herrschern und Beherrschten. Die Beherrschten hatten die Gewaltherrschaft ohne Weiteres zu akzeptieren.

Die Grundidee der autoritären Chosun-Dynastie war die fernöstliche Vorstellung von einer Rechtsordnung, die die gesellschaftliche Ordnung unter die des Naturrechts und der konfuzianischen Moral stellt. Die moralische Verwerflichkeit war deswegen in der Gesellschaft viel wichtiger als der Grad der Rechtswidrigkeit. Ein Verstoß gegen die Sitten war höchst verwerflich, sodass solche Handlungen als schweres Verbrechen galten und dafür keine Milderung und Gnade erlaubt wurde.

Da das *Ye* keine Zwangsermächtigung kannte, wurden neue Gesetze erlassen und darin Strafen angedroht, um die Befolgung des *Ye* zu erzwingen. Die Handlungsnorm war stets allein das *Ye*. Das Gesetz war nur ein sekundäres Hilfsmittel, um das *Ye* zu verwirklichen. Das Gesetz hing vom *Ye* als der allgemeinen Norm ab, weshalb es keine Differenzierung unter den Rechten gab. Ein Privatrecht oder eigenständige Justizinstitutionen konnten folglich nicht entwickelt werden. Mit Recht war daher stets Strafe und Strafrecht gemeint. Die konfuzianische Ethik als staatliche Grundidee beherrschte nicht nur die Gesetzgebung, die Verwaltung und die Justiz, sondern auch das Familienwesen, ja sogar die Willensbildung und das Verhalten des Einzelnen.

Als zweites Grundelement des traditionellen koreanischen Rechts neben dem *Ye* lässt sich der Legalismus (Yulhak, 율학) nennen. Bereits während der drei Königreiche (37 vor Christus bis 917 nach Christus), der Koryo-Dynastie (918–1391) und der Chosun-Dynastie (1392–1910) existierte die traditionelle koreanische Jurisprudenz, die ebenfalls unter chinesischem Einfluss stand. Der Legalismus, eine zeitlich neben dem Konfuzianismus sich entwickelnde philosophische Schule in China, dessen Intentionen bereits in seinem Namen deutlich werden, entstand daraus, dass die anhaltenden Kämpfe und Rivalitäten zwischen den Lehensstaaten viel Unruhe und Unsicherheit im Lande stifteten, sodass man allein mit der sittlichen und rituellen Tradition der Chou-Zeit (1122–255 vor Christus) die politische und soziale Ordnung nicht mehr aufrechterhalten konnte.

Die Legalisten wandten sich gegen die Unterordnung des Rechts unter das *Ye* und bekannten sich zum Regieren durch das Gesetz. Bei ihnen trat das Gesetz als objektiver Maßstab an die Stelle der Tugend *Ye*. Der Rechtsbegriff der Legalisten basierte jedoch nicht auf dem Interessenschutz des Betroffenen, sondern diente nur dem Schutz des Herrschers. Das Gesetz war folglich nichts anderes als Ausdruck der subjektiven Willkür des Herrschers: Es fehlte somit die Objektivität. Die Regierung durch das Gesetz setzte sich in China durch, bis die Chin-Dynastie (221–207 vor Christus) nach fünfzehnjährigem Bestehen zugrunde ging. Der Hauptgrund ihres raschen Untergangs war die Einführung zahlreicher harter und grausamer Strafen. So übte der Konfuzianismus von der Han-Dynastie an erneut einen zunehmenden Einfluss auf die Justizverwaltung und Gesetzgebung aus und bestimmte wiederum das rechtliche und sittliche Leben in China. Von der Han-Dynastie (207 vor Christus bis 220 nach Christus) bis zum Ende der Kaiserzeit war stets eine Kodifikation des Straf- und Verwaltungsrechts vorhanden.

In Korea wurde die Jurisprudenz als ein Teil des Fach- oder Allgemeinwissens wie die Medizin, die Mathematik oder die Technik betrachtet. Sie galt im konfuzianischen Denken als geringerwertiges Wissen. Die Exekutive und die Judikative waren nicht voneinander getrennt. Dies führte dazu, dass sowohl Gouverneure als auch Chefbeamte von Bezirken zur Rechtsprechung ermächtigt waren, während ausgebildete Juristen lediglich im Verfahren mitwirkten. Eine Trennung zwischen Straf-, Zivil- und Verwaltungsrecht gab es nicht. Folglich entwickelten sich die Regeln des täglichen Lebens und Handelns gewohnheitsrechtlich.

Da man das Recht als eine Mustersammlung betrachtete, das die Verbindung zu den Vorfahren herstellte, regelte somit das alte Recht, das sich vom westlichen Recht und den neueren Rechtsentwicklungen wesentlich unterschied, alle neu eingebrachten Rechtsvorschläge. Das hatte zur Folge, dass die Rechtsentwicklung in Korea bis zur Mitte des 19. Jahrhunderts stagnierte. Ein Hauptgrund, warum sich die traditionelle koreanische Jurisprudenz *Yulhak* als eigenständige Disziplin während der langen Zeit der Chosun-Dynastie (1392–1910) nicht systematisch entwickeln konnte, mag darin liegen, dass es zwar Gesetze gab, aber keine Rechtswissenschaft, die eine kreative Funktion für die Entwicklung der Rechtskultur hätte ausüben können.

– *Die Periode von 1894 bis 1910*

Traditionell existierten in Ostasien zwar Rechtssysteme, aber das moderne, von Verwaltung, Moral und Religion unabhängige Recht lernte man erst durch den Kontakt mit dem Westen im 19. Jahrhundert kennen. Die Begegnung Ostasiens mit westlichen Nationen zu dieser Zeit nahm mit den „ungleichen Verträgen“ als Folge der Kanonenbootpolitik ihren Anfang. Als Ergebnis des Opiumkriegs schloss China mit den Engländern im Jahr 1842 den Nankingvertrag; 1854 erfolgte die Öffnung Japans durch die USA. 1876 erzwang Japan die Öffnung Koreas durch den Kanghwainsel-Vertrag (강화도 조약), anschließend erfolgte die Öffnung Koreas durch die Westmächte und Russland. Dadurch wurde erstmals die westliche Konsularstrafbarkeit und damit ein modernes Rechtssystem in Korea eingeführt.

Das dem Kanghwainsel-Vertrag mit Japan von 1876 zugrunde liegende Völkerrecht war für Korea eine völlig neue Kategorie rechtlichen Denkens. Westliches Recht war gleichermaßen befremdlich wie westliche Technik, und beide Phänomene galten als Hauptsäulen einer neuen fremden Kultur. Tatsächlich fragte der koreanische Vertreter im Kanghwainsel-Abkommen von 1876, als er den ersten Vertrag in der koreanischen Geschichte abschloss, den japanischen Gesandten, was denn eigentlich ein Abkommen sei. Korea hatte keinerlei Vorstellung vom Inhalt des Vertrages; es war ein ungleicher Vertrag zum Nachteil des Landes. Japan tat damit den ersten Schritt, Korea politisch, wirtschaftlich und sozial zu unterwerfen. Dass es nicht autonom, sondern unter dem Druck Japans seine Tore geöffnet hatte, beeinflusste seine nachfolgende Geschichte ganz massiv.

In der Rezeption westlichen Rechts entwickelten sich Korea, Japan und China unterschiedlich. Die Art und Weise, wie dabei vorgegangen wurde, hing nicht von den zufälligen damaligen Umständen ab, sondern von geografischen, historischen und kulturellen Gegebenheiten sowie den jeweiligen nationalen Charakteristika. Der Prozess der Rezeption begann in Japan, erst später folgten Korea und China. Während Korea und China sich zunächst auf der Grundlage ihrer alteingessenenen traditionellen Kultur noch abgeschottet hielten und eine Erneuerung von innen heraus versuchten, hatte Japan den westlichen Imperialismus schnell begriffen, die westlichen Wissenschaften übernommen und das westliche Rechtssystem eingeführt. Japan legte sehr großen Wert darauf, das westliche Rechtssystem, insbesondere das deutsche, nachzuahmen. In Korea arbeiteten im Gegensatz zu Japan und China weit weniger ausländische Rechtsberater, und ihre Arbeit war von der Bedeutung her gesehen weitaus geringer als jene ihrer Kollegen im benachbarten Japan und China. Ungeachtet dieser Differenzen war die Rezeption des westlichen Rechts im fernen Osten fast eine Zwangsläufigkeit, da die fernöstliche konfuzianisch geprägte Rechtskultur mit den modernen Rechtssystemen nicht kompatibel war.

Unter diesen Gegebenheiten entwickelte sich von 1876 an eine (in Korea so genannte) „Reformbewegung", die zwischen 1894 und 1910, dem Zeitpunkt der Annexion Koreas durch Japan, ihren Höhepunkt erreichte. Es kam zu grundlegenden Veränderungen auf allen Gebieten, sowohl im politischen und juristischen wie auch im gesellschaftlichen Bereich. Sippenhaft, Beamtenhaft und auch Folter wurden abgeschafft. Die Vollstreckung der Todesstrafe durch Zerstückelung oder Enthauptung war nicht länger zulässig; stattdessen gab und gibt es nunmehr noch ihre Vollstreckung durch Erhängen oder Erschießen. Ebenfalls wurden körperliche Strafen,

Ausweisung unter Ableistung von Zwangsarbeit und Verbannung durch Gefängnisstrafen ersetzt.

Das Rechts- und Gerichtssystem nach europäischem Vorbild zu orientieren, war eine der dringendsten Aufgaben Koreas, um weitere ungleiche Verträge zum Nachteil des Landes zu vermeiden und damit auch die Konsulargerichtsbarkeit abzuschaffen. Die Modernisierung des Rechtssystems war mit Europäisierung beziehungsweise mit Verwestlichung gleichzusetzen. Die Rezeption des westlichen Rechtssystems erfolgte nicht nur zur Verbesserung des alten Systems in bestimmten Bereichen, sondern sie bedeutete auch den Abschied von der traditionellen Weltanschauung und letztendlich vom alten System überhaupt; sie war somit ein tiefgreifender historischer Umbruch. Für die Rezeption waren nicht nur institutionelle Umwandlungen oder die Einführung neuer Gesetze, sondern auch eine Kehrtwende des Rechtsbewusstseins und wissenschaftlichen Denkens notwendig. Das führte zu einer radikalen Veränderung im Bereich des Rechts.

Die erste moderne Kodifikation des Strafrechts erfolgte im Jahr 1894 durch die Gabo-Reform. Aufgrund dieser Reform wurde in Korea 1905 ein einheitliches Strafgesetzbuch (Hyongbop Daejon, der große Strafkodex, 형법대전) mit 680 Paragrafen erlassen. Das Gesetz trat am 18.4.1905 in Kraft. Der „Hyongbop Daejon" war ein umfangreiches Gesetz und gilt als das erste moderne Strafgesetzbuch in Korea.

Jedoch hatte das Land im September 1904 seine diplomatischen und gerichtlichen Kompetenzen an Japan verloren, wobei wichtige Positionen in allen Ministerien der koreanischen Regierung durch japanische Berater übernommen worden waren. Somit mussten alle nachfolgenden Reformbestrebungen in Korea aufgrund seiner wenig später (1910) erfolgten Annexion durch Japan scheitern.

– *Die Zeit unter fremder Herrschaft (1910 bis 1945)*

Infolge der Annexion Koreas durch Japan verlor der „Hyongbop Daejon" bei allen Verbrechen außer bei Tötung und Raub seine Geltung. Seit 1912 galt das japanische StGB von 1907 durch die 1911 erlassene „Verordnung Nummer 11" des japanischen Generalgouverneurs unmittelbar auch in Korea. Die japanische Regierung hatte zum Zweck der Japanisierung Koreas das japanische Recht, das dank der Meiji-Restauration (명치유신, Wiederherstellung der kaiserlichen Macht) im Jahr 1868 bereits weitgehend unter kontinental-europäischem Einfluss stand, in Korea zum geltenden Recht erklärt. Von dieser Gleichstellung rückte man in der Folgezeit aber wieder ab, und zwar nicht deswegen, weil die sozialen und wirtschaftlichen Verhältnisse Koreas von denen Japans zu verschieden waren, sondern wohl auch aus dem politischen Bestreben heraus, Korea und Japan nicht als gleichwertig zu behandeln. Aus diesem Grund erließ der Kolonialherrscher am 29.8.1910 eine außerordentliche kaiserliche Verordnung bezüglich der in Korea anzuwendenden Gesetze. In ihr wurde bestimmt, dass die koreanischen Gesetze nunmehr durch Anordnung des Generalgouverneurs erlassen werden sollten und dass diejenigen japanischen Gesetze, die in Korea Anwendung finden sollten, durch kaiserliche Verordnung bestimmt würden.

Gegen die japanische Kolonialherrschaft gerichtete landesweite Unabhängigkeitsbewegungen wurden blutig unterdrückt. 1929 wurde Korea als Provinz Chosun dem japanischen Imperium praktisch einverleibt und gehörte fortan zum Geltungsbereich der japanischen Gesetze, damit auch des japanischen Strafgesetzbuchs von 1907. Dieses japanische StGB stand unter starkem Einfluss des deutschen StGB von 1871 und der neuen spezialpräventiven Strafrechtsschule. Das StGB gab allerdings der Sozialverteidigung gegenüber dem Schutz der individuellen Freiheit den Vorzug. Seine Charakteristika bestanden darin, dass zum einen die Tatbestände sowohl abstrakt als auch vereinfacht gefasst waren, und zum anderen, dass im Zuge der Verschärfung des Strafensystems den Richtern ein weiter Spielraum eingeräumt wurde, der die staatliche Macht gegenüber der Freiheit des Bürgers erhöhte.

Bis Korea 1945 nach Ende des Zweiten Weltkrieges seine Selbstständigkeit zurückerhielt, hatten die Japaner überall im Land die Vorherrschaft. Von einer selbstständigen Entwicklung der Rechtswissenschaften und des Strafrechts konnte daher keine Rede sein. Die Entwicklung Koreas stagnierte 35 Jahre lang. Die eigentliche Schaffung des modernen koreanischen Rechtssystems und des Strafrechts konnte erst im Jahr 1945 beginnen.

– *Das koreanische StGB von 1953*

Unmittelbar nach der Gründung der Republik Korea galt zunächst weiterhin das japanische StGB von 1907, zuerst durch die Verordnung Nummer 21 der amerikanischen Militärregierung vom 2.11.1945 und später durch Art. 100 der koreanischen Verfassung von 1948, allerdings nur insoweit, als es der Verfassung nicht widersprach. Im Jahr 1948 setzte die Regierung eine Kodifikationskommission für ein eigenes Strafgesetzbuch ein, die die „Grundlinien des Strafgesetzbuchs" (Hyongbop Yogang, 형법요강) und den „Entwurf des Strafgesetzbuchs" (Hyongbop Choan, 형법초안) von 1953 verfasste. Das neue und zugleich erste autonome moderne koreanische Strafgesetzbuch trat am 3.10.1953 in Kraft.

Das koreanische StGB von 1953 basiert jedoch im Wesentlichen auf dem japanischen Strafgesetzentwurf von 1940, der seinerseits durch die deutschen Entwürfe von 1925, 1927 und 1930 sowie durch das schweizerische StGB von 1918 und 1937 beeinflusst war. Es stand zugleich teilweise unter amerikanischem Einfluss, der sich zum Beispiel in der Rechtsfigur der Aussetzung des Urteilspruchs (§ 59 kStGB) widerspiegelt. Der japanische Strafgesetzentwurf von 1940 hatte zwar einen fortschrittlich-liberalen Inhalt, aber die Strafrechtsreform erfolgte vor allem zum Zweck der Erhaltung und Intensivierung des Systems unter der japanischen kaiserlichen Verfassung vor dem Zeitpunkt der Kriegsniederlage. Dieser Entwurf von 1940 konnte aufgrund der Verstärkung des Angriffskrieges von Japan nicht realisiert werden, ist jedoch bei späteren Entwürfen immer wieder herangezogen worden. Korea hatte damals bei seinen Vorbereitungen für das neue Strafgesetzbuch diesen spezifischen Hintergründen des japanischen Gesetzentwurfs von 1940 keine Aufmerksamkeit geschenkt, sondern den Entwurf in Eile ohne wesentliche inhaltliche Änderungen übernommen.

Das koreanische StGB von 1953 hat im Vergleich zum damals geltenden japanischen StGB von 1907 einige fortschrittliche Strafrechtsnormen und Straftatfolgen neu eingeführt und in ihrem Anwendungsbereich erweitert: Es geht insbesondere vom Zweck- und Erziehungsgedanken aus, der unter dem Einfluss der deutschen modernen Schule stand. Die Verfasser des StGB bemühten sich, mit solchen Maßnahmen den Verfassungsideen der neu entstandenen, freiheitlich-demokratischen Republik zu entsprechen. Im Wesentlichen stand es jedoch immer noch unter dem Einfluss einer schematischen, strengen und auch missverstandenen Vergeltungsidee. So sehen viele Vorschriften die Todesstrafe oder eine lebenslange Freiheitsstrafe vor; bei Rückfällen beziehungsweise bei wiederholten Delikten von Gewohnheitstätern erfolgt eine Schärfung der Strafe.

Das koreanische StGB von 1953 ist entsprechend der Klassifikation der kontinentaleuropäischen Rechtssysteme in einen Allgemeinen Teil und einen Besonderen Teil untergliedert.[1] Ersterer enthält die allgemeinen Grundsätze über die Voraussetzungen der Strafbarkeit und die Rechtsfolgen der Tat. Letzterer beinhaltet die Regelungen der einzelnen Straftaten. Der Besondere Teil ist in Straftaten gegen die Allgemeinheit und Straftaten gegen den Einzelnen unterteilt. Trotz der sozialen, wirtschaftlichen und technologischen Veränderungen und Entwicklungen der letzten Jahrzehnte sind nur wenige Tatbestände in den Besonderen Teil des kStGB neu aufgenommen worden.[2] Dies lässt sich teilweise dadurch erklären, dass viele Vorschriften – einschließlich solcher, die wie etwa die Bestimmung über gefährliche Körperverletzung im Zusammenhang mit gewohnheitsmäßigem Einbruchdiebstahl eigentlich zum kStGB gehören sollten – in zahlreichen Sonderstrafgesetzen niedergelegt worden sind. Die strafrechtlichen Sondergesetze wurden im Gegensatz zum StGB häufiger neu erlassen beziehungsweise geändert.

Eine Besonderheit des koreanischen StGB liegt in dem sehr abstrakt gefassten Gesetzestext und in der Verwendung von bisweilen realitätsfernen und schwer verständlichen Ausdrücken, welche dem Chinesischen entstammen. Dennoch lehnt sich das geltende StGB in Systematik und Ausgestaltung auch stark an das deutsche Strafrecht an. Die Kürze und Abstraktheit des koreanischen Gesetzestextes sowie die symbolische Bedeutung der koreanischen Rechtssprache lassen sich einerseits auf eine aus dem chinesischen Recht und der chinesischen Sprache überlieferte gesetzgeberische Tradition zurückführen, Rechtsvorschriften in knappen,

---

1 Zum Allgemeinen Teil siehe II.A.–L.

2 Siehe dazu unten.

symbolischen Worten zu formulieren. Andererseits sind infolge des Einflusses des japanischen StGB, das seinerseits unter dem Einfluss der spezialpräventiven Lehre stand, weit gefasste Formulierungen der Straftatbestände und entsprechende Erweiterungen der Strafrahmen zustande gekommen, um eine effektive Kriminalitätsverhinderung durch eine der Täterpersönlichkeit angepasste Sanktionierung zu ermöglichen.

Gerichte hatten infolgedessen bei der Wahl der Sanktionsarten und bei der Strafzumessung grundsätzlich ein weites Ermessen, zumal die Gesetzessprache eher unspezifisch ist und die gesetzlichen Strafrahmen für die einzelnen Delikte äußerst weit gespannt sind. Dies soll der traditionellen chinesischen Gesetzgebung entsprechen, die dem Richter erlaubt, im Einzelfall eine sachgemäße Lösung zu finden. Die Frage, wie die Kürze und Abstraktheit der gesetzlich festgelegten Straftatbestände und der weite Ermessensspielraum für die Strafen mit dem Bestimmtheitsgebot des Gesetzlichkeitsprinzips (Art. 12, 13 der koreanischen Verfassung) in Einklang gebracht werden können, ist sehr schwierig zu beantworten.[3]

Der Gebrauch einer verständlichen Gesetzessprache in einem klar strukturierten und möglichst einfach formulierten Koreanisch war schon seit 1948 der Wunsch der Gesetzgebungskommission. Die Gesetzessprache wurde durch die Strafrechtsreform von 1995 zwar um Einiges verbessert, ist aber immer noch verbesserungsbedürftig.

– *Die Entwicklung seit 1995*

Seit Inkrafttreten des kStGB 1953 sind sind fast 60 Jahre vergangen. Trotz des tiefgreifenden gesellschaftlichen Wandels, der wirtschaftlichen Entwicklung und der Veränderung des Zeitgeistes hat es wie erwähnt keine grundlegenden Änderungen erfahren. Zwar versuchte Korea nach langjähriger Militärregierung mit der ersten großen Strafrechtsreform von 1995, das koreanische StGB von 1953 zeitgemäß umzugestalten und zugleich ein humanes, liberales, modernes, rationales und souveränes Strafrecht zu verwirklichen. Ob jedoch das kStGB in der Fassung von 1995 diesen Wünschen entspricht, ist sehr fraglich, denn es unterscheidet sich nicht wesentlich von der ursprünglichen Gesetzesfassung.

So wurde im Zuge der Strafrechtsreform der Allgemeine Teil des kStGB nur geringfügig verändert. Die im Jahr 1995 in den Allgemeinen Teil des kStGB eingefügten Neuerungen betrafen überwiegend den Rechtsfolgenteil.[4] Die erste Änderung betrifft die Geldstrafen, die jetzt nach der heutigen Währung „Won“ (원) anstelle der früheren „Hwan“ (환) berechnet werden. Ferner wurden in § 48 Abs. 3 kStGB (Einziehung des Gegenstandes oder des Wertersatzes) zusätzlich elektromagnetisch oder auf sonstige technische Weise aufgezeichnete Daten einbezogen.

---

3 Siehe dazu II.A.3.b.

4 Siehe dazu I.A.5.d.

Die Führungsaufsicht wurde neu ins StGB eingeführt;[5] die Anordnung von gemeinnütziger Arbeit und der Teilnahme an Unterrichtsstunden für erwachsene Täter wurde erstmals im kStGB normiert (vergleiche §§ 59-2, 61 Abs. 2, 62-2, 64 Abs. 2, 73-2, 75, 76 kStGB). Schließlich wurde der Anwendungsbereich der Geldstrafe erweitert, und die Höhe der Geldstrafen wurde aufgrund der wirtschaftlichen Entwicklung heraufgesetzt (vergleiche §§ 45, 47 kStGB).

Im Besonderen Teil des kStGB wurde zum Beispiel die Todesstrafe in einigen Vorschriften aufgehoben, während in § 301-2 (Vergewaltigung mit Todesfolge) das kStGB die Todesstrafe neu eingeführt hat. Die Geldstrafe wurde erhöht und auf Delikte ausgedehnt, die früher nur mit Zuchthausstrafe bedroht waren. Neuartige Straftaten wurden kriminalisiert, wie zum Beispiel Computerdelikte (§§ 140 Abs. 3, 227-2, 232-2 kStGB) und unbefugter Gebrauch von Fahrzeugen (§ 331-2 kStGB) oder Automaten (§ 348-2 kStGB). Im Jahr 2001 wurde schließlich § 347-2 kStGB (Computerbetrug) neu eingeführt.

Hinzuweisen ist ferner auf die Richtlinie zur Strafzumessung (양형기준), welche seit Juli 2009 gilt. Sie dient einer objektiv vergleichbaren, sachgerechten Anwendung bei der Strafzumessung und enthält einen einheitlichen Maßstab, der in jedem Einzelfall anzuwenden ist. Die Richtlinie zur Strafzumessung erfasst zunächst acht Straftaten: Totschlag (살인죄), Bestechung (뇌물죄), Sexualstraftaten (성범죄), Raub (강도죄), Unterschlagung (횡령죄), Untreue (배임죄), falsche Aussage (위증죄) und falsche Verdächtigung/falsche Anzeige (무고죄). Die Ausdehnung ihres Anwendungsbereichs auf weitere Straftaten befindet sich derzeit in Vorbereitung. Jedoch sei klarstellend hervorgehoben, dass jene Richtlinie nicht absolut bindend ist, sondern der Richter mit näherer Begründung davon abweichen darf (§ 81-7 kGVG).

– *Neue Strafrechtsreform und ihre Aufgaben*

Das koreanische Strafrecht befindet sich in ständiger Reform. Dabei stand der Sicherheitsgedanke in der koreanischen Kriminalpolitik bisher immer im Vordergrund, sei es aufgrund der Teilung des Landes oder sonst zwecks wirksamer Bekämpfung der Kriminalität. Anhaltspunkte dafür sind die Strafbarkeit der Vorfeldtaten[6] und die zahlreichen strafrechtlichen Sondergesetze, in denen eine Strafverschärfung bei qualifizierten Delikten, Rückfällen und Straftaten von Gewohnheitstätern vorgesehen ist.

Aufgrund der technischen und gesellschaftlichen Entwicklung der vergangenen Jahre sind viele neue strafrechtliche Probleme entstanden, zum Beispiel im Bereich der Computer- und Umweltkriminalität oder auch im Medizinstrafrecht. Eine prinzipienorientierte Strafrechtsentwicklung in Theorie und Praxis ist aber in der Lage, auch neu auftretende Probleme in rechtsstaatlicher Weise zu bewältigen.

---

[5] Vergleiche dazu I.E.3.

[6] Siehe dazu II.F.6.

3. Entwicklung des Strafverfahrensrechts

– *Die Zeit bis zur Gabo-Reform von 1894*

Das Strafverfahrensrecht steht in einem engen Zusammenhang mit dem materiellen Strafrecht. Auch in ihrer Entwicklung waren die beiden Rechtsgebiete eng verknüpft.[7] Da Korea vor der Rezeption des westlichen Rechtssystems keine Gewaltenteilung kannte, war das Strafverfahren bis Ende des 19. Jahrhunderts Sache der Verwaltungsobrigkeiten. Es war inquisitorisch ausgestaltet und es gab keine Trennung zwischen Ermittlungs- und Hauptverfahren. Urteile ergingen in Form von Verwaltungsverfügungen.

Infolge der Gabo-Reform von 1894 wurde die Rechtsprechung zu einer richterlichen, von der Verwaltung getrennten Aufgabe erklärt. Im Jahr 1895 wurde dann die Trennung von Zivil- und Strafsachen eingeführt und als „Gesetz Nummer 1" ein Gerichtsverfassungsgesetz (법원조직법) erlassen. Das Gerichtsverfassungsgesetz (GVG, 재판소구성법) vom 25.3.1895 stellte einen Meilenstein für die Entwicklung des modernen Gerichtssystems in Korea dar. Es nahm das japanische Gerichtsverfassungsgesetz von 1890 zum Vorbild, das wiederum unter dem Einfluss des deutschen GVG von 1877 stand. Danach wurde in Korea zum ersten Mal ein Gericht nach westlichem Vorbild geschaffen.[8] Das kGVG von 1895 sah einen Instanzenzug und fünf Arten von Gerichten vor (§ 1): Provinzialgericht (지방재판소), Hafengericht (개항장재판소), Wandergericht (순회재판소), Höheres Gericht (고등재판소) und Sondergericht (특별법원); einige dieser Gerichte wurden nie eingerichtet.

Nach dem kGVG von 1895 wurde erstmals das Amt des Staatsanwalts eingeführt und auch der Begriff „Staatsanwalt" (검사) verwendet. Damit wurde die rechtliche Grundlage für die Trennung der Aufgaben von Richter und Ankläger geschaffen. Die Aufgaben des Staatsanwalts bestanden darin, als Gerichtsperson bei Vorliegen des Verdachts einer Straftat Beweismaterial zu sammeln, Haftbefehle zu erlassen, gegebenenfalls Anklage zu erheben und die Gerichtsentscheidung zu vollstrecken (vergleiche § 38 kGVG von 1895, § 17 der Verordnung über Aufgaben und Organisation der Staatsanwaltschaft von 1895, 검사직제; § 29 der Regelungen über das Zivil- und Strafverfahren von 1895, 민형사소송규정). Zur Erfüllung seiner Aufgaben konnte sich der Staatsanwalt auf die Mitwirkung der Polizei stützen (§ 39 kGVG von 1895).

Im Jahr 1895 wurden darüber hinaus die verfahrensrechtlichen „Regelungen über das Zivil- und Strafverfahren" (민형사소송규정) erlassen. All diese Gesetze oder Regelungen, die im Jahr 1895 nach der Gabo-Reformzeit in Kraft traten, drücken eine dringende Notwendigkeit beziehungsweise den Willen zur Modernisierung des

---

7 In diesem Sinne vergleiche oben 2.

8 Dazu siehe oben 2.

koreanischen Rechts- und Justizsystems aus. Tatsächlich konnten diese Ziele jedoch aus zahlreichen Gründen, wie zum Beispiel aufgrund eines Mangels an ausgebildeten Juristen und finanziellen Mitteln, gar nicht verwirklicht werden.

Ferner wurde im Jahr 1895 eine Richterausbildungsschule (법관양성소) gegründet. Eine spezielle Ausbildung der Berufsrichter war notwendig, da ohne ausgebildete Juristen die neue Rechtsreform nicht ausgeführt werden konnte. Die historische Bedeutung dieser Richterausbildungsschule besteht jedoch nicht nur in der der Ausbildung von Richtern und der Entwicklung des neuen modernen Rechts, sondern vielmehr in der tatsächlichen Realisierung des Gleichheitsgrundsatzes ohne die bisherige Einschränkung der sozialen Herkunft bei der Aufnahme. Die Richterausbildungsschule musste im Jahr 1909 auf Betreiben Japans geschlossen werden und wurde an Japaner übertragen.

Im Jahr 1905 wurde „Gesetz Nummer 5" (das Gesetz über den Rechtsanwalt, 변호사법) erlassen und damit erstmals die Institution des Rechtsanwalts in Korea eingeführt.

Nach der Gabo-Reform von 1894 wurden viele Gesetze verkündet und Korea versuchte von innen heraus, ein modernes Rechtssystem zu entwickeln. Im Jahr 1904 übernahm Japan aber wichtige exekutive Aufgaben in Korea, sodass das Land in wesentlichen Angelegenheiten nicht mehr selbstständig entscheiden konnte. Schließlich mussten alle Reformbestrebungen aufgrund der Annexion Koreas durch Japan im Jahr 1910 scheitern.

– *Die Zeit unter fremder Herrschaft von 1910 bis 1945*

Im Jahr 1910 wurde infolge der Annexion Koreas durch Japan eine Regelung eingeführt, nach welcher die Polizei leichte Delikte selbst bestrafen konnte („Verordnung über die sofortige Erledigung von Strafsachen" vom 15.12.1910, 조선총독부 제령 제 10호 범죄즉결례). Danach durfte die Polizei Freiheitsstrafen bis zu 3 Monaten, Geldstrafen, Haftstrafen bis zu 30 Tagen und mindere Geldstrafen verhängen (§ 1 Nummer 2 der genannten Verordnung). Während die Polizei in Japan lediglich für die Sanktionierung bestimmter materiellrechtlich begrenzter Übertretungen und für die Einstellung von Bagatellsachen zuständig war, durfte die japanische Polizei in Korea ohne Weiteres alle geringfügigen Strafsachen ohne Gerichtsverfahren selbst aburteilen und ihre Entscheidungen sogleich vollstrecken. Gegen die polizeilichen Entscheidungen konnte man zwar theoretisch ein ordentliches Verfahren vor dem zuständigen Gericht beantragen (§ 3 der genannten Verordnung). In der Praxis spielte dieser Rechtsschutz aber keine nennenswerte Rolle, da Korea unter japanischer Fremdherrschaft stand und die Besatzungsmacht solche Rechtsmittel nicht wünschte: Jene polizeilichen Befugnisse gehörten zum Unterdrückungsapparat der Japaner.

Im Jahr 1909 wurde das von Japan aus Deutschland übernommene vierstufige Gerichtssystem auch in Korea eingeführt. Es bestand aus Amtsgericht (구재판소), Landgericht (지방재판소), höherem Gericht (항소원) und Oberstem Gerichtshof (고등법원). Das Gerichtssystem ist anschließend im Jahr 1912 dreistufig zu regionalem Gericht (지방법원), höherem Gericht (복심법원) und Oberstem Gericht (고등법원) umgestaltet worden. Ferner fand im selben Jahr die japanische StPO von 1890, die auf den französischen „Code d'instruction criminelle" fußte, aber auch stark von der deutschen StPO von 1877 beeinflusst war, durch die Verordnung Nummer 11 des japanischen Generalgouverneurs („Chosun Hyongsaryoung", vergleiche § 1 Nr. 9 der Verordnung über die Strafsachen in Korea, 조선총독부 제령 제 11호 조선형사령 제 1조 10) in Korea unmittelbare Anwendung. Im Jahr 1922 wurde die reformierte japanische StPO, die ihrerseits stark von dem Entwurf der deutschen Strafprozessordnung von 1920 geprägt war, durch die oben genannte Verordnung in Korea ebenfalls angewendet.

Durch die Gouverneursverordnung „Chosun Hyongsaryoung" von 1912 wurde zum ersten Mal das kontinentaleuropäische Strafverfahrenssystem in Korea eingeführt, wobei jedoch viele der ursprünglich vorgesehenen Rechtsgarantien nicht verwirklicht wurden. Die Übertragung der aus Deutschland rezipierten japanischen StPO diente vielmehr der weiteren Kolonialisierung Koreas. Eine eigenständige Entwicklung des koreanischen Strafprozessrechts begann daher erst nach dem Zweiten Weltkrieg.

– *Entwicklung nach dem Zweiten Weltkrieg*

Am 15.8.1945 konnte sich Korea von der japanischen Fremdherrschaft befreien. Dies führte jedoch nicht zu einer sofortigen Etablierung einer eigenen Regierung, sondern im Süden regierte eine amerikanische und im Norden eine sowjetische Militärregierung. Da Regieren und Recht untrennbar in einem engen Sachzusammenhang stehen und das Regieren ohne ein Rechtssystem schwer vorstellbar ist, begann die amerikanische Militärregierung nach ihrem Einmarsch in Südkorea, nach angloamerikanischem Recht zu arbeiten, und versuchte, das Strafverfahren und die Justiz allgemein zu demokratisieren.

Eine erste Maßnahme der amerikanischen Militärregierung bestand darin, die Aburteilungsbefugnis der Polizei und die Führungsaufsicht durch die Organe der Bewährungshilfe zu beseitigen. Urteile durften seitdem nicht mehr ohne richterliches Gehör ergehen. Die japanische StPO von 1922 galt jedoch zunächst gemäß Art. 100 der koreanischen Verfassung von 1948 weiter, soweit sie mit der Verfassung vereinbar war. Erst durch die Rechtsverordnung Nummer 176 der amerikanischen Militärregierung vom 20.3.1948 wurde die geltende japanische StPO von 1922 teilweise geändert und das angloamerikanische Strafprozesssystem, mit Elementen wie zum Beispiel dem Parteiverfahren, eingeführt.

– *Die Strafprozessordnung von 1954*

Während das koreanische materielle Strafrecht in der Systematik und Auslegung stark an das deutsche Recht angelehnt ist,[9] weist das Strafverfahrensrecht einen gemischten Charakter zwischen kontinentaleuropäischem und angloamerikanischem Prozessrecht auf.[10]

Die geltende koreanische StPO trat am 23.9.1954 in Kraft. Nach bisher verbreiteter Meinung stand sie allerdings wieder unter dem Einfluss der japanischen StPO von 1948. Diese These beruhte darauf, dass die beiden Strafprozessordnungen in der Reihenfolge ihrer Vorschriften und in ihrer Systematik sehr ähnlich sind. Ein Grund dafür liegt darin, dass die koreanische StPO von 1954 ebenso wie die japanische StPO von 1948 auf die japanische StPO von 1922 zurückgeführt werden kann. Die Frage, worauf die koreanische StPO von 1954 letztlich beruht, spielt für ihre Auslegung eine wichtige Rolle. Denn während die japanische StPO von 1922 unter deutschem Einfluss stand, ist die StPO von 1948 in Japan aufgrund ihrer Entstehung unter strenger Kontrolle der amerikanischen Besatzungsmacht vom angloamerikanischen Strafprozessrecht stark beeinflusst worden.

Dennoch bestätigt eine neue Untersuchung, dass der Einfluss angloamerikanischen Prozessrechts geringer ist als man annehmen sollte.[11] Obwohl auch in die koreanische StPO von 1954 Elemente des US-amerikanischen Strafprozessrechts miteinbezogen wurden, lag ihr noch immer im Wesentlichen die deutsche StPO zugrunde. Sie hat daher im Unterschied zur japanischen StPO überwiegend einen kontinentaleuropäischen, insbesondere deutschen Charakter beibehalten. Ein Beispiel dafür ist die starke Rolle der Staatsanwaltschaft im Ermittlungsverfahren. Die Staatsanwaltschaft ist Herrin der Ermittlungen und kann sich der Polizei bedienen. Nach den verheerenden Erfahrungen mit der Polizei während der japanischen Herrschaft bestand die Hauptaufgabe der Staatsanwaltschaft zunächst darin, die Gesetzmäßigkeit des Ermittlungsverfahrens zu gewährleisten. Die Struktur der koreanischen Staatsanwaltschaft ist der deutschen sehr ähnlich.

Die Rechte des Beschuldigten wurden dagegen in der kStPO von 1954 nach dem Vorbild des amerikanischen Rechts weiterentwickelt. Mit der Einführung des angloamerikanischen Parteiprozesses wurde beabsichtigt, das Strafverfahren zu demokratisieren.

Seit Inkrafttreten der kStPO von 1954 sind mehr als 50 Jahre vergangen. Sie wurde seither viele Male abgeändert und war in den letzten Jahren Gegenstand grundlegender Reformen.[12]

---

9 Siehe dazu oben.

10 Vergleiche dazu I.B.1.b.

11 Siehe dazu auch I.B.1.

12 Im Einzelnen gleich unten.

Die geltende kStPO besteht aus fünf Kapiteln. Das erste Kapitel regelt Zuständigkeit, Ausschließung und Ablehnung von Gerichtspersonen, Vertretung und Beistand im Prozess, Verteidigung und Urteilsfindung, schriftliche Unterlagen des Prozesses und Zustellung, Fristen, Ladung und Verhaftung des Angeklagten, Beschlagnahme und Durchsuchung, körperliche Untersuchung und Zeugenvernehmung, Gutachten der Sachverständigen, Dolmetschen und Übersetzung, Beweissicherung sowie Verfahrenskosten. Im zweiten Kapitel werden die Aufgaben der ersten Instanz und die Ermittlungen, die öffentliche Klage und die Hauptverhandlung geregelt. Die Rechtsmittel werden im dritten Kapitel, besondere Arten des Verfahrens, wie außerordentliche Revision und summarisches Verfahren, im vierten Kapitel normiert, das Verfahren der Urteilsvollstreckung schließlich im fünften Kapitel.

Außer in der kStPO findet man für den Strafprozess wichtige Vorschriften auch in anderen Gesetzen, wie zum Beispiel im Gerichtsverfassungsgesetz (법원조직법) oder im Gesetz über die Staatsanwaltschaft (검찰청법).

– *Die neue Strafprozessordnung von 2008*

Zuletzt wurde die kStPO am 1.6.2007 geändert. Die reformierte Fassung trat am 1.1.2008 in Kraft und wird im Folgenden als kStPO 2008 bezeichnet. Daneben wurde im Januar 2008 durch das „Gesetz über die Beteiligung der Bevölkerung an Strafverfahren" (국민의 형사재판 참여에 관한 법률) erstmals das sogenannte Laienrichtersystem (배심원제도) eingeführt.[13] Daraus resultiert eine grundlegende Strukturänderung des Strafverfahrens. Die wichtigsten Inhalte der kStPO 2008 können stichwortartig wie folgt zusammengefasst werden:

- Verbesserung der Verteidigungsrechte von Beschuldigten und Angeklagten; Grundsatz richterlicher Haftprüfung (§ 201-2 kStPO); Normierung des Aussageverweigerungsrechts bei der polizeilichen und staatsanwaltlichen Vernehmung (§ 244-3 kStPO); Anwesenheitsrecht des Verteidigers bei der polizeilichen und staatsanwaltlichen Vernehmung des Beschuldigten (§ 243-2 kStPO) sowie Protokollierung der Beschuldigtenvernehmung (§ 244-4 kStPO);
- Reform der Haftvoraussetzungen; Berücksichtigung der Relevanz der Straftat und der Rückfallgefahr bei der Anordnung von Untersuchungshaft (§ 70 Abs. 2 kStPO); gesetzliche Normierung von Ermittlungen ohne Verhaftung des Beschuldigten (§ 198 Abs. 1 kStPO); Verlängerung der Haftdauer während der Hauptverhandlung (§ 92 Abs. 2 kStPO); Lockerung der Entlassungsvoraussetzungen bei Zahlung einer Kaution (§ 94, §§ 97 ff., §§ 102 ff. kStPO);

---

[13] Siehe dazu I.A.5.c.

- bezüglich der Durchsuchung und Beschlagnahme wurde die Gefahr im Verzug als weitere Voraussetzung für eine Durchsuchung oder Beschlagnahme ohne Durchsuchungsbefehl oder Beschlagnahmeanordnung eingeführt (§ 217 kStPO);
- Klageerzwingungsverfahren sind grundsätzlich bei allen Delikten möglich (vergleiche § 260 Abs. 1, § 262 Abs. 4, § 262-3 kStPO);
- Konzentration der Hauptverhandlung (§ 267-2 kStPO) und Mündlichkeit der Hauptverhandlung (§ 275-3 kStPO);
- ausdrückliche Normierung eines Beweisverwertungsverbots bei rechtswidrig erlangten Beweismitteln (§ 308-2 kStPO);
- Verschärfung der Folgen des Ausbleibens von Zeugen ohne angemessenen Grund (§ 151 kStPO);
- Zulassung von Videoaufnahmen bei der Beschuldigten- und Zeugenvernehmung unter bestimmten Voraussetzungen (§ 244-2, § 221 Abs. 1 kStPO);
- allgemeine Verlängerung der Verjährungsfrist für die Anklageerhebung (Strafverfolgung) (§ 249 kStPO).

Aufgrund der umfassenden, etwa 196 Paragrafen betreffenden Änderungen gegenüber der alten Gesetzesfassung spricht man auch von der „neuen" kStPO.

– *Kriminalpolitische Tendenzen für eine Reform der StPO*

Die großen Reformziele der koreanischen StPO sind im Wesentlichen dadurch charakterisiert, dass einerseits die Realisierung der in der Verfassung garantierten strafrechtlichen und verfahrensrechtlichen Grundsätze[14] sowie eine allgemeine Verbesserung der Rechte von Beschuldigten und Angeklagten gewährleistet werden soll. Andererseits soll eine effektive Verfolgung des Verbrechens ermöglicht werden. Diese beiden Pole stehen in einem Spannungsverhältnis zueinander. Welchem Pol größere Bedeutung zukommt, hängt maßgeblich von dem durch den jeweiligen Zeitgeist geprägten Verständnis vom Wesen des Verbrechens und dem Sinn der Strafe ab.

Derzeit werden in Korea unter anderem die Einführung einer Kronzeugenregelung und die Normierung von Absprachen im Strafprozess diskutiert. Angesichts der Tatsache, dass sich die Praxis dadurch noch weiter von grundlegenden Prinzipien eines rechtsstaatlichen Strafverfahrens zu entfernen droht, ist darauf hinzuwirken, dass Theorie und Praxis enger zusammenarbeiten.

---

[14] Vergleiche dazu I.C.3 und I.D.4.

4. Entwicklung des Strafvollstreckungsrechts

Der Vollzug von Freiheitsstrafen hat in Korea eine lange Geschichte und fand eine wesentliche Rechtsgrundlage in der Gabo-Reform von 1894. Zuvor wurde das Vollzugswesen bloß als Teil der Verwaltung verstanden. Erst durch die Gabo-Reform schuf man eine von der Verwaltung getrennte, einheitliche justizielle Gefängnisorganisation. Diese Gefängnisreform wurde jedoch im Jahr 1910 durch Japan im Zuge der Annexion Koreas wieder rückgängig gemacht. Die Institution des koreanischen Strafvollzugs stand anschließend unter japanischem Einfluss.

Während die technische Seite des japanischen Strafvollzugs, zum Beispiel die Einrichtung der Gefängnisse, vom europäischen Strafvollzugssystem stark geprägt wurde, waren bei der praktischen Durchführung japanische Sitten und Gebräuche maßgebend. Die japanische Strafvollzugsordnung enthielt für die damalige Zeit sehr moderne Grundsätze, wie zum Beispiel den Stufenstrafvollzug, der die Gefangenenarbeit in fünf Belastungsstufen untergliederte, und die Klassifizierung der Gefangenen. Doch diese Maßnahmen konnten selbst in Japan aus finanziellen Gründen nie verwirklicht werden. Der tatsächliche Strafvollzug in Korea unter der japanischen Herrschaft war ein Mittel der Kontrolle und der Unterdrückung. Es wurden harte Urteile ausgesprochen und die Gefangenen mit strenger Autorität behandelt. Vergeltung, Abschreckung und Isolierung waren der primäre Zweck des Freiheitsstrafenvollzugs. Ohne dass Korea selbst den traditionellen Strafvollzug modernisieren konnte, wurde das westliche Strafvollzugssystem im Rahmen der Kolonialpolitik Japans in normativ und tatsächlich veränderter Form in Korea eingeführt. Ein Beispiel dafür war der aus der japanischen Herrschaft stammende ursprünglich repressive und diskriminierende Sprachgebrauch im koreanischen Strafvollzugsgesetz, der jedoch im Jahr 1961 durch Änderung des Gesetzes abgeschafft beziehungsweise abgemildert wurde. Die Entwicklung des modernen koreanischen Strafvollzugsrechts hat erst nach dem Zweiten Weltkrieg begonnen.

Die gegenwärtig geltende gesetzliche Grundlage für den Freiheitsstrafenvollzug ist das Strafvollzugsgesetz (kStVollzG, 행형법; 형의 집행 및 수용자의 처우에 관한 법률: Das Gesetz über die Vollstreckung der Strafe und die Behandlung der Gefangenen), das am 2.3.1950 in Kraft trat und bis heute zehnmal geändert worden ist (zuletzt durch ein Gesetz aus dem Jahr 2007, welches am 11.12.2008 in Kraft getreten ist). Das kStVollzG enthält die allgemeinen Richtlinien und Vorschriften über die Organisation des Strafvollzugs insgesamt. Das kStVollzG von 1950 stand jedoch noch unter dem Einfluss des japanischen StVollzG von 1908, das die zum damaligen Zeitpunkt aktuelle preußische „Dienstordnung für die dem Ministerium des Inneren unterstellten Strafanstalten und größeren Gefängnisse" von 1902 zum Vorbild hatte. Das kStVollzG von 1950 orientierte sich zunächst vornehmlich am Sicherungszweck. Im Vollzug standen das Sicherheitsinteresse und die Disziplin im Vordergrund, während die Grund- und Menschenrechte des Gefangenen nicht ernsthaft beachtet wurden. Die eigentliche Humanisierung und rechtsstaatliche Modernisierung des Strafvollzugs hat in Korea erst vor kurzer Zeit begonnen.

Im Jahr 1999 wurde das kStVollzG umfassend geändert; im gleichen Jahr trat auch die „Durchführungsverordnung zum Strafvollzugsgesetz" (행형법시행령) in Kraft. Im Vergleich mit älteren Fassungen hat das kStVollzG von 1999 in rechtsstaatlicher Hinsicht große Fortschritte gebracht. Es bezweckt zum einen, die Ordnung der Vollzugsverwaltung zu harmonisieren und die Menschenrechte des Gefangenen zu stärken, und zum anderen will es die rechtlichen Grundlagen für die Rückkehr des Gefangenen in die Freiheit schaffen. Die wichtigsten Reformen des kStVollzG von 1999 betreffen die folgenden Punkte:

– aufgrund einer ausdrücklichen Regelung müssen die fundamentalen Menschenrechte des Gefangenen weitestgehend respektiert werden (§ 1-3 kStVollzG);
– der Justizminister kann einen Teil des Baus und der Organisation von Strafvollzugsanstalten juristischen Personen oder Privatpersonen überlassen (§ 4-2 kStVollzG);
– das unzensierte Petitionsrecht an den Minister wurde ergänzt (§ 6 kStVollzG);
– die Anwendung der unmittelbaren Zwangsmittel wurde eingeschränkt (§ 14 kStVollzG);
– Bedienstete der Strafvollzugsanstalten dürfen Zwang nur anwenden, wenn der Gefangene versucht, sich selbst oder andere zu schädigen;
– die Anwendung des Zwangs muss dabei jedoch auf das notwendige Maß beschränkt sein (§ 14-2 kStVollzG);
– der Anstaltsleiter kann dem Gefangenen unter bestimmten Bedingungen gestatten, Ferngespräche zu führen (§ 18-3 kStVollzG);
– dem Gefangenen kann gestattet werden, außerhalb der Anstalt für seine Ausbildung eine Schule oder eine Firma zu besuchen (§ 32 Abs. 3 kStVollzG);
– der Anstaltsleiter kann dem Gefangenen gestatten, das Hörfunkprogramm der Anstalt sowie Fernsehprogramme zu empfangen (§ 33-2 kStVollzG);
– der Gefangene kann mit der Erlaubnis des Anstaltsleiters Bücher schreiben (§ 33-3 kStVollzG);
– allgemeine Ausgangs- und Urlaubsvoraussetzungen wurden gelockert (§ 44 Abs. 3, Abs. 4 kStVollzG);
– die Voraussetzungen für die Anwendung von Disziplinarmaßnahmen wurden konkretisiert (§ 46 kStVollzG).

Alle diese Regelungen klingen selbstverständlich; das alte kStVollzG garantierte sie jedoch nicht.

Im Jahr 2007 hat das kStVollzG eine weitere entscheidende Reform erfahren und wurde in „Gesetz über die Vollstreckung der Strafe und die Behandlung der Gefangenen“ umbenannt (형의 집행 및 수용자의 처우에 관한 법률). Infolge dessen wurden auch die betreffenden Einzelgesetze und Verordnungen entsprechend geändert. Die Reform des StVollzG von 2007 wurde durch drei Zielsetzungen begleitet: erstens die Verdeutlichung des Resozialisierungsziels; zweitens die Erreichung des internationalen Standards bezüglich der Menschenrechte und drittens die Verbesserung des Sprachgebrauchs im kStVollzG. Im Folgenden werden nur die wichtigsten Inhalte stichwortartig zusammengefasst:

- Betonung des Gleichheitsprinzips und Verbot der Benachteiligung des Gefangenen aufgrund von Behinderung, Alter, Herkunft, politischer Meinung etc. (§ 5 kStVollzG);
- Verbesserung des Briefkontakts (§ 43 Abs. 4 kStVollzG) und Abschaffung des Erlaubnisantrags zur Genehmigung des Bücherschreibens (§ 49 Abs. 1 kStVollzG); das bedeutet, Briefe werden grundsätzlich nicht mehr zensiert und die Gefangenen können ohne weiteres Bücher verfassen;
- besondere Berücksichtigung der persönlichen Umstände von Frauen, älteren, behinderten sowie ausländischen Gefangenen (§§ 50, 54 kStVollzG);
- Klassifizierung der Gefangenen nach individuellen besonderen Interessen und Fähigkeiten (§§ 56, 57 kStVollzG);
- ausdrückliche Normierung der Unschuldsvermutung der in Untersuchungshaft Inhaftierten und ihre entsprechende Behandlung (§§ 79, 85 kStVollzG);
- Modernisierung der Überwachungstechnik der Anstalt und Einschränkung ihrer Anwendung (§ 94 kStVollzG);
- Sondermaßnahmen für Gefangene, die wegen Drogendelikten und organisierten Verbrechens verurteilt worden sind (§ 104 kStVollzG);
- Änderung der Arten der Disziplinarmaßnahmen (§ 108 kStVollzG);
- Verbesserung des Petitionsrechts (§ 117 kStVollzG);
- Einrichtung eines externen Anstaltsbeirats (§ 129 kStVollzG);
- Androhung von Freiheits- oder Geldstrafe für den Fall des Schmuggelns und der Annahme unerlaubter Waren in der Anstalt (§ 132 kStVollzG).

Das kStVollzG umfasst, wie soeben erwähnt, auch den Vollzug der Untersuchungshaft und gilt ferner für den Jugendstrafvollzug, soweit das Jugendgerichtsgesetz keine Sonderregelungen trifft. Es enthält weiterhin Regelungen zur Behandlung der zum Tode Verteilten (§§ 89 ff. kStVollzG).

Das Strafvollzugsziel ist (schon seit 1950) nach § 1 kStVollzG auf die Resozialisierung des Gefangenen ausgerichtet, das heißt, der Gefangene soll im Vollzug der Freiheitsstrafe befähigt werden, künftig als integriertes Mitglied in die Gesellschaft zurückzukehren. Es besteht insofern in der Lehre Einigkeit darüber, dass mit § 1 kStVollzG die Resozialisierung des Gefangenen als Vollzugsziel gemeint ist. Das Gesetz normiert somit den Vollzug der Freiheitsstrafe grundsätzlich nicht nur im Sinne einer bloßen Negation der äußeren Freiheit durch sichere Verwahrung, sondern es zielt auch auf die Wiedergewinnung einer selbstständigen Lebensführung und der äußeren Freiheit hin. Der Entzug der Freiheit des Gefangenen soll daher im Strafvollzug auf das notwendige Maß beschränkt werden.

Die Realisierung und die Erfüllung der Strafvollzugsaufgaben hängen nicht nur von finanziellen Mitteln ab, sondern auch von der Einstellung der Allgemeinheit, die darauf abzielen sollte, dass die Strafgefangenen auch ihre Würde und Rechte haben, dass sie nicht bloß Sicherungsgegenstand sind und dass sie im Vollzug nicht diskriminierend behandelt werden dürfen. Die Betonung der Menschenrechte und der Menschenwürde des Gefangenen steht in Korea immer wieder auf der Tagesordnung. Die Änderung des Bewusstseins der Allgemeinheit im Bezug auf die Straftäter und den Strafvollzug ist eine unerlässliche Voraussetzung für einen humanen Strafvollzug.

Literaturhinweise zu Abschnitt G.

Arnoldi, Reinhold, Die Haftung der juristischen Person für ihre Organe nach deutschem und koreanischem Recht. Kritischer Beitrag zu den Problemen der Rezeption von Gesetzen im ostasiatischen Kulturkreis. Berlin 1997, S. 38 ff.

Back, Hyong-Gu, Chohae Hyongsasosongbop (조해 형사소송법, Strafprozessordnung. Kommentar). Seoul 2002, S. 71 ff.

Bae, Jong-Dae, Uri Bophakeui Naahgal Gil (우리법학의 나아갈 길, Die Zukunft der koreanischen Rechtswissenschaft), Bopkwa Sahoe (법과 사회). Seoul 1989, S. 220–250.

Chang, Gyu-Won, Rückfall und Strafzumessung. Rechtsvergleichende Untersuchung zur Behandlung des Rückfalls im deutschen und koreanischen Strafrecht und kritische Studie zur Strafverschärfung wegen Rückfalls. Pfaffenweiler 1993, S. 112 ff.

Cho, Byung-Sun, Die Entwicklung des Umweltstrafrechts in Korea. ZStW 106 (1994), S. 235–249.

Cho, Byung-Sun/Holzapfl, Carolin/Richter, Thomas, Strafrecht in Reaktion auf Systemunrecht, Band 10: Südkorea, Albin Eser/Ulrich Sieber/Jörg Arnold (Hrsg.). Berlin 2006, S. 25 ff., 86 f.

Cho, Kyu-Chang, Suhgubop Suyongesuh Bophak Gyoyukeui Yuksachuk Euii (서구법 수용에서 법학교육의 역사적 의의, Historische Bedeutung der Juristenausbildung bei der Rezeption westlichen Rechts). In: Korea Universität (Hrsg.), Rezeption der modernen westlichen Wissenschaft und Bosung Hochschule. Seoul 1986, S. 111–156.

Choe, Byoung Jo, Die Rezeption deutschen Zivilrechts in Korea. Newsletter der deutsch-chinesischen Juristenvereinigung e.V., 7. Jahrgang, Heft 4 (2000), S. 111–124.

Choi, Chonggo, Dong Asia Botongbopron. Han, Chung, Il Bopsaeui Gibonkwajae (동아시아 보통법론, 한, 중, 일 법사의 기본과제, In Search of East Asian Common Law, The Basic Task of East Asian Legal History). Seoul Law Journal 111 (1999) (Hrsg., The Law Research Institute Seoul National University, 서울대학교 법학 40 권 2 호, 1999), S. 67–85.

– Über die Rezeption westlichen Rechts in Korea. In: Manfred Rehbinder/Ju-Chan Sonn (Hrsg.), Zur Rezeption des deutschen Rechts in Korea. Baden-Baden 1990, S. 29–58.

– Hanguk Bophaksa (한국법학사, Die Geschichte der koreanischen Rechtswissenschaft). Seoul 1990.

– Hangukeui Suhyangbop Suyongsa (한국의 서양법수용사, Die Geschichte der Rezeption des westlichen Rechts in Korea). Seoul 1982.

Cremazy, Laurent, Le Code Penal de la Corée 大韓刑法. Seoul 1904.

Dae Komchal Chong (대검찰청, Koreanische Generalstaatsanwaltschaft) (Hrsg.), Hanguk Komchal Sa (한국검찰사, Geschichte der koreanischen Staatsanwaltschaft). Seoul 1976.

Hahm, Chai-Hark, Gyongguk Daejoni Chosuneui Hunbopinga? (경국대전이 조선의 헌법인가?, Ist Gyongguk Daejon eine Verfassung von Chosun?). Bopchulhak Yungu, Band 7 (2004) Nummer 2 (법철학 연구 제 7 권 제 2 호), S. 263–288.

Hoh, Il-Tae, Jaechong Hyongbopuei Gibonasasanggwa Gichiyiron (제정형법의 기본사상과 기초이론, Grundgedanke und -theorie des koreanischen StGB von 1953). Hyongsabop Yungu (형사법연구 제 20호, 2003 겨울) Band 20 (2003), S. 53–88.

Huh, Young, Begegnung europäischer und ostasiatischer Rechtskultur. Geistige Grundlagen des koreanischen Rechts. Verfassung und Recht in Übersee 1977, S. 117–123.

Hyun, Soong-Jong, Das traditionelle koreanische und das moderne westliche Recht. In: Manfred Rehbinder/Ju-Chan Sonn (Hrsg.), Zur Rezeption des deutschen Rechts in Korea. Baden-Baden 1990, S. 17–28.

Ishibe, Masasuke, Gerichtsverfassungsrecht: ein historischer Überblick. In: Thomas Vormbaum (Hrsg.), Beiträge zur modernen japanischen Rechtsgeschichte. Berlin 2006, S. 133–153.

Kim, Bi-Hwan, Gyongguk Daejon Chaejaee Natanan Yugyochok Bopchijueueu Guchowa Seongkyok: Chosun Wangcho Silrok Gisarol Choungshimeuro (경국대전체제에 나타난 유교적 법치주의의 구조와 성격: 조선왕조실록 기사를 중심으로, The Structure and Nature of the Confucian Rule of Law Reflected in the Legal System of Gyongguk Daejon – Centering around the Annals of Chosun Dynasty). SungKyunKwan Law Review Band 20 Nummer 1 (2008) (성균관 법학 제 20권 제1호), S. 491–524.

Kim, Byong-Hwa, Hanguk Sabopsa. Chungsepyun (한국사법사 중세편, Geschichte der koreanischen Justiz). Seoul 1982.

– Hanguk Sabopsa. Kunsepyun (한국사법사 근세편, Geschichte der koreanischen Justiz). Seoul 1982.

– Hanguk Sabopsa. Hyunsepyun (한국사법사 현세편, Geschichte der koreanischen Justiz). Seoul 1982.

Kim, Hyo-Jeon, Hundert Jahre Verfassungsrecht in Korea und Deutschland. Jahrbuch des öffentlichen Rechts der Gegenwart Band 35 (1986), S. 575–604.

Kim, Il-Su, Die Strafrechtsreform in Korea. ZStW 106 (1994), S. 405–423.

Kim, Seong-Don, Chosun Chungi Hyongsabopgwa Hyongchong Unyonge Natanan Aeminzok Hyongsa Chongchak (조선전기 형사법과 형정운용에 나타난 애민적 형사정책, Commiserative criminal policy of the early criminal practice and penalty of Chosun Dynasty). SungKyunKwan Law Review Band 20 Nummer 1 (2008) (성균관 법학 제 20권 제1호), S. 277–310.

Kim, Young-Hwan, Zur Rezeption des deutschen Strafrechts in Korea. In: Fritjof Haft u.a. (Hrsg.), Festschrift für Arthur Kaufmann. Heidelberg 1993, S. 695–707.

Koreanisches Bürgerliches Gesetzbuch. Textausgabe mit Einleitung und Erklärungen koreanischer Rechtsbegriffe von *Cho, Kyu-Chang*. Frankfurt am Main 1980.

Lee, Hyung-Kook, Über den Einfluss der deutschen Strafrechtslehre auf das koreanische Strafrecht nach dem Zweiten Weltkrieg. In: Erik Jayme (Hrsg.), Festschrift für Hubert Niederländer. Heidelberg 1991, S. 321–328.

Lee, Jae-Sang, Shin Hyongsa Sosongbop (신형사소송법, Das neue Strafverfahrensrecht). 2. Aufl. Seoul 2008, § 3.

Lee, Jae-Ryong, Chonhu Hanguk Dongyang Chulhakeui Ongowa Changshin (전후 한국 동양 법철학의 온고와 창신, Ein Rückblick und eine Prognose der Rechtsphilosophie in Korea). Bopchulhak Yungu, Band 11 (2008) Nummer 2 (법철학 연구 제 11 권 제 2 호), S. 15–40.

Lim, Dong-Gyu, Hyongsa Sosongbop (형사소송법, Strafverfahrensrecht). 5. Aufl. Seoul 2008, S. 6 ff.

Mun, Jun-Young, Daehan Jaegukgi Hyongbop Daejon Jaechonge Kwanhan Yungu (대한제국기 형법대전 제정에 관한 연구, Studien zur Entstehung des Hyongbop Daejon). Magisterarbeit an der Seoul National Universität (서울대학교 법학석사 학위논문). Seoul 1998.

– Hanguk Komchal Jaedouei Yuksachok Hyongsonge Kwanhan Yungu (한국 검찰제도의 역사적 형성에 관한 연구, Studien zur geschichtlichen Entwicklung der koreanischen Staatsanwaltschaft). Dissertation an der Seoul National Universität (서울대학교 법학박사 학위논문). Seoul 2004.

Die japanische Strafprozessordnung (Keiji-Soshoho) vom 10.7.1948. Übersetzt, eingeleitet und mit Anmerkung versehen von *Hideo Nakamura*. Berlin 1970

Oh, Young-Gun, Hyungbop Chongnon (Strafrecht. Allgemeiner Teil). Seoul 2005, § 2 V.

Oh, Young-Gun/Choi, Jong-Shik, Ilbon Gaechung Hyongbop Gaane Gwanhan Ilgochal (일본 개정형법가안에 관한 일고찰, Der japanische Strafgesetzentwurf von 1940), Korean Criminological Review (형사정책연구, 제10권 1호) 37 (1999), S. 107–131.

Park, Chul Un, Reformtendenzen im koreanischen Strafrecht. ZStW 97 (1985), S. 454–464.

Das koreanische Strafgesetzbuch. Deutsche Übersetzung und Einführung von *Paul K. Ryu*. Berlin 1968.

Shin, Dong Woon, Anklagepflicht und Opportunitätsprinzip im deutschen und koreanischen Recht. Pfaffenweiler 1984, S. 98 ff., 134 ff. mit weiteren Nachweisen.

Shin, Dong Woon, Hyongsa Sosongbopeui Gibon Guchoe Kwanhan Ilgochal. Tokhee Yipbop Kyonghwirol Choungshimeuro (형사소송법의 기본구조에 관한 일고찰. 특히 입법경위를 중심으로, Zur Grundstruktur der koreanischen StPO). Seoul Law Journal 28 Nummer 1 (1987) (Hrsg., The Law Research Institute Seoul National University, 서울대학교 법학 28권 1호, 1987), S. 144–157.

– Jaechong Hyongbopeiu Seongrip Kyongyui (제정형법의 성립경위, Entstehungsgeschichte des koreanischen StGB von 1953). Hyongsabop Yungu (형사법연구 제 20호, 2003 겨울) Band 20 (2003), S. 9–52.

– Jaechong Hyongsa Sosongbopeiu Seoungrip Kyongyui (제정형사소송법의 성립경위, Entstehungsgeschichte der koreanischen StPO von 1954). Hyongsabop Yungu (형사법연구 제 22호, 2004 겨울) Band 22 (2004), S. 159–221.

– Hyanghu Hyongsabop Gaechongeui Banghyang. Hyobgsa Sosongbopeul Chungshimeouro (향후 형사법 개정의 방향 - 형사소송법을 중심으로 –, Prospects of Criminal Code Revision. In Terms of Criminal Procedure Act Revision). Seoul Law Journal 134 (2005) (Hrsg., The Law Research Institute Seoul National University, 서울대학교 법학 제 46권 1호, 통권 134호 2005), S. 100–133.

Shin, Dong-Woon, Hyodang Om Sang Sop Hyongsa Sosongbop Nonzip (효당 엄상섭 형사소송법논집, Sammlung der strafverfahrensrechtlichen Aufsätze von Hyodang Om Sang Sop). Seoul 2005.

– Shin Hyongsa Sosongbop (Das neue Strafverfahrensrecht). Seoul 2008, S. 23–31.

Shin, Dong-Woon/Hoh, Il-Tae (Hrsg.), Hyodang Om Sang Sop Hyongbop Nonzip (효당 엄상섭 형법논집, Sammlung der strafrechtlichen Aufsätze von Hyodang Om Sang Sop). Seoul 2003.

Shin, Yang-Gyun, Hyongsa Sosongbop (형사소송법, Strafverfahrensrecht). 2. Aufl. Seoul 2004, S. 20 ff.

Son, Misuk, Straftatfolgen im deutschen und koreanischen Strafrecht. Ein prinzipieller Vergleich. Frankfurt am Main 2004, S. 226 ff. mit weiteren Nachweisen.

– Die mittelbare Täterschaft und das System der Tatbeteiligung im koreanischen StGB. ZStW 119 (2007), S. 750–767.

– Rechtsvergleichende und rechtsphilosophische Betrachtungen zur Todesstrafe und der Aussetzung ihrer Vollstreckung in Korea. Rechtspolitisches Forum, Heft Nr. 42. Trier 2008.

– Das Gesetzlichkeitsprinzip in Korea. In: Ulrich Sieber/Karin Cornils (Hrsg.), Nationales Strafrecht in rechtsvergleichender Darstellung. Allgemeiner Teil, Teilband 2. Berlin 2008, S. 67–80.

Suh, Il-Kyo, Chosun Wangjo Hyongsajaedoeui Yungu (조선왕조 형사제도의 연구, A Study on the Criminal Law and Procedure of the Chosun Dynasty). Seoul 1968.

Tai, Tong-schung, Der chinesische Legalismus (Fa Cia) unter besonderer Berücksichtigung seiner rechtspositiven Elemente. Dissertation Universität Mainz 1969, S. 16 ff.

Tjong, Zong Uk, Zur Geschichte der Kodifikation des Strafrechts in Ostasien. ZStW 84 (1972), S. 1088–1199 mit weiteren Nachweisen.

Tjong, Zong Uk, Beziehungen zwischen dem deutschen und koreanischen Strafrecht. In: Günter Stratenwerth (Hrsg.), Festschrift für Hans Welzel. Berlin 1974, S. 277–288 mit weiteren Nachweisen.

– Traditionelles und modernes Strafrecht in Korea. ZStW 88 (1976), S. 785–812 mit weiteren Nachweisen.

Tjong, Zong Uk/Eubel, Paul, Strafrecht. In: Paul Eubel (Hrsg.), Das japanische Rechtssystem. Frankfurt am Main 1979, S. 205–254.

Yun, Kun-Shik, Die Verfassungsentwicklung der Republik Korea seit 1948. JöR 12 (1963), S. 461–491.

Abkürzungsverzeichnis zum Landesbericht Korea

a.F.	alte Fassung
Alt.	Alternative
ARSP	Archiv für Rechts- und Sozialphilosophie
BIP	Bruttoinlandsprodukt
GG	Grundgesetz
JöR	Jahrbuch des öffentlichen Rechts der Gegenwart
JR	Juristische Rundschau
kBGB	koreanisches Bürgerliches Gesetzbuch
kGVG	koreanisches Gerichtsverfassungsgesetz
kJGG	koreanisches Jugendgerichtsgesetz
km	Kilometer
kStPO	koreanische Strafprozessordnung
NGO	Non-Governmental Organisation
kStGB	Koreanisches Strafgesetzbuch
kStPO	Koreanische Strafprozessordnung
kStVollzG	koreanisches Strafvollzugsgesetz
m.w.N.	mit weiteren Nachweisen
vol.	volume
ZStW	Zeitschrift für die gesamte Strafrechtswissenschaft

Rahmenbedingungen, Vorgaben, Grundlagen und Entwicklung des Strafrechts in

Österreich

Ingeborg Zerbes

Inhaltsverzeichnis

A. Nationale Rahmenbedingungen

1. Geografie

Die Republik Österreich ist ein Binnenland in Mitteleuropa. Mit einer Gesamtfläche von 83.871 km^2 zählt Österreich zu den kleinsten Staaten Europas, im Weltvergleich steht es an 120. Stelle.[1] Von den insgesamt 2.562 km Grenze verläuft etwa ein Drittel im Norden zu Deutschland und mehr als die Hälfte (insgesamt 1.488 km) zu Ländern des ehemaligen Ostblocks (Tschechien, Ungarn, Slowakei, Slowenien). Im Süden grenzt Österreich an Italien und im Westen an die Schweiz und an Liechtenstein.

Etwa 60 % des Staatsgebiets sind gebirgig: Im Süden und Westen liegen Anteile der Alpen (höchster Punkt: Großglockner mit 3.798 m). Der Osten des Landes ist eben – dort geht es in die Pannonische Tiefebene über –, und der nördliche Teil (Ober- und Niederösterreich) liegt auf dem sogenannten Granit-Gneisplateau. Insgesamt gibt es etwa 25 % Hügelland, 43 % der Landesfläche sind bewaldet.

Die mit Abstand größte Stadt Österreichs ist die Hauptstadt Wien. Ihre auffällig weit östliche Lage lässt sich aus der Geschichte erklären: Bis zum Ende des Ersten Weltkriegs lag Wien in der Mitte eines nach Südosten ausgedehnten Großreichs.[2] Graz, Linz, Salzburg, Innsbruck und Klagenfurt – Hauptstädte größerer Bundesländer – sind ebenfalls bedeutende Städte.

2. Bevölkerung

a) Bevölkerungszahl und -gruppen[3]

2009 wird die Bevölkerungszahl mit 8.210.281 angegeben;[4] das ergibt eine Dichte von 99,5 Einwohnern pro km^2. 67 % leben in Städten – allein in der Hauptstadt Wien leben etwa 1,7 Millionen Menschen. Die nächstgrößeren Städte Graz und Linz sind mit unter 250.000 Einwohnern um ein Vielfaches kleiner.

---

1 CIA Factbook.

2 Vgl unten B.1.

3 Statistik Austria und CIA Factbook.

4 CIA Factbook.

Die erste moderne Volkszählung wurde zur Zeit der Österreichisch-Ungarischen Monarchie unternommen (1869/1870). Bis zum Beginn des Ersten Weltkrieges (1914) stieg die Einwohnerzahl auf dem Gebiet des heutigen Österreichs im Zuge einer Binneneinwanderung aus den östlichen Kronländern stetig an.

Nach dem Ersten Weltkrieg (1919) ging die Einwohnerzahl infolge der hohen Kriegsverluste, aber auch wegen der Rückwanderung in die ehemaligen Kronländer um immerhin 347.000 Personen zurück. Bis 1935 nahm sie wieder zu, bevor 1939 – kurz vor dem Ausbruch des Zweiten Weltkrieges – aufgrund von politischer wie rassischer Verfolgung eine Auswanderungswelle einsetzte, wodurch sich die Bevölkerung auf 6,65 Millionen reduzierte. 1946 ließen sich entsprechend der ausgegebenen Lebensmittelmarken die ersten Einwohnerzahlen nach Kriegsende auf etwa 7 Millionen errechnen. Die hohen Kriegsverluste wurden offensichtlich durch Flüchtlinge aus anderen Ländern kompensiert.

Zwischen dem Kriegsende (1945) und Anfang der 1950er Jahre reduzierte sich die Einwohnerzahl jedoch wieder auf unter 7 Millionen – die meisten Flüchtlinge und Displaced Persons waren wieder in ihre Heimat zurückgekehrt oder weitergewandert. Ab dieser Zeit lässt sich – abgesehen von einer Stagnation in den 1970er Jahren – ein stetiges Bevölkerungswachstum feststellen; die 8-Millionen-Grenze wurde Anfang des 21. Jahrhunderts überschritten.

Das heutige Bundesgebiet – vor allem die Hauptstadt Wien – war schon vor dem Ersten Weltkrieg ein Einwanderungsland. Regelrechte Flüchtlingsschübe gab es um 1920 aus dem damals instabilen Ungarn, 1933 bis 1937 vor der NS-Diktatur des Deutschen Reichs, 1956 nach der Niederschlagung des Volksaufstands erneut aus Ungarn und 1968, nach dem Ende des Prager Frühlings, aus dem heutigen Tschechien. Seit dem Fall des Eisernen Vorhangs ziehen das starke Wirtschafts- und Wohlstandswachstum, die als liberal und sozial geltende Gesellschaftsform und die Stabilität Österreichs viele Einwanderer an, insbesondere aus dem ehemaligen Jugoslawien während der dortigen Kriege Anfang der 1990er Jahre. Zahlreiche Wirtschaftsflüchtlinge kommen auch aus der Türkei. Die steigende Zuwanderung aus Deutschland liegt in der Erwartung, auf dem österreichischen Arbeitsmarkt besser unterzukommen. Während sich Sterbe- und Geburtenrate heute die Waage halten, wächst die Bevölkerungszahl daher fast ausschließlich durch Zuwanderung. Das Thema polarisiert vermehrt die (Partei-)Politik – die Positionierung einer Partei zu Einwanderungs- und Integrationsfragen ist seit Jahren Wahlkampfthema Nummer Eins.

In Österreich leben heute 91,1 % Österreicher, bei 4 % der Bevölkerung handelt es sich um Einwanderer aus dem früheren Jugoslawien (Kroaten, Slowenen, Serben, Bosnier), 1,6 % der Einwohner sind Türken, 0,9 % Deutsche und 2,4 % gehören weiteren Einwanderungsgruppen an.

Österreich ist seit Jahrhunderten von seiner ethnischen Vielfalt geprägt – es werden insgesamt sechs autonome Volksgruppen anerkannt: die tschechische, die slowakische, die slowenische, die burgenlandkroatische, die ungarische und die Volksgruppe der Roma. In seiner Bundesverfassung bekennt Österreich sich daher zu seiner sprachlichen und kulturellen Vielfalt und verpflichtet sich, Sprache und Kultur sowie Bestand und Erhaltung seiner autochthonen Volksgruppen „zu achten, zu sichern und zu fördern“ (Art. 8 Abs. 2 B-VG).

b) Sprache

Die österreichische Landessprache ist Deutsch. Daneben sind Kroatisch, Slowenisch und Ungarisch regional anerkannte Amtssprachen, ebenso die österreichische Gebärdensprache.

Die Alphabetisierungsrate – nach dem Maßstab der Lesefähigkeit von über 15-Jährigen – beträgt bei Männern und Frauen 98 %.[5] Es gibt jedoch auch Schätzungen, nach denen die Anzahl der erwachsenen Analphabeten 300.000 bis 600.000 – das sind 3,75 bis 7,5 % – betragen soll.[6]

c) Religion

In Österreich überwiegt das Christentum: 73,6 % der Einwohner sind römisch-katholischen Bekenntnisses, 47 % gehören einer evangelischen Kirche an und 2,2 % der Bevölkerung einer orthodoxen Kirche.[7]

Der Islam ist mit etwa 340.000 Mitgliedern – das sind etwa 4,3 % der Bevölkerung – die größte nicht-christliche Glaubensgemeinschaft, er ist in Österreich seit 1912 als Religionsgemeinschaft anerkannt. Zum Judentum bekennen sich etwa 8.140 Menschen, zum Buddhismus etwas über 10.000. Über 3.000 Personen sind Hindus.

20.000 Personen sind aktive Mitglieder der Zeugen Jehovas. Ihre gesetzliche Anerkennung als Religionsgemeinschaft wurde im Mai 2009 beschlossen.

Etwa 12 % der Bevölkerung gehören keiner der in Österreich gesetzlich anerkannten Religionsgemeinschaften an.

---

5 CIA Factbook (siehe unten Quellenhinweise).

6 Netzwerk Alphabetisierung und Basisbildung.

7 Statistik Austria (Daten der letzten Volkszählung 2001).

3. Wirtschaft

Das österreichische Wirtschaftssystem wird als soziale Marktwirtschaft bezeichnet: Es besteht ein liberaler Markt, in den der Staat durchaus mit lenkenden Gesetzen eingreift.

Das Bruttoinlandsprodukt[8] betrug im Jahr 2007 270,8 Milliarden Euro und ist im Folgejahr 2008 um 4,2 % und somit auf rund 282,3 Milliarden Euro angestiegen. Der Anteil der Land- und Forstwirtschaft beträgt nur 1,9 %, wobei etwa 85 % der Fläche land- und forstwirtschaftlich genutzt werden; der Anteil der Industrie am BIP liegt bei 30,9 % und der des Dienstleistungssektors bei 67 %.

Das Bruttonationaleinkommen wird 2007 mit 265,25 Milliarden Euro und 2008 mit 278,19 Milliarden Euro angesetzt; das ergibt ein Pro-Kopf-Einkommen von 33.883 Euro pro Jahr.

Im Jahr 2008 waren laut Arbeitsmarktservice rund 212.000 Personen von Arbeitslosigkeit betroffen, 119.000 Männer und 93.000 Frauen. Die Arbeitslosenquote betrug 5,8 %, bei den Frauen 5,6 %, bei den Männern 6,1 %. Die Arbeitslosenquote der Ausländer und Ausländerinnen lag mit 8,1 % deutlich über dem Durchschnitt.

Die Entwicklung der Arbeitslosigkeit zeigt einen deutlichen Anstieg ab 2001/2002. Er setzt sich bis 2005 fort und erreicht mit 253.000 Arbeitslosen seinen Höchstwert. 2006 bis 2008 ist jedoch ein deutlicher Rückgang der Arbeitslosigkeit zu verzeichnen. Bei Frauen und Männern zeigt sich ein ähnlicher Verlauf.

4. Staatsorganisation

Österreich ist nach seiner Bundesverfassung (B-VG von 1920 in der Fassung von 1929), die nach dem Ende des Zweiten Weltkrieges und des nationalsozialistischen Regimes wiederverlautbart wurde, eine demokratische Republik (Art. 1 B-VG). Der Rechtsordnung liegt im Wesentlichen ein mittelbar parlamentarisch-demokratisches System zugrunde, das durch einzelne unmittelbar demokratische Einrichtungen ergänzt wird. Staatsoberhaupt ist der Bundespräsident, der für sechs Jahre direkt vom Volk gewählt wird.

Österreich ist ein Bundesstaat (Art. 2 Abs. 1 B-VG), der von insgesamt neun selbständigen Bundesländern gebildet wird. Der föderale („bundesstaatliche“) Charakter ergibt sich daraus, dass die Landesgesetzgebungen und -verwaltungen relativ autonom sind, dass die Länder durch den Bundesrat an der Gesetzgebung des Bundes mitwirken und dass sie im Rahmen der mittelbaren Bundesverwaltung auch die Bundesvollziehung mit besorgen.

---

[8] Statistik Austria.

Die Bundesländer sind wiederum in Gemeinden gegliedert: in Verwaltungssprengel, die aber auch mit einem Recht auf Selbstverwaltung ausgestattet und selbstständige Wirtschaftskörper sind. Sie sind die unterste territoriale Organisationsstufe des Staatsgebiets; jedes Grundstück lässt sich einer Gemeinde zuordnen.

Der Gesetzgebungsprozess wird in der Praxis regelmäßig durch ein außerparlamentarisches Begutachtungsverfahren begleitet: die Gesetzentwürfe werden zur Stellungnahme an einzelne Experten versendet. Vor allem aber werden den sogenannten Kammern weitgehende Begutachtungsrechte eingeräumt. Die Kammern sind die jeweiligen beruflichen Interessensvertretungen (Ärztekammer, Kammer der Wirtschaftstreuhänder, Rechtsanwaltskammer, Kammer für Arbeiter und Angestellte, Landwirtschaftskammer); es besteht jeweils Zwangsmitgliedschaft.

5. Kriminalität und Strafverfolgung

a) Ermittlungsbehörden

– *Aufgabenverteilung im Ermittlungsverfahren*

In Österreich herrscht das Legalitätsprinzip:

§ 2 StPO
Kriminalpolizei und Staatsanwaltschaft sind (...) verpflichtet, jeden (...) Verdacht einer Straftat, die nicht bloß auf Verlangen einer hiezu berechtigten Person zu verfolgen ist, in einem Ermittlungsverfahren von Amts wegen aufzuklären.

Seit einer grundlegenden Reform des strafrechtlichen Ermittlungsverfahrens durch das Strafprozessreformgesetz 2004 (BGBl I 2004/19, in Kraft seit 1.1.2008) fungieren die Staatsanwaltschaft und die Kriminalpolizei als Ermittlungsbehörden. Der Staatsanwaltschaft wurde grundsätzlich die Leitung übertragen. Damit wurde ihr Aufgabenbereich im Vorverfahren fundamental neu gestaltet und beträchtlich erweitert: Ihr kommt die Rolle zu, die einst zumindest dem Gesetz nach (StPO 1873 in ihrer alten Fassung) der Untersuchungsrichter hatte. Diese Aufgabe nimmt sie durch Anordnungen an die Kriminalpolizei, aber auch durch eigene Ermittlungshandlungen wahr, und sie allein entscheidet, ob gegen eine bestimmte Person Anklage zu erheben ist (§ 20 Abs. 1 StPO).[9]

Die Kriminalpolizei ermittelt jedoch prinzipiell eigenständig und von Amts wegen. Sie hat der Staatsanwaltschaft zwar Berichte darüber zu übermitteln; wenn aber weder der Verdacht auf ein schwerwiegendes Verbrechen noch auf eine Straftat von besonderem öffentlichen Interesse vorliegt, muss sie immer erst dann berichten, wenn sie bereits drei Monate gegen einen bestimmten Verdächtigten

---

9 Siehe unten b.

ermittelt hat (§ 100 Abs. 1 StPO). Ermittlungshandlungen wie Spurensicherung, Sicherstellungen am Tatort oder nach einer Durchsuchung, Personendurchsuchung, erste Erkundigungen, aber auch förmliche Vernehmungen und sogar den kurzzeitigen Einsatz verdeckter Ermittler unternimmt die Kriminalpolizei aus eigener Macht.

Für eingriffsintensivere Maßnahmen benötigt die Kriminalpolizei allerdings eine Anordnung der Staatsanwaltschaft – und für einzelne (schwere) Grundrechtseingriffe wie etwa eine Hausdurchsuchung oder eine Telefonüberwachung ist zusätzlich eine gerichtliche Bewilligung erforderlich. Anordnung und Bewilligung sind nur bei bestimmten Eingriffen wegen Gefahr im Verzug verzichtbar (etwa bei einer Hausdurchsuchung), bei anderen Eingriffen (zum Beispiel bei einer Telefonüberwachung) gibt es keine derartige Eilkompetenz.

Der Richter im Ermittlungsverfahren nimmt im Gegensatz dazu – und im Gegensatz zum nach früherem Recht (StPO 1873 in ihrer alten Fassung) vorgesehenen, in der Praxis jedoch gescheiterten Untersuchungsrichter-Modell – keine Untersuchungshandlungen vor. Seine Aufgabe besteht einerseits in der Bewilligung bestimmter Grundrechtseingriffe auf Antrag der Staatsanwaltschaft; andererseits entscheidet das Gericht über Einsprüche gegen behauptete Verletzungen subjektiver Rechte durch Polizei oder Staatsanwaltschaft.

– *Kriminalpolizei und Polizeiausbildung*

Die kriminalpolizeilichen Aufgaben werden zum einen den Sicherheitsbehörden zugewiesen. Zum anderen stehen aber die gleichen Befugnisse „den ihnen beigegebenen, zugeteilten oder unterstellten Organen des öffentlichen Sicherheitsdienstes zu" (§ 18 Abs. 2 StPO). Aus diesem Grund werden die zuvor beschriebenen, recht weitgehenden Befugnisse der Kriminalpolizei teilweise kritisiert: „Kriminalpolizei" ist nach der zitierten Regel im Zusammenhang mit der heute geltenden Organisationsstruktur der Polizei (BGBl I 2004/151) nicht nur der Behördenvertreter, sondern auch *jeder* Angehörige eines Wachkörpers – und damit auch jeder einfache Polizist.

Die Sicherheitsbehörden und ihre Organe erledigen im Übrigen nicht nur das strafrechtliche Ermittlungsverfahren, sondern sind als Sicherheitspolizei zur Gefahrenabwehr verpflichtet. Diese Doppelfunktion trägt dazu bei, dass die beiden Funktionen des Rechtsgüterschutzes – Prävention auf der einen Seite, Repression durch strafprozessuale Verdachtsklärung auf der anderen Seite – mehr und mehr zusammenfallen.

Grundsätzlich ist jeder männliche und weibliche österreichische Staatsbürger, der/die mindestens 18 und maximal 30 Jahre alt ist und die volle Handlungsfähigkeit sowie die persönliche und fachliche Eignung besitzt, zur Aufnahme in den Polizeidienst zugelassen. Bei den Männern ist eine Mindestgröße von 1,68 m, bei den Frauen eine von 1,63 m Voraussetzung. Derzeit ist bei Männern zusätzlich der abgeleistete Grundwehrdienst obligatorisch. Die Grundausbildung bei der Sicherheitsakademie des Bundesministeriums für Inneres dauert insgesamt 24 Monate. Sie soll nicht nur rechtstheoretisches Basiswissen, sondern auch eine vertiefte Kenntnis der Gesetze und Verordnungen und die Fähigkeit zu deren eigenständiger Anwendung vermitteln, sie beinhaltet eine Schulung zu einsatztaktischen und einsatztechnischen Fertigkeiten, zur Organisation von Sicherheitsverwaltung und Exekutive sowie Kurse zu Psychologie, Berufsethik und Konfliktmanagement.

– *Staatsanwaltschaft und Ernennungsvoraussetzung*

Ausgelöst durch die Übertragung der Ermittlungsleitung auf die Staatsanwaltschaft durch das Strafprozessreformgesetz, wurde 2008 die Qualifikation der Staatsanwälte als Organe der Gerichtsbarkeit verfassungsrechtlich festgeschrieben (Art. 90a B-VG, BGBl I 2008/2). Ungeachtet dessen bleibt die Staatsanwaltschaft eine dem Bundesministerium für Justiz unterstellte und grundsätzlich weisungsgebundene (§§ 29 ff. Staatsanwaltsgesetz – StAG)[10] Verwaltungsbehörde, die ihre Aufgabe von den Gerichten unabhängig erfüllt (§ 1 StAG, neugefasst durch das Strafprozessreform-Begleitgesetz BGBl I 2007/112).

Aufgrund der Aufgaben, die das neue Konzept des Ermittlungsverfahrens der Staatsanwaltschaft zugewiesen hat, wurde 2008 die Anzahl der Staatsanwälte von 127 auf insgesamt 324 aufgestockt.

Die Ausbildung der Staatsanwälte erfolgt gemeinsam mit der Richterausbildung. Vorausgesetzt ist der Abschluss eines (universitären) Studiums der Rechtswissenschaften, an den ein insgesamt vierjähriges Praktikum (zuerst als Übernahmswerber und – nach einem Übernahmsverfahren – als Richteramtsanwärter) durch die verschiedenen Gerichte und Gerichtsabteilungen sowie die Staatsanwaltschaft anschließt. Die Ausbildung schließt mit einer Richteramtsprüfung ab; damit ist der Richteramtsanwärter zum Richter, aber auch zum Staatsanwalt ernennbar. Ein Wechsel zwischen den beiden Berufsständen ist möglich und durchaus üblich.

– *Anzeigenstatistik*

Im Jahr 2007 wurden laut polizeilicher Kriminalstatistik 594.240 Straftaten angezeigt und 247.021 Tatverdächtige ermittelt.[11] Das ergibt eine Häufigkeit von 7.175,12 angezeigten Straftaten pro 100.000 Einwohner. Im Vergleich zum Vorjahr (2006) lag darin einen Anstieg von 0,8 %. Vorerst (2008) ist die Anzahl der Anzeigen zwar um 3,7 % zurückgegangen,[12] die für die Monate Januar bis Mai 2009 er-

---

10 Siehe weiterführend unten b.

11 Kriminalitätsbericht 2007.

12 Statistik Austria; polizeiliche Kriminalstatistik 2006 und 2008..

stellte Statistik[13] weist jedoch einen Zuwachs von cirka 5 % aus. Die am häufigsten angezeigte Straftat ist Diebstahl.

Die Aufklärungsquote lag im Jahr 2007 bei 39,43 %.[14] Sie ist damit ebenfalls etwas höher als im Jahr davor, fällt aber im Folgejahr (2008) wieder zurück.[15] Im Vergleich zu 1990 war die Zahl der angezeigten Straftaten 2008 um ein Viertel höher, während die Aufklärungsquote um etwa 6 % gesunken ist.

b) Anklagebehörden

– *Staatsanwaltschaften*

Die Staatsanwaltschaften sind in Österreich nicht nur Ermittlungs-, sondern auch (die einzigen) Anklagebehörden (Art. 90a B-VG). Dem Anklagegrundsatz (Art. 90 Abs. 2 B-VG) entsprechend, darf das erkennende Gericht nicht über den angeklagten Sachverhalt hinausgehen (§§ 262, 263, 267 StPO), und es muss die gesamte Anklage erledigen. In der rechtlichen Beurteilung der Sache ist das Gericht jedoch nicht an die Subsumtion des Anklägers gebunden.

Die Staatsanwaltschaften sind grundsätzlich weisungsgebundene Verwaltungsbehörden. Am Sitz jedes in Strafsachen tätigen Landesgerichts besteht eine Staatsanwaltschaft; ihr obliegt auch die Vertretung der Anklage vor den Bezirksgerichten. Am Sitz jedes Oberlandesgerichts ist eine Oberstaatsanwaltschaft eingerichtet und am Obersten Gerichtshof die Generalprokuratur. Diese wirkt an allen Strafverfahren vor dem Obersten Gerichtshof mit, fungiert aber nicht als Anklagebehörde, sondern „vertritt die Interessen des Staates an der Rechtspflege" (§ 22 StPO). 2007 wurde eine Sonderstaatsanwaltschaft, die Korruptionsstaatsanwaltschaft, eingerichtet. Sie ist bundesweit für ausgesuchte Wirtschafts- und Amtsdelikte zuständig – zum Beispiel für Amtsmissbrauch, Bestechung und Bestechlichkeit, für Untreue etc., aber auch für Geldwäscherei nach den genannten Delikten sowie für kriminelle Vereinigungen und für kriminelle Organisationen, die auf die genannten Delikte ausgerichtet sind.

Nach Abschluss der Ermittlungen stehen dem Staatsanwalt heute drei Möglichkeiten offen:

- Er stellt das Strafverfahren ein, wenn die betreffende Tat nicht strafbar ist, wenn deren Verfolgung unzulässig ist (etwa wegen Verjährung) oder wenn sie besonders geringfügig ist (§§ 191 f.).
- Seit 1.1.2000 (Strafprozessnovelle 1999, BGBl I 1999/55) hat er die Möglichkeit, von der Verfolgung zurückzutreten und das Verfahren mit einer sogenann-

---

13 Polizeiliche Kriminalstatistik 2009.

14 Kriminalitätsbericht 2007.

15 Statistik Austria.

ten Diversion zu beenden. Dabei handelt es sich um eine Verfahrensbeendigung, die zwar ohne Schuldspruch, aber doch mit Sanktionscharakter erfolgt: durch Zahlung eines Geldbetrags, durch Erbringen gemeinnütziger Leistung, durch Bestimmung einer Probezeit in Kombination mit Bewährungshilfe und durch einen außergerichtlichen Tatausgleich. Vorausgesetzt ist insbesondere ein hinreichend geklärter Sachverhalt über eine Straftat, die der Beschuldigte ohne schwere Schuld begangen hat, und die nicht den Tod eines Menschen zur Folge hatte – selbst wenn ein solcher nur fahrlässig verursacht wurde. Sie darf nicht in die Zuständigkeit eines Schöffen- oder Geschworenengerichts fallen – schwerwiegende Straftaten können daher nicht diversionell erledigt werden. Der Beschuldigte muss dem Diversionsangebot zustimmen.

- Wenn jedoch aufgrund des ausreichend geklärten Sachverhalts eine Verurteilung naheliegt und weder ein Grund für Einstellung noch für Diversion vorliegt, hat der Staatsanwalt Anklage zu erheben.

Bei den Privatanklagedelikten – sie sind im Strafgesetzbuch als solche bezeichnet – steht allein dem Opfer das Anklagerecht zu; ein Ermittlungsverfahren findet nicht statt (§ 71 StPO).

– *Anklage- und Diversionsstatistik*

2007 hat die Staatsanwaltschaft 33.090 Beschuldigte angeklagt, das sind 29,2 % ihrer Verfahrenserledigungen. Bei cirka 5.000 (4,4 %) der Beschuldigten endete das Verfahren vor der Staatsanwalt durch Diversion.

c) Strafgerichte

Als Gerichte sind im Strafverfahren tätig:

- 141 Bezirksgerichte im Hauptverfahren für leichte Kriminalität;
- 16 Landesgerichte im Ermittlungsverfahren,[16] im Hauptverfahren und im Rechtsmittelverfahren; im Hauptverfahren fungieren sie – abgesehen von Sonderzuständigkeiten nach der Höhe der angedrohten Strafe für die angeklagte Straftat gestaffelt – als Einzelrichter, als Schöffengericht (ein Berufsrichter, zwei Laienrichter – Schöffen; die frühere Anzahl von zwei Berufsrichtern wurde erst jüngst, durch das Budgetbegleitgesetz 2009, reduziert) oder als Geschworenengericht (drei Berufsrichter, acht Geschworene);
- vier Oberlandesgerichte im Rechtsmittelverfahren (drei Berufsrichter);
- der Oberste Gerichtshof im Rechtsmittelverfahren (fünf Berufsrichter). Er kann nur zur Überprüfung von explizit gesetzlich festgelegten Fehlern der erstinstanz-

[16] Siehe zu dieser Rolle oben a.

lichen Entscheidung oder des erstinstanzlichen Verfahrens angerufen werden. An die Tatsachenfeststellungen des Erstgerichts ist er gebunden.

Der Verfassungsgerichtshof hat keine Kompetenz, Akte der Gerichtsbarkeit zu überprüfen.

Die Richter sind in der Ausübung ihres richterlichen Amts unabhängig (§ 87 B-VG). Die erkennenden Gerichte haben die Anklage vollständig zu erledigen, sie dürfen nicht ohne und auch nicht über einen anderen als den angeklagten Sachverhalt entscheiden (§§ 262, 263, 267 StPO). In ihrer rechtlichen Beurteilung des Anklagesachverhalts sind sie frei.

Die Zulassung zum Richteramt erfolgt nach den gleichen Kriterien wie die Aufnahme bei der Staatsanwaltschaft: Sie setzt den Abschluss des (universitären) Studiums der Rechtswissenschaften voraus, anschließend ist ein insgesamt vierjähriges Praktikum (zuerst als Übernahmswerber und – nach einem Übernahmsverfahren – als Richteramtsanwärter) in den verschiedenen Gerichten und Gerichtsabteilungen sowie bei der Staatsanwaltschaft zu absolvieren. Nach der darauf folgenden Richteramtsprüfung ist der Richteramtsanwärter zum Richter, aber auch zum Staatsanwalt ernennbar.[17]

Im Jahr 2008 wurden 38.226 Angeklagte wegen Straftaten verurteilt – das sind 11 % weniger als im Jahr davor.[18] 38 % dieser Verurteilungen erfolgten wegen Delikten gegen fremdes Vermögen – insbesondere wegen Diebstahl –, 27 % wegen Delikten gegen Leib und Leben. Zu Verurteilungen wegen Mordes (in Österreich fällt darunter jede vorsätzliche Tötung außer Totschlag) kam es 36 Mal.[19] Auch das erkennende Gericht hat im Übrigen die Möglichkeit, das Verfahren statt durch ein Urteil durch Diversion zu erledigen (§ 199 StPO).

Einen deutlichen Rückgang der Verurteilungen hat das Inkrafttreten der Strafgesetznovelle 1999 (BGBl I 1999/55) am 1.1.2000 ausgelöst: Durch die neu geschaffene Möglichkeit der Diversion,[20] einer Reaktion auf leichtere Straftaten ohne Anklage, Schuldspruch und Verurteilung, sank die Anzahl von 61.954 auf 41.624, also um 23 %.[21] Bereits im ersten Jahr ihrer Anwendung (2000) machten die verschiedenen Formen der diversionellen Erledigungen insgesamt 34 % der strafrechtlichen Reaktion gegenüber allen strafmündigen Tatverdächtigen aus; nur noch in 22 % der Fälle erfolgte eine Verurteilung.

---

17 Vgl. oben a.

18 Gerichtliche Kriminalstatistik 2007.

19 Statistik Austria 2008.

20 Siehe oben b.

21 Statistik Austria.

d) Sanktionen

– *Arten der Sanktionen*

Die gesetzlich angedrohte Strafe ist im österreichischen Strafrecht

- entweder mit Freiheitsstrafe bedroht
- oder mit Geldstrafe als Alternative zur Freiheitsstrafe.

Es ist stets ein bestimmter Strafrahmen festgelegt; das erkennende Gericht hat innerhalb dieses Rahmens die Strafe zu bemessen. Die Freiheitsstrafen werden auf bestimmte Zeit oder auf lebenslange Dauer verhängt; der mögliche Strafrahmen einer zeitlichen Freiheitsstrafe beträgt mindestens einen Tag und höchstens 20 Jahre (§ 18 StGB).

Geldstrafen werden nach dem Tagsatzsystem bemessen. Die Höhe eines Tagsatzes wird vom erkennenden Gericht berechnet. Sie hängt von den persönlichen Verhältnissen und der wirtschaftlichen Leistungsfähigkeit des Verurteilten ab. Die Idee dahinter ist, ihm für eine bestimmte Anzahl von Tagen – sie wird durch die Anzahl der Tagsätze festgelegt – jenen Betrag abzuziehen, den er nach Abzug seiner Lebenserhaltungskosten und Unterhaltspflichten für sich zur Verfügung hat. Ein Tagsatz beträgt mindestens 4 und höchstens 5.000 Euro. Dieser Rahmen wurde erst durch das Budgetbegleitgesetz (2009, BGBl I 2009/52), das ohne Begutachtungsverfahren beschlossen wurde, so weit ausgedehnt – die obere Grenze wurde sogar um ein 100-faches erhöht: Zuvor waren lediglich 2 bis 500 Euro vorgesehen.

Strafen bis zu einer gewissen Höhe werden bei Vorliegen insbesondere einer günstigen Prognose, unter Bestimmung einer Probezeit bedingt oder teilbedingt nachgesehen (§§ 43 ff. StGB). Falls erforderlich, wird Bewährungshilfe oder werden präventiv ausgerichtete Weisungen erteilt (§§ 50 ff. StGB). Bei nicht schweren Straftaten ist dem Beschuldigten statt eines ordentlichen gerichtlichen Verfahrens eine Form der diversionellen Erledigung anzubieten.[22]

Außer den Strafen sind schuldunabhängige Maßnahmen vorgesehen:

- sowohl vermögensrechtliche Maßnahmen – Einziehung (§ 26 StGB), Verfall (§ 20b StGB) und Abschöpfung der Bereicherung (§ 20c StGB) –,
- als auch die freiheitsentziehenden vorbeugenden Maßnahmen der Unterbringung geistig abnormer Rechtsbrecher (§ 21 StGB), der Unterbringung entwöhnungsbedürftiger Rechtsbrecher und der Unterbringung gefährlicher Rückfalltäter in einer jeweils entsprechenden Anstalt.

---

[22] Siehe dazu oben b.

– *Verhängungsstatistik*

2008 wurden insgesamt 38.226 Angeklagte verurteilt – 11,4 % weniger als im Jahr davor (43.158).[23] 40 % der verhängten Strafen waren Geldstrafen, 35,7 % bedingte Freiheitsstrafen, 6,8 % teilbedingte Freiheitsstrafen und 16 % unbedingte Strafen. Die Maßnahmen machen nur etwa 2 % der Verurteilungen aus.[24]

e) Strafvollzug

Die Leitung des Strafvollzugs liegt in oberster Instanz beim Bundesministerium für Justiz, und zwar bei der Vollzugsdirektion, die seit 2007 Dienstbehörde und operative Oberbehörde ist. Sie führt die Aufsicht über 28 Justizanstalten und die Strafvollzugsakademie.

In Österreich gibt es 28 Justizanstalten: sieben Strafvollzugsanstalten für Männer, eine für Jugendliche, eine für Frauen, drei für den Maßnahmenvollzug sowie insgesamt 16 gerichtliche Gefangenenhäuser.

Rechtliche Grundlage für den Ablauf des Strafvollzugs ist das Strafvollzugsgesetz (StVG). Zum 1.3.2008 gab es 5.977 Strafgefangene und 758 Personen im Maßnahmenvollzug. 3.638 Insassen aus über 100 Nationen besitzen nicht die österreichische Staatsangehörigkeit. Rund 5 % der Insassen in den Justizanstalten sind Frauen, etwa 3 % jugendliche Straftäter (14. bis 18. Lebensjahr), etwa 8 % sind „junge Erwachsene“ (18. bis 21. Lebensjahr).[25]

Die Gefangenenrate wurde mit 99 Personen pro 100.000 Einwohnern festgestellt. Damit steht Österreich an 22. Stelle im europäischen Vergleich und an 92. Stelle weltweit (von der höchsten bis zur geringsten Gefangenenrate).[26]

---

[23] Statistik Austria.

[24] Statistik Austria.

[25] Angaben laut Jahresbericht der Vollzugsdirektion.

[26] Angaben des International Centre for Prison Studies des Kings College London.

Literatur- und Quellenhinweise zu Abschnitt A.

Geografie:

CIA The World Factbook:
https://www.cia.gov/library/publications/the-world-factbook/geos/AU.html

Bevölkerung:

Der Fischer Weltalmanach 2007/2009. Zahlen, Daten, Fakten. Frankfurt am Main 2006/2008, S. 359 ff.

Statistik Austria: http://www.statistik.at/

http://www.statistik.at/web_de/services/stat_jahrbuch/index.html

http://www.statistik.at/web_de/services/publikationen/2/index.html

Sprache:

CIA The World Factbook:
https://www.cia.gov/library/publications/the-world-factbook/geos/AU.html

Netzwerk Alphabetisierung und Basisbildung:
http://www.alphabetisierung.at/index.php?id=161

Religion:

Statistik Austria:
http://www.statistik.at/web_de/statistiken/bevoelkerung/volkszaehlungen/bevoelkerung_nach_demographischen_merkmalen/022894.html

Wirtschaft:

Der Fischer Weltalmanach 2009. Zahlen, Daten, Fakten. Frankfurt am Main 2008, S. 364 f.

Statistik Austria:
http://www.statistik.at/web_de/statistiken/arbeitsmarkt/arbeitslose_arbeitssuchende/arbeitslose_nationale_definition/index.html

http://www.statistik.at/web_de/statistiken/volkswirtschaftliche_gesamtrechnungen/bruttoinlandsprodukt_und_hauptaggregate/jahresdaten/index.html

Hengst-Denner, Gerhard, Statistik Austria, telefonische Auskünfte. Wien, Juni 2009.

Staatsorganisation:

Walter, Robert/Mayer, Heinz/Kucsko-Stadlmayer, Bundesverfassungsrecht. 10. Aufl. Wien 2007.

Ermittlungsbehörden, Anklagebehörden, Strafgerichte:

Arbeitsgruppe StPO-Reform des Bundesministeriums für Inneres, Kriminalpolizei und Strafprozessreform. Wien 1995.

Bertel, Christian/Venier, Andreas, Einführung in die neue StPO. 2. Aufl. Wien 2006.

– Strafprozessrecht. 3. Aufl. Wien 2007.

Burgstaller, Manfred, Perspektiven der Diversion in Österreich aus der Sicht der Strafrechtswissenschaft. In: Bundesministerium für Justiz (Hrsg.), Perspektiven der Diversion in Österreich. Wien 1995, S. 123–164.

– Über die Bedeutung der neuen Diversionsregelungen für das österreichische Strafrecht. In: Roland Miklau/Hans Valentin Schroll (Hrsg.), Diversion. Ein anderer Umgang mit Straftaten. Wien 1999, S. 11.

Fuchs, Helmut, Vom Miklau-Szymansky-Modell zum Strafprozessreformgesetz – was blieb von der Grundidee? In: Reinhard Moos/Udo Jesionek/Otto F. Müller (Hrsg.), Strafprozess im Wandel. Festschrift für Roland Miklau zum 65. Geburtstag. Wien 2006, S. 137–152.

– Die Strafprozessreform aus rechtsdogmatischer Sicht. In: Bundesministerium für Justiz (Hrsg.), 36. Otteensteiner Fortbildungsseminar. Wien, Graz 2008, S. 5–21.

Grafl, Christian, Empirische Daten zur Diversion in Österreich in den Jahren 2000 und 2001. ÖJZ 2002, 413–420.

– Fünf Jahre allgemeine Diversion. In: Reinhard Moos/Udo Jesionek/Otto F. Müller (Hrsg.), Strafprozess im Wandel. Festschrift für Roland Miklau zum 65. Geburtstag. Wien 2006, S. 109–129.

Miklau, Roland, Staatsanwaltschaft und Sicherheitsbehörde, Staatsanwalt und Gericht. In: Walter Pilgermair (Hrsg.), Staatsanwaltschaft im 21. Jahrhundert. Aufgaben – Positionen – Perspektiven. Wien 2001, S. 297–318.

Pilgram, Arno/Hirtenlehner, Helmut/Kuschej, Hermann, Erfüllen (intervenierende) Diversion und Bewährungshilfe die Erwartung, Strafverfahren und Freiheitsstrafen zurückzudrängen? ÖJZ 2001, 210–218.

Pilnacek, Christian/Pleischl, Werner, Das neue Vorverfahren. Leitfaden zum Strafprozessreformgesetz. Wien 2005.

Steininger, Herbert, Staatsanwalt und Gericht. In: Walter Pilgermair (Hrsg.), Staatsanwaltschaft im 21. Jahrhundert. Aufgaben – Positionen – Perspektiven. Wien 2001, S. 17–29.

Bericht der Expertenkommission zur Prüfung der staatlichen Reaktionen auf strafbares Verhalten in Österreich. ÖJZ 2004, 550–557.

Sicherheitsakademie des Bundesministeriums für Inneres:

http://content.bmi.gv.at/siak/SIAK-Internet/aufbau/wie%20werde%20ich%20polizist.html

Vereinigung der österreichischen Staatsanwältinnen und Staatsanwälte:

http://www.staatsanwaelte.at

Kriminalitätsbericht des Bundesministeriums für Inneres. Statistik und Analyse: Wien 2007.

Kriminalstatistiken des Bundesministeriums für Inneres:

http://www.bmi.gv.at/cms/BK/publikationen/krim_statistik/start.aspx

Gerichtliche Kriminalstatistik:

http://www.statistik.at/web_de/statistiken/soziales/kriminalitaet/verurteilungen_gerichtliche_kriminalstatistik/index.html

Statistik Austria:

http://www.statistik.at/web_de/statistiken/soziales/kriminalitaet/index.html

http://www.statistik.at/web_de/statistiken/soziales/kriminalitaet/anzeigen_polizeiliche_kriminalstatistik/index.html

http://www.statistik.at/web_de/statistiken/soziales/kriminalitaet/verurteilungen_gerichtliche_kriminalstatistik/index.html

Sicherheitsbericht 2007. Bericht der Bundesregierung über die innere Sicherheit Österreichs:

http://www.parlament.gv.at/PG/DE/BR/III-BR/III-BR_00360/imfname_150714.pdf

Sanktionen:

Birklbauer, Alois, Die Neuregelung der bedingten Entlassung. Ein versuchter Kompromiss zwischen Resozialisierung, Sicherheit und Vollzugsentlastung. ÖJZ 2008, 710–716.

Birklbauer, Alois/Hirtenlehner, Helmut, Das Dogma von der Schädlichkeit kurzer Freiheitsstrafen und ihre Verhängung in der Praxis. JSt 2006, 18–24.

Pilgram, Arno, Die erste österreichische Rückfallstatistik – ein Mittel zur Evaluation regionaler Strafenpolitik. ÖJZ 1991, 577–586.

Sicherheitsbericht 2007. Bericht der Bundesregierung über die innere Sicherheit Österreichs:

http://www.parlament.gv.at/PG/DE/BR/III-BR/III-BR_00360/imfname_150714.pdf

Jahresbericht der Vollzugsdirektion:

http://strafvollzug.justiz.gv.at/statistik/index.php

Strafvollzug:

Drexler, Karl, Strafvollzugsgesetz. Wien 2003 (Ergänzungsband 2007).

Sicherheitsbericht 2007. Bericht der Bundesregierung über die innere Sicherheit Österreichs:

http://www.parlament.gv.at/PG/DE/BR/III-BR/III-BR_00360/imfname_150714.pdf

International Centre for Prison Studies:

http://www.kcl.ac.uk/schools/law/research/icps

B. Rechtsvergleichende und internationale Einordnung

1. Rechtsvergleichende Einordnung des Landesrechts

– *Typisierung*

Der österreichischen Rechtsordnung liegt ein kontinentaleuropäisches System zugrunde. Das Zusammenleben wird demnach durch abstrakte Normen reguliert, die in einer Hierarchie zueinanderstehen: Verfassungsrecht steht über dem einfachen Gesetz und regelt dessen Zustandekommen; eine Verordnung wiederum kann nur aufgrund der gesetzlichen Grundlage entstehen. Eine individuell geltende Entscheidung schließlich (ein Urteil, ein Bescheid oder ein Akt unmittelbarer Zwangsgewalt) muss stets auf eine abstrakte Rechtsgrundlage zurückführbar sein.

Innerhalb Europas wird Österreich den Ländern des deutschen Rechtskreises zugeordnet. Die für den deutschen Sprachraum typische formgebundene Rechtstechnik, eine aus einem System voneinander präzise getrennter und aufeinander aufbauender Begriffe gebildete Rechtssprache und das generell sehr hohe Abstraktionsniveau der juristischen Auseinandersetzung sind auch hier vorherrschend.

– *Zum Hintergrund der Zuordnung*

Der deutschsprachige Staat Österreich in den Grenzen, die jetzt bestehen, existiert erst seit Ende des Ersten Weltkrieges (Friedensschluss von St. Germain, Gründung der ersten Republik). Davor war das Land Teil eines Vielvölkerstaates, der sich über 676.615 km² Mittel- und Südosteuropas erstreckte: über die heutigen Staaten Österreich, Ungarn, Tschechien, Slowakei, Slowenien, Kroatien, Bosnien und Herzegowina, Teile des heutigen Rumäniens, Montenegros, Polens, der Ukraine, Italiens und Serbiens. Wien war geografischer Mittelpunkt und Machtzentrum dieses Reichs.

Die Zugehörigkeit der Gebiete, die heute das österreichische Staatsgebiet umfassen, zum deutschen Sprach- und Kulturraum festigte sich jedoch bereits nach der Völkerwanderung mit der Eingliederung ins Frankenreich unter Karl dem Großen; die Eroberungsversuche östlicher Stämme wurden abgewehrt. Für über 1.000 Jahre bleibt „Österreich" – seine geografische Ausdehnung ist im Lauf der Geschichte zahlreichen Gebietsgewinnen und -verlusten unterworfen – Teil des Heiligen römischen Reichs deutscher Nation (800–1806): als Mark (Ostarrichi; erste urkundliche Erwähnung 996), später als Herzogtum (1156) und erst 1804 – um ein Gegengewicht zum französischen Kaiser Napoleon zum Ausdruck zu bringen – als Kaisertum. Die Dynastie der Habsburger, an die das Herzogtum Österreich im 13. Jahrhundert fällt, herrscht in Österreich bis 1918. Über Jahrhunderte dominieren sie das deutsche Reich: von 1452 bis zu dessen Niedergang 1806 stellen sie die römisch-deutschen Kaiser. Und nach der Neuordnung Europas durch den Wiener

Kongress (1814–1815) wird das Kaisertum Österreich mit seinen deutschsprachigen Ländern Präsidialmacht des Deutschen Bundes. Erst nach dessen Auflösung 1866 scheidet Österreich aus der gesamtdeutschen Politik aus.

2. Einfluss internationaler Bindungen

a) Mitgliedschaft in internationalen und regionalen Organisationen

Von den internationalen Organisationen, die sich auch mit strafrechtlichen Fragen befassen, gehört Österreich insbesondere seit 1955 der UNO – in den Jahren 1973/74 und 1991/92 auch als Sicherheitsratsmitglied – und seit 1991 der Organisation für wirtschaftliche Zusammenarbeit und Entwicklung (OECD) an. Innerhalb Europas ist es zudem Mitglied des Europarates (seit 1956) und der Organisation für Sicherheit und Zusammenarbeit in Europa (seit 1973).

Auf dieser regionalen Ebene ist die supranationale Einbindung Österreichs hervorzuheben: Nach seinem Beitritt zum Europäischen Wirtschaftsraum gehört Österreich seit 1995 der Europäischen Union (EU) an. Der Beitritt war politisch höchst umstritten. 1994 wurde er daher zum Gegenstand einer Volksabstimmung gemacht und mit 66,6 % der abgegebenen Stimmen befürwortet. Die gemeinschaftsrechtlichen Rechtsakte haben auch das österreichische Strafrecht deutlich und zunehmend verändert. Zum einen haben sie zur Kriminalisierung bestimmter Verhaltensweisen geführt – etwa zu einem Straftatbestand des Förderungsmissbrauchs. Zum anderen haben sie insbesondere die Zusammenarbeit der EU-Mitgliedstaaten in Sicherheits- und Strafsachen vereinfacht.

b) Beteiligung an völkerrechtlichen Verträgen

Das österreichische Strafrecht wird mehr und mehr auch durch internationale Verpflichtungen vorbestimmt, einerseits durch Rechtsakte der EU, aber auch aufgrund völkerrechtlicher Verträge. Die von den Organen der Union erlassenen Vorschriften gelten in Österreich unmittelbar; handelt es sich um Richtlinien und Rahmenbeschlüsse – sie sind das Hauptinstrument der europäischen Strafrechtsharmonisierung –, ist eine Umsetzung erforderlich. Ein völkerrechtlicher Vertrag erlangt in Österreich erst Geltung, wenn der Nationalrat ihn genehmigt hat und er im Bundesgesetzblatt (BGBl) kundgemacht wurde. Im Folgenden werden nur einige Bereiche der internationalen Zusammenarbeit mit österreichischer Mitwirkung herausgegriffen.

– *Menschenrechte*

Die zentrale Verpflichtung, einen menschenrechtlichen Mindeststandard zu gewähren, wurde mit der Konvention zum Schutze der Menschenrechte und Grundfreiheiten (EMRK 1950) eingegangen. Österreich ist ihr 1958 beigetreten, hat sie im selben Jahr ratifiziert, ins österreichische Recht übernommen (BGBl 1958/210) und ihr, ebenso wie den jeweils unterzeichneten und ratifizierten Zusatzprotokollen (bisher: Zusatzprotokoll 1, 4, 6, 7 und 8), den Rang eines Verfassungsgesetzes eingeräumt (BGBl 1964/59). Damit sind die EMRK und ihre Zusatzprotokolle eine wesentliche Grundrechtsquelle: Die durch sie vermittelten Rechte sind unmittelbar anwendbare verfassungsgesetzlich gewährleistete subjektive Rechte, die nach Ausschöpfung des innerstaatlichen Instanzenzuges mittels Individualbeschwerde an den Europäischen Gerichtshof für Menschrechte (EGMR) durchsetzbar sind (Art. 34 EMRK).

Österreich hat sowohl das Übereinkommen der Vereinten Nationen gegen Folter und andere grausame, unmenschliche oder erniedrigende Behandlung oder Strafe (1984) als auch das Übereinkommen des Europarates zur Verhütung von Folter und unmenschlicher oder erniedrigender Behandlung oder Strafe (1987) unterzeichnet und ratifiziert (BGBl 1987/482 und BGBl 1989/74). Für die Strafbarkeit der Ausübung von Folter, wie sie in Art. 4 des Übereinkommens der Vereinten Nationen verlangt wird, hat Österreich keinen neuen Tatbestand geschaffen.

– *Kriegsrecht und humanitäres Völkerrecht*

In Österreich gelten das Haager Übereinkommen (I, II und III), die Erklärungen der ersten Haager Friedenskonferenz 1899 und das Übereinkommen (I-XI und XI-II) der zweiten Haager Friedenskonferenz 1907 (insbesondere Haager LKÜ und Haager LKO) – diese wurden gemeinsam in innerstaatliches Recht übernommen (RGBl 1913/173–188) – sowie die Genfer Konventionen von 1949 (I, II, III, IV, BGBl 1965/155) und deren Zusatzprotokolle von 1977 (BGBl 1982/527). Die in diesen Texten vorgesehenen Straftatbestände sind nicht unmittelbar anwendbar, denn ihnen fehlt eine konkrete Strafdrohung. Nur die Verpflichtung des Übereinkommens der Vereinten Nationen über die Verhütung und Bestrafung des Völkermordes von 1948 (BGBl 1958/91) wurde durch die Einführung eines eigenen Straftatbestands für Völkermord (§ 321 StGB) erfüllt. Alle anderen Völkerrechtsverbrechen werden in Österreich nach den allgemeinen Delikten des Strafgesetzbuchs beurteilt – als Mord, Raub, schwere Nötigung, Vergewaltigung etc.

Das Römisches Statut des Internationalen Strafgerichtshofes wurde 1998 unterzeichnet, 2002 in innerstaatliches Recht transformiert (BGBl III 2002/180) und durch das Bundesgesetz über die Zusammenarbeit mit dem internationalen Strafgerichtshof umgesetzt (BGBl I 2002/135).

– *Drogenbekämpfung*

Österreich ist Mitglied sämtlicher Übereinkommen der Vereinten Nationen zur Drogenbekämpfung. Die Psychotropenkonvention von 1971 und die Drogenkonvention von 1988 wurden 1997 ratifiziert (BGBl III 1997/154) und haben zu einem neuen Suchtmittelgesetz 1997 (BGBl I 1997/112) geführt.

Im Rahmen der EU ist Österreich dem Rahmenbeschluss zur Festlegung von Mindestvorschriften über die Tatbestandsmerkmale strafbarer Handlungen und die Strafen im Bereich des illegalen Drogenhandels (2004) verbunden. Er steht hinter der Novelle des Suchtmittelgesetzes 2007 (BGBl I 2007/110).

– *Bekämpfung der organisierten Kriminalität*

Zur Bekämpfung der organisierten Kriminalität ist Österreich Mitglied des Übereinkommens der Vereinten Nationen gegen die grenzüberschreitende organisierte Kriminalität (2000). Es hat (mit-)bewirkt, dass die Tatbestände, die die Mitgliedschaft in einer gefährlichen Gruppe erfassen, neu geordnet und ausgeweitet wurden (BGBl I 2002/134).

Auf regionaler Ebene ist Österreich verpflichtet, den Rahmenbeschluss des Rates der EU zur Bekämpfung der organisierten Kriminalität (2008) umzusetzen. Soweit ersichtlich, werden seine Vorgaben jedoch durch die bereits bestehenden Tatbestände der kriminellen Vereinigung und der kriminellen Organisation erfüllt.

– *Bekämpfung des Terrorismus*

Von den internationalen Verträgen gegen Terrorismus haben sich vor allem das Übereinkommen der Vereinten Nationen zur Bekämpfung der Finanzierung des Terrorismus (1999, BGBl III 2002/102, 103), die Resolution des Sicherheitsrates 1373 (2001) und der Rahmenbeschluss des Rates der EU zur Terrorismusbekämpfung (2002) auf das österreichische Strafrecht ausgewirkt: Mit dem Strafrechtsänderungsgesetz (2002, BGBl I 2002/134) wurden insbesondere die Straftatbestände der „Terroristischen Vereinigung" und der „Terrorismusfinanzierung" eingeführt.

Die Konvention des Europarates über Geldwäsche, Terrorismusfinanzierung sowie Ermittlung, Beschlagnahme und Einziehung von Erträgen aus Straftaten (2005) hat Österreich zwar unterzeichnet, aber noch nicht ratifiziert. Und für den Rahmenbeschluss des Rates 2008 zur Änderung des Rahmenbeschlusses von 2002 zur Terrorismusbekämpfung gibt es zurzeit noch kein Gesetzgebungsvorhaben.

– *Bekämpfung der Wirtschaftskriminalität*

Eines der bedeutendsten Themen der internationalen Wirtschaftsregulierung ist die Korruption. Auf unilateraler Ebene ist Österreich Mitglied des Übereinkommens der OECD über die Bekämpfung der Bestechung ausländischer Amtsträger im internationalen Geschäftsverkehr (1997) und des Übereinkommens der Vereinten Nationen gegen Korruption (2003). Auf regionaler Ebene ist Österreich dem zweiten Protokoll zum Übereinkommen über den Schutz der finanziellen Interessen der Europäischen Gemeinschaften (1997), dem (EU-)Übereinkommen über die Bekämpfung der Bestechung (1997) und dem Strafrechtsübereinkommen des Europarates über Korruption (1999) sowie dessen Zusatzprotokoll (2003) verpflichtet. Dieser internationalrechtliche Rahmen hat insbesondere zwei Reformen ausgelöst, in denen das Anti-Bestechungsstrafrecht sowohl hinsichtlich der transnationalen Bestechung als auch der rein innerstaatlichen Bestechung beträchtlich erweitert wurde (BGBl I 1998/153 und BGBl I 2007/109). Die letzte dieser Novellen war politisch hoch umstritten; unter Kritik wurde sie jüngst teilweise wieder zurückgenommen (noch unveröffentlicht). Auch der Rahmenbeschluss des Rates zur Bekämpfung der Bestechung im privaten Scktor (2003) wurde in Österreich umgesetzt (StRÄG 2008, BGBl I 2007/109).

Das im Rahmen der EU ausgehandelte Übereinkommen über den Schutz der finanziellen Interessen der Europäischen Gemeinschaften (1995) hat insbesondere zu einem Tatbestand des Förderungsmissbrauchs im Strafgesetzbuch geführt (StRÄG 1998, BGBl I 1998/153). Dessen praktische Anwendung ist allerdings minimal.

Aufgrund der Cybercrime-Konvention des Europarates (2001) und des Rahmenbeschlusses des Rates über Angriffe auf Informationssysteme (2005) wurde eine Reihe von mittels Computer gesetzten schädigenden Verhaltensweisen kriminalisiert (StRÄG 2002, BGBl I 2002/134; StRÄG 2004, BGBl I 2004/15; StRÄG 2008, BGBl I 2007/109).

Hinter der Einführung des Straftatbestands der Geldwäscherei in das StGB im Jahr 1993 (BGBl 1993/ 527) – zu einer Zeit vor der Mitgliedschaft Österreichs in der Europäischen Gemeinschaft – steht vor allem die erste Geldwäsche-Richtlinie des Rates von 1991. Und das Übereinkommen des Europarates über Geldwäsche sowie Ermittlung, Beschlagnahme und Einziehung von Erträgen aus Straftaten (1990, BGBl III 1997/153) hat eine grundlegende Novellierung der Abschöpfungs- und Einziehungsbestimmungen nach dem StGB bewirkt (StRÄG 1996, BGBl I 1996/762).

– *Rechtshilfe und Auslieferung*

Neben einzelnen bilateralen Abkommen wurde das österreichische Recht, das die Zusammenarbeit in Strafsachen mit anderen Staaten regelt, vor allem durch europäische Instrumente geprägt, die dementsprechend nur gegenüber den beteiligten europäischen Staaten gelten. Früher haben vor allem die Übereinkommen, die im Rahmen des Europarates abgeschlossen wurden, das Auslieferungs- und Rechtshilfegesetz (BGBl 1959/529) ergänzt: Österreich hat das Europäische Übereinkommen über die Rechtshilfe in Strafsachen (1959, BGBl 1983/303) und das

Europäische Auslieferungsübereinkommen (1957, BGBl 1969/320) sowie dessen zweites Zusatzprotokoll (1978, BGBl 1983/297) in Kraft gesetzt, das erste Zusatzprotokoll zum Auslieferungsüberkommen jedoch nicht unterzeichnet.

Mittlerweile spielen die im Rahmen der EU erarbeiteten Rechtsakte eine größere Rolle. In Österreich gelten das Übereinkommen über die Rechtshilfe in Strafsachen zwischen den Mitgliedstaaten der EU (BGBl III 2005/65) sowie beide Auslieferungsübereinkommen. Diese – das Übereinkommen über das vereinfachte Auslieferungsverfahren (1995) und das Übereinkommen bezüglich der Auslieferung zwischen den Mitgliedstaaten der Europäischen Union (1996) – sind zwar auf völkerrechtlicher Ebene nicht in Kraft getreten. Österreich hat sie jedoch ratifiziert und ins nationale Recht übernommen (BGBl III 2000/169 und BGBl III 2001/143). Sie gelten jeweils jenen Mitgliedstaaten gegenüber, die ebenfalls danach vorgehen.

Österreich ist 1997 dem Übereinkommen zur Durchführung des Übereinkommens von Schengen (1990, BGBl III 1997/90) beigetreten, das unter dem Titel „Polizei und Sicherheit“ ebenfalls Regeln über die polizeiliche Zusammenarbeit, über die Rechtshilfe und die Auslieferung zwischen den Vertragsstaaten enthält.

Die polizeiliche und justizielle Zusammenarbeit zwischen den EU-Mitgliedschaften erfolgt heute jedoch nicht mehr über völkerrechtliche Verträge, sondern vor allem über Rahmenbeschlüsse. Im Bereich von Auslieferung und Rechtshilfe ist an erster Stelle der Rahmenbeschluss des Rates über den Europäischen Haftbefehl und die Übergabeverfahren zwischen den Mitgliedstaaten (2002) zu nennen. Österreich hat das darin verwirklichte Konzept der Anerkennung von gerichtlichen Entscheidungen anderer Mitgliedstaaten durch eine eigene Kodifikation, das Bundesgesetz über die justizielle Zusammenarbeit in Strafsachen mit den Mitgliedstaaten der EU (BGBl I 2004/36) umgesetzt.

Literaturhinweise zu Abschnitt B.

Fuchs, Helmut, Europäischer Haftbefehl und Staaten-Souveränität. JBl 2003, 405–413.

Neuhold, Hanspeter/Hummer, Waldemar/Schreuer, Christoph, Österreichisches Handbuch des Völkerrechts, Band I: Textteil. 4. Aufl. Wien 2005.

Zeder, Fritz, Europastrafrecht: Aktueller Stand. AnwBl 2008, 249–267.

– Der Rahmenbeschluss als Instrument der EU-Rechtsangleichung im Strafrecht am Beispiel des Rahmenbeschlusses gegen Geldfälschung. ÖJZ 2001, 81–94.

Zerbes, Ingeborg, Grundlagen der Strafverfolgung völkerrechtlicher Verbrechen in Österreich. In: Albin Eser/Ulrich Sieber/Helmut Kreicker (Hrsg.), Nationale Strafverfolgung völkerrechtlicher Verbrechen im internationalen Vergleich, Band 3. Berlin 2004, S. 88–225.

C. Verfassungsrechtliche Vorgaben

1. Übergesetzliche Regelungen als Träger strafrechtlicher Prinzipien

– *Die Verfassung*

Das geltende österreichische Verfassungsrecht hat eine bewegte Geschichte, die erst seit 1945 insofern kontinuierlich verläuft, als jeweils neues Verfassungsrecht auf der rechtlichen Grundlage des bestehenden Verfassungsrechts erzeugt wird. Seine ideellen Wurzeln sind in der Französischen Revolution und in der Amerikanischen Verfassung von 1787 verankert. Sie wurden in Österreich allerdings erst etwa 100 Jahre später, ab der zweiten Hälfte des 19. Jahrhunderts, durch geschriebenes Recht manifestiert: Nach der Revolution 1848 und nach einem einigermaßen zähen Hin und Her zwischen konservativen und liberalen Kräften gelang schließlich die endgültige Abkehr vom Absolutismus. Die entstandene konstitutionelle (Österreichisch-Ungarische) Monarchie wurde allerdings – kurz vor dem Ende des Ersten Weltkrieges und wiederum auf revolutionärem Weg – durch die Bildung des Staates „Deutschösterreich" abgelöst. Das Kriegsende führt zum Staatsvertrag von St. Germain (1.9.1919), der die heutigen Grenzen und den Namen des Staates Österreich festlegt.

Im Folgejahr tritt das Stammgesetz des heute geltenden Bundesverfassungs-Gesetzes (B-VG), das B-VG vom 1.10.1920 (BGBl 1/1920), in Kraft. Es errichtet Österreich als Bundesstaat und enthält den Kernbestand der Verfassungsordnung: insbesondere die Grundprinzipien, die Kompetenzverteilung zwischen Bund und Ländern und die Rechtsvorschriften zur Entstehung von Rechtsnormen.

1930 wird es unter dem Titel „Bundes-Verfassungsgesetz in der Fassung von 1929" wiederverlautbart (BGBl 1/1930), jedoch im Zuge bürgerkriegsartiger Auseinandersetzung im Jahr 1934 außer Kraft gesetzt. In den Folgejahren kommt es zum „Anschluss" Österreichs an das Deutsche Reich (1938) – völkerrechtlich als Okkupation bezeichnet –, zur damit verbundenen Diktatur des nationalsozialistischen Regimes unter *Adolf Hitler* und zum Zweiten Weltkrieg. Erst nach dessen Ende, noch in der Zeit der Besetzung Österreichs durch die Siegermächte, werden das B-VG von 1929 sowie sämtliche Verfassungsgesetze und Verfassungsbestimmungen nach dem Stande von 1933 neuerlich wirksam (Verfassungs-Überleitungsgesetz, StGBl 1945/4). Erst ab diesem Zeitpunkt und auf dieser Grundlage entwickelt sich die österreichische Rechtsordnung bis heute kontinuierlich. Mit dem Inkrafttreten des Staatsvertrags von Wien am 27.7.1955 hat Österreich seine volle staatliche Souveränität wiedererlangt.

Das heute geltende Verfassungsrecht ist, von einer enormen Zersplitterung geprägt, in verschiedenen Quellen zu finden. Mehr als 1.000 Verfassungsregeln existieren außerhalb des B-VG: als weitere Bundesverfassungsgesetze, einzelne

Verfassungsbestimmungen in einfachen Gesetzen und Staatsverträge, die teilweise oder vollständig in Verfassungsrang gehoben wurden. Auch der Katalog an Grundrechten und Grundfreiheiten ist nicht in einer abgeschlossenen Kodifikation zu finden.[1]

Diese Unübersichtlichkeit, das fallweise gerügte Auseinanderklaffen von Verfassungsrecht und Verfassungswirklichkeit – die staatliche Macht wird mehr unter den politischen Parteien als unter den verfassungsrechtlichen Institutionen aufgeteilt –, aber auch der Beitritt Österreichs zur Europäischen Union haben zum Bedarf an Reformen geführt. Seit 2003 arbeitet der sogenannte Österreich-Konvent an einem Vorschlag für eine Totalreform.

Bestimmte Ideen, die der staatlichen Ordnung zugrunde liegen, werden als die Grundprinzipien der österreichischen Verfassung anerkannt. Damit wird ihnen eine noch höhere Bestandskraft verliehen: Soll eines dieser Prinzipien gravierend geändert werden, bedeutet das eine Gesamtänderung der Bundesverfassung. Der Gesetzgeber ist dabei an eine Volksabstimmung gebunden (Art. 44 B-VG).

Art. 1 B-VG legt das demokratische und das republikanische Prinzip programmatisch fest. Konkret ausgestaltet ist die Demokratie parlamentarisch und überwiegend repräsentativ. Die Mitglieder des Parlaments – des Gesetzgebers – werden unmittelbar und persönlich vom Volk gewählt. Bei dieser Wahl können die Wahlberechtigten allerdings nur eine der durch die politischen Parteien erstellten und bekannt gemachten Bewerberlisten wählen und bestimmte Bewerber aus dieser Liste durch ihre Vorzugsstimme hervorheben. Das System ist durch einzelne unmittelbar demokratische Einrichtungen ergänzt, insbesondere durch Volksbegehren (Art. 41 B-VG).

Österreich ist eine rechtsstaatliche Demokratie: Die gesamte staatliche Vollziehung, dazu gehört sowohl die Verwaltung als auch die Gerichtsbarkeit, ist dem Legalitätsprinzip verpflichtet. Sie darf folglich nur aufgrund der Gesetze – nach festen und daher vorhersehbaren Regeln – ausgeübt werden (Art. 18 B-VG). Rechtsschutzeinrichtungen machen diese Bindung der Behörden durchsetzbar. Die Kontrolle der Verwaltung durch den Verwaltungsgerichtshof (VwGH) und den Verfassungsgerichtshof (VfGH), die Bindung des Gesetzgebers an die Verfassung einschließlich ihrer Überprüfung durch den VfGH und die Existenz unabhängiger Gerichte werden ebenfalls als Ausdruck des rechtsstaatlichen Prinzips verstanden.

Österreich ist ein Bundesstaat (Art. 2 B-VG), bestehend aus neun Bundesländern. Die föderalistische Organisation ergibt sich aus der Kompetenzverteilung zwischen Bund (dem Gesamtstaat) und den einzelnen Ländern durch relativ autonome Landesgesetzgebungen und Landesverwaltungen, durch die Mitwirkung der Länder an der Gesetzgebung und an der Vollziehung des Bundes. Die Gesetz-

---

[1] Siehe unten 2.

gebung und Vollziehung des gerichtlichen Strafrechts fällt in die Kompetenz des Bundes (Art. 10 Abs. Z. 6 B-VG).

Aus verschiedenen Verfassungsvorschriften ist abzuleiten, dass die Verfassung dem Prinzip der Trennung der drei Staatsgewalten – Legislative, Exekutive, Justiz – verpflichtet ist.

Auch das liberale Prinzip ist nicht ausdrücklich im B-VG normiert, jedoch lässt es sich insbesondere aus den Grund- und Freiheitsrechten ableiten,[2] die überwiegend liberalistisch konzipiert sind: Sie räumen dem Einzelnen Bereiche der Freiheit gegenüber dem Staat ein.

– *Andere übergesetzliche Regelungen*

Das österreichische Verfassungsrecht erklärt die allgemein anerkannten Regeln des Völkerrechts zum Bestandteil des Bundesrechts (Art. 9 Abs. 1 B-VG).

Völkerrechtliche Verträge, die Österreich unterzeichnet hat, sind nicht automatisch nationales Recht: Sie bedürfen zu ihrer Geltung außer der Ratifikation auch einer Transformation, das ist die Übernahme in die inländische Rechtsordnung durch den Gesetzgeber (Art. 50, 65 B-VG). Für ihre Anwendbarkeit ist in der Regel außerdem ein Umsetzungsgesetz erforderlich.[3] Nach diesen Akten stehen sie den (einfachen) Gesetzen gleich, es sei denn, der Gesetzgeber räumt ihnen den Rang eines Verfassungsgesetzes ein. Letzteres gilt für die EMRK und ihre Zusatzprotokolle.[4]

Das Sekundärrecht der Europäischen Union (EU) – dazu gehören Verordnungen, Richtlinien und Rahmenbeschlüsse sowie Entscheidungen – gilt in Österreich unmittelbar, und zwar in dem Sinn, als diese Rechtsakte mit ihrer Verlautbarung im Amtsblatt der EU zu einem Bestandteil der österreichischen Rechtsordnung werden. Es bedarf keines Aktes des Gesetzgebers und auch keiner Publikation im Bundesgesetzblatt (BGBl). Verordnungen sind zudem unmittelbar anwendbar; Richtlinien und Rahmenbeschlüsse geben demgegenüber nur Ziele vor, zu deren gesetzlicher Umsetzung Österreich verpflichtet ist.

2. Grundrechte und Grundfreiheiten

Die Verfassung garantiert einen Katalog subjektiver Rechte des Einzelnen gegenüber dem Staat. Sie ergeben sich jedoch nicht aus *einer* nationalen Quelle mit sorgfältig aufeinander abgestimmten und abgegrenzten Rechtspositionen, wie sie

---

[2] Siehe unten 2.

[3] Siehe auch unten I.F.2.

[4] Siehe näher I.B.2.b. sowie unten 2.

etwa das – inhaltlich durchaus vergleichbare – deutsche Grundgesetz bietet: Die österreichische Grundrechtsordnung ist zersplittert; die einzelnen Grundrechte sind in verschiedenen Zeiten entstanden, sie sind in verschiedenen Gesetzen geregelt, sind daher verschieden strukturiert und erhalten ihren jeweiligen Inhalt, durchaus mit Überschneidungen, aus verschiedenen systematischen Zusammenhängen. Die originär österreichischen Rechtsquellen, die strafrechtlich relevante Grundrechte regeln, sind insbesondere

- das Hausrechtsgesetz von 1862 (RGBl 1862/88),
- das Bundesverfassungsgesetz über den Schutz der persönlichen Freiheit von 1988 (BGBl 1988/684; die vorgesehenen Garantien existieren bereits seit dem gleichnamigen Gesetz nach RGBl 1862/67),
- das Staatsgrundgesetz von 1887 (RGBl 1867/142),
- einzelne Bestimmungen des B-VG,
- sowie einzelne Bestimmungen in verschiedenen (einfachgesetzlichen) Kodifikationen.

Außerdem stehen die EMRK (BGBl 1958/210) und deren von Österreich ratifizierten Zusatzprotokolle im Verfassungsrang (zur EMRK: BGBl 1964/59). Sie sind unmittelbar anwendbar.[5] Die nach diesen völkerrechtlichen Verträgen garantierten Rechte sind in Österreich daher ebenfalls subjektive Rechte des Einzelnen gegen den Staat.

Der Terminus Grundrecht wird im geschriebenen Recht so gut wie nicht verwendet, sondern ist ein Produkt von Judikatur und Schrifttum. Er soll jene Regeln der Verfassung erfassen, die dem einzelnen Bürger eine subjektive Rechtsposition einräumen. Den erforderlichen Rechtsschutz gewährleistet die Verfassungsgerichtsbarkeit, eine vergleichsweise alte Tradition der österreichischen Rechtsordnung, die der Verfassungsgerichtshof (VfGH) ausübt: Der Bürger, der sich durch einen Akt des Gesetzgebers oder der Verwaltung in einem seiner „verfassungsgesetzlich gewährleisteten Rechte" verletzt erachtet, kann vor dem VfGH eine Individualbeschwerde erheben (Art. 144 B-VG). Die Frage, welche der (objektiven) Normen in Verfassungsrang ein subjektives Recht in Verfassungsrang vermitteln, beantwortet der VfGH extensiv. Es genügt, wenn an der bestreffenden Norm ein hinlänglich individualisierbares Parteiinteresse besteht. Ungeschriebenes Verfassungsrecht anerkennt er nicht.

Akte der Gerichtsbarkeit unterliegen jedoch keiner nachprüfenden Kontrolle des VfGH. Diesbezüglich ist der Oberste Gerichtshof (OGH) die letzte innerstaatliche Instanz. Soweit die Verletzung eines durch die EMRK garantierten Rechts behauptet wird, kann der Beschwerdeführer nach der Entscheidung des VfGH bezie-

---

[5] Siehe auch oben I.B.2.b.

hungsweise des OGH dem Europäischen Gerichtshof für Menschenrechte eine Beschwerde gegen Österreich vorlegen.

Hier interessieren jene Grundrechte, die den Staat (auch) in seiner Macht einschränken, Straftatbestände zu schaffen, die bestimmte Strafen oder strafrechtliche Maßnahmen ausschließen oder die die Strafverfolgung – sei es im Hinblick auf bestimmte Methoden oder überhaupt – verbieten, vorbestimmen oder beschränken. Es sind im Wesentlichen die Folgenden:

- Das Recht auf Leben (Art. 85 B-VG; Art. 2 Abs. 2 EMRK; ZP 6 und ZP 13 EMRK). Menschliches Leben steht in der österreichischen Hierarchie der Rechtsgüter an erster Stelle. Die Todesstrafe ist daher absolut und notstandsfest verboten. Auf ungeborenes Leben bezieht sich das Grundrecht nicht.
- Das Verbot von Folter und unmenschlicher oder erniedrigender Strafe oder Behandlung (Art. 3 EMRK).
- Der Gleichheitssatz (Art. 7 Abs. 1 B-VG). Für die gesamte Vollziehung werden daraus das Gebot der Verhältnismäßigkeit und das Verbot von Willkür abgeleitet. Und Gesetze sind einem allgemeinen Sachlichkeitsgebot verpflichtet.

Dazu kommen die sogenannten Abwehrrechte – sie schirmen bestimmte Lebensbereiche oder Rechtsgüter vor staatlichen Eingriffen oder Beschränkungen ab:

- das Recht auf persönliche Freiheit (Art. 5 EMRK; PersFG);
- das Recht auf Achtung des Privat- und Familienlebens (Art. 8 EMRK);
- die Unverletzlichkeit des Hausrechts (Hausrechtsgesetz, RGBl 1862/88; inkorporiert in Art. 9 StGG; auch ein Teilrecht von Art. 8 EMRK). Dieses schützt den Wohnbereich vor gesetzwidrigen behördlichen Durchsuchungen (so das Hausrechtsgesetz) und überhaupt vor behördlichem Eindringen (Art. 8 EMRK);
- das Briefgeheimnis (Art 10 StGG);
- das Fernmeldegeheimnis (Art 10a StGG);
- das Recht auf Unverletzlichkeit des Eigentums (Art. 5 StGG; Art. 1 ZP 1 EMRK);
- das Recht auf Datenschutz (§ 1 DSG);
- die Meinungsfreiheit, Pressefreiheit und Zensurfreiheit (Art. 13 StGG);
- die Glaubens- und Gewissensfreiheit (Art. 14 StGG; Art. 9 EMRK);
- die Freiheit der Wissenschaft und ihrer Lehre (Art. 17 StGG);
- die Freiheit der Kunst (Art. 17a StGG);
- die Vereins- und Versammlungsfreiheit (Art. 12 StGG; Art. 11 EMRK).

Folgende Grundrechte werden schließlich als Verfahrensgrundrechte bezeichnet:

- Das Recht auf ein Verfahren vor dem gesetzlichen Richter (Art. 83 Abs. 2 B-VG).

- Die Freiheit von Zwang zur Selbstbelastung *(nemo tenetur se ipsum accusare)* leitet der VfGH aus dem Anklageprinzip (Art. 90 Abs. 2 B-VG) ab.
- Das Recht auf eine wirksame Beschwerde gegen Verletzungen der EMRK (Art. 13 EMRK).
- Das Gesetzmäßigkeitsprinzip: Die gesamte staatliche Verwaltung, einschließlich der Gerichtsbarkeit, darf nur aufgrund der Gesetze ausgeübt werden (Art. 18 B-VG; die einfach- (straf-)gesetzliche Konkretisierung nach § 1 StGB geht darüber in gewissen Punkten hinaus[6]).
- Das Verbot rückwirkender Strafgesetze (*nullum poena sine lege*, Art. 7 EMRK; § 1 StGB in seiner einfach- (straf-)gesetzlichen Auslegung).
- Das Verbot der Doppelbestrafung (*ne bis in idem*, Art. 4 ZP 7 EMRK).
- Das Recht auf ein faires gerichtliches Verfahren in Zivil- und Strafrechtssachen (Art. 6 EMRK). Dazu gehören insbesondere das Recht auf richterliche Unabhängigkeit (auch nach Art. 87 Abs. 1 B-VG garantiert) und Unparteilichkeit, die Unschuldsvermutung, das Recht auf rechtliches Gehör und das Recht auf Verteidigung.
- Mündlichkeit und Öffentlichkeit der Verhandlung in Strafsachen (und in Zivilrechtssachen) vor dem erkennenden Gericht (Art. 90 Abs. 1 B-VG, Art. 6 Abs. 1 EMRK).
- Das Recht auf eine nachprüfende Instanz im Fall einer gerichtlichen Verurteilung wegen einer strafbaren Handlung (Art. 2 ZP 7 EMRK).
- Das Recht auf eine Entschädigung für Fehlurteile (Art. 3 ZP 7 EMRK).

Nur einige dieser Rechte gelten absolut; hervorzuheben sind das Folterverbot, das Verbot der Todesstrafe, aber auch die Freiheit von Zwang zur Selbstbelastung: Ein Eingriff ist den Staatsorganen unter keinen Umständen erlaubt. Die Mehrheit der grundrechtsgeschützten Rechtsgüter steht im Gegensatz dazu unter Gesetzesvorbehalt. Ein staatlicher Eingriff, der gesetzlich vorgesehen ist, ist zulässig, wenn er verhältnismäßig ist. Auf formaler Ebene besteht in der Regel Richtervorbehalt. Unter dieser Auflage darf ein Grundrechtseingriff grundsätzlich nur unternommen werden, wenn ein richterlicher Befehl vorliegt. Dieser Richtervorbehalt kann im Hinblick auf bestimmte Grundrechte suspendiert werden, wenn Gefahr im Verzug vorliegt und die Einbeziehung des Richters zu viel Zeit in Anspruch nehmen würde; beispielsweise haben die Sicherheitsbehörden eine derartige Befugnis zu Eingriffen in das Hausrecht. Etwas anderes gilt für das Fernmeldegeheimnis: Art. 10a StGG sieht keine Ausnahmen vom Richtervorbehalt vor.

---

[6] Siehe unten D.2.

3. Sonstige übergesetzliche Normen von strafrechtlicher Relevanz

Strafrechtlich und strafprozessrechtlich relevante Verfassungsnormen, die dem Einzelnen kein subjektives Recht einräumen, sind etwa die Regeln des B-VG über die Ernennung zum Richteramt (Art. 86), die Laiengerichtsbarkeit (Art. 91) und die Funktion des OGH als die oberste Instanz in Strafsachen (und Zivilrechtssachen).

Literaturhinweise zu Abschnitt C.

Adamovich, Ludwig Karl/Funk, Bernd-Christian/Holzinger, Gerhart, Österreichisches Staatsrecht. Wien 1997 (Band 1), 1998 (Band 2), 2003 (Band 3).

Berka, Walter, Die Grundrechte. Wien 1999.

Grabenwarter, Christoph, Europäische Menschenrechtskonvention. Ein Studienbuch. 3. Aufl. Wien 2008.

Klecatsky, Hans, Das österreichische Bundesverfassungsrecht. 2. Aufl. Wien 1973.

Öhlinger, Theo, Die Grundrechte in Österreich. Ein systematischer Überblick. EuGRZ 1982, 216–245.

– Verfassungsrecht. 7. Aufl. Wien 2007.

Walter, Robert/Mayer, Heinz/Kucsko-Stadlmayer, Gabriele, Bundesverfassungsrecht. 10. Aufl. Wien 2007.

D. Strafrechtstheoretische Grundlagen

1. Aufgaben des Strafrechts

– *Gedanklicher Hintergrund*

Das moderne österreichische Strafrecht ist im Zuge eines fundamentalen sozialen Wandels entstanden: mit dem Aufstieg und der Ausformung des gewerbe- und handeltreibenden Bürgertums, das im 18. und 19. Jahrhundert als eigener, selbstbewusster und auch zunehmend wohlhabender Stand neben die Adeligen, Bauern und Geistlichen tritt. Es bildet sich eine bürgerlich-kapitalistische (Klassen-)Gesellschaft heraus, die auf die Freiheit des (bürgerlichen) Individuums und des Eigentums drängt. Diese Gesellschaft beruft sich auf die Philosophie der Aufklärung, einem Verständnis von Staat und Recht, in der die Anerkennung jedes Menschen als autonom entscheidendes Subjekt im Mittelpunkt steht.

Herrschaft und Recht lassen sich vor diesem Hintergrund nicht mehr wie einst als ein Plan Gottes hinnehmen – die staatliche Ordnung wird vielmehr aus der menschlichen Vernunft abgeleitet und gestaltet. Der freiheitliche Rechtsstaat wird gefordert – und nach und nach durchgesetzt. Auch oder sogar gerade das Strafrecht steht unter dem Anspruch auf Rationalität, auf eine möglichst weitgehende Freiheit vor staatlichen Eingriffen und auf Humanität. Dementsprechend zeichnet es sich erstens durch eine strenge Bindung an den Schutz ausgesuchter, eindeutig benennbarer Rechtsgüter aus. Aufgrund des hochgradigen staatlichen Zwangs, der mit der Vollziehung von Strafrecht stets verbunden ist, ist es zweitens gegenüber weniger eingreifenden Maßnahmen subsidiär *(ultima ratio)*. Beide Prinzipien geben dem Strafrecht zwingend einen fragmentarischen Charakter.

– *Funktionsbestimmung: Strafrecht als Mittel des Rechtsgüterschutzes*

Dem Strafrecht wird in der österreichischen Rechtsordnung die Funktion zugewiesen, die rechtlich anerkannten Werte der Gesellschaft – ihre Rechtsgüter – zu schützen. Nach diesem Konzept ist ein strafrechtsbewehrtes Verbot auch nur gerechtfertigt, wenn die Bindung an ein konkretes Rechtsgut ausgewiesen werden kann. Ist der geschützte Wert hinter einem Straftatbestand jedoch nicht konkret fassbar, besteht Entkriminalisierungsbedarf.

Nicht jedes anerkannte Rechtsgut ist auch strafrechtlich geschützt und nicht jede Art seiner Beeinträchtigung ist mit Strafe bedroht. Eine Kriminalisierung ist nach österreichischem Rechtsverständnis nur angebracht, wenn ein besonders hochwertiges Rechtsgut auf besonders verwerfliche Weise angegriffen wird. Strafrechtlichen Schutz genießen insbesondere das Leben eines Menschen, sein Vermögen, seine körperliche Unversehrtheit und seine persönliche Freiheit. Außer individuell zuordenbaren Rechtsgütern sind aber auch bestimmte Verletzungen von Rechtsgütern der Allgemeinheit mit Strafe bedroht, etwa die Umwelt oder die Integrität von (staatlichen) Amtsträgern.

Die Funktionsbestimmung des Strafrechts als Mittel zum Schutz von Rechtgütern verlangt, dass die Androhung von Strafe diesen Schutz tatsächlich leistet. Die Vollziehung von Strafrecht erfolgt zwar stets erst, nachdem jemand ein Rechtsgut beeinträchtigt und insofern strafrechtlicher Schutz versagt hat. Die Strafe muss aber geeignet sein, zukünftigen Verletzungen dieser Art entgegenzuwirken: Sie steht unter dem Anspruch der Prävention.[1] Nur wenn sie ihn erfüllt, erfüllt das Strafrecht seinen anerkannten Zweck – der Werterhaltung.

– *Ultima ratio*

Die Existenz eines (hochwertigen) Rechtsguts bedeutet noch nicht zwingend, dass es durch strafrechtliche Verbote zu schützen ist. Strafrecht ist das härteste Durchsetzungsmittel, das dem Staat zur Verfügung steht. Es ist daher der Ausnahmefall: wenn „besondere Verwerflichkeit und Gefährlichkeit des Angriffs im Interesse des Einzelnen und der Gemeinschaft den Tadel durch öffentliche Strafe *erfordert*" (*Fuchs*, Hervorhebung eingefügt). Strafrecht ist einzusetzen, wenn andere rechtliche Instrumente zum Rechtsgüterschutz unzureichend sind – Strafrecht ist *ultima ratio*, letztmögliches Mittel, um den geforderten Rechtsgüterschutz zu erreichen.

Welche Angriffe auf welche Rechtsgüter der Gesetzgeber schlussendlich mit Strafe bedroht und wie hoch er die Strafe ansetzt, ist eine rechtspolitische Entscheidung. Sie unterliegt daher ständigen Änderungen. So gab es insbesondere in den 1970er Jahren eine gewisse Tendenz zur Entkriminalisierung, während das Strafrecht in Reflexion auf die Probleme und gesellschaftlichen Risken der jüngeren Zeit eher ausgedehnt wird. Dahinter steht in vielen Fällen eine verpflichtende internationalrechtliche Einigung. Dieser Trend zeichnet sich zum einen im Wirtschaftsstrafrecht ab; beispielsweise wird durch Etablierung eines „Computerstrafrechts" auf die Unsicherheit reagiert, die mit dem Gebrauch neuer Technologien verbunden ist. Zum anderen beinhaltet er Tatbestände, die nicht, wie nach dem klassischen Konzept des Strafrechts, ein rechtsgutsverletzendes Verhalten zum Gegenstand haben, sondern bereits die Beteiligung an einer gefährlichen Personenvereinigung bestimmter – krimineller oder terroristischer – Ausrichtung kriminalisieren.

Derartige Entwicklungen werden von einem großen Teil des Schrifttums kritisch aufgenommen: Die Straftatbestände der jüngeren Zeit hätten den klaren Bezug zu einem konkreten, fassbaren Rechtsgut weitgehend verloren. Strafrecht werde statt auf ausgesucht schwere Übergriffe zu reagieren zunehmend zur vorbeugenden

---

1 Siehe unten 3.

Kontrolle von Risiken eingesetzt, und es sei mittlerweile *prima ratio (Hassemer)* der Politik geworden, Missständen jeder beliebigen Art durch weitere Kriminalisierung entgegenzuwirken.

2. Rechtsstaatliche Grenzen des Strafrechts

Die Notwendigkeit des Strafrechts wird in Österreich anerkannt. Ernsthafte Vorschläge zu seiner Abschaffung werden nicht gemacht, wenn auch bekannt ist, dass die Vollziehung einer Strafe – zumindest einer Freiheitsstrafe – den Betroffenen wohl kaum bessern kann. Der Sinn, der dennoch im Strafrecht gesehen wird, liegt vor allem in der Bestätigung der Norm, die mit der Vollziehung und mit dem damit ausgesprochenen Unwerturteil über das Verhalten des Normverletzers erfolgt. Hingegen hätte eine seitens des Staates hingenommene Verletzung erstens Vorbildwirkung, zweitens würde sie zur Selbstjustiz führen – ein Missstand, der letzten Endes zur Entstehung des staatlichen Gewaltmonopols einschließlich Strafrecht geführt hat.

– *Gesetzlichkeitsprinzip*

Strafrecht kann seinen anerkannten Zweck, zukünftigen Verletzungen entgegenzuwirken, nur erreichen, wenn das strafrechtsbewehrte Verbot von vornherein klar erkennbar ist – sonst könnte niemand sein Verhalten danach richten.

Die verfassungsrechtliche Grundlage dieses Prinzips ist Art. 18 B-VG: Die gesamte staatliche Verwaltung, einschließlich der Gerichtsbarkeit, darf nur aufgrund der Gesetze ausgeübt werden (Gesetzlichkeitsprinzip[2]). Die einfach (straf-) gesetzliche Ausprägung (§ 1 StGB) geht darüber hinaus. Strafe darf nur „wegen einer Tat verhängt werden, die unter eine *ausdrückliche gesetzliche Strafdrohung* fällt und schon *zur Zeit ihrer Begehung* mit Strafe bedroht war“ (Hervorhebungen eingefügt), und sie darf nicht strenger sein, als es zu diesem Zeitpunkt vorgesehen gewesen ist. Darin sind folgende Prinzipien verankert:[3]

- das Verbot, Strafbarkeit oder Strafverschärfungen durch Analogie zu schaffen,
- das Verbot rückwirkender Strafgesetze,
- der grundsätzliche Ausschluss von Gewohnheitsrecht
- und das Gebot der Bestimmtheit.

Von diesen Gundsätzen ist nur das Rückwirkungsverbot verfassungsrechtlich gesichert (Art. 7 EMRK). Ansonsten wurde § 1 StGB, anders als ursprünglich geplant, kein Verfassungsrang eingeräumt. Insofern könnten einfache Gesetze davon abweichende Regeln enthalten.

---

2 Siehe oben I.C.2.

3 Siehe ausführlich dazu II.A.

– *Tatstrafrecht*

Strafrechtliches Unrecht hat stets ein bestimmtes Verhalten zum Gegenstand. Auch dieses Prinzip gehört nach österreichischem Verständnis zu einem an der Freiheit des Einzelnen orientierten Strafrecht: Niemand kann allein wegen seines Charakters, einer bestimmten Neigung oder wegen seiner inneren Einstellung bestraft werden. Straftatbestände beschreiben daher ausnahmslos eine Handlung oder eine pflichtwidrige Unterlassung – und nur, wenn Charakter, Neigung oder Einstellung einer Person zumindest zum Versuch eines solchen Verhaltens geführt haben, ist Strafe gerechtfertigt.

– *Schuldprinzip*

Eine Bestrafung gilt als ein geeignetes Mittel zum Zweck des Rechtsgüterschutzes – das allein rechtfertigt sie jedoch nicht. Denn das Menschenbild, auf das sich das moderne Strafrecht nach wie vor beruft, verbietet die Herabstufung des Einzelnen zu einem bloßen Mittel zu gesellschaftlichen Zwecken – hier: für den Zweck der Prävention –, wenn ihm sein unrechtes Verhalten nicht auch persönlich vorgeworfen werden kann. Dieser persönliche Vorwurf ist die strafrechtliche Schuld. § 4 legt ihre Unverzichtbarkeit für die Verhängung einer Strafe fest: „Strafbar ist nur, wer schuldhaft handelt"; nach § 32 richtet sich die Höhe der Strafe nach dem Ausmaß der Schuld und § 13 ordnet im Zusammenhang mit den Regeln über die Beteiligung Mehrerer an, dass jeder nach seiner Schuld zu bestrafen ist. Das österreichische Strafrecht ist damit als Schuldstrafrecht qualifiziert.

Was ein Schuldvorwurf jedoch beinhaltet, wird nicht gesetzlich definiert, und ist dementsprechend umstritten. Die traditionelle Schuldauffassung geht von der grundsätzlichen Fähigkeit der Menschen aus, Normen zu erfassen und ihr Verhalten danach auszurichten. Die Missachtung einer strafrechtlichen Verbotsnorm wird infolgedessen als autonome Entscheidung erkannt: Der Täter hat sie getroffen, obwohl er auch normgemäß hätte handeln können.

Es existiert allerdings schon lange das Bewusstsein, dass der freie Wille hinter einer menschlichen Handlung nicht bewiesen werden kann, und die jüngeren Entdeckungen der Hirnforschung von zahlreichen Determinanten des menschlichen Handelns lassen zunehmend daran zweifeln. In der österreichischen Strafrechtswissenschaft haben diese Zweifel zu einem reduzierten Schuldbegriff geführt. Schuld besteht demnach in der Abweichung des Täters vom Verhalten, das von einem mit den rechtlich geschützten Werten verbundenen Menschen zu erwarten war. Ob der Täter jedoch etwas für seine Differenz zu diesem normativen Maßstab kann oder nicht, ist unerheblich.

Diesem Verständnis wird allerdings entgegengehalten, dass es keinen persönlichen Vorwurf begründen kann; schließlich weicht jedes Verhalten, das nach den strafrechtlichen Normen als Unrecht zu beurteilen ist, vom erwarteten Maßstab ab.

Eine allein über diese Abweichung definierte Schuld hätte keinen über das Unrecht hinausgehenden Inhalt.

Für die Anwendung des österreichischen (Schuld-)Strafrechts bedarf es jedenfalls keiner Entscheidung für die eine oder andere Schuldauffassung, da das Vorliegen von Schuld nicht positiv bewiesen werden muss: Schuld wird im Normalfall als vorliegend angenommen. Nur für bestimmte Ausnahmezustände sind gesetzliche Schuldbefreiungsgründe vorgesehen. Es handelt sich um Umstände, bei deren Vorliegen bekannt und anerkannt ist, dass strafrechtswidriges Verhalten nicht zum Vorwurf gemacht werden kann. Dazu gehören explizit aufgezählte seelische Störungen wie insbesondere eine Geisteskrankheit, die den Betreffenden unfähig macht, Normen zu verstehen oder sich danach zu richten (§ 11 StGB – Zurechnungsunfähigkeit); dazu gehört die nicht vorwerfbare Unkenntnis über die Rechtswidrigkeit des eigenen Verhaltens (§ 9 – Verbotsirrtum); dazu gehören aber auch bestimmte Notstandssituationen, aus denen sich auch eine gesunde Person nur retten kann, indem sie ein strafrechtlich geschütztes Rechtsgut verletzt (§ 10 StGB – entschuldigender Notstand).

Darüber hinausgehend folgen aus dem Bekenntnis zum Schuldstrafrecht gewisse Grenzen für die Definition von strafbarem Unrecht. Persönliche Vorwerfbarkeit eines rechtsgutsverletzenden Verhaltens setzt schließlich voraus, dass der Schaden tatsächlich als ein Werk des Täters gilt. Strafbares Unrecht kann daher nur in einem sozial inadäquat gefährlichen Verhalten liegen, dem die betreffende Verletzung im Sinne der Kausalität aber auch in einem normativ-wertenden Sinn zugerechnet wird.

3. Strafzwecke

Der Zweck einer Strafe wird heute ausschließlich in der Prävention gesehen: Strafrecht ist ein Mittel des Rechtsgüterschutzes, daher ist es auf Verbrechensverhütung ausgerichtet. Sie soll zum einen durch Einwirkung auf den Täter (Spezialprävention) und zum anderen durch Einwirkung auf die Allgemeinheit (Generalprävention) erreicht werden.

Vergeltung wird nicht mehr als Strafzweck anerkannt. Die alten Vergeltungstheorien liegen dem vorsäkularen Strafrecht zugrunde, in dem die strafbare Handlung als Sünde und die Bestrafung als Aussöhnung mit Gott verstanden wurde. Erst später, in der Zeit *Immanuel Kants* (1724–1804), lassen sich rationale, und zwar allein auf Gerechtigkeitsargumenten basierende Begründungen für ein Vergeltungsstrafrecht finden.

Mit *Franz von Liszt* (1851–1919) wurden wesentliche Überlegungen zur spezialpräventiven Wirkung von Strafe entwickelt. Nach diesen soll die Strafe für Abschreckung, Resozialisierung und im äußersten Fall für Wegsperrung des Einzelnen sorgen, wobei in der modernen Zeit die Resozialisierung des Verurteilten im Vordergrund steht. Aus diesem Grund wird heute die diesbezüglich äußerst problematische Gefängnisstrafe zurückgedrängt; Geldstrafen, bedingte Nachsicht und vor allem diversionelle Erledigungsformen werden forciert.

Generalprävention ist eines der Leitthemen bei *Paul Johann Anselm von Feuerbach* (1775–1833). In seiner Lehre vom psychologischem Zwang der Strafdrohung steht die Abschreckung potentieller Täter (negative Generalprävention) im Vordergrund. In jüngerer Zeit wird demgegenüber die positive Generalprävention hervorgehoben. Sie bedeutet, dass die Androhung von Strafe eine klare Ablehnung des verbotenen Verhaltens zum Ausdruck bringt; die Verhängung und Vollziehung hat die Funktion, die strafrechtliche Norm zu bekräftigen, sie zu stabilisieren.

4. Grundlegende Prinzipien des Strafverfahrensrechts

Schon die Strafverfolgung wird als massiver Eingriff in das Leben des Betroffenen erkannt, der regelmäßig das gesellschaftliche Stigma teilweise vorwegnimmt, das erst die Verhängung einer Strafe bewirken sollte. Die im Folgenden genannten Prinzipien des Verfahrens sollen daher dem Vorgehen der Strafverfolgungsbehörden gewisse Grenzen setzen. Nicht alle sind auch verfassungsrechtlich verankert.[4] Nach der früheren Rechtslage waren ihre Rechtsgrundlagen verstreut und ihre Reichweite schwer fassbar. Im Zuge der umfassenden Reform des Ermittlungsverfahrens[5] wurden dieser Mangel beseitigt, die Grundsätze des Strafverfahrens explizit geregelt und an den Anfang der StPO gestellt.

Die Aufgabenverteilung und -beschreibung im Strafprozess erfolgt

- nach dem Anklagegrundsatz (Art. 90 Abs. 2 B-VG, § 4 StPO);
- dem Grundsatz der öffentlichen Anklage (Offizialprinzip) und dem Anklagezwang (Amtswegigkeit, strafprozessuales Legalitätsprinzip, § 2 StPO);
- mit dem Ziel, die materielle Wahrheit nach der Instruktionsmaxime zu ermitteln (§ 3 StPO).

Die Achtung der Würde und Freiheit der Person schützen

- das Folterverbot (Art. 3 EMRK, § 164 Abs. 4 und § 166 StPO);
- das Verbot des Zwangs zur Selbstbelastung (*nemo tenetur se ipsum prodere*; Art. 90 Abs. 2 B-VG, § 7 Abs. 2, § 164 Abs. 4, § 166 StPO);

---

4 Vergleiche oben I.C.2.

5 BGBl I 2004/19, in Kraft seit 1.1.2008; siehe dazu unten I.G.3.

- die Parteistellung des Beschuldigten; sie ist der Kern des fairen Verfahrens und vermittelt rechtliches Gehör, Verteidigung und den Anspruch auf Waffengleichheit (Art. 6 EMRK, § 6, § 7 StPO);
- der Grundsatz der offenen Ermittlungen und ein Täuschungsverbot (§ 5 Abs. 3, § 164 Abs. 4 und § 166 StPO);
- die Bindung an Gesetz- und Verhältnismäßigkeit im Strafprozess- und Polizeirecht (Art. 18 B-VG, § 5 , § 93 StPO, § 87, § 29 SPG);
- die Unschuldsvermutung (§ 6 Abs. 2 EMRK, § 8 StPO) und mit ihr die Verdachtsbindung strafrechtlicher Ermittlungen;
- der Grundsatz *ne bis in idem* (Art. 4 7. ZP EMRK, § 17 StPO, § 54 SDÜ).

Die verfassungsgesetzlich gewährleisteten Anforderungen an die Besetzung des Gerichts sind

- die richterliche Unabhängigkeit (Art. 87 Abs. 1 B-VG, Art. 6 Abs. 1 EMRK) und das Recht auf den gesetzlichen Richter (Art. 83/2 B-VG);
- die Beteiligung von Laien an der Rechtsprechung über Straftaten einer bestimmten Schwere sowie bei politischen Delikten (Art. 91 B-VG, § 11 StPO).

Hauptverhandlung und Entscheidung in Strafsachen sind bestimmt von

- Mündlichkeit und Unmittelbarkeit (§ 12, § 13, § 252, § 258 Abs. 1 StPO);
- Öffentlichkeit (Art. 90 B-VG, § 12 Abs. 1 StPO);
- freier richterlicher Beweiswürdigung in Verbindung mit dem Zweifelsgrundsatz, der im Fall einer mangelhaften Beweislage einen Freispruch fordert (*in dubio pro reo*; § 14, § 258 Abs. 2 StPO).

Literaturhinweise zu Abschnitt D.

Bertel, Christian, Die Generalprävention. In: Walter Melnizky/Otto F. Müller (Hrsg.), FS Pallin. Wien 1989, S. 31–38.

Burgstaller, Manfred, Grundprobleme des Strafzumessungsrechts. ZStW 94 (1982), 127–160.

– Aktuelle Wandlungen im Grundverständnis des Strafrechts. JBl 1996, 362–366.

– Entwicklungen des Strafrechts in Österreich seit 1975. In: Karl-Heinz Gössel/Otto Triffterer (Hrsg.), GS Zipf. München 1999, S. 3–34.

Fuchs, Helmut, Mangelnde Strafwürdigkeit der Tat (§ 42). JAP 1990/1991, 134–141.

– Österreichisches Strafrecht. Allgemeiner Teil I. 7. Aufl. Wien 2008.

Grafl, Christian, Freiheitsstrafe als ultima ratio? JAP 2006/2007/30.

Hassemer, Winfried, Unverfügbares im Strafprozeß. In: Arthur Kaufmann/Werner Mestmäcker/Ernst Zacher (Hrsg.), FS Maihofer. Frankfurt am Main 1988, S. 183–204.

– Kennzeichen und Krisen des modernen Strafrechts. ZRP 1992, 378–383.

– Sicherheit durch Strafrecht. In: Institut für Kriminalwissenschaften und Rechtsphilosophie (Hrsg.), Jenseits des rechtsstaatlichen Strafrechts. Band 100. Frankfurt am Main, Berlin, Bern 2006, S. 99–137.

Karollus, Martin, Zur verfassungsrechtlichen Verankerung des strafrechtlichen Schuldprinzips. ÖJZ 1987, 677–684.

Kempf, Eberhard, Die Funktion von Strafrecht und Strafverteidigung in einer modernen Gesellschaft. AnwBl 1997, 522–531.

Lewisch, Peter, Verfassung und Strafrecht. Wien 1993.

Platzgummer, Winfried. In: Egmont Foregger/Friedrich Novakowski, Wiener Kommentar zum Strafgesetzbuch. 1. Aufl. §§ 18–20. Wien 1980.

– Strafe, Schuld und Persönlichkeitsadäquanz. Zugleich ein Beitrag zur Kritik der charakterologischen Schuldauffassung. In: Walter Melnizky/Otto F. Müller (Hrsg.), FS Pallin. Wien 1989, S. 319–332.

Presslauer, Walter, Entkriminalisierung der fahrlässigen leichten Körperverletzung – strafrechtliche und verwaltungsstrafrechtliche Problematik (Vortragsbericht). ÖJZ 1982, 581.

Reindl, Susanne, Braucht das Recht der öffentlichen Wiedergabe strafrechtlichen Schutz? ÖBl 2006/50.

Zerbes, Ingeborg, Schuldausschluss bei Affekttaten. Eine Präzisierung der strafrechtlichen Zurechnungsunfähigkeit. Wien 1999.

E. Abgrenzung und Einordnung des Strafrechts

1. Begriffliche und sachliche Umgrenzung des Strafrechts

– *Definition des Strafrechts*

Kriminalstrafrecht wird nach zwei konstitutiven Kriterien definiert: nach der Art der Rechtsfolge und nach der vollziehenden Behörde. Zum einen zeichnet es sich durch die Androhung einer diskriminierenden Strafe aus: Für den Verstoß gegen ein kriminalstrafrechtliches Verbot ist eine Rechtsfolge vorgesehen, die den verurteilten Täter nicht nur in bestimmten Rechtsgütern – in seiner persönlichen Freiheit oder in seinem Vermögen – beeinträchtigt, sondern auch ein Unwerturteil über sein Verhalten zum Ausdruck bringt. Die Strafe wird in ein Strafregister eingetragen, und bis zur Tilgung dieses Eintrags trägt der Bestrafte das Stigma des „Vorbestraften", des Kriminellen.

Zum anderen wird eine kriminalstrafrechtliche Sanktion durch Gerichte verhängt – daher sind auch die Begriffe „Justizstrafrecht" oder „gerichtliches Strafrecht" geläufig. Die drohende Strafe und bereits das Verfahren, das zu ihrem Ausspruch führen kann, greifen schwerwiegender in das Leben des Betroffenen ein als jede andere staatliche Maßnahme. Sie darf daher ausschließlich nach einem fairen Verfahren (Art. 6 EMRK) von unabhängigen, unabsetzbaren und unversetzbaren Richtern ausgesprochen werden.[1]

– *Das Strafrecht als Teil des öffentlichen Rechts*

Alle Normen der österreichischen Rechtsordnung werden nach römischrechtlicher Tradition entweder dem öffentlichen oder dem Privatrecht zugeordnet. Während das Privatrecht auf der Gleichrangigkeit der Beteiligten aufbaut, die ihre privaten Rechte und Pflichten grundsätzlich frei gestalten und gegeneinander durchsetzen,[2] prägt Rechtsgüterschutz durch öffentliches Recht stets eine Hierarchie: Der Staat tritt dem Einzelnen in Ausübung seiner Hoheitsgewalt gegenüber. Eine öffentlich-rechtliche Norm legt die der Staatsgewalt gegenüber bestehenden Rechte und Pflichten fest. Der Anspruch der Staatsgewalt, wegen einer Rechtsverletzung eine Sanktion zu verhängen, ist stets durch eine öffentlich-rechtliche Norm festgelegt. In diesem Sinne repressive Ordnungssysteme gehören demnach zum öffentlichen Recht.

Das Strafrecht bildet einen Teil des öffentlichen Rechts, weil es das Verhältnis zwischen dem Staat und untergeordneten Individuen betrifft. Die Kriminalisierung

---

1 Zu den verfahrensrechtlichen Garantien siehe oben C.2. und D.4.

2 Siehe unten b.

bestimmter Verhaltensweisen sowie die Verhängung und Vollstreckung von Sanktionen wegen begangener Straftaten sind hoheitliche Angelegenheiten.

Im Unterschied dazu geht es im Zivilrecht um Rechtsbeziehungen und die Lösung von Konflikten zwischen formell gleichgestellten Parteien. Berührungspunkte dieser beiden Rechtsgebiete ergeben sich jedoch beispielsweise im Zusammenhang mit Eigentums- und Bereicherungsdelikten. Auch das Zivilrecht wird von Gerichten vollzogen.

– *Materielles Strafrecht, Strafprozessrecht und Strafvollzugsrecht*

„Strafrecht“ ist der Überbegriff für das materielle Strafrecht, das Strafverfahrensrecht und das Strafvollstreckungsrecht. Das materielle Strafrecht regelt die Voraussetzungen für die Verhängung einer Strafe. In einem Allgemeinen Teil sind die Normen über die allgemeinen Merkmale einer Straftat (Allgemeiner Teil I) und über die Folgen einer Straftat (Allgemeiner Teil II) enthalten. Der Besondere Teil nennt die Straftatbestände (Delikte) – das Verhalten, das mit Strafe bedroht ist – und koppelt sie jeweils an einen bestimmten Strafrahmen.

Im Strafprozessrecht ist das Verfahren vorgegeben, das zur Verhängung einer Strafe für solche Taten führt, die den Gerichten zur Aburteilung zugewiesen sind. Strafvollzugsrecht regelt die Verwirklichung der in einem strafgerichtlichen Urteil vorgesehenen Rechtsfolge. Es setzt daher erst nach einem Strafverfahren an.

– *Kern- und Nebenstrafrecht*

Die Unterscheidung eines Kernstrafrechts vom Nebenstrafrecht bezieht sich auf den Regelungsort. Für das Kernstrafrecht gibt es eine eigene Kodifikation, das Strafgesetzbuch (StGB, BGBl 1974/60), die ausschließlich Strafrecht enthält: einen geschlossenen Allgemeinen und einen Besonderen Teil.

Im Gegensatz dazu ist das Nebenstrafrecht in eigenen Gesetzen zu finden. Teilweise regeln diese Gesetze einen bestimmten Lebensbereich umfassend und enthalten daher neben zivil- oder verwaltungsrechtlichen auch strafrechtliche Normen (etwa das Aktiengesetz, das Mediengesetz, das Suchtmittelgesetz). Es existieren aber auch rein (neben-)strafrechtliche Kodifikationen, beispielsweise das Finanzstrafgesetz oder das Militärstrafgesetzbuch.

Kern- und Nebenstrafrecht sind gleichrangig; der Allgemeine Teil des StGB gilt auch im Hinblick auf nebenstrafrechtliche Straftatbestände, soweit keine besondere Regelung geschaffen wurde.

2. Abgrenzung zu anderen repressiven Ordnungssystemen

– *Abgrenzung zum Verwaltungsstrafrecht*

In Österreich bestehen zwei repressive Ordnungssysteme, denen jeder unterworfen ist. So sind neben dem hier interessierenden Kriminalstrafrecht auch Sanktionen im Verwaltungsrecht vorgesehen. Das Verwaltungsstrafrecht unterscheidet sich vom Kriminalstrafrecht jedoch in wesentlichen Punkten. Erstens entfaltet die Strafe keine diskriminierende Wirkung. Verwaltungsstraftatbestände werden mit einer Freiheitsstrafe bis zu sechs Wochen (unter besonderen Garantien sogar bis zu drei Monaten), meist aber mit Geldstrafe sanktioniert. Eine Eintragung ins Strafregister und das Stigma einer Vorstrafe ist damit nicht verbunden.

Verwaltungsstrafrecht wird zweitens durch die Verwaltungsbehörden vollzogen, und zwar durch weisungsgebundene Verwaltungsorgane. Seit 1991 (BGBl 1988/685) sind deren Entscheidungen vor den unabhängigen Verwaltungssenaten (UVS) anfechtbar. Die Mitglieder dieser UVS sind mit gewissen gerichtlichen Garantien ausgestattet – sind in dieser Funktion weisungsfrei und während ihrer Funktionszeit unabsetzbar – und entsprechen daher dem Tribunalbegriff des Art. 6 EMRK.

– *Abgrenzung zum Disziplinarrecht*

Einem Disziplinarstrafrecht sind nur Vertreter solcher Berufe unterworfen, für die eine Standesordnung besondere Rechte und Pflichten festlegt und an Verstöße Sanktionen koppelt wie etwa eine Geldstrafe, einen Verweis oder eine Streichung von der Liste der jeweiligen Berufsvertreter. Die Vollziehung von Disziplinarrecht obliegt mehrheitlich besonderen Verwaltungsbehörden (etwa dem Disziplinarrat der Rechtsanwaltskammer), zum Teil aber auch Gerichten wie dem Disziplinargericht für Richter. Die Vollziehung von Disziplinarstrafrecht folgt einer besonderen Verfahrensordnung.

3. Einordnung spezieller Maßnahmen für bestimmte Tätergruppen

Die Rechtsfolge „Strafe“ gibt dem Rechtsgebiet insofern seinen Charakter, als deliktisches Verhalten stets mit einer Strafdrohung verbunden ist. Das österreichische Strafrecht kennt allerdings neben Strafen auch andere Rechtsfolgen. Dazu gehören Maßnahmen für Tätergruppen, die sich insbesondere aufgrund bestimmter Störungen oder wegen ihres jugendlichen Alters vom erwachsenen, gesunden Täter unterscheiden, sodass die Verhängung einer Strafe oder zumindest die ausschließliche Verhängung einer Strafe als inadäquate Reaktion erkannt wird.

Im österreichischen Strafrecht gilt der Schuldgrundsatz:[3] Die Verhängung einer Strafe setzt voraus, dass dem Täter seine Tat persönlich vorgeworfen wird, und das Ausmaß der Schuld bestimmt die Höhe der Strafe. Neben der Strafe hat das StGB von 1975 jedoch verschiedene freiheitsentziehende vorbeugende Maßnahmen eingeführt. Diese sind vom Bestehen und der Höhe des Schuldvorwurfs unabhängige Reaktionen auf eine jeweils spezifische Gefährlichkeit des Täters, die in einer Anlasstat – einer strafbaren Handlung bestimmter Schwere – zum Ausdruck gekommen ist. Drei verschiedene Maßnahmen sind geregelt:

- die mit großem Abstand am häufigsten verhängte Einweisung in eine Anstalt für geistig abnorme Rechtsbrecher (§ 21 StGB),
- die Einweisung in eine Anstalt für entwöhnungsbedürftige Rechtsbrecher (§ 22 StGB) und
- die Einweisung in eine Anstalt für gefährliche Rückfalltäter (§ 23 StGB).

Die Verhängung einer derartigen Maßnahme erfolgt durch eine Verurteilung. Außer in den Fällen, in denen die Zurechnungsfähigkeit vollständig entfallen ist, wird sie zusätzlich zur Strafe verhängt.

Außer der Anstaltsunterbringung nach § 22 StGB sind die Rechtsfolgen von Suchtmittel- oder Suchtmittelbeschaffungsdelikten im Suchtmittelgesetz (SMG, BGBl I 1997/112) geregelt. Auf indirektem Weg ist eine Alternative zur Strafe vorgesehen: Der Staatsanwalt hat unter bestimmten Umständen die Anzeige vorläufig zurückzulegen, wenn sich der Täter einer Therapie unterzieht (§ 35 ff. SMG).

Die Sonderregelungen für unmündige und jugendliche Straftäter sind im Jugendgerichtsgesetz (JGG, BGBl 1988/599) geregelt. Außer (herabgesetzte) Strafdrohungen sind familien- und wohlfahrtsrechtliche Verfügungen vorgesehen (§ 2 JGG). Unter Umständen ist ein Schuldspruch ohne Strafe (§ 12 JGG) oder unter Vorbehalt der Strafe (§ 13 JGG) möglich.

---

[3] Siehe oben I.D.2.

Literaturhinweise zu Abschnitt E.

Eder-Rieder, Maria A., Die freiheitsentziehenden vorbeugenden Maßnahmen. Eine Betrachtung in materiellrechtlicher, prozessualer und vollzugsrechtlicher Sicht. Wien 1985.

Fuchs, Helmut, Österreichisches Strafrecht. Allgemeiner Teil I. 7. Aufl. Wien 2008.

Hinterhofer, Hubert/Rosbaud, Christian, SMG. Suchtmittelgesetz. Wien 2006.

Jesionek, Otto, Das österreichische Jugendgerichtsgesetz. 3. Aufl. Wien 2001.

Kienapfel, Diethelm/Höpfel, Frank, Strafrecht. Allgemeiner Teil. 12. Aufl. Wien 2007.

Maleczky, Otto, Strafrecht. Allgemeiner Teil II. 12. Aufl. Wien 2008.

Medigovic, Ursula, Freiheitsentziehende vorbeugende Maßnahmen in Österreich. Wien 1986.

– Strafrechtliche Unterbringung zurechnungsunfähiger geistig abnormer Rechtsbrecher: Eine Bestandsaufnahme nach 25 Jahren. JBl 2001, 482–505.

Schroll, Hans Valentin, Jugendgerichtsgesetz. In: Frank Höpfel/Eckart Ratz, Wiener Kommentar zum Strafgesetzbuch, 61. und 62. Lieferung. Wien 2006.

F. Strafrechtsquellen und Auslegungshilfen

1. Überblick

– *Innerstaatliches Normensystem*

Der weitaus größte Teil der österreichischen Rechtsnormen – Verfassungsgesetze und einfache Gesetze – wird durch den Gesetzgeber (das Parlament) erlassen. Angesichts der föderalen Organisation sind die zu regelnden Bereiche zwischen einem Bundesparlament – bestehend aus Nationalrat und dem die Länder vertretenden Bundesrat – und den Landesparlamenten aufgeteilt. Kriminalstrafrecht fällt in die Bundeskompetenz und hat daher stets die Form von Bundesgesetzen.

Verfassungsgesetze (im formellen Sinn) zeichnen sich dadurch aus, dass sie in einer erschwerten Form – insbesondere durch höhere Quoren bei der parlamentarischen Abstimmung – zustande kommen und folglich gegenüber den einfachen Gesetzen (im formellen Sinn) erhöhte Bestandskraft aufweisen. Inhaltlich verstanden (daher im materiellen Sinn) sind mit Verfassung jene Normen gemeint, nach denen sich das Zustandekommen von Normen jeder Art richtet (Erzeugungsnormen). Gesetze (im materiellen Sinn) regeln das menschliche Zusammenleben durch generell geltende Gebote und Verbote (Zwangsnormen).

Verordnungen sind ebenfalls generelle (Gebots- oder Verbots-)Normen (im materiellen Sinn folglich ebenfalls Gesetze), die jedoch nicht vom Parlament, sondern von Verwaltungsbehörden – durch die exekutive Staatsgewalt – erlassen werden. Voraussetzung ist, dass ein Gesetz (im formellen Sinn) die Behörde dazu ausdrücklich ermächtigt. Für den Erlass von Kriminalstrafrecht existieren keine Verordnungsermächtigungen.

So ergibt sich folgender Stufenbau: Jedes Gesetz muss sowohl hinsichtlich seines Zustandekommens als auch seines Inhalts der Verfassung und jede Verordnung den Gesetzen entsprechen. Entsteht ein verfassungswidriges Gesetz oder eine verfassungs- oder gesetzwidrige Verordnung, sind sie vor dem Verfassungsgerichtshof anfechtbar und durch diesen aufzuheben.

Die österreichische Rechtsordnung enthält nur wenig Gewohnheitsrecht. Es entsteht nur, wenn eine lang andauernde, allgemeine und gleichmäßige Übung mit der Überzeugung stattgefunden hat, dass die angewendeten Regeln Recht seien.

– *Internationales und supranationales Recht*[1]

Die allgemein anerkannten Regeln des Völkerrechts sind Bestandteil des Bundesrechts (Art. 9 Abs. 1 B-VG).

---

[1] Vergleiche oben I.C.1.

Staatsverträge bilden keine unmittelbare Rechtsquelle, sondern verpflichten den Staat Österreich zu ihrer Einhaltung. Um aus ihnen individuelle Rechte und Pflichten abzuleiten, bedürfen sie zum einen der Ratifikation durch das Parlament. Zum anderen müssen sie in das innerstaatliche Normensystem transformiert werden (Art. 50, 65 B-VG).[2]

Österreich gehört seit 1995 der Europäischen Union an.[3] Die im Rahmen der Europäischen Gemeinschaft – der 1. Säule der EU – geschaffenen Rechtsquellen sind supranational: Sie gehen dem innerstaatlichen Recht vor. Allerdings sind nur Verordnungen unmittelbar anwendbar; Richtlinien bedürfen der Umsetzung. Auch die Rechtsakte der 3. Säule der EU – das sind insbesondere Rahmenbeschlüsse – enthalten an den österreichischen Staat gerichtete Vorgaben; sie bedürfen daher ebenfalls eines Umsetzungsgesetzes.

– *Auslegungshilfen*

Gesetzesmaterialien – Texte, die seitens der Regierung oder des Parlaments im Gesetzgebungsprozess entstehen –, Rechtsprechung und Schrifttum erzeugen keine Normen. Aus diesen Quellen lassen sich daher kein Recht und keine Pflicht unmittelbar ableiten. Sie dienen jedoch der Auslegung der Rechtsquellen.

2. Geschriebene Rechtsnormen

Die wesentliche Quelle des geltenden österreichischen Strafrechts sind geschriebene abstrakte Rechtsnormen (abrufbar unter http://www.ris.bka.gv.at/). Da das Kriminalstrafrecht in Gesetzgebung und Vollziehung Bundessache ist (Art. 10 Abs. 1 Ziffer 6 B-VG) und Verordnungen im Bereich der Vollziehung der Gerichte unzulässig sind (Art. 18 Abs. 2 B-VG), ist es durch Bundesgesetze geregelt, die – wie alle in Bundeskompetenz erlassenen Gesetze – im Bundesgesetzblatt (BGBl) verlautbart werden.

Nur ausnahmsweise haben auch Verordnungen eine mittelbare Auswirkung auf Strafvorschriften. Ein solcher Fall ist das Suchtmittelstrafrecht: Die Tatbestände verweisen regelmäßig auf die Verordnung über den Verkehr und die Gebahrung mit Suchtgiften (Suchtgiftverordnung, BGBl II 1997/374), die eine Liste der verbotenen Suchtgifte enthält sowie die jeweiligen Grenzwerte einer (zu einer höheren Strafe führenden) großen Menge festlegt.

Gesetze im Verfassungsrang sind den sogenannten einfachen Gesetzen übergeordnet. Ein mit einer verfassungsrechtlichen Norm unvereinbares Gesetz bleibt dennoch so lange in Kraft, bis es nach einem Gesetzprüfungsverfahren vom Verfassungsgerichtshof aufgehoben wird.

---

2 Näher dazu unten 2.

3 Siehe auch oben I.B.2. und I.C.1.

– *Verfassungsrechtlicher Rahmen*

Außer dem Bundes-Verfassungsgesetz von 1920 in der Fassung von 1929 (B-VG) sind die für das Strafrecht wichtigsten Verfassungsrechtsquellen die Grundrechtskodifikationen,[4] hier insbesondere die EMRK (BGBl 1958/210, BVG BGBl 1964/59), das BVG über den Schutz der persönlichen Freiheit (BGBl 1988/684), das Gesetz zum Schutze des Hausrechts (RGBl 1862/88) und das Staatsgrundgesetz über die allgemeinen Rechte der Staatsbürger (RGBl 1867/142).

– *Kernstrafrecht*

Das materielle Strafrecht ist hauptsächlich im Strafgesetzbuch (StGB, BGBl 1974/60) kodifiziert. Dessen Allgemeiner Teil (§§ 1–74) befasst sich mit den Elementen der Straftat (Allgemeine Bestimmungen, §§ 1–16), mit der Einteilung der strafbaren Handlungen (§ 17), mit den Rechtsfolgen der Straftat (§§ 18–60) sowie mit dem zeitlichen und örtlichen Geltungsbereich der Strafgesetze (§§ 61–67), und es definiert einige später verwendete Begriffe (§§ 68–74). Ein Besonderer Teil typisiert das strafbare Verhalten; aufgebaut nach den geschützten Rechtsgütern sind Straftatbestände definiert und jeweils mit einem Strafrahmen gekoppelt.

Die wichtigste Quelle des Strafprozessrechts ist die Strafprozessordnung von 1873 (StPO, BGBl 1975/631). Ein ergänzendes Grundrechtsbeschwerdegesetz (GRBG, BGBl 1992/864) ermöglicht eine Beschwerde an den OGH in strafprozessualen Haftsachen wegen der Verletzung des Grundrechts auf persönliche Freiheit, es sieht jedoch keine umfassende Grundrechtsbeschwerde vor. Im Staatsanwaltschaftsgesetz (StAG, BGBl 1986/164) und dessen Durchführungsverordnungen finden sich Regeln über die Staatsanwaltschaft; Laienrichter werden nach dem Geschworenen- und Schöffengesetz (BGBl 1990/256) bestellt. Das Gerichtsorganisationsgesetz regelt die Besetzung und die innere Einrichtung der Gerichte und ist die gesetzliche Basis der durch das Bundesministerium für Justiz erlassenen Verordnung über die Geschäftsordnung der Gerichte.

– *Nebenstrafrecht*

Auch außerhalb des StGB und der StPO finden sich zahlreiche Straftatbestände und prozessrechtliche Sonderbestimmungen; sie werden als Nebenstrafrecht bezeichnet.[5] Die Wahl des Regelungsorts hat jedoch keine Auswirkungen auf die Hierarchie der betreffenden Regel – sie haben den gleichen Rang wie die Strafgesetze des Kernstrafrechts.

Zum einen gibt es Strafrechtskodifikationen für besondere Bereiche, die zu einem wesentlichen Teil gerichtliche Strafbestimmungen, zum Teil auch strafpro-

---

[4] Siehe auch I.C.2.

[5] Vergleiche oben I.E.1.

zessuale Sonderbestimmungen enthalten. So sind insbesondere die Suchtmitteldelikte im Suchtmittelgesetz (SMG, BGBl I 1997/112), die Steuer- und Zolldelikte im Finanzstrafgesetz (FinStrG, BGBl 1958/129), militärische Straftaten im Militärstrafgesetz (MilStG, BGBl 1970/344), Mediendelikte im Mediengesetz (BGBl 1970/344) und die Strafbarkeit nationalsozialistischer Wiederbetätigung im Verbotsgesetz (BGBl 1945/13) geregelt. Das Jugendgerichtsgesetz (JGG, BGBl 1988/599) enthält sowohl materiell-rechtliche wie prozessuale Sonderbestimmungen für jugendliche Täter.

Schließlich gibt es eine Vielzahl von Kodifikationen, die einen bestimmten Lebensbereich umfassend privat- und verwaltungsrechtlich regeln und daran anknüpfend auch einige Strafbestimmungen enthalten (etwa das Anti-Doping-Gesetz, BGBl I 2007/30; das Urheberrechtsgesetz, BGBl 1936/111; das Lebensmittelsicherheits- und Verbraucherschutzgesetz, BGBl I 2006/13; das Fremdenpolizeigesetz, BGBl I 2006/99). Der Allgemeine Teil des StGB gilt auch diesbezüglich.

– *Nationales Recht der transnationalen Zusammenarbeit in Strafsachen*

Das Auslieferungs- und Rechtshilfegesetz (ARHG, BGBl 1979/529) regelt die traditionelle justizielle Zusammenarbeit mit anderen Staaten. Für die justizielle Zusammenarbeit mit anderen Mitgliedstaaten der EU haben insbesondere der Rahmenbeschluss des Rates über den Europäischen Haftbefehl und die Übergabeverfahren zwischen den Mitgliedstaaten (ABl 2002 L 190/1) besondere Regeln vorgegeben. Diese wurden in Österreich durch eine eigene Kodifikation, das Bundesgesetz über die justizielle Zusammenarbeit in Strafsachen mit den Mitgliedstaaten der Europäischen Union (kurz EU-JZG, BGBl I 2004/36), umgesetzt. Die Zusammenarbeit mit internationalen Strafgerichten erfolgt einerseits nach dem Bundesgesetz über die Zusammenarbeit mit den internationalen Gerichten (ZusIntG BGBl I 1996/263) – dieses beschränkt sich auf die durch UN-Resolutionen eingerichteten Ad-hoc-Tribunale für das ehemalige Jugoslawien und für Ruanda –, andererseits nach dem Bundesgesetz über die Zusammenarbeit mit dem Internationalen Strafgerichtshof (ZusIStrGH, BGBl I 2002/135), das sich auf den durch das Römische Statut 1998 eingerichteten Internationalen Strafgerichtshof bezieht.

– *Gefahrenabwehrrecht*

Regelungen, die auf die Vermeidung von Straftaten ausgerichtet sind, gewinnen zunehmend an Bedeutung auch für strafrechtliche Ermittlungen. Insbesondere ist das Sicherheitspolizeigesetz (SPG, BGBl 1991/566) mit dem Strafverfahren vernetzt. Nach dem Bankwesengesetz (BWG, BGBl 1993/532) werden den Kredit- und Finanzinstituten den internationalen Vorgaben entsprechende Sorgfalts- und Meldepflichten zur Verhinderung von Geldwäscherei und Terrorismusfinanzierung auferlegt.

– *Vollstreckungsrecht*

Die Vollstreckung von Freiheitsstrafen und freiheitsentziehenden vorbeugenden Maßnahmen erfolgt nach dem Strafvollzugsgesetz (StVG, BGBl 1969/144). Dieses wird durch das Strafregistergesetz (StrRG, BGBl 1968/277), das Tilgungsgesetz (BGBl 1972/68), das Strafrechtliche Entschädigungsgesetz (StrEG 1969, BGBl I 2004/125) und das Bewährungshilfegesetz (BewHG, BGBl 1969/146) ergänzt.

– *Völkerrechtliche Verträge*

Völkerrechtliche Verträge[6] sind in Österreich keine unmittelbare Rechtsquelle. Sie gelten erst nach ihrer Ratifikation durch das Parlament und ihrer Transformation ins österreichische Recht.

Völkerrechtliche Verträge, deren Texte so gefasst sind, dass konkrete Rechte und Pflichten für den Einzelnen ableitbar sind, werden durch generelle Transformation – allein durch ihre Publikation im BGBl – in Österreich anwendbar. Das gilt insbesondere für Verträge über menschenrechtliche Mindeststandards (beispielsweise die EMRK) und Verträge über die internationale Zusammenarbeit in Strafsachen (insbesondere das Schengener Durchführungsübereinkommen). In den meisten Fällen bedarf es jedoch zur Anwendbarkeit eines Vertrags durch die österreichischen Behörden einer speziellen Transformation durch innerstaatliche Gesetze.[7] Das gilt jedenfalls für die Verpflichtungen Österreichs gegenüber der Staatengemeinschaft, materielles Strafrecht zu schaffen, denn die Festlegung einer konkreten Sanktion wird in keinem Fall der Staatengemeinschaft übertragen.

– *Rechtsakte der Europäischen Union*

Zunehmend hat sich ein sogenanntes Europastrafrecht etabliert – Sekundärrecht der EU, durch das eine Harmonisierung des Straf- und Strafprozessrechts der Mitgliedstaaten angestrebt wird.[8]

Rechtsakte der Europäischen Gemeinschaft (1. Säule der EU, Art. 249 EGV) sind supranational: Sie sind dem österreichischen Recht übergeordnet. Nationales Recht, das ihnen entgegensteht, ist grundsätzlich nicht anwendbar. Das gilt insbesondere für Verordnungen. Diese sind, genauso wie originär österreichische Gesetze, unmittelbar anwendbar, sie enthalten für sich genommen aber keine kriminalstrafrechtlichen Tatbestände.

Eine Richtlinie ist im Gegensatz dazu eine an die einzelnen Mitgliedstaaten gerichtete Zielvorgabe mit der Anweisung, diese Vorgabe durch innerstaatliche

---

[6] Zu den einzelnen völkerrechtlichen Verträgen siehe oben I.B.2.b.

[7] Vergleiche oben I.B.2.b. und I.C.1.

[8] Vergleiche oben I.C.1.

Normen umzusetzen. Damit sorgt sie für eine Rechtsharmonisierung im Kompetenzbereich der 1. Säule – also insbesondere im Wirtschaftsrecht, wobei die Gemeinschaft grundsätzlich nicht für Strafrecht und Strafprozessrecht zuständig ist. Sie hat allerdings dann die Kompetenz, die Mitgliedstaaten mittels einer Richtlinie zur Schaffung strafrechtlicher Sanktionen aufzufordern, wenn dies als Annexmaterie für eines der Gemeinschaftsziele (Art. 2 EGV) erforderlich ist.

Auch Richtlinien sind supranationale Rechtsquellen. Einen nach der Frist zur Umsetzung entgegenstehenden nationalrechtlichen Straftatbestand dürften die österreichischen Gerichte daher nicht anwenden. Zudem sind konkrete Rechte eines Bürgers gegenüber dem Staat unmittelbar aus einer Richtlinie ableitbar – auch wenn sie noch nicht in nationales Recht umgesetzt wurde. Die einschlägige Regelung geht dem nationalen Strafrecht vor. Solange allerdings Österreich ein nach einer Richtlinie zu kriminalisierendes Verhalten noch nicht oder noch nicht entsprechend weitgehend kriminalisiert hat, darf niemand dafür bestraft werden: Dies würde Art. 7 EMRK zuwiderlaufen, denn eine Richtlinie enthält schließlich keine konkrete an den Bürger gerichtete Strafdrohung.

Abgesehen von der gemeinschaftsrechtlichen Annexkompetenz wird die Harmonisierung von Strafrecht im Rahmen der 3. Säule der EU bewirkt. Die Kompetenz zur polizeilichen und justiziellen Zusammenarbeit in Strafsachen besteht im Wesentlichen in Bezug auf die Erleichterung der Zusammenarbeit zwischen den Justizbehörden (einschließlich der Auslieferung) in Strafsachen und auf die Festlegung von Mindestvorschriften über die Tatbestandsmerkmale strafbarer Handlungen und Strafen in den Bereichen der organisierten Kriminalität, des Terrorismus und des illegalen Drogenhandels (Art 31 EUV). Heute ist der Rahmenbeschluss (Art. 34 EUV) das zentrale Instrument in diesem Bereich. Ähnlich einer Richtlinie ist er nicht unmittelbar anwendbar, sondern weist die Mitgliedstaaten zur Schaffung strafrechtlicher Regeln an.

3. Gewohnheitsrecht

Bezogen auf das Strafrecht sind der Berufung auf Gewohnheitsrecht Grenzen gesetzt. Zum einen konkretisiert § 1 StGB das Gesetzlichkeitsprinzip nach Art. 7 EMRK[9] und verbietet, durch Gewohnheitsrecht oder Analogie neue Straftatbestände oder die Verschärfung von Strafen oder vorbeugenden Maßnahmen zu schaffen: *nullum crimen sine lege scripta*. Nur zugunsten des Täters kann auch ungeschriebenes Recht angewendet werden, beispielsweise ist rechtfertigender Notstand ein unbestrittener, jedoch nicht explizit geschriebener Rechtfertigungsgrund. § 1 StGB steht allerdings nicht im Verfassungsrang.

---

9 Siehe oben I.C.2. und II.A.2.

Auch die Strafverfolgungsbehörde kann sich nicht ohne Weiteres auf ungeschriebenes Recht stützen: Wird in Grundrechte eingegriffen, ist eine konkrete gesetzliche Grundlage erforderlich. Strafprozessuale Zwangsmaßnahmen wie etwa eine Hausdurchsuchung oder ein Lauschangriff dürfen nicht über die Grenzen der expliziten Befugnis hinausgehend vorgenommen werden.

4. Rechtsprechung

Als eine kontinentaleuropäische Rechtsordnung ist der Richter in Österreich nur an das Gesetz, nicht an Präjudizien gebunden. Er hat daher prinzipiell die Möglichkeit, von der bisherigen Rechtsprechung abzuweichen und eine Judikaturwende einzuleiten. Seine Begründungspflicht verlangt hierzu jedoch überzeugende Argumente.

Der Oberste Gerichtshof (OGH) – letzte nationale Instanz in Strafsachen – kann sich in gewisser Weise an seine eigene Rechtsprechung binden: Eine Entscheidung in bestimmten bedeutenden Rechtsfragen kann er in einer erweiterten Besetzung (verstärkter Senat) treffen. Von einer solchen kann wiederum nur ein verstärkter Senat abgehen.

Ausgesuchte Entscheidungen des OGH in Strafsachen werden in der Sammlung Strafrecht (SSt) und in bestimmten Fachzeitschriften (insbesondere im Evidenzblatt der Österreichischen Juristenzeitung, in den Juristischen Blättern, in der Richterzeitung und im Anwaltsblatt) veröffentlicht. Zudem stellt das Rechtsinformationssystem des Bundes (RIS) Urteile und Beschlüsse des OGH, der Oberlandesgerichte, der Landesgerichte und der Bezirksgerichte online (http://www.ris.bka.gv.at/) zur Verfügung. Die Auswahl der Urteile für eine Veröffentlichung im RIS liegt allerdings beim jeweiligen Gericht; das ist der Bedeutung des Angebots abträglich.

Der Europäische Gerichtshof für Menschenrechte (EGMR) kann von jedem angerufen werden, der sich von einer letztinstanzlichen Entscheidung eines Mitgliedstaats der EMRK in einem der Konventionsrechte verletzt erachtet. Pro Jahr werden etwa 20 Beschwerden gegen Österreich erhoben, bei drei Viertel dieser Beschwerden stellt der Europäische Gerichtshof tatsächlich das Vorliegen einer Verletzung fest. In Strafsachen gibt es allerdings nur etwa fünf Urteile gegen Österreich pro Jahr.

Ein EGMR-Urteil zulasten Österreichs hat zwar keine unmittelbare Wirkung auf die innerstaatliche Justiz. Aufgrund der völkerrechtlichen Verpflichtung, das Urteil umzusetzen, wurde 1996 aber eine darauf zugeschnittene Erneuerung des Strafverfahrens in die StPO eingeführt (§§ 363a ff.; BGBl 1996/762).

Der Gerichtshof der Europäischen Gemeinschaften (EuGH) ist für die Verfahren wegen Vertragsverletzungen zuständig (§ 226 ff. EGV). Seine Entscheidungen sind für die Mitgliedstaaten bindend (§ 228 Abs 1 EGV). Zu strafrechtlichen Fragen äußert er sich im Rahmen von Vorabentscheidungsverfahren, wenn ein nationales Gericht ihm eine Frage zur Auslegung eines (strafrechtlich relevanten) Rechtsaktes vorlegt (im Hinblick auf Richtlinien: Art. 234 EGV; im Hinblick auf Rahmenbeschlüsse: Art. 35 EUV). Österreich hat sich für einen auf alle nationalen Gerichte ausgedehnten Anwendungsbereich der Vorabentscheidung entschieden (ABl 1999 L 144/56 und C 120, 24). Zum anderen ist für letztinstanzliche Gerichte auf dem Gebiet der polizeilichen und justiziellen Zusammenarbeit eine Pflicht zur Vorabentscheidung vorgesehen (BGBl I 1999/89). Das vorlegende Gericht ist in der Entscheidung des betreffenden Falles an die Entscheidung des EuGH gebunden.

5. Schrifttum

Aus der Strafrechtswissenschaft ergibt sich keine Rechtsquelle; Kommentare, Lehrbücher, Aufsätze und Monografien zum Strafrecht vermitteln aber die Auslegung und Systematisierung des Rechtsgebiets und haben Auswirkungen auf die rechtspolitische Diskussion. Die in ihnen vorgeschlagenen Lösungen von Rechtsfragen sind eine Unterstützung der Praxis – es bleibt jedoch der Rechtsprechung überlassen, ob sie diese Lösungen übernimmt.

Führende Strafrechtswissenschafter werden als Experten in den Gesetzgebungsprozess einbezogen – soweit ersichtlich, haben ihre Ideen und Bedenken allerdings geringen Einfluss.

Literaturhinweise zu Abschnitt F.

Berka, Walter, Die Grundrechte. Grundrechte und Menschenrechte in Österreich. Wien 1999.

Fuchs, Helmut, Österreichisches Strafrecht. Allgemeiner Teil I. 7. Aufl. Wien 2008.

Grabenwater, Christoph, Europäische Menschenrechtskonvention. Ein Studienbuch. 3. Aufl. Wien 2008.

Reindl, Susanne, EGMR und EuGH – Stören Europäische Gerichte die nationale Strafjustiz? In: BMJ (Hrsg.), 32. Ottensteiner Fortbildungsseminar aus Strafrecht und Kriminologie. Wien 2005, S. 155–172.

Walter, Robert/Mayer, Heinz/Kucsko-Stadlmayer, Gabriele, Bundesverfassungsrecht. 10. Aufl. Wien 2007.

Zeder, Fritz, Verbot der Doppelbestrafung (ne bis in idem) in der EU: Fragen, Fragen, Fragen – und einige Antworten. AnwBl 2007, 454–467.

G. Entwicklung des Strafrechts, Strafverfahrensrechts und Strafvollstreckungsrechts

1. Überblick

Darstellungen der deutschen Strafrechtsgeschichte, als deren Teil sich die österreichische Rechtskultur herausgebildet hat, beginnen in der Regel mit dem Hinweis auf die germanischen Stammesrechte. Die Aufzeichnungen, die es etwa seit dem 6. Jahrhundert gibt *(leges barborum)*, geben darüber allerdings nur bedingt Auskunft. Die elementare rechtliche und soziale Einheit war zu dieser Zeit keine staatliche Institution, sondern der Familienverband: die Sippe. Jeder freie Germane gehörte einer solchen Solidargemeinschaft an. Auseinandersetzungen zwischen den Sippen wurden durch Fehde ausgetragen und durch Buße bereinigt.

In der fränkischen Zeit (etwa 500–880) entwickelte sich nach und nach auch ein öffentliches peinliches Strafrecht. In den ersten schriftlichen Fassungen der sogenannten Volksrechte war aber vor allem die bereits bestehende Praxis festgelegt, Strafen durch Zahlung einer Buße an den Verletzten und durch Entrichtung eines Friedensgeldes an die Obrigkeit zu ahnden. Die Sanktionen waren nun aber nicht mehr ausschließlich Gegenstand von Sühneverträgen.

Für das Hoch- und Spätmittelalter lässt sich eine deutliche Tendenz zur Verschärfung der Strafen hervorheben. Leib- und Lebensstrafen, die häufig so vollzogen wurden, dass sie das Verbrechen spiegelten, setzten sich durch, sie drängten das Bußensystem aber nur vorübergehend zurück. Die Verkündung von Gottesfrieden, später von Landfrieden sollte dem Überhandnehmen des Fehdewesens entgegenwirken und führte langsam eine Trennung von Zivil- und Strafrecht herbei. Die Volksrechte wurden zunehmend in sogenannten Spiegeln niedergeschrieben.

Die Rezeption des römischen Rechts ging in Österreich wie in allen deutschen Ländern zwar etwas später als in anderen europäischen Rechtskulturen – intensiv erst ab der zweiten Hälfte des 15. Jahrhunderts –, aber sehr weitgehend vor sich. Anders als etwa in Frankreich war die deutsche Reichsgewalt im Mittelalter noch schwach: Zentrale politische und gerichtliche Instanzen und den König stützende Reichsjuristen fehlten ihr, so gab es noch kein einheitliches Rechts- und Gerichtssystem, das der Rezeption entgegenstand. Zudem waren die irrationalen und intuitiven Methoden der Rechtsfindung, die aus den lokalen Stammes- und Stadtrechten überliefert wurden, den zunehmend komplexeren spätmittelalterlichen Lebensformen nicht mehr gewachsen. Die römisch-rechtlichen Instrumente konnten demgegenüber auch schwierigere Sachlagen juristisch fassen. Folglich wurden sie nicht bloß in bestehendes Recht eingebaut, sondern zum Teil sogar vollständig übernommen. Das römische Recht wurde auch nicht als beliebig fremd befunden, sondern hatte als Recht des *imperium romanum* Geltungsanspruch gerade im Heiligen Römischen Reich deutscher Nation.

Der Prozess der Rezeption ließ auch eine Schicht eines im römischen Recht ausgebildeten und ausbildenden Juristenstands entstehen. Seine Vertreter, die *Iurisconsulenti*, ließen sich an den oberitalienischen Universitäten schulen. Sie stellten nicht nur geschlossene Rechtsaufzeichnungen aus rezipierten und heimischen Quellen her, sondern begannen auch mit einer wissenschaftlich-systematischen, abstrakten Aufarbeitung der Rechtsordnung und bestimmten in den Reichsgerichten die Rechtsanwendung.

Für ein einheitliches deutsches Recht war die Staatsmacht allerdings nicht stark genug, und so galt auch die für das gesamte Reich errichtete Peinliche Gerichtsordnung von Kaiser *Karl V.* von 1532, die „Carolina" oder kurz CCC *(Constitutio Criminalis Carolina)*, nur subsidiär zu den Partikulargesetzen. Ihr System und ihre Grundsätze haben jedoch sämtliche territorialen Strafrechtsordnungen geprägt; in weiten Passagen wurde sie sogar wörtlich übernommen. Erst unter dem Einfluss dieser Rechtsentwicklung konnte die Fehde überwunden werden.[1]

Mit der CCC hat sich insbesondere ein spezieller Prozesstyp, der Inquisitionsprozess, etabliert. Auch wenn er aus dem Blickwinkel der heutigen Lehre tendenziell negativ bewertet wird – ganz nüchtern betrachtet und unabhängig von seinen Fehlentwicklungen hat er (auch) eine Wende zu einer gewissen Versachlichung des Verfahrensrechts einleitet. Mit seiner Etablierung sind das Strafrecht und seine Vollziehung zur exklusiv staatlichen Aufgabe geworden.

Ein einheitliches Strafrecht existiert erst seit der peinlichen Gerichtsordnung der Kaiserin *Maria Theresia* (*Constitutio Criminalis Theresiana* – Theresiana) von 1768. Der ideengeschichtliche Hintergrund des modernen österreichischen Strafrechts bildete sich aber erst ein Jahrhundert später heraus: mit den im Zuge der bürgerlichen Revolution in Europa nach und nach durchgesetzten Maximen zum Schutz individueller Freiheit und Humanität in Abgrenzung zur (absolutistischen) Staatsmacht.

Die Entwicklung des Strafrechts in der Moderne ist im Zusammenhang von Zerstörung und Wiederaufbau Österreichs nach zwei Weltkriegen zu sehen, vor allem aber ist sie von dem Versuch geprägt, eine Abkehr von der totalitären Machtausübung im Dritten Reich (1938–1945) zu leisten. In den 1960er und 1970er Jahren werden sozialstaatliche Elemente aufgenommen; der Präventionsauftrag des Strafrechts und der Resozialisierungsgedanke des Prozessrechts treten zu dieser Zeit deutlich in den Vordergrund. Schon 1950 wurde das Jugendgerichtsgesetz (JGG) erlassen, das eine besondere Rücksichtnahme gegenüber jungen Kriminellen gewährleisten soll. Das heute geltende Strafgesetzbuch (StGB) ist 1975 in Kraft getreten. Es ist deutlich von liberalem Gedankengut geprägt und bewirkte einen deutlichen Rückgang der Verurteilungen.

---

1 Zur Fehde siehe näher unten 2. und 3.

Die jüngere Entwicklung spiegelt die (internationale) Wende zum Sicherheitsdenken: Strafrecht wird über seine klassische Funktion, begangene Rechtsgutsverletzungen aufzuarbeiten, auch zur Kontrolle von Risiken eingesetzt, etwa zur Bekämpfung von organisierter Kriminalität und Terrorismus, aber auch zur Regulierung der Wirtschaft. Auf der Ebene des Sanktionensystems besteht ein Trend zum Ausbau alternativer Sanktionen – vor allem zur Diversion statt Strafe.

2. Entwicklung des materiellen Strafrechts

– *Germanisch-fränkische Zeit und Mittelalter*

Die ersten erforschten Ansätze einer Rechtskultur entwickelten sich aus dem Leben der germanischen Sippen. Wer gegen das in der Sippe geltende Hausrecht verstieß, unterlag der Strafgewalt des Hausherrn, Verletzungen durch Externe führten zur durch die Sippe ausgetragenen Fehde, Verstöße gegen das Gemeininteresse zur Friedlosigkeit. Die schwersten Verstöße – sogenannte todeswürdige Taten, darunter vor allem sakrale Taten, die Tötung eines Wehrlosen, die Tötung aus Gewinnsucht, aber auch Diebstahl – schlossen den Täter unsühnbar aus der Gemeinschaft aus. Er wurde mit Friedlosigkeit belegt, seine Frau wurde Witwe, sein Vermögen eingezogen (Fronung), seine Bleibe zerstört (Wüstung). Prinzipiell herrschte Erfolgsstrafrecht. Ungefährwerke – aus heutiger Sicht: Zufälle – führten jedoch zu milderen Strafen. In der fränkischen Zeit wurden Differenzierungen wie etwa Irrtum und Notstand berücksichtigt.

Auch im Hochmittelalter sind allgemeine Bedingungen der Strafbarkeit, wenn überhaupt, nur rudimentär und ohne systematische Überarbeitung bekannt; sie sind kasuistisch und an Äußerlichkeiten gebunden. Zu den Straftaten gehören Mord (jede Tötung aus schlechter Gesinnung), Körperverletzung, Diebstahl (heimliche Entwendung), aber auch Ehebruch, Bigamie, Hexerei, Ketzerei – und dazu zählen nicht nur Unglaube, sondern auch Unzucht, Sodomie und der Verkehr eines Juden mit einer Christin.

Peinliche Strafen werden als spiegelnde Strafen verhängt: Sie werden an dem zur Tat führenden Körperteil vollstreckt. Eine Todesstrafe wird oft durch vorherige Qualen verschärft. Zudem gibt es Ehrstrafen (beispielsweise Pranger) und Freiheitsstrafen.

– *Rezeption – die Constitutio Criminalis Carolina*

Die große Kodifikation, in der sich die Übernahme des römischen Rechtsdenkens auch im Strafrecht niederschlägt, ist die CCC 1532. Sie sieht bereits wesentliche der heute geltenden dogmatischen Kategorien vor. So verfolgt ihrem Konzept nach die Strafe neben absoluten auch bereits relative Zwecke, gründet die strafrechtliche Zurechnung auf die Schuld, unterscheidet zwischen vorsätzlicher und fahrlässiger Begehung, trennt einzelne Beteiligungsformen und regelt die Voraussetzungen für eine strafbefreiende Notwehr. Die Zurechnungsfähigkeit ist als Voraussetzung der Schuld bei jugendlichen Beschuldigten besonders zu prüfen.

Tötungs- und Diebstahlsdelikte werden besonders differenziert geregelt; im Unterschied zu ihren Vorläufern verzichtet die CCC jedoch auf die Strafbarkeit der Ketzerei, auf Delikte gegen den Staat und auf die Strafbarkeit der Beleidigung.

– *Aufklärung, Revolution und Reform*

Das Ziel der Aufklärung, die menschliche Vernunft aus jeglicher Unterdrückung durch religiöse, politische und rechtliche Autoritäten zu befreien, brachte im Strafrecht den Kampf gegen Hexenprozesse und Folter und die Forderung nach Verhältnismäßigkeit und Nützlichkeit der Strafe. Dieser Anspruch war im 17. Jahrhundert mit der Kodifikationsidee verbunden, nach der das zersplitterte und inhaltlich noch mittelalterliche Recht durch eine transparente, vorhersehbare, abstrakte, systematisch aufgebaute und auch humanisierte Ordnung ersetzt werden sollte. So entsteht im deutschen Sprachraum die dort so typische Vernunft(rechts)lehre. Streng nach logischen Bedingungen aufgebaut, vermittelt sie formalistisch-abstrakte Denkmethoden der Rechtsfindung.

Umgesetzt wurden die neuen Ideen in den deutschen Territorialstaaten durch eine Reihe vernunftrechtlicher Kodifikationen des 18. und 19. Jahrhunderts. Diese Reformen wurden in Deutschland wie in Österreich allerdings (noch) nicht im Wege einer Revolution durchgesetzt. Im Gegensatz zu Frankreich wurden sie von den zwar aufgeklärt erzogenen, jedoch weiterhin absolut regierenden Landesfürsten getragen: Österreichs erstes einheitliches Strafgesetz, die Theresiana (1768), und später das Allgemeine Gesetzbuch über Verbrechen und derselben Bestrafung *Josephs des II.* (1787; kurz: Josephina). Während die Theresiana noch verschiedene, auch qualifizierte Todesstrafen enthiellt, schaffte die Josephina die Todesstrafe weitgehend ab, wenn auch ihre sonstigen Strafen außerordentlich hart blieben. Zudem statuierte die Josephina bereits ein Verbot der Analogie zu Lasten des Täters. Weitere Reformen führten zum Strafgesetz von 1803. Diese alten Strafrechtskodifikationen enthielten sowohl materielles als auch Strafprozessrecht; auch sie folgten dem Inquisitionsprozess.[2]

Die Reformbewegungen des frühen 19. Jahrhunderts lösten in Österreich erst 1848 die Revolution und die Abkehr vom Absolutismus aus. Zwar gelang konservativen Kräften vorerst die Restauration des Absolutismus (Neoabsolutismus). 1860/61 wurde dieses Modell jedoch endgültig beseitigt und von einer konstitutionellen Monarchie abgelöst. In dieser Phase entstanden zwei Grundrechte – das Gesetz zum Schutz des Hausrechts (RGBl 1862/88) und das Gesetz zum Schutze der persönlichen Freiheit (RGBl 1862/87) – sowie die Strafprozessordnung von 1873.

---

2 Siehe unten 3.

– *Die Zeit bis zum StGB 1975 und moderne Entwicklungen*

Schon das Strafgesetz von 1803 trägt deutlich liberale Züge. Es wurde 1852 revidiert, nach dem Zweiten Weltkrieg (1945) wiederverlautbart und blieb bis 1974 die Grundlage des materiellen Strafrechts.

Das heute geltende Strafgesetzbuch wurde durch eine vom Bundesministerium für Justiz bereits 1954 eingesetzte Strafrechtsreformkommission erarbeitet. Es trat nach eingehender Diskussion und schließlich unter umfassender Zustimmung im Jahr 1975 in Kraft (BGBl 1974/60). Bei den zahlreichen bisher ergangenen Novellen handelt es sich häufig um Reformen des Rechtsfolgenbereichs; im Besonderen Teil gab es bislang eher Verschärfungen und die Schaffung neuer Tatbestände. Im Wesentlichen unberührt blieb nur der Allgemeine Teil I (§§ 1–16), der die allgemeinen Voraussetzungen für eine Bestrafung enthält.

Die jüngere Reformgeschichte des materiellen Strafrechts betrifft ganz besonders den Bereich des Wirtschaftsstrafrechts. Zur Erfassung von Schädigungen, die durch Missbrauch wirtschaftlicher Macht verursacht werden, scheinen die in den 1970er Jahren geschriebenen Straftatbestände des StGB ungeeignet; manches eklatante Fehlverhalten im modernen Wirtschaftsleben lässt sich nach ihnen nicht zufriedenstellend beurteilen.

- So wurde etwa im Kontext mit dem Schutz der finanziellen Interessen der EU der Missbrauch von Förderungen aus öffentlichen Haushalten unter Strafe gestellt (StRÄG 1998, BGBl I 1998/153);
- die Bestechungsdelikte waren wiederholt Gegenstand von Reformen. Sie wurden in einem ersten Schritt zur Umsetzung des OECD-Übereinkommens über die Bekämpfung der Bestechung ausländischer Amtsträger um transnationale Korruption erweitert (StRÄG 1998, BGBl I 1998/153). Etwa zehn Jahre später erfolgte ein weiterer Ausbau, der vor allem dem Übereinkommen der Vereinten Nationen gegen Korruption und dem Strafrechtsübereinkommen des Europarates über Korruption gerecht werden sollte (BGBl I 2007/109). Die zuletzt genannte Änderung wurde allerdings unter vehementer rechtspolitischer Kritik teilweise wieder zurückgenommen (BGBl I 2009/98);
- 2002 wurde der Fehlgebrauch von automationsgestützten Datenverarbeitungsanlagen kriminalisiert – ein Computerstrafrecht wurde geschaffen (StRÄG 2002, BGBl I 2002/134);
- der Missbrauch sogenannter unbarer Zahlungsmittel – Kreditkarten etc. – wurde strafrechtlich erfasst (StRÄG 2004, BGBl I 2004/15);
- im Börsegesetz wurden 2004 der Missbrauch von Insiderinformationen sowie Marktmanipulation am Wertpapiermarkt neu geregelt (BGBl I 2004/127);
- das Sozialbetrugsgesetz (BGBl I 2004/152) kriminalisiert bestimmte Verhaltensweisen von Arbeitgebern oder Arbeitsvermittlern: insbesondere die organi-

sierte Schwarzarbeit, durch die sich diese Beitragsleistungen an den Sozialversicherungsträger ersparen;

- zahlreiche internationale Vereinbarungen verlangen, bestimmte strafrechtlich relevante Schädigungen nicht nur natürlichen Personen zuzurechnen, sondern auch die Haftung juristischer Personen auszubauen. Dementsprechend existiert in Österreich seit 2005 (BGBl I 2005/151) ein Verbandsverantwortlichkeitsgesetz, nach dem ein Unternehmen für bestimmtes Fehlverhalten seiner Organe kriminalstrafrechtlich zur Verantwortung gezogen werden kann. Die praktische Bedeutung ist bisher minimal.

Seit Ende der 1980erJahre ist auch die Bekämpfung der organisierten Kriminalität ein zentrales, stark durch internationale Vorgaben geprägtes kriminalpolitisches Ziel.

- Durch die Strafrechts-Novelle 1993 (BGBl I 1993/527) wurde ein spezifischer Tatbestand ins StGB eingeführt, der bereits die Zugehörigkeit zu einer kriminellen Organisation mit Strafe bedroht und an den später insbesondere die Einführung heimlicher Ermittlungsmethoden in die StPO geknüpft wird (BGBl I 1997/105).
- Auch die Maßnahmen gegen Geldwäscherei richten sich in erster Linie gegen organisierte Kriminalität: Den kriminellen Organisationen soll dadurch ihr Betriebskapital entzogen werden. Dazu gehört nicht nur die Schaffung eines Straftatbestands der Geldwäscherei (ebenfalls durch BGBl I 1993/527), sondern auch die daran anknüpfenden Sorgfalts- und Meldepflichten insbesondere von Banken im Hinblick auf bevorstehende Geldwäscherei nach dem Bankwesengesetz (BGBl I 1993/194) sowie die Neuorganisation von Abschöpfung und Verfall (BGBl I 1996/762).

Seit den Anschlägen vom 11. September 2001 wird verstärkt auch durch Strafrecht die Bekämpfung des Terrorismus versucht:

- einerseits durch Schaffung der Deliktstatbestände der terroristischen Vereinigung und Terrorismusfinanzierung sowie einer Legaldefinition von terroristischen Straftaten (StRÄG 2002, BGBl I 2002/134),
- andererseits durch Erweiterung der Abschöpfungs- und Verfallsbestimmungen auf Terrorismusfinanzierung und durch auf mutmaßliche Terrorismusfinanzierung bezogene Sorgfalts- und Meldepflichten der Banken (BGBl I 2003/35).

Das Thema Gewalt, insbesondere sexuelle Gewalt, war Gegenstand mehrerer Novellen:

- Das StRÄG 1998 (BGBl I 1998/153) hat die Strafbestimmungen gegen sexuellen Missbrauch von Unmündigen verschärft,

- mit dem StRÄG 2004 (BGBl I 2004/15) wurde das gesamte Sexualstrafrecht reformiert,
- mit dem StRÄG 2006 (BGBl I 2006/56) wurde der Straftatbestand der beharrlichen Verfolgung (Stalking) eingeführt,
- und nach dem 2. Gewaltschutzgesetz (BGBl I 2009/40) sollen spezielle Straftatbestände jene Fälle besser als bisher erfassen, in denen eine Person besonders gravierend und über längere Zeit schwerwiegend unterdrückt, genötigt, misshandelt, ihrer Freiheit beraubt und/oder sexuell missbraucht wird.

Von den zahlreichen Reformen im Sanktionenbereich sind die folgenden hervorzuheben:

- das StRÄG 1987 (BGBl 1987/605), das eine Erweiterung der Sanktionsmöglichkeiten geschaffen hat; insbesondere wurden die teilbedingte Strafe eingeführt und der Anwendungsbereich der bedingten Entlassung vergrößert;
- das StRÄG 2008 (BGBl I 2007/109), das ein Haftentlassungspaket enthält;
- vor allem aber eine Entwicklung, die sich formal im Strafprozessrecht abgezeichnet hat: Neben der Verhängung von Strafen oder Maßnahmen wurde die sogenannte Diversion als eine dritten Spur strafrechtlicher Rechtsfolgen geregelt (BGBl I 1999/55). Beim Vorliegen von Straftaten ohne schwere Schuld ist der Staatsanwalt seither unter bestimmten Voraussetzungen verpflichtet, von der Verfolgung zurückzutreten und statt einer Anklage eine zur gerichtlichen Strafe alternative Rechtsfolge (Zahlung eines Geldbetrags, Erbringung gemeinnütziger Leistungen, Probezeit oder außergerichtlichen Tatausgleich) auszusprechen.

3. Entwicklung des Strafverfahrens(rechts)

- *Germanisch-fränkische Zeit und Mittelalter*

Die soziale Einheit der Sippe, in der jeder freie Germane lebte, prägte auch die rechtliche Auseinandersetzung: Eine Kränkung der Sippenehre wurde mit Fehde beantwortet, und durch Bußzahlungen konnte ein Fehdeverzicht erwirkt werden.

In der fränkischen Zeit gab es erste Ansätze eines peinlichen Strafrechts und mit diesen entstand auch ein öffentliches Strafverfahrensrecht. In der Regel löste aber nach wie vor eine private Anklage den Prozess aus. Der Kläger hatte den Beklagten förmlich zum Erscheinen vor Gericht aufzufordern. Leistete dieser nicht Folge, riskierte er Ächtung und Friedlosigkeit. Das Beweisrecht war streng formalisiert. Seine Instrumente dienten weniger der Suche nach Erkenntnissen über ein vergangenes Geschehen, sondern mehr der Überprüfung des sozialen Rückhalts des Klägers und des Beklagten in der Gemeinschaft. Insbesondere gaben die Eideshelfer sowohl auf Klägerseite wie auf der Seite des Beklagten vor allem Auskunft über die Integrität der betreffenden Partei. Der Beklagte konnte – außer im Handhaftverfahren, bei dem er *in flagranti* erwischt wurde – mit ihrer Hilfe einen Reinigungseid leisten und sich damit vom Verdacht freischwören.

Auch im Hochmittelalter wurde die Rechtsverfolgung noch durch Fehde betrieben. Gottes- und Landesfriede[3] bemühten sich jedoch, diese teilweise verheerend ausgetragenen Kämpfe einzudämmen, durch eine allgemeine Friedensordnung zu ersetzen und Strafrecht zur Aufgabe und zur Kompetenz des Landesherrn zu machen.

– *Inquisitionsprozess*

Der Inquisitionsprozess ist jenes Verfahrensmodell, dessen Wurzeln im kanonischen Recht des Mittelalters zu finden sind, das von Italien aus bald in das weltliche Recht des kontinentalen Europas eindrang und, ausgehend von der Peinlichen Gerichtsordnung des Kaiser *Karl V.* von 1532, der Carolina, das deutsche Strafverfahren bis ins 19. Jahrhundert hinein prägte. Rein formal und sachlich betrachtet lässt es sich nach drei Verfahrensgrundsätzen definieren:

- Nach dem Offizialprinzip ist die Strafverfolgung das Recht und die Pflicht des Staates. Dementsprechend wird sie nicht mehr durch einen Verletzten in Gang gesetzt, sondern die „oberkeyten“ – so die in der Carolina verwendete Bezeichnung für staatliche Behörden – ermitteln von Amts wegen, sobald ihnen der Verdacht auf ein Verbrechen vorliegt.
- Die Instruktionsmaxime macht die Strafverfolgungsbehörden auch im Verlauf des Verfahrens vom Vorbringen der Beteiligten unabhängig – die Beweise werden ebenfalls von Amts wegen aufgenommen.
- Damit ist schließlich das Prinzip der materiellen Wahrheit verbunden, das die Behörden zur Aufklärung aller tatsächlichen Umstände der mutmaßlichen Tat verpflichtet. Die wahre, nicht etwa die im Zweikampf ausgehandelte, Schuld oder die Unschuld des Verdächtigen muss aufgedeckt werden.

Offizialprinzip, Instruktionsmaxime, materielle Wahrheit – diese Prinzipien bestimmen geradezu selbstverständlich auch die gegenwärtige Prozessordnung. Damals aber, im 16. Jahrhundert, bedeuteten sie einen fundamentalen Fortschritt: Erstens ermöglichten sie die Wahrnehmung der Strafverfolgung als ausschließlich öffentliche Aufgabe; zweitens bedingte der strenge Fokus auf die Ermittlung der Sache eine Loslösung vom bis dahin vorherrschenden Modell des Anklageverfahrens, das nicht zur Klärung eines Vorwurfs geeignet war.

Mit dem traditionellen Inquisitionsprozess waren aber noch weitere Eigenheiten verbunden. Zum einen erhob der Richter nicht nur sämtliche Beweise, sondern leitete die Untersuchung auch selbst ein und bestimmte ihren Gegenstand. Er war Ankläger und Untersuchungsbeamter in einer Person und zudem auch für die (ma-

[3] Siehe dazu auch oben 1.

terielle) Verteidigung des Angeschuldigten zuständig; somit hatte er sämtliche Prozessfunktionen inne. Zweitens wurde die zu erforschende Wahrheit als Wahrheit in einem absoluten Sinne verstanden. Der Richter durfte sich also nicht, wie heute, mit seiner persönlichen Überzeugung begnügen, sondern musste „auff den grundt der wahheyt kommen“ (Art. 56 CCC). Die Beweise mussten daher eine Garantie der Wahrheit abgeben – und das erklärt zu einem wesentlichen Teil, warum sich das Geständnis des Beschuldigten zur unverzichtbaren Grundlage des Urteils entwickelte: Nur bei einem Geständnis war man sich sicher, den Schuldigen vor sich zu haben, und diese Sicherheit galt als unabdingbar, sodass zu ihrer Gewinnung auch Folter, sogar exzessive Folter eingesetzt wurde.

Drittens wird das Urteil allein anhand der in den Akten niedergeschriebenen Ergebnisse und nach streng geheimer Beratung durch das erkennende Gericht gefällt. Dieses war ursprünglich mit dem Untersuchungsgericht identisch. Später wurden die Ermittlungsakten an rechtswissenschaftliche Fakultäten, Schöffenstühle oder an Spruchkörper der landesherrlichen Verwaltung versendet, um eine Entscheidungsfindung durch gelehrte Juristen zu gewährleisten. Außerdem führte die Aktenversendung zu einer faktischen Zentralisierung der Justiz: Der Landesherr konnte auf sie Einfluss nehmen. Schließlich fehlte im klassischen Inquisitionsprozess die Hauptverhandlung; der öffentliche „Endliche Rechtstag“ war bloß ein Theater zur Verkündung des vorher gefällten Urteils und kein Akt der Sachverhaltsfeststellung und Rechtsfindung.

Mit einer traditionellen *inquisitio* drohte Folter, und nach ihrer Abschaffung wurden Geständnisse mittels strenger Ungehorsamsstrafen erzwungen; Untersuchungshaft unter unwürdigen Haftbedingungen war die Regel und die peinlichen Strafen waren grausam. Vor allem aber kam es unter dem Regime des Inquisitionsprozesses im 16. und 17. Jahrhundert zu den Ketzer- und Hexenverfolgungen, einer irrationalen, grausamen Entrechtung und Entwürdigung. Der Grundsatz „notissimum est, quod in delictis atrocissimis propter criminis enormitatem jura transgredi licet“ legalisierte auch Willkür: Für die Verfolgung außerordentlicher Delikte musste sich der Untersuchungsrichter nicht an das Recht halten. In einer Vielzahl der Fälle wurde offensichtlich dementsprechend kein Verteidiger zugelassen, und auch eine noch so gelungene Gegendarstellung des Angeschuldigten konnte zum Schuldindiz verdreht werden.

– *Aufklärung, Revolution und Reform*

Vor allem aufgrund der zuletzt genannten Entwicklungen wird die Bezeichnung „Inquisitionsprozess“ bis in die heutige Zeit vor allem als eine Art negativer Kampfbegriff zur Verstärkung der Integrität des Beschuldigten eingesetzt. Er gilt als Symbol für eine düstere mittelalterliche Welt, für Rohheit und Barbarei und Entwürdigung der Person und wird als solches ab der zweiten Hälfte des 18. Jahrhunderts der Philosophie der Aufklärung gegenübergestellt: Dort die Folterkammern und Scheiterhaufen, hier die Lehre von Vernunft und Freiheit der Person.

Für das Strafprozessrecht führte diese Lehre zur Forderung eines reformierten Anklageprozesses. Unter dem Eindruck der französischen, aber auch der englischen Rechtsentwicklung traten die Reformer vor allem für eine Trennung von Richter und Ankläger – für das akkusatorische Prinzip – ein, in Verbindung damit für die Stellung des Beschuldigten als Partei des Strafverfahrens, für eine öffentliche und mündliche Hauptverhandlung vor dem erkennenden Gericht, und, um Justiz in die Hand des Volkes zu legen, für die Einrichtung von Geschworenengerichten.

Nach der bürgerlichen Revolution 1848 entstand die erste Strafprozessordnung (1950), die diese Prinzipien verwirklichte. Sie war zwar nur von kurzer Dauer – schon 1853 wurden die Reformen zum Teil wieder zurückgenommen –, aber schließlich gewährleistete die StPO 1873 den endgültigen Umschwung zum aufgeklärten Prozessmodell. Sie verwirklichte in bewusster Abkehr vom Inquisitionsprozess

- den Anklagegrundsatz,
- in Verbindung damit die Parteistellung des Beschuldigten,
- Öffentlichkeit, Mündlichkeit und Unmittelbarkeit der Hauptverhandlung,
- die freie richterliche Beweiswürdigung,
- die Unabhängigkeit und Unabsetzbarkeit der Richter
- und die Laienbeteiligung.

Am Wahrheitsprinzip, an der Offizialmaxime und an der Instruktionsmaxime wurde weiterhin festgehalten – das in der zweiten Hälfte des 19. Jahrhunderts auch diskutierte Modell der in England etablierten Verhandlungsmaxime wurde verworfen.

1938 erfolgt der Anschluss Österreichs an das Deutsche Reich. Ab dieser Zeit bis zum Ende des Zweiten Weltkrieges 1945 werden die StPO von 1873 und ihre grundrechtbewusste Ausrichtung daher durch zahlreiche deutsche Verordnungen des nationalsozialistischen Regimes durchbrochen. 1945 wird die StPO in ihrer vor dem Anschluss bestehenden Fassung wiederverlautbart. Sie gilt heute noch, mit dem Strafprozessreformgesetz 2004 wurde jedoch das gesamte Ermittlungsverfahren neu konzipiert.

– *Jüngere Entwicklungen*

Die Bekämpfung der organisierten Kriminalität und – seit 2002 verstärkt – des Terrorismus hat auch im Strafprozessrecht zu einem Umschwung geführt: zur Einrichtung und zum Ausbau von geheimen Ermittlungsbefugnissen. In diesem Zusammenhang ist das Bundesgesetz zur Einführung besonderer Ermittlungsmaßnahmen zur Bekämpfung organisierter Kriminalität (BGBl I 1997/105) hervorzuheben, durch das die (damals) heftig umstrittenen Methoden des Lausch- und Spähangriffs und der Rasterfahndung eine gesetzliche Grundlage erhielten.

Die zentrale strafrechtliche Reform wurde mit dem Strafprozessreformgesetz 2004 (BGBl I 2004/19, in Kraft seit 1.1.2008) vorgenommen, das ein zur Gänze neues strafrechtliches Vorverfahrensrecht geschaffen hat: eine Reform, von der behauptet wird, sie sei schon seit über 100 Jahren, nämlich seit Erlass der heutigen StPO 1873 fällig. Das Konzept der alten StPO, nach dem das Vorverfahren durch einen Untersuchungsrichter geleitet werden sollte, hatte in der Praxis nämlich versagt. Die Sicherheitsbehörden ermittelten *contra legem* weitgehend selbstständig; der Rechtsschutz gegen ihre Ermittlungshandlungen war defizitär.

Das Strafprozessreformgesetz soll diesen Missstand beseitigen. Das neue Vorverfahren steht unter der Leitung des Staatsanwalts und wird durch die Sicherheitsbehörden als Kriminalpolizei durchgeführt. Diese erhielt konkrete, weitgehend selbstständige Ermittlungskompetenzen, die Staatsanwaltschaft Anordnungs- und Kontrollbefugnisse und der Richter im Ermittlungsverfahren fungiert nur noch als Grundrechts- und Rechtsmittelrichter – Ermittlungsbefugnisse hat er keine mehr.

4. Entwicklung (des Rechts) der Strafvollstreckung

– *Peinliche Strafen vor der Rezeption*

Die mittelalterlichen Strafmethoden waren von der Fehde und vom Bußenstrafrecht geprägt, von Todes- und Leibesstrafen, Acht und Ehrenstrafen. Gefängnisse dienten vor allem der Verwahrung des Angeklagten während des Prozesses und bis zur Hinrichtung. Die Freiheitsstrafe hatte demgegenüber einen äußerst geringen Anwendungsbereich; sie drohte etwa dem zahlungsunfähigen Schuldner.

– *Idee und Anfänge der Freiheitsstrafe*

Die eigentliche Geschichte der Freiheitsstrafe beginnt im 16. Jahrhundert mit dem durch den Merkantilismus und durch den 30-jährigen Krieg bedingten Bedarf an billigen Arbeitskräften. Zuerst betraf diese Entwicklung Bettler und Landstreicher, die kriminalisiert, in Zuchthäuser interniert und als Zwangsarbeiter eingesetzt wurden. In Österreich wurden die ersten Zuchthäuser (Wien 1670, Innsbruck 1725, Graz 1735) nach Vorbildern aus England und den Niederlanden errichtet. Wohlfahrt und Sicherheit, Erziehung zur Arbeit, Zucht und Ordnung waren die Ziele des Strafvollzugs, wobei zur Einweisung kein Strafurteil vorausgesetzt wurde. Im Lauf des 18. Jahrhunderts wurden sämtliche Randgruppen – psychisch Kranke, Landstreicher, Arbeitslose, Waisenkinder, Arbeitslose und verwahrloste alte Menschen – in Zuchthäusern gehalten. Zwischen Verarmten und Kriminellen wurde nicht unterschieden; die ursprünglich kriminalpolitischen Ziele wurden zunehmend außer

Acht gelassen, und die Unterbringung der Insassen war zu dieser Zeit menschenunwürdig: auf engstem lichtlosem Raum, unter desolaten hygienischen Bedingungen, bei mangelhafter Ernährung.

Gegen Ende des 18. Jahrhunderts führten die Ideen der Aufklärung auch zu Reformen des Strafvollzugsrechts. Vor allem bewirkte das Allgemeine Gesetz über Verbrechen und deren Strafen *Joseph des II.*, die Josephina von 1787, gewisse Verbesserungen. Die Todesstrafe wurde als Kriminalstrafe abgeschafft und ein umfassendes System der Freiheitsstrafen etabliert.

Im Anschluss an das 1803 verabschiedete Gesetz über Verbrechen wurden die Gefängnisse von Waisenhäusern, Irrenanstalten und Armenhäusern räumlich getrennt und der Standard der Unterbringung erhöht. Im 19. Jahrhundert wurden die Leibes- und Lebensstrafen nach und nach von der Freiheitsstrafe verdrängt; das Verhältnismäßigkeitsprinzip setzte sich mehr und mehr durch, ebenso der Anspruch auf eine menschenwürdige Unterbringung.

– *Moderne Entwicklungen*

Das österreichische Strafvollzugsrecht wurde erst durch das Strafvollzugsgesetz 1969 (StVG, BGBl 1969/144) kodifiziert – bis dahin gab es nur unzureichende Regeln. General- und Spezialprävention als die heute einzigen anerkannten Strafzwecke[4] prägen das Ziel des Strafvollzugs: die Resozialisierung des Strafgefangenen (§ 20 StVG).

Ungeachtet aller Reformen und Verbesserungen in Richtung eines möglichst menschlichen und schonenden Strafvollzugs – die grundlegende Einstellung zur Freiheitsstrafe hat sich nicht wesentlich geändert: Sie wird auch heute noch zumindest bei schwerwiegenderen Verbrechen als unentbehrliche staatliche Reaktion angesehen.

---

[4] Dazu oben I.D.3.

Literaturhinweise zu Abschnitt G.

Carpzov, Benedict, Practicae novae imperialis Saxonicae rerum criminalium. Wittebergae 1670.

Glaser, Julius, Handbuch des Strafprozesses, Band 1 und 2. Lübeck 1883.

Hye-Glunek, Die leitenden Grundsätze der österreichischen Strafproceßordnung vom 29. Juni 1853. Wien 1854.

Köstlin, Reinhold, Der Wendepunkt des deutschen Strafverfahrens. Tübingen 1849.

Ignor, Alexander, Geschichte des Strafprozesses in Deutschland 1532–1846. Von der Carolina Karls V. bis zu den Reformen des Vormärz. Paderborn u.a. 2002.

Mittermaier, Carl Joseph Anton, Die Gesetzgebung und Rechtsübung über Strafverfahren nach ihrer neuesten Fortbildung. Erlangen 1856.

Rüping, Hinrich/Jerouschek, Günther, Grundriss der Strafrechtsgeschichte. 5. Aufl. München 2007.

Schmidt, Eberhard, Einführung in die Geschichte der deutschen Strafrechtspflege. Göttingen 1983.

Zachariae, Heinrich-Albert, Die Gebrechen und die Reform des deutschen Strafverfahrens. Göttingen 1846.

Abkürzungsverzeichnis zum Landesbericht Österreich

ABl	Amtsblatt der Europäischen Gemeinschaften/Amtsblatt der Europäischen Union
AnwBl	Anwaltsblatt
ARHG	Auslieferungs- und Rechtshilfegesetz
BewHG	Bewährungshilfegesetz
BGBl	Bundesgesetzblatt
BIP	Bruttoinlandsprodukt
B-VG	Bundes-Verfassungsgesetz
BWG	Bankwesengesetz
CCC	Constitutio Criminalis Carolina
DSG	Datenschutzgesetz
EG	Europäische Gemeinschaft
EGMR	Europäischer Gerichtshof für Menschenrechte
EGV	Vertrag zur Gründung der Europäischen Gemeinschaft
EMRK	Europäische Menschenrechtskonvention (Europäische Konvention zum Schutze der Menschenrechte und Grundfreiheiten)
EU	Europäische Gemeinschaft
EuGH	Gerichtshof der Europäischen Gemeinschaften
EuGRZ	Europäische Grundrechte-Zeitung
EU-JZG	Bundesgesetz über die justizielle Zusammenarbeit in Strafsachen mit den Mitgliedstaaten der Europäischen Union
EUV	Vertrag über die Europäische Union
FinStrG	Finanzstrafgesetz
FS	Festschrift
GRBG	Grundrechtsbeschwerdegesetz
GS	Gedächnisschrift
JAP	Juristische Ausbildung und Praxis
JBl	Juristische Blätter
JGG	Jugendgerichtsgesetz
JSt	Journal für Strafrecht
km	Kilometer
m	Meter
MilStG	Militärstrafgesetz

ÖBl	Österreichische Blätter für gewerblichen Rechtsschutz und Urheberrecht
OGH	Oberster Gerichtshof
ÖJZ	Österreichische Juristenzeitung
PersFG	Bundesverfassungsgesetz über den Schutz der persönlichen Freiheit
RGBl	Reichsgesetzblatt
RIS	Rechtsinformationssystem des Bundes
SDÜ	Schengener Durchführungsübereinkommen
SMG	Suchtmittelgesetz
SPG	Sicherheitspolizeigesetz
SSt	Sammlung Strafrecht
StAG	Staatsanwaltsgesetz
StGB	Strafgesetzbuch
StGBl	Staatsgesetzblatt
StGG	Staatsgrundgesetz über die allgemeinen Rechte der Staatsbürger
StPO	Strafprozessordnung
StRÄG	Strafrechtsänderungsgesetz
StrEG	Strafrechtliches Entschädigungsgesetz
StrRG	Strafregistergesetz
StVG	Strafvollzugsgesetz
UVS	Unabhängiger Verwaltungssenat
VfGH	Verfassungsgerichtshof
VwGH	Verwaltungsgerichtshof
ZP	Zusatzprotokoll
ZP EMRK	Zusatzprotokoll zur EMRK
ZRP	Zeitschrift für Rechtspolitik
ZStW	Zeitschrift für die gesamte Strafrechtswissenschaft
ZusIntG	Bundesgesetz über die Zusammenarbeit mit den internationalen Gerichten
ZusIStrGH	Bundesgesetz über die Zusammenarbeit mit dem internationalen Strafgerichtshof

Rahmenbedingungen, Vorgaben, Grundlagen
und Entwicklung des Strafrechts in

Polen

Ewa Weigend

Inhaltsverzeichnis

A. Nationale Rahmenbedingungen

1. Geografie

Die Republik Polen *(Rzeczpospolita Polska)*, ein mittelosteuropäisches Land mit Zugang zur Ostsee, erstreckt sich über eine Fläche von 312.685 km².[1] Sie grenzt im Norden an die russische Exklave Kaliningrad (210 km) und an Litauen (103 km), im Süden an die Tschechische Republik (796 km) und die Slowakei (541 km), im Osten an Weißrussland (416 km) und die Ukraine (535 km) sowie im Westen an die Bundesrepublik Deutschland (467 km). Die Gesamtlänge der Grenzen beträgt 3.511 km, wobei 3.071 km die sogenannte Landesgrenze ausmachen und 395 km Grenze an der Ostsee verlaufen.[2]

Die Hauptstadt Warschau *(Warszawa)* ist die größte Stadt mit einer Fläche von 517 km². Weitere Großstädte (2003) sind: Krakau *(Kraków)*, Stettin *(Szczecin)*, Lodz *(Łódź)*, Breslau *(Wrocław)*, Danzig *(Gdańsk)* sowie Posen *(Poznań)*.[3]

Die Landeswährung ist *Złoty* (November 2009: 1 Euro = 4,178 Złoty).

2. Bevölkerung

a) Bevölkerungszahl und -gruppen

Mit einer Bevölkerungszahl von 38.500.696 Einwohnern (Juli 2008),[4] was einer Bevölkerungsdichte von 124 Einwohnern pro km² entspricht, steht Polen an sechster Stelle in der Europäischen Union, an achter in Europa und an 30. Stelle in der Welt. Der Anteil der Frauen an der Gesamtbevölkerung (19.698.700) war am 31.12.2006 höher als der der Männer (18.426.800).[5]

Die Altersstruktur der Bevölkerung stellt sich im Jahr 2008 wie folgt dar: Die unter 15-Jährigen machen einen Anteil von 15,2 % aus (davon sind 3.013.109 männlich und 2.849.977 weiblich), den Hauptanteil von 71,4 % stellen die 15- bis

---

1 Fischer Weltalmanach 2008 (siehe unten Literatur- und Quellenhinweise).

2 Statistisches Jahrbuch Polens 2007 (siehe unten Literatur- und Quellenhinweise).

3 Enzyklopädie Fakten und Zahlen (siehe unten Literatur- und Quellenhinweise).

4 CIA Factbook (siehe unten Literatur- und Quellenhinweise).

5 Das Statistische Jahrbuch Polens 2007.

64-Jährigen (13.681.481 Männer, 13.808.412 Frauen). 13,4 % der Gesamtbevölkerung sind 65 Jahre und älter (1.964.477 Männer, 3.183.240 Frauen).[6]

Die Bevölkerung ist mit etwa 62 % (23,45 Millionen) auf die Städte konzentriert; circa 38 % der Menschen (14,71 Millionen) leben auf dem Land. Die Einwohnerzahl von Warschau beträgt im sogenannten Agglomerationsraum circa 2,4 Millionen. Es gibt 22 Städte mit einer Einwohnerzahl zwischen 100.000 und 199.999 und 17 Städte mit über 200.000 Einwohnern.[7]

Polen ist heute ethnisch betrachtet ein homogener Staat, was ein Novum in seiner Geschichte darstellt. Dennoch entwickelt es sich zunehmend zu einem Einwanderungsland: Es reisen immer mehr Ausländer ein, um sich dort niederzulassen. Auch wenn der tatsächliche Umfang der Immigration erst nach Berücksichtigung einer statistisch nur schwer zu erfassenden Grauzone der Schwarzarbeit errechnet werden könnte, stellt sie zweifelsohne eine bevölkerungspolitische Erscheinung zunehmender Größe dar. Nach offiziellen Angaben[8] betrug die Zahl der Einwanderer Mitte der 1990er Jahre kaum 8.000, dagegen waren es im Jahr 2007 bereits 60.000. Die größte nationale Gruppe von Immigranten bilden die Bürger der ehemaligen Sowjetunion: Im Jahr 2007 waren dies vor allem Ukrainer (circa 9.000), Weißrussen (2.200), Russen (1.500) und Armenier (1.300).

b) Sprache

Die Landessprache ist Polnisch. Sprachen der Minderheiten sind Deutsch, Ukrainisch und Russisch. Die Alphabetisierungsrate, gemessen an der Lesefähigkeit von über 15-Jährigen, beträgt bei Männern 99,8 % und bei Frauen 99,7 %.[9]

c) Religion

Polen ist ein überwiegend katholisches Land. 89,9 % der Bevölkerung geben ihre Konfession mit katholisch an. Zugehörige anderer Religionen sind: Russisch-Orthodoxe (1,6 %) und Protestanten (0,4 %); Altkatholiken und Juden bilden zu vernachlässigende Religionsminderheiten.

Die Stellung der katholischen Kirche ist für das politische und gesellschaftliche Leben des Landes von außerordentlicher Bedeutung. Ihr Einfluss und ihre überragende soziale Rolle haben auch die Zeit der kommunistischen Herrschaft (1945–1989) überstanden. Die kommunistische Staatsordnung geriet zwar mit dem in einer langen historischen Tradition begründeten christlichen Glauben der Bevölke-

---

6 CIA Factbook.

7 Das Statistische Jahrbuch Polens 2007.

8 Demographisches Jahrbuch Polens 2007 (siehe unten Literatur- und Quellenhinweise).

9 CIA Factbook.

rungsmehrheit unvermeidbar in Konflikt, da beide ihrem Wesen nach nicht miteinander zu vereinbaren sind. Dennoch war die katholische Kirche Polens auch in dieser Zeit das Symbol und die Heimstätte des politischen Widerstands. Während der gesamten Dauer des Bestehens der Volksrepublik Polen vermochte keine der Initiativen der Machthaber ihrer Stellung und ihrem hohen Ansehen in der Bevölkerung zu schaden.

Sowohl der immer noch bestehende starke soziale und politische Einfluss als auch die spezifisch polnische Erscheinungsform des Katholizismus (sogenannter Volkskatholizismus, der Volksglaube), die durch das Pontifikat des „polnischen Papstes" Johannes Paul II. noch gefestigt wurden, bringen in der modernen zeitgenössischen Gesellschaft Polens auch nachteilige Folgen mit sich. Dies kann beispielhaft an dem von der Regierung *Kaczyński* (2005–2007) zum größten Teil geglückten Versuch aufgezeigt werden, die katholischen Wertvorstellungen in die nationalkonservativen Regierungsprojekte (zum Beispiel auf rechtspolitischer Ebene, im Bereich der Rechtsmedizin) umzusetzen und dadurch die katholische Ideologie auf die Gesetzgebung eines demokratischen Rechtsstaates Einfluss nehmen zu lassen.

3. Wirtschaft

– *Wirtschaftsverfassung*

Polen ist – ähnlich wie die anderen Länder des ehemaligen Ostblocks – nach der Zeit des kommunistischen Planwirtschaftssystems (1945–1989) in das System der freien Markwirtschaft übergegangen. Die sogenannte Wirtschaftstransformation *(transformacja gospodarcza)* stellte einen langsamen und sozial nicht immer reibungslos verlaufenden Prozess dar. Dieser war vor allem mit der schrittweisen Privatisierung der staatlichen Betriebe, der Rückführung staatlichen Eigentums an die früheren Besitzer sowie mit der verfassungsrechtlichen Garantie und rechtlichen Gleichstellung aller Eigentumsformen, mit der Absicherung der Konvertibilität des *Złoty*, mit der Neuregelung des Schuldendienstes sowie mit der Einschränkung der staatlichen Arbeitsplatzgarantie verbunden.

– *Bruttoinlandsprodukt, Arbeitsmarkt, Inflation*

Im Jahr 2005 betrug das Bruttoinlandsprodukt umgerechnet 5.115 Euro pro Einwohner, der reale Wirtschaftszuwachs lag bei 3,4 %. Der Dienstleistungssektor trägt mit 64 % den überwiegenden Teil dazu bei, die Industrie ist mit 31 % und die Land- und Forstwirtschaft sowie die Fischerei sind mit 4,8 % beteiligt.[10] Die Struktur der Erwerbstätigkeit setzte sich 2005 folgendermaßen zusammen: in der Land-

[10] Fischer Weltalmanach 2008.

wirtschaft waren 17,4 %, in der Industrie 29 % und im Bereich der Dienstleistungen 53 % der Bevölkerung beschäftigt.[11]

Das kontinuierlich steigende Niveau der wirtschaftlichen Entwicklung Polens kann auch an den signifikant sinkenden Inflationsraten und Arbeitslosigkeitsquoten dokumentiert werden: Im Jahr 2004 betrug die Inflationsrate 3,5 %, im Jahr 2005 2,1 % und 1,0 % im Jahr 2006. Die Arbeitslosenquote lag im Jahr 2006 durchschnittlich bei 14,9 %, im April 2007 sank sie auf 13,7 %.[12]

Was den Außenhandel betrifft, so hat das Land 2006 Waren für 100,348 Milliarden Euro importiert und für 87,849 Milliarden Euro exportiert. Der wichtigste Handelspartner ist bereits seit Jahren Deutschland mit 24 % der Importe und 29 % der Exporte (2005).[13]

4. Staatsorganisation

Die Republik Polen ist ein zentral organisierter Einheitsstaat (Art. 3 Verfassung). Die Staatsordnung ist einerseits auf die Gewaltentrennung, andererseits auf das Gleichgewicht zwischen Legislative, Exekutive und Judikative gestützt (Art. 10 Abs. 1 Verfassung). Die gesetzgebende Gewalt wird durch das Parlament ausgeübt; die Exekutive stellen der Ministerpräsident und der Ministerrat dar, die Judikative vertreten die Gerichte und Gerichtshöfe (Art. 10 Abs. 2 Verfassung).

An der Spitze des Staates steht der Staatspräsident (V. Kapitel der Verfassung: Art. 126–145). Er wird in allgemeinen, gleichen und geheimen Wahlen direkt vom Volk auf fünf Jahre gewählt, wobei eine Wiederwahl nur einmal möglich ist. Das Staatsoberhaupt ist – neben dem Ministerpräsidenten – der Chef der Exekutive und erster Repräsentant des Landes im Ausland. Gleichzeitig ist er oberster Befehlshaber der Streitkräfte. Die bedeutendste seiner Aufgaben besteht jedoch darin, kontinuierlich die Handlungsfähigkeit der Staatsgewalt sicherzustellen, indem er die Einhaltung der Verfassung und der inneren Staatssicherheit überwacht. In seinen Kompetenzbereich fallen zudem die Ratifizierung und Kündigung internationaler Verträge sowie die Ausfertigung von Gesetzen. In den verfassungsmäßigen und durch Gesetze eng festgelegten Grenzen kann er auch bestimmte Anordnungen und Amtsakte erlassen.

Die polnische Staatsorganisation zeichnen sowohl parlamentarische als auch präsidentielle Merkmale aus: Einerseits ist die Regierung grundsätzlich von der Parlamentsmehrheit abhängig, wobei die parlamentarische Abwahl der Regierung nur durch ein konstruktives Misstrauensvotum möglich ist, was wiederum einen über-

---

[11] Fischer Weltalmanach 2008.

[12] Das Statistische Jahrbuch Polens 2007.

[13] Fischer Weltalmanach 2008.

einstimmenden Vorschlag des neuen Kandidaten voraussetzt. Andererseits hat der Staatspräsident eine Reihe wichtiger Befugnisse, wie zum Beispiel das Vetorecht im Prozess der Gesetzgebung, das nur mit einer qualifizierten parlamentarischen Mehrheit überstimmt werden kann. Zu nennen sind auch sein Recht, das Parlament aufzulösen, sowie weitreichende Befugnisse zur Ernennung anderer Staatsorgane, zum Beispiel des Ministerpräsidenten. Diese verfassungsmäßige Stellung eröffnet dem Staatspräsidenten eine nicht geringe Einflussnahmemöglichkeit auf die politischen Entscheidungen im Staat. Dies lässt sich besonders deutlich in den Zeiten der unklaren Mehrheitsverhältnisse feststellen, die seit den Parlamentswahlen im Oktober 2007 in Polen vorherrschen.

Die Republik Polen ist eine parlamentarische Demokratie mit einem Zweikammernparlament (Art. 2 Verfassung). Das Parlament, das in seiner Gesamtheit als *Sejm* bezeichnet wird, setzt sich aus der Abgeordnetenkammer, die 460 Abgeordnete zählt, und dem aus 100 Senatoren bestehenden Senat zusammen (Art. 96 und 97 Verfassung). Die Abgeordnetenkammer und der Senat bilden die Nationalversammlung, in der sie in bestimmten innen- und außenpolitisch erheblichen Fällen gemeinsam beraten (Art. 114 Verfassung). Die Abgeordneten beider Parlamentskammern werden jeweils für eine Legislaturperiode von vier Jahren gewählt (Art. 98 Verfassung). Die Wahlen zur ersten Kammer des Parlaments finden zum Teil nach Mehrheits-, zum Teil nach Verhältniswahlrecht statt. Die 100 Senatoren der zweiten Kammer werden dagegen ausschließlich mittels einer Mehrheitswahl bestimmt.

Die Primäraufgabe des Parlaments besteht in der Verabschiedung von Gesetzen. Sekundär kommt dem *Sejm* die Aufgabe der Mitwirkung bei der Besetzung der wichtigsten Ämter im Staate zu. So wählt er den Ministerpräsidenten und sein Kabinett und beruft die Mitglieder des Verfassungsgerichtshofs. Eine Kontrollfunktion über die Exekutive (Art. 95 Abs. 2 Verfassung) übt der *Sejm* – unter anderem – dadurch aus, dass er, mit entsprechender Mehrheit, Misstrauensanträge gegen einzelne Minister stellen kann.

Die Hauptaufgabe der zweiten Parlamentskammer, des Senats, liegt in der Überprüfung der von der Abgeordnetenkammer beschlossenen Gesetze. Dabei kann er einzelne Gesetzesänderungen vorschlagen oder die vom *Sejm* verabschiedeten Gesetze *in toto* ablehnen. Anders als der *Sejm* besitzt der Senat jedoch keine Kontrollfunktion gegenüber der Exekutive. Unter bestimmten Voraussetzungen kann er aber die Prüfung der Verfassungsmäßigkeit von Gesetzen und internationalen Verträgen durch das Verfassungsgericht veranlassen (Art. 192 Verfassung).

Darüber hinaus basiert die Staatsorganisation zwar auf einem Zentralverwaltungssystem, sie zeichnet sich aber dadurch aus, dass sie Elemente kommunaler Selbstverwaltung kennt. Seit dem 1.1.1999 ist die Verwaltung Polens in 2.478 Gemeinden, 314 Kreise sowie in 16 sowohl von der Zentralregierung als auch von der Kommunalverwaltung geleitete Wojewodschaften *(województwa)* gegliedert. Im

Gegensatz zu den übrigen Kommunalverwaltungen ergibt sich für die Struktur der Wojewodschaften die Besonderheit, dass diesen jeweils ein von der Zentralregierung berufenes Oberhaupt – der Wojewode *(wojewoda)* – vorsteht. Dieser ist einerseits der Kommunalverwaltungschef der Wojewodschaft, andererseits aber vertritt er die politischen Interessen der Warschauer Zentralverwaltung in dieser Verwaltungseinheit.

Das Beschluss- und Kontrollorgan der Kommunalverwaltungen ist für Gemeinden, Städte und Kreise jeweils der Rat, sowie – für die größten der Verwaltungseinheiten, die Wojewodschaften – das Wojewodschaftsparlament. Der Rat fällt grundsätzliche und für die Entwicklung der jeweiligen Region bedeutende Entscheidungen. So kann dieser – unter anderem – kommunale Rechtsakte und Haushaltspläne beschließen, insbesondere auch Verordnungen über Art und Höhe lokaler Abgaben erlassen. Zu den Aufgaben der Räte gehören auch die Berufung und Abberufung des Gemeindevorsitzenden, des Bürgermeisters oder Stadtpräsidenten sowie des Kreisältesten beziehungsweise des Marschalls der Wojewodschaft *(marszałek województwa)*, die dem entsprechenden kommunalen Beschluss- und Kontrollorgan vorsitzen.

5. Kriminalität und Strafverfolgung

a) Ermittlungsbehörden

Als Ermittlungsbehörden fungieren in Polen die Staatsanwaltschaft und die Polizei. Es ist von dem Grundsatz auszugehen, dass die Staatsanwaltschaft die Herrin des Vorverfahrens ist und damit die wichtigste Ermittlungsbehörde im sogenannten vorbereitenden Verfahren *(postępowanie przygotowawcze)* darstellt. Diese Stellung der Staatsanwaltschaft lässt sich aus Art. 298 § 1 k.p.k von 1997 *(Kodeks postępowania karnego)* ableiten, wonach das Vorverfahren vorrangig vom Staatsanwalt und in dem gesetzlich – allerdings breit – geregelten Umfang von der Polizei geleitet wird. So leitet zum Beispiel die Polizei in der Regel alle Ermittlungsverfahren in Strafsachen, die in die Zuständigkeit der Amtsgerichte fallen und die mit einer Freiheitsstrafe bis zu fünf Jahre bedroht sind (Art. 325b § 1 Ziffer 1 k.p.k).

Aufgrund der weitreichenden Aufgabenzuweisung werden im Tätigkeitsbereich der Polizei zwangsläufig auch andere Einrichtungen tätig. In den gesetzlich bestimmten Fällen stehen nämlich die Befugnisse der Polizei auch anderen Organen zu, zum Beispiel denen des Grenzschutzes, des Inlandssicherheitsdienstes oder anderer Institutionen, soweit dies in besonderen Vorschriften vorgesehen ist. Dies ist der Fall für Organe der Forstwirtschaft und der Handelskontrolle. Die Finanzermittlungsorgane, das heißt die Finanzämter und die Fiskalkontrollinspekteure, ermitteln bei der besonderen Kategorie von Straftaten, die als Fiskalstraftaten bezeichnet werden (Art. 53 § 2 fiskalisches Strafgesetz vom 10.9.1999).

Neben der Polizei und der Staatsanwaltschaft als (Haupt-)Ermittlungsbehörden existieren darüber hinaus verschiedene Spezialbehörden, deren Aufgaben im Schutz der öffentlichen Ordnung und Sicherheit sowie der Staatssicherheit liegen. Zu nennen ist hier vor allem das Zentrale Antikorruptionsbüro *(Centralne Biuro Antykorupcyjne)*, das die Regierung *Kaczyński* 2006 ins Leben gerufen hat. Die Hauptaufgabe dieser selbstständigen Ermittlungsbehörde besteht in der Bekämpfung der Korruption im öffentlichen Leben und der Wirtschaft, insbesondere in staatlichen Institutionen und Organen der kommunalen Selbstverwaltung.

Die Organe des (zivilen) Inlandsnachrichtendienstes ermitteln im Bereich der Bekämpfung politisch motivierter Kriminalität bei Vorlage folgender Straftaten: Spionage, Terrorismus, Geheimnisverrat und andere die Sicherheit des Staates gefährdende Straftaten, Straftaten gegen die wirtschaftlichen Grundlagen des Staates, Korruption von Personen, die öffentliche Ämter bekleiden, falls dies die Sicherheit des Staates beeinträchtigen kann, Herstellung und Handel mit Waren, Technologien und Diensten, die eine strategische Bedeutung für die Sicherheit des Staates haben, unerlaubte Herstellung und internationaler Handel mit Waffen, Munition, Sprengstoffen, Sucht- oder psychotropen Substanzen sowie Massenvernichtungswaffen.

Die Ermittlungskompetenzen des militärischen Abwehrdienstes beziehen sich im polnischen Strafprozess auf die von Soldaten im aktiven Wehrdienst begangenen Straftaten, zum Beispiel auf Straftaten gegen den Frieden, gegen die Menschlichkeit, Kriegsstraftaten, Staatsdelikte, Straftaten gegen die Sicherheit von Informationen, Korruptionsdelikte sowie auf alle Straftaten, die mit terroristischen Aktivitäten verbunden sind, vorausgesetzt, dass all diese Taten die Sicherheit und Kampfkraft des polnischen Militärs gefährden.

Das Dienstverhältnis eines Polizisten wird durch Ernennung einer sich freiwillig zum Dienst in der Polizei meldenden Person begründet. Die Ernennung kann gemäß Art. 28 Abs. 1 und 1a des Polizeigesetzes vom 6.4.1990 erfolgen:

- für die Zeit des sogenannten Vorbereitungs- bzw. Kandidatendienstes;
- auf befristete Zeit (sogenannter Vertragsdienst);
- auf unbefristete Zeit.

Der Kandidat für die Laufbahn eines Polizeibeamten soll:

- die polnische Staatsbürgerschaft besitzen;
- nicht vorbestraft sein;
- die öffentlichen Bürgerrechte besitzen;
- einen unbescholtenen Leumund vorweisen;
- die mittlere Reife oder das Abitur abgelegt haben, wobei diese Voraussetzung für Anwärter des Präventionsdienstes nicht gilt;

- die physische und psychische Kondition für einen Dienst an der Waffe nachweisen können.

Die Struktur der Polizeikräfte gestaltete sich im Jahr 2006[14] bezüglich der Beschäftigten und der Dienstgrade wie folgt: Bei den Polizeidiensten waren insgesamt 96.893 Personen beschäftigt, wobei der Personalbestand *(stan etatowy)* 103.309 Polizeibeamte umfasste, davon 10.631 Beamtinnen. Die Stellen der Polizeibeamten verteilten sich wiederum auf:

- 1.759 Polizeibeamte im Führungsdienst;
- 30.949 Kriminalpolizeibeamte;
- 57.303 Polizeibeamte im Präventionsdienst;
- 5.197 Polizeibeamte im polizeilichen Hilfsdienst.

In Polen wird keine Anzeigestatistik geführt. Vielmehr wird in diesem Zusammenhang von den im Vorverfahren festgestellten Straftaten gesprochen. Im Jahr 2007 wurden 1.152.993 Straftaten festgestellt; [15] im Vergleich zum Vorjahr (1.287.918 festgestellte Straftaten) ist somit ein Rückgang um 134.925 Straftaten (11,7 %) festzustellen.

b) Anklagebehörden

Der Staatsanwalt tritt als öffentlicher Ankläger vor allen Gerichten auf (Art. 45 § 1 k.p.k). Vor Militärgerichten klagt der Militärstaatsanwalt an (Art. 657 § 2 k.p.k). Andere staatliche Organe benötigen dagegen eine ausdrückliche gesetzliche Ermächtigung für den Auftritt als Ankläger (Art. 45 § 2, Art. 325d k.p.k). Eine solche ministeriale Ermächtigung (Verordnung des Justizministers vom 13.6.2003) berechtigt zum Beispiel die Organe des Grenzschutzes zum Auftritt vor allen Gerichten des ersten Rechtszugs und zur Vertretung der Anklage in Strafsachen wegen Verunglimpfung von polnischen und ausländischen Hoheitszeichen (Art. 137 k.k), illegalen Grenzübertritts (Art. 264 k.k), Urkundenfälschung (Art. 270 k.k), Falschbeurkundung (Art. 273 k.k) sowie wegen Straftaten des Missbrauchs von Ausweispapieren (Art. 275–277 k.k).

In das Amt des Staatsanwalts kann ein Kandidat nur berufen werden, wenn er:

- die polnische Staatsbürgerschaft besitzt;
- nicht vorbestraft ist;
- im Besitz der öffentlichen Bürgerrechte ist;
- einen makellosen Charakter hat;

---

[14] Internetseiten der polnischen Polizei. Statistiken (siehe unten Literatur- und Quellenhinweise).

[15] Internetseiten der polnischen Polizei. Statistiken.

- das 26. Lebensjahr vollendet hat;
- ein Jurastudium mit Magisterdiplom in Polen abgeschlossen oder ein in Polen anerkanntes Jurastudium im Ausland absolviert hat;
- das vorgeschriebene staatsanwaltschaftliche Examen nach mehrjähriger Applikation abgelegt hat;
- eine mehrjährige Referendariatszeit bei der Staatsanwaltschaft oder beim Gericht absolviert hat.

c) Strafgerichte

Die ordentliche streitige Gerichtsbarkeit wird durch das Oberste Gericht, durch ordentliche Gerichte sowie durch Verwaltungs- und Militärgerichte ausgeübt (Art. 175 Abs. 1 Verfassung). Das Strafgericht ist dasjenige Organ, dem die Rechtsprechung in Strafsachen vorbehalten ist.

Der Gruppe der ordentlichen Gerichte gehören die Amts- *(sądy rejonowe)*, Land- *(sądy okręgowe)* sowie Appellationsgerichte *(sądy apelacyjne)* an. Sie bestehen aus Kammern *(wydziały)*, die von einem Vorsitzenden *(przewodniczący)* geleitet werden, welcher in der Regel das Amt des Gerichtspräsidenten *(prezes sądu)* oder seines Stellvertreters *(wiceprezes sądu)* innehat (Art. 11 §§ 1 und 2 des Gerichtsverfassungsgesetzes vom 27.7.2001). Zurzeit gibt es 11 Appellations-, 45 Land- und 315 Amtsgerichte.[16]

An allen Gerichten gibt es folgende drei Kammern: die Zivil- und die Strafkammer sowie die Kammer für Arbeits- und Sozialversicherungssachen. Zudem befinden sich an allen Amtsgerichten zusätzlich die Kammern für Familien- und Jugendsachen sowie die für Grundbücher. An den Landgerichten gibt es überdies noch die Strafvollstreckungs- und die Wirtschaftskammern (Art. 12, 16 und 18 des Gerichtsverfassungsgesetzes).

Innerhalb des Gerichtsaufbaus existieren keine Sondereinheiten. Darüber hinaus verbietet die Verfassung für Friedenszeiten ausdrücklich Ausnahmegerichte (Art. 175 Abs. 2).

Als Strafgerichte des ersten Rechtszugs fungieren die Amts- und Landgerichte (Art. 24, Art. 25 § 1 k.p.k). Die Appellationsgerichte und das Oberste Gericht bilden die zweite Gerichtsinstanz (Art. 26 und 27 k.p.k), da das polnische Rechtsmittelsystem zweiinstanzlich ist (Art. 444–458 und Art. 459–467 k.p.k).

An der Rechtsprechung der ordentlichen und der Militärgerichte nehmen Laien/ Schöffen *(ławnicy)* teil (Art. 3 k.p.k).

---

16 Internetseiten des polnischen Justizministeriums (siehe unten Literatur- und Quellenhinweise).

Die Anzahl der Richter an ordentlichen Gerichten Polens betrug im Jahr 2007 8.254; davon waren 455 Richter an Appellationsgerichten, 2.517 an Landgerichten und 5.282 an Amtsgerichten angestellt.[17]

In das Amt eines Richters an einem ordentlichen Gericht kann ein Kandidat berufen werden, der:

- die polnische Staatsbürgerschaft besitzt;
- nicht vorbestraft ist;
- im Besitz der öffentlichen Bürgerrechte ist;
- einen makellosen Charakter hat;
- das 29. Lebensjahr vollendet hat;
- das Jurastudium mit Magisterdiplom in Polen abgeschlossen oder ein in Polen anerkanntes Jurastudium im Ausland absolviert hat;
- das richterliche Examen nach mehrjähriger Applikation abgelegt hat;
- die vorgeschriebene mehrjährige Referendariatszeit bei der Staatsanwaltschaft oder beim Gericht absolviert hat oder als Gerichtsreferendar tätig war.

Im Jahr 2007 verurteilten die Gerichte 464.200 Angeklagte wegen Straftaten (91,1 %), 10.500 Personen wurden freigesprochen (2,1 %), gegenüber 10.700 Angeklagten wurde das Strafverfahren eingestellt (2,1 %) und gegenüber 23.300 Angeklagten bedingt eingestellt (4,6 %).[18]

d) Sanktionen

Das geltende Strafgesetzbuch von 1997 hat die bis dahin geläufige Differenzierung der Sanktionen in Haupt- und Nebenstrafen abgeschafft. In Art. 32 k.k werden nun die Strafen genannt und Art. 39 k.k enthält die außer den Hauptstrafen anwendbaren Strafmaßnahmen, die aber nicht mehr nur neben einer anderen Sanktion, sondern auch selbstständig verhängt werden können (Art. 59 k.k).

Gemäß Art. 32 k.k sind Strafen:

- die Geldstrafe;
- die Freiheitsbeschränkungsstrafe;
- die Freiheitsstrafe;
- die Freiheitsstrafe von 25 Jahren und
- die lebenslange Freiheitsstrafe.

---

[17] Internetseiten des Justizministeriums und Statistisches Jahrbuch Polens 2007.

[18] Internetseiten des Justizministeriums und Statistisches Jahrbuch Polens 2007.

Art. 322 k.k sieht darüber hinaus die Strafe des Militärarrests für Soldaten und – in gesetzlich bestimmten Fällen (Art. 317 k.k) – auch für andere Personen vor, zum Beispiel für Zivilangestellte der Armee.

Die in Art. 39 k.k aufgeführten Strafmaßnahmen sind:

- die Aberkennung der öffentlichen Rechte;
- das Verbot, eine bestimmte Stellung zu bekleiden, einen bestimmten Beruf oder eine bestimmte wirtschaftliche Tätigkeit auszuüben;
- das Verbot, eine Tätigkeit auszuüben, die mit der Erziehung, Therapie, Bildung oder Betreuung von Minderjährigen verbunden ist;
- die Verpflichtung, sich nicht an bestimmten Orten aufzuhalten oder in bestimmten Kreisen nicht zu verkehren, das Verbot, Kontakte mit einem bestimmten Personenkreis zu unterhalten oder das Verbot, einen bestimmten Aufenthaltsort ohne Zustimmung des Gerichts zu verlassen;
- das Fahrverbot;
- der Sachverfall;
- die Schadenswiedergutmachungspflicht;
- die Buße;
- die Geldleistung;
- die öffentliche Bekanntgabe des Urteils.

Bei einer Gesamtzahl von 462.937 wegen Offizialdelikten im Jahr 2006 verurteilten erwachsenen Straftätern haben die Gerichte gegenüber 88.407 Personen (19,2 %) die Geldstrafe (die in 2.435 Fällen zur Bewährung ausgesetzt wurde), gegenüber 57.918 Personen (12,6 %) die Freiheitsbeschränkungsstrafe und gegenüber 315.074 Personen (68,2 %) die Freiheitsstrafe verhängt. Diese wurde in 272.653 Fällen (58,9 %) zur Bewährung ausgesetzt, in 42.421 Fällen (9,3 %) wurde die sogenannte unbedingte Freiheitsstrafe ausgesprochen. Die im polnischen Strafrecht als selbstständige Sanktion begriffene Freiheitsstrafe von 25 Jahren wurde 98 Mal und die lebenslange Freiheitsstrafe 30 Mal verhängt.[19]

e) Strafvollzug

Das polnische Strafvollstreckungsgesetzbuch vom 6.6.1997 (*Kodeks karny wykonawczy:* k.k.w) bestimmt in Art. 68, dass die Strafvollzugsanstalten dem Justizminister unterstehen. Dieser gründet und schließt sie im Wege der Ministerialverordnung und übt eine sogenannte Vollzugsaufsicht über sie aus *(nadzór penitencjarny)*. Organisatorisch gehören die Vollzugsanstalten dem Gefängnisdienst

---

[19] Internetseiten des Justizministeriums und Statistisches Jahrbuch Polens 2007.

(Służba Więzienna) an, der als eine „apolitische uniformierte und bewaffnete Formation" bezeichnet wird (Art. 3 des Gesetzes vom 26.4.1966).

In Polen lassen sich drei Anstaltsarten unterscheiden:

- Strafanstalten *(zakłady karne)*,
- Untersuchungshaftanstalten *(areszty śledcze)* und
- sogenannte ausgelagerte Strafvollzugsabteilungen *(oddziały zewnętrzne)*.

Am 31.12.2007 befanden sich 70.560 Insassen in den 85 Strafanstalten, 11.441 in den 70 Untersuchungshaftanstalten und 5.473 Insassen in den 32 ausgelagerten Strafvollzugsabteilungen.[20]

Die Freiheitsentzugsstrafe wird in vier Vollzugsanstaltskategorien (Art. 69 k.k.w) vollzogen:

- Strafanstalten für Jugendliche *(zakłady karne dla młodocianych)*;
- Strafanstalten für Ersttäter *(zakłady karne dla odbywających karę po raz pierwszy)*;
- Strafanstalten für Wiederholungstäter *(zakłady karne dla recydywistów penitencjarnych)*;
- Strafanstalten für Personen, die den Militärarrest verbüßen *(zakłady karne dla osób odbywających karę aresztu wojskowego)*.

Darüber hinaus ist der Strafvollzug in offenen, halboffenen und geschlossenen Anstalten organisiert (Art. 70 k.k.w). Für den Grad der Offenheit der Anstalten sind Kriterien wie die Sicherheits- und Isolationsstufe sowie der Umfang der Rechte und Pflichten der Häftlinge von entscheidender Bedeutung (Art. 70 § 2 k.k.w).

Zur Gefangenenstatistik ist Folgendes auszuführen: Die Gefangenenrate *(współczynnik prizonizacji)*, also die Zahl der Strafgefangenen pro 100.000 Einwohner, ist aus kriminologischer Sicht für die Beurteilung der Repressivität eines Strafrechtssystems von entscheidender Bedeutung. Nach diesem Maßstab war das polnische Strafrechtssystem sowohl im gesamten Zeitraum des Bestehens der Volksrepublik als auch in der Nachwendezeit – gemessen an westeuropäischen Standards – äußerst repressiv.

Im Jahr 2003 betrug die Gefangenenpopulation rund 81.000, während Ende September 2008 bereits 84.549 Personen inhaftiert waren, damit lag die Gefangenenrate bei 222 (zum Vergleich: die Gefangenenrate betrug im Dezember 2007 in Russland 630, in Holland 100, in Österreich 95, in Deutschland 91 und in Schweden 74). Mit 222 Gefangenen pro 100.000 Einwohner steht Polen im Vergleich der europäischen Länder an neunter Stelle und damit im oberen Bereich.[21]

---

[20] Internetseiten des Zentralvorstands des polnischen Gefängnisdienstes /CZSW/ (siehe unten Literatur- und Quellenhinweise).

[21] King's College London (siehe unten Literatur- und Quellenhinweise).

Das Strafvollzugssystem, das gegenwärtig 187 Strafvollzugsanstalten umfasst,[22] zeichnet sich seit Anfang des 21. Jahrhunderts durch eine eklatante Überlastung aus. Bei einer zulässigen Gesamtkapazität der Strafvollzugsanstalten von 78.907 Plätzen wird diese damit um 5.642 Inhaftierte übertroffen.[23]

Eine der negativen Folgen dieser hohen Gefangenenpopulation besteht in der Überschreitung der gesetzlich vorgeschriebenen 3 m^2 Zellenfläche für einen Gefangenen (Art. 248 § 1 k.k.w). Die gesetzwidrige Überbelegung der Gefängniszellen liegt in einzelnen Strafvollzugsanstalten bei 111 bis 130 %.[24] Dieser Zustand ist vor Kurzem vom Verfassungsgerichtshof als verfassungswidrig, inhuman und als mit der Menschenwürde nicht vereinbar moniert worden.

Literatur- und Quellenhinweise zu Abschnitt A.

Geografie:

Der Fischer Weltalmanach 2008. Zahlen, Daten, Fakten. Frankfurt am Main 2007, S. 385.

Enzyklopedia PWN-Fakty i liczby (Enzyklopädie des Wissensverlags-PWN: Fakten und Zahlen). Warschau 2006, S. 501–503.

Rocznik statystyczny Rzeczypospolitej Polskiej 2007 (Statistisches Jahrbuch der Republik Polen 2007). Warschau LXVII, S. 90–91.

Bevölkerung:

CIA The World Factbook:
https://www.cia.gov/library/publications/the-worl-factbook/goes/sw.html#People

Rocznik demograficzny Rzeczypospolitej Polskiej 2007 (Demografisches Jahrbuch der Republik Polen 2007). Warschau 2008, S. 74.

Rocznik statystyczny Rzeczypospolitej Polskiej 2007 (Statistisches Jahrbuch der Republik Polen 2007). Warschau LXVII, S. 196–205.

Sprache:

CIA The World Factbook:
https://www.cia.gov/library/publications/the-worl-factbook/goes/sw.html#People

Wirtschaft:

Der Fischer Weltalmanach 2008. Zahlen, Daten, Fakten. Frankfurt am Main 2007, S. 385.

---

22 Internetseiten des Zentralvorstands des polnischen Gefängnisdienstes (CZSW).

23 King's College London.

24 Internetseiten des Zentralvorstands des polnischen Gefängnisdienstes (CZSW).

Rocznik statystyczny Rzeczypospolitej Polskiej 2007 (Statistisches Jahrbuch der Republik Polen 2007). Warschau LXVII, S. 254.

Staatsorganisation:

Banaszak, Bogusław, Prawo konstytucyjne (Verfassungsrecht). 3. Aufl. Warschau 2004.

– Einführung in das polnische Verfassungsrecht. Breslau 2003.

Banaszak, Bogusław/Milej, Tomasz, Polnisches Staatsrecht. Warschau 2009.

Kriminalität und Strafverfolgung:

Das polnische Strafgesetzbuch. Kodeks karny. Deutsche Übersetzung und Einführung von *Ewa Weigend*. Freiburg 1998, Art. 1–116.

Die polnische Strafprozessordnung. Kodeks postępowania karnego. Deutsche Übersetzung und Einführung von *Ewa Weigend*. Freiburg 2004, S. 2–20.

Krajewski, Krzysztof, Przestępczość i polityka karna w Polsce w latach dziewięćdziesiątych (Kriminalität und Kriminalpolitik in Polen in den Neunzigerjahren). Czasopismo Prawa Karnego i Nauk Penalnych 2003, Band VII, 171–207.

– Punitywność wymiaru sprawiedliwości karnej w Polsce w XX w. (Punitivität des Strafsystems in Polen im XX. Jahrhundert). Państwo i Prawo 2004, Nr. 3, 85–94.

– Nowa kodyfikacja karna a polityka karna w Polsce w latach 1990–2005 (Die neue Strafrechtsgesetzgebung und Kriminalpolitik in Polen in den Jahren 1990–2005). Czasopismo Prawa Karnego i Nauk Penalnych 2008, Band XII, 5–44.

Serafin, Sławomir/Szmulik, Serafin, Organy ochrony prawnej RP (Rechtsschutzorgane der Republik Polen). Warschau 2007, S. 8–18, 47–51, 209–223, 264–277, 283–288, 290–301, 304–321.

Siemaszko, Andrzej. In: Andrzej Siemaszko/Beata Gruszczyńska/Marek Marczewski (Hrsg.), Atlas przestępczości w Polsce 3 (Atlas der polnischen Kriminalität. 3). Warschau 2003, S. 255–264 mit weiteren Literaturangaben.

Weigend, Ewa/Sakowicz, Andrzej, The Criminal Justice System in Poland. In: Ulrich Sieber/Marianne Wade (Hrsg.), Structures and Perspectives of European Criminal Justice, in Vorbereitung.

Ermittlungsbehörden:

Internetseiten der polnischen Polizei. Statistiken:

www.policja.gov.pl

Strafgerichte:

Internetseiten des polnischen Justizministeriums:

http://www.ms.gov.pl/statystyki/2007_informacja_statyst_prokuratury.pdf

Rocznik statystyczny Rzeczypospolitej Polskiej 2007 (Statistisches Jahrbuch der Republik Polen 2007). Warschau LXVII, S. 164 f.

Sanktionen:

Krajewski, Krzysztof, Przestępczość i polityka karna w Polsce w latach dziewięćdziesiątych (Kriminalität und Kriminalpolitik in Polen in den Neunzigerjahren). Czasopismo Prawa Karnego i Nauk Penalnych 2003, Band VII, 171–207.

– Punitywność wymiaru sprawiedliwości karnej w Polsce w XX w. (Punitivität des Strafsystems in Polen im XX. Jahrhundert). Państwo i Prawo 2004, Nr. 3, 85–94.

Rocznik statystyczny Rzeczypospolitej Polskiej 2007 (Statistisches Jahrbuch der Republik Polen 2007). Warschau LXVII, S. 181.

Strafvollzug:

Hołda, Zbigniew/Postulski, Kazimierz, Kodeks karny wykonawczy. Komentarz (Strafvollzugsgesetz. Kommentar). Danzig 2005, S. 5–8, 15–27, 303–567 mit weiteren Literaturangaben.

Internetseiten des Zentralvorstands des polnischen Gefängnisdienstes (CZSW):

www.czsw.gov.pl

King's College London:

http://www.kcl.ac.uk/depsta/law/research/icps/worldbrief/wpb_stats.php?area=europe&category=wb_proprate

http://www.kcl.ac.uk/depsta/law/research/icps/worldbrief/wpb_country.php?country=159

Lasocik, Zbigniew, Organizacja i zasady działania więziennictwa (Organisation und Funktionsgrundsätze des Gefängniswesens) In: Teodor Bulenda/Ryszard Musidłowski (Hrsg.), System penitencjarny i postpenitencjarny w Polsce (Das Vollzugssystem in Polen). Warschau 2003, S. 191–223.

Lelental, Stefan, Kodeks karny wykonawczy. Komentarz (Strafvollzugsgesetz. Kommentar). 2. Aufl. Warschau 2001, S. 229–282 mit weiteren Literaturangaben.

B. Rechtsvergleichende und internationale Einordnung

1. Rechtsvergleichende Einordnung des Landesrechts

Das polnische Rechtssystem ist primär dem kontinentaleuropäischen Rechtskreis zuzuordnen. Der grundlegende Teil des „alten“ Rechts vor der Aufteilung Polens unter Preußen, Österreich und Russland in den Jahren 1795–1918 bestand vorwiegend aus Gewohnheitsrecht, das lediglich ansatzweise von geschriebenem Recht erfasst war.

Zu den ältesten Kodifikationen zählen die aus dem 14. Jahrhundert stammenden sogenannten „Statuten des Königs Kasimir des Großen“ *(Statuty Kazimierza Wielkiego)* sowie die drei „Litauischen Statuten“ *(Statuty Litewskie)* aus dem 16. Jahrhundert. In den Gerichten der Städte fand vor allem das Magdeburgsche Recht (Sachsenspiegel ergänzt durch Entscheidungssammlungen der verschiedenen großen polnischen Stadtgerichte, zum Beispiel Krakau und Posen) Anwendung. In diesem Zusammenhang sind insbesondere zwei aus der Zeit der Aufklärung stammende Gesetze hervorzuheben: Zum einen das Gesetz von 1776, das die Todesstrafe für Hexerei sowie die Folter als Mittel der Wahrheitsfindung im Prozess abschaffte, und zum anderen das Gesetz von 1791 über die sogenannten „Sejm-Gerichte“, durch das der Grundsatz *nullum crimen, nulla poena sine lege*, die Beweisregel *in dubio pro reo*, die Unschuldsvermutung sowie das Recht des Angeklagten auf Verteidigung in den polnischen Strafprozess eingeführt wurden.

Das erste Strafgesetzbuch, das aus Sicht der damaligen Zeit als „modern“ zu bezeichnen ist, war der aus dem Jahr 1818 stammende „Strafkodex für das polnische Königreich“ *(Kodeks Karzący Królestwa Polskiego)*, in dem sowohl der Gesetzlichkeitsgrundsatz als auch das Schuldprinzip Niederschlag gefunden hatten und damit zum festen Bestandteil des polnischen Strafrechts wurden.

Die Frage nach der Herkunft des modernen polnischen Rechts lässt sich nicht eindeutig beantworten. Aus der geschichtlichen Entwicklung des polnischen Staates ergeben sich allerdings zahlreiche Besonderheiten des Rechtssystems: Zunächst ist der historisch bedingte Umstand zu berücksichtigen, dass Polen erst 1918, nach mehr als 120 Jahren der staatlichen Nichtexistenz, seine Souveränität wiedererlangt hat und damit nach langer Geltung der oktroyierten fremden (deutschen, österreichischen, russischen wie auch ungarischen) Rechtsordnungen erstmals wieder ein eigenes einheitliches Rechtssystem etablieren konnte.

Ferner beruht die Eigenart des polnischen Rechtssystems auf den tief greifenden politisch-ökonomischen und gesellschaftlichen Veränderungen, die in einem Großteil der mittel- und osteuropäischen Staaten nach dem Zweiten Weltkrieg stattgefunden haben. So wurde die polnische Rechtsordnung zur Zeit des Bestehens der Volksrepublik Polen, das heißt von 1945 bis 1989, in der Rechtslehre dem sogenannten sozialistischen Rechtskreis zugeordnet, dem die Staaten angehörten, die ihrer Staatsordnung die Ideen des Sozialismus (Marxismus-Leninismus) zugrunde gelegt hatten.[1]

Die Zuordnung zum sozialistischen Rechtskreis ist allerdings nach der politischen Wende der Jahre 1989/90 für Polen obsolet geworden. Vielmehr ist die Republik Polen seit der sogenannten „samtenen Revolution" (1989/1990) und den darauf folgenden grundlegenden Änderungen der Verfassung (Verfassungsnovelle vom 29.12.1989, die neue demokratische Verfassung vom 2.4.1997) ein demokratischer Rechtsstaat.

Nicht zu unterschätzen ist in diesem Zusammenhang der ungebrochen starke politische und soziale Einfluss der katholischen Glaubenslehre in der Gesellschaft,[2] der bis heute nicht ohne Folgen sowohl für die Gesetzgebung als auch für die Auslegung und Anwendung des bestehenden Rechts geblieben ist.

Die Einordnung des heute geltenden Rechtssystems in einen der nach geografischen, kulturellen und rechtstraditionellen Kriterien gebildeten Rechtskreise (zum Beispiel common-law-Rechtskreis, nordischer, germanischer, romanischer Rechtskreis) erweist sich damit als äußerst schwierig. Zwar haben zahlreiche Rechtsinstitute ihren Ursprung in der römisch-germanischen Rechtstradition, doch enthält das polnische Recht heute – und dies bezieht sich sowohl auf das materielle Recht als auch auf das Verfahrensrecht – viele national geprägte Eigenarten und eigenständige Neuregelungen. Dies wird insbesondere anhand der historischen Entwicklung des Straf-, Strafprozess- und Strafvollstreckungsrechts deutlich.[3]

2. Einfluss internationaler Bindungen

a) Mitgliedschaft in internationalen und regionalen Organisationen

Die Republik Polen versteht sich als aktives Mitglied der Völkergemeinschaft. Dies kommt unter anderem darin zum Ausdruck, dass sie den wichtigen internationalen Organisationen und Zusammenschlüssen angehört. So zählt sie zu den Gründungsmitgliedern der Vereinten Nationen (seit 1945), seit 1996 ist sie Mitglied der OECD. Auf regionaler Ebene ist sie seit 1973 Mitglied der OSZE (ehemals KSZE), seit 1991 Mitglied des Europarates und seit 1992 Mitglied des Ostseerates. Nach der politischen Wende ist sie der NATO beigetreten (2000) und im Mai 2004 wurde sie Vollmitglied der Europäischen Union.

---

1 Zur Entwicklung des Strafrechts siehe unten I.G.2.

2 Siehe dazu oben I.A.2.c.

3 Siehe unten I.G.

b) Beteiligung an völkerrechtlichen Verträgen

Polen hat zahlreiche grundlegende völkerrechtliche Übereinkommen ratifiziert. In der Gruppe der die Menschenrechte garantierenden internationalen Verträge besonders hervorzuheben ist die – allerdings erst nach der politischen Wende erfolgte – Ratifizierung (1994) der *Europäischen Konvention zum Schutze der Menschenrechte und Grundfreiheiten* (EMRK) vom 4.11.1950 samt Zusatzprotokollen (insbesondere des Protokolls VI über die Abschaffung der Todesstrafe aus dem Jahr 1983, dem das Land 2000 beigetreten ist). Der polnische Staat erkannte damit die Rechtsprechung des Europäischen Gerichtshofs für Menschenrechte in Straßburg (EGMR) als für ihn verbindlich an. Dies eröffnete seinen Bürgern erstmals die Möglichkeit, Verletzungen der durch die EMRK garantierten Menschenrechte und Freiheiten seitens des Staates beim EGMR anzuklagen. Ferner gelten folgende, für den Schutz der Menschenrechte erhebliche völkerrechtliche Verträge:

- *Internationaler Pakt über bürgerliche und politische Rechte* von 1966 (ratifiziert 1977);
- *Internationales Übereinkommen gegen Geiselnahme* von 1979 (ratifiziert 2000);
- *UN-Übereinkommen gegen Folter und andere grausame, unmenschliche oder erniedrigende Behandlung oder Strafe* von 1984 (ratifiziert 1989).

Im Bereich des humanitären Völkerrechts gelten in Polen die vier *Genfer Konventionen* von 1949 und deren Zusatzprotokolle (I und II). Das Zusatzprotokoll III aus dem Jahr 2005 wurde 2006 unterzeichnet, jedoch noch nicht ratifiziert. Ferner ist das Land seit 1949 Vertragspartei des *UN-Übereinkommens zur Verhütung und Bestrafung des Völkermordes* von 1948 sowie seit 1969 des *UN-Übereinkommens* aus dem Jahr 1968 *über die Nichtanwendbarkeit von Verjährungsvorschriften auf Kriegsverbrechen und Verbrechen gegen die Menschlichkeit.*

Einen Meilenstein in der internationalen justiziellen Zusammenarbeit zur Verfolgung und Ahndung der Kriegsverbrechen und Straftaten gegen die Menschlichkeit stellt zweifelsohne das *Übereinkommen zur Gründung des Internationalen Strafgerichtshofs*, das sogenannte Römische Statut dar, welches in Polen seit Juli 2001 in Kraft ist.

Von den völkerrechtlichen Übereinkommen über Rechtshilfe und justizielle Zusammenarbeit in Strafsachen ist zunächst das 1993 ratifizierte *Europäische Auslieferungsübereinkommen* von 1957 mit den Zusatzprotokollen I (1975) und II (1978) zu nennen. 2004 trat Polen dem *Übereinkommen über ein vereinfachtes Auslieferungsverfahren zwischen den Mitgliedstaaten der Europäischen Union* von 1995 bei.

Im Jahr 1996 erfolgte der Beitritt zum *Europäischen Übereinkommen über die Rechtshilfe in Strafsachen* (1995). Im gleichen Jahr wurden dessen Zusatzprotokoll I (1978) und Zusatzprotokoll II (2001) ratifiziert. Im Jahr 2000 wurde ein weiteres *Übereinkommen über die Rechtshilfe in Strafsachen zwischen den Mitgliedstaaten der Europäischen Union* geschaffen, welchem sich Polen 2004 anschloss.

Betreffend die Erleichterung und Vereinfachung der Verbüßung freiheitsentziehender Unrechtsreaktionen im Heimatland sind das *Übereinkommen* vom 21.3.1983 *über die Überstellung verurteilter Personen*, dem Polen 1994, und dessen Zusatzprotokoll von 1997, dem es 2000 beigetreten ist, zu nennen.

Besondere Hervorhebung verdient das 2004 ratifizierte *Übereinkommen von Schengen* (sogenanntes Schengener Abkommen) von 1985, in dem europäische Staaten beschlossen, auf Kontrollen des Personenverkehrs an ihren gemeinsamen Grenzen zu verzichten, sowie das *Schengener Durchführungsübereinkommen* aus dem Jahr 1990, das ausdrücklich das Verbot der Doppelbestrafung *(ne bis in idem)* normiert und seit 2004 in Polen gilt.

Für die enge Zusammenarbeit der europäischen Staaten bei der Kriminalitätsbekämpfung auf polizeilicher Ebene ist die Errichtung des Europäischen Polizeiamts – *Europol* – von erheblicher Bedeutung. Die einschlägige *Konvention* von 1995 ist in Polen seit 2005 in Geltung.

Im Zusammenhang mit der Drogenbekämpfung besitzt das *Übereinkommen der Vereinten Nationen gegen den unerlaubten Verkehr mit Suchtstoffen und psychotropen Substanzen*, das sogenannte Wiener Übereinkommen vom 20.12.1988, das von Polen 1989 ratifiziert wurde, als völkerrechtlicher Vertrag Verbindlichkeit mit dem Ziel, die Verfügbarkeit von Betäubungsmitteln einzuschränken.

Ein wichtiges internationales Instrumentarium zur effizienteren Bekämpfung organisierter Kriminalität bildet das am 15.11.2000 von der UN-Generalversammlung angenommene *Übereinkommen gegen die grenzüberschreitende organisierte Kriminalität*, auch als Palermo-Konvention bekannt. Basierend auf diesem von Polen im Jahr 2001 ratifizierten völkerrechtlichen Vertrag, dessen Ziel es ist, einen Mindeststandard an Vorschriften und Maßnahmen für die internationale Kooperation auf diesem Gebiet zu schaffen, wurden zusätzlich nachstehende Zusatzprotokolle aufgenommen:

- Zusatzprotokoll 12 a vom 15.11.2000 über den Menschenhandel (Ratifikation: 2003);
- Zusatzprotokoll 12 b vom 15.11.2000 über Menschenschmuggel (Ratifikation: 2001);
- Zusatzprotokoll 12 c vom 31.5.2001 gegen die unerlaubte Herstellung von Feuerwaffen, deren Teilen, Komponenten und Munition, sowie gegen den unerlaubten Handel damit (Ratifikation: 2005).

Zur Regelung der Verfolgung und Bestrafung des Terrorismus wurden diverse völkerrechtliche Verträge geschlossen. Zur multilateralen Terrorismusbekämpfung hat Polen 2004 eine Ratifizierung des *UN-Übereinkommens über die Bekämpfung terroristischer Bombenanschläge* vorgenommen, welches am 15.12.1997 in New York abgeschlossen wurde. Im Jahr 2003 wurde Polen Vertragspartei des 1999 in Kraft getretenen *UN-Übereinkommens für die Bekämpfung der Finanzierung von*

Terrorismus. In diesem Kontext erwähnenswert ist ferner das *Europäische Übereinkommen zur Bekämpfung des Terrorismus* von 1977, welchem Polen bereits 1996 beigetreten ist.

Im Hinblick auf internationale Übereinkommen zur Bekämpfung der Wirtschaftskriminalität wurden von Polen 2006 das im Jahr 2003 abgeschlossene *UN-Übereinkommen gegen Korruption*, 2001 die *Straßburger Konvention* vom 8. November 1990 *über Geldwäsche sowie Ermittlung, Beschlagnahme und Einziehung von Erträgen aus Straftaten* und das *Übereinkommen des Europarats über Geldwäsche, Terrorismusfinanzierung sowie Ermittlung, Beschlagnahme und Einziehung von Erträgen aus Straftaten* (2005) und das *Strafrechtsübereinkommen des Europarats gegen Korruption* (1999) im Jahr 2002 ratifiziert.

Im Bereich des Umweltschutzes ist Polen 1989 der *Konvention über den internationalen Handel mit gefährdeten Arten freilebender Tiere und Pflanzen* beigetreten, welche nach dem Ort ihrer Erstunterzeichnung in Washington am 3.3.1973 auch als Washingtoner Artenschutzüberkommen (WA) bezeichnet wird und insoweit eine Kontrolle des internationalen Handels bezweckt, als freilebende Tiere und Pflanzen nicht gefährdet werden dürfen.

Erwähnenswert erscheint ferner das *Seerechtsübereinkommen der Vereinten Nationen* (SRÜ), ein internationales Abkommen zur Regelung des Seerechts, welches am 10.12.1982 in Montego Bay (Jamaika) geschlossen wurde und dessen Vertragspartei Polen seit 1998 ist.

Literaturhinweise zu Abschnitt B.

Andrejew, Igor, Das polnische Strafrecht. In: Edmund Mezger/Adolf Schönke/Hans-Heinrich Jescheck (Hrsg.), Das ausländische Strafrecht der Gegenwart. Band 6. Berlin 1982, S. 13–24 mit weiteren Literaturangaben.

Cieślak, Marian, Polska procedura karna (Das polnische Strafverfahrensrecht). 6. Aufl. Warschau 1984, S. 79–184 mit weiteren Literaturangaben.

Gardocki, Lech, Prawo karne (Strafrecht). 11. Aufl. Warschau 2005, S. 19–26 mit weiteren Literaturangaben.

Marek, Andrzej, Prawo karne (Strafrecht). 6. Aufl. Warschau 2005, S. 24–33 mit weiteren Literaturangaben.

Stefański, Ryszard, Prawo karne materialne. Część ogólna (Materielles Strafrecht. Allgemeiner Teil). Warschau 2008, S. 28–40 mit weiteren Literaturangaben.

Waltoś, Stanisław, Proces karny. Zarys systemu (Strafprozess. Umriss des Systems). 9. Aufl. Warschau 2008, S. 75–135 mit weiteren Literaturangaben.

Weigend, Ewa, Grundlagen der Strafverfolgung völkerrechtlicher Verbrechen in Polen. In: Albin Eser/Helmut Kreicker (Hrsg.), Nationale Strafverfolgung völkerrechtlicher Verbrechen, Band 2. Freiburg 2003, S. 84–160.

C. Verfassungsrechtliche Vorgaben

1. Übergesetzliche Regelungen als Träger strafrechtlicher Prinzipien

– *Die Verfassung*

Nach dem Ende des sozialistischen Regimes (1989) musste das überkommene Rechtssystem der Volksrepublik Polen an die veränderten politisch-sozialen und wirtschaftlichen Verhältnisse angepasst werden. Insbesondere war es erforderlich, im gesamten Rechtssystem die Grundsätze der Rechtsstaatlichkeit zu verwirklichen. Dies geschah durch die neue Verfassung vom 2.4.1997, welche durch ein Referendum angenommen wurde und am 17.10.1997 in Kraft trat.

Während eine zu vernachlässigende kleine Minderheit in der Verfassungslehre die Kontinuität der Staatlichkeit zwischen der Volksrepublik Polen (1945–1989) und der heutigen Republik Polen verneint, vertritt die herrschende Lehre die sogenannte positivistische Auffassung, nach der die (rechts-)politischen, ökonomischen und gesellschaftlichen Transitionsprozesse der Jahre 1989/90 lediglich eine – wenn auch grundsätzliche – Veränderung ein und desselben Staatssubjekts darstellen. Für die Richtigkeit dieser Ansicht sprechen vor allem die Grundsätze der Rechtssicherheit und des Vertrauensschutzes. Außerdem hat der nach der politischen Wende des Jahres 1989 demokratisch gewählte Gesetzgeber der Republik Polen keinen generellen, allgemeinverbindlichen Rechtsakt erlassen, der die gesamte Rechtsordnung der Volksrepublik Polen außer Kraft gesetzt hätte.

Die geltende Verfassung bekennt sich unmissverständlich zur Rechts- und Sozialstaatlichkeit der Republik Polen (Rechtsstaatsprinzip: Art. 2 Verfassung). Diese wird als ein demokratischer Rechtsstaat beschrieben, der die Grundsätze der sozialen Gerechtigkeit verwirklicht *(demokratyczne państwo prawne, urzeczywistniające zasady sprawiedliwości społecznej)*.

Aus dem Rechtsstaatsprinzip folgen der Vorbehalt und der Vorrang des Gesetzes (Art. 7, 87, 92 Verfassung). Die Vertreter der öffentlichen Gewalt, die nur aufgrund und im Rahmen des geltenden Rechts handeln dürfen (Art. 7 Verfassung), sind verpflichtet, die Rechte und Freiheiten sowie die Sicherheit der Bürger zu gewährleisten (Art. 5 Verfassung).

Die Menschenwürde, die in Polen als Quelle der Freiheit sowie der Menschen- und Bürgerrechte aufgefasst wird, ist nach Art. 30 Verfassung unantastbar und unveräußerlich. Die Achtung und der Schutz der dem Menschen angeborenen und unveräußerlichen Würde stellen die oberste Pflicht der öffentlichen Gewalt dar und werden bereits in der Verfassungspräambel feierlich garantiert.

Der Mensch als Träger der Menschenwürde nimmt den höchsten axiologischen Stellenwert innerhalb des Wertegefüges der Verfassung ein. Dem entspricht auch der Inhalt des Art. 31 Verfassung, wonach die Freiheit des Menschen rechtlich geschützt ist und jedermann verpflichtet wird, die Freiheit und die Rechte des anderen zu achten.

– *Andere übergesetzliche Regelungen*

Gemäß Art. 91 Abs. 1 und 3 Verfassung bilden die von Polen ratifizierten völkerrechtlichen Verträge nach ihrer Veröffentlichung im amtlichen Gesetzblatt *(Dziennik Ustaw)* einen Teil der innerstaatlichen Rechtsordnung und finden grundsätzlich unmittelbare Anwendung. Die Verfassungsregelung (Art. 91 Abs. 2), welche den internationalen Verträgen, deren Ratifizierung ein Zustimmungsgesetz vorausgegangen ist, den Status übergesetzlicher Normen garantiert, hat zur Folge, dass im Fall einer Kollision die Bestimmungen der internationalen Abkommen den Vorrang vor innerstaatlichem Recht genießen. Dass das gesamte innerstaatliche Recht mit den von Polen ratifizierten völkerrechtlichen Abkommen übereinstimmen muss, lässt sich auch aus dem Inhalt des Art. 188 Verfassung entnehmen, wonach der Verfassungsgerichtshof die Übereinstimmung der geltenden Gesetze (und Ministerialanordnungen) mit den ratifizierten internationalen Abkommen prüfen kann. Damit gehören auch die Normen der 1993 ratifizierten *Europäischen Konvention zum Schutze der Menschenrechte und Freiheiten* (EMRK) zu der Gruppe der geltenden übergesetzlichen Regelungen.[1]

2. Grundrechte und Grundfreiheiten

Zu den wichtigsten Grundrechten und Grundfreiheiten mit Verfassungsrang (Art. 38–76 Verfassung) gehören:

1. Persönliche Freiheiten und Rechte, zum Beispiel:
   - der Schutz des Lebens (Art. 38), der Gesundheit und der körperlichen Unversehrtheit (Art. 39–41);
   - der Schutz vor Folter oder einer grausamen, unmenschlichen, demütigenden Behandlung respektive Bestrafung sowie vor körperlichen Strafen (Art. 40);
   - der Schutz der persönlichen Freiheit (Art. 41);
   - die Gleichheit der Bürger vor dem Gesetz (Art. 32);
   - die Rechtsgarantien *nulla poena sine lege, lex retro non agit, in dubio pro reo, fair trial* (Art. 41, 42, 45);
   - das Auslieferungsverbot für eigene Staatsangehörige, das Recht auf den gesetzlichen Richter sowie der Grundsatz der Öffentlichkeit der Gerichtsverhandlung und Urteilsverkündung (Art. 42, 43, 55);

[1] Siehe dazu näher I.B.2.b.

- der Schutz der Ehre sowie der Privat- und Intimsphäre (Art. 47);
- die Rechtsgarantien des elterlichen Sorgerechts (Art. 48);
- die Freiheit und der Schutz des Kommunikationsgeheimnisses (Art. 49);
- die Unverletzlichkeit der Wohnung (Art. 50);
- die informationelle Selbstbestimmung (Art. 51);
- die Freizügigkeit (Art. 52);
- die Gewissens- und Religionsfreiheit (Art. 53);
- die Meinungs- und Informationsfreiheit sowie das Zensurverbot (Art. 54);
- das Asylrecht (Art. 56).

2. Politische Freiheiten und Rechte, zum Beispiel:
   - die Versammlungs-, Vereinigungs- und Koalitionsfreiheit (Art. 57–59);
   - der freie Zugang zu öffentlichen Ämtern (Art. 60);
   - der Schutz des Eigentums und anderer Vermögensrechte (Art. 64);
   - die Berufsfreiheit und der Schutz vor außergesetzlicher Arbeitspflicht (Art. 65);
   - die Rechtsgarantien des staatlichen Gesundheitsschutzes (Art. 68);
   - die Rechtsgarantien für den Schutz der Familien und Kinder (Art. 71, 72) sowie
   - die Freiheit der Kunst und der Wissenschaft (Art. 73).

3. Sonstige übergesetzliche Normen von strafrechtlicher Relevanz

Zu nennen ist hier zum Beispiel das Recht der parlamentarischen Institutionen, das den Abgeordneten der beiden Parlamentskammern *(posłowie i senatorzy)* für ihre Tätigkeit, welche durch ihr Abgeordnetenmandat gedeckt ist, die Befreiung von strafrechtlicher Verantwortlichkeit garantiert, und zwar sowohl für die Dauer ihres Mandats als auch nach dessen Ablauf (Immunität, Indemnität von Abgeordneten: Art. 105 Verfassung).

Eine besonders wichtige strafrechtliche Relevanz weist die ebenfalls verfassungsverbürgte Unabhängigkeit der Gerichte und Richter auf (Art. 173, 178 Verfassung). Richter sind in Polen unabsetzbar (Art. 180 Verfassung) und bei der Ausübung ihrer Ämter ausschließlich dem Grundgesetz sowie den Gesetzen unterworfen. Allerdings dürfen sie weder einer politischen Partei noch Gewerkschaften angehören oder eine öffentliche Tätigkeit ausüben, welche mit den Grundsätzen der richterlichen Unabhängigkeit nicht zu vereinbaren ist (Art. 178 Verfassung).

Literaturhinweise zu Abschnitt C.

Banaszak, Bogusław, Prawo konstytucyjne (Verfassungsrecht). 3. Aufl. Warschau 2004, S. 432–503 mit weiteren Literaturnachweisen.

– Einführung in das polnische Verfassungsrecht. Breslau 2003.

Banaszak, Bogusław/Preisner, Artur (Hrsg.), Prawa i wolności obywatelskie w konstytucji RP (Rechte und Freiheiten der Bürger in der Verfassung der Republik Polen). Warschau 2002.

Tuleja, Piotr, Normatywna treść praw jednostki w ustawach konstytucyjnych RP (Der normative Inhalt der Individualrechte in der Verfassung der Republik Polen). Warschau 1997.

– Stosowanie konstytucji RP w świetle zasady jej nadrzędności (Anwendung der Normen der Verfassung der Republik Polen im Lichte ihrer Bedeutung als übergesetzliche Normen). Krakau 2003.

– (Hrsg.), Prawo konstytucyjne (Verfassungsrecht). 2. Aufl. Warschau 1997.

Winczorek, Piotr, Komentarz do Konstytucji Rzeczpospolitej Polskiej z dnia 2 kwietnia 1997 r. (Kommentar zur Verfassung der Republik Polen vom 2. April 1997). Warschau 2000, S. 45–104 mit weiteren Literaturnachweisen.

D. Strafrechtstheoretische Grundlagen

1. Aufgaben des Strafrechts

Nach in der polnischen Lehre allgemein vertretener Ansicht hat das Strafrecht verschiedene Aufgaben in der Gesellschafts- und Rechtsordnung des Staates zu erfüllen.

– *Strafrecht als Mittel der sozialen Kontrolle*

Der Gesetzgeber hat durch die Formulierung konkreter Straftatbestände (Ge- oder Verbote) die darin beschriebenen Verhaltensweisen als – in der Regel – sozialschädlich und damit auch materiell rechtswidrig eingestuft. Diese Sozialschädlichkeit[1] bestimmter Handlungen, welche die in der Gesellschaft geltende Ordnung gefährden oder verletzen, ist es, die primär den Strafanspruch des Staates legitimiert.

Im gleichen Zusammenhang stehen zwei weitere Aufgaben des Strafrechts: Durch die Gebote und Verbote werden verbindliche Verhaltensstandards für die Bürger in einer Gesellschaft bestimmt und gestaltet. Da das Strafrecht sowohl die geschützten Rechtsgüter als auch den Umfang ihres Schutzes aufzeigt, gestaltet es ebenfalls maßgeblich das Rechtsempfinden der Bürger (Affirmationsfunktion: *funkcja afirmacyjna*).

Durch die Androhung von Sanktionen für den Fall der Abweichung von diesen Verhaltensstandards wird zudem gewährleistet, dass die Bürger angehalten werden, die strafrechtlichen Gebote und Verbote zu befolgen (Motivationsfunktion: *funkcja motywacyjna*).

Auf der Ebene der Rechtsanwendung besteht die Aufgabe des Strafrechts vor allem in der Wiederherstellung des Rechtsfriedens im Fall einer Gefährdung oder Verletzung der rechtlich geschützten Güter. Bei der Erfüllung dieser Aufgabe sind folgende Funktionen zu unterscheiden, welche die polnische Rechtslehre dem Strafrecht zuschreibt:

Seine präventiv-erzieherische Funktion *(funkcja prewencyjno-wychowawcza)* wirkt sich zum einen auf den Täter selbst aus (Spezialprävention: *prewencja indywidualna*): Dieser soll in Zukunft davon abgehalten werden, weitere Verstöße gegen die geltende Rechtsordnung zu begehen. Zum anderen bezieht sich diese Funktion auf die Gesellschaft als Ganzes (negative und positive Generalprävention: *prewencja ogólna negatywna i pozytywna*): Die Strafandrohung bezweckt eine Ab-

---

[1] Zur Entwicklung der Begriffe Gesellschaftsgefährlichkeit/Sozialschädlichkeit siehe II.C.1.a.

schreckung potentieller Täter vor ähnlichen Rechtsverstößen und gewährleistet eine Stabilisierung der normkonformen Einstellung der Bürger.

Des Weiteren ist auf die Gerechtigkeitsfunktion *(funkcja sprawiedliwościowa)* des Strafrechts hinzuweisen, die ihre Wirkung sowohl auf der Ebene der gesamten Gesellschaft als auch auf der Ebene der durch die begangene Straftat Betroffenen (des Opfers und seines sozialen Umfelds) entfaltet. Die Anwendung des Strafrechts soll einerseits das Gerechtigkeitsgefühl der Allgemeinheit im Zusammenhang mit einem erfolgten Rechtsverstoß (Gefährdung oder Verletzung von geschützten Gütern) befriedigen, andererseits soll der Täter eine gerechte Strafe für das am Opfer begangene Unrecht sowie für den angerichteten Schaden erhalten. Nach neueren Ansätzen soll diese zweite Ausprägung der Gerechtigkeitsfunktion auch beinhalten, dass der Täter das Opfer zu entschädigen oder den durch die Straftatbegehung entstandenen Schaden wiedergutzumachen hat (Kompensations-/Restitutionsfunktion: *funkcja kompensacyjna/restytucyjna*, Art. 53 § 2 Strafgesetzbuch, *kodeks karny,* k.k).

– *Strafrecht als Mittel des Rechtsgüterschutzes*

Eine Hauptaufgabe des Strafrechts besteht im Rechtsgüterschutz (Schutzfunktion: *funkcja ochronna*). Dieser stellt das wichtigste Kriterium bei der Kriminalisierung von Handlungen und Unterlassungen durch den Gesetzgeber dar: Strafrechtlich geschützt werden nur die Grundwerte der Gesellschaftsordnung (zum Beispiel das menschliche Leben, Gesundheit, Freiheit, Ehre, Eigentum). Diesen Grundwerten liegen positive und allgemein gültige Werturteile über lebenswichtige Güter zugrunde, die für das Zusammenleben der Menschen in der Gesellschaft als unentbehrlich und daher als schützenswert angesehen werden. Der strafrechtliche Schutz dieser Güter dient unter anderem der Aufrechterhaltung der verfassungsmäßig verankerten Gesellschaftsform eines demokratischen Rechtsstaates (Art. 2 Verfassung).

– *Strafrecht als ultima ratio*

Der Schutz der für das soziale Zusammenleben relevanten Rechtsgüter erfolgt im Wege strafrechtlicher Sanktionierung (Strafen und strafrechtliche Maßnahmen) von Handlungen, die einen bestimmten Grad an Sozialschädlichkeit aufweisen (Art. 1 § 2 k.k). Eine Missachtung der Regeln des sozialen Lebens, die unterhalb der Schwelle der Sozialschädlichkeit bleibt, darf nicht mehr vom Strafrecht erfasst werden; die Schwelle markiert den äußeren Bereich der verfassungsmäßig garantierten Handlungsfreiheit der Bürger.

Für das Strafrecht bedeutet dies, dass der Gesetzgeber nicht solche Verhaltensweisen unter Strafe stellen darf, die gerade keine Gefährdung oder Verletzung rechtlich geschützter Güter darstellen, das heißt auch nicht sozialschädlich sind, vor allem wenn sie die Ausübung von Menschen- und Bürgerrechten beinhalten, die von der Verfassung garantiert sind. Selbst im Bereich des sozialschädlichen Verhaltens sind strafrechtliche Reaktionen (vor allem die Strafen) nur dann einzusetzen, wenn alle anderen, milderen sozialen Steuerungsmittel nicht mehr ausreichen, um Störungen des gesellschaftlichen Zusammenlebens zu verhindern oder zu bekämpfen (Strafrecht als *ultima ratio*).

Den *ultima-ratio*-Gedanken leitet die polnische Lehre aus dem Grundsatz der Verhältnismäßigkeit *(zasada adekwatności)*[2] ab, der in Art. 31 Abs. 3 Verfassung statuiert und seinerseits auch auf das Rechtsstaatsprinzip (Art. 2 Verfassung) zurückzuführen ist.

2. Rechtsstaatliche Grenzen des Strafrechts

Da die strafrechtlichen Sanktionen, die der Verwirklichung der Schutzfunktion des Strafrechts dienen, in die verfassungsmäßig garantierten Grundrechte und Freiheiten der Bürger eingreifen, muss ihre Anwendung durch die Verfassung legitimiert sein (Garantiefunktion: *funkcja gwarancyjna*). Die strafrechtlichen Verbote und Gebote müssen so bestimmt und präzise gefasst sein, dass der Normtext sowohl ihren Inhalt als auch ihre Grenzen so genau wie möglich wiedergibt. Diese das Strafrecht begrenzende Funktion wird durch das Gesetzlichkeitsprinzip und seine Ausprägungen *(lex retro non agit, nullum crimen, nulla poena sine lege poenali anteriori)* konkretisiert.[3]

Des Weiteren wird der Umfang der dem Strafrecht zugesprochenen Funktionen inhaltlich auf der Ebene der Rechtsanwendung durch das Schuldprinzip *(zasada winy: nulla poena sine culpa)* begrenzt. Dieses kommt in Art. 1 § 3 k.k zum Ausdruck.

Art. 1 § 3 k.k

Keine Straftat begeht der Täter einer verbotenen Tat, dem für die Tatzeit keine Schuld zugerechnet werden kann.

Ohne die Feststellung der Schuld kann keine Strafe verhängt werden, da die Strafe kein neutrales Instrument der Kriminalpolitik darstellt, sondern als Ausdruck der Missbilligung eines Verhaltens durch die gesamte Gesellschaft zu deuten ist. Eine Bestrafung kann allerdings nicht nur auf dem formalen Widerspruch der Tat zur Rechtsordnung und auf deren sozialschädlichem Gehalt beruhen; sie rechtfertigt sich erst durch die Bejahung eines fehlerhaften Entscheidungsprozesses beim Täter in einer Situation, in der ihm normkonformes Verhalten abverlangt werden konnte.

---

2 Siehe unten 2.

3 Siehe dazu näher II.A.2 und 3.

Das Schuldprinzip kann nur aufrechterhalten werden, wenn beim Täter Willensfreiheit vorausgesetzt wird, also dann, wenn angenommen werden kann, dass er seine Entscheidung auch im Sinne eines normgemäßen Verhaltens hätte treffen können. Da aber der freie Wille dem Beweis nicht zugänglich ist, muss stets ein Vergleich gezogen werden zwischen dem Verhalten des Täters und dem hypothetischen Verhalten eines sogenannten guten Bürgers *(modelowy dobry obywatel)* in der gleichen Situation. Nur wenn dieser Vergleich ergibt, dass ein normkonformes Verhalten möglich und zumutbar war, ist eine Bestrafung des Täters gerechtfertigt.

Die Schuld hat nach polnischem Verständnis eine legitimierende *(funkcja legitymująca)* und eine limitierende Funktion *(funkcja limitująca)* für die konkrete Strafzumessung: Zum einen stellt sie die ausschließliche Begründung für die konkrete Reaktion des Staates auf ein rechtswidriges Verhalten in Form von Strafen dar, zum anderen wird diese Reaktion durch den Grad der individuellen Schuld beschränkt. Dies bedeutet, dass das Maß der Zufügung von Übel durch die Strafe den Grad der Schuld des Täters nicht übersteigen darf (Art. 53 § 1 k.k).

Das Schuldprinzip hat als Ausprägung des Rechtsstaatsprinzips und der Menschenwürde, die als höchstes unveräußerliches Rechtsgut gilt (Art. 30 Verfassung), mittelbar auch Verfassungsrang.

Eine weitere rechtsstaatliche Grenze des Strafrechts stellt der Verhältnismäßigkeitsgrundsatz dar, der es dem Staat verbietet, Eingriffe in die Rechtssphäre des Bürgers vorzunehmen, die außer Verhältnis zum verfolgten Interesse oder geschützten Rechtsgut stehen. Im Strafrecht wird dieser Grundsatz zudem bei der Strafzumessung relevant: Das konkrete Strafmaß muss dem Grad der individuellen Schuld des Täters, der Sozialschädlichkeit der Tat sowie den spezial- und generalpräventiven Zielen der Strafe entsprechend bestimmt werden (Art. 53 k.k).

Schließlich ist der Humanitätsgrundsatz *(zasada humanitaryzmu)* als weitere Begrenzung des Strafrechts in Art. 3 k.k gesetzlich verankert.

Art. 3 k.k

Die in diesem Strafgesetz vorgesehenen Strafen und sonstigen strafrechtlichen Maßnahmen sind unter Berücksichtigung der Grundsätze der Humanität, insbesondere unter Achtung der Menschenwürde anzuwenden.

Dieser Grundsatz ist zum einen an den Gesetzgeber gerichtet, dem die geltende Verfassung in Art. 40 untersagt, Folter sowie grausame, unmenschliche oder demütigende Behandlung und Bestrafung einzuführen. Zum anderen richtet er sich an die Gerichte, die bei der Zumessung der Strafen oder der Verhängung anderer Strafmaßnahmen die Menschenwürde des Straftäters als höchsten Wert zu achten haben.

3. Strafzwecke

Das Wesen, die Zwecke und die Funktionen der strafrechtlichen Reaktion des Staates (Strafen und Strafmaßnahmen) werden heute in Polen im Rahmen zweier grundsätzlicher Erklärungsansätze behandelt: Absolute Straftheorien betrachten die Strafe als gerechte Vergeltung für bereits verübtes Unrecht (Blick in die Vergangenheit). Ansonsten verfolgt die Bestrafung keinen weiteren Zweck. Relative (utilitäre) Straftheorien sehen die Strafe als Mittel zum Schutz der Gesellschaft vor zukünftigen Rechtsverletzungen (Blick in die Zukunft). Die Bestrafung ist kein Selbstzweck, sondern dient der Vorbeugung zukünftiger Rechtsverstöße. Damit ist sowohl die individuelle Resozialisierung des Täters (positive Spezialprävention) als auch die Abschreckung potenzieller Straftäter (negative Generalprävention) gemeint. Mischtheorien versuchen die Elemente beider Erklärungsansätze in einer Konzeption zu vereinigen: Die bei diesen Theorien anerkannte Vergeltungsfunktion der Strafe wird durch die general- und spezialpräventive Funktion ergänzt.

Der Gesetzgeber hat sich bei der Bestimmung der Strafzwecke nicht ausdrücklich für einen dieser Ansätze ausgesprochen, doch lassen die Vorschriften des k.k und des k.k.w (Strafvollstreckungsgesetzbuch, *kodeks karny wykonawczy*) darauf schließen, dass den einschlägigen Regelungen sowohl Elemente der absoluten als auch der relativen Straftheorien zugrunde liegen. Dies entspricht auch der herrschenden Meinung in der polnischen Strafrechtslehre hinsichtlich der Grundsätze der Zumessung von Strafen und Strafmaßnahmen (Art. 53–63 k.k), bei denen sowohl die spezial- als auch die generalpräventiven Auswirkungen der Strafen zum Ausdruck kommen sollen.

4. Grundlegende Prinzipien des Strafverfahrensrechts

Von den das polnische Strafprozessrecht bestimmenden Prinzipien genießen einige Verfassungsrang, andere sind lediglich einfachgesetzlich normiert. Auf die grundlegenden Verfahrensprinzipien wird im Folgenden kursorisch eingegangen.

Im Strafprozess gilt das in Art. 10 der Strafprozessordnung (*kodeks postępowania karnego*, k.p.k) normierte Legalitätsprinzip, das besagt, dass das zur Verfolgung von Straftaten befugte Organ bei Vorliegen eines Anfangsverdachts verpflichtet ist, das Vorverfahren einzuleiten und durchzuführen. Ein Verfahren ist jedoch gemäß Art. 17 § 1 Ziffer 7 k.p.k dann nicht einzuleiten (und ein eingeleitetes Verfahren einzustellen), wenn ein Strafverfahren wegen derselben Tat gegen dieselbe Person rechtskräftig abgeschlossen oder ein früher eingeleitetes Verfahren anhängig ist *(ne bis in idem)*.

Wird ein Vorverfahren eingeleitet, so erfolgt die Durchführung des gerichtlichen Verfahrens auf Antrag eines hierzu berechtigten Anklägers oder einer anderen berechtigten Person (Grundsatz des akkusatorischen Verfahrens, Art. 14 § 1 k.p.k).

Der Amtsermittlungsgrundsatz (Art. 9 § 1 k.p.k) besagt, dass die Prozessorgane von Amts wegen das Verfahren leiten und die Prozesshandlungen vornehmen, es sei denn, das Gesetz macht diese vom Antrag einer bestimmten Person, Institution oder eines Organs respektive von der Genehmigung einer Behörde abhängig.

Die Strafverfolgungsbehörden und Gerichte trifft während des gesamten Strafverfahrens die Pflicht zur Objektivität, das heißt sie sind angehalten, sowohl die zugunsten als auch die zuungunsten des Angeklagten sprechenden Umstände zu ermitteln und zu berücksichtigen (Art. 45 Verfassung, Art. 4 k.p.k).

Der Grundsatz der Beteiligung von Laien an der Rechtsprechung ist ebenfalls in der polnischen Verfassung statuiert (Art. 182). Art. 3 k.p.k, die einfachgesetzliche Normierung dieses Prinzips, spricht davon, dass in dem durch das Gesetz bestimmten Umfang Laien am Strafverfahren mitwirken. Es handelt sich hierbei um die Mitwirkung von Schöffen an den Hauptverhandlungen des ersten Rechtszugs vor den ordentlichen (Art. 28 §§ 1 und 3 k.p.k) und den Militärgerichten (Art. 669 k.p.k) sowie um die Teilnahme des sogenannten gesellschaftlichen Vertreters am Strafverfahren (Art. 90–91 k.p.k).

Das Recht auf einen gesetzlichen Richter (Art. 45 Abs. 1 Verfassung) wird zum einen als Recht auf Zugang zum Gericht aufgefasst, zum anderen als Recht, erstinstanzliche Gerichtsentscheidungen und -beschlüsse anfechten zu können (Art. 78 Verfassung). Des Weiteren beinhaltet es den rechtlichen Anspruch auf eine öffentliche (Art. 45 Verfassung und Art. 355 k.p.k), faire (Art. 45 Verfassung) und ohne unbegründete Verzögerung (Art. 2 § Ziffer 4, Art. 366 k.p.k) durchzuführende mündliche (Art. 365 k.p.k) Verhandlung der Sache vor einem zuständigen (Art. 24–39 k.p.k), unabhängigen und unparteiischen Gericht (Art. 178 Abs. 1 Verfassung). Daraus wird ersichtlich, dass das Recht auf den gesetzlichen Richter im polnischen Strafprozess mehrere Garantien eines rechtsstaatlichen Strafverfahrens umfasst.

Als grundlegendes Prinzip des Beweisrechts ist die freie Beweiswürdigung (Art. 7 k.p.k) zu nennen. Danach haben die Prozessorgane ihre Überzeugung aufgrund aller erhobenen Beweise zu gewinnen, die unter Berücksichtigung der Grundsätze der Vernunft, der Erkenntnisse der Wissenschaft und der Lebenserfahrung frei zu würdigen sind.

Sowohl die Unschuldsvermutung (Art. 42 Abs. 3 Verfassung) als auch das Recht auf Verteidigung (Art. 42 Abs. 2 Verfassung) besitzen in Polen ebenfalls Verfassungsrang und sind darüber hinaus auch im Strafprozessgesetz geregelt. Gemäß Art. 5 § 1 k.p.k gilt der Angeklagte so lange als unschuldig, bis seine Schuld erwiesen und durch ein rechtskräftiges Urteil festgestellt wurde. Ihn trifft weder die Pflicht, seine Unschuld zu beweisen, noch die Pflicht, belastende Beweismittel vorzulegen (Art. 74 § 1 k.p.k).

Art. 5 § 2 k.p.k ergänzt den Grundsatz der Unschuldsvermutung um das Prinzip *in dubio pro reo*, wonach bei bestehenden Zweifeln zugunsten des Angeklagten zu entscheiden ist.

Art. 6 k.p.k statuiert das Recht des Angeklagten auf Verteidigung, darunter auch das Recht, die Hilfe eines Verteidigers in Anspruch zu nehmen, worüber der Angeklagte vom Gericht zu belehren ist.

Die Rechtsschutzgarantie aus Art. 78 Verfassung sichert den Prozessparteien das Recht, den Rechtsmittelweg zu beschreiten, das heißt, Gerichtsentscheidungen und Beschlüsse, die im ersten Rechtszug erlassen worden sind, anzufechten. Das Ziel des Rechtsmittelverfahrens besteht in der Überprüfung und Korrektur einer noch nicht rechtskräftigen Gerichtsentscheidung durch die nächsthöhere Instanz. Das polnische Rechtsmittelsystem ist zweiinstanzlich (Art. 426 § 1 k.p.k).

Die Grundregeln des Strafverfahrens für die Entschädigung wegen zu Unrecht erfolgter Festnahme, Untersuchungshaft oder Verurteilung enthält der gesamte Abschnitt 58 k.p.k (Art. 552–559). Art. 77 Abs. 1 Verfassung formuliert allgemein, dass jedermann das Recht auf Entschädigung des Schadens hat, der ihm durch unrechtmäßige Maßnahmen eines Organs der öffentlichen Gewalt entstanden ist.

Literaturhinweise zu Abschnitt D.

Gardocki, Lech, Prawo karne (Strafrecht). 11. Aufl. Warschau 2005, S. 7–19, 55–57, 153–156, 173 f., 179 f. mit weiteren Literaturangaben.

Kunicka-Michalska, Barbara. In: Genowefa Rejman (Hrsg.), Kodeks karny. Część ogólna. Komentarz (Strafgesetzbuch. Allgemeiner Teil. Kommentar). Warschau 1999, S. 21–140, 200–227 mit weiteren Literaturangaben.

Marek, Andrzej, Prawo karne (Strafrecht). 6. Aufl. Warschau 2005, S. 55–57, 87–102, 128–131, 233–244, 326–341 mit weiteren Literaturangaben.

Majewski, Jarosław. In: Andrzej Zoll (Hrsg.), Kodeks karny. Część ogólna. Komentarz do Art. 1–116 k.k (Strafgesetzbuch. Allgemeiner Teil. Kommentar zu Art. 1–116 StGB). 3. Aufl. Warschau 2007, S. 485–536 mit weiteren Literaturangaben.

Rejman, Genowefa. In: Genowefa Rejman (Hrsg.), Kodeks karny. Część ogólna. Komentarz (Strafgesetzbuch. Allgemeiner Teil. Kommentar). Warschau 1999, S. 141–169 mit weiteren Literaturangaben.

Stefański, Ryszard, Prawo karne materialne. Część ogólna (Materielles Strafrecht. Allgemeiner Teil). Warschau 2008, S. 87–96, 239–250 mit weiteren Literaturangaben.

Waltoś, Stanisław, Proces karny. Zarys systemu (Strafprozess. Systemumriss). 9. Aufl. Warschau 2008, S. 211–342 mit weiteren Literaturangaben.

Wojciechowska, Janina. In: Genowefa Rejman (Hrsg.), Kodeks karny. Część ogólna. Komentarz (Strafgesetzbuch. Allgemeiner Teil. Kommentar). Warschau 1999, S. 839–878 mit weiteren Literaturangaben.

Zoll, Andrzej. In: Andrzej Zoll (Hrsg.), Kodeks karny. Część ogólna. Komentarz do Art. 1–116 k.k (Strafgesetzbuch. Allgemeiner Teil. Kommentar zu Art. 1–116 StGB). 3. Aufl. Warschau 2007, S. 9–117 mit weiteren Literaturangaben.

E. Abgrenzung und Einordnung des Strafrechts

1. Begriffliche und sachliche Umgrenzung des Strafrechts

Das System des Strafrechts im weiteren Sinne umfasst nach polnischem Verständnis das materielle Strafrecht, das Strafprozessrecht, das Strafvollstreckungsrecht sowie als Spezialzweige das Militärstrafrecht, das fiskalische Strafrecht, das Jugendstrafrecht und das Übertretungsrecht. Obwohl diese Rechtszweige Teile des Strafrechts im weiteren Sinne bilden, sind sie nach polnischer Auffassung dennoch teilweise als eigenständige Rechtsgebiete zu verstehen, was sich unter anderem in der Tatsache äußert, dass an der überwiegenden Mehrzahl der Universitäten jeweils eigene Lehrstühle für materielles Strafrecht, Strafprozessrecht und Strafvollstreckungsrecht eingerichtet sind. Die getrennte Betrachtung und die damit verbundene weitgehende „Autonomie" dieser einzelnen Strafrechtsgebiete sind in Polen aus inhaltlichen und organisatorischen Gründen tief verankert und weit fortgeschritten.

Zunächst bildet das materielle Strafrecht *(prawo karne materialne)* den Teil der geltenden Rechtsordnung (des öffentlichen Rechts), der bestimmte im Strafgesetz (*kodeks karny*, k.k) näher umschriebene Handlungen als Straftaten *(przestępstwa)* bezeichnet und für deren Begehung eine Sanktionierung durch Strafen *(kary)* und Strafmaßnahmen *(środki karne)* vorsieht, respektive für die Heilung oder Besserung der Täter die sogenannten Maßnahmen der Sicherung *(środki zabezpieczające)* mit therapeutischem oder administrativem Charakter bereithält.

Das Strafprozessrecht *(prawo karne procesowe)* hingegen regelt die Vorgehensweise der staatlichen Organe sowie die Rechte und Pflichten der übrigen am Strafprozess Beteiligten. Nach den Vorschriften der in Kraft befindlichen Strafprozessordnung (*kodeks postępowania karnego*, k.p.k) wird festgestellt, ob und durch wen eine Straftat begangen wurde und nach welchen Verfahrensregeln der ermittelte Täter zu verurteilen beziehungsweise freizusprechen ist.

Das Strafvollstreckungsrecht *(prawo karne wykonawcze)* regelt anschließend die Vollstreckung und Überwachung von rechtskräftig verhängten Strafen, Strafmaßnahmen sowie von Maßnahmen der Sicherung und bestimmt daneben auch die Rechte und Pflichten inhaftierter und verurteilter Personen. Den praktisch bedeutendsten Teil des Strafvollstreckungsrechts bildet das Strafvollzugsrecht *(prawo penitencjarne)*, das den Vollzug von Freiheitsstrafen und freiheitsentziehenden Maßnahmen regelt.

Das fiskalische Strafrecht *(prawo karne skarbowe)* umfasst die Straftaten und Übertretungen, welche die Interessen des Fiskus im Bereich der Steuern, Zölle, Devisen, Lotterien und Glücksspiele verletzen.

Das materielle und formelle Militärstrafrecht *(prawo karne wojskowe)* wird in Polen als Teil des allgemeinen Straf- und Strafprozessrechts verstanden und ist konsequenterweise in gesonderten Teilen des Strafgesetzbuchs (Kapitel XXXVII–XLIV) und der Strafprozessordnung (Kapitel XV) geregelt. Erfasst sind diejenigen Straftaten von Soldaten und – in gesetzlich bestimmten Fällen – auch von Zivilangestellten der Armee, die im Zusammenhang mit dem Militärdienst und der Militärdisziplin begangen werden.

Das Übertretungsrecht *(prawo wykroczeń)* bezieht sich auf Handlungen, deren Sozialschädlichkeit zwar niedriger als die der Straftaten ist, die aber dennoch als strafwürdig eingestuft werden, da sie kriminelles Unrecht beinhalten. Im Gegensatz zum früheren Recht sieht das Übertretungsverfahrensgesetz von 2001 *(kodeks postępowania w sprawach o wykroczenia)* die Zuständigkeit der Gerichte für Verfahren wegen Übertretungssachen zwingend vor und hat damit die bis dahin zuständigen – außergerichtlichen – Organe, die sogenannten Kollegien für Übertretungen *(kolegia do spraw wykroczeń)*, abgeschafft. Diese wesentliche Änderung war unter anderem deswegen erforderlich, weil das geltende Übertretungsrecht auch die Freiheitsstrafe *(areszt)* vorsieht; deren Verhängung durch nicht-richterliche Organe war verfassungsrechtlich höchst bedenklich und von der Lehre scharf kritisiert worden.

2. Abgrenzung zu anderen repressiven Ordnungssystemen

Eine Verantwortlichkeit nach dem Disziplinarrecht *(prawo dyscyplinarne)* kommt nur im Zusammenhang mit der Ausübung bestimmter Berufe oder Ämter in Betracht. Es handelt sich dabei um ethische Grundsätze und Verhaltensnormen, die für bestimmte Berufsgruppen (zum Beispiel für Ärzte oder Anwälte) als allgemein verbindlich angesehen werden und deren Missachtung sanktioniert wird. Diese Grundsätze werden in Polen im Allgemeinen nicht durch Gesetz geregelt, auch wenn für sie häufig die Bezeichnung „Gesetzbücher“ *(kodeksy)* verwendet wird (zum Beispiel „Kodex der ärztlichen Ethik“, *kodeks etyki lekarskiej*). Das Verfahren und die Vollstreckung von Maßnahmen, die wegen Disziplinarvergehen verhängt werden, obliegen nicht den Gerichten, sondern speziellen Organen des jeweiligen Berufsstands (zum Beispiel der Architekten- oder Ärztekammer).

Abschließend ist hier auf das Verwaltungsstrafrecht *(prawo administracyjno-karne)* hinzuweisen, das ebenfalls mit dem allgemeinen Strafrecht (insbesondere mit dem Übertretungsrecht), vielmehr aber mit dem Verwaltungsrecht umfangreiche Schnittstellen aufweist, dem jedoch in jüngerer Zeit ein Teil der polnischen Lehre die Eigenschaft eines selbstständigen Rechtszweigs zuspricht. Auch wenn diese Lehrmeinung nicht unumstritten ist, statuiert sie eine dritte Form der Verantwortlichkeit (sogenannte verwaltungsstrafrechtliche Verantwortlichkeit/*odpowiedzialność administracyjo-karna*), die sich in bestimmter Weise sowohl von der übertretungsrechtlichen als auch von der „rein“ verwaltungsrechtlichen absetzt. Demnach umfasst das Verwaltungsstrafrecht die Gesamtheit der Rechtsnormen, welche die Verantwortlichkeit für die Verletzung von Vorschriften des Verwaltungsrechts bestimmt, nämlich solche Zuwiderhandlungen, die mit einer verwaltungsrechtlichen Geldsanktion *(pieniężna kara administracyjna)* geahndet werden. Die Sanktionen dieses Rechtszweigs sind Geldbuße *(kara pieniężna)* und Sanktionsabgaben *(opłata sankcyjna)*, zum Beispiel solche, die im Postrechtsgesetz (Art. 67–68) vom 12.6.2003, im Gesetz zum Schutz des Wettbewerbs und der Konsumenten vom 15.12.2000 (Art. 101–106), im Gesetz über Bahntransport vom 28.3.2003 (Art. 65–66), im Gesetz über Rundfunk und Fernsehen vom 29.12.1992 (Art. 52.1–56.1) oder im Bankrechtsgesetz vom 29.8.1997 (Art. 141.1) vorgesehen sind. Sie weisen im Vergleich zu kriminellen (Geld-)Strafen inhaltliche Differenzen auf und werden im Verwaltungsverfahren von Verwaltungsorganen – und in letzter Instanz von Verwaltungsgerichten – verhängt und vollstreckt.

3. Einordnung spezieller Maßnahmen für bestimmte Tätergruppen

– *Maßnahmen gegenüber minderjährigen Straftätern*

Auch wenn mit den Strafbarkeitsgrundlagen des allgemeinen Strafrechts verbunden, unterliegt die strafrechtliche Verantwortlichkeit von Jugendlichen und Heranwachsenden besonderen Regeln. Deswegen sondert die Lehre das Jugendstrafrecht als einen spezialisierten Zweig des geltenden Strafrechts aus.

Die Strafmündigkeit beginnt im polnischen Recht mit der Vollendung des 17. Lebensjahrs. Minderjährige, die zur Tatzeit diese Altersgrenze noch nicht überschritten haben, sind in der Regel nicht strafbar (Art. 10 § 1 k.k). Die gesetzlich bestimmten Ausnahmen (Art. 10 § 2 k.k), das heißt die Strafbarkeit von Jugendlichen, die das 15. Lebensjahr vollendet haben, nach Erwachsenenstrafrecht, betreffen in erster Linie Fälle schwerer Kriminalität, in denen die Alters- und Entwicklungsreife des straffälligen Jugendlichen der Verhängung von Sanktionen den Vorrang vor der Anwendung von Maßnahmen der Erziehung und Besserung geben. Maßgebend ist hierbei:

Art. 10 k.k

§ 1. Nach den Grundsätzen dieses Strafgesetzes ist strafbar, wer bei der Begehung einer verbotenen Tat das siebzehnte Lebensjahr vollendet hat.

§ 2. Ein Jugendlicher, der nach Vollendung des fünfzehnten Lebensjahres eine verbotene Tat nach Art. 134, Art. 148 §§ 1, 2 oder 3, Art. 156 §§ 1 oder 3, Art. 163 §§ 1 oder 3, Art. 166, Art. 173 §§ 1 oder 3, Art. 197 § 3, Art. 252 §§ 1 oder 2 oder Art. 280 begangen hat, kann nach den Grundsätzen dieses Strafgesetzes bestraft werden, wenn die Tatumstände, der Entwicklungsgrad des Täters, seine Eigenschaften und seine persönliche Lage dafür sprechen, insbesondere, wenn sich zuvor angewandte Erziehungs- oder Besserungsmaßnahmen als unwirksam erwiesen haben.

§ 3. In dem in § 2 bezeichneten Fall darf die verhängte Strafe zwei Drittel des Höchstmaßes der gesetzlichen Strafdrohung, die für die dem Täter zugerechnete Straftat vorgesehen ist, nicht überschreiten; das Gericht kann auch die außerordentliche Strafmilderung anwenden.

§ 4. Begeht ein Täter nach Vollendung des siebzehnten und vor Vollendung des achtzehnten Lebensjahres ein Vergehen, so wendet das Gericht anstelle einer Strafe die für Jugendliche vorgesehenen Erziehungs-, Heil- oder Besserungsmaßnahmen an, wenn die Tatumstände, der Entwicklungsgrad des Täters, seine Eigenschaften und seine persönliche Lage dafür sprechen.

Bei der Behandlung von minderjährigen Straftätern hat sich der polnische Gesetzgeber für das Modell des Familiengerichts entschieden. Dieses wurde durch das – bereits mehrmals novellierte – Gesetz über das Verfahren in Jugendsachen vom 26.10.1982 in das Jugendrecht eingeführt. Die Regelungen dieses Gesetzes stellen die Konsequenz der auch in der Strafrechtslehre mehrheitlich akzeptierten Ansicht dar, dass bei der Gruppe der jüngeren strafmündigen Täter der Erziehungs- und Besserungsgedanke Vorrang vor der Bestrafung erhalten soll (Art. 54 § 1 k.k), um den besonderen Bedürfnissen junger Menschen besser gerecht werden zu können und die spezialpräventive Effizienz zu erhöhen.

Das Familiengericht ist für Verfahren gegen folgende Personengruppen zuständig:

- Minderjährige, die zwischen dem 13. und dem 17. Lebensjahr eine Straftat begangen haben;
- Minderjährige, die das 18. Lebensjahr noch nicht vollendet haben und Anzeichen von sogenannter Demoralisierung aufweisen;
- Heranwachsende, die das 21. Lebensjahr noch nicht vollendet haben und gegen bereits die eine Erziehungs- oder Besserungsmaßnahme zur Anwendung gebracht wurde.

Die besonderen Maßnahmen der Erziehung und Besserung sind:

- Abmahnung;
- Erziehungsmaßnahmen, welche die Schadenswiedergutmachung zum Ziel haben;
- Aufsicht durch die Eltern oder einen Vormund;
- Aufsicht durch eine Jugendorganisation, eine andere Organisation, der der Jugendliche angehört, durch Arbeitskollegen oder eine Vertrauensperson, jeweils verbunden mit einer Bürgschaft;
- Aufsicht durch einen Kurator;
- Unterbringung des Jugendlichen in einer Ersatzfamilie oder in einer Erziehungs- oder Ausbildungseinrichtung;
- Maßnahmen gegenüber unzurechnungsfähigen und in erheblichem Maße eingeschränkt schuldfähigen Tätern

Das polnische Recht kennt neben den Strafen und Strafmaßnahmen auch sogenannte Maßnahmen der Sicherung (*środki zabezpieczające*, wörtlich: sichernde Maßnahmen), die allerdings nicht dem Zweck dienen, ein vom Täter verübtes Unrecht zu vergelten oder/und ihn zu resozialisieren. Ihre einzige Funktion besteht in dem Schutz der Gesellschaft vor gefährlichen Tätern. Deswegen bildet nicht der individuelle Schuldvorwurf, den das Strafrecht sonst gegenüber dem voll zurechnungsfähigen Täter erhebt, sondern dessen – wegen anderer Ursachen bestehende – Gefährlichkeit für die Gemeinschaft den Grund für die Verhängung dieser Maßnahmen. Die Gefährlichkeit beruht auf der hohen Wahrscheinlichkeit einer erneuten Tatbegehung durch den Täter aufgrund seiner psychischen Defekte (psychische Krankheit, geistige Behinderung) beziehungsweise einer Alkohol- oder anderen Rauschmittelabhängigkeit.

Angesichts der Tatsache, dass die im geltenden Recht vorgesehenen Maßnahmen der Sicherung ausschließlich bei schuldlosen oder in erheblichem Maße eingeschränkt schuldfähigen Tätern zur Anwendung kommen können und dabei anstelle der Strafe angeordnet werden, kann in Polen nicht von einer Zweispurigkeit des Sanktionssystems im eigentlichen Sinne gesprochen werden. Es handelt sich hierbei nämlich nicht um Maßregeln der Sicherung nach bereits verbüßter Strafe, wie dies zum Beispiel bei der Sicherungsverwahrung in Deutschland der Fall ist. Das geltende Sanktionssystem wird daher folgerichtig von der herrschenden Lehre als einspurig betrachtet, auch wenn dieses Konzept in jüngerer Zeit eine gesetzliche Korrektur erfahren hat.[1]

Das Strafgesetz kennt zwei Arten von Maßnahmen der Sicherung für schuldunfähige oder in erheblichem Maße eingeschränkt schuldfähige Täter sowie für Alkohol- und Drogenabhängige:

- Maßnahmen der Sicherung mit therapeutischem Charakter (Art. 93–98 k.k): Unterbringung in einer geschlossenen psychiatrischen Anstalt für schuldunfähige Täter; Unterbringung in einer Strafvollzugsanstalt für Täter, die in erheblichem Maße eingeschränkt zurechnungsfähig sind und dort Heil- und Rehabilitationsmaßnahmen unterzogen werden, sowie
- Maßnahmen der Sicherung mit administrativem Charakter (Art. 99–100 k.k): zum Beispiel das Berufsverbot, das Verbot einer bestimmten wirtschaftlichen Betätigung, das Fahrverbot, der Sachverfall. Diese Strafmaßnahmen, die in Art. 39 Ziffer 2–4 k.k bestimmt sind, werden im Fall ihrer Anordnung gemäß Art. 99 § 1 k.k als Maßnahmen der Sicherung betrachtet.

---

[1] Siehe dazu unter Maßnahmen bei Sexualstraftätern.

– *Maßnahmen gegenüber Sexualstraftätern*

Seit der Novelle zum k.k vom 25.7.2005 kennt das Strafrecht eine spezielle Maßnahme der Sicherung.

Art. 95a k.k

§ 1. Begeht der Täter im Zusammenhang mit einer Störung seiner psychischen Funktionen, die eines solchen sexuellen Ursprungs ist, der keine psychische Krankheit darstellt, eine Straftat gegen die sexuelle Freiheit und wird er zu einer Freiheitsstrafe ohne Bewährung verurteilt, so kann das Gericht nach Verbüßung der Freiheitsstrafe die Unterbringung in einer geschlossenen Anstalt oder die Durchführung einer ambulanten Behandlung anordnen.

§ 2. Über die Notwendigkeit des Vollzugs der in § 1 genannten Maßnahme entscheidet das Gericht innerhalb einer Frist von 6 Monaten vor dem vorgesehenen Termin für eine vorzeitige bedingte Entlassung aus dem Strafvollzug oder innerhalb von 6 Monaten vor vollständiger Strafverbüßung.

§ 3. Art. 94 §§ 2 und 3 finden entsprechende Anwendung.

Die gesetzlichen Voraussetzungen für die Anordnung dieser neuen Maßnahme sind folgende:

- die Verurteilung des Täters wegen der Begehung einer Straftat gegen die sexuelle Freiheit (zum Beispiel Art. 197 k.k: Vergewaltigung, Art. 199 k.k: sexueller Missbrauch von in einem Abhängigkeitsverhältnis stehenden Personen) zu einer Freiheitsstrafe ohne Bewährung;
- die Feststellung des Zusammenhangs zwischen der begangenen Straftat und einer Störung der psychischen Funktionen des Täters, die solchen sexuellen Ursprungs ist, der keine psychische Krankheit darstellt.

Soll die Unterbringung in einer geschlossenen Anstalt angeordnet werden, so greift zusätzlich die Voraussetzung des Art. 93 k.k.

Art. 93 k.k

Die in diesem Kapitel als Maßnahmen der Sicherung vorgesehene Unterbringung in einer geschlossenen Anstalt darf das Gericht nur anordnen, wenn dies unerlässlich ist, um die erneute Begehung einer mit der psychischen Krankheit, geistigen Behinderung oder Alkohol- oder anderen Rauschmittelabhängigkeit des Täters zusammenhängenden verbotenen Tat durch diesen zu verhindern; vor der Anordnung dieser Maßregel führt das Gericht eine Anhörung von Psychiatern und eines Psychologen durch.

Gemäß Art. 93 k.k ist für eine Anordnung der Unterbringung in einer geschlossenen Anstalt – unter anderem – mithin ein Zusammenhang zwischen der begangenen Tat und einer psychischen Krankheit erforderlich. Art. 93 k.k mit dieser zwingenden Voraussetzung wird nun durch Art. 95a k.k unterlaufen, indem dieser explizit hervorhebt, dass die Tat gerade keinen Bezug zu einer psychischen Krankheit aufweisen darf. Art. 95a k.k scheint damit in einem Widerspruch zu Art. 93 k.k zu stehen.

Die Dauer der nach der Strafverbüßung stattfindenden Unterbringung in einer geschlossenen psychiatrischen Anstalt sowie die Dauer einer ambulanten Behandlung gemäß Art. 95a k.k werden nicht im Voraus bestimmt. Das Gericht ordnet die Entlassung des Täters an, wenn seine weitere Unterbringung oder Behandlung nicht mehr notwendig ist (Art. 94 § 2 k.k). Die entsprechende Anwendung des Art. 94 §§ 2, 3 k.k auf die in Art. 95a k.k vorgesehene Maßnahme steht einer erneuten Unterbringung des Sexualstraftäters nicht entgegen, und zwar dann, wenn die in Art. 94 § 1 oder in Art. 93 k.k bezeichneten Umstände dafür sprechen.

Die Strafrechtslehre hat die neu eingeführte Regelung einer scharfen Kritik unterzogen. Es wird hervorgehoben, dass die in Art. 95a k.k verwendeten medizinisch erheblichen Kriterien, da sie nicht aufeinander abgestimmt sind, wesentliche Auslegungsschwierigkeiten in sich bergen. Des Weiteren wird moniert, dass die verwendeten Merkmale nicht mit denen übereinstimmen, die bislang zur Unterbringung eines unzurechnungsfähigen Täters (Art. 31 § 1 k.k) in einer geschlossenen Anstalt notwendig waren.

Darüber hinaus ist nicht zu übersehen, dass die Einführung der Maßnahme gemäß Art. 95a k.k das bisher geltende Konzept der Einspurigkeit des Sanktionssystems des polnischen Strafrechts durchbricht, indem es gerade eine Maßnahme statuiert, die einer „klassischen" Maßregel der Sicherung – zum Beispiel im Sinne des deutschen Rechts – entspricht.

– Maßnahmen gegenüber Banden- und Rückfalltätern, Terroristen sowie bei „Berufskriminellen"

Das polnische Strafrecht zählt zur Gruppe der besonders gefährlichen Straftäter mehrere verschiedene Tätertypen. Es sind gemäß **Art. 65 k.k**:

- Täter, für die die Straftatbegehung eine feste Einnahmequelle darstellt (sogenannte Berufskriminelle);
- Täter, die Straftaten in einer organisierten Gruppe respektive kriminellen Verbindung begehen;
- Täter von Straftaten mit terroristischem Charakter.

Für diese drei Tätergruppen sieht das Strafrecht genauso wie für Rückfällige in Art. 64 k.k eine – nicht unwesentliche – Strafschärfung vor. Besondere zusätzliche Maßnahmen sind nicht vorgesehen, da es sich grundsätzlich um ein einspuriges Sanktionssystem handelt.

Literaturhinweise zu Abschnitt E.

Andrejew, Igor, Das polnische Strafrecht. In: Edmund Mezger/Adolf Schönke/Hans-Heinrich Jescheck (Hrsg.), Das ausländische Strafrecht der Gegenwart. Band 6. Berlin 1982, S. 54–57.

Bieńkowska, Ewa. In: Genowefa Rejman (Hrsg.), Kodeks karny. Część ogólna. Komentarz (Strafgesetzbuch. Allgemeiner Teil. Kommentar). Warschau 1999, S. 1243–1288 mit weiteren Literaturangaben.

Bojarsk, Marek/Radecki, Wojciech, Kodeks wykroczeń. Komentarz (Übertretungsrecht. Kommentar). Warschau 1998.

Bojarski, Tadeusz/Skrętowicz, Edward, Ustawa o postępowaniu w sprawach nieletnich z komentarzem (Das Gesetz über das Verfahren in Jugendsachen mit Kommentar). Lublin 2002.

Ćwiąkalski, Zbigniew. In: Andrzej Zoll (Hrsg.), Kodeks karny. Część ogólna. Komentarz do Art. 1–116 k.k (Strafgesetzbuch. Allgemeiner Teil. Kommentar zu Art. 1–116 StGB). 3. Aufl. Warschau 2007, S. 1042–1093 mit weiteren Literaturangaben.

Gaberle, Andrzej/Korcyl-Wolska, Marianna, Komentarz do ustawy o postępowaniu w sprawach nieletnich (Kommentar zum Gesetz über das Verfahren in Jugendsachen). Danzig 2002.

Gardocki, Lech, Prawo karne (Strafrecht). 11. Aufl. Warschau 2005, S. 1–4, 199–201 mit weiteren Literaturangaben.

Hofmański, Piotr/Paprzycki, Lech. In: Marian Filar (Hrsg.), Kodeks karny. Komentarz (Strafgesetzbuch. Kommentar). Warschau 2008, S. 430–459 mit weiteren Literaturangaben.

Hołda, Zbigniew/Postulski, Kazimierz, Kodeks karny wykonawczy. Komentarz (Strafvollstreckungsgesetz. Kommentar). Danzig 2005.

Kłączyńska, Natalia. In: Jacek Giezek (Hrsg.), Kodeks karny. Część ogólna. Komentarz (Strafgesetzbuch. Allgemeiner Teil. Kommentar). Warschau 2007, S. 609–646 mit weiteren Literaturangaben.

Korcyl-Wolska, Marianna, Postępowanie w sprawach nieletnich w Polsce (Das Verfahren in Jugendsachen in Polen). Krakau 2001.

Lewiński Janusz, Komentarz do kodeksu postępowania w sprawach o wykroczenia. (Kommentar zum Gesetz über das Verfahren in Übertretungssachen). 4. Aufl. Warschau 2005.

Marek, Andrzej, Prawo karne (Strafrecht). 6. Aufl. Warschau 2005, S. 5–11, 355–374 mit weiteren Literaturangaben.

Michalski, Bogusław, Komentarz do kodeksu karnego skarbowego (Kommentar zum fiskalischen Strafgesetzbuch). Warschau 2000.

Pawela, Stanisław, Prawo karne wykonawcze. Zarys wykładu (Strafvollstreckungsrecht. Vorlesungsumriss). Krakau 2003, S. 21–35, 79–103 mit weiteren Literaturangaben.

Stańdo-Kawecka, Barbara, Prawo karne nieletnich. Od opieki do odpowiedzialności (Jugendstrafrecht. Zwischen Fürsorge und Strafbarkeit). Warschau 2007.

Stefański, Ryszard, Prawo karne materialne. Część ogólna (Materielles Strafrecht. Allgemeiner Teil). Warschau 2008, S. 23–27, 369–377 mit weiteren Literaturangaben.

Szumiło-Kulczycka, Dobrosława, Prawo administracyjno-karne (Das Verwaltungsstrafrecht). Krakau 2004.

Szymanowski, Teodor/Świda Zofia, Kodeks karny wykonawczy. Komentarz (Strafvollstreckungsgesetz. Kommentar). Warschau 1998.

F. Strafrechtsquellen und Auslegungshilfen

1. Überblick

Aus den Bestimmungen der Verfassung von 1997 (Art. 87, Art. 91 Abs. 2, Art. 188 Abs. 1–3, Art. 213 Abs. 2 und Art. 234) lässt sich eine präzise Hierarchie der Rechtsquellen ableiten. Innerhalb der Hierarchie der Gesetze *(ustawy)* steht die Verfassung *(konstytucja)* über den formellen Gesetzen.[1] Diese sind zum einen die vom Parlament (*Sejm* und Senat) verabschiedeten Akte, zum anderen die völkerrechtlichen Verträge, die gemäß Art. 87 Verfassung mit Zustimmung des Parlaments in Form eines formellen Gesetzes ratifiziert werden. Den formellen Gesetzen folgen die Rechtsverordnungen (Verordnungen des Ministerpräsidenten, des Ministerrates, Ministerialverordnungen sowie solche des Landesrates für Rundfunk und Fernsehen) und lokale Rechtsakte, beispielsweise Satzungen, die von Körperschaften zur Regelung ihrer Tätigkeitsgebiete beschlossen werden.

2. Geschriebene Rechtsnormen

Geschriebene und formell verkündete Rechtsvorschriften stellen eine wesentliche Quelle des Strafrechts dar. Rechtsnormen, die im Rang unter den formellen Parlamentsgesetzen stehen, können allerdings keine originäre Strafbarkeit begründen, sondern lediglich die Voraussetzungen bereits bestehender Strafbarkeit präzisieren oder erläutern (Blankettnormen).[2]

Alle Gesetze und Verordnungen werden im offiziellen polnischen Gesetzblatt (*Dziennik Ustaw*, abgekürzt als *Dz.U.* zitiert) veröffentlicht. Jedes Gesetzblatt enthält mehrere Gesetze und Verordnungen; es ist mit dem Jahr seines Erlasses, der laufenden Blattnummer und der Positionsnummer des einschlägigen Gesetzes/der Verordnung gekennzeichnet (die Europäische Menschenrechtskonvention wurde zum Beispiel in Dz.U. 1993, Nr. 61, unter der Pos. 285 bekanntgemacht).

– *Wichtige nationale Kodifikationen*

Zu den wichtigsten Quellen des geltenden polnischen Strafrechts gehören in erster Linie folgende Gesetze:

Die Vorschriften des materiellen Strafrechts sind vor allem im Strafgesetzbuch (*kodeks karny*, k.k) vom 6.6.1997 enthalten, das seit 1.9.1998 in Kraft ist und bereits vielfach novelliert wurde. Strafrechtliche Vorschriften finden sich aber auch

---

1 Siehe dazu ausführlich II.A.3.a.

2 Vergleiche hierzu II.A.3.a.

außerhalb des Strafgesetzbuchs *(przepisy karne pozakodeksowe)* in Gesetzen, die verschiedene Lebensbereiche regeln, zum Beispiel die öffentliche Ordnung, die Wirtschaft, das Gesundheitswesen oder den Schutz der Kulturgüter. Da diese Bereiche zum Teil erheblichem Wandel unterliegen, stehen auch die einschlägigen Strafvorschriften im Zusammenhang mit der Gesamtregelung des jeweiligen Bereichs. Auch bei den außerhalb des Strafgesetzbuchs stehenden Strafvorschriften folgt die Bestimmung der Strafbarkeit den Regeln des Allgemeinen Teils des Strafgesetzbuchs, es sei denn diese Strafvorschriften schließen als *lex specialis* die Anwendung des Allgemeinen Teils des k.k ausdrücklich aus (Art. 116 k.k).

Die Strafprozessordnung (*kodeks postępowania karnego,* k.p.k) vom 6.6.1997 ist auch am 1.9.1998 in Kraft getreten und wurde seither ebenfalls mehrfach und umfangreich geändert, insbesondere hinsichtlich der Implementierung der europäischen Rahmenbeschlüsse in das geltende Strafverfahrensrecht (zum Beispiel Kapitel 65a und 65b k.p.k betreffend das Verfahren im Zusammenhang mit dem Europäischen Haftbefehl).

Die gesetzliche Regelung der Vollstreckung von Strafen, Strafmaßnahmen und von Maßnahmen der Sicherung mit medizinischem und administrativem Charakter enthält das ebenfalls am 1.9.1998 in Kraft getretene Strafvollstreckungsgesetzbuch (*kodeks karny wykonawczy,* k.k.w) vom 6.6.1997. Die Vorschriften zum Vollzug der Freiheitsstrafe und die damit verbundenen Vollzugserleichterungen stellen einen wesentlichen Teil dieser Regelungen dar (X. und XI. Kapitel k.k.w).

Die drei genannten strafrechtlichen Gesetze (k.k, k.p.k und k.k.w) von 1997 bilden den Kern der neuen Gesetzgebung, welche das Straf-, Strafprozess- und Strafvollstreckungsrecht nach der politischen Wende des Jahres 1989 auf demokratischen und rechtstaatlichen Prinzipien aufgebaut hat.

Das materielle fiskalische Strafrecht, das in Polen die Straftaten und Übertretungen regelt, welche die Interessen des Fiskus im Bereich der Steuern, Zölle, Devisen, Lotterien und Glücksspiele verletzen, ist – ebenso wie das zugehörige Verfahren – im fiskalischen Strafgesetzbuch (*kodeks karny skarbowy,* k.k.s) vom 10.9.1999 kodifiziert.

Das materielle Übertretungsrecht ist im Übertretungsgesetzbuch (*kodeks wykroczeń,* k.w) vom 20.5.1971 enthalten, das durch eine umfangreiche Novelle vom 28.8.1998 an die Vorschriften des Strafgesetzbuchs von 1997 angeglichen wurde. Das Verfahren in Übertretungssachen regelt das Übertretungsverfahrensgesetz *(kodeks postępowania w sprawach o wykroczenia)* vom 24.8.2001, das am 17.10.2001 in Kraft getreten ist.

– *Völkerrechtliche Verträge*

Nach Art. 91 Abs. 1 Verfassung bilden auch die von der Republik Polen ratifizierten völkerrechtlichen Verträge nach ihrer Veröffentlichung im amtlichen Gesetzblatt einen Teil des innerstaatlichen Rechtssystems und finden grundsätzlich unmittelbare Anwendung. Im Fall einer Kollision haben die völkerrechtlichen Bestimmungen Vorrang vor innerstaatlichem Recht (Art. 91 Abs. 2 Verfassung).[3]

Dass das gesamte innerstaatliche Recht mit den von der Republik Polen ratifizierten völkerrechtlichen Verträgen übereinstimmen muss, lässt sich auch Art. 188 Verfassung entnehmen, wonach der Verfassungsgerichtshof *(Trybunał Konstytucyjny)* die Übereinstimmung der geltenden Gesetze und Ministerialanordnungen mit den ratifizierten völkerrechtlichen Verträgen prüfen kann.

– *Europäische Menschenrechtskonvention*

Die am 15.12.1992 von der Republik Polen ratifizierte und am 19.1.1993 in Kraft getretene Europäische Menschenrechtskonvention (EMRK)[4] steht im Rang über den formellen Gesetzen. Dies hat zur Folge, dass die Parlamentsgesetze sich an den Vorschriften der EMRK orientieren und mit ihnen übereinstimmen müssen. Fast alle Grundrechte, die in der Verfassung von 1997 statuiert sind, richten sich ebenfalls weitgehend an der EMRK aus. Man kann die Konvention sogar als materielle Quelle menschenrechtlicher Regelungen der polnischen Verfassung von 1997 ansehen. Als ratifizierte völkerrechtliche Konvention bildet die Menschenrechtskonvention einen Teil des innerstaatlichen Rechtssystems und findet unmittelbare Anwendung durch die Gerichte. Die unmittelbare Anwendung ihrer Normen führt unter anderem dazu, dass ihre Verletzung die Grundlage eines prozessrechtlichen Rechtsbehelfs (Appellation oder Kassation) sein darf, ohne dass einschlägige Vorschriften der geltenden Strafprozessordnung genannt zu werden brauchen.

3. Gewohnheitsrecht

Gewohnheitsrecht kommt in Polen wegen des Grundsatzes *nullum crimen sine lege scripta* als Voraussetzung für eine Strafbarkeit prinzipiell nicht in Betracht.[5] Die anerkannten Ausnahmen betreffen das Völkergewohnheitsrecht, denn dieses stellt nach herrschender Ansicht auch eine verbindliche Rechtsquelle dar. Seine Anerkennung sowie die der allgemeinen Grundsätze des Völkerrechts als Rechtsquellen leitet die Lehre aus Art. 9 Verfassung ab, wonach die Republik Polen das für sie verbindliche „Völkerrecht" *(prawo międzynarodowe)* zu beachten hat. Diese Verfassungsnorm wird in der Lehre überwiegend nicht als bloße Deklaration, sondern als unmittelbar wirkende Verpflichtung aller staatlichen Organe und Institutionen zur Achtung verbindlichen Völkerrechts verstanden. Daher wird allgemein

---

3 Siehe auch I.B.2.b und I.C.3.

4 Siehe I.B.2.b.

5 Siehe ausführlich II.A.3.a.

angenommen, dass der Gesetzgeber und auch die Verwaltungs- und Justizorgane das gesamte geltende Völkerrecht – also auch das Völkergewohnheitsrecht – bei ihren Entscheidungen zu berücksichtigen und zu befolgen haben.

4. Rechtsprechung

– *Rechtsprechung der nationalen Gerichte*

Obwohl die Rechtsprechung der Obergerichte in Polen keine Rechtsquelle im eigentlichen Sinne darstellt, spielen in der Praxis insbesondere die Entscheidungen des Obersten Gerichts *(Sąd Najwyższy)* wegen der Autorität dieser höchsten Gerichtsinstanz eine wichtige Rolle für die Auslegung des Rechts und üben dadurch erheblichen Einfluss auf dessen tatsächliche Gestalt aus. Die Funktion des Obersten Gerichts als Garant für die Einheitlichkeit der Rechtsprechung unterer Gerichte gehört zu seinen besonders bedeutsamen Aufgaben. Diese beinhalten sowohl die Beantwortung komplizierter Rechtsfragen, die eine verbindliche Interpretation strafrechtlicher Normen verlangt, als auch die eigene Rechtsprechungstätigkeit in Verfahren, in denen außerordentliche Rechtsbehelfe eingelegt worden sind. Art. 441 § 1 k.p.k bildet die Rechtsgrundlage für diese Kompetenz des Obersten Gerichts: Tritt bei der Prüfung eines Rechtsmittels durch ein zuständiges Gericht eine Frage auf, die einer grundsätzlichen Auslegung des Gesetzes bedarf, so kann es die Entscheidung in der Sache vertagen und die Rechtsfrage dem Obersten Gericht vorlegen. Dessen Entscheidung ist allerdings nur in der betreffenden Sache bindend (Art. 441 § 3 k.p.k). Das hohe fachliche Ansehen, welches die Richter des Obersten Gerichts genießen, sowie das damit verbundene Vertrauen in deren Sachverstand und Sachkompetenz führen jedoch dazu, dass untere Gerichte in ihren Entscheidungen den Ansichten des Obersten Gerichts oftmals folgen, ohne rechtlich dazu verpflichtet zu sein.

– *Rechtsprechung des Europäischen Gerichtshofs für Menschenrechte*

Sehr kontrovers wird die Frage diskutiert, inwieweit sich die Rechtsprechung des Europäischen Gerichtshofs für Menschenrechte (EGMR) in Straßburg auf Urteile nationaler Strafgerichte auswirken kann. Die Europäische Menschenrechtskonvention schreibt in Art. 46 Abs. 1 lediglich die generelle Beachtung der Urteile des EGMR vor; diese entfalten eine feststellende, jedoch keine gestaltende oder aufhebende Wirkung. Die prozessrechtliche Bedeutung dieser Urteile ist von dem jeweiligen Landesrecht zu bestimmen, und es wird allgemein angenommen, dass sich weder aus Art. 46 Abs. 1 noch aus anderen Bestimmungen der Konvention Vorgaben ergeben, die die Republik Polen dazu verpflichten, den Entscheidungen des EGMR eine unmittelbare innerstaatliche Wirkung zu gewähren. Aus diesem Grund ist in Polen eine direkte Aufhebung von Urteilen nationaler Gerichte durch den

EGMR nicht vorgesehen. Dennoch werden polnische Urteile durch die Rechtsprechung des Gerichtshofs oft in Frage gestellt *(podważone)*. In der Praxis bedeutet dies eine Minderung der Autorität und Wirkung von Urteilen polnischer Gerichte, was als Ausübung von politischem Druck seitens des EGMR auf die Rechtsprechung der unabhängigen nationalen Gerichte interpretiert werden kann.

Eine Bindung der polnischen Gerichte an die Rechtsprechung des EGMR durch innerstaatliches Recht kann allerdings aus dem Wortlaut des Art. 91 Abs. 1 Verfassung abgeleitet werden; dieser bestimmt den Vorrang von ratifizierten internationalen Abkommen gegenüber kollidierendem einfachgesetzlichem Recht.[6]

Wird durch den Gerichtshof ein Verstoß gegen die EMRK festgestellt, so muss im konkreten Fall ein Rechtszustand hergestellt werden, der ihren Vorgaben entspricht. Dies bedeutet, dass der Vertragsstaat die Rechtsverletzung zu beenden, Wiedergutmachung zu leisten (Wiederherstellung des Zustands vor der Verletzung: *restitutio in integrum*) und gleichartige Verletzungen in Zukunft zu unterbinden hat, wobei dem Vertragsstaat die Wahl der Mittel überlassen bleibt. Dies kann in Polen entweder durch die Aufhebung der Bindungswirkung einzelner Normen/ Rechtsakte oder durch deren entsprechende Modifikation geschehen. Die Zuständigkeit dafür liegt gemäß Art. 193 Verfassung – nach Vorlage durch das erkennende Gericht – beim Verfassungsgerichtshof. Des Weiteren sind auch die negativen Folgen eines Verstoßes gegen die EMRK zu beseitigen. In Betracht kommen hierfür die bereits in Art. 41 EMRK vorgesehene Genugtuung für den immateriellen Schaden *(zadośćuczynienie)* und eine angemessene Entschädigung *(odszkodowanie)* oder auch die im geltenden polnischen Verfassungs- und Strafprozessrecht vorgesehenen Rechtsfiguren der Aufhebung einer zuvor verhängten Untersuchungshaft, der Wiederaufnahme des Verfahrens oder sogar der Begnadigung.

5. Schrifttum

Eine nicht zu vernachlässigende Rolle kommt in Polen auch der Rechtswissenschaft zu, die aufgrund ihrer Fachkompetenz nicht selten die Auslegung der gesetzlichen Normen mitbestimmt und insofern erhebliche Auswirkungen auf die praktische Ausgestaltung und Anwendung einzelner Rechtsinstitute hat. Neben den in Kommentaren, Lehrbüchern und Monographien geäußerten Rechtsansichten haben auch die im polnischen Fachschrifttum häufig von Rechtswissenschaftlern und Praktikern publizierten und wissenschaftlich hochgeschätzten Entscheidungsanmerkungen *(glosy)* zu wichtigen Gerichtsentscheidungen große Bedeutung und nehmen auf die Rechtsprechung entsprechenden Einfluss.

---

6 Siehe oben I.F.2.

Literaturhinweise zu Abschnitt F.

Gardocki, Lech, Prawo karne (Strafrecht). 14. Aufl. Warschau 2008, S. 30–33 mit weiteren Literaturangaben.

Grajewski, Jan (Hrsg.), Kodeks postępowania karnego. Komentarz (Die Strafprozessordnung. Kommentar). Band II (Art. 425–673 k.p.k). Krakau 2006, S. 102–107.

Kunicka-Michalska, Barbara. In: Genowefa Rejman (Hrsg.), Kodeks karny. Część ogólna. Komentarz (Strafgesetzbuch. Allgemeiner Teil. Kommentar). Warschau 1999, S. 62–75 mit weiteren Literaturangaben.

Marek, Andrzej, Prawo karne (Strafrecht). 6. Aufl. Warschau 2005, S. 5–9, 55–59 mit weiteren Literaturangaben.

Stefański, Ryszard, Prawo karne materialne. Część ogólna (Materielles Strafrecht. Allgemeiner Teil). Warschau 2008, S. 28–40 mit weiteren Literaturangaben.

Zoll, Andrzej. In: Andrzej Zoll (Hrsg.), Kodeks karny. Część ogólna. Komentarz do Art. 1–116 k.k (Strafgesetzbuch. Allgemeiner Teil. Kommentar zu Art. 1–116 StGB). 3. Aufl. Warschau 2007, S. 34–39 mit weiteren Literaturangaben.

G. Entwicklung des Strafrechts, Strafverfahrensrechts und Strafvollstreckungsrechts

1. Überblick

Die folgende kursorische Darstellung des materiellen Strafrechts, des Strafverfahrensrechts und des Strafvollstreckungsrechts in ihrer jeweiligen historischen Entwicklung ist als eine lediglich punktuelle Auswahl zu verstehen. Die Auswahl der darzustellenden Strafrechtsgebiete entspricht nicht der polnischen Auffassung über die Systematik des Strafrechts und erhebt damit keinen Anspruch auf Vollständigkeit.

Um den prägenden Einfluss der verschiedenen politisch-sozialen Systeme auf das polnische Recht zu verdeutlichen, wurde für jedes der hier aufgeführten Strafrechtsgebiete eine jeweils eigene zeitliche Untergliederung gewählt beziehungsweise direkt auf die einzelnen einschlägigen Gesetzbücher Bezug genommen.

Im Rahmen der Entwicklung des materiellen Strafrechts wird zunächst das erste nationale polnische Strafgesetzbuch von 1932 (*kodeks karny*, k.k 1932), sodann die Strafgesetzgebung der Jahre 1944–1969 und schließlich das in Kraft befindliche Strafgesetzbuch von 1997 (k.k 1997) dargestellt.

Die Geschichte des modernen Strafprozessrechts wird anhand der Strafprozessordnung von 1928 (*kodeks postępowania karnego*, k.p.k 1928), der prozessrechtlichen Gesetzgebung der Jahre 1945–1949, der Jahre 1950–1969, der Strafprozessordnung aus dem Jahr 1969 (k.p.k 1969) sowie anhand der in Kraft befindlichen Strafprozessordnung von 1997 (k.p.k 1997) aufgezeigt.

Schließlich erfolgt die Darstellung des polnischen Strafvollstreckungsrechts in seiner historischen Entwicklung anhand der einschlägigen Gesetzgebung der Jahre 1918–1944, der Jahre 1945–1969 sowie der Strafvollstreckungsgesetzbücher (*kodeks karny wykonawczy*, k.k.w) von 1969 (k.k.w 1969) und von 1997. Dabei liegt das Augenmerk vor allem auf der Entwicklung des Strafvollzugsrechts.

2. Entwicklung des materiellen Strafrechts

– *Das Strafgesetzbuch von 1932*

Das Strafgesetzbuch vom 11.7.1932 stellt nach allgemeiner Meinung den wichtigsten Meilenstein in der Entwicklung des polnischen Strafrechts dar. Es war die erste einheitliche strafrechtliche Kodifikation für das gesamte Gebiet des nach dem Ersten Weltkrieg entstandenen unabhängigen polnischen Staates und löste die zuvor in den polnischen Teilungsgebieten geltenden Strafgesetze (das Strafgesetzbuch des deutschen Reichs von 1871, das russische Strafgesetzbuch von 1903, das österreichische Strafgesetzbuch von 1852 und das ungarische Strafgesetzbuch von 1878) ab.

Das k.k 1932 spiegelt den Einfluss moderner Auffassungen in der Kriminalpolitik, vor allem der soziologischen Schule *(szkoła socjologiczna)* wider. Schöpfer des k.k 1932 und Vorsitzender der Strafrechtssektion der Kodifikationskommission war *Juliusz Makarewicz*, ein Schüler *Franz von Liszts*, der auch grundlegende Werke zum Strafrecht in deutscher Sprache veröffentlicht hat.

Das k.k 1932 zeichnete sich durch seine knappe und prägnante Form aus. Das insgesamt 295 Artikel umfassende Gesetzbuch war in einen Allgemeinen und einen Besonderen Teil gegliedert; Letzterer bestand aus präzise und synthetisch formulierten Tatbeständen.

Wie von der Lehre des Subjektivismus in der Zeit zwischen den beiden Weltkriegen gefordert, stellte das k.k 1932 erstmals die Persönlichkeit des Täters in den Mittelpunkt der strafrechtlichen Regelungen. Eine kriminalpolitisch effiziente Einwirkung auf den Täter sollte durch die Einführung der Zweispurigkeit von Strafen und Sicherungsmaßregeln erreicht werden: Die Strafen wurden entsprechend der Schuld verhängt und die – zu einem differenzierten System ausgebauten – Maßregeln der Sicherung (mit medizinischem und nichtmedizinischem Charakter) der Gefährlichkeit des Täters angepasst. Die zentrale Voraussetzung für die Strafbarkeit sah das k.k 1932 im Schuldprinzip *(nulla poena sine culpa)*. Auch der Gesetzlichkeitsgrundsatz *(nullum crimen sine lege)* zählte zu den Grundvoraussetzungen der Strafbarkeit. Folge der Straftat sollte eine der Tatschuld angemessene Strafe sein, bei deren Bemessung die persönlichen Merkmale des Täters großes Gewicht hatten.

Das k.k 1932 bildete ein für seine Zeit liberales Gesetzeswerk, das sich deutlich von der konservativen, noch an Vergeltung und Strenge orientierten Strafrechtstradition absetzte. Der Eindruck seiner gesetzestechnischen und dogmatischen Fortschrittlichkeit sowie seiner kriminalpolitischen Modernität wird zudem dadurch verstärkt, dass dieses Strafgesetzbuch bis 1970 ohne fundamentale Änderungen in Kraft blieb. Dies ist angesichts des politischen und gesellschaftlichen „Systemwechsels" im Jahr 1945 sowie des politischen Einflusses der Sowjetunion und der kommunistischen Ideologie auf die Volksrepublik Polen höchst bemerkenswert und war innerhalb des sozialistischen Rechtskreises einmalig.

– Der Zeitraum 1944 bis 1969

Die hohe juristische Qualität des k.k 1932 sowie die enge emotionale Verbundenheit der polnischen Juristen mit diesem Gesetzeswerk verhinderten lange Zeit eine von Ideologen geforderte grundlegende „Umgestaltung" des Strafrechts. Die Anpassung des k.k 1932 an die neuen politisch-ökonomischen und gesellschaftlichen Verhältnisse in der Volksrepublik Polen wurde vor allem durch Dekrete vorgenommen, die das Kernstrafrecht im politisch gewünschten Sinne ergänzten und aushöhlten. Die Zielsetzung der Dekrete bestand darin, den noch vorhandenen politischen und sonstigen Widerstand (zum Beispiel im Wirtschaftsbereich) zu ersticken und jegliche Form von Opposition sowie alle nonkonformen Ansichten strafrechtlich zu ahnden. Dieser Zielsetzung entsprachen unter anderem folgende Dekrete:

- Dekret vom 31.8.1944 über die Strafzumessung für faschistisch-hitlerische Verbrecher, die der Tötung und Misshandlung von Zivilpersonen und Kriegsgefangenen schuldig sind, sowie für Verräter des polnischen Volkes;
- Dekret vom 23.9.1944 über das Strafgesetzbuch des Polnischen Militärs;
- Dekret vom 30.10.1944 über den Schutz des Staates;
- Dekret vom 16.11.1945 über die im Stadium des Wiederaufbaus des polnischen Staates besonders gefährlichen Delikte, das am 13.6.1946 novelliert wurde und allgemein die Bezeichnung „Kleines Strafgesetzbuch" (*mały kodeks karny,* m.k.k) trug;
- Dekret vom 16.11.1945 über die Bildung und Zuständigkeit der Sonderkommission für den Kampf gegen Missbrauch und Wirtschaftsschädigung;
- Dekret vom 16.12.1945 über das standrechtliche Verfahren;
- Dekret vom 22.1.1946 über die Verantwortung für die September-Niederlage und die Faschisierung des Staatslebens.

Durch das sogenannte Kleine Strafgesetzbuch in der Fassung vom 13.6.1946 wurde die Anwendung des k.k 1932 in wesentlichen Teilen ausgesetzt. Das m.k.k führte zahlreiche neue Strafvorschriften ein, insbesondere im Bereich des politischen Strafrechts. Unter Strafe gestellt wurden etwa sogenannte konterrevolutionäre Taten wie Sabotage und Widerstand gegen die Kollektivierung der Landwirtschaft, außerdem politisch motivierte Taten wie die sogenannte Flüsterpropaganda. Charakteristisch für das m.k.k waren seine strengen Strafandrohungen; in 13 Vorschriften zu ganz unterschiedlichen Tatbeständen war die Todesstrafe vorgesehen. Das m.k.k zielte in erster Linie auf die Bekämpfung des politischen Feindes ab und wies typische Merkmale eines Gesetzes von totalitärem Zuschnitt auf.

– *Das Strafgesetzbuch von 1969 sowie die Strafgesetzgebung der 1980er Jahre*

Mit der Verabschiedung des Strafgesetzbuchs vom 19.4.1969 traten sowohl das k.k 1932 als auch das repressive m.k.k außer Kraft. Im Gegensatz zu früheren Entwürfen eines Strafgesetzbuchs aus den Jahren 1951, 1956 und 1963 unterschied sich das k.k 1969 erheblich von den Strafgesetzbüchern anderer sozialistischer Staaten. Dies gilt insbesondere für seinen Allgemeinen Teil, in dem verschiedene Rechtsinstitute des k.k 1932 fortbestanden. Dennoch steht außer Zweifel, dass das k.k 1969 auf den Schutz des bestehenden politischen Systems des Sozialismus und an dessen Grundwerten ausgerichtet war. Primäre Schutzgüter waren der Staat, seine Organe und sein Eigentum. Dies lässt sich vor allem an den Straftaten gegen politische und wirtschaftliche Grundinteressen der Volksrepublik Polen (Kapitel XIX) sowie den Straftaten gegen das Vermögen (Kapitel XXIX) erkennen.

Mit dem Erlass des k.k 1969 und der damit verbundenen Aufhebung der repressiven Nachkriegsdekrete war eine gewisse Liberalisierung des Strafrechts beabsichtigt. Diesem Ziel entsprach das Anliegen – das aber in der Praxis nicht konsequent verwirklicht wurde –, die vollstreckbare Freiheitsstrafe zurückzudrängen und durch die neu eingeführte Sanktion der Freiheitsbeschränkungsstrafe *(kara ograniczenia wolności)* sowie durch die häufigere Anwendung der bedingten Verfahrenseinstellung *(warunkowe umorzenie postępowania karnego)*, die das Gesetz für viele Fälle vorsah, zu ersetzen. Dadurch sollte es nach dem Willen des Gesetzgebers zu einer Polarisierung der strafrechtlichen Verantwortlichkeit *(polaryzacja odpowiedzialności karnej)* kommen, also zu einer differenzierenden Behandlung der Straftäter je nachdem, welches Maß an Sozialgefährlichkeit die von ihnen begangenen Straftaten aufwiesen. Die Gerichtspraxis blieb allerdings weit hinter dem gesetzlichen Anspruch zurück. Der größte Mangel des k.k 1969 bestand gerade darin, dass es die Verhängung überhöhter, den Prinzipien einer rationalen Kriminalpolitik zuwiderlaufender Sanktionen ermöglichte. Die statistisch belegbare außergewöhnlich hohe Repressivität des Strafrechtssystems in den 1970er Jahren betraf nicht nur den Bereich der politischen Straftaten, sondern auch alle anderen Formen der Kriminalität.

Diese Situation verschärfte sich noch infolge neuer Gesetze, die nach der Aufhebung des sogenannten Kriegszustands (*stan wojenny*: 1981–1983) erlassen wurden. Mit der Begründung, die wachsende Bedrohung der Gesellschaft durch die Kriminalität verlange nach entschlossenen strafgesetzlichen Gegenmaßnahmen, wurden am 10.5.1985 zwei Strafgesetze verabschiedet (die sogenannten Mai-Gesetze), die der ohnehin nicht liberalen Kriminalpolitik noch repressivere Züge verliehen. Die willkürliche, permanente Verschärfung des polnischen Strafrechts entsprach einer drakonischen Kriminalpolitik, die allein auf Abschreckung zielte, den Resozialisierungsgedanken preisgab und insgesamt ineffektiv blieb.

– *Das Strafgesetzbuch von 1997 und neuere Tendenzen in der Kriminalpolitik*

Das Strafgesetzbuch vom 6.6.1997 stellt das Kernstück einer tief greifenden und umfassenden Reform des Strafrechtssystems vor dem Hintergrund der politisch-ökonomischen und gesellschaftlichen Umwälzungen der Jahre 1989/1990 dar. Durch das k.k 1997 wurde das Strafrecht den Anforderungen eines demokratischen Rechtsstaates entsprechend umgestaltet. Danach hat das Strafrecht in erster Linie dem Schutz grundlegender Werte einer freiheitlich-demokratischen Gesellschaft zu dienen. Im Mittelpunkt des strafrechtlichen Schutzes steht das Individuum mit seiner Würde, seiner Freiheit, seiner Persönlichkeit sowie seinen sozialen, politischen und kulturellen Rechten. In Abkehr von der durch weitreichende Kriminalisierung vieler Lebensbereiche gekennzeichneten Kriminalpolitik der sozialistischen Ära soll das Strafrecht nunmehr dem Staat auf der Grundlage von Liberalität und Humanität nur als *ultima ratio* bei der Aufgabe der Kriminalitätsbekämpfung zur Verfügung stehen.

Das k.k 1997 wurde bereits häufig und in wesentlichen Punkten novelliert. Dies geschah einerseits infolge kriminalpolitischer Richtungsänderungen, andererseits aber auch zum Zwecke der Anpassung des polnischen Strafrechts an die Standards der Europäischen Union, deren Mitglied Polen seit dem 1.5.2004 ist.

Im Vergleich zur Rechtspolitik der 1970er und 1980er Jahre erscheint die aktuelle Kriminalpolitik auf der Grundlage des k.k 1997 in der Wahrnehmung der polnischen Öffentlichkeit als liberal. Man sah in dieser Liberalität verschiedentlich sogar eine wesentliche Ursache für den Anstieg der Kriminalität in den 1990er Jahren, und es fanden sich in den Medien Anfang des 21. Jahrhunderts sogar Rufe nach einem härteren Vorgehen gegen Straftäter und damit nach einer noch schärferen Kriminalpolitik.

Diese Tendenzen, die insbesondere zur Regierungszeit (2005–2007) der national-konservativen Partei „Recht und Gerechtigkeit" *(Prawo i Sprawiedliwość)* sichtbar wurden, gingen sogar bis zu den – politisch abwegigen – rechtspolitischen Erwägungen über eine Wiedereinführung der Todesstrafe. Damit verbunden war auch die rechtswissenschaftliche Diskussion über die daraus resultierenden politischen Folgen für die Stellung Polens im Europarat und in der Europäischen Union. Die Vertreter dieser „harten Linie" zu denen vor allem der damalige Justizminister *Ziobro* gehörte, übersahen allerdings, dass der Anstieg der registrierten Kriminalität wesentlich früher begonnen und seinen Höhepunkt im Jahr 1990 erreicht hatte, als noch das k.k 1969 in Kraft war.

Der Justizminister, der in Polen seit 1990 gleichzeitig auch das Amt des Generalstaatsanwalts bekleidet, hat sich in der Regierungszeit von Premierminister *Kaczyński* die in den Justizstrukturen breit angelegte Möglichkeit der Instrumentalisierung der Staatsanwaltschaft für aktuelle parteipolitische Ziele angeeignet und diese „Arbeitsmethode" großzügig ausgeschöpft. Diese Personalunion, die ihren Ursprung im französischen Staatsanwaltschaftsmodell hat, unterstellt die Tätigkeit der Strafverfolgungsbehörde als eines der wichtigsten Organe der Judikative der vollen Kontrolle der Regierung, also der Exekutive. Eine solche Konstellation hat unzweifelhaft eine starke politische Abhängigkeit der Staatsanwaltschaft von den rechtspolitischen Konzepten der Partei zu Folge, die die Regierungsmehrheit besitzt, was durch die immense Einflussnahme der Regierung *Kaczyński* – mit deren Justizminister – auf die Tätigkeit der Strafverfolgungsorgane in den Jahren 2005–2007 deutlich geworden ist. Nach Meinung der damaligen Regierung war die Strafgesetzgebung aus dem Jahr 1997 viel zu liberal, und die auf dieser Grundlage durchzuführende Kriminalpolitik konnte die potentiellen Straftäter nicht wirksam abschrecken. Dementsprechend sollte das geltende Straf- und Strafprozessrecht in

Richtung einer weiteren Steigerung ihrer Punitivität und Repressivität novelliert werden (zum Beispiel durch Anhebung der unteren und oberen Strafzumessungsgrenzen bei zahlreichen Tatbeständen des Besonderen Teils, durch zusätzliche gesetzliche Einschränkungen in der Anwendung der Strafaussetzung zur Bewährung oder durch noch höhere Sanktionen für Rückfalltäter).

Der heftige Widerstand seitens der polnischen Strafrechtswissenschaft gegen die geplanten „punitiven Exzesse" der Kriminalpolitik sowie die Regierungsübernahme (2007) durch die Mitte-links ausgerichtete Bürgerpartei *(Platforma Obywatelska)* haben dazu geführt, dass auch die polnischen Verfolgungsorgane und Strafgerichte in den letzten zwei Jahren zu einer rationalen und liberalen Kriminalpolitik zurückgekehrt sind.

Die eklatanten Eingriffe in die Arbeit der Hauptverfolgungsbehörde zur Erfüllung der aktuellen politischen Parteizielsetzungen, also die „Politisierung" der Tätigkeit der Staatsanwaltschaft durch Ex-Justizminister *Ziobro*, haben die Frage nach der Richtigkeit der Kumulierung der Ämter des Justizministers und des Generalstaatsanwalts in Polen in ein neues Licht gerückt. Um den schädlichen praktischen Folgen dieser Amtskumulierung Einhalt zu gebieten, hat sich die Regierung *Donald Tusk* bemüht, diesbezüglich einen parteiübergreifenden politischen Konsens zu finden, welcher zu einer weitgehenden Reform des Strafprozessrechts in folgenden Bereichen führen soll:

- Die Personalunion von Generalstaatsanwalt und Justizminister soll aufgehoben und die beiden Ämter von zwei Personen bekleidet werden. Davon soll der Justizminister als Regierungsmitglied keinen politischen Einfluss mehr auf die praktische Tätigkeitsausübung durch die Staatsanwaltschaften haben dürfen.
- Die bisher exzessiv praktizierte politische Richtungsvorgabe vom Generalstaatsanwalt an die Staatsanwaltschaften soll unterbunden werden.
- Die absolute Obergrenze der Dauer der U-Haft sowohl im Vorverfahren als auch im gerichtlichen Verfahren soll gesetzlich festgelegt werden.

Allerdings bereiten die noch vom Ex-Justizminister nominierten und gut organisierten Staatsanwälte hinsichtlich dieser Gesetzesänderungen viele Schwierigkeiten und leisten nicht unerheblichen Widerstand bei den Reformvorhaben. Die Furcht vor einer Schwächung der auf den unter dem Ex-Generalstaatsanwalt praktizierten Strafverfolgungsmethoden begründeten Vormachtstellung liegt diesem Widerstand zugrunde und hat die Staatsanwälte dazu bewegt, den derzeitigen Status quo mit allen Mitteln zu verteidigen.

3. Die Entwicklung des Strafverfahrens(rechts)

– *Die Strafprozessordnung von 1928*

Die Strafprozessordnung vom 19.3.1928, in Kraft getreten am 1.1.1929, stellt die erste einheitliche strafprozessrechtliche Kodifikation auf dem Gebiet der 1918 unabhängig gewordenen II. Republik Polen dar. Zuvor galten die Strafprozessordnungen und strafprozessualen Bestimmungen der jeweiligen Teilungsmächte (das russische Strafverfahrensgesetz von 1864, die gesamtdeutsche Strafprozessordnung von 1877, die österreichische Strafprozessordnung von 1873 sowie die ungarische Strafprozessordnung aus dem Jahr 1896).

Der k.p.k 1928 lag eine äußerst liberale Mischform aus inquisitorischen und akkusatorischen Prozesselementen zugrunde: Das Vorverfahren zeichnete sich durch einen inquisitorischen Charakter aus, der ausgehend vom Ermittlungsgrundsatz dieses Verfahren in den Händen eines Prozessorgans (Untersuchungsrichter/ Staatsanwalt) konzentrierte und diesem den Großteil der Entscheidungsbefugnisse vorbehielt. Dagegen war das gerichtliche Verfahren, insbesondere die Hauptverhandlung, vom Anklagegrundsatz geprägt, der die Einleitung und die Durchführung dieses Verfahrensabschnitts vom Antrag eines legitimierten Anklägers abhängig machte. Im Gegensatz zum Vorverfahren bot das gerichtliche Hauptverfahren Raum für einen kontradiktorischen Ablauf der Verhandlung, das heißt, dass der Prozess in der Regel als Auseinandersetzung zweier sich gegenüberstehender Parteien (Ankläger und Angeklagter) geführt wurde. Allerdings lagen die Verhandlungsleitung und vor allem die Leitung der Beweisaufnahme in den Händen des Vorsitzenden Richters. Neben der teilweise kontradiktorischen Gerichtsverhandlung erkannte die k.p.k 1928 auch grundsätzlich die Geltung des Öffentlichkeits- und Unmittelbarkeitsprinzips sowie das Recht des Angeklagten auf Verteidigung an.

Das Vorverfahren, das in Polen als „vorbereitendes Verfahren“ *(postępowanie przygotowawcze)* bezeichnet wird, konnte entweder als Untersuchungs- *(śledztwo)* oder als Ermittlungsverfahren *(dochodzenie)* durchgeführt werden.

Das Untersuchungsverfahren wurde von einem Untersuchungsrichter *(sędzia śledczy)* geführt und war in Verfahren vor den Schwurgerichten *(sądy przysięgłych)* sowie in Strafsachen wegen Verbrechen vor den Landgerichten zwingend durchzuführen; in allen übrigen Verfahren vor den Landgerichten *(sądy okręgowe)* war es fakultativ vorgesehen, insbesondere in den Fällen, in denen die Bedeutung der Sache oder ihre Komplexität dies erforderte. Dieser sehr formalisierte Verfahrensabschnitt wurde bezeichnenderweise als Gerichtsverfahren *(postępowanie sądowe)* betrachtet, sodass in dieser Prozessphase aufgenommene Protokolle unter bestimmten Voraussetzungen in der Verhandlung als Gerichtsprotokolle verlesen werden durften. Dem Staatsanwalt *(prokurator)* standen im Untersuchungsverfahren weitreichende prozessrechtliche Befugnisse zu: Seine Prozessanträge konnte auch der Untersuchungsrichter nicht unberücksichtigt lassen.

Das Ermittlungsverfahren führte demgegenüber die Polizei oder der Staatsanwalt in allen Sachen durch, in denen kein Untersuchungsverfahren vorgesehen war. Der Zweck dieses Verfahrens bestand nach dem Willen des Gesetzgebers lediglich darin, festzustellen, ob tatsächlich eine Straftat begangen worden war und ob eine ausreichende Grundlage für die Anklageerhebung gegen eine konkrete verdächtige Person bestand. Insgesamt war es damit formloser und schneller als das Untersuchungsverfahren.

Das Strafverfahren nach der k.p.k 1928 war dreiinstanzlich. Als Gerichte erster Instanz fungierten:

- die Amtsgerichte *(sądy grodzkie)* in Sachen wegen Vergehen mit Strafandrohung bis zu zwei Jahren Freiheitsstrafe sowie in Sachen wegen einiger Ordnungswidrigkeiten;
- die Landgerichte *(sądy okręgowe)* in allen übrigen Sachen, für die nicht andere Gerichte zuständig waren;
- mit Geschworenen besetzte Landgerichte in Sachen wegen Verbrechen mit Strafandrohung von mindestens zehn Jahren Freiheitsstrafe und wegen politischer Straftaten. Diese Gerichte waren allerdings nur auf dem ehemaligen österreichischen Teilungsgebiet Polens eingesetzt.

In zweiter Instanz waren für die Appellation zuständig:

- die Landgerichte für Entscheidungen der Amtsgerichte;
- die Appellationsgerichte *(sądy apelacyjne)* für Entscheidungen der Landgerichte.

Als Gericht dritter Instanz fungierte das Oberste Gericht *(Sąd Najwyższy)*, das über die Kassation von Urteilen der Appellationsgerichte, der mit Geschworenen besetzten Landgerichte sowie über die Kassation von Urteilen der zweitinstanzlichen Landgerichte und in Verwaltungsstrafsachen entschied.

Die k.p.k 1928 sah drei Rechtsmittel vor: die Beschwerde *(zażalenie)* gegen Beschlüsse *(postanowienia)*, die Appellation *(apelacja)* und die Kassation *(kasacja)* gegen Urteile. Die Appellation richtete sich entweder gegen das ganze Urteil oder gegen einen Teil davon und führte sowohl zu einer Rechts- als auch zu einer Tatsachenkontrolle des angefochtenen Urteils. Demgegenüber wurde bei der Kassation das Urteil der Vorinstanz lediglich auf Rechtsfehler überprüft. Gegen ein bereits rechtskräftiges Urteil konnte nur der Staatsanwalt am Obersten Gericht die Kassation mit dem Ziel einlegen, die Richtigkeit und Begründetheit der angenommenen Gesetzesauslegung zu überprüfen. Eine solche Kassation konnte nur zu einer für den Angeklagten günstigeren Entscheidung führen.

Außer den Geschworenen war im Strafprozess Vorkriegspolens keine andere Form der Mitwirkung von Laien vorgesehen.

Bereits im Jahr 1928 war die k.p.k 1928 scharfer Kritik ausgesetzt, die vor allem in der Forderung nach Vereinfachung und Beschleunigung des Strafprozesses bestand. In den umfangreichen Novellen von 1932 und 1938 spiegelten sich die autokratischen Tendenzen des damaligen polnischen Staates wider, womit auch die Beschränkung von Bürgerrechten und damit auch von Prozessgarantien der Beteiligten einherging. Das Institut des Nebenklägers wurde ebenso wie das Verbot der *reformatio in peius* bei der Kassation abgeschafft, die Möglichkeiten des Öffentlichkeitsausschlusses erweitert. Bereits im Jahr 1931 trat die Verordnung über das standrechtliche Verfahren in Kraft, die den größten Einschnitt in die Prozessgarantien der Beteiligten bedeutete und auch alle anderen vergleichbaren Verfahren der polnischen Strafprozessgeschichte an Strenge übertraf: Bei diesem „Blitzverfahren" musste die Anklageschrift spätestens 21 Tage nach der Festnahme des Täters bei Gericht eingereicht werden, Urteile sowie Beschlüsse waren endgültig und deswegen unanfechtbar; die einzige im Fall eines einstimmigen Schuldspruchs vorgesehene Sanktion war die Todesstrafe. Das Todesurteil musste zudem innerhalb von 24 Stunden vollstreckt werden, was unter anderem dazu führte, dass beim Präsidenten der Republik Polen nur telefonisch angefragt werden konnte, ob dieser von seinem Gnadenrecht Gebrauch machen wollte.

Anstelle des standrechtlichen Verfahrens trat 1934 das Sonderverfahren *(postępowanie szczególne)*, das bei Straftaten gegen die Sicherheit des Staates vorgesehen war. Zuständig für diese Straftaten waren in erster Instanz die Appellationsgerichte; das vorbereitende Verfahren wurde nur noch in Form des Untersuchungsverfahrens durchgeführt. Gegen ein Urteil war nunmehr lediglich das Rechtsmittel der Kassation gegeben.

– *Der Zeitraum von 1945 bis 1949*

Nach dem Ende des Zweiten Weltkrieges galt für das Strafverfahren weiterhin die k.p.k 1928 in ihrer Fassung aus dem Jahr 1939. Die Struktur der Gerichte und der Staatsanwaltschaften blieb, wie auch die entsprechenden Handlungsgrundsätze, erhalten. Die politisch bedingte „Umgestaltung" des aus der Vorkriegszeit stammenden prozessrechtlichen Systems begann jedoch gleich im Jahr 1945.

So wurde parallel zu dem althergebrachten Prozessmodell ein neuer „Sonderprozess" *(proces specjalny)* eingeführt. Dieser war in zwei Formen vorgesehen: Zum einen vor Sondergerichten, die für die sogenannten faschistisch-hitlerischen Verbrechen zuständig waren, und zum anderen vor Militärgerichten im Sinne der Strafprozessordnung des Polnischen Militärs vom 23.6.1945 *(kodeks wojskowego postępowania karnego)*. Sowohl die Gerichtsbesetzung als auch die prozessrechtliche Stellung des Staatsanwalts – im Sinne einer Erweiterung seiner Kompetenzen im Vorverfahren – sowie die Ausgestaltung der Rechtsmittelsysteme wurden im Vergleich zum ordentlichen Verfahren in beiden Arten des Sonderprozesses grundsätzlich geändert und an das sowjetische Modell angenähert.

Die Anpassung der k.p.k 1928 an die neuen politisch-ökonomischen Gegebenheiten wurde vor allem durch eine Reihe von neuen Dekreten vorgenommen, die das „alte“ Strafprozessrecht – parallel zum auf dem k.k 1932 basierenden materiellen Strafrecht – im neuen, sozialistischen Sinne ergänzten und dadurch aushöhlten. Das Hauptziel dieser Entwicklung bestand in der Angleichung des polnischen an das sowjetische Strafverfahren sowie der möglichst weitgehenden Einschränkung prozessualer Garantien für diejenigen Beschuldigten und Angeklagten, die als Feinde des neuen sozialistischen Systems angesehen wurden.

Dies äußerte sich vor allem in der erheblichen Erweiterung der Zuständigkeit der Militärgerichte. Sie bezog sich zum einen auf den personellen Zuständigkeitsbereich, der sich nun auch auf alle politisch motivierten Straftaten erstreckte, die von Zivilpersonen begangen worden waren, zum anderen auf den sachlichen Zuständigkeitsbereich, indem die Beschränkung auf Militärstraftaten aufgegeben wurde. So fanden mehrere Vorschriften des Militärstrafgesetzbuchs Anwendung auf Straftaten von Zivilpersonen (zum Beispiel die Regelungen zum Hochverrat sowie zur Vorbereitung und zum Versuch eines Staatsstreichs). Der Geltungsbereich des Allgemeinen Teils des Militärstrafgesetzbuchs wurde durch Art. 36 des Dekrets vom 16.11.1945 über die im Stadium des Wiederaufbaus des polnischen Staates besonders gefährlichen Delikte ebenfalls auf Zivilpersonen ausgeweitet, die zuvor der ordentlichen Gerichtsbarkeit unterstellt waren.

Die Strafprozessordnung des polnischen Militärs vom 23.6.1945 führte eine Reihe aus dem sowjetischen Prozessrecht stammender Institute ein, die den Charakter der vorherigen Prozessordnung grundlegend änderten. So wurden unter anderem das Amt des Untersuchungsrichters abgeschafft und die Kompetenzen der Staatsanwaltschaft erheblich ausgedehnt. Die rechtliche und politische Stellung des Staatsanwalts wurde zusätzlich dadurch gestärkt, dass er neben seinen erweiterten prozessualen Befugnissen im Vorverfahren auch die Aufsicht über die Einhaltung der sogenannten sozialistischen Rechtsstaatlichkeit *(socjalistyczna praworządność)* ausübte. Aufgrund dieser Ermächtigungen war es der politisch manipulierbaren Staatsanwaltschaft möglich, einen unverhältnismäßig starken Einfluss auf die Gerichte zu nehmen, die dadurch nach und nach ihre Unabhängigkeit beinahe gänzlich einzubüßen drohten. Diese ursprünglich auf Militärstrafverfahren beschränkten Maßnahmen wurden auch in den Verfahren vor den ordentlichen Gerichten übernommen.

Besonders das standrechtliche Verfahren, das seit 1946 im polnischen Strafprozess wieder eine bedeutende Rolle zu spielen begann, unterstand der Entscheidungsgewalt der Staatsanwaltschaft. Wurde durch ihren Beschluss eine Strafanklage im standrechtlichen Verfahren erhoben, so war das zuständige Gericht verpflichtet, innerhalb von 24 Stunden einen Verhandlungstermin anzuberaumen. Es bestand keine rechtliche Möglichkeit, ein in diesem Verfahren ergangenes Urteil anzufechten; es war sofort vollstreckbar. Hinsichtlich der Strafandrohung erfuhren Straftaten, die im standrechtlichen Verfahren abgeurteilt wurden, eine willkürliche

„Neubewertung". So wurden die im k.k 1932 vorgesehenen Strafandrohungen für die jeweiligen Straftatbestände bei einer Aburteilung im standrechtlichen Verfahren deutlich erhöht (im Rahmen von drei Jahren bis hin zur Todesstrafe).

Zum Abschluss des Umrisses des Strafverfahrens in diesem Zeitraum ist auf die Tätigkeit der sogenannten Sonderkommission für den Kampf gegen Missbrauch und Wirtschaftsschädigung *(Komisja Specjalna do walki z nadużyciami i szkodnictwem gospodarczym)* hinzuweisen. Diese wurde aufgrund des Dekrets vom 16.11.1945 einberufen und war im Bereich der Bekämpfung aller Formen der privaten Wirtschaftsbetätigung sehr „effizient" tätig. Sie führte nicht nur selbstständig das Ermittlungsverfahren in Wirtschaftsstrafsachen durch, sondern war ebenfalls berechtigt, in ihrem Zuständigkeitsbereich – ohne die Mitwirkung eines Gerichts – Sanktionen wie Geldstrafen, die Vermögenseinziehung und auch die Zwangsarbeit in einem Arbeitslager von einer Dauer von bis zu zwei Jahren zu verhängen. In zahlreichen Verfahren vor der Sonderkommission war zudem die Beteiligung eines Verteidigers rechtlich ausgeschlossen. Ihre Entscheidungen waren unanfechtbar und sofort vollstreckbar. Die Sonderkommission war zwar nicht formalrechtlich, jedoch faktisch gänzlich den Organen des Sicherheitsdienstes *(Urząd Bezpieczeństwa)* unterstellt. Die strafrechtlichen Maßnahmen, die ihr zur Verfügung standen, konnte sie auch dann einsetzen, wenn keine Straftat begangen worden war. Es reichte vielmehr aus, dass die bloße Gefahr einer Straftatbegehung bestand oder jemand eine – legal nicht näher definierte – „Wirtschaftsschädigung" zu verantworten hatte.

Zusammenfassend lässt sich festhalten, dass für diese Phase vor allem die erhebliche Zuständigkeitsbeschränkung der ordentlichen Gerichte bezeichnend war. Verfahren wegen Straftaten, die als besonders gefährlich für das neue politische, wirtschaftliche und gesellschaftliche System der Volksrepublik Polen galten, wurden in der Weise durchgeführt, die am ehesten geeignet war, dieses System zu schützen, was selbst die bereits als repressiv geltende Fassung der k.p.k 1928 von 1939 mit ihren noch erkennbaren Prozessgarantien nach Ansicht der kommunistischen Staatsführung nicht leisten konnte.

– *Der Zeitraum von 1950 bis 1969*

Das charakteristische Merkmal des neuen Strafprozesssystems und damit des neu aufgebauten Justizapparats bestand in der weiteren Stärkung der nun auch organisatorisch vom System der Gerichtsbarkeit getrennten, selbstständigen Staatsanwaltschaft. Die Abschaffung des Instituts des Untersuchungsrichters führte dazu, dass eine gerichtliche Kontrolle des Vorverfahrens weitgehend ausblieb. Auch die Abschaffung der Kassation und die dadurch erreichte Verkürzung des gerichtlichen Instanzenweges (zwei Instanzen anstelle der bisherigen drei) verfolgten das gleiche Ziel, nämlich die Schwächung der Gerichte als Organe der Rechtsprechung.

Die Staatsanwaltschaft wurde zur uneingeschränkten Herrin des vorbereitenden Verfahrens. In ihren von den Gerichten nicht kontrollierbaren Tätigkeitsbereich fielen sämtliche Entscheidungen im genannten Verfahrensabschnitt. Dazu gehörte unter anderem auch die Verhängung der Untersuchungshaft.

Der Kompetenzbereich anderer Staatsorgane mit eindeutig politisch begründeten Interessen am Strafprozess, zum Beispiel des Amtes für Öffentliche Sicherheit *(Urząd Bezpieczeństwa Publicznego)*, die bereits gesetzlich verankerte Zuständigkeiten im Vorverfahren innehatten, wurde ebenfalls erweitert. Sie erhielten weitere Befugnisse, vor allem im Hinblick auf die Ermittlungen in politischen Strafsachen, bei deren Ausübung sie zudem keinerlei gerichtlicher Kontrolle unterlagen. Gerade bei dieser Kategorie der Straftaten war die Zuständigkeit für die Durchführung des Ermittlungsverfahrens durch den Militärischen Informationsdienst *(Informacja Wojskowa)* besonders stark ausgebaut. Bei allen Delikten, auf die sich die Militärgerichtsbarkeit erstreckte, führte diese Behörde das Ermittlungsverfahren selbstständig durch. Der Militärische Informationsdienst war zwar formell in die Struktur des Verteidigungsministeriums eingegliedert, tatsächlich wurde er aber von sowjetischen Offizieren geleitet, die zum Dienst im polnischen Militär abkommandiert worden waren.

Das polnische Rechtsmittelsystem wurde bereits im Jahr 1949 um einen neuen, aus dem sowjetischen Strafprozess stammenden Rechtsbehelf erweitert, die sogenannte außerordentliche Revision *(rewizja nadzwyczajna)*. Dieses Rechtsmittel ermöglichte es, rechtskräftige Gerichtsentscheidungen auf Antrag bestimmter, politisch beeinflussbarer Organe (Justizminister, Generalstaatsanwalt, Präsident des Obersten Gerichts) nochmals zu überprüfen, um auf diesem Wege auf die Rechtsprechung der Gerichte in konkreten Fällen, die von besonderem politischem Interesse waren, Einfluss nehmen zu können.

Im Zeitraum von 1949 bis 1969 wurden auch Gesetzesänderungen eingeführt, die sich positiv auf das polnische Strafprozessrechtssystem auswirkten. Hierzu zählen vor allem die Abschaffung der Sonderkommission für den Kampf gegen Missbrauch und Wirtschaftsschädigung im Dezember 1954 sowie die seit 1955 gesetzlich verankerte Stärkung der Prozessgarantien von Verdächtigten im Vorverfahren.

– *Die Strafprozessordnung von 1969*

Die Strafprozessordnung vom 19.4.1969 ersetzte nach über 42 Jahren die k.p.k 1928, von deren ursprünglichem Verfahrensmodell nach den zahlreichen Novellen der Vor- und Nachkriegszeit kaum etwas übrig geblieben war. Die neue k.p.k 1969 wandelte das geltende Verfahrensrecht lediglich im Sinne der Vorgaben des sogenannten real existierenden Sozialismus ab. Trotz der dargestellten Entwicklung der ursprünglichen k.p.k 1928 hin zur k.p.k 1969 blieb das Strafverfahren eine Mischform aus inquisitorisch geprägtem Vorverfahren und akkusatorisch ausgestaltetem Hauptverfahren.

Die oben beschriebenen grundlegenden Charakteristika der einzelnen Verfahrensabschnitte der k.p.k 1928 behielten – zumindest formal – auch für die Regelungen der k.p.k 1969 ihre Geltung. Eine sozialistische, ideologisch bedingte Prägung dieses Gesetzeswerks ist unverkennbar geblieben.

Die k.p.k 1969 garantierte dem Angeklagten ein – wenn auch immer noch ungenügendes – Recht auf Verteidigung. Auch die Rechte des Verletzten im vorbereitenden und im gerichtlichen Verfahren wurden durch die Möglichkeit zur Nebenklage erweitert. Die Verhängung der Untersuchungshaft blieb zwar immer noch in der Zuständigkeit des Staatsanwalts, doch unterlag sie nun der gerichtlichen Kontrolle.

Die generelle Beschleunigung und Abkürzung des Verfahrens gingen allerdings zumeist auf Kosten von Verfahrensgrundsätzen und Prozessgarantien wie dem Unmittelbarkeitsgrundsatz und dem Recht auf Verteidigung. Die Mitwirkung von Laien am Strafverfahren wurde ebenfalls erweitert, indem die Institute des gesellschaftlichen Vertreters *(przedstawiciel społeczny)* und der gesellschaftlichen Bürgschaft *(poręczenie społeczne)* geschaffen wurden.

Ferner wurde auch ein Beweisverwertungsverbot für unter Zwang getätigte Aussagen eingeführt. Das standrechtliche Verfahren wurde zwar abgeschafft, was allerdings nicht verhinderte, dass diese Verfahrensart 1981 im Zuge der Verhängung des Kriegszustands *(stan wojenny)* erneut – zeitweise – eingeführt wurde. Schließlich wurde durch die k.p.k 1969 das ordentliche Strafverfahren mit dem Verfahren in Militärstrafsachen – vorbehaltlich notwendiger Differenzierungen – weitgehend vereinheitlicht.

Festzuhalten ist, dass die k.p.k 1969 trotz der dargestellten Unzulänglichkeiten einen Schritt in Richtung einer Humanisierung des Strafverfahrens bedeutete und den Menschenrechten und Garantien der Prozessbeteiligten im Vergleich zu den Strafprozessordnungen anderer Staaten des sozialistischen Rechtskreises schon bedeutend mehr Raum ließ.

– *Die Strafprozessordnung von 1997*

Die Strafprozessordnung vom 6.6.1997 bildete den zweiten wichtigen Bestandteil einer umfassenden Reform des gesamten polnischen Strafrechtssystems mit dem Ziel, dieses an die Erfordernisse eines demokratischen Rechtsstaates anzupassen.

Die nunmehr geltende Strafprozessordnung stellt den Versuch eines Kompromisses dar: Die bisherige strafprozessrechtliche Tradition und die damit verbundenen Verfahrensmodelle der k.p.k 1928 und der k.p.k 1969 sollen mit den Erfordernissen der modernen Kriminalpolitik in Reaktion auf neue Formen der Kriminalität (zum Beispiel organisiertes Verbrechen, Terrorismus) vereinbart und dabei die rechtsstaatlichen Garantien bewahrt werden.

Allgemein kann festgehalten werden, dass die k.p.k 1997 – ganz im Gegensatz zu allen früheren polnischen Strafprozessordnungen – eine deutliche Tendenz zu einem einvernehmlichen Abschluss des Strafverfahrens sowie zur Abschwächung des Legalitätsprinzips und der Ausweitung des Grundsatzes des kontradiktorischen Verfahrens aufweist. Neben der nun vollständigen Berücksichtigung der Prozessrechte und -garantien der Beteiligten stellt dies die wichtigste Neuerung dieses Gesetzeswerks dar. Hinzu kommt, dass das Verfahren nach der k.p.k 1997 durch zahlreiche neue Rechtsinstitute grundsätzlich vereinfacht und beschleunigt wurde.

Auch die k.p.k 1997 wurde – ähnlich wie das k.k 1997 – seit ihrem Inkrafttreten am 1.9.1998 bereits mehrfach und in durchaus wesentlichen Punkten novelliert. Besonders hervorzuheben ist hier die umfangreiche Novelle vom 10.1.2003, die das gesamte Vorverfahren grundlegend umstrukturierte.

Die vom polnischen Gesetzgeber vorgenommenen häufigen und umfangreichen Novellen der k.p.k 1997 lassen darauf schließen, dass die ursprüngliche Fassung des Gesetzes den sozialen und kriminalpolitischen Erfordernissen der Gegenwart kaum gerecht geworden ist.

4. Entwicklung (des Rechts) der Strafvollstreckung, insbesondere des Strafvollzugs(rechts)

– *Der Zeitraum von 1918 bis 1944*

Bis zur Einführung des k.p.k 1928 und des k.k 1932 galten in der II. Republik Polen mangels einheitlicher Kodifikation noch die jeweiligen Strafvollstreckungsregelungen der ehemaligen Teilungsmächte Deutschland, Russland und Österreich. Die ersten polnischen Normen (zwei kurze Dekrete des Staatsoberhaupts) zum Strafvollstreckungsrecht betrafen das Gefängniswesen und stammen aus dem Jahr 1919. Im Gegensatz zu den eher allgemein gehaltenen Dekreten von 1919 stellte die Verordnung des Präsidenten vom 7.3.1928 bezüglich der Organisation der Gefängnisse eine bereits umfassende systematische rechtliche Regelung des Gefängniswesens dar.

Das Strafvollzugsrecht erfuhr eine weitere detaillierte Kodifizierung durch die Gefängnisordnung vom 20.6.1931. Diese erfasste erstmals praktisch alle Aspekte des Gefängnislebens der Inhaftierten einerseits und der zur Freiheitsstrafe Verurteilten andererseits. Erwähnenswert erscheint hier der Umstand, dass in diese Gefängnisordnung erstmals auch die Rechte der Gefangenen aufgenommen wurden.

Die Wiedererlangung der Unabhängigkeit durch Polen im Jahr 1918 brachte aber auch die von *E.S. Rappaport* vertretene Idee einer separaten Regelung des Strafvollstreckungsrechts in einem eigens dafür vorgesehenen Gesetz hervor. Bis zu diesem Zeitpunkt wurde das Strafvollstreckungsrecht sowohl in der Lehre als auch in der Rechtsanwendung als Bestandteil des materiellen und prozessualen Strafrechts betrachtet. Die Konzeption von *E.S. Rappaport* wurde vom damaligen Gesetzgeber allerdings nicht übernommen. Die Vorschriften zum Strafvollstreckungs- und Strafvollzugsrecht wurden fast vollständig in das k.k 1932 (zum Beispiel Art. 38 über die Vollstreckung der Todesstrafe, Art. 39 und 40 über die Arbeitspflicht der Gefangenen, Art. 42 und 43 über die Vollstreckung der Geldstrafe) sowie in die k.p.k 1928 (IX. Buch der k.p.k „Strafvollstreckung", Art. 523–550) integriert.

An dieser Stelle ist noch das *Gesetz vom 26.7.1939* über die Organisation des Gefängniswesens zu erwähnen, das allerdings durch den Ausbruch des Zweiten Weltkrieges und die deutsche Besatzung Polens keine praktische Bedeutung erlangen konnte und auch nach 1945 nicht beachtet wurde.

– *Der Zeitraum von 1945 bis 1969*

Die für die Strafvollstreckung relevanten Bestimmungen des k.k 1932 und der k.p.k 1928 blieben auch nach 1945 formalrechtlich in Kraft. Wie das materielle Strafrecht und das Strafprozessrecht wurden jedoch auch die in diesen Gesetzbüchern enthaltenen vollstreckungsrechtlichen Regelungen den neuen politischen, sozialen und wirtschaftlichen Vorgaben des Sozialismus angepasst. Die übermäßige Repressivität und Instrumentalisierung des Straf- und Strafprozessrechts als Mittel zur Bekämpfung des politischen Gegners bis zum Jahr 1956 umfasste zwangsläufig auch das Strafvollstreckungs- und Strafvollzugsrecht. Dies äußerte sich vor allem im brutalen und unmenschlichen Umgang mit den sogenannten politischen Gefangenen *(więźniowie polityczni)*. Zudem wurde durch den Runderlass (der nicht einmal im Rang einer Ministerialverordnung stand) des Leiters des Amtes für innere Sicherheit vom 4.10.1944 das Amt des Politoffiziers *(oficer polityczno-wychowawczy)* eingeführt. Dieser fungierte als Stellvertreter des Gefängnisdirektors und sicherte die ideologische und politische „Umerziehung" und die Überwachung sowohl der Gefangenen als auch des Vollzugspersonals.

Zum Aushorchen/Ausspionieren „systemuntreuer" Gefangener wurde in zahlreichen Gefängnissen ein Netz von Spitzeln und „Vertrauensleuten" *(konfidenci)* unterhalten, wobei selbst diese zu ihrer Tätigkeit meist mit drastischen Mitteln gezwungen wurden. Das Verhältnis zwischen Gefängnispersonal und (insbesondere den politischen) Gefangenen war geprägt von Hass und Verachtung, welche von den Politoffizieren bei jeder Gelegenheit geschürt wurden und regelmäßig in rohe Gewalt umschlugen.

Eine Änderung und Abmilderung des damaligen Strafvollzugssystems brachte das *Gesetz vom 11.9.1956* über die Übertragung der Zuständigkeit für das Gefängniswesen vom Ministerium für innere Sicherheit auf das Justizministerium. Im Jahr 1957 wurde die sogenannte gerichtliche Aufsicht über die Strafvollzugsanstalten *(sądowy nadzór penitencjarny)* gesetzlich eingeführt. Dies hatte zwar zur Folge, dass die grausamsten Praktiken in den Gefängnissen eingestellt wurden. Es kam jedoch zu keiner grundlegenden Reform der gesetzlichen Regelungen, sodass das

Ende der sogenannten stalinistischen Ära trotz der positiven Auswirkungen auf die Politik und die Gesellschaft Polens keine fundamentale Reform des Strafrechts und damit auch des Vollzugsrechts mit sich brachte.

In diesem Zusammenhang ist aber auch die Ordnung des Vollzugs der Freiheitsstrafe vom 7.2.1966 zu nennen, die ausführlich in 295 Paragraphen die Gesamtheit der Rechtsbeziehungen innerhalb der Strafvollzugsanstalten regelte. Neu und bemerkenswert an dieser Ordnung war die Einführung unterschiedlicher Vollzugsanstaltskategorien:

- Gefängnisse *(więzienie)*;
- Arbeitsanstalten *(ośrodki pracy)*;
- Übergangsanstalten *(zakłady przejściowe)*;
- Anstalten für Jugendliche *(zakłady dla młodocianych)*;
- Anstalten für Wiederholungstäter *(zakłady dla recydywistów)* und
- Anstalten für Gefangene mit psychischen Störungen *(zakłady dla więźniów z anomaliami psychicznymi)*.

Zudem war eine Abstufung in sogenannte Vollzugsarten *(rygory)* vorgesehen. Diese gliederten sich in regulären *(zasadniczy)*, gemilderten *(złagodzony)* und verschärften *(obostrzony)* Vollzug. Diese Einteilung wurde erst 1995 aufgehoben und der Strafvollzug in offenen, halboffenen und geschlossenen Anstalten organisiert. Für den Grad der Offenheit der Anstalten waren Kriterien wie zum Beispiel Sicherheits- und Isolationsstufe sowie der Umfang der Rechte und Pflichten der Häftlinge von entscheidender Bedeutung.

– *Das Strafvollstreckungsgesetzbuch von 1969*

Das Strafvollstreckungsgesetzbuch vom 19.4.1969 war wie das k.k 1969 und die k.p.k 1969 ebenfalls Bestandteil der großen Reform des Strafrechts von 1969 und umfasste die gesamte rechtliche Regelung der Vollstreckung von Gerichtsentscheidungen in Strafsachen. Eine unumstrittene Leistung des k.k.w 1969 bestand in der erstmaligen – bereits in den 1920er Jahren von *E.S. Rappaport* geforderten – Zusammenfassung der bis dahin breit verstreuten Strafvollstreckungs- und Strafvollzugsnormen in einem gesonderten Gesetzbuch.

Auch fanden Grundzüge des Völkerrechts durch die Übernahme einzelner Bestimmungen aus dem von Polen 1977 ratifizierten *Internationalen Übereinkommen über bürgerliche und politische Rechte von 1966* Eingang in das Strafvollstreckungsrecht.

Das k.k.w 1969 bestand aus einem Allgemeinen und einem Besonderen Teil, wobei im Letzteren die Grundsätze der Vollstreckung und des Vollzugs aller im k.k 1969 vorgesehenen Haupt- und Nebenstrafen sowie der Untersuchungshaft, der Maßnahmen der Sicherung *(środki zabezpieczające)*, der sogenannten Schutzaufsicht *(nadzór ochronny)* und der Unterbringung im „Zentrum für soziale Anpassung“ *(ośrodek przystosowania społecznego)* enthalten waren. Die beiden letztgenannten Institute wurden im Anschluss an den regulären Strafvollzug angewandt und dienten der weiteren Überwachung von Wiederholungstätern, die mit dem Vorwand einer noch nicht abgeschlossenen Resozialisierung gerechtfertigt wurde.

Kritik am k.k.w 1969 wurde bald nach seinem Inkrafttreten an den Umstand geknüpft, dass es die Grundsätze des Vollzugs der Freiheitsstrafe teilweise nur sehr allgemein und nicht erschöpfend regelte. Dies hatte dazu geführt, dass wichtige Bestimmungen erst in Durchführungsvorschriften – insbesondere in sogenannten Vollzugsordnungen *(regulaminy)* – konkretisiert wurden, wobei die Durchführungsvorschriften formell und inhaltlich häufig nicht mehr mit den Vorgaben des k.k.w 1969 übereinstimmten, wie zum Beispiel bei der *Vorläufigen Vollzugsordnung für die Freiheitsstrafe vom 25.1.1974.*

Der Kriegszustand der Jahre 1981–1983 führte zwar zu einer eklatanten Verschärfung des materiellen Strafrechts und infolgedessen zu einer Steigerung der Punitivität in der Kriminalpolitik. Doch wurde das k.k.w 1969 von dieser negativen Entwicklung verschont, da es in dieser Zeit nicht einschlägig novelliert wurde. Dies hinderte die damaligen Machthaber aber nicht daran, politische Gegner – aufgrund des bloßen Verdachts einer Gefährdung staatlicher Sicherheits- oder Verteidigungsinteressen – in eigens dafür eingerichteten Internierungslagern unterzubringen, die durch keine Bestimmungen des damals geltenden Straf-, Strafprozess-, oder Strafvollstreckungsrechts gedeckt waren. Die rechtliche Grundlage für die präventive Maßnahme der Internierung lieferte zunächst das *Dekret über den Kriegszustand vom Dezember 1981* und später das *Gesetz über den Ausnahmezustand vom Dezember 1983*. Zur Zeit des Kriegszustands waren in 52 solcher Lager bis zu 10.000 Personen inhaftiert.

Die politisch-soziale Wende der Jahre 1989/1990 führte auch auf dem Gebiet des Vollstreckungsrechts zu einer grundlegenden Liberalisierung. So wurden zum Beispiel die Schutzaufsicht sowie die Unterbringung im Zentrum für soziale Anpassung 1990 ersatzlos gestrichen. Daneben wurden zahlreiche Bestimmungen eingeführt, welche die soziale und auch die wirtschaftliche Stellung der Strafgefangenen deutlich verbesserten (zum Beispiel die Regelung der Vergütung für Gefängnisarbeit, die Anrechnung der effektiven Arbeitszeit im Gefängnis auf die gesamte Lebensarbeitszeit, die Unfall- und Krankenversicherung der Gefangenen, ihre religiöse Betreuung, die Möglichkeit der Benutzung von Privatkleidung und anderen privaten Gegenständen sowie eine breitere Freizeitgestaltung).

Das sichtbare Bemühen des Gesetzgebers, vor allem dem Freiheitsstrafenvollzug eine menschenwürdigere, die Persönlichkeit des Gefangenen wahrnehmende und seine Menschenrechte und Grundbedürfnisse respektierende Gestalt zu verleihen, spiegelte sich in den Novellen des k.k.w 1969 in den 1990er Jahren (insbesondere im *Änderungsgesetz von 1995*) sowie in den *Ordnungen für den Vollzug der Frei-*

heitsstrafe und der Untersuchungshaft ebenfalls aus dem Jahr 1995 wider. Eine systematische Abkehr von einem Strafvollzug, in dem der Gefangene ein bloßes Objekt der Staats- und Beamtenwillkür war, und der Übergang zu einem an die anerkannten internationalen Regeln der Häftlingsbehandlung und Menschenrechte gebundenen Vollzugssystem war ein erklärtes Ziel der neuen polnischen Pönologie der 1990er Jahre.

– *Das Strafvollstreckungsgesetzbuch von 1997*

Mit der Reform des Strafvollstreckungsrechts vollendete der Gesetzgeber sein Vorhaben, die neuen rechtsstaatlichen Grundsätze einer modernen Demokratie in das gesamte Strafrechtssystem zu inkorporieren. Das Ergebnis dieser dritten Stufe der Strafrechtsreform stellt das Strafvollstreckungsgesetzbuch vom 6.6.1997 dar.

Die Neugestaltung der Strafvollstreckung – vor allem aber des Strafvollzugs – war zudem aufgrund ihrer formellen und inhaltlichen Verflechtung mit dem grundsätzlich reformierten materiellen Strafrecht und dem Strafprozessrecht von 1997 erforderlich geworden.

So bringt das k.k.w 1997 das Vollstreckungsrecht mit den Vorgaben der Verfassung von 1997 in Übereinstimmung, die die Menschenrechte und Grundfreiheiten, die Achtung der Menschenwürde der Gefangenen (Art. 41 Abs. 4), das Verbot von Folter, unmenschlicher Behandlung und körperlichen Strafen (Art. 40) sowie den Vorbehalt des Gesetzes bei der Beschränkung der Grundrechte im Strafvollzug (Art. 41 Abs. 1) statuiert. Ferner implementieren die Bestimmungen des k.k.w 1997 die europäischen Mindeststandards für die Behandlung von Strafgefangenen und Untersuchungshäftlingen in das polnische Vollzugsrecht.

Durch diese Änderungen wurde die „Individualisierung des Strafvollzugs“ zum Grundgedanken bei der Behandlung von verurteilten Straftätern erhoben. Der Katalog von Rechten und Pflichten der Gefangenen und Untersuchungshäftlinge wurde infolgedessen erheblich ausgeweitet und präzisiert. Der Verurteilte ist somit nicht länger Objekt der Strafvollstreckung, sondern dessen Subjekt und – neben dem Staatsanwalt – eine Partei in diesem Verfahren und kann die ihm garantierten Rechte aktiv geltend machen.

Das k.k.w 1997 regelt eine umfassende Rechtsmaterie. Dazu gehören die Vollstreckung von – durch ordentliche Gerichte und Militärgerichte verhängten – Strafen und Strafmaßnahmen, von Maßnahmen der Sicherung, der Vollzug der Untersuchungshaft sowie der freiheitsentziehenden Zwangsmaßnahmen, die Zwangsvollstreckung der Geldstrafen, Gerichtskosten und der Ordnungsstrafen, die Vollstreckung von Schadensersatz sowie die Straftilgung. Auch die Vollstreckung von im Ausland gegen polnische Staatsbürger ergangenen Urteilen findet im k.k.w 1997 ihre gesetzliche Regelung.

Literaturhinweise zu Abschnitt G.

Andrejew, Igor, Das polnische Strafrecht. In: Edmund Mezger/Adolf Schönke/Hans-Heinrich Jescheck (Hrsg.), Das ausländische Strafrecht der Gegenwart. Band 6: Polen, Sowjetunion, Spanien. Berlin 1982, S. 13–155.

– Polskie prawo karne w zarysie (Das polnische Strafrecht im Umriss). Warschau 1989, S. 47–72.

Buchała, Kazimierz/Zoll, Andrzej, Polskie prawo karne (Das polnische Strafrecht). Warschau 1995.

Gardocki, Lech, Prawo karne (Strafrecht). 14. Aufl. Warschau 2008, S. 20–31 mit weiteren Literaturangaben.

– Prawo karne lat osiemdziesiątych (Das Strafrecht der 80er Jahre). In Jolanta Jakubowska-Hara/Celina Nowak/Jan Skupiński (Hrsg.), Księga Pamiątkowa Profesor Barbary Kunickiej-Michalskiej (Festschrift für Professor Barbara Kunicka-Michalska). Warschau 2008, S. 64–73.

Golla, Joachim, Das geltende polnische Strafrecht. Bonn 1984.

Hołda, Zbigniew, Prawo karne wykonawcze (Strafvollstreckungsrecht). Krakau 1998.

Hołda, Zbigniew/Postulski, Kazimierz, Kodeks karny wykonawczy. Komentarz (Strafvollstreckungsgesetzbuch. Kommentar). Danzig 1998.

Jescheck, Hans-Heinrich, Das neue deutsche Strafrecht im Vergleich mit dem polnischen Recht. ZStW 88 (1976), 467–487 mit weiteren Literaturangaben.

Lelental, Stefan, Kodeks karny wykonawczy. Komentarz (Strafvollstreckungsgesetzbuch. Kommentar). 2. Aufl. Warschau 2001.

– Prawo karne wykonawcze (Strafvollstreckungsrecht). Warschau 1990.

Machnikowska, Anna, Wymiar sprawiedliwości w Polsce w latach 1944–1950 (Die Strafjustiz in Polen in den Jahren 1944–1950). Danzig 2008.

Makarewicz, Juliusz, Das Wesen des Verbrechens. Lemberg 1896.

– Einführung in die Philosophie des Strafrechts auf entwicklungsgeschichtlicher Grundlage. Stuttgart 1906.

– Kodeks karny z komentarzem (Strafgesetzbuch mit Kommentar). Lemberg 1932.

– Kodeks karny z komentarzem (Strafgesetzbuch mit Kommentar). 5. Aufl. Lemberg 1938.

Marek, Andrzej, Prawo karne (Strafrecht). 6. Aufl. Warschau 2005, S. 7–9, 24–33 mit weiteren Literaturangaben.

Peiper, Leon, Komentarz do kodeksu postępowania karnego i do przepisów wprowadzających tenże kodeks (Kommentar zur Strafprozessordnung und zum Einführungsgesetz). Krakau 1929.

Rzepliński, Andrzej, Die Justiz der Volksrepublik Polen. Frankfurt am Main 1996.

Śliwiński, Stanisław, Polski proces karny przed sądem powszechnym. Zasady ogólne (Der polnische Strafprozess vor dem allgemeinen Gericht. Grundprinzipien). Warschau 1948.

Śliwiński, Stanisław, Prawo i polityka penitencjarna (Strafvollzugsrecht und Vollzugspolitik). Warschau 1982.

Waltoś, Stanisław, Postępowania szczególne w procesie karnym (Besondere Verfahrensarten im Strafprozess). Warschau 1973.

– Proces karny. Zarys systemu (Strafprozess. Systemumriss). 9. Aufl. Warschau 2008.

Weigend Ewa, Entwicklung und gegenwärtiger Stand der Strafrechtsdogmatik in Polen. ZStW 90 (1978), 481–503.

– Neue Entwicklungen im polnischen Straf-, Strafprozess- und Jugendstrafrecht. ZStW 96 (1984) 188–211.

– Landesbericht Polen. In: Albin Eser/Barbara Huber (Hrsg.), Strafrechtsentwicklung in Europa 1982/1984. Freiburg 1985, S. 565–632 mit weiteren Literaturangaben.

– Landesbericht Polen. In: Albin Eser/Barbara Huber (Hrsg.), Strafrechtsentwicklung in Europa 1984/1986. Freiburg 1988, S. 1169–1254 mit weiteren Literaturangaben.

– Die Reform des polnischen Strafrechts. ZStW 101 (1989), 421–442.

– Landesbericht Polen. In: Albin Eser/Barbara Huber (Hrsg.), Strafrechtsentwicklung in Europa 1986/1988. Freiburg 1990, S. 883–944 mit weiteren Literaturangaben.

– Landesbericht Polen. In: Albin Eser/Barbara Huber (Hrsg.), Strafrechtsentwicklung in Europa 1989/1992. Freiburg 1994, S. 1087–1160 mit weiteren Literaturangaben.

– Grundzüge der neuen polnischen Strafprozessordnung von 1997. ZStW 115 (2003), 153–174.

– Landesbericht Polen. In: Albin Eser/Barbara Huber (Hrsg.), Strafrechtsentwicklung in Europa 1993/1996. Freiburg 1997, S. 563–610 mit weiteren Literaturangaben.

– Das neue polnische Strafgesetzbuch von 1997. ZStW 110 (1998), 114–142.

Weigend, Ewa/Zoll, Andrzej, Landesbericht Polen. In: Albin Eser/Jörg Arnold (Hrsg.), Strafrecht in Reaktion auf Systemunrecht. Vergleichende Einblicke in Transitionsprozesse, Band 5. Freiburg 2002, S. 44–48; 52–59, 62–64, 73–76 mit weiteren Literaturangaben.

Abkürzungsverzeichnis zum Landesbericht Polen

Art.	artykuł (Artikel)
EGMR	Europäischer Gerichtshof für Menschenrechte
EMRK	Europäische Konvention zum Schutze der Menschenrechte und Grundfreiheiten
EU	Europäische Union
Interpol	Internationale Kriminalpolizeiliche Organisation
k.k	kodeks karny (das polnische Strafgesetzbuch)
k.k.s	kodeks karny skarbowy (das polnische fiskalische Strafgesetzbuch)
km	Kilometer
k.p.k	kodeks postępowania karnego (die polnische Strafprozessordnung)
k.k.w	kodeks karny wykonawczy (das polnische Strafvollstreckungsgesetzbuch)
k.w	kodeks wykroczeń (das polnische Übertretungsgesetzbuch)
NATO	North Atlantic Treaty Organisation
OECD	Organisation for Economic Co-operation and Development
OSZE	Organisation für Sicherheit und Zusammenarbeit in Europa
UNO	United Nations Organisation
WA	Washingtoner Artenschutzübereinkommen von 1973
ZStW	Zeitschrift für die gesamte Strafrechtswissenschaft

Rahmenbedingungen, Vorgaben, Grundlagen und Entwicklung des Strafrechts in

Schottland

Sarah Summers

Inhaltsverzeichnis

A. Nationale Rahmenbedingungen

1. Geografie

Schottland, ein Land in Nordwesteuropa, ist kein souveräner Staat, sondern ein Teil des Vereinigten Königreichs (zusammen mit England, Wales und Nordirland). Im Süden teilt Schottland eine Landgrenze mit England; im Osten ist es von der Nordsee, im Norden und Westen vom Nordatlantik und im Südwesten vom *North Channel* und von der Irischen See umgeben. Zu Schottland gehören mehr als 790 Inseln. Die vier wichtigsten Inselgruppen sind die Inneren und die Äußeren Hebriden, die Shetland- und die Orkneyinseln. Insgesamt erstreckt sich das Vereinigte Königreich auf einer Fläche von etwa 242.910 km^2, wobei Schottland eine Fläche von etwa 78.772 km^2 einnimmt. 965 km^2 davon sind Gewässer. Die höchste Erhebung in Schottland – und auch im Vereinigten Königreich – ist der Ben Nevis in Lochaber (1.344 m); der längste Fluss Schottlands ist der River Tay (190 km).

Die Hauptstadt ist Edinburgh, die größte Stadt ist Glasgow; weitere Großstädte sind Aberdeen und Dundee. Die Hauptstadt des Vereinigten Königreichs ist London.

Zur Information über die sogenannten *Crown Dependencies* siehe den Bericht England und Wales.

2. Bevölkerung

a) Bevölkerungszahl und -gruppen

Das Vereinigte Königreich hat rund 61 Millionen Einwohner; davon entfallen auf Schottland circa fünf Millionen.[1] Von der Gesamtbevölkerung des Vereinigten Königreichs sind circa 83,6 % englisch und 8,6 % schottisch. 52 % der schottischen Bevölkerung sind weiblich, 48 % männlich. Kinder im Alter unter 16 Jahren machen 19 % der Bevölkerung aus. Die Bevölkerungszahl ist in den letzten Jahren sowohl im Vereinigten Königreich als auch in Schottland gestiegen.[2] Schottland hat eine Bevölkerungsdichte von 66 Personen pro km^2, wobei diese Zahl große Kontraste beinhaltet: Glasgow City beispielsweise hat eine Dichte von 3.298 Per-

---

1 Sofern nicht anders gekennzeichnet, stammen die nachfolgenden Zahlenangaben aus Scotland's Census 2001 (siehe unten Quellenhinweise).

2 Projected population of Scotland (2006) (siehe unten Quellenhinweise).

sonen pro km², in den Highlands beträgt sie demgegenüber nur acht Personen pro km². Der Großteil der schottischen Bevölkerung wohnt in den (größeren) Städten (Glasgow: 577.980; Edinburgh: 446.110; Aberdeen: 179.950; Dundee: 141.930). Mehr als die Hälfte aller Einwohner lebt im Gebiet des „central belt", welches sowohl Glasgow als auch Edinburgh umfasst.

Im Jahr 2001 gehörten rund 2 % der Bevölkerung einer ethnischen Minderheit an, mehr als 70 % hiervon waren asiatischer Herkunft (Pakistan, China, Indien, Bangladesch).[3] Dieser Bevölkerungsanteil ist zwischen den beiden Zählungen 1991 und 2001 um 62,3 % gewachsen.

Die Anzahl der aus dem Ausland stammenden Einwohner Schottlands stieg von 204.000 im Jahr 2004 auf 255.000 im Jahr 2007. Die häufigsten Herkunftsländer waren 2007: Polen (28.000), Deutschland (22.000), Irland (19.000), Indien (18.000) und die Vereinigten Staaten von Amerika (14.000).

b) Sprache

Die nationale Landessprache ist Englisch. Nach der Zählung von 2001 können 92.400 Personen (im Alter ab drei Jahren) Schottisch-Gälisch sprechen, lesen oder schreiben. Dies entspricht 1,9 % der Bevölkerung. Die meisten Gälisch sprechenden Personen wohnen in Nord- und Westschottland (Eilean Siar – Western Isles/ Outer Hebrides 18.420, Highland 18.360 und Argyll & Bute 6.520).[4] Die Alphabetisierungsrate im Land beträgt 99 %; diese Quote ist bei Männern und Frauen gleich hoch.

c) Religion

Etwas mehr als zwei Drittel der schottischen Bevölkerung (67 %) bekennen sich zu einer religiösen Glaubensrichtung. 65 % sind Christen, davon sind 42 % Mitglied der Church of Scotland (eine vom Staat unabhängige protestantische Presbyterianer-Kirche), 16 % sind römisch-katholisch und 7 % gehören einer sonstigen Glaubensgemeinschaft (Church of England, Evangelikale, Griechisch-Orthodoxe, Zeugen Jehovas, Methodisten oder andere) an. Weiter sind 0,84 % der Bevölkerung Muslime, 0,13 % Buddhisten, 0,11 % Hindus, circa 0,13 % Sikhs und circa 0,13 % Juden. Rund 27 % der Bevölkerung geben an, dass sie keiner Religionsgemeinschaft angehören.[5]

---

3 Analysis of Ethnicity in Census 2001.

4 Scotland's Census 2001 – Gaelic Report.

5 Scotland's Census 2001 – Analysis of Religion.

3. Wirtschaft

Die schottische Wirtschaft ist eng mit derjenigen des Vereinigten Königreichs verbunden. Im Vereinigten Königreich herrscht eine freie Marktwirtschaft, die zu den am stärksten deregulierten Volkswirtschaften weltweit zählt. Während der vergangenen Jahrzehnte kam es zu umfassenden Privatisierungen, von denen beispielsweise der öffentliche Nah- und Fernverkehr betroffen war.[6]

Das Bruttoinlandsprodukt des Vereinigten Königreichs lag 2007 bei 2.750 Milliarden US-$, das von Schottland bei rund 107 Milliarden US-$.[7] Der Dienstleistungssektor (circa 70 %) ist heute der weitaus größte Bereich der schottischen Wirtschaft, gefolgt vom Produktionssektor (circa 20 %). Bau-, Agrar- und Forstwirtschaft und die Fischerei machen nur noch einen kleineren Teil aus (circa 10 %).

Die Arbeitslosenrate lag in Schottland Ende 2008 bei 4,7 %, das heißt leicht unter derjenigen des gesamten Vereinigten Königreichs (6 %). Damit wurde die höchste Quote seit zehn Jahren erreicht.[8]

4. Staatsorganisation

Die Staatsorganisation Schottlands ist in hohem Maße davon geprägt, dass es ein Teil des Vereinigten Königreichs ist.[9] Mit dem Inkrafttreten des *Scotland Act* 1998 wurde Schottland jedoch auf bestimmten Gebieten Autonomie eingeräumt.

Die schottische Regierung nahm 1999 ihre Arbeit als *Scottish Executive* auf (*Scotland Act* 1998, s. 44). Nach der Wahl des Parlaments im Jahr 2007 wurde sie offiziell in *Scottish Government* umbenannt. Sie ist für alle Bereiche zuständig, welche vom *Scotland Act* 1998 nicht ausdrücklich dem Parlament des Vereinigten Königreichs in Westminster zugewiesen werden. Ihre Zuständigkeit beinhaltet das öffentliche Gesundheitswesen, die Erziehung, die Justiz, die Landwirtschaft und das Transportwesen. Die Regierung wird von einem Premierminister *(First Minister)*, 15 Ministern *(cabinet ministers)*, dem *Lord Advocate* (höchster Justizbeamter der schottischen Regierung für zivil- und strafrechtliche Angelegenheiten und oberster Staatsanwalt) und dem *Solicitor General* (Assistent des *Lord Advocate*) gebildet.

Das schottische Parlament (129 Mitglieder *Holyrood*) ist für die Gesetzgebung in den ihm übertragenen Aufgabenbereichen *(devolved matters)* zuständig. Es nominiert auch den Premierminister, welcher von der Königin eingesetzt wird.

---

[6] Siehe hierzu auch den Bericht England und Wales.

[7] Scottish Economic Statistics 2007 (siehe unten Quellenhinweise).

[8] National Statistics Authority (siehe unten Quellenhinweise).

[9] Siehe den Bericht England und Wales.

Ähnlich wie im Vereinigten Königreich sind die einzelnen Minister der Regierung auch gleichzeitig Mitglieder des Parlaments. Eine Trennung von Exekutive und Legislative besteht mit Ausnahme des *Lord Advocate* und des *Solicitor General* nicht. Die einzelnen Minister werden durch sogenannte *junior ministers*, ebenfalls Parlamentsmitglieder, unterstützt. Die Regierung hat auf diese Weise erheblichen Einfluss auf die Gesetzgebung.

Auf lokaler Verwaltungsebene ist Schottland in 32 Regionen *(council areas)* aufgeteilt.

5. Kriminalität und Strafverfolgung

a) Ermittlungsbehörden

Die Polizei *(Scottish Police Service)* ist die allgemeine Ermittlungsbehörde. Gemäß dem *Police (Scotland) Act* 1967, s. 17 (1)(b) sind Polizisten zur Ermittlungstätigkeit verpflichtet, "where an offence has been committed (whether within or outwith the police area for which the police force is maintained) to take all such lawful measures, and make such reports to the appropriate prosecutor, as may be necessary for the purpose of bringing the offender with all due speed to justice."

Daneben bestehen mehr als 50 andere, fachspezifische Ermittlungsbehörden *(special reporting agencies)*, insbesondere: *Customs and Excise* (Zoll), *Health and Safety Executive* (Arbeitsschutzinspektorat), *Scottish Environment Protection Agency* (Umweltschutzbehörde) and *Maritime and Coastguard Agency* (Schifffahrtsbehörde und Küstenwache). Als *Local Authority Departments* (Sonderbehörden auf kommunaler Ebene) können beispielsweise *Environmental Health* (Umwelthygieneamt) und *Trading Standards* (Handelsaufsichtbehörde) genannt werden.

Auch die Staatsanwaltschaft *(The Crown Office and Procurator Fiscal Service)* spielt eine wichtige Rolle als Ermittlungsbehörde, besonderes in Bezug auf Fälle, welche von Geschworenen entschieden werden. In solchen Fällen führen *procurators fiscal* Zeugenvernehmungen durch und prüfen forensische und andere Beweise. Sie erstatten einen Bericht an den *crown counsel* und dieser entscheidet, ob der Fall weiter verfolgt wird oder nicht *(decision whether or not to prosecute)*.[10]

Es bestehen acht Polizeieinheiten *(police forces)* in Schottland. 2006 waren 16.018 Polizisten im Dienst, davon waren 21 % Frauen und rund 1 % (187 Polizisten) Angehörige einer ethnischen Minderheit.[11]

---

[10] Crown Office and Procurator Fiscal Service (siehe unten Quellenhinweise).

[11] Annual Report of Her Majesty's Chief Inspector of Constabulary for Scotland.

Für eine Anstellung bei der Polizei kann sich bewerben, wer mindestens 18 Jahre alt ist und zum Zeitpunkt der Bewerbung seit mindestens drei Jahren legal im Vereinigten Königreich wohnt.[12]

2007 wurden 957.390 Straftaten registriert (Anzahl der bei der Polizei aufgenommenen Straftaten), 7 % weniger als im Jahr 2006. Die Zahl der angezeigten Straftaten war damit die niedrigste seit 25 Jahren;[13] 48 % dieser Straftaten wurden aufgeklärt.

b) Anklagebehörden

Die Staatsanwaltschaft *(The Crown Office and Procurator Fiscal Service)* ist für die Verfolgung von Straftaten, für die Untersuchung von unerwarteten oder verdächtigen Todesfällen und für Beschwerden gegen die Polizei zuständig.

Nachdem die Polizei oder eine andere fachspezifische Ermittlungsbehörde die ersten Untersuchungen durchgeführt hat, legt sie der Staatsanwaltschaft *(procurator fiscal)* einen Bericht vor. Der *procurator fiscal* (bei schwereren Straften der *crown counsel*) entscheidet, ob weitere Schritte eingeleitet werden müssen. Er berücksichtigt hier insbesondere das öffentliche Interesse. Bei seiner Entscheidung muss der *procurator fiscal* zuerst prüfen, ob es genügend Beweise *(sufficient evidence)* gibt. Wenn dies positiv festgestellt ist, beschließt er, welche Schritte im Einzelfall geeignet sind, zum Beispiel *prosecution* (frei übersetzt: Anklageerhebung), eine direkte Maßnahme, wie etwa die Verhängung einer Geldstrafe *(fiscal fine)*, oder die Einstellung des Verfahrens. Bei dieser Entscheidung hat die Staatsanwaltschaft einen großen Ermessensspielraum.

Die Tätigkeit als *procurator fiscal* setzt ein Studium der Rechtswissenschaften sowie eine anschließende praktische Ausbildung zum Rechtsanwalt, das heißt zum *solicitor* voraus.[14] Die Staatsanwaltschaft beschäftigt auch eine Anzahl *advocates*, welche die Anklagebehörde vor dem *High Court* vertreten.

2007/2008 wurden insgesamt 325.699 Verfahren registriert; in 44.224 Fällen (13,6 %) wurde die Verfolgung eingestellt – davon in 11.503 Fällen aus Mangel an Beweisen.[15]

c) Strafgerichte

Strafgerichte erster Instanz sind der *High Court of Justiciary*, die *sheriff courts* und die *justice of the peace courts* (früher *district courts* genannt).

---

12 Strathclyde Police (siehe unten Quellenhinweise).

13 Statistical Bulletin Crime and Justice Series (siehe unten Quellenhinweise).

14 Crown Office and Procurator Fiscal Service.

15 Crown Office and Procurator Fiscal Service.

Der *High Court of Justiciary* als erste Instanz beurteilt nur schwere Straftaten. Die Verhandlungen werden vor einem Richter und 15 Geschworenen geführt. Die Geschworenen werden für jede Strafsache neu aus den Wählerlisten durch das Los bestimmt. Der *High Court of Justiciary* hat seinen Hauptsitz in Edinburgh, führt aber Strafverfahren auch in verschiedenen anderen Städten Schottlands durch.

Das Verfahren vor dem *sheriff court* kann als *summary procedure* (Einzelrichter) oder als *solemn procedure* (Richter mit Jury) stattfinden. Die Zuständigkeit des *sheriff court* umfasst alle Straftaten, welche nicht aufgrund ihrer Schwere oder der Höhe der angedrohten Strafe hiervon ausgeschlossen sind. Im Verfahren mit einer Jury kann vor dem *sheriff court* ein Maximum von fünf Jahren Freiheitsstrafe verhängt werden (*Criminal Procedure (Scotland) Act* 1995, s. 3 (3)).

Die *justice of the peace courts* (früher Bezirksgerichte) sind Laiengerichte, bestehend aus einem Nichtjuristen als Richter und einem juristisch ausgebildeten Gerichtsschreiber. Dieser berät den Richter in Rechts- und Verfahrensfragen. Sie sind grundsätzlich zuständig für die Aburteilung von gesetzlich geregelten Straftaten *(statutory offences)*, auf welche das Verfahren des *summary procedure* Anwendung findet (*Criminal Procedure (Scotland) Act* 1995, s. 7 (3)). Auch sind sie zuständig für die Verhängung der vom *Road Traffic Offenders Act* 1988 gesetzlich bestimmten Strafen. In Glasgow besteht zudem eine spezielle Form eines Bezirkgerichts unter dem Vorsitz eines ausgebildeten Juristen, welches die gleichen Kompetenzen wie ein *sheriff court* in *summary proceedings* hat (*Criminal Procedure (Scotland) Act* 1995, s. 7 (5); *Main v Normand* 1996 SCCR 256).

Eine in erster Instanz verurteilte Person kann ein Rechtsmittel beim *High Court of Justiciary* als Berufungsgericht einlegen. Dieser ist das höchste Rechtsmittelgericht in Schottland; die Möglichkeit eines Rechtsmittels an das *House of Lords* besteht nicht. Eine Ausnahme hiervon gilt für Angelegenheiten, in welchen Schottland teilautonom ist *(devolution issues)*, dazu gehören insbesondere auch Fragen ein, die sich auf die EMRK stützen. Hier ist ein weiteres Rechtsmittel an das *Judicial Committe of the Privy Council* (*Scotland Act* 1998, s. 98, sch. 6) gegeben. Soweit ein Verfahren EG-Recht betrifft, kann das Gericht das Verfahren an den Europäischen Gerichtshof in Luxemburg (*Criminal Procedure (Scotland) Act* 1995, s. 103 (4)) verweisen.

Im Rechtsmittelverfahren gegen eine Verurteilung muss das Gericht mit einer höheren Anzahl Richter als in der Vorinstanz besetzt sein (zum Beispiel *McCuthcheon v HM Advocate* 2002 SCCR 101, neun Richter (!)). Das Rechtsmittelgericht ist normalerweise mit drei Richtern besetzt. Dies gilt, wenn Schuld- und Strafausspruch betroffen sind, sowohl in *solemn* als auch *summary proceedings* (*Criminal Procedure (Scotland) Act* 1995, s. 103 (2), s. 173 (1)). Rechtsmittel gegen den Strafausspruch allein werden von zwei Richtern beurteilt, bei Uneinigkeit wird ein Dreiergericht bestellt (*Criminal Procedure (Scotland) Act* 1995, s. 103 (3), s. 173 (2)).

Die Richter am *High Court of Justiciary* werden aus dem Kreis der Richter des *Court of Session* (höchstes Gericht in Zivilsachen) gewählt. Wählbar sind Personen, welche seit fünf Jahren als Richter an einem *sheriff court* tätig sind, oder Anwälte mit der Zulassung vor dem *court of session* seit fünf Jahren (*Law Reform (Miscellaneous Provisions) (Scotland) Act* 1990, sch. 4). Richter an einem *sheriff court* können Anwälte werden, welche seit mindestens zehn Jahren zugelassen sind (*Sheriff Courts (Scotland) Act* 1971). Sie müssen über einen guten Ruf in ihrem Beruf und eine angemessene Praxiserfahrung verfügen.

d) Sanktionen

Das Sanktionensystem bietet den Gerichten für den Fall einer Verurteilung folgende Alternativen:

– *Absolute discharge* – es wird nur festgestellt, dass der Angeklagte die Straftat begangen hat *(summary proceedings)* oder er wird verurteilt *(solemn proceedings)*, aber vom Gericht ohne Verhängung einer Strafe und ohne Registereintrag entlassen (*Criminal Procedure (Scotland) Act* 1995, s. 246 (2)). Die erstere Form wird sehr selten genutzt.

– *Admonition* – der Angeklagte wird verurteilt und vom Gericht entlassen mit einem Verweis *(admonition)*, welcher eine mündliche Verwarnung enthalten kann (*Criminal Procedure (Scotland) Act* 1995, s. 246 (1)). 1995 machte diese Form 10 % der Urteile aus.

– *Fine* – die Geldstrafe ist die meistgenutzte Sanktionsart. Bei Nichtbezahlung findet eine Umwandlung in eine Freiheitsstrafe statt (*Criminal Procedure (Scotland) Act* 1995, s. 211 (1), (2)). Die vielen Umwandlungsstrafen stellen in der Praxis ein besonderes Problem dar.

– *Compensation order* – dem Angeklagten wird die Bezahlung eines Schadensersatzes in Geld auferlegt (*Criminal Justice (Scotland) Act* 1980, Part IV).

– *Probation order* – dem Angeklagten wird eine überwachte Bewährungszeit von sechs Monaten bis zu drei Jahren auferlegt (*Criminal Procedure (Scotland) Act* 1995, s. 228).

– *Community Service Order* – der Angeklagte hat gemeinnützige Arbeit zu leisten (*Criminal Procedure (Scotland) Act* 1995, s. 238 (1)). Die Strafe dient als Ersatz für Freiheitsstrafen bei Personen ab 16 Jahren. Minimal können 80 Stunden, maximal 240 Stunden *(summary)* bis 300 Stunden *(solemn)* angeordnet werden.

– *Custodial Sentences* – eine Gefängnisstrafe kann nur gegen Personen von über 21 Jahren verhängt werden. Für Personen im Alter von 16 bis 20 Jahren besteht die Möglichkeit der Einweisung in spezielle Anstalten für junge Straftäter *(detention in a young offenders' institution)*.

Für die Strafzumessung durch den Richter bestehen verschiedene Einschränkungen. Die wichtigsten sind die in Spezialgesetzen festgelegten Höchststrafen und die vom Verfahrensrecht bestimmten Zuständigkeitsgrenzen.

Der *High Court* kann jede Freiheitsstrafe von bestimmter zeitlicher Länge verhängen. Die einzige in der Länge unbestimmte Freiheitsstrafe ist die lebenslange Freiheitsstrafe für vorsätzliche Tötung *(mandatory life sentence for murder)*.

Der *sheriff court* kann im *summary procedure* Freiheitsstrafen bis zu sechs Monaten und Geldstrafen von bis zu £ 5.000 aussprechen. Bei mehreren Straftaten kann unter bestimmten Voraussetzungen *(dishonesty or personal violence)* eine Strafe von höchstens 12 Monaten verhängt werden. Im *solemn procedure* (mit einer Jury von 15 Mitgliedern) kann der *sheriff* eine Freiheitsstrafe bis zum Maximum von fünf Jahren sowie eine Geldstrafe in unbeschränkter Höhe verhängen (*Criminal Procedure (Scotland) Act* 1995, s. 3 (3) *as amended by the Crime and Punishment (Scotland) Act* 1997, s. 13). Zur Festsetzung von höheren Freiheitsstrafen überweist der *sheriff* das Verfahren an den *High Court*.

Die *justice of the peace courts* können Freiheitsstrafen bis zu 60 Tagen und Geldstrafen bis zu £ 2.500 aussprechen. Unter dem Vorsitz eines *stipendiary magistrate* kann ein *justice of the peace court* Freiheitsstrafen von maximal 12 Monaten und Geldstrafen bis zu £ 10.000 verhängen.

e) Strafvollzug

Es bestehen 16 Gefängnisse und Jugendstrafvollzugsanstalten in Schottland. Sie sind überwiegend für männliche Insassen konzipiert. Eine Anstalt ist speziell für Frauen eingerichtet; zwei Anstalten sind jugendlichen Insassen vorbehalten. Für psychisch kranke Straftäter besteht die Möglichkeit der Inhaftierung in einer Klinik, die vom öffentlichen Gesundheitswesen *(Scottish National Health Service)* geführt wird.

Am 17. Oktober 2008 gab es in Schottland insgesamt (einschließlich Jugendlicher) 8.010 Gefangene. Davon waren 6.452 verurteilt und 1.558 Untersuchungshäftlinge (19,45 %). Nur 4,83 % (387 Gefangene) waren weiblich. Mit seiner Gefangenenrate von 145 pro 100.000 Einwohner steht Schottland in Europa auf Rang 20 und weltweit auf Rang 94.[16] Die durchschnittlichen Jahreskosten pro Vollzugsplatz wurden 2006/2007 auf £ 30.989 veranschlagt.[17] Damit rangiert Schottland in Europa auf Platz 26 und weltweit auf Platz 99.

---

16 Statistical Bulletin Crime and Justice Series; ICPS World Prison Brief (siehe unten Quellenhinweise).

17 Scottish Prison Service (siehe unten Quellenhinweise).

Literatur- und Quellenhinweise zu Abschnitt A.

Allgemeine Literatur:

Hutton, Neil, Sentencing in Scotland. In: P. Duff/N. Hutton (Hrsg.), Criminal Justice in Scotland. Dartmouth 1999, S. 166–181.

Sheehan, Albert V./Dickson, David J., Criminal Procedure. 2. Aufl. Edinburgh 2003.

Bevölkerung:

2001 Population Report Scotland (Scotland's Census 2001), Registrar General, General Register Office for Scotland, Edinburgh, 2002:

http://www.gro-scotland.gov.uk/census/censushm/index.html

Projected population of Scotland (2006-based) General Register Office for Scotland, vom 23. Oktober 2007:

http://www.gro-scotland.gov.uk/statistics/publications-and-data

Analysis of Ethnicity in the 2001 Census, Office of the Chief Statistician 2004, Scottish Executive:

http://www.scotland.gov.uk/Publications/2004/02/18876/32937

Scotland's New Ethnicity Classification for Scottish Official Statistics and Recommended for Scotland's 2011 Census, Scottish Government & General Register Office for Scotland, Edinburgh, July 2008.

Sprache:

Scotland's Census 2001 – Gaelic Report:
http://www.gro-scotland.gov.uk/census/censushm/scotcen2/reports-and-data/scotcen-gaelic/index.html

Religion:

Scotland's Census 2001 – Analysis of Religion:
http://www.scotland.gov.uk/Publications/2005/02/20757/53568

Wirtschaft:

Scottish Economic Statistics 2007:
http://www.scotland.gov.uk/Publications/2007/07/18083820/11

National Statistics Authority, Stand: 18.12.2008.

CIA The World Factbook, United Kingdom:
https://www.cia.gov/library/publications/the-world-factbook/geos/uk.html

Der Fischer Weltalmanach 2008. Zahlen, Daten, Fakten. Frankfurt am Main 2007, S. 200–209.

Staatsorganisation:

Scottish Government:

http://www.scotland.gov.uk

Ermittlungsbehörden:

Crown Office and Procurator Fiscal Service:

http://www.copfs.gov.uk/

Annual Report of Her Majesty's Chief Inspector of Constabulary for Scotland 2005/2006, Edinburgh, The Stationary Office 2006 SE/2006/219, S. 81 ff.

Strathclyde Police:

http://www.strathclyde.police.uk/recruitment/Police_Officers

Statistical Bulletin Crime and Justice Series: Recorded Crime in Scotland, 2007/08 (National Statistics):

http://www.scotland.gov.uk/stats

Anklagebehörden:

Crown Office and Procurator Fiscal Service:

http://www.copfs.gov.uk/

Crown Office and Procurator Fiscal Service (all cases reported to the COPFS):

http://www.copfs.gov.uk/Resource/Doc/13547/0000468.pdf

Strafvollzug:

Scottish Prison Service:

http://www.sps.gov.uk

Statistical Bulletin Crime and Justice Series: Prison Statistics Scotland, 2007/08 Edinburgh, Table 31:

http://www.scotland.gov.uk/Publications

International Centre for Prison Studies (ICPS), King's College London, UK:

http://www.kcl.ac.uk/depsta/law/research/icps/worldbrief/wpb_country.php?country=171

B. Rechtsvergleichende und internationale Einordnung

1. Rechtsvergleichende Einordnung des Landesrechts

Das schottische Recht ist ein eigenes System, welches unabhängig von den in England und Wales und Nordirland geltenden Rechtsordnungen ist. Es wird oft als gemischtes System *(mixed system)* beschrieben, ähnlich wie diejenigen von Südafrika oder Quebec, und zwar wegen der verschiedenen Quellen, die Einfluss auf seine Ausgestaltung hatten. Historisch gesehen kann das schottische Strafrecht nicht eigentlich als Teil der angloamerikanischen Rechtstradition bezeichnet werden, da sowohl das römische als auch das kanonische Recht einen großen Einfluss auf seine Entwicklung hatten. Das schottische Recht wies darum früher viele Gemeinsamkeiten mit dem sogenannten kontinentalen Recht auf.

An den schottischen Universitäten des Mittelalters (St. Andrews 1413, Glasgow 1451 und Aberdeen 1496) bestanden nur eingeschränkte Möglichkeiten für ein Studium der Rechtswissenschaft. Aufgrund der Unabhängigkeitskriege gegen England wurde die juristische Ausbildung nicht in Oxford oder Cambridge, sondern in Italien (Bologna, Pisa), Frankreich (Paris, Orléans) oder den Niederlanden (Leiden, Utrecht) absolviert. Erst nach dem Zusammenschluss von Schottland mit England und Wales *(Acts of Union)* im Jahr 1707 war es möglich, in Glasgow Rechtswissenschaften zu studieren (etwa ab 1714). Dabei wurden 1707 das Recht und die Institutionen nicht vereinheitlicht, aber es wurde eine gemeinsame gesetzgebende Gewalt geschaffen. Seit dem Inkrafttreten des *Scotland Act* 1998 besteht ein eigenes für bestimmte Sachgebiete *(devolved matters)* zuständiges Parlament.[1]

Eine herausragende Rolle bei der systematischen Durchdringung des Rechts spielten die Kommentarwerke der sogenannten *institutional writers James Dalrymple, Viscount Stair* (1681), *John Erskine* (1773) und *George Joseph Bell* (Anfang des 19. Jahrhunderts). Im Strafrecht war es der Kommentar von *David Hume* (1797, Neffe des bekannten Philosophen *Hume*), der großen Einfluss hatte.

Die auf dem Einfluss des römischen Rechts basierenden früheren Ähnlichkeiten mit kontinentalen Systemen haben aufgrund der politischen Entwicklungen im 19. und 20. Jahrhundert stark abgenommen. Obwohl Generationen von Anwälten dies geleugnet haben, war die Fortbildung des schottischen Rechts in der Moderne stark durch das Recht von England und Wales beeinflusst. Der Widerwillen, diesen Einfluss anzuerkennen, wird oft damit erklärt, dass das Recht (und insbesondere das Strafrecht) einen der wenigen Bereiche darstelle, in welchen Schottland nach der Vereinigung mit England seine Unabhängigkeit manifestieren konnte.

---

[1] Siehe näher dazu I.A.4.

Auch das Verfahrensrecht war stark vom römischen Recht geprägt und wurde früher als inquisitorisches System bezeichnet. Der Schwerpunkt lag auf dem Ermittlungsverfahren *(pre-trial phase)* und der Untersuchungsrichter hatte beträchtliche Macht.

Heutzutage ist das Strafverfahrenssystem als adversatorisch (unter anderem wegen Art. 6 § 1 EMRK) und allgemein auch als akkusatorisch zu bezeichnen. Es hat sich dem Idealtyp des angloamerikanischen Verfahrens angenähert. Geschworenenprozesse werden immer noch abgehalten. Diese Form der Hauptverhandlung ist aber den Strafsachen wegen schwerer Verbrechen vorbehalten und kommt somit nur in wenigen Fällen zur Anwendung. Zwischen schottischem und englischem Strafprozessrecht bestehen größere Unterschiede. Beispielhaft hierfür sind die zusätzliche Urteilsmöglichkeit „nicht bewiesen“ *(not proven)* sowie die Zahl der Geschworenen (15 und nicht nur 12).

Zur Charakterisierung kann gesagt werden, dass das schottische Recht eigenständig zwischen der kontinentalen und der angloamerikanischen Rechtstraditionen steht.

2. Einfluss internationaler Bindungen

England, Wales, Schottland und Nordirland sind als Landesteile des Vereinigten Königreichs[2] keine selbstständigen Staaten im völkerrechtlichen Sinne, sondern allein das Vereinigte Königreich verfügt über die Kompetenz, internationalen und regionalen Organisationen beizutreten und völkerrechtliche Verträge zu schließen. Aus diesem Grund sind die folgenden Abschnitte a) und b) identisch mit den entsprechenden Abschnitten im Landesbericht über England und Wales.

a) Mitgliedschaft in internationalen und regionalen Organisationen

Das Vereinigte Königreich ist Mitglied in zahlreichen internationalen Organisationen. Es ist Gründungsmitglied der Vereinten Nationen (UNO) und verfügt über einen ständigen Sitz im Sicherheitsrat. Ferner gehört es dem Europarat sowie der North Atlantic Treaty Organisation (NATO) an und war zugleich auch Gründungsmitglied dieser Organisationen, die beide im Jahr 1949 ins Leben gerufen wurden. Der Europäischen Union (EU) trat das Vereinigte Königreich 1973 bei. Darüber hinaus ist es Mitglied der Organisation für Sicherheit und Zusammenarbeit in Europa (OSZE), die aus der Konferenz über Sicherheit und Zusammenarbeit in Europa hervorging, sowie der Organisation für wirtschaftliche Zusammenarbeit und Entwicklung (OECD).

Neben diesen Mitgliedschaften spielt bis heute auch der Staatenverbund des Commonwealth of Nations eine wichtige Rolle für die internationalen Beziehungen

---

[2] Siehe auch I.A.1.

des Vereinigten Königreichs. Das Commonwealth ist der Nachfolger des *British Empire* und besteht in seiner heutigen Form seit dem Jahr 1949. Es umfasst derzeit 53 Mitgliedstaaten, zu denen neben dem Vereinigten Königreich insbesondere Kanada, Australien und Indien gehören, sowie weitere Staaten, die früher britische Kolonien waren. In Rechtsangelegenheiten dient das Commonwealth vor allem der Kooperation zwischen den Mitgliedstaaten, jedoch kann es auch Prinzipien aufstellen und Modellgesetze entwerfen. Eine wichtige Besonderheit ist der *Privy Council*. Hierbei handelt es sich um ein Gericht, das sich aus Richtern des *House of Lords* und des *Court of Appeal*, der obersten englischen Gerichte sowie ausländischen Richtern zusammensetzt. Der *Privy Council* ist heute noch die letzte Instanz für bestimmte Rechtsfragen in Bezug auf die Überseeterritorien, die Kanalinseln und die Isle of Man, sowie einige weitere Staaten des Commonwealth.

b) Beteiligung an völkerrechtlichen Verträgen

Das Vereinigte Königreich ist einer Vielzahl völkerrechtlicher Verträge beigetreten, die für das Strafrecht relevant sind. Im Hinblick auf die innerstaatliche Geltung des Völkerrechts besteht ein dualistisches System. Dies bedeutet, dass internationale Verträge nur dann im innerstaatlichen Recht Geltung erlangen, wenn sie mittels eines Parlamentsgesetzes in das nationale Recht inkorporiert wurden. Erst mit der Ratifizierung und der Transformation durch ein Parlamentsgesetz kommt einem völkerrechtlichen Vertrag auch innerstaatliche Bedeutung zu. Die Zustimmung des Parlaments ist zur Ratifizierung eines Vertrags jedoch nicht grundsätzlich erforderlich. Vielmehr gehört das Recht, internationale Verträge abzuschließen, zu den Vorrechten der Krone *(prerogatives of the Crown)* und wird heutzutage von der Regierung ausgeübt. Seit dem 17. Jahrhundert darf die Regierung dieses Recht jedoch nicht dergestalt ausüben, dass hierdurch die Rechte und Pflichten der Bürger des Vereinigten Königreichs geändert würden. Sofern die Umsetzung eines internationalen Abkommens die Modifizierung des innerstaatlichen Rechts erfordert, muss diese notwendige Änderung durch ein Parlamentsgesetz bewirkt werden. Dass beiden Häusern des Parlaments ein internationaler Vertrag vor Ratifizierung zur Zustimmung vorgelegt wird, ist jedoch inzwischen die Regel und erfolgt auch dann, wenn eine Änderung des innerstaatlichen Rechts nicht erforderlich ist. Dies wird als *Ponsonby Rule* bezeichnet und ist seit 1924 in Form eines Verfassungsdokuments *(constitutional convention)* festgeschrieben.[3] Dass im Vereinigten Königreich ein dualistisches System gilt, ist daher eine Folge des nationalen Verfassungsrechts.

Im Folgenden werden die wichtigsten der vom Vereinigten Königreich unterzeichneten und ratifizierten internationalen Abkommen dargestellt:

---

[3] Siehe hierzu auch I.C.1.

– *Menschenrechte*

Das Vereinigte Königreich gehörte zu den ersten Unterzeichnern der Europäischen Konvention zum Schutze der Menschenrechte und Grundfreiheiten (EMRK), die im Jahr 1950 ins Leben gerufen wurde. Die Ratifizierung der EMRK erfolgte im Jahr 1953. Zur Inkorporierung in das innerstaatliche Recht kam es jedoch erst mit der Schaffung des *Human Rights Act* 1998, der im Jahr 2000 in Kraft trat. Von den Zusatzprotokollen zur EMRK hat das Vereinigte Königreich die beiden Protokolle über die Abschaffung der Todesstrafe (Protokoll Nr. 6 und 13) sowie das über das Diskriminierungsverbot (Protokoll Nr. 12) unterzeichnet und ratifiziert, nicht hingegen die Zusatzprotokolle über die Freizügigkeit (Protokoll Nr. 4) und die Ausweisung von Ausländern (Protokoll Nr. 7). Die EMRK hat auf nationaler Ebene den Rang eines einfachen Gesetzes. Dadurch, dass der *Human Rights Act* 1998 in section 3 bestimmt, dass die Gerichte Parlamentsgesetze und Akte der Exekutive so auszulegen haben, dass sie im Einklang mit den Konventionsrechten stehen, und dass sie andernfalls gemäß section 4 deren Unvereinbarkeit mit der Konvention feststellen können, kommt der EMRK jedoch faktisch eine herausragende Stellung innerhalb der Rechtsordnungen des Vereinigten Königreichs zu.[4]

Außerdem ist das Vereinigte Königreich Vertragsstaat des Internationalen Pakts über bürgerliche und politische Rechte (International Covenant on Civil and Political Rights), des Internationalen Pakts über wirtschaftliche, soziale und kulturelle Rechte (International Covenant on Economic, Social and Cultural Rights), der Antirassismuskonvention, der Kinder- und der Frauenrechtskonvention sowie des UN Übereinkommens über die Abschaffung der Sklaverei, des Sklavenhandels und der sklavereiähnlichen Einrichtungen. Ferner hat es die Antifolterkonvention (UN Convention against Torture and Other Cruel Treatment or Punishment) im Jahr 1989 und das dazugehörige 9. Protokoll im Jahr 2003 ratifiziert.

– *Humanitäres Völkerrecht*

Im Bereich des humanitären Völkerrechts hat das Vereinigte Königreich die Genfer Konventionen I–IV sowie die Zusatzprotokolle I und II ratifiziert und mittels des *Geneva Conventions Act* 1957 in nationales Recht transformiert. Ferner hat es im Jahr 1970 das UN Übereinkommen zur Verhütung und Bestrafung des Völkermordes von 1948 ratifiziert. Darüber hinaus ist das Vereinigte Königreich Vertragspartei des Rom-Statuts für den Internationalen Strafgerichtshof und hat diesem durch den *International Criminal Court Act* 2001 auch innerstaatliche Geltung verliehen. Hiermit einher geht die im Jahr 2008 erfolgte Ratifizierung des Übereinkommens über die Privilegien und Immunitäten des Internationalen Strafgerichtshofs aus dem Jahr 2002.

---

4 Siehe hierzu auch I.C.2.

– *Organisierte Kriminalität und Drogenbekämpfung*

Das Vereinigte Königreich hat das UN Übereinkommen gegen die grenzüberschreitende organisierte Kriminalität aus dem Jahr 2000 unterzeichnet und im Jahr 2006 in nationales Recht inkorporiert. Ferner hat es die Zusatzprotokolle 12 a und 12 b über den Menschenhandel und Menschenschmuggel unterzeichnet und umgesetzt. Das Zusatzprotokoll 12 c gegen die unerlaubte Herstellung von Feuerwaffen, deren Teilen, Komponenten und Munition sowie gegen den unerlaubten Handel hat es im Jahr 2002 unterzeichnet, aber bislang nicht in nationales Recht transformiert. Ferner ist das Vereinigte Königreich der UN Konvention über psychotrope Substanzen aus dem Jahr 1971 und dem UN Übereinkommen gegen den illegalen Handel mit Suchtstoffen und psychotropen Substanzen aus dem Jahr 1988 beigetreten.

– *Terrorismusbekämpfung*

Im Bereich der Terrorismusbekämpfung hat das Vereinigte Königreich die wichtigsten internationalen und europäischen Abkommen unterzeichnet und mit Ausnahme der Konvention des Europarates zur Vorbeugung von Terrorismus aus dem Jahr 2005 (CoE Convention on the Prevention of Terrorism) auch ratifiziert und mittels der verschiedenen nationalen Anti-Terror-Gesetze umgesetzt. Hierbei handelt es sich insbesondere um die Übereinkommen der Vereinten Nationen zur Bekämpfung terroristischer Bombenanschläge von 1997, zur Bekämpfung der Finanzierung von Terrorismus von 1999 sowie das Übereinkommen zur Bekämpfung terroristischer Handlungen mittels nuklearer Mittel aus dem Jahr 2005.

– *Wirtschaftskriminalität*

In Bezug auf Wirtschaftkriminalität hat das Vereinigte Königreich verschiedene Abkommen zur Bekämpfung von Korruption und Geldwäsche unterzeichnet. Dazu zählen das Übereinkommen des Europarates über Geldwäsche sowie Ermittlung, Beschlagnahme und Einziehung von Erträgen aus Straftaten aus dem Jahr 1990, das Strafrechtsübereinkommen des Europarates gegen Korruption von 1999 sowie das Zusatzprotokoll aus dem Jahr 2003 und die OECD Konvention gegen Bestechung ausländischer Amtsträger von 1997. Die jeweilige Umsetzung dieser Abkommen erfolgte erst einige Jahre nach der Unterzeichnung. Ferner ist das Vereinigte Königreich dem Übereinkommen über den Schutz der finanziellen Interessen der Europäischen Gemeinschaften beigetreten.

– *Rechtshilfe und justizielle Hilfe in Strafsachen*

Auf dem Gebiet der Rechtshilfe und der justiziellen Hilfe in Strafsachen hat das Vereinigte Königreich insbesondere das europäische Übereinkommen über die Rechtshilfe in Strafsachen von 1959, die beiden Zusatzprotokolle aus den Jahren

1978 und 2001 sowie das Europäische Auslieferungsabkommen von 1957 und das Zweite Zusatzprotokoll aus dem Jahr 2001 unterzeichnet und ratifiziert. Ferner ist es dem Europäischen Übereinkommen über die Überstellung verurteilter Personen aus dem Jahr 1983 beigetreten. Diesen Abkommen wurde durch den *Extradition Act* 2003 und den *Crime (International Co-operation) Act* 2003 innerstaatliche Geltung verliehen. Zusätzlich zu den genannten multilateralen Abkommen hat es im Jahr 2003 ein bilaterales Abkommen über die Auslieferung mit den USA abgeschlossen.

Hinsichtlich der für das Strafrecht relevanten Übereinkommen der Europäischen Gemeinschaften nimmt das Vereinigte Königreich eine Außenseiterrolle ein. Auf dem Gebiet der gemeinsamen Außen- und Sicherheitspolitik sowie im Bereich Asyl beteiligt es sich nur vereinzelt an den von der Gemeinschaft verabschiedeten Initiativen.

Literaturhinweise zu Abschnitt B.

Bell, George Joseph, Principles of the Law of Scotland. Edinburgh 1829.

Erskine, John, Institute of the Law of Scotland. Edinburgh 1773.

Evan-Jones, Robin (Hrsg.), The Civil Law Tradition in Scotland. Edinburgh 1995.

Farmer, Lindsay, Criminal Law, Tradition and Legal Order: Crime and the Genius of Scots Law 1747 to the Present. Cambridge 1997.

Gordon, Gerald H., The Criminal Law of Scotland. 3. Aufl. Edinburgh 2000.

Hume, D., Commentaries on the Law of Scotland Respecting Crimes. Edinburgh 1797.

Hutton, Neil, Sentencing in Scotland. In: P. Duff/N. Hutton (Hrsg.), Criminal Justice in Scotland. Dartmouth 1999, S. 166–181.

Jones, Timothy H./Christie, Michael G.A., Criminal Law. 3. Aufl. Edinburgh 2003.

McCall Smith, R.A.A./Sneddon, David, Scots Criminal Law. 2. Aufl. Edinburgh 2003.

Mesten, M.C./Seller, W.D.H./Lord Cooper, An Introduction to Scottish Legal History. Edinburgh 1958.

Mittermaier, Carl J., Die Gesetzgebung und Rechtsübung über Strafverfahren. Heidelberg 1856, S. 107–108.

Peers, Steve, EU Justice and Home Affairs Law. Oxford 2007.

Stair, Viscount (James Dalrymple), The Institutions of the Law of Scotland. Edinburgh 1681.

Walker, Clive, Blackstone's Guide to the Anti-Terrorism Legislation. Oxford 2002.

White, Robin M./Willock, Ian D., The Scottish Legal System. 3. Aufl. Edinburgh 2003.

C. Verfassungsrechtliche Vorgaben

1. Übergesetzliche Regelungen als Träger strafrechtlicher Prinzipien

Schottland gehört zum Vereinigten Königreich von Großbritannien und Nordirland. Damit ist es Teil einer konstitutionellen Monarchie, wobei die Macht der Krone äußerst eingeschränkt ist. Tatsächlich funktioniert Großbritannien als parlamentarische Demokratie westeuropäischen Zuschnitts.

Beim Zusammenschluss der Staaten Schottland und England (*Acts of Union* 1707) wurde unter anderem zur Bedingung erhoben, dass das schottische Rechtssystem weiter bestehen bliebe. In den darauf folgenden Jahrhunderten hatte Schottland zwar ein eigenes Rechtssystem, aber keine eigene gesetzgebende Gewalt. Erst mit der Schaffung des schottischen Parlaments (*Scotland Act* 1998) wurde im Rahmen der diesem übertragenen Zuständigkeiten auch die Gesetzgebungskompetenz für bestimmte Bereiche, unter anderem auch für das Strafrecht, eingeräumt. Alle nicht ausdrücklich oder der Sache nach übertragenen Kompetenzen *(non devolved matters)* behielt das britische Parlament in Westminister. Das Vereinigte Königreich trat der Europäischen Gemeinschaft am 1. Januar 1973 bei und akzeptierte so auch die Rechtsordnung, welche durch das Gemeinschaftsrecht neu geschaffen wurde (vgl. *McCarthy's Ltd v Smith* [1979] 3 All ER 325).

Die britische Verfassung setzt sich aus einer größeren Anzahl von ungeschriebenen und geschriebenen Quellen (darunter *Claim of Right Act* 1689; *Act of Settlement* 1700; *Acts of Union* 1707 und *Parliament Acts* von 1911 und 1949) zusammen – eine einheitliche Verfassungsschrift besteht nicht. Üblicherweise wird gesagt, die britische Verfassung basiere auf den Prinzipien der Rechtsstaatlichkeit beziehungsweise Gesetzlichkeit *(rule of law)* und der Parlamentssouveränität oder auch dem Vorrang des Parlaments *(supremacy of parliament)*. Mit der Ausnahme, dass die Rechtsstaatlichkeit eine unabhängige Justiz verlangt, wird dabei allerdings die Gewaltenteilung *(separation of powers)* nicht als verfassungsrechtliches Prinzip betrachtet. Entsprechend kann nicht von einer konsequenten Trennung zwischen exekutiver und legislativer Gewalt gesprochen werden.

Seit der Inkraftsetzung des *Human Rights Act* 1998 ist die Europäische Menschenrechtskonvention Teil des schottischen Rechts.[1] Gemäß *Human Rights Act* 1998, s. 2 müssen die Gerichte jedes Urteil, jede Entscheidung und jede Erklärung oder Empfehlung des Europäischen Gerichtshofs, der Kommission oder des Ministerrats nach Art. 46 EMRK beachten. Die Gerichte müssen Gesetze und Verordnungen wo immer möglich in Übereinstimmung mit der Konvention auslegen (s. 3). Es besteht keine Möglichkeit, Gesetze durch Urteilssprüche zu ersetzen.

---

1 Siehe auch I.B.2.b.

Verschiedene Gerichte *(House of Lords, Judicial Committee of the Privy Council, High Court of Justiciary sitting otherwise than as a trial court, Court of Session)* haben aber die Möglichkeit, bei Inkompatibilität eines Gesetzes mit der Konvention eine entsprechende Erklärung abzugeben *(declaration of incompatibility)*. Bis heute wurde hiervon ein einziges Mal Gebrauch gemacht: *Smith v Scott* 2007 SC 345.

2. Grundrechte und Grundfreiheiten

In der Verfassung des Vereinigten Königreichs werden individuelle Rechte nicht wie in anderen Ländern ausdrücklich genannt. Verschiedene Grundprinzipien wie die Unabhängigkeit des Richters, demokratisches Wahlrecht, Meinungsäußerungsfreiheit und weitere negative Freiheitsrechte gelten aber als in der Rechtsstaatlichkeit *(rule of law)* enthalten und werden so geschützt.

Der *Human Rights Act* 1998 hatte in Schottland größeren Einfluss. Nicht so sehr wegen der Grundprinzipien, welche in der Mehrheit bereits im schottischen Recht enthalten waren, sondern wegen eines mit dem Gesetzeserlass verbundenen Bewusstseinswandels und der erhöhten Bereitschaft, die Konventionsrechte in konkreten Verfahren verstärkt geltend zu machen.

Im Strafprozessrecht sind namentlich Art. 6 (Recht auf ein faires Verfahren) und Art. 5 *(right to liberty)* relevant und gelten als die am häufigsten eingeforderten Rechte. Darüber hinaus haben für das Strafrecht auch Art. 7 (keine Strafe ohne Gesetz), Art. 10 (Meinungsäußerungsfreiheit), Art. 8 (Recht auf Privat- und Familienleben) and Art. 3 (Folterverbot) sowie Art. 1 des Zusatzprotokolls Nr. 13 (Abschaffung der Todesstrafe) signifikante Bedeutung.

3. Sonstige übergesetzliche Normen von strafrechtlicher Relevanz

Als übergesetzliche Norm von strafrechtlicher Relevanz gilt insbesondere das Gebot der Gleichheit vor dem Gesetz. Es stellt ein Fundamentalprinzip der Verfassung dar. Hierauf gestützt gibt es in Strafverfahren auch für Mitglieder des Parlaments keine Ausnahmen. Ein Rechtsinstitut der Immunität vor Strafverfolgung für bestimmte Personen besteht so nicht.

Literaturhinweise zu Abschnitt C.

Deans, Mungo, Scots Public Law. Edinburgh 1995.

Dicey, Albert V., Introduction to the Study of the Law of the Constitution. 10. Aufl. London 1959, S. 193–194.

Farmer, Lindsay, Criminal Law, Tradition and Legal Order: Crime and the Genius of Scots Law 1747 to the Present. Cambridge 1997.

Gordon, Gerald H., The Criminal Law of Scotland. 3. Aufl. Edinburgh 2000.

Jones, Timothy H./Christie Michael, G.A., Criminal Law. 4. Aufl. Edinburgh 2008.

McCall Smith, R.A.A./Sneddon, David, Scots Criminal Law. 2. Aufl. Edinburgh 2003.

Munro, J., Public Law in Scotland. Edinburgh 2003.

Reed, Robert/Murdoch, Jim, A Guide to Human Rights Law in Scotland. 2. Aufl. Edinburgh 2008.

Trechsel, Stefan, Human Rights in Criminal Proceedings. Oxford 2005.

D. Strafrechtstheoretische Grundlagen

1. Aufgaben des Strafrechts

Die Diskussion über die Zielsetzung des Strafrechts findet auf einer abstrakten, philosophischen Ebene statt. In der Lehre wird oft davon ausgegangen, dass das Strafrecht Teil der Moralphilosophie sei. Die Verbindung ergibt sich aus der Notwendigkeit, den Gebrauch der Staatsmacht und das Strafen zu legitimieren. Wenn die *ratio* des Strafrechts in persönlicher Vergeltung gesehen wird, ergibt der Konnex zu philosophischen Konzepten von Schuld und Verantwortung einen Sinn.

Historisch gesehen kann das schottische Strafrecht als stark von der herrschenden Morallehre geprägt bezeichnet werden. Obwohl diese Tendenz in der heutigen Zeit weniger deutlich ist, bleibt ein Bezug zu der Idee erhalten, dass das Strafrecht ein Mittel ist, mit dem die Gesellschaft ihre Moralvorstellungen durchsetzen kann. Die Philosophie des Liberalismus hat einen ganz anderen Ansatz. Danach können Zwang und Strafe sinnvoll nur mit der Verhinderung von Rechtsgutverletzungen begründet werden: "The only purpose for which power can be rightfully exercised over any member of a civilised community against his will, is to prevent harm to others. His own good, either physical or moral, is not a sufficient warrant." Das schottische Strafrecht kann schließlich weder der einen noch der anderen philosophischen Strömung streng zugeordnet werden.

In jüngerer Zeit ist die Lehre mehr darauf fokussiert, den Prozess der Kriminalisierung zu untersuchen, das heißt die Gründe, warum eine Handlung als Straftat gilt beziehungsweise wie die Gesellschaft normabweichendes Verhalten *(deviance)* definiert. Es wird davon ausgegangen, dass Straftaten abhängig von der jeweils herrschenden Gesellschaftsordnung und von dieser zeitspezifisch konstruiert sind. Diese Hypothese führte zur Ablehnung der Idee, dass der Inhalt des Strafrechts einzig eine Frage der Moral, insbesondere des Prinzips des Schutzes vor Rechtsgutverletzung *(harm principle)* sei, hat aber bei der Definition von Straftat oder Strafrecht nicht weitergeholfen. Vielmehr wurde damit die Unterscheidung von Strafrecht und anderen Formen der Sozialkontrolle schwieriger.

Einflussreichere schottische Kommentatoren haben argumentiert, dass das Strafrecht sich nicht auf einen einzigen Zweck reduzieren lasse, sondern nur nach positivistischen Kriterien, insbesondere ob etwas in einem strafprozessualen Verfahren abgehandelt wird, definiert werden könne.[1]

– *ultima ratio*

Das *ultima-ratio*-Prinzip in dem Sinn, dass das Strafrecht nur subsidiär zum Tragen kommen soll, findet sich weder in der Jurisprudenz noch in der Literatur. An-

---

[1] Siehe weiterführend I.E.1. und 2.

gesichts der stetig wachsenden Straftatbestände und der vorherrschenden Tendenz, das Strafrecht zur Lösung sozialer Probleme heranzuziehen, gibt es auch in der Rechtswirklichkeit wenig Anzeichen für eine Geltung dieses Prinzips.

Es sind aber immerhin Institute mit ähnlichen Funktionen vor allem im Prozessrecht zu finden: So hat der *Procurator Fiscal* (Staatsanwalt) ein weites Ermessen, nach welchem er entscheiden kann, ob eine strafrechtliche Verfolgung im öffentlichen Interesse liegt oder nicht. Das Opportunitätsprinzip hat eine äußerst große praktische Bedeutung und schränkt das Strafrecht bezeihungsweise dessen Anwendung ein.

2. Rechtsstaatliche Grenzen des Strafrechts

Das Strafrecht und seine Anwendung werden rechtsstaatlich in verschiedener Weise begrenzt, insbesondere durch das Gesetzlichkeitsprinzip *(principle of legality)*[2] und die Voraussetzung der persönlichen Verantwortlichkeit *(criminal responsibility/culpability)*.

Der dualistische Verbrechensaufbau zeigt, dass im schottischen Recht kein eigens ausgeformtes Schuldprinzip besteht. Ein ähnliches Prinzip kann vielleicht in der früheren als *dole* (abgeleitet vom lateinischen *dolus*) bezeichneten Idee gesehen werden und lässt sich nach *Hume* als "that corrupt and evil intention, which is essential [...] to the guilt of any crime" beschreiben. Verlangt wird, dass:

> the act [...] be attended with such circumstances, as indicate a corrupt and malignant disposition, a heart contemptuous of order, and regardless of social duty. (*Hume*, i. 21, 22)

Dole im Sinne einer grundsätzlich bösartigen Gesinnung des Täters als Vorbedingung für strafrechtliche Verantwortung ist nicht weiter erforderlich. Dagegen fordert das Recht den Nachweis, dass die für das spezifische Delikt erforderliche subjektive Voraussetzung *(mens rea)* erfüllt ist.[3] Nach dem *common law* bedeutet dies, dass das Strafrecht nicht angewendet werden kann, wenn eine Person ohne „die erforderliche strafrechtliche Gesinnung" (*fault*: Schuld, *mens rea*) gehandelt hat.[4] Das Prinzip ist eng mit dem Begriff der persönlichen Verantwortung verwandt und natürlich auch mit der Idee, dass *culpability* (persönliche Verantwortlichkeit) eine Voraussetzung der Bestrafung ist.

---

[2] Siehe II.A.

[3] Siehe II.E.

[4] Siehe II.E.1.

3. Strafzwecke

Die rechtstheoretischen Erklärungen und Rechtfertigungen der Strafe basieren auf den gleichen philosophischen Grundsätzen, welche in anderen *common-law*-Ländern, namentlich England und Wales und den Vereinigten Staaten von Amerika verbreitet sind. Die Straftheorien können grundsätzlich zwei Hauptkategorien zugeordnet werden: einerseits den Vergeltungstheorien und andererseits sonstigen Theorien, die beispielsweise auf Abschreckung oder Rehabilitation abstellen. Erstere rechtfertigen die Strafe mit der Abgeltung des vorausgegangenen Rechtsbruchs, Letztere machen klar, dass der Strafe ein zukunftsgerichteter Sinn innewohnt, indem sie präventiv, abschreckend, aber auch rehabilitierend wirken soll.

Rechtsbrüche sollen zum Ausgleich des damit verbundenen Unrechts bestraft werden, Strafe ist verdient (*desert/rebribution*, Vergeltungstheorien); man hofft, dass durch die Bestrafung die individuelle Person oder auch die Allgemeinheit von der Begehung neuer Straftaten abgeschreckt wird *(deterrence)* und so zum Schutz der Gesellschaft weitere Kriminalität verhindert werden kann *(incapacitation)*. Schließlich sollen Straftäter, welche außerhalb der Gesellschaft stehen, rehabilitiert und wieder in die Gesellschaft integriert werden *(rehabilitation)*; die Gesellschaft verlangt, dass der Schaden des Opfers wiedergutgemacht wird *(reparation/restorative justice)*.

Alle diese Theorien können kritisiert werden. Strikte Vergeltungstheorien sind insofern limitiert, als der Ausgangspunkt immer der vorausgegangene Rechtsbruch ist und es nach der *just-desert*-Theorie nur eine mögliche Strafe zu geben scheint, welche die Tat ausgleicht. Gemäß dem Prinzip der Abschreckung funktioniert das Strafrecht hier als Verhinderung von Straftaten. Im Wesentlichen wird so vorausgesetzt, dass durch Sanktionierung die Begehung bestimmter Verhaltensweisen verhindert werden kann. Es ist jedoch allgemein anerkannt, dass Abschreckung nicht der einzige Strafzweck ist. Dementsprechend wird betont, dass die Strafe der Schwere der Tat (Unrecht) angepasst sein muss (*just-desert*-Theorie). Das Prinzip der allgemeinen Abschreckung findet so eine Grenze im spezifischen Fall. Die Idee, dass Straffällige eher Behandlung als eigentliche Strafe erhalten sollten, wurde in Schottland zeitweilig in den 1970er Jahren vertreten. Niedergeschlagen haben sich diese abolitionistischen Theorien in verschiedenen Gesetzen, so etwa dem *Social Work (Scotland) Act* 1968 und dem *Children (Scotland) Act* 1995. In der Gegenwart werden die entsprechenden Ansätze in der Lehre vor allem wegen der praktischen Schwierigkeiten etwa bei einer Behandlung von psychisch Kranken und den damit verbundenen Einschränkungen der Freiheitsrechte stark kritisiert.

Es kann gesagt werden, dass die schottischen Gerichte keine der genannten Straftheorien absolut oder bevorzugt vertreten. Auch besteht keine allgemeine Pflicht, eine Strafe speziell zu begründen. Dies macht es grundsätzlich schwierig, die Gründe für die Bestrafung anhand von Gerichtsurteilen zu identifizieren. Auch in Fällen, in welchen das Gericht die verhängte Strafe näher begründet, wird kaum direkt auf die Straftheorien Bezug genommen. Hinter den Strafzumessungsfaktoren stehen verschiedene Ansatzpunkte.

4. Grundlegende Prinzipien des Strafverfahrensrechts

Die engen Beziehungen mit den Rechtssystemen der kontinentaleuropäischen Länder (beispielsweise Italien) vor der Zeit der *Acts* of *Union* von 1707 führten dazu, dass im schottischen Prozessrecht sowohl inquisitorische als auch adversatorische Züge vorhanden waren.[5] Das schottische Verfahren moderner Zeit ist aber unbestritten adversatorisch ausgestaltet. Die Staatsanwaltschaft ist unabhängig von den Gerichten und selbst dafür verantwortlich, im Verfahren vor Gericht den Beweis für die Schuld eines Angeklagten zu führen. Der Angeklagte mit anwaltlichem Beistand hat dann die Möglichkeit, die Anschuldigungen zu entkräften und zurückzuweisen. Das Verfahren wird von einem oder mehreren unabhängigen unparteiischen Richtern, teilweise unter Beiziehung von Geschworenen entschieden. Dem Verfahrenssystem liegt ein adversatorisches Konzept von Wahrheit zugrunde, in dem über Beweise kontradiktorisch entschieden wird. Der Angeklagte und die Zeugen werden in Anwesenheit der Staatsanwaltschaft und der Verteidigung vor einem unabhängigen und unparteiischen Richter befragt, andere Beweise werden in der gleichen Weise untersucht.

Die Unschuldsvermutung *(presumption of innocence)*, die Beweislast des Staates und der Maßstab bei der Würdigung der Beweise werden als fundamentale Prinzipien des Verfahrensrechts verstanden. Die Staatsanwaltschaft hat nicht nur die grundsätzliche Beweislast (Beweisführungspflicht), sie ist auch dafür verantwortlich, dass die Tat des Angeklagten mit hinreichender Sicherheit, das heißt zweifelsfrei *(beyond reasonable doubt)* bewiesen wird. Dieser Maßstab unterscheidet sich von dem des Zivilrechts, in welchem der Sachverhalt lediglich mit überwiegender Wahrscheinlichkeit *(on the balance of probabilities)* nachgewiesen sein muss. Gemäß dem Prinzip der *corroboration* kann ein Schuldspruch nur auf der Basis von mehr als einem Beweismittel erfolgen.

Die Prinzipien eines fairen Verfahrens *(fair trial)* gemäß Art. 6 EMRK (namentlich das Recht auf Öffentlichkeit, auf einen unabhängigen und unparteiischen Richter, auf rechtliches Gehör, auf einen Verteidiger und das Recht auf einen Übersetzer) gelten als gesetzlich gewährleistete Grundprinzipien.

Das weite Ermessen der Staatsanwaltschaft bei der Entscheidung über die Anklageerhebung (basierend insbesondere auf der Schwere der Tat, der Persönlichkeit des Täters oder des Opfers, dem Rückfallrisiko oder der Möglichkeit anderer, zum Beispiel zivilrechtlicher Vorgehensweisen), insbesondere auch die Möglichkeit, trotz hinreichender Beweise für eine Verurteilung das Verfahren fallen zu lassen, zeigt, dass das schottische Verfahrenssystem dem Opportunitätsprinzip größeren Spielraum gibt.

---

[5] Siehe I.B.1.

Literaturhinweise zu Abschnitt D.

Ashworth, A., Sentencing and Criminal Justice. 4. Aufl. Cambridge 2005.

Crown Office and Procurator Fiscal Service, Prosecution Code. Edinburgh 2005.

Devlin, P., The Enforcement of Morals. Oxford 1965, 22.

Duff, R.A., Trials and Punishment. Cambridge 1986.

– Philosophy and the Criminal law. Cambridge 1998.

Farmer, L., Criminal Law, Tradition and Legal Order: Crime and the Genius of Scots Law 1747 to the Present. Cambridge 1997.

Fletcher, G., Rethinking Criminal Law. Boston 1978, xix.

Gordon, G.H., The Criminal Law of Scotland. 3. Aufl. Edinburgh 2000.

Hume, D., Commentaries on the law of Scotland Respecting the Description and Punishment of Crimes. 4. Aufl. Edinburgh 1844.

Hutton, N., Sentencing in Scotland. In: P. Duff/N. Hutton (Hrsg.), Criminal Justice in Scotland. Edinburgh 1999.

Jones T.H./Christie M.G.A., Criminal Law. 3. Aufl. Edinburgh 2003.

Mill, J.S., On Liberty. Harmondsworth 1983.

Nelken, D., Criminal Law and Criminal Justice: Some Notes on Their Irrelation. In: I. Dennis (Hrsg.), Criminal Law and Justice. London 1987, 142.

Reed, Robert/Murdoch, Jim, A Guide to Human Rights Law in Scotland. 2. Aufl. Edinburgh 2008.

Sheehan, A.V./Dickson, D.J., Criminal Procedure. Edinburgh 2002, § 87.

Summers, S.J., Fair Trials: The European Criminal Procedural Tradition and the European Court of Human Rights. Oxford 2007.

E. Abgrenzung und Einordnung des Strafrechts

1. Begriffliche und sachliche Umgrenzung des Strafrechts

Der Versuch, das Strafrecht zu definieren und von anderen Rechtsgebieten – insbesondere dem Zivil- und dem Verwaltungsrecht, aber auch vom Disziplinarrecht – abzugrenzen, hat sich als äußerst schwierig erwiesen. Die Probleme, mit welchen solche Definitionsversuche einhergehen, und bereits die Diskussion über das Definitionsbedürfnis *(obsession with definition)* als solches sind in der Literatur häufig behandelt worden.

Historisch wurde im schottischen Recht unterschieden zwischen echten Verbrechen *(true crimes – mala in se)*, welche als böse an sich betrachtet wurden, und anderen Verbrechen *(other crimes – mala prohibita)*, welche einfach technisch als Verbrechen galten, weil sie vom Gesetz verboten waren. Die Einteilung spiegelt die frühere Tendenz wider, Strafrecht mit Moralverstößen zu verbinden. Im modernen Strafrecht ist die Unterscheidung nicht mehr relevant und kann kaum mehr aufrechterhalten werden. Heute wird im schottischen Recht weder zwischen Strafrecht und *regulatory offences* (Ordnungswidrigkeiten) noch zwischen Kernstrafrecht und Nebenstrafrecht differenziert.

Es ist üblich, die Straftat positivistisch zu definieren, etwa:

> A crime is an act capable of being followed by criminal proceedings having a criminal outcome, and a proceeding or its outcome is criminal if it has certain characteristics which mark it as criminal. *(Williams)*[1]

Dies führt in Bezug auf das Strafrecht selbst zu Definitionsversuchen wie dem folgenden:

> That branch of law which deals with those acts, attempts and omissions of which the state may take cognisance by prosecution in the criminal courts. *(Gordon)*

Kernthese ist hier, dass das, was man unter kriminellem Verhalten versteht, sich stetig wandelt und kein fixes Konzept darstellt.

Der Begriff „Strafrecht" beinhaltet in einem weiteren Sinn auch das Strafverfahrensrecht, das Beweisrecht und das Strafzumessungsrecht.

2. Abgrenzung zu anderen repressiven Ordnungssystemen

Da eine Klassifikation der Straftaten im schottischen Recht fehlt,[2] kann die abstrakte Grenze zwischen Zivil-, Verwaltungs-, Diziplinar- und Strafrecht schwierig zu ziehen sein.

---

[1] Vergleiche II.C.1.a.

Mit dem *Human Rights Act* 1998 erhielt die Rechtsprechung des Europäischen Gerichtshofs für Menschenrechte zur Definition der „strafrechtlichen Anklage" *(criminal charge)* gemäß Art. 6 EMRK Geltung in Schottland. Der Gerichtshof hatte autonom, also unabhängig von der nationalen Qualifizierung festgestellt, ob eine Sanktion strafrechtlicher Art vorlag.

In der Entscheidung *Engel u.a. v Niederlande* führt der Gerichtshof aus, dass als Ausgangspunkt festzustellen ist, ob der Gesetzestext, der die Zuwiderhandlung definiert, nach dem Rechtssystem des belangten Staates dem Strafrecht, dem Disziplinarrecht (oder einem sonstigen Rechtsbereich) oder beiden angehört; es ist aber dann weiter die wahre Natur der fraglichen Zuwiderhandlung zu ermitteln. Dies geschieht insbesondere unter Berücksichtigung der entsprechenden Gesetzgebung in den anderen Vertragsstaaten; schließlich sind auch Art und Schwere der angedrohten Sanktion einzubeziehen.

3. Einordnung spezieller Maßnahmen für bestimmte Tätergruppen

Die Staatsanwaltschaft hat ein weites Ermessen, auf die Einleitung eines Strafverfahrens oder die Erhebung einer Anklage zu verzichten und/oder eine alternative Vorgehensweise zu beschliessen, und zwar selbst dann, wenn an sich hinreichend Beweise für strafrechtliche Schritte vorliegen. Besonders relevant ist dieses Ermessen im Zusammenhang mit psychisch kranken Tätern *(mentally ill offenders)*.

Bei psychischer Krankheit des Täters hat die Staatsanwaltschaft mehrere Möglichkeiten: Das Verfahren kann endgültig beziehungsweise unter Auflagen vorläufig eingestellt oder bei bestehender Unterbringung in einer psychiatrischen Klinik weitergeführt werden. Vor der Entscheidung kann ein psychiatrisches Gutachten eingeholt werden.

Es gilt der Grundsatz, dass es unfair ist, jemanden, der sich aus gesundheitlichen Gründen nicht hinreichend verteidigen kann, einem Strafverfahren auszusetzen. Dabei besteht regelmäßig Prozess- beziehungsweise Verhandlungsunfähgigkeit (*Criminal Procedure (Scotland) Act* 1995). Ob dies der Fall ist, hat ein Richter auf der Basis von mindestens zwei medizinischen Gutachten und weiteren Beweisen zu entscheiden (*Mental Health (Scotland) Act* 1984, s. 20). Es gibt keine gesetzliche Definition für die Prozess- oder Verhandlungsunfähigkeit, doch stellt die Entscheidung *HM Advocate v Wilson* einen Leitfall dar. Wird das Verfahren von der Staatsanwaltschaft weitergeführt, obwohl der Angeklagte prozess- oder verhandlungsunfähig ist, so wird der Sachverhalt anlässlich einer öffentlichen Verhandlung abgeklärt. Das Gericht stellt fest, ob zweifelsfrei davon ausgegangen werden muss,

---

[2] Siehe dazu II.C.1.b.

dass der Angeklagte den vorgeworfenen Sachverhalt verwirklicht hat, und spezielle Gründe für einen Freispruch fehlen. Ist dies zu bejahen, so stehen folgende Entscheidungsmöglichkeiten zur Wahl: Einlieferung in eine Klinik, Einlieferung in eine Klinik mit bestimmten Weisungen, Ernennung eines Beistands, Überwachung mit Behandlungspflicht, Entlassung ohne Auflagen.

Das Jugendstrafrecht ist vor allem im *Children (Scotland) Act* 1995 und im *Criminal Procedure (Scotland) Act* 1995 enthalten. Mit Kindern *(children)* – definiert als Personen unter 16 Jahren – oder mit Personen zwischen 16 und 18 Jahren unter jugendstrafrechtlicher Aufsicht, welche unter dem Verdacht einer Straftat stehen, wird abweichend vom Erwachsenenrecht verfahren. Auch wenn die strafrechtliche Verantwortlichkeit in Schottland früher als in den meisten europäischen Ländern beginnt (Strafmündigkeit ab dem achten Lebensjahr), erlaubt das auf die Sozialbehörden gestützte Verfahrenssystem *(welfare-based children's hearings system)* bei Personen unter 16 Jahren in den meisten Fällen (außer zum Beispiel bei Mord oder Vergewaltigung) eine Vorgehensweise ausserhalb der Strafgerichte. Die Polizei übermittelt die meisten Fälle an den *Principal Reporter to the Children's Panel* und bringt sie nicht bei der Staatsanwaltschaft zur Anzeige (*Children (Scotland) Act* 1995, ss. 53(2), 93(1)). Täter unter 16 Jahren werden in Anwesenheit ihres gesetzlichen Vertreters (Eltern oder vormundschaftliche Behörde, *Children (Scotland) Act* 1995, s. 93(2)(b)) von einer besonderen Behörde, bestehend aus drei Fachpersonen *(children's hearing)* beurteilt (*Children (Scotland) Act* 1995, Part II Chapter 2 and Schedule 1). Wird die Anschuldigung sowohl von dem Kind selbst als auch von seinem gesetzlichen Vertreter anerkannt, geht es im Verfahren einzig um die Zukunft des Kindes. Die theoretische Basis des Konzepts bildet der Bericht *Report on Children and Young Persons, Scotland*, bekannt auch unter dem Namen „The Kilbrandon Report" aus dem Jahr 1964. Es wird davon ausgegangen, dass der verwirklichte Sachverhalt weniger wichtig ist als die fürsorgerischen Bedürfnisse der jungen Täter. Kinder, welche sich strafrechtlich relevant verhalten haben, sollen gleich behandelt werden wie Kinder, die ohne eigenes Verschulden in Schwierigkeiten geraten sind. Die entsprechende Behörde hat keinerlei Kompetenz, strafrechtliche Sanktionen wie Gefängnis oder Geldstrafe zu verhängen.

Der Freiheitsentzug für Kinder ist in section 202 *Criminal (Procedure) Scotland Act* 1995 geregelt. In *Kane v HM Advocate* wies das Gericht klar darauf hin, dass bei einem jugendlichen Straftäter der Hauptgedanke bei der Strafzumessung die Rehabilitation und nicht Vergeltung oder Abschreckung sei. Es gehe immer auch darum zu prüfen, welche Maßnahme die Integration in die Gesellschaft am besten ermöglicht.

Als allgemeine Regel gilt, dass keine Person unter 21 Jahren in ein Gefängnis eingewiesen werden soll (*Criminal Procedure (Scotland) Act* 1995, s. 207(1)); ein erforderlicher Freiheitsentzug soll in einer spezialisierten Anstalt für Jugendliche stattfinden. In außerordentlichen Fällen kann bei Personen zwischen 16 und 21 Jahren eine Ausnahme gemacht werden, sofern für die begangene Tat eine Gefängnisstrafe vorgesehen ist und eine andere Sanktion unangemessen erscheint, zum Beispiel aufgrund der Schwere der Tat und der Persönlichkeit des Täters (*Criminal Procedure (Scotland) Act* 1995, s. 207(2), siehe auch *Anderson v McGlennan*).

Jugendliche Straftäter können während des Vollzugs ab dem 21. Lebensjahr in ein Gefängnis überführt werden. Mit 25 Jahren müssen sie überführt werden (*Prisons (Scotland) Act* 1989, s. 21 as amended).

Literaturhinweise zu Abschnitt E.

Chiswick, D., Mental Disorder and Criminal Justicc. In: P. Duff/N. Hutton (Hrsg.) Criminal Justice in Scotland. Aldershot 1999.

Farmer, L., The Obsession with Definition: The Nature of Crime and Critical Legal Theory. 5 Social and Legal Studies 1996, 57–73.

Farmer, L., Criminal Law, Tradition and Legal Order: Crime and the Genius of Scots Law 1747 to the Present. Cambridge 1997.

Gordon, G.H., The Criminal Law of Scotland. 3. Aufl. Edinburgh 2000, 5–15.

Gordon/Renton/Brown, Criminal Procedure. 6. Aufl. Edinburgh 1996.

Jones T.H./Christie M.G.A., Criminal Law. 4. Aufl. Edinburgh 2008, § 2.44.

Kilbrandon Committee, Report on Children and Young Persons. Scotland 1964, Cmnd 2306.

– The Kilbrandon Report: Children and Young Persons Scotland. HMSO. Edinburgh 1995.

MacDonald, J.H.A. (Lord Kingsburgh), A Practical Treatise on the Criminal Law of Scotland. 5. Aufl. J. Walker/D.J. Stevenson (Hrsg.). Edinburgh 1948.

McCall Smith, R.A.A./Sheldon, Ds, Scots Criminal Law. 2. Aufl. Edinburgh 2003.

McDiarmid, C., Welfare, Offending and the Scottish Children's Hearings System. 25 Journal of Social Welfare and Family Law 2005, 31–42.

– Childhood and Crime. Dundee 2007.

Norrie, A., Crime, Reason and History: An Introduction to the Criminal Law. London 1993.

Gordon, G.H./Renton, R.W./Brown, H.H., Criminal Procedure. 6. Aufl. Edinburgh 1996.

Williams, G., The Definition of Crime. 8 CLP 1955, 107–130.

Rechtsprechung

Kane v HM Advocate 2003 SCCR 749

Anderson v McGlennan 1998 SCCR 552

HM Advocate v Wilson 1942 SLT 194

R. (McCann and others) v Crown Court at Manchester [2000] UKHL 39, [2000] 3 WLR 1313 (HL)

Engel u.a. v Niederlande, Urteil vom 8.6.1976 und 23.11.1976, Serie A Nr. 22.

F. Strafrechtsquellen und Auslegungshilfen

1. Überblick

Die wichtigsten Rechtsquellen des schottischen Strafrechts sind geschriebene Rechtsnormen *(legislation)* und Präzedenzfälle *(rules of precedent)*.[1] Andere, weniger einflussreiche Rechtsquellen sind *institutional works* – bestimmte, als führend anerkannte Werke über das Recht *(certain authoritative writings on the law)* – und Gewohnheitsrecht *(custom)*.[2] Als ein System, in welchem Präjudizien als wichtige Rechtsquelle betrachtet werden, wird das schottische Recht den *common-law*-Systemen zugeordnet. Im Kontext des Strafrechts ist dies von besonderer Bedeutung. Obwohl das schottische Strafrecht heute mehr und mehr durch einzelne Gesetze ergänzt wird, ist der Kern der Materie weiter durch *rules of precedent* geregelt und als *common law (as opposed to statutory) offences* definiert. Wo ein Gesetz besteht, beansprucht dieses jedoch Vorrang vor dem *common law*.

Der Begriff „Quasi-Rechtsquellen" bezeichnet viele verschiedene Regelwerke, welche keine formalen Rechtsquellen darstellen. Die Kategorie beinhaltet Richtlinien der Regierung, Empfehlungen, Informationen und Ähnliches (beispielsweise *codes of practice* wie den *Highway Code*).

Wie andere Rechtssysteme des Vereinigten Königreichs verfolgt Schottland im Verhältnis des nationalen zum internationalen Recht ein dualistisches Modell. Es wird von zwei unterschiedlichen, getrennten Rechtsordnungen ausgegangen. Internationales Recht benötigt einen besonderen Akt, damit es in nationales Recht übertragen und integriert werden kann. So ist es grundsätzlich nicht genügend, wenn die Regierung internationale Vertragswerke ratifiziert, sondern sie müssen vom Parlament in die gesetzliche Form gebracht werden.[3]

Die Gerichte greifen bei der Auslegung des Rechts auf verschiedene Materialien einschließlich des *Interpretation Act* 1978, Wörterbücher, Fachbücher, internationale Verträge, die Protokolle des Parlaments *(Hansard)* und Dokumente der Regierung zurück.

2. Geschriebene Rechtsnormen

Verschiedene Gesetze des Parlaments des Vereinigten Königreichs finden Anwendung im ganzen Land, das heißt auch in Schottland. Beispiele sind das Betäubungsmittelstrafrecht (*Misuse of Drugs Act* 1971) und die strafrechtlichen Bestim-

---

1 Siehe unten I.F.4.

2 Im Einzelnen hierzu unten I.F.2.–5.

3 Siehe näher hierzu I.2.b.

mungen des Straßenverkehrsrechts (*Road Traffic Act* 1988). Wichtig ist ferner der *Human Rights Act* 1998. Die mit ihm erzielte Übernahme der Menschenrechtskonvention (EMRK) machte verschiedene Änderungen des Rechts notwendig: So wurde zum Beispiel das Institut des *temporary sheriff*, eine Art Ad-hoc-Richter, als nicht vereinbar mit den Vorgaben von Art. 6.1 EMRK betreffend die richterliche Unabhängigkeit *(Starrs v Ruxton)* abgeschafft. Der *Human Rights Act* 1998 respektiert das Prinzip der Parlamentssouveränität: Der Umstand, dass ein Gesetz mit der Konvention oder einem darin enthaltenen Recht nicht vereinbar ist, greift die Gültigkeit des Gesetzes nicht an (*Human Rights Act* 1998, s. 3(6)). In einem solchen Fall wird das Gericht lediglich eine Feststellung der Inkompatibilität abgeben. Es bleibt dann in der Verantwortung des Parlaments zu entscheiden, wie weiter vorgegangen werden soll (*Somerville v Scottish Ministers*). Für die Regierung besteht in dringenden Fällen die Möglichkeit, die Konventionsinkompatibilität zu korrigieren (*Human Rights Act* 1998, s. 10).

Das Vereinigte Königreich wurde 1973 Mitglied der Europäischen Union (damals Europäische Wirtschaftgemeinschaft). Seit diesem Zeitpunkt hat die Rechtsetzung des Rates und der Kommission direkten Einfluss in Schottland beziehungsweise auf die dortige Gesetzgebung. In den letzten Jahren betrifft dieser Umstand auch immer mehr das Strafrecht.

Bestimmte Gesetze von Westminster wurden speziell mit Rücksicht auf Schottland geschaffen und finden so nur dort Anwendung (beispielsweise der *Criminal Procedure Act* 1995).

Seit der Schaffung des schottischen Parlaments und der Übertragung gesetzgebender Kompetenzen besteht erstmals seit der Vereinigung mit England und Wales (1707)[4] die Möglichkeit, eigene Strafgesetze zu erlassen (*Scotland Act* 1998). Vor dieser Kompetenzübertragung mussten neue Gesetze, auch wenn sie nur Anwendung in Schottland finden sollten, den Gesetzgebungsweg des Vereinigten Königreichs, das Parlament in England, durchlaufen. Wegen der fehlenden Gesetzgebungskompetenz wurde vor allem eine Stagnation des schottischen Strafrechts befürchtet. Das Verhältnis zwischen dem *Human Rights Act* 1998 und der Gesetzgebung des schottischen Parlaments unterscheidet sich von jener zur Gesetzgebung des Vereinigten Königreichs. Gemäß dem *Scotland Act* 1998 stellt ein Gesetz des schottischen Parlaments kein gültiges Recht dar, wenn auch nur eine Bestimmung nicht in der Gesetzgebungskompetenz des Parlaments liegt (s. 29(1)). Dies ist unter anderem auch der Fall, wenn eine Bestimmung gegen die EMRK oder gegen EU-Recht verstößt (s. 29(2)(d)). Die Exekutive hat ebenfalls nicht die Kompetenz, Regelungen zu erlassen, welche mit der Menschenrechtskonvention nicht vereinbar sind (s. 52(2), vergleiche auch *Somerville v Scottish Ministers*). Auch die schottische Regierung ist befugt, in dringenden Fällen konventionsverletzende Gesetzes-

---

[4] Siehe dazu I.B.1.

bestimmungen zu korrigieren (*Convention Rights (Compliance) (Scotland) Act 2001*, ss. 12–14).

Das schottische Strafrecht wurde bisher nicht kodifiziert. Aktuell besteht ein Projekt, welches einen Entwurf eines Strafgesetzbuchs hervorgebracht hat. Das Projekt wird kontrovers diskutiert und es erscheint fraglich, ob die Vorschläge in nächster Zeit auf genügende Akzeptanz stoßen werden.

3. Gewohnheitsrecht

Vor dem 19. Jahrhundert wendeten die Gerichte einheimisches und feudalistisches Gewohnheitsrecht an, ergänzt durch römisches Recht und zusammengeführt durch die Kommentatoren *(institutional writers)*. Während des 19. Jahrhunderts verstärkte sich das Gewicht von Präjudizien, welche dann zu einer formalen Rechtsquelle wurden.[5] Das Gewohnheitsrecht blieb technisch gesehen eine Rechtsquelle, aber die meisten Regelungen wurden Inhalt von Präjudizien und so ins *common law* aufgenommen.

4. Rechtsprechung und common law

Präjudizien sind definiert als Recht, welches durch die Gerichte, und nicht vom Parlament geschaffen wurde. Dieses Recht entwickelt sich aus richterlichen Entscheidungen und deren Begründungen in konkreten Fällen. Das moderne schottische Strafrecht basiert auf solchen Präjudizien, welche auch auf den Ausführungen der Kommentatoren *Hume*, *Alison* and *Macdonald* aufbauen. Die Rechtsprechung ist strikt an sie gebunden *(strict doctrine of precedent)*. Ein niedereres Gericht darf von einer Entscheidung des höheren Gerichts nicht abweichen. Um ein früheres Urteil oder eine frühere Praxis zu ändern, hat auch das höchste Gericht klare Regeln zu beachten: Nur mit der nächsthöheren Besetzung (Anzahl der Richter) kann die frühere Entscheidung geändert werden. Bis vor Kurzem bestand kein Rechtsweg von höchsten schottischen Strafgerichten an eine übergeordnete Instanz. Mit der Schaffung des schottischen Parlaments und der Übertragung parlamentarischer Aufgaben *(devolution)* wurde die Anrufung einer parlamentarischen Kommission *(Judicial Committee Privy Council of the House of Lords)* in bestimmten Fragen möglich. Praktisch geht es dabei um Fragen, welche vor dem Hintergrund der EMRK beziehungsweise deren Garantien entstehen. Gemäß dem *Human Rights Act* 1998 müssen die Gerichte bei ihren Entscheidungen die Praxis des Europäischen Gerichtshofs für Menschenrechte und die der früheren Kommission beachten (*Human Rights Act* 1998, s. 2).

---

[5] Siehe näher unten F.4-5.

Generell sind die Gerichte rechtsprechende Gewalt in dem Sinn, als sie das Recht anwenden. Die Macht des Obersten Gerichts, Recht zu setzen *(declaratory power of the High Court)*, findet in engen Grenzen Anwendung und ist als Ausnahme zu begreifen. So erlaubt die Deklarationsmacht des Obersten Gerichts *(declaratory power of the High Court)*, etwa den Anwendungsbereich eines Verbrechenstatbestands festzulegen *(HM Advocate v H)*, frühere Rechtsprechung zu korrigieren *(Brennan v HM Advocate)* und in engen Bereichen neue Verbrechenstatbestände zu kreieren (*S v HM Advocate*, Vergewaltigung in der Ehe, und *Khaliq v HM Advocate*, Verkauf von Leimschnüffelutensilien *[glue sniffing kits]*), wobei letztere Teilkompetenz umstritten ist. So stellte auch der Europäische Gerichtshof für Menschenrechte in Straßburg diese Kompetenz vor allem unter dem Aspekt von Art. 7 EMRK infrage (vergleiche *Kokkinakis v Greece*; *Streletz et al. v Germany*).

Die Rechtsprechung in Strafsachen wird in folgenden Entscheidungssammlungen und Zeitschriften wiedergegeben: *The Scots Law Times, The Scottish Criminal Case Reports* und *Green's Weekly Digest*.

5. Schrifttum

Die Arbeiten der *institutional writers*, eine Art Kommentatoren (besonders *David Hume*, 18. Jahrhundert), haben weiterhin einen signifikanten Einfluss auf das *common law*. *Humes* „Commentaries on the law of Scotland Respecting the Description and Punishment of Crimes" fasste das geltende Recht der damaligen Zeit zusammen. Obwohl dieser Kommentar nicht das gleiche Gewicht wie ein Gesetz hat, ist er für die Rechtsprechung wichtig und wird so als autoritative Quelle des schottischen Strafrechts zitiert. Weitere, aber weniger wichtige *institutional writers* sind *George Mackenzie*, The Laws and Customes of Scotland in Matters Criminal (1678), *Archibald Alison*, Principles and Practice of the Criminal Law of Scotland (1832) und *John Macdonald*, Practical Treatise on the Criminal Law of Scotland (komplette Ausgabe 1948). Andere Kommentare haben nicht die gleiche Geltung und werden auch nicht als Rechtsquellen bezeichnet. Die aktuelle Lehre hat weit weniger Einfluss auf die Rechtsfortbildung als in anderen europäischen Ländern.

Literaturhinweise zu Abschnitt F.

Alison, A., Principles and Practice of the Criminal Law of Scotland. Edinburgh 1832.

Anderson, G., Using Human Rights Law in Scottish Courts. 25 European Law Review Human Rights Survey 2002, 3, 11.

Comte, F., Criminal Environmental Law and Community Competence. European Environmental Law Review, 2003, 147.

Corstens, G.J.M., Criminal Law in the First Pillar? 11 European Journal of Crime, Criminal Law and Criminal Justice, 2003, 131–144.

Deans, M., Scots Public Law. Edinburgh 2000.

Farmer L., Enigma: Decoding the Draft Criminal Code. Scottish Law and Practice Quarterly, 2002, 1-13.

Hume, D., Commentaries on the law of Scotland Respecting the Description and Punishment of Crimes. 4. Aufl. Edinburgh 1844.

Macdonald, J., Practical Treatise on the Criminal Law of Scotland, komplette Ausgabe. Edinburgh 1948.

Mackenzie, G., The Laws and Customes of Scotland in Matters Criminal. Edinburgh 1678.

O'Neill, A., The European Convention and the Independence of the Judiciary – the Scottish Experience. 63 MLR 2000, 429–441.

Reed, R./Murdoch, J., A Guide to Human Rights Law in Scotland. 2. Aufl. Edinburgh 2008.

Tierney, S., Human Rights and Temporary Sheriffs. 4 E.L. Rev. 2000, 223–228.

White, R.M./Willock, I.D., The Scottish Legal System. 4. Aufl. Edinburgh 2007.

Rechtsprechung

Brennan v HM Advocate 1977 JC 38

Khaliq v HM Advocate 1984 JC 23

HM Advocate v H 2002 SLT 1380

S v HM Advocate 1989 SLT 469

Somerville v Scottish Ministers 2007 SLT 113, §§ 182–192

Starrs v Ruxton 2000 SLT 42

Kokkinakis v Griechenland, Urteil vom 25. Mai 1993 Serie A Nr. 260-A, § 52

Streletz et al. v Deutschland, Nr. 34044/96, 35532/97, und 44801/98, EMRK 2001-II.

G. Entwicklung des Strafrechts, Strafverfahrensrechts und Strafvollstreckungsrechts

1. Überblick

Die Entwicklung des schottischen Strafrechts wurde hauptsächlich durch zwei verschiedene Faktoren geprägt: durch die Anlehnung des Rechts an das *common law* sowie das Bestreben, unabhängig von England und vom englischen Recht zu bleiben. Das nach der Vereinigung mit England und Wales *(Acts of Union)* 1707 errichtete Staatssystem, in welchem das schottische Rechtssystem unabhängig blieb, jedoch ohne über eine eigene Gesetzgebungsmacht zu verfügen,[1] hat diese Tendenzen noch verstärkt.

Die Möglichkeit einer Entwicklung von innen besteht nunmehr seit der Errichtung des schottischen Parlaments (*Scotland Act* 1998).[2] Die neu entstandene Institution hat neben anderen auch die Zuständigkeit, in einzelnen übertragenen Bereichen neues Strafrecht und Strafprozessrecht zu schaffen. Dennoch scheint es, dass das *common law* seit dieser Kompetenzübertragung *(devolution)* nicht an Bedeutung verloren hat. Mangels eines Strafgesetzbuchs und angesichts der untergeordneten Stellung von Gesetzen zählen Gerichtsentscheidungen und Gewohnheitsrecht nach wie vor zu den wichtigsten Quellen des Strafrechts.[3] Diese Situation wird nicht als problematisch eingestuft, vielmehr wird die Flexibilität des Rechts betont und als etwas Positives für die Entwicklung des materiellen Strafrechts betrachtet. Ein Pilotprojekt mit dem Ziel, ein schottisches Strafgesetzbuch zu schaffen, ist auf viel Kritik gestoßen und scheint nach der Veröffentlichung des Entwurfs ins Stocken geraten zu sein.[4]

Das entschlossene Streben schottischer Juristen, die Unabhängigkeit vom englischen Recht zu bewahren, beeinflusst weiterhin die Entwicklung des gesamten schottischen Rechts. Darunter auch die des materiellen Strafrechts, des Strafverfahrensrechts und des Vollzugsrechts. Es ist deswegen nicht überraschend, dass die vorgeschlagene Einrichtung eines neuen Obersten Gerichthofs für das Vereinigte Königreich *(UK Supreme Court)* auf heftige Gegenwehr trifft.

Die konsequente Abgrenzung gegenüber dem englischen Recht mutet fragwürdig an, wenn man berücksichtigt, dass eine „Bedrohung" der Autonomie des schottischen Strafrechts nicht von England, sondern von Europa ausgeht. Die aktuelle Entwicklung des Strafrechts und des Strafverfahrenrechts ist heute nämlich besonders durch die Einwirkung aus „europäischen Quellen" geprägt. Die frühere insula-

---

[1] Siehe näher I.B.1. und C.1.

[2] Siehe dazu I.C.1.

[3] Näher hierzu I.F.3.–4.

[4] Vergleiche I.F.2. und unten 2.

re, das heißt überwiegend autonome Entwicklung wurde durch den zunehmenden Einfluss vieler europäischer Rechtsnormen ausgelöst. Die EMRK beziehungsweise die Rechtsprechung dazu und die stetig wachsende Gesetzgebung der Institutionen der EU, deren Anwendung das inländische Recht fordert oder die selbst ins inländische Recht übernommen werden, sind zu dominierenden Schrittmachern geworden.

2. Entwicklung des materiellen Strafrechts

Das schottische Strafrecht ist stark durch das *common law* geprägt. Die Gründung des *High Court of Justiciary* (Obergericht in Strafsachen)[5] im Jahr 1672 stellte einen besonders wichtigen Meilenstein in der Entwicklung des Strafrechts dar, nicht zuletzt, weil damit auch eine Intensivierung der Rolle der Gerichte bei der Auslegung und Festschreibung des Rechts verbunden war. Während des 17. und 18. Jahrhunderts bildete das römische Recht eine wichtige Quelle des schottischen Rechts, besonders auch des Strafrechts; es war für schottische Juristen zu jener Zeit üblich, auf die Kommentare der kontinentaleuropäischen Juristen zu verweisen. Die Veröffentlichung des Kommentars von *Hume* Ende des 18. Jahrhunderts zeigt eine wichtige Veränderung des Systems an. Das römische Recht wurde nicht mehr als verbindliche Quelle des Strafrechts, sondern nur noch als ein zur Nachahmung empfohlener Präzedenzfall betrachtet. Die zurückgehende Bedeutung des römischen Rechts wurde von einer zunehmenden Berücksichtigung des englischen Rechts und englischer Rechtsquellen begleitet.

Ein Großteil des modernen materiellen Strafrechts findet sich im *common law* und leitet sich aus den Grundprinzipien ab, wie sie von *Hume* in seinen Kommentaren (1. Aufl. 1797) statuiert wurden. Das Recht wurde durch die Rechtsprechung der Gerichte (weiter-)entwickelt. Dieses Fallrecht oder auch Recht der Präjudizien basiert auf der Doktrin des *stare decisis*, welche verlangt, dass die Rechtsprinzipien (das heißt *ratio decidendi* und nicht *obiter dictum*), welche in früheren Entscheidungen erarbeitet wurden, in späteren Fällen strikte Anwendung finden.[6] Während diese Doktrin klare Vorteile für die Rechtssicherheit mit sich bringt, besteht die Gefahr, dass die Weiterentwicklung des Rechts blockiert wird. In manchen Urteilen zeigt sich ein Spannungsverhältnis zwischen der Befolgung der überlieferten Rechtsregeln und dem Ergebnis der Entscheidung. Es wird dabei theoretisch argumentiert, die Präjudizien zu achten, praktisch aber ein gegenteiliges, abweichendes Resultat erzielt. Ein besonders eindrückliches Beispiel hierfür stellt das Urteil *Stallard v HM Advocate* dar, in welchem das Gericht die von *Hume* stammende Regel, in der Ehe gebe es keine (strafbare) Vergewaltigung, aufhob. Trotz des klar entgegenstehenden Präjudikats verneinte das Gericht, dass es mit seinem abweichenden

---

[5] Siehe hierzu I.A.5.c.

[6] Siehe auch I.C.4.

Urteil neues Recht geschaffen habe. Bemerkenswert ist, dass die Entscheidung in England in *R v R* später in ähnlicher Weise vom Oberhaus übernommen wurde.

Wegen solcher Fälle wurde zunehmend gefordert, das Strafrecht zu kodifizieren. Es wurde auch ein Entwurf für ein schottisches Strafgesetzbuch veröffentlicht, seitdem stagniert das Projekt aber. Selbst wenn viele Straftatbestände in Gesetzen zu finden sind, wie beispielsweise das Betäubungsmittelstrafrecht (*Misuse of Drugs of Act* 1971) und das Straßenverkehrsrecht (*Road Traffic Act* 1988), ist der Großteil des Strafrechts weiterhin im *common law* geregelt, und es scheint höchst wahrscheinlich, dass diese Situation auf absehbare Zeit so bleiben wird.

Aufgrund verschiedener Rechtsquellen ändert sich auch die frühere autonome Natur des Rechts. Unzweifelhaft hat die Europäische Union mit ihrer Rechtsetzung größeren Einfluss auf das schottische Strafrecht beziehungsweise die entsprechenden Normen aller Mitgliedstaaten. Dabei finden Bestrebungen in Richtung einer Harmonisierung des Strafrechts auf europäischer Ebene statt. Rahmengesetzgebungen wurden in verschiedensten Bereichen wie dem Umweltstrafrecht, der Bekämpfung der Geldwäsche, der Gesetzgebung gegen den Subventionsbetrug innerhalb der EU, aber auch dem Sexualstrafrecht (Kindesmissbrauch und Kinderpornografie) erlassen.

3. Entwicklung des Strafverfahrens(rechts)

Es herrscht weitgehend Unklarheit über die Wahrung des Rechts in Schottland vor dem 12. Jahrhundert. Von dieser Zeit an versuchten schottische Könige, in den Formen des Feudalsystems eine Ordnung zu schaffen, um Kriminalität kontrollieren zu können. Dieses System weist, wenn überhaupt, nur wenige Ähnlichkeiten mit dem heutigen Prozessrecht auf. Ein erster Schritt zur Schaffung eines eigentlichen Strafprozessrechtssystems war denn auch die Abschaffung der alten feudalen Strukturen (*Abolition of Heritable Jurisdictions Act* 1747, 20 Geo. II c. 43), aber auch diese ersten Gehversuche der Gesetzgebung vor dem 19. Jahrhundert haben wenig mit modernem Prozessrecht gemein.

Die Entwicklung des Strafprozessrechts im 19. Jahrhundert spiegelt die abnehmende Bedeutung der öffentlichen Zufügung von Strafen und öffentlichen Hinrichtungen wider.[7] Das schwindende Vertrauen in die Todesstrafe hat auch dazu geführt, dass die Verfahrenslegitimation nicht mehr auf dem Richter und dem weit verbreiteten Gebrauch der Begnadigung beruhte. Das Gerichtsverfahren gewann an Bedeutung und verlieh dem Prozess und der Strafe neue Legitimation. Die wohl wichtigsten Schritte hin zu einem System des Strafprozessrechts und einer Kodifikation waren der *Criminal Procedure (Scotland) Act* 1887 und der *Summary Juris-*

---

[7] Siehe unten.

diction (Scotland) Act 1908. Beide festigten die Entwicklung und etablierten ein einheitliches Verfahren. Die beiden Erlasse formten die Basis des heutigen Systems. Von großer Bedeutung war schließlich auch die Schaffung einer Berufungsinstanz für ganz Schottland im Jahr 1926, des *Court of Criminal Appeal (Criminal Appeal (Scotland) Act* (16 and 17 Geo. V, c. 15).

Der größte Teil des aktuellen Prozessrechts findet sich im *Criminal Procedure (Scotland) Act* 1995. Anzumerken bleibt, dass das gesamte Beweisrecht in Strafsachen weiter im *common law* geregelt ist und deswegen durch die Entscheidung der Gerichte stark beeinflusst und weiterentwickelt wird. Das moderne Strafverfahren der heutigen Zeit ist als kontradiktorisch zu bezeichnen. Verfahren finden unter der Aufsicht eines unabhängigen und unparteiischen Richters, manchmal unter Beiziehung von unvoreingenommenen Geschworenen, statt. Beide Parteien, Staatsanwaltschaft und Verteidigung, müssen anwesend sein und die Beweise vor dem Richter und den Geschworenen erheben. Das Verfahren ist auch durch seine akkusatorische Natur gekennzeichnet: Die angeklagte Person gilt als unschuldig, und die Beweislast liegt bei der Staatanwaltschaft. Sie muss die Anschuldigung ohne begründete Zweifel *(beyond reasonable doubt)* beweisen.

Wichtige Gesetzesänderungen bezüglich *solemn procedure* (Richter mit Jury)[8] wurden nach der Veröffentlichung des Berichts von Lord *Bonomy* im *Criminal Procedure (Amendment) (Scotland) Act* 2004 beschlossen. Im April 2009 hat die schottische Regierung angekündigt, einen unabhängigen Bericht in Bezug auf *summary proceedings* in Auftrag zu geben. Die letzte Entwicklung des Strafprozessrechts wurde vor allem durch die Rechtsprechung des Europäischen Gerichtshofs für Menschenrechte in Straßburg zu Art. 5 und 6 EMRK geprägt.

4. Entwicklung (des Rechts) der Strafvollstreckung

Das alte Recht kannte verschiedene Arten von Strafen, darunter vor allem die Todesstrafe, den Verfall allen beweglichen Vermögens an den Staat *(escheat)*, die Verbannung *(banishment)*, die Deportation (*transportation* – insbesondere nach Virginia und Barbados; später nach Australien, abgeschafft erst durch den *Penal Servitude Act* 1853), die Zwangsarbeit *(penal servitude)* und die körperliche Züchtigung *(corporal punishment)*.

Die Todesstrafe wurde für „grässliche" oder „durch bestimmte Personen begangene" Straftaten *(high and atrocious crimes)* wie Mord, Vergewaltigung, Raub, absichtliche Brandstiftung, Inzest und Fälschung verhängt. Mit fortschreitender Zeit wurde die Zahl der Kapitalverbrechen durch Gesetze verringert. Bis zum Jahr 1832 durfte die Todesstrafe noch für 50 verschiedene Deliktsarten verhängt wer-

---

8 Näher dazu I.A.5.c.

den. Dabei wurden verschiedene Methoden der Vollstreckung eingesetzt, unter anderem der Feuertod auf dem Scheiterhaufen (*burning at the stake* – oft gewählt in Fällen von Hexerei und Inzest), die Enthauptung, der Tod durch Ertrinken (Inzest, Bestialität) und das Hängen. Die Hinrichtungsweise scheint vorwiegend willkürlich bestimmt worden zu sein. Zu Beginn des 18. Jahrhundert war das Hängen die am meisten verbreitete Vollstreckungsart. Die Neuerungen des 19. Jahrhunderts wurden vor allem durch Nützlichkeitserwägungen gefördert. Solche führten auch zur nach Delikten gestaffelten Zurückdrängung der Todesstrafe (vergleiche 4 & 5 Will. IV c. 67 / *Transportation Act* 1834; 5 & 6 Will. IV c. 81 / *Capital Punishment Abolition Act* 1835; 7 Will. IV & 1 Vict. c. 84 / *Forgery Act* 1837). Sie wurde 1887 durch den *Criminal Procedure Scotland Act* 1887 auf die Tatbestände Mord, versuchter Mord und Hochverrat eingeschränkt. Nachdem die Todesstrafe 1965 auch für Mord abgeschafft worden war (*Murder (Abolition of the Death Penalty) Act* 1965), blieb Hochverrat das einzige Kapitalverbrechen; im Jahr 1998 wurde diese Situation korrigiert (*Crime and Disorder Act* 1998, ss. 36 (3), 120 (2)). Im Jahr 2003 trat das Vereinigte Königreich dem 13. Zusatzprotokoll der EMRK bei, welches die Todesstrafe ausdrücklich verbietet.

1853 wurde die Zwangsarbeit *(penal servitude)*, bei welcher der Gefangene für eine Dauer zwischen drei Jahren und lebenslang unter strenger Disziplin arbeiten musste, als Alternative zur Deportation eingeführt. Die Zwangsarbeit wurde nach Inkrafttreten des *Criminal Justice (Scotland) Act* 1949 abgeschafft.

Von der Freiheitsstrafe wurde vor 1949 nur selten Gebrauch gemacht. Sie wurde nur bei kleinen Delikten und fast nie für eine Dauer von mehr als einem Jahr angeordnet. Die Seltenheit der Freiheitsstrafe hatte ihren Grund in der Überzeugung, dass der Gefangene die Strafe „scharf" spüren müsse, und in der Tatsache, dass es an hinreichend gesicherten Gefängnissen fehlte.

Die wichtigsten Strafen der modernen Zeit sind die Freiheitsstrafe, die Geldstrafe *(fine)* und die gemeinnützige Arbeit *(community service orders)*. Bis zu den 1970er Jahren war die Rehabilitierung und Resozialisierung des Täters das Hauptziel der Gefängnispolitik. Die Gefängnisverordnungen *(prison rules)* umschrieben den Zweck des Gefängnisses mit dem Ziel, Strafgefangene in die Lage zu versetzen, „ein gutes und sinnvolles Leben zu führen" *(good and useful lives)*. Diese Vorgabe wird aufgrund der Überbelegung und der Ansicht, dass Strafgefangene nicht primär rehabilitationsbedürftige Personen sind, sondern Personen, die für ihre eigenen Handlungen Verantwortung tragen müssen, allmählich verdrängt. Dennoch besitzt *penal welfarism* immer noch einen hohen Stellenwert in der Gefängnispolitik *(penal policy)* in Scottland.

Literaturhinweise zu Abschnitt G.

Bonomy, Lord, Improving Practice – The 2002 Review of the Practices and Procedure of the High Court of Justiciary. Edinburgh 2002.

Chalmers, J., Scottish Appeals and the Proposed Supreme Court. Edinburgh Law Review 8, 2004, 4–30.

Ekirch, A.R., The Transportation of Scottish Criminals to America during the Eighteenth Century. The Journal of British Studies, 24, 1985, 366–374.

Farmer, L., Criminal Law, Tradition and Legal Order: Crime and the Genius of Scots Law 1747 to the present. Cambridge 1997.

– Notable Trials and the Criminal Law in Scotland and England 1750–1900. In: P. Chassaigne/P. Genet (Hrsg.), Droit et Société en France et Grande Bretagne (XII–XX siècles). Paris 2003.

– Criminal Responsibility and the Proof of Guilt. In: M. Dubber/L. Farmer (Hrsg.), Modern Histories of Crime and Punishment. Stanford CA 2007.

Farmer, L./Veitch, S., Introduction. In: L. Farmer/S. Veitch (Hrsg.), The State of Scots Law. Edinburgh 2001.

Gordon, G.H., The Criminal Law of Scotland. 3. Aufl. M. Christie (Hrsg.). Edinburgh 2000.

Hume, D., Commentaries on the law of Scotland Respecting the Description and Punishment of Crimes. 4. Aufl. Edinburgh 1844.

Hutton, N., Sentencing in Scotland. In: P. Duff/N. Hutton, Criminal Justice in Scotland. Aldershot 1999.

Hutton, N./Paterson, A./Tata, C./Wilson, J., A Sentencing Information System for the High Court of Justiciary of Scotland: Report of the Study of Feasibility. Scottish Office. Edinburgh 1996.

Jones, T.H., Splendid Isolation: Scottish Criminal Law, the Privy Council and the Supreme Court. Criminal Law Review 2004, 96.

McAra, L., The Politics of Penality: An Overview of the Development of Penal Policy in Scotland. In: P. Duff/N. Hutton, Criminal Justice in Scotland. Aldershot 1999.

McQueen, H. et al., Gloag and Henderson: The Law of Scotland. Edinburgh 2001, § 2.24.

Meston, M.C./Sellar, W.D.H./Cooper, Lord, The Scottish Legal Tradition. Edinburgh 1991.

Reed, R./Murdoch, J., A Guide to Human Rights Law in Scotland. 2. Aufl. Edinburgh 2008.

Scottish Prison Service, Opportunity and Responsibility. Edinburgh 1990.

Smith, J.I./Macdonald, I., Criminal Law in an Introduction to Scottish Legal History. Edinburgh 1958, Bd. 20.

Smith, T.B., Scotland: The Development of Its Laws and Constitution. Edinburgh 1962, Kapitel 5.

Tata, C./Hutton, N./Wilson, J./Paterson, A./Hughson, I., A Sentencing Information System for the Scottish High Courts of Justiciary: First Phase of Implementation, Enhancement and Evaluation. Edinburgh 2002.

Rechtsprechung

Stallard v HM Advocate, 1989 SLT 469; 1989 SCCR 248

R v R [1991] All ER 481.

Abkürzungsverzeichnis zum Landesbericht Schottland

All ER	All England Law Reports
c.	chapter
CA	California
CLP	Current Legal Problems (Fachzeitschrift)
Cmnd	Command Papers
CoE	Council of Europe / Europarat
COPFS	Crown Office and Procurator Fiscal Service
EGMR	Europäischer Gerichtshof für Menschenrechte
E.L. Rev.	European Law Review
EMRK	Europäische Konvention zum Schutze der Menschenrechte und Grundfreiheiten vom 4. November 1950
et al.	et alii
EU	Europäische Union
Geo. II	George II (König)
Geo. V	George V (König)
HL	House of Lords
HM	Her/His Majesty
HMSO	Her Majesty's Stationery Office
JC	Justiciary Cases
km	Kilometer
M.L.R	Modern Law Review
OECD	Organisation for Economic Co-operation and Development
R	Regina/Rex
s(s).	section(s)
SC	Session Cases
SCCR	Scottish Criminal Case Reports (Entscheidungssammlung)
sch.	schedule
SLT	Scots Law Times (Entscheidungssammlung)

u.a.	und andere
UK	United Kingdom
UKHL	United Kingdom House of Lords (Entscheidungssammlung)
UN	United Nations
v	versus
Vict.	Victoria (Königin)
Will. IV	William IV (König)
WLR	Weekly Law Reports (Entscheidungssammlung)

Rahmenbedingungen, Vorgaben, Grundlagen
und Entwicklung des Strafrechts in

Schweden

Karin Cornils

Inhaltsverzeichnis

A. Nationale Rahmenbedingungen

1. Geografie

Das Königreich Schweden ist ein überwiegend dünn besiedeltes Land in Nordeuropa, das geografisch charakterisiert ist durch seine langen Küsten und großen Wald- und Seengebiete. Es nimmt den östlichen Teil der skandinavischen Halbinsel ein und erstreckt sich von Norden nach Süden über eine Länge von 1.600 km. Im Westen verläuft die gemeinsame Grenze mit Norwegen, im Nordosten diejenige mit Finnland. Das schwedische Festland grenzt im Osten an den Bottnischen Meerbusen und die Ostsee, im Westen an Kattegat und Skagerrak. Die Küstenlänge beträgt 3.218 km.

Mit einer Gesamtfläche von 449.964 km² zählt Schweden zu den größten Ländern Europas: Es steht hier an sechster Stelle (innerhalb der EU an dritter Stelle) zwischen Spanien und Deutschland. 11 % der Fläche entfallen auf Binnen- und Küstengewässer, 68 % der Landfläche sind mit Wald bedeckt. Zum Staatsgebiet gehören etwa 221.800 Inseln. Gotland (3.001 km²) und Öland (1.344 km²) in der Ostsee sowie Orust (346 km²) im Skagerrak sind die größten von ihnen.

2. Bevölkerung

a) Bevölkerungszahl und -gruppen[1]

Am Jahresende 2007 lebten in Schweden 9.182.927 Menschen. Die 7-Millionen-Grenze war 1950, die 8-Millionen-Grenze 1969 erreicht. Seit den 1970er Jahren wächst die Bevölkerung im Durchschnitt jährlich um 3,4 ‰. Mit seiner Bevölkerungsdichte von 20 Einwohnern pro km² nimmt Schweden innerhalb der EU den vorletzten Rang ein, gefolgt von Finnland.

31 % der schwedischen Bevölkerung lebt in Städten mit mehr als 100.000 Einwohnern; ein Gesamtanteil von 17 % konzentriert sich auf die drei größten Städte Stockholm (795.163), Göteborg (493.502) und Malmö (280.801), die im südlichen Drittel des Landes liegen.

Bis zur Mitte des 20. Jahrhunderts war die Bevölkerung in Schweden hinsichtlich ihrer ethnischen Herkunft, Sprache und Religion homogener als in den meisten

[1] Statistiska Centralbyrån (siehe unten Quellenhinweise).

anderen Ländern. Die einzigen nennenswerten Minderheiten waren einige Tausend Samen und eine etwas größere finnischsprachige Gruppe, die hauptsächlich in den nördlichen Landesteilen lebten. Dieses Bevölkerungsmuster hat sich durch die nach dem Zweiten Weltkrieg einsetzende Einwanderung deutlich verändert. Heute sind ungefähr 12 % der in Schweden ansässigen Menschen im Ausland geboren.

Im Jahr 2007 nahm Schweden 99.485 Einwanderer auf. Allein seit 2005 ist die Einwanderungsrate um 47 % gestiegen. Die Zunahme beruht teilweise auf Maßnahmen der Familienzusammenführung und teilweise auf einem wachsenden Einwanderungsstrom aus Ländern der EU, der sich in den letzten Jahren verdoppelt hat. Gegenwärtig stammen die meisten Immigranten aus dem Irak. Als weitere stark vertretene Ursprungsländer folgen Polen, Dänemark, Somalia, Deutschland, Rumänien, Finnland, Thailand und Norwegen. Deutlich zurückgegangen ist die Einwanderung aus Afghanistan, Iran, Libanon, Bosnien-Herzegowina, Russland und Syrien. (Die Zahl der Asylbewerber aus diesen Ländern sowie insbesondere aus dem Irak nimmt jedoch weiterhin kräftig zu und hat 2007 einen Stand von 2,7 pro 1.000 Einwohner erreicht.) Das durchschnittliche Alter der Immigranten liegt bei 28 Jahren. 63 % von ihnen lassen sich in den südschwedischen Großstädten nieder.

Die Bevölkerung setzt sich derzeit zusammen aus 92,2 % Schweden, 2,5 % einheimischen Finnen und Samen sowie 5,3 % Einwohnern mit fremder Staatsangehörigkeit. Unter Letzteren bilden die nicht-einheimischen Finnen die größte Gruppe (93.474), gefolgt von Irakern (41.516), Norwegern (35.486), Dänen (27.704) und Deutschen (19.071).

Der Anteil der Frauen an der Gesamtbevölkerung liegt mit 50,3 % (total 4.619.006) etwas höher als derjenige der Männer (total 4.563.921). Es werden mehr Jungen als Mädchen geboren, und bis zur Altersgruppe der 64-Jährigen gibt es mehr Männer als Frauen. Bei den älteren Einwohnern überwiegt jedoch der Anteil der Frauen erheblich.

Kinder bis zum Alter von 14 Jahren machen 16 % der Bevölkerung aus, die Altersgruppe der 15- bis 64-Jährigen 65,6 % und die über 64-Jährigen 18,3 %.

b) Sprache

Die Landessprache ist Schwedisch. Daneben sind Finnisch, Tornedalfinnisch (in der schwedisch-finnischen Grenzregion), Jiddisch, Romani, Samisch und die schwedische Gebärdensprache *(tecknad svenska)* als Minoritätensprachen staatlich anerkannt. Die Alphabetisierungsrate (gemessen an der Lesefähigkeit von über 15-Jährigen) beträgt bei Männern wie Frauen 99 %.[2]

---

[2] CIA Factbook (siehe unten Quellenhinweise).

c) Religion

77 % der Bevölkerung gehörten im Jahr 2007 der evangelisch-lutherischen Schwedischen Kirche an, die bis zum Jahresende 1999 Staatskirche war. Zu diesem Zeitpunkt lag ihr Mitgliedsanteil bei 85 % der Gesamtbevölkerung. Heute leben in Schweden circa 1,4 % Muslime, circa 1 % Angehörige der Pfingstbewegung und 0,9 % Katholiken sowie nach Schätzungen von 1999 etwa 23.400 Zeugen Jehovas, 18.000 Juden und 3.000–4.000 Buddhisten.[3]

3. Wirtschaft

Das schwedische Wirtschaftssystem kann als ein marktwirtschaftliches System mit gewisser staatlicher Lenkung bezeichnet werden. Der Staat spielt im Wirtschaftsleben des Landes eine bedeutende Rolle: Die Steuer- und Abgabenquote liegt bei 50 %. Die staatlichen Ausgaben für Güter und Dienstleistungen machen mehr als 30 % des Bruttoinlandsprodukts (BIP) aus; dabei liegen die Schwerpunkte auf den Bereichen Bildung, Erziehung und Gesundheitswesen. Über 20 % des BIP wurden bisher als direkte Transferzahlungen zur sozialstaatlichen Umverteilung verwendet.[4]

Die Volkswirtschaft ist stark exportorientiert (Exportquote 48,6 % des BIP) und geprägt durch einige große, global ausgerichtete Unternehmen. Neben traditionellen Industriezweigen, die sich auf die natürlichen Ressourcen (Eisenerz, Holz und Wasserkraft) stützen, haben sich verschiedene hochtechnologische Branchen entwickelt. Wichtigste Handelspartner Schwedens sind Deutschland, die USA und die nordischen Nachbarländer.[5]

Das Bruttoinlandsprodukt lag 2007 bei 465,683 Mrd. US-$ (319 Mrd. Euro), das entspricht einem Pro-Kopf-BIP von 50.712 US-$ (34.738 Euro). Davon entfielen 1,4 % auf die Landwirtschaft, 28,9 % auf die Industrie und 69,8 % auf den Dienstleistungssektor. Die Wachstumsrate betrug 2,6 %, die Inflationsrate 3,5 %.[6]

Insgesamt waren 2007 in Schweden knapp 5 Mio. Menschen erwerbstätig, davon 2 % in der Landwirtschaft, 24 % in der Industrie und 76 % im Dienstleistungsgewerbe. Das Bruttonationaleinkommen belief sich auf 43.530 US-$ (29.818 Euro). Die Arbeitslosenrate stieg in den letzten Jahren leicht an: 2007 lag sie bei 6,2 % (2006: 5,3 %; 2002: 4,0 %). Hinzu kommt eine relativ hohe verdeckte Arbeitslosigkeit infolge zahlreicher Langzeitkrankschreibungen und Frühverrentungen.[7]

---

[3] Fischer Weltalmanach 2007, 2009; CIA Factbook.

[4] Auswärtiges Amt (siehe unten Quellenhinweise).

[5] CIA Factbook.

[6] Auswärtiges Amt.

[7] Fischer Weltalmanach 2009, 2004; Auswärtiges Amt.

4. Staatsorganisation

Schweden ist eine konstitutionelle Monarchie mit parlamentarischer Regierungsform. Der König ist Staatsoberhaupt mit ausschließlich repräsentativer Funktion. Nach der Verfassung *(regeringsformen)* von 1974 geht alle Staatsgewalt vom Volk aus.[8] Gesetzgebendes Organ ist der Reichstag *(riksdagen)*, der alle vier Jahre nach Verhältniswahlrecht mit einer 4%-Sperrklausel gewählt wird und im Einkammersystem arbeitet. Die Mehrheit des Reichstags wählt einen Ministerpräsidenten, der seinerseits die Regierung ernennt. Die relativ kleinen Ministerien unterstützen die Regierung bei der Vorbereitung ihrer Initiativen im Reichstag sowie bei der Ausarbeitung von Verwaltungserlassen und -anweisungen. Die eigentlichen staatlichen Verwaltungsaufgaben werden von rund 80 mit weitgehenden Befugnissen ausgestatteten zentralen Verwaltungsbehörden erledigt.

Zur Wahrnehmung der staatlichen Verwaltungsaufgaben auf regionaler Ebene ist Schweden in 21 Provinzen *(län)* eingeteilt. An deren Spitze steht jeweils ein von der Regierung ernannter Regierungspräsident *(landshövding)*. Die Provinzen umfassen oft das gleiche Gebiet wie die aus regionalen Wahlen hervorgehenden Provinziallandtage *(landsting)*, die neben den Gemeinden *(kommun)* Organe der kommunalen Selbstverwaltung mit eigener Steuerhoheit sind. In den Zuständigkeitsbereich der Provinziallandtage fallen Gesundheitswesen und Krankenpflege, Regionalverkehr und Verkehrsplanung sowie andere Bereiche, die für die einzelnen Gemeinden zu umfassend und übergreifend sind. Zu den Aufgaben der Gemeinden gehören das Schulwesen, soziale Dienstleistungen, Kinderbetreuung, Feuerwehr, kulturelle Einrichtungen und Erholungsstätten. Eine Gemeinde mit einem geringen Steueraufkommen hat Anrecht auf eine Ausgleichszahlung. Gebiete mit einer rückläufigen Bevölkerungszahl bekommen zur Erhaltung oder Anhebung der Einwohnerzahl oder des Lebensstandards besondere Zuschüsse. Es gibt in Schweden derzeit 20 Provinziallandtage und 289 Gemeinden, darunter eine provinziallandtagsfreie Gemeinde (Gotland).[9]

Das schwedische Gesetzgebungsverfahren ist gekennzeichnet durch besonders gründliche außerparlamentarische Vorarbeiten. Zu jedem größeren Reformvorhaben wird von der Regierung eine besondere Expertenkommission eingesetzt, die den Regelungsbedarf sowie verschiedene Lösungsmöglichkeiten eingehend untersucht und einen konkreten Gesetzesvorschlag ausarbeitet. Anschließend geben sachlich betroffene Körperschaften und Organisationen in einem sogenannten Remissverfahren ihre (in der Regel schriftliche) Stellungnahme zu den Empfehlungen der Kommission ab, bevor das zuständige Ministerium den Regierungsentwurf erarbeitet. Auf diesem Wege können auch Interessenvereinigungen einen spürbaren Einfluss auf die Gesetzgebung nehmen, denn ein massiver Widerstand der Remiss-

---

[8] Siehe näher zur Verfassung unten I.C.

[9] Svenska Institutet (siehe unten Quellenhinweise).

instanzen kann beispielsweise dazu führen, dass ein Gesetzesvorhaben nicht weiter verfolgt oder eine andere Lösung gesucht wird. Regierungsentwürfe werden zunächst vom Gesetzgebungsrat *(lagrådet)*, der aus Richtern der obersten Gerichte besteht, überprüft und schließlich mit einer detaillierten Begründung als Gesetzesvorlage dem Parlament zugeleitet. Dort findet nach einer Behandlung in dem betreffenden Fachausschuss die parlamentarische Abstimmung statt.

5. Kriminalität und Strafverfolgung

a) Ermittlungsbehörden

Prinzipiell gilt in Schweden – bei Offizialdelikten – eine absolute Verfolgungspflicht, das heißt, ein Ermittlungsverfahren ist einzuleiten, „sobald aufgrund einer Anzeige oder aus anderen Gründen Anhaltspunkte dafür bestehen, dass eine der öffentlichen Anklage unterliegende Straftat begangen worden ist“ (Kap. 23 § 1 Abs. 1 Prozessgesetz, *rättegångsbalken*, RB). Ermittlungsbehörden sind die Staatsanwaltschaft *(åklagarmyndigheten)* und die Polizei *(polisen)*. In Fällen von „einfacher Beschaffenheit“ (in der Regel Straßenverkehrsdelikte, Diebstahl, Betrug und Körperverletzung) werden die Ermittlungen von einem Polizeibeamten in gehobener Stellung geleitet. Die Staatsanwaltschaft steht beratend zur Verfügung und kann die Leitung des Ermittlungsverfahrens übernehmen, wenn besondere Gründe (etwa die Notwendigkeit, einen Pflichtverteidiger zu bestellen oder strafprozessuale Zwangsmittel anzuordnen) auftreten. In schwierigeren Fällen gibt die Polizei die Verfahrensleitung an die Staatsanwaltschaft ab, „sobald ein begründeter Tatverdacht gegen eine bestimmte Person gerichtet werden kann“ (Kap. 23 § 3 Abs. 1 RB). Häufig leitet der Staatsanwalt in solchen Fällen die Ermittlungen bereits von Beginn an selbst.

Ungeachtet der jeweiligen Leitungszuständigkeit wird die eigentliche Ermittlungstätigkeit, das heißt Spurensicherung am Tatort, Gegenüberstellungen und insbesondere Vernehmungen von Tatbeteiligten und Zeugen, stets von einem Beamten der Kriminalpolizei selbstständig durchgeführt. Er schaltet den Leiter des Ermittlungsverfahrens beziehungsweise die Staatsanwaltschaft gewöhnlich nur im Zusammenhang mit strafprozessualen Zwangsmitteln ein. In der Praxis liegt somit das Ermittlungsverfahren heute schwerpunktmäßig in den Händen der Polizei.

Die Einstellung in den Polizeidienst setzt voraus, dass der Bewerber die schwedische Staatsangehörigkeit besitzt und im Anschluss an seine abgeschlossene Schulausbildung eine zweijährige Ausbildung an der Polizeihochschule sowie eine sechsmonatige praktische Ausbildung in einer Polizeidienststelle erfolgreich absolviert hat. Im Jahr 2007 standen in Schweden 18.180 Polizisten im Dienst, davon 4.145 Frauen (22,8 %).[10]

Zur Staatsanwaltschaft kann sich bewerben, wer schwedischer Staatsangehöriger ist und ein Studium der Rechtswissenschaft sowie eine anschließende zweijährige praktische Ausbildung beim Untergericht oder Verwaltungsgericht erfolgreich abgeschlossen hat. Innerhalb der Staatsanwaltschaft erfolgt daraufhin eine mindestens neunmonatige sogenannte Aspirantenausbildung.[11]

Im Jahr 2007 wurden rund 1.306.000 Straftaten angezeigt, das sind etwa 14.300 pro 100.000 Einwohner. Im Vergleich zum Vorjahr lag darin ein Anstieg um 7 %, der überwiegend auf vermehrten Anzeigen von Sachbeschädigungs- und Betrugsdelikten beruht. Seit 1975 hat die Zahl der angezeigten Straftaten sich um etwa 70 % erhöht. Der größte Anstieg erfolgte bis 1990. Danach ist das Niveau im Wesentlichen stabil geblieben, wobei sich jedoch die Anteile der einzelnen Deliktsarten unterschiedlich entwickelt haben. Die angezeigten Straftaten gegen Leib und Leben haben zugenommen, während die Anzeigen von Eigentums- und Vermögensdelikten zurückgegangen sind.[12]

Etwa ein Drittel der angezeigten Straftaten (rund 436.000) wurden 2007 aufgeklärt. Die Zahl der aufgeklärten Fälle ist seit 1975 um 57 % gestiegen. Die Aufklärungsrate, das heißt das Verhältnis zwischen angezeigten und aufgeklärten Delikten, hat jedoch heute mit 33 % (nach einem Tiefststand von 25 % in den 1990er-Jahren) noch nicht wieder das Niveau von 1975 (35 %) erreicht.[13]

b) Anklagebehörden

Anklagebehörden sind in Schweden allein die Staatsanwaltschaften *(åklagarmyndigheten)*. Organisatorisch steht an ihrer Spitze der Reichsankläger *(Riksåklagaren)* als oberste Anklagebehörde. Insgesamt sind landesweit circa 840 Staatsanwälte in 40 Kammern tätig. Eine Sondereinheit bildet die Schwerpunktstaatsanwaltschaft für Wirtschaftsstrafsachen *(ekobrottsmyndigheten)* mit weiteren 80 Staatsanwälten.[14]

Nach Abschluss der Ermittlungen überprüft der Staatsanwalt deren Ergebnisse und kann, soweit erforderlich, die Polizei mit ergänzenden Nachforschungen beauftragen. Wenn keine weiteren Aufklärungen notwendig oder möglich sind, beendet der Staatsanwalt das Ermittlungsverfahren durch Beschluss. Dabei kann er alternativ zur Anklageerhebung entweder das Verfahren einstellen oder unter bestimmten

---

[10] Rikspolisstyrelsen (siehe unten Quellenhinweise).
[11] Åklagarmyndigheten (siehe unten Quellenhinweise).
[12] Kriminalstatistik 2007.
[13] Kriminalstatistik 2007.
[14] Åklagarmyndigheten (siehe unten Quellenhinweise).

Voraussetzungen trotz hinreichender Beweislage von einer Anklage absehen (Kap. 20 §§ 6, 7; Kap. 23 §§ 4, 4a RB).

Bei Privatklagedelikten (Beleidigung und üble Nachrede) steht dem Verletzten das Anklagerecht zu (Kap. 5 § 5 Kriminalgesetzbuch, *brottsbalken*, BrB).

Nach durchgeführtem Ermittlungsverfahren wurde 2007 gegen rund 112.300 Personen (darunter 22.224 Frauen) ein begründeter Tatverdacht registriert, dies bedeutet eine Zunahme von 2 % im Vergleich zum Vorjahr und 38 % im Vergleich zu 1975.[15] Dabei ist allerdings zu berücksichtigen, dass auch die Bevölkerungszahl seither deutlich angestiegen ist.[16]

Im Jahr 2007 beschloss die Staatsanwaltschaft in 21.339 Fällen (17 % mehr als im Vorjahr, 54 % mehr als 1998), trotz hinreichender Beweislage von einer Anklage abzusehen *(åtalsunderlåtelse)*, und 41.412 Verfahren (1 % mehr als im Vorjahr, 25 % weniger als 1998) erledigte sie durch Strafbefehl *(strafföreläggande)*.[17]

c) Strafgerichte

Die ordentliche Gerichtsbarkeit gliedert sich in Untergericht (*tingsrätt*: ein Berufsrichter, drei beziehungsweise fünf Laienrichter), Obergericht (*hovrätt*: drei Berufsrichter, zwei Laienrichter) und den Obersten Gerichtshof (*Högsta Domstolen*: fünf Berufsrichter). Landesweit gibt es 53 Untergerichte und sechs Obergerichte.[18]

Eingangsinstanz für nahezu sämtliche Strafsachen (mit Ausnahme von Verfahren wegen bestimmter Amtsdelikte) ist das Untergericht. Gegen dessen Urteile ist die Berufung zum Obergericht gegeben, die eine vollständige Überprüfung der untergerichtlichen Entscheidung ermöglicht und nur bei geringeren Straftaten einer besonderen Zulassung bedarf. Die Obergerichte sind fast ausschließlich mit Berufungsverfahren befasst. Die Revision der Berufungsentscheidungen durch den Obersten Gerichtshof umfasst grundsätzlich wie die Berufung Tatsachen- und Rechtsfehlerkontrolle. Sie dient vorwiegend dazu, die Rechtsprechung durch Präjudikate zu vereinheitlichen und ist für den Verurteilten immer zulassungsbedürftig. Eine „Sprungrevision“ gegen Urteile des Untergerichts kennt das schwedische Prozessrecht nicht.

Die Zulassung zum Richteramt setzt die schwedische Staatsangehörigkeit, das Studium der Rechtswissenschaft sowie eine zweijährige praktische Ausbildung bei einem Untergericht oder Verwaltungsgericht voraus.

---

15 Kriminalstatistik 2007.

16 Siehe oben A.2.a.

17 Kriminalstatistik 2007.

18 Domstolsverket (siehe unten Quellenhinweise).

Im Jahr 2007 wurden 62.405 Angeklagte wegen Straftaten verurteilt, davon 12.479 (20 %) wegen Straftaten gegen die Person, 17.344 (27,8 %) wegen Eigentums- und Vermögensdelikten, 1.057 (0,17 %) wegen Straftaten gegen die Allgemeinheit (gemeingefährliche Delikte, Fälschungsdelikte, Aussagedelikte), 3.549 (0,57 %) wegen Straftaten gegen den Staat, 11.310 (18 %) wegen Straßenverkehrsdelikten, 6.506 (10,4 %) wegen Drogendelikten, 520 (0,08 %) wegen Steuerstraftaten und 9.569 (15,3 %) wegen sonstiger Straftaten.[19]

d) Sanktionen

Das schwedische Sanktionensystem unterscheidet zwischen Sanktionen und anderen Rechtsfolgen für Straftaten. Die Sanktionen gliedern sich gemäß Kap. 1 § 3 BrB wie folgt:

Strafen:	Geldstrafe Gefängnis
andere Sanktionen:	bedingte Verurteilung Schutzaufsicht Überweisung in besondere Fürsorge (Suchtbehandlung, Rechtspsychiatrie) Jugendfürsorge, Jugendarbeit, geschlossene Jugendfürsorge

Andere Rechtsfolgen sind nach Kap. 1 § 8 BrB entweder Schadensersatz oder sogenannte besondere Rechtsfolgen (beispielsweise Einziehung und Verfall, Unternehmensgeldbuße, Führerscheinentzug, Gewerbeverbot, Ausweisung und Dienstentlassung).

Außerhalb dieser Klassifizierung liegen weitere Rechtsfolgen wie etwa die Übernahme der Verfahrenskosten und der Eintrag im Kriminalregister.

Als Strafen im engeren Sinne gelten also nur Geldstrafe *(böter)* und Gefängnis *(fängelse)*. Die Geldstrafe wird hauptsächlich in Form von Tagessätzen *(dagsböter)* verhängt. Sie darf nicht weniger als 30 und nicht mehr als 150 Tagessätze umfassen; die Höhe eines Tagessatzes kann zwischen 50 und 1.000 Kronen liegen (das entspricht etwa 4,50 bis 90 Euro). Die Gefängnisstrafe kann auf eine bestimmte Zeit zwischen 14 Tagen und zehn Jahren oder auf Lebenszeit verhängt werden. Lebenslange Gefängnisstrafen können in zeitlichen Freiheitsentzug von mindestens 18 Jahren umgewandelt werden.

In den Strafdrohungen zu den einzelnen Tatbeständen sind nur Geldstrafe und Gefängnis genannt. Die anderen Sanktionen dürfen jedoch alternativ zu den Strafen auch ohne ausdrückliche Nennung in dem jeweiligen gesetzlichen Strafrahmen angewandt werden (Kap. 1 § 4 BrB). Bedingte Verurteilung *(villkorlig dom)* und

---

[19] Kriminalstatistik 2007.

Schutzaufsicht *(skyddstillsyn)* stehen dabei als selbstständige Alternativen gegenüber der Gefängnisstrafe, nicht aber gegenüber der als milder eingestuften Geldstrafe (Kap. 1 § 5 BrB) zur Verfügung. Die bedingte Verurteilung ist eine eigenständige Bewährungssanktion und besteht in einem Schuldspruch mit der Verpflichtung, während einer zweijährigen Bewährungszeit ohne Überwachung einen ordentlichen Lebenswandel zu führen, nach Kräften für den eigenen Unterhalt zu sorgen und einen eventuell angerichteten Schaden zu ersetzen oder sonst wiedergutzumachen. Kommt der Verurteilte diesen Forderungen nicht nach, so kann das Gericht ihm auf Antrag der Staatsanwaltschaft eine Verwarnung oder geänderte Auflagen erteilen oder als äußerste Reaktion die bedingte Verurteilung aufheben und an deren Stelle eine andere Sanktion für die Straftat festsetzen. Bestimmte Formen der Überweisung in besondere Fürsorge *(överlämnande till särskild vård)*[20] können sowohl Geldstrafe als auch Gefängnis ersetzen. Möglich ist auch die Verhängung einer dieser anderen Sanktionen in Kombination mit einer Strafe. So wird üblicherweise die bedingte Verurteilung mit einer Geldstrafe kombiniert. Die Schutzaufsicht kann mit Geldstrafe oder Gefängnis von höchstens drei Monaten verbunden werden.

Einige der besonderen Rechtsfolgen haben rein strafrechtlichen Charakter (beispielsweise Einziehung und Unternehmensgeldbuße); bei anderen handelt es sich um Deliktsfolgen zivilrechtlicher oder verwaltungsrechtlicher Art. Die Regierung ist verfassungsrechtlich befugt, Sanktionen oder andere Rechtsfolgen für Straftaten im Gnadenwege zu erlassen oder zu mildern (Kap. 11 § 13 RF), und zwar sowohl im Einzelfall als auch durch Amnestie.[21]

Von den 62.405 Verurteilten im Jahr 2007 wurden 25.309 (40,6 %) zu Geldstrafe, 13.973 (22,4 %) zu Gefängnis, 6.341 (10,2 %) zu Schutzaufsicht, 4.273 (6,8 %) zur Überweisung an die Jugendfürsorge, 89 zu geschlossener Jugendfürsorge, 313 zur Überweisung in geschlossene psychiatrischer Pflege und 13 zur Überweisung an die Suchtfürsorge verurteilt. Gegenüber 10.144 Angeklagten (16,3 %) wurde eine bedingte Verurteilung ausgesprochen.[22]

Unter den verhängten Gefängnisstrafen waren 45 % auf höchstens zwei Monate, 26 % auf über zwei und höchstens sechs Monate, 22 % auf mehr als sechs Monate und höchstens zwei Jahre sowie etwa 7 % auf mehr als zwei Jahre bemessen.[23] Die durchschnittlich verhängte Strafdauer hat sich seit 1998 von etwa 6 auf 9 Monate erhöht.

---

20 Siehe näher dazu I.E.3.

21 Zu Begnadigung und Amnestie siehe II.K.

22 Kriminalstatistik 2007.

23 Kriminalstatistik 2007.

e) Strafvollzug

Das schwedische Strafvollzugswesen ist dem Justizministerium unterstellt und gliedert sich organisatorisch in sechs geografische Regionen. Landesweit gibt es 55 Vollzugsanstalten, 31 Untersuchungshaftanstalten und 35 Bewährungsaufsichtsämter für den Freivollzug. Unter den Vollzugsanstalten sind 16 offene und die übrigen geschlossene Einrichtungen; in zehn der geschlossenen Anstalten gibt es darüber hinaus jeweils eine Abteilung für den offenen Vollzug.[24] Die geschlossenen Anstalten sind entsprechend ihrem Sicherheitsgrad in fünf verschiedene Klassen (A–E) eingeteilt; acht von ihnen gehören der höchsten Sicherheitsklasse (A) an. Vier der Untersuchungshaftanstalten sind ebenfalls mit besonderen Hochsicherheitseinrichtungen ausgestattet. Gegenüber der Resozialisierung des Straftäters hat der Schutz der Allgemeinheit als Vollzugsziel in den letzten Jahren an Bedeutung gewonnen.

Neben dem Anstaltsvollzug spielt der sogenannte Freivollzug eine große Rolle. Seine Organe sind verantwortlich für die Bewährungsaufsicht über Personen, die zu einer Sanktion ohne Freiheitsentzug (beispielsweise Schutzaufsicht oder bedingte Verurteilung)[25] verurteilt oder bedingt vorzeitig aus dem Anstaltsvollzug entlassen worden sind.

Im Jahresdurchschnitt 2007 befanden sich in den schwedischen Vollzugsanstalten 4.744 Insassen. Das waren 52 Gefangene mehr als im Vorjahr und 740 mehr als im Jahr 2002. Der Anteil der Frauen schwankt seit einigen Jahren zwischen 4,85 % und 5,85 %. Im September 2007 verbüßten 160 Personen (darunter 5 Frauen) eine lebenslange Gefängnisstrafe. Die verfügbaren Vollzugsplätze in den offenen Anstalten waren 2007 zu 91 %, diejenigen in den geschlossenen Anstalten zu 98 % belegt.[26]

Mit einer Gefangenenrate von 74 (2007) pro 100.000 Einwohner (2006: 79) liegt Schweden im europäischen und weltweiten Vergleich deutlich im unteren Bereich.[27]

---

[24] Kriminalvården (siehe unten Quellenhinweise).

[25] Siehe dazu oben 4.d.

[26] Kriminalvården; Kriminalstatistik 2007.

[27] Council of Europe Annual Penal Statistics Survey 2005; King's College London (siehe unten Quellenhinweise).

Literatur- und Quellenhinweise zu Abschnitt A.

Allgemeine Literatur:

Findeisen, Jörg-Peter, Schweden. Von den Anfängen bis zur Gegenwart. 2. Aufl. Regensburg 2005.

Cornils, Karin, Strafrechtsvergleichung in der Praxis. Tidskrift utgiven av Juridiska Föreningen i Finland. Festausgabe für Per Ole Träskman zum 60. Geburtstag, 140. Jahrg. (2004), 279–293.

Cornils, Karin/Jareborg, Nils, Das schwedische Kriminalgesetzbuch – Brottsbalken. Deutsche Übersetzung und Einführung. Freiburg 2000.

Bevölkerung:

Der Fischer Weltalmanach 2007/2009. Zahlen, Daten, Fakten. Frankfurt am Main 2006/2008, S. 416/S. 409.

Statistiska centralbyrån (Statistisches Zentralamt):

http://www.scb.se/templates/tableOrChart____224772.asp

http://www.scb.se/templates/tableOrChart____228197.asp

http://www.scb.se/templates/tableOrChart____231096.asp

http://www.scb.se/templates/tableOrChart____231104.asp

http://www.scb.se/templates/tableOrChart____78315.asp

http://www.ssd.scb.se/databaser/makro/SaveShow.asp

Sprache:

CIA The World Factbook:

https://www.cia.gov/library/publications/the-world-factbook/geos/sw.html#People

Religion:

Der Fischer Weltalmanach 2007/2009. Zahlen, Daten, Fakten. Frankfurt am Main 2006/2008, S. 416/S. 409.

CIA The World Factbook:

https://www.cia.gov/library/publications/the-world-factbook/geos/sw.html#People

Wirtschaft:

Der Fischer Weltalmanach 2004/2009. Zahlen, Daten, Fakten. Frankfurt am Main 2003/2008, Sp. 726/S. 409.

Svenska Institutet (Staatlicher Informationsdienst):

http://www.sweden.se/templates/cs/FactSheet____14875.aspx

Auswärtiges Amt:

http://www.auswaertiges-amt.de/diplo/de/Laenderinformationen/Schweden/Wirtschaft.html

CIA The World Factbook:

https://www.cia.gov/library/publications/the-world-factbook/geos/sw.html#Econ

Staatsorganisation:

Svenska Institutet (Staatlicher Informationsdienst):

http://www.sweden.se/templates/cs/FactSheet____12241.aspx

Ermittlungsbehörden:

Kriminalstatistik 2007. Brottsförebyggande rådet, Rapport 2008:17. Stockholm 2008, S. 37 ff. Tabellen 1.1., 1.2., 1.4.; 69 ff.

Brottsutvecklingen i Sverige fram till 2007 (Die Kriminalitätsentwicklung in Schweden bis 2007). Brottsförebyggande rådet, Rapport 2008:23, Stockholm 2008, S. 30–47; 448–473.

Rikspolisstyrelsen (Zentrale Polizeibehörde):

http://www.polisen.se/inter/nodeid=6030&pageversion=1.jsp

Anklagebehörden:

Kriminalstatistik 2007. Brottsförebyggande rådet, Rapport 2008:17, Stockholm 2008, S. 102 ff.

Brottsutvecklingen i Sverige fram till 2007 (Die Kriminalitätsentwicklung in Schweden bis 2007). Brottsförebyggande rådet, Rapport 2008:23. Stockholm 2008, S. 47–52.

Åklagarmyndigheten (Zentrale Anklagebehörde):

http://www.aklagare.se/Om-oss/Aklagarkamrarna/

http://www.aklagare.se/Jobb/Rekrytering-av-aklagare/

Strafgerichte:

Cornils, Karin, Die Richterausbildung in Skandinavien. Deutsche Richterzeitung 1982, 129–135.

– Landesbericht Schweden. In: Walter Perron (Hrsg.), Die Beweisaufnahme im Strafverfahrensrecht des Auslands. Freiburg 1995, S. 435–488.

Schütz-Gärdén, Bettina/Cornils, Karin, Landesbericht Schweden. In: Monika Becker/Jörg Kinzig (Hrsg.), Rechtsmittel im Strafrecht. Freiburg 2000, S. 379–418.

Kriminalstatistik 2007. Brottsförebyggande rådet, Rapport 2008:17. Stockholm 2008, S. 164 ff., Tabelle 4.8.

Brottsutvecklingen i Sverige fram till 2007 (Die Kriminalitätsentwicklung in Schweden bis 2007). Brottsförebyggande rådet, Rapport 2008:23. Stockholm 2008, S. 49–52; S. 417–447.

Domstolsverket (Zentrale Gerichtsverwaltung):

http://www.domstol.se/templates/DV_InfoPage____752.aspx

Sanktionen:

Cornils, Karin, Zur Reform des Sanktionensystems in Schweden und Deutschland. In: Petter Asp u.a. (Hrsg.), Flores juris et legum. Festschrift für Nils Jareborg. Uppsala 2002, S. 151–167.

– Landesbericht Schweden. In: Hans-Heinrich Jescheck (Hrsg.), Die Freiheitsstrafe und ihre Surrogate im deutschen und ausländischen Recht. Baden-Baden 1983, S. 781–860.

Cornils, Karin, Gemeinnützige Arbeit in den nordischen Ländern. Monatsschrift für Kriminologie und Strafrechtsreform 1995, 322–329.

Jareborg, Nils/Zila, Josef, Straffrättens påföljdslära (Rechtsfolgenlehre des Strafrechts). 2. Aufl. Stockholm 2007.

Strafvollzug:

Cornils, Karin, Strafvollzug in Freiheit und Bewährungshilfe in Schweden. In: Frieder Dünkel/Gerhard Spieß (Hrsg.), Strafaussetzung zur Bewährung und Bewährungshilfe im internationalen Vergleich. Freiburg 1983, S. 123–147.

Kriminalstatistik 2007. Brottsförebyggande rådet, Rapport 2008:17. Stockholm 2008, S. 142 f., Figur 4.16.; S. 164 ff., Tabelle 4.8.; S. 202 ff.

Kriminalvården (Zentralamt für den Strafvollzug):

http://www.kriminalvarden.se/templates/KVV_InfopageGeneral____3705.aspx

http://www.kriminalvarden.se/upload/Informationsmaterial/Svar%20Direkt%2007.pdf

Council of Europe:

http://www.uni-heidelberg.de/institute/fak2/krimi/deolling/SS%2008/Strafvollzug/08%20Tab%20Gefangenenzahlen%20Europa.pdf

King's College London:

http://www.kcl.ac.uk/depsta/law/research/icps/worldbrief/wpb_country.php?country=166

http://www.kcl.ac.uk/depsta/law/research/icps/worldbrief/wpb_stats.php?area=europe&category=wb_poprate

http://www.kcl.ac.uk/depsta/law/research/icps/worldbrief/wpb_stats.php?area=all&category=wb_poprate

B. Rechtsvergleichende und internationale Einordnung

1. Rechtsvergleichende Einordnung des Landesrechts

Schweden wird in der rechtsvergleichenden Fachliteratur zumeist dem kontinentaleuropäischen Rechtskreis und teilweise innerhalb dessen einer eigenen Untergruppe der nordischen Länder zugeordnet. Einige Autoren sprechen von einem selbstständigen nordischen Rechtskreis.

Tatsächlich weist das materielle schwedische Strafrecht deutliche Ähnlichkeiten mit dem Recht anderer kontinentaleuropäischer Länder auf, von denen es in seiner historischen Entwicklung beeinflusst worden ist. Ein grundlegendes gemeinsames Merkmal besteht in der ausgeprägten Kodifikationspraxis. Sie hat in Schweden eine besonders lange Tradition.[1] Im Bereich des Verfahrensrechts ist demgegenüber eine jüngere Entwicklung zu beobachten, die den schwedischen Strafprozess in gewissem Umfang dem angloamerikanischen Parteiverfahren annähert.[2] Hier erfolgt auch die Rechtsfortbildung nicht allein im Wege der Gesetzgebung, sondern teilweise durch gewohnheitsrechtliche Auslegung und Spruchpraxis. Das moderne schwedische Strafprozessrecht ist deshalb nicht mehr uneingeschränkt dem kontinentaleuropäischen Rechtskreis zuzuordnen.

Die Zusammenfassung mit den nordischen Nachbarstaaten ist insofern zutreffend, als Schweden mit ihnen bestimmte Gemeinsamkeiten aufweist, die sich in der Rechtskultur als stilprägend erwiesen haben und Unterschiede gegenüber anderen Gruppen des kontinentaleuropäischen Rechtskreises bilden.

Neben der geografischen Nähe ist es vor allem die geschichtliche Entwicklung, die die Rechtsordnungen der nordischen Länder nachhaltig beeinflusst hat. So waren Schweden und Finnland einerseits sowie Dänemark, Norwegen und Island andererseits über viele Jahrhunderte politisch miteinander verbunden. Nachdem Finnland im 12. und 13. Jahrhundert von den Schweden erobert worden war, kam es vorübergehend zu einer Vereinigung der drei nordischen Königreiche Dänemark, Norwegen und Schweden (*Kalmarer Union* 1397–1523). Anschließend standen Norwegen und Island für mehr als 400 Jahre unter dänischer Herrschaft, während Finnland bis 1809 weiterhin einen Teil des schwedischen Reiches bildete. Diese Gruppierung in eine westnordische (Dänemark und Norwegen) und eine ostnordische (Finnland und Schweden) Staatengemeinschaft hat in den beteiligten Ländern vielfältige Spuren hinterlassen und ist noch heute in ihren Rechtsordnungen erkennbar.

Gemeinsame historische Grundlage für die Rechtsentwicklung war das altgermanische Recht, das mit regionalen Abweichungen bereits im Mittelalter in zahl-

[1] Siehe dazu weiter unten sowie ausführlich I.G.2.

[2] Siehe näher dazu I.G.3.

reichen Landschaftsgesetzen und Stadtrechten aufgezeichnet wurde. Während die übrigen kontinentaleuropäischen Länder sich zu dieser Zeit bereits in starkem Maße am römischen Recht orientierten, setzte dessen Einfluss im Norden erst später ein und spielte dort eine geringere Rolle. Im Gegensatz zu den nach Systematik strebenden Rechtsgelehrten Zentraleuropas, die mit hypothetischen Fällen, allgemeinen Grundsätzen und abstrakten Begriffsbildungen arbeiteten, bewahrten die nordischen Juristen einen ausgeprägten Sinn für pragmatische Lösungen und blieben stets skeptisch gegenüber Begriffsdenken und theoretischen Systemgebäuden. Ihre Länder waren die ersten in Europa, die umfassende nationale Gesetzbücher zum Privat-, Straf- und Prozessrecht erließen (das *Danske Lov* von 1683, das im norwegischen Reichsgebiet als *Norske Lov* 1687 in Kraft trat, und das *Sveriges rikes lag* von 1734 für Schweden und Finnland). Diese Gesetzbücher bestehen überwiegend aus kasuistischen Regelungen, die in einfacher, volkstümlicher Sprache gehalten sind und auf theoretische Verallgemeinerungen weitgehend verzichten. Sie wurden niemals formell aufgehoben und gelten in einzelnen Bestimmungen noch heute.

Die Gemeinsamkeiten der nordischen Länder aufgrund ihrer Nachbarschaft, des ähnlichen religiösen Hintergrunds sowie der Parallelen in der wirtschaftlichen, sozialen und kulturellen Entwicklung sind in jüngerer Zeit durch eine innernordische rechtliche Zusammenarbeit genutzt und verstärkt worden.[3] Im Bereich des Strafrechts zeigen sich die Erfolge dieser Kooperation bisher im Wesentlichen durch eine gewisse Annäherung der Sanktionssysteme und eine weitgehende zwischenstaatliche Rechtshilfe in Strafsachen. Im Übrigen weisen die einzelnen Strafrechtsordnungen aber eine große Eigenständigkeit auf mit teilweise tiefgreifenden Unterschieden selbst in den Grundfragen der allgemeinen Lehren (beispielsweise hinsichtlich Verbrechensbegriff, Versuch und Tatbeteiligung sowie der Zurechnungsfähigkeit als Strafbarkeitsvoraussetzung). Auch in den Strafverfahrensordnungen bestehen erhebliche Abweichungen (etwa in Bezug auf die Geltung von Legalitäts- oder Opportunitätsprinzip sowie die Laienbeteiligung in Form einer Jury). Insgesamt ist die Neigung zum Pragmatismus heute in Dänemark und Norwegen deutlicher ausgeprägt als in Finnland und Schweden. Es kann deshalb keineswegs von einem einheitlichen nordischen Recht gesprochen werden.

Im Vergleich zu den übrigen kontinentaleuropäischen Rechtsordnungen treten freilich die oben beschriebenen Gemeinsamkeiten deutlich hervor, sodass es zweifellos gerechtfertigt ist, die nordischen Länder in einer eigenen Gruppe, wenn nicht sogar – wie teilweise empfohlen – in einem selbstständigen Rechtskreis zusammenzufassen. Letzteres wäre insbesondere mit Blick auf das Strafverfahrensrecht vorzuziehen.

---

[3] Zum Nordischen Rat und Ministerrat siehe unten B.2.

2. Einfluss internationaler Bindungen

a) Mitgliedschaft in internationalen und regionalen Organisationen

Schweden gehört zu den Gründungsmitgliedern der Vereinten Nationen (1946) und des Europarats (1949). Es hat sich der OECD 1961 und der OSZE (ehemals KSZE) 1973 angeschlossen.

Der Europäischen Union ist Schweden – nach anfänglichem Zögern – 1995 beigetreten (SFS 1994:1500). Seitdem wird auch das schwedische Strafrecht – wie das der übrigen Mitgliedstaaten – durch Richtlinien, Verordnungen und Rahmenbeschlüsse der Gemeinschaftsorgane spürbar beeinflusst. Der Einfluss besteht zum einen darin, dass Schweden veranlasst wird, bestimmte Handlungstypen unter Strafe zu stellen. So sind unter anderem Subventionsmissbrauch, Geldwäsche, Menschenhandel und terroristische Straftaten in Umsetzung von EU-Rechtsakten kriminalisiert worden. Zum anderen ergibt sich die negative Verpflichtung für Schweden, keine Gesetze zu erlassen oder anzuwenden, die im Widerspruch zum Gemeinschaftsrecht stehen. Schließlich wirkt sich die EU-Mitgliedschaft im Bereich des Verfahrensrechts aus, wo besondere Strafverfolgungsmaßnahmen und -zuständigkeiten sowie vereinfachte Formen der Zusammenarbeit innerhalb der Gemeinschaft eingeführt worden sind, beispielsweise der „Europäische Haftbefehl“ (*lag om överlämnande från Sverige enligt en europeisk arresteringsorder*, SFS 2003:1156).

Zur Stärkung der innernordischen Kooperation haben sich Dänemark, Island, Norwegen und Schweden 1952 im Nordischen Rat zusammengeschlossen, dem Finnland nachträglich beigetreten ist. Der 1971 als gemeinsames Organ der beteiligten Regierungen eingesetzte Nordische Ministerrat führt die Zusammenarbeit auf Ressortebene weiter. Die Justizminister verfolgen das Ziel einer Harmonisierung ihrer verschiedenen Rechtsordnungen. Dabei wird nicht in erster Linie eine Rechtsvereinheitlichung angestrebt, sondern eher eine strukturelle Angleichung sowie Einigkeit über die tragenden Prinzipien der einzelnen Rechtsgebiete. Im Bereich des Strafrechts wird in letzter Zeit ein zunehmender Bedarf an gegenseitiger Abstimmung in Reformfragen und zwischenstaatlicher Rechtshilfe gesehen. Schwerpunktthemen seit 2000 sind Kinder- und Jugendkriminalität, Frauenhandel, organisierte Kriminalität, insbesondere Geldwäsche, Sexualstraftaten gegen Kinder sowie rassistisch und nazistisch geprägte Kriminalität, Terrorismus, das Sanktionsniveau, die Stellung des Verletzten im Strafverfahren und der „Nordische Haftbefehl“.

Gemeinsam mit Dänemark, Deutschland, Estland, Finnland, Island, Lettland, Litauen, Norwegen, Polen und Russland gehört Schweden dem 1992 gegründeten Ostseerat an, in dem neben diesen Ländern die Europäische Kommission gleichberechtigt vertreten ist. Die zwischenstaatliche Zusammenarbeit im Rahmen des Ostseerates bezieht sich vor allem auf den Bereich nicht-militärischer Sicherheitsrisiken. Hierzu wird insbesondere die grenzüberschreitende organisierte Kriminalität gezählt, mit deren Bekämpfung sich eine 1996 eingesetzte Expertengruppe *(Task-Force on Organized Crime in the Baltic Sea Region)* befasst. Sie bündelt und koordiniert die Bemühungen der Mitgliedstaaten, transnationalen Problemen wie Menschenhandel, illegaler Einwanderung, Waffen- und Drogenschmuggel sowie Geldwäsche zu begegnen. Zwar haben die Beschlüsse des Ostseerates lediglich politische, keine rechtliche Bindungswirkung, doch spielen die gemeinsam entwickelten und erfolgreich praktizierten Kontrollmaßnahmen eine wichtige Rolle in der Arbeit der schwedischen Strafverfolgungsbehörden.

b) Beteiligung an völkerrechtlichen Verträgen

Aus der Vielzahl strafrechtlich relevanter völkerrechtlicher Verträge, die Schweden in den letzten Jahrzehnten eingegangen ist, werden im Folgenden nur einige markante Beispiele dargestellt. Völkerrechtliche Regelungen erlangen nach schwedischem Recht keine unmittelbare Geltung auf nationaler Ebene, hierfür bedarf es nach dem dualistischen Prinzip eines gesonderten Übernahmegesetzes.

– *Menschenrechte*

Im Jahr 1952 hat Schweden die *Europäische Konvention zum Schutze der Menschenrechte und Grundfreiheiten* (EMRK 1950) ratifiziert und sie 1994 einschließlich der Zusatzprotokolle in das nationale Recht inkorporiert (SFS 1994:1219). Zwar hat die EMRK dort nur den formellen Status eines einfachen Gesetzes; doch spielt sie für die Auslegung anderer Gesetze sowie insbesondere auch für die Grundrechte in der schwedischen Verfassung eine wesentliche Rolle.[4]

Seine Verpflichtung aus den *Übereinkommen* der Vereinten Nationen (1984) und des Europarates (1987) *gegen Folter und unmenschliche oder erniedrigende Behandlung oder Strafe* (ratifiziert 1986 beziehungsweise 1988) hat Schweden bisher noch nicht durch die Schaffung eines speziellen Straftatbestands umgesetzt. Das Kriminalgesetzbuch (*brottsbalken*, BrB) nennt jedoch Folterung als Beispiel für einen schweren Fall der Nötigung (Kap. 4 § 4 Abs. 2). In einem seit 2002 vorliegenden Entwurf eines Gesetzes über Völkerrechtsstraftaten (SOU 2002:98) ist die Kriminalisierung von Folter und anderer grausamer oder unmenschlicher Behandlung als Kriegsverbrechen beziehungsweise Straftat gegen die Menschlichkeit vorgesehen.

---

[4] Siehe näher dazu unten I.C.1. sowie I.F.1. und 2.

– *Humanitäres Völkerrecht*

Auf dem Gebiet des humanitären Völkerrechts ist Schweden unter anderem den *Haager Abkommen III–VII, IX, XI* und *XIII* von 1907, dem *Genozid-Abkommen* von 1948, den *Genfer Konventionen* von 1949 samt Zusatzprotokollen I und II von 1977 und der *UN-Konvention* von 1980 *über bestimmte konventionelle Waffen* samt Zusatzprotokollen I, II und III beigetreten. Zur Erfüllung der schwedischen Verpflichtungen aus diesen Verträgen enthält das Kriminalgesetzbuch den besonderen Tatbestand der Völkerrechtsstraftat (Kap. 22 § 6 BrB). Darin sind schwere Verstöße gegen Abkommen oder allgemeine Grundsätze des humanitären Kriegsvölkerrechts pauschal kriminalisiert sowie auch bestimmte Kriegsverbrechen durch eine beispielhafte Aufzählung ausdrücklich erfasst. Weitere Tatbestände stellen die unerlaubte Befassung mit chemischen Waffen (Kap. 22 § 6 a BrB) und Antipersonenminen (Kap. 22 § 6 b BrB) sowie unerlaubte Nuklearversuche (Kap. 22 § 6 c BrB) unter Strafe. Die Strafbarkeit des Völkermordes ist in einem besonderen Gesetz (*lag om straff för folkmord*, SFS 1964:169) geregelt.

Nach dem oben erwähnten Entwurf eines Gesetzes über Völkerrechtsstraftaten (SOU 2002:98) soll eine Reihe sehr detaillierter Straftatbestände geschaffen werden, deren Inhalt teilweise über die vertraglich festgelegten sowie auch gewohnheitsrechtlich allgemein anerkannten Grundsätze des Völkerstrafrechts hinausgeht. Neben Kriegsverbrechen und Straftaten gegen die Menschlichkeit soll hier künftig auch der Völkermord definiert und unter Strafe gestellt sein.

Der Entwurf sieht ebenfalls vor, dass in dem neuen Gesetz die *Nichtanwendbarkeit der Verjährungsvorschriften auf Kriegsverbrechen und Verbrechen gegen die Menschlichkeit* geregelt wird. Dem entsprechenden Übereinkommen der Vereinten Nationen von 1968 hat sich Schweden bisher nicht angeschlossen.

Den entscheidenden Impuls zu den Reformarbeiten hat die 2001 erfolgte Ratifizierung des *Rom-Statuts für den Internationalen Strafgerichtshof* (1998) gegeben. Die prozessuale Umsetzung des Rom-Statuts erfolgte durch das Gesetz über die Zusammenarbeit mit dem Internationalen Strafgerichtshof (*lag om samarbete med Internationella brottmålsdomstolen*, SFS 2002:329).

– *Organisierte Kriminalität*

Aus Anlass des 2004 ratifizierten *Übereinkommens* der Vereinten Nationen *gegen grenzüberschreitende organisierte Kriminalität* (2000) sowie des entsprechenden EU-Rahmenbeschlusses von 2005 wird in Schweden derzeit erwogen, Versuch, Vorbereitung und Verabredung bestimmter Delikte sowie die Beteiligung daran in weiter gehendem Umfang als bisher zu kriminalisieren.

Die Zusatzprotokolle Nr. 12 a und 12 b zu dem genannten Übereinkommen (ratifiziert 2004 beziehungsweise 2006) haben ihren Niederschlag insoweit gefunden, als in das Kriminalgesetzbuch ein Straftatbestand des Menschenhandels (Kap. 4

§ 1 a BrB, SFS 2002:436) und in das Ausländergesetz ein Straftatbestand des Menschenschmuggels (Kap. 20 § 8 *utlänningslag*, SFS 2005:716) eingeführt wurde.

– *Terrorismusbekämpfung*

Bereits aufgrund der *Abkommen* von Tokio (1963) und Montreal (1971/1988) *zur Bekämpfung illegaler Handlungen an Bord von Luftfahrzeugen sowie auf Flughäfen der internationalen zivilen Luftfahrt* hat der schwedische Gesetzgeber die kernstrafrechtlichen Tatbestände der Kaperung, der See- und Luftfahrtsabotage und der Flugplatzsabotage (Kap. 13 §§ 5 a und 5 b BrB) geschaffen.

Eine neue Gesetzgebungswelle erfolgte im Anschluss an das *Europäische Übereinkommen zur Bekämpfung des Terrorismus* (1977/2003) sowie an die UN-*Übereinkommen zur Bekämpfung terroristischer Bombenanschläge* (1997, ratifiziert 2001) und *der Finanzierung von Terrorismus* (1999, ratifiziert 2002). Auf deren Grundlage wurden unter anderem das Gesetz über die Bestrafung der Finanzierung besonders schwerer Verbrechen (*lag om straff för finansiering av särskilt allvarlig brotsslighet i vissa fall m.m.*, SFS 2002:444) und das Gesetz über die Bestrafung terroristischer Verbrechen (*lag om straff för terroristbrott*, SFS 2003:148) erlassen.

– *Wirtschaftskriminalität*

Die *Übereinkommen* des Europarates *zur Geldwäsche* (1990/2005) hatten in Schweden ein Gesetz über Maßnahmen gegen Geldwäsche (*lag om åtgärder mot penningtvätt*, SFS 1993:768/1999:162) und die Einführung von Straftatbeständen der Geldhehlerei (Kap. 9 §§ 6 a und 7 a BrB) zur Folge.

Veranlasst durch die *OECD-Konvention gegen die Bestechung ausländischer Amtsträger* (1997, ratifiziert 1999) und das *Übereinkommen über die Bekämpfung der Bestechung, an der Beamte der Europäischen Gemeinschaften oder der Mitgliedstaaten der Europäischen Union beteiligt sind* (1997, ratifiziert 1999) wurden 2004 die Tatbestände der aktiven und passiven Bestechung im Kriminalgesetzbuch (Kap. 17 § 7, Kap. 20 § 2) erweitert.

– *Rechtshilfe und justizielle Zusammenarbeit in Strafsachen*

Das schwedische Auslieferungsgesetz (*lag om utlämning för brott*, SFS 1957:668) geht auf das *Europäische Auslieferungsübereinkommen* (1957) und das *Übereinkommen über die Auslieferung zwischen den Mitgliedstaaten der Europäischen Union* (1996) zurück, das schwedische Gesetz über internationale Rechtshilfe in Strafsachen (*lag om internationell rättslig hjälp i brottmål*, SFS 2000:562) auf die *Rechtshilfeabkommen* des Europarates (1959/1978/2001) und der EU (2000).

Die europäischen *Übereinkommen über die Überwachung bedingt verurteilter oder bedingt entlassener Personen* (1964), über die *Übertragung der Strafverfolgung* (1972), über die *internationale Geltung von Strafurteilen* (1970) und die *Überstellung verurteilter Personen* (1983/1997) haben zu einer Reihe von Sondergesetzen geführt (*lag om internationellt samarbete rörande kriminalvård i frihet*, SFS 1978:801; *lag om internationellt samarbete rörande lagföring för brott*, SFS 1976:19; *lag om internationellt samarbete rörande verkställighet av brottmålsdom*, SFS 1972:260).

In Umsetzung des *Schengener Abkommens* (1985) und des *Schengener Durchführungsübereinkommens* (1990) wurden Gesetze über die internationale polizeiliche Zusammenarbeit (*lag om internationellt polisiärt samarbete*, SFS 2000:343) und über das Schengener Informationssystem (*lag om Schengens informationssystem*, SFS 2000:344) erlassen, die die rechtliche Grundlage für die Zusammenarbeit mit den Schengen-Vertragsstaaten bilden.

Literaturhinweise zu Abschnitt B.

Abrahamsson, Olle, Det nordiska lagstiftningssamarbetets framtid i ett EU-perspektiv (Die Zukunft der nordischen Zusammenarbeit auf dem Gebiet der Gesetzgebung aus einer EU-Perspektive). Svensk Juristtidning 2001, 1–11.

Asp, Petter, Nordic Judicial Co-operation in Criminal Matters. Uppsala 1998.

Bernitz, Ulf, Nordic legislative cooperation in the new Europe. A challenge for the Nordic countries in the EU perspective. Scandinavian Studies in Law, Vol. 39. Stockholm 2000, 29–58.

Bernitz, Ulf/Wiklund, Ola (Hrsg.), Nordiskt lagstiftningssamarbete i det nya Europa (Nordische Zusammenarbeit auf dem Gebiet der Gesetzgebung im neuen Europa). Stockholm 1996.

Bjarup, Jes, Skandinavischer Realismus. Hägerström, Lundstedt, Olivecrona, Ross. München 1978.

Björne, Lars, Nordische Rechtssysteme. Ebelsbach 1987.

Blandhol, Sverre, Nordisk rettspragmatisme. Savigny, Ørsted och Schweigaard om vitenskap og metode (Nordischer Rechtspragmatismus. Savigny, Ørsted und Schweigaard über Wissenschaft und Methode). Kopenhagen 2005.

Bogdan, Michael, Komparativ rättskunskap (Vergleichende Rechtswissenschaft). 2. Aufl. Stockholm 2003, S. 76–83.

Cornils, Karin, Grundlagen der Strafverfolgung völkerrechtlicher Verbrechen in Schweden. In: Albin Eser/Helmut Kreicker (Hrsg.), Nationale Strafverfolgung völkerrechtlicher Verbrechen. Freiburg 2003, S. 183–278.

Cornils, Karin/Greve, Vagn, Strafrechtliche Zusammenarbeit zwischen den Nordischen Ländern. In: Ulrich Sieber/Marianne Wade (Hrsg.), Structures and Perspectives of European Criminal Justice, in Vorbereitung.

David, René/Grasmann, Günther, Einführung in die großen Rechtssysteme der Gegenwart. München 1988, S. 21–154.

Ekeberg, Birger, Nordisk rättsgemenskap (Nordische Rechtsgemeinschaft). In: O.A. Borum/Knud Illum (Hrsg.), Festskrift til Henry Ussing. Kopenhagen 1951, S. 110–125.

Hellner, Jan, Rechtsvereinheitlichung im skandinavischen Rechtskreis. In: Helmut Coing u.a. (Hrsg.), Methoden der Rechtsvereinheitlichung. Frankfurt 1974, S. 27–34.

Husa, Jaakko/Nuotio, Kimmo/Pihlajamäki, Heikki (eds.), Nordic Law – Between Tradition and Dynamism. Antwerp, Oxford 2007.

Jareborg, Nils/Asp, Petter (Hrsg.), Svensk internationell straffprocessrätt (Schwedisches internationales Strafverfahrensrecht). Uppsala 1995.

Malmström, Åke, The System of Legal Systems. Scandinavian Studies in Law, Vol. 13, Stockholm 1969, 129–149.

Modeen, Tore, Rechtsvereinheitlichungsbestrebungen in den nordischen Staaten. Zeitschrift für vergleichende Rechtswissenschaft 1970, 156–172.

NORD 1987:36, Nordiska samarbetsorgan. Pohjoismaisia yhteistyöelimiä (Nordische Kooperationsorgane). Stockholm 1987.

NU 1976:8, Cooperation agreements between the Nordic countries. A compilation of some of the basic cooperation agreements between Denmark, Finland, Iceland, Norway and Sweden. Stockholm 1976.

NU 1976:32, Oversikt over det nordiske lovsamarbeides utvikling og resultater (Übersicht über die Entwicklung und Ergebnisse der nordischen Zusammenarbeit auf dem Gebiet der Gesetzgebung). Stockholm 1977.

NU B 1977:25, Straffsystemer i Norden (Strafsysteme im Norden). Stockholm 1977.

NU A 1978:4, Cooperation agreements between the Nordic countries. Stockholm 1978.

NU 1979:3, Nordic Council, Instruments and Achievements. Stockholm 1979.

Rheinstein, Max, Einführung in die Rechtsvergleichung. 2. Aufl. München 1987, S. 83 ff.

Ring, Gerhard/Olsen-Ring, Line, Einführung in das skandinavische Recht. München 1999, S. 1–17.

SOU 2002:98, Internationella brott och svensk jurisdiktion. Betänkande av Internationella straffrättsutredningen (Völkerrechtliche Straftaten und schwedische Strafgewalt. Reformgutachten der Sachverständigenkommission für internationales Strafrecht). Stockholm 2002.

Strömholm, Stig, Nordiskt samarbete, utvecklingslinjer och argument (Nordische Zusammenarbeit, Entwicklungslinien und Argumente). In: Mogens Koktvedgaard (Hrsg.), Festskrift til Professor, dr. jur. W.E. von Eyben. Kopenhagen 1982, S. 173–189.

Sundberg, Jacob W.F., Civil Law, Common Law and the Scandinavians. Scandinavian Studies in Law, Vol. 13. Stockholm 1969, 179–205.

TemaNord 2000:614, Utvecklingen av det nordiska lagstiftningssamarbetet under inverkan av EU och EES (Die Entwicklung der nordischen Zusammenarbeit auf dem Gebiet der Gesetzgebung unter dem Einfluss von EU und EWR). Kopenhagen 2000.

Turner, Barry, The other European community: the Nordic Council. London 1981.

Waaben, Knud, Retssammenligning og retsfælleskab i nordisk strafferet (Rechtsvergleichung und Rechtsgemeinschaft im nordischen Strafrecht). Svensk Juristtidning 1969, 102–112.

Wersäll, Fredrik, Straffrättsligt samarbete i ett gränslöst Norden (Strafrechtliche Zusammenarbeit in einem grenzenlosen Norden). Nordisk Tidsskrift for Kriminalvidenskab 2006, 122–126.

Zweigert, Konrad/Kötz, Hein, Einführung in die Rechtsvergleichung. 3. Aufl. Tübingen 1996, S. 270–285.

C. Verfassungsrechtliche Vorgaben

1. Übergesetzliche Regelungen als Träger strafrechtlicher Prinzipien

– *Die Verfassung*

Bereits seit dem 14. Jahrhundert wird Schweden auf der Grundlage geschriebener Verfassungen regiert. Die heute geltende Verfassung besteht aus vier einzelnen Grundgesetzen: dem Gesetz über die Regierungsform von 1974, das die wesentlichen staatsrechtlichen Bestimmungen sowie Garantien für Grund- und Freiheitsrechte enthält, die Thronfolgeordnung von 1810, die Pressefreiheitsverordnung von 1949 und das Grundgesetz zur Freiheit der Meinungsäußerung von 1991.[1]

Diese Grundgesetze stehen im Rang über den einfachen Gesetzen und es gelten für sie besondere Regeln hinsichtlich der Verabschiedung, Änderung oder Aufhebung ihrer Vorschriften. Hierfür ist nicht, wie in vielen anderen Ländern, eine qualifizierte Mehrheit erforderlich, sondern zwei gleichlautende Parlamentsbeschlüsse, zwischen denen eine Reichstagswahl stattgefunden haben muss. Auf diese Weise sollen übereilte Beschlüsse verhindert werden und die Bevölkerung Gelegenheit erhalten, durch ihr Abstimmungsverhalten bei der Reichstagswahl eine geplante Verfassungsänderung zu beeinflussen.

Das Gesetz über die Regierungsform (*regeringsformen*, RF, in der Fassung der Bekanntmachung SFS 2003:593) stellt die eigentliche Verfassung dar und wird von den übrigen Grundgesetzen lediglich in bestimmten Einzelbereichen ergänzt. Es enthält in Kap. 1 § 1 ein Bekenntnis zur Demokratie, zu freier Meinungsbildung und einem allgemeinen, gleichen Wahlrecht sowie zum Rechtsstaatsprinzip. Bei der Ausübung öffentlicher Gewalt ist die Gleichheit aller Menschen und die Freiheit und Würde des Einzelnen zu respektieren (Kap. 1 § 2 RF). Das persönliche, wirtschaftliche und kulturelle Wohl der Bürger bildet das grundlegende Staatsziel.

In Kap. 8 § 3 RF ist vorgesehen, dass Bestimmungen über hoheitliche Eingriffe in die persönlichen oder wirtschaftlichen Verhältnisse des Einzelnen, insbesondere Bestimmungen über Straftaten und deren Rechtsfolgen, der Gesetzesform bedürfen. Die Kompetenz zum Erlass von Gesetzen liegt nach Kap. 1 § 4 RF ausschließlich beim Reichstag. Dieser kann in gewissem, verfassungsmäßig festgelegtem Umfang die Regierung gesetzlich ermächtigen, auf dem Verordnungsweg Bestimmungen (auch strafrechtlichen Inhalts) zu erlassen, und zwar für Rechtsbereiche, die unter Umständen ein schnelles Eingreifen erfordern (etwa zum Schutz von Leib oder Leben oder der persönlichen Sicherheit von Menschen, bei der Ein- und Ausfuhr von Waren, im Gewerbeleben, im Natur- und Umweltschutz, im Straßenverkehr

[1] Zu den Letzteren siehe weiter unten.

sowie zur Aufrechterhaltung der öffentlichen Ordnung). Die von der Regierung im Rahmen dieser Ermächtigung erlassenen Strafbestimmungen stehen als Verordnungen im Rang unter den Gesetzen und dürfen prinzipiell keine andere Rechtsfolge als Geldstrafe vorsehen (Kap. 8 § 7 RF).[2]

Die Pressefreiheitsverordnung (*tryckfrihetsförordningen*, TF, in der Fassung der Bekanntmachung SFS 2002:908) und das für die übrigen Medien geltende Grundgesetz zur Freiheit der Meinungsäußerung (*yttrandefrihetsgrundlagen*, YGL, in der Fassung der Bekanntmachung SFS 2002:909) regeln in detaillierter Weise die Presse- und Medienfreiheit. Bereits 1766 wurde die erste Druckfreiheitsverordnung erlassen und ihr zugleich Verfassungsrang verliehen. Neben dem Verbot einer Vorzensur für gedruckte Schriften (heute Kap. 1 § 2 TF) garantierte sie schon damals das allgemeine Recht jedes schwedischen Bürgers auf Einsichtnahme in amtliche Akten (heute in Kap. 2 § 1 TF). Durch den besonderen Schutz der Informations- und Äußerungsfreiheit im Medienbereich sollen ein freier Meinungsaustausch und die Kontrolle der Verwaltung durch die Öffentlichkeit gewährleistet werden.

Sowohl die Pressefreiheitsverordnung als auch das Grundgesetz zur Freiheit der Meinungsäußerung enthalten eigene Strafvorschriften, die allen sonstigen Strafbestimmungen vorgehen und deren Änderung oder Ergänzung den oben erwähnten formellen Voraussetzungen einer Verfassungsänderung unterliegt. Beide Grundgesetze stehen auch gegenüber den Bestimmungen des Gesetzes über die Regierungsform zur allgemeinen Informations- und Meinungsäußerungsfreiheit (Kap. 2 § 1 Nr. 1 und 2 RF)[3] im vorrangigen Verhältnis der *lex specialis*.

Seit 1999 werden Reformüberlegungen zur schwedischen Verfassung angestellt. In diesem Rahmen wird auch eine eventuelle Neugestaltung des verfassungsmäßigen Schutzes der Presse- und Medienfreiheit erwogen. In dem 2006 vorgelegten Gutachten der hierfür eingesetzten Sachverständigenkommission *(Tryck- och yttrandefrihetsberedningen)* werden als mögliche Alternativen genannt, die Pressefreiheitsverordnung und das Grundgesetz zur Freiheit der Meinungsäußerung zusammenzulegen oder beide aufzuheben und durch eine mehr oder weniger detaillierte Regelung in der eigentlichen Verfassung, dem Gesetz über die Regierungsform, zu ersetzen.

– *Andere übergesetzliche Regelungen*

Völkerrechtliche Verträge sind in Schweden nicht unmittelbar anwendbar, sondern es gilt das dualistische System, das heißt, für die Übernahme in die nationale Rechtsordnung ist zusätzlich zur Ratifikation ein gesondertes Übernahmegesetz erforderlich.[4] Damit können völkerrechtliche Regelungen jedoch nur den Status eines einfachen Gesetzes erlangen.

---

2 Zum Gesetzlichkeitsprinzip siehe ausführlich II.A., zur Normenhierarchie I.F.2.

3 Siehe näher dazu unten C.2.

4 Vgl. oben I.B.2.b.

Dies gilt auch für die *Europäische Konvention zum Schutze der Menschenrechte und Grundfreiheiten* (EMRK). Sie wurde einschließlich der Zusatzprotokolle von Schweden 1994 ratifiziert und als einfaches Gesetz in das nationale Recht inkorporiert (*lag om den europeiska konventionen angående skydd för de mänskliga rättigheterna och de grundläggande friheterna*, SFS 1994:1219). Die Grundrechte in der Verfassung sind bereits weitgehend am Konventionsinhalt ausgerichtet. Das Gesetz über die Regierungsform enthält darüber hinaus eine Bestimmung (Kap. 2 § 23 RF), nach der kein Gesetz und keine andere Vorschrift erlassen werden darf, die im Widerspruch zu Schwedens Verpflichtungen aus der EMRK steht. Eine bestehende Vorschrift ist im Zweifelsfall menschenrechtskonform dahingehend auszulegen, dass ihr Inhalt den Anforderungen der Konvention entspricht.

2. Grundrechte und Grundfreiheiten

Das Gesetz über die Regierungsform enthält in Kap. 2 eine Reihe von Garantieerklärungen zum Schutz der Bürger gegen hoheitliche Eingriffe in bestimmte Grundrechte *(grundläggande fri- och rättigheter)*. Im Gegensatz zu den in Kap. 1 § 2 RF enthaltenen staatsrechtlichen Bekenntnissen und Zielbestimmungen[5] handelt es sich bei den Grundrechtsnormen um rechtlich bindende Vorschriften, auf die sich der Bürger unmittelbar berufen kann. Zu den Grundrechten zählen

- die Meinungsäußerungsfreiheit (Kap. 2 § 1 Nr. 1 RF),
- die Informationsfreiheit (Kap. 2 § 1 Nr. 2 RF),
- die Versammlungsfreiheit (Kap. 2 § 1 Nr. 3 RF),
- die Demonstrationsfreiheit (Kap. 2 § 1 Nr. 4 RF),
- die Vereinigungsfreiheit (Kap. 2 § 1 Nr. 5 RF),
- die Religionsfreiheit (Kap. 2 § 1 Nr. 6 RF) und
- das Recht auf informationelle Selbstbestimmung (Kap. 2 §§ 2, 3 RF).

Im Rahmen des Rechts auf informationelle Selbstbestimmung sind die Bürger davor geschützt, unter staatlichem Zwang die eigene politische, religiöse, kulturelle Anschauung oder dergleichen preisgeben zu müssen. Sie dürfen auch nicht dazu gezwungen werden, an Versammlungen zur Meinungsbildung, an Demonstrationen oder Kundgebungen teilzunehmen oder einer politischen, religiösen oder sonstigen durch Anschauungen geprägten Vereinigung anzugehören. Niemand darf ohne seine Zustimmung allein wegen seiner politischen Anschauung in einem öffentlichen Register erfasst werden und elektronische Registrierung darf nur in den Grenzen des gesetzlichen Datenschutzes erfolgen.

---

5 Siehe oben C.1.

Unter die Grundrechtsgarantien fallen auch die folgenden Bestimmungen:

– Todesstrafe, Körperstrafen und Folter oder medizinische Einwirkung zur Erzwingung oder Verhinderung einer Aussage sind verboten (Kap. 2 §§ 4, 5 RF).

– Die Bürger sind prinzipiell auch gegen sonstige körperliche Zwangseingriffe, gegen Leibesvisitation, Hausdurchsuchung und ähnliche Verletzungen der Privatsphäre, gegen Verletzungen des Brief- und Kommunikationsgeheimnisses sowie gegen Freiheitsentziehung geschützt (Kap. 2 §§ 6, 8 RF).

– Eine gesetzliche Einschränkung der genannten Grundrechte unterliegt bestimmten formellen und inhaltlichen Anforderungen (Kap. 2 §§ 12–14 RF). Sie ist ferner nur zur Verfolgung von Zwecken zulässig, die mit einem demokratischen Gemeinwesen vereinbar sind, und darf insbesondere die freie Meinungsbildung als dessen Grundlage nicht bedrohen.

– Die Grundrechte gelten für alle schwedischen Staatsbürger. Ausländer, die sich in Schweden aufhalten, sind den Staatsangehörigen insoweit prinzipiell gleichgestellt. Gesetzliche Bestimmungen, die in die Grundrechte von Ausländern eingreifen, bedürfen ebenfalls eines besonderen Gesetzgebungsverfahrens (Kap. 2 § 22 RF).

3. Sonstige übergesetzliche Normen von strafrechtlicher Relevanz

Strafrechtlich und strafprozessrechtlich relevante Verfassungsnormen, die nicht als Grundrechte bezeichnet werden, sind insbesondere

- das Analogieverbot (Kap. 2 § 10 RF)[6] und
- das Verbot rückwirkender verschärfender Strafgesetzgebung (Kap. 2 § 10 RF),[7]
- das Verbot der Einsetzung eines Gerichts für eine bereits begangene Tat (Kap. 2 § 11 Abs. 1 RF),
- der Anspruch des wegen einer begangenen Straftat oder aufgrund Tatverdachts Festgenommenen auf unverzügliche Überprüfung durch ein Gericht (Kap. 2 § 9 RF),
- die Öffentlichkeit von Gerichtsverhandlungen (Kap. 2 § 11 Abs. 2 RF),
- die Unabhängigkeit der Gerichte (Kap. 11 § 2 RF),
- die Immunität und Indemnität der Reichstagsabgeordneten und des Königs als Staatsoberhaupt (Kap. 4 § 8, Kap. 5 § 7 RF).[8]

---

[6] Siehe eingehend dazu II.A.3.c.

[7] Ausführlich dazu II.A.3.d.

[8] Zu den strafverfahrensrechtlichen Prinzipien siehe unten I.D.4.

Literaturhinweise zu Abschnitt C.

Axberger, Gunnar, Yttrandefrihetens gränser (Grenzen der Meinungsäußerungsfreiheit). Stockholm 1984, S. 163 ff.

Call, Horst, Grundrechtsschutz in Schweden unter rechtsvergleichenden Gesichtspunkten. Berlin 2003.

Holmberg, Erik/Stjernquist, *Nils*, Vår författning (Unsere Verfassung). 12. Aufl. Stockholm 2000.

Petrén, Gustaf/Ragnemalm, Hans, Sveriges grundlagar och tillhörande författningar med förklaringar (Schwedens Grundgesetze und zugehörige Rechtsvorschriften mit Erklärungen). 12. Aufl. Stockholm 1980.

SOU 1997:49, Grundlagsskydd för nya medier (Grundgesetzlicher Schutz für neue Medien). Stockholm 1997.

SOU 2001:19, Vissa grundlagsfrågor (Fragen betreffend die Grundgesetze). Delbetänkande av 1999 års författningsutredning. Stockholm 2001.

SOU 2001:28, Yttrandefrihetsgrundlagen och Internet (Das Grundgesetz zur Freiheit der Meinungsäußerung und Internet). Stockholm 2001.

SOU 2006:96, Ett nytt grundlagsskydd för tryck- och yttrandefriheten? (Ein neuer grundgesetzlicher Schutz für die Presse- und Meinungsäußerungsfreiheit?) Delbetänkende av Tryck- och yttrandefrihetsberedningen. Stockholm 2006.

SOU 2007:22, Skyddet för den personliga integriteten (Der Schutz der persönlichen Integrität). Delbetänkande av Integritetsskyddskommitén. Stockholm 2007.

SOU 2007:69, Bestämmelser om domstolar i regeringsformen (Bestimmungen über Gerichte in der Verfassung). Grundlagsutredningens rapport VI. Stockholm 2007.

SOU 2008:125, En reformerad grundlag (Ein reformiertes Grundgesetz). Grundlagsutredningens betänkande. Del 1 och 2. Stockholm 2008.

Strömberg, Håkan, Tryckfrihetsrätt (Pressefreiheitsrecht). 14. Aufl. Lund 2003, S. 55 ff., 116 ff.

Strömberg, Håkan/Lundell, Bengt, Sveriges författning (Schwedens Verfassung). 19. Aufl. Lund 2004.

D. Strafrechtstheoretische Grundlagen

1. Aufgaben des Strafrechts

– *Strafrecht als Mittel der sozialen Kontrolle*

Die schwedische Strafrechtswissenschaft mit ihrer überwiegend rationalen und pragmatischen Einstellung sieht die Aufgabe des Strafrechts nicht in der Verwirklichung einer höheren Gerechtigkeit, sondern vielmehr in der Sozialkontrolle. Es geht um die Bekämpfung und Verhinderung von Kriminalität zum Schutz der Gesellschaft. Das Strafrecht ist eines von zahlreichen Steuerungsmitteln, die darauf abzielen, das menschliche Handeln in eine gewünschte Richtung zu beeinflussen und bestimmten unerwünschten Verhaltensweisen entgegenzuwirken.

Nach einer differenzierteren Auffassung lassen sich folgende Aufgaben des Strafrechts unterscheiden:

- es ist notwendig zum Schutz der Gesellschaft und zur Erhaltung des Staates (staatspolitische Aufgabe);
- es ist notwendig, um das soziale Zusammenleben für den Einzelnen erträglich zu machen (ethische Aufgabe), um den Gerechtigkeitsanspruch der Menschen zu erfüllen und Privatjustiz zu verhindern (sozialpsychologische Aufgabe);
- es ist notwendig, weil unerlaubten Handlungen mit einem moralischen Tadel begegnet werden muss (weitere ethische Aufgabe).

– *Strafrecht als Mittel des Rechtsgüterschutzes*

Eine begründete Ausübung sozialer Kontrolle setzt voraus, dass es Werte oder Interessen gibt, die geschützt werden sollen. Die Ansichten darüber, welche Interessen als dominierende Bedürfnisse strafrechtlichen Schutz verdienen, sind geteilt. Verschiedene Werte gelten aber als unverzichtbarer Bestandteil eines geordneten menschlichen Zusammenlebens. Als Beispiele werden die in Kap. 2 der schwedischen Verfassung garantierten Grund- und Freiheitsrechte herangezogen. Neben privaten Interessen wie Leben, Gesundheit, Ehre, Eigentum, Bewegungs- und Handlungsfreiheit gelten auch bestimmte Gemeinschaftsinteressen als schutzwürdig, so etwa die öffentliche Ordnung und Sicherheit, die demokratische Staatsform und Unabhängigkeit des Staates, Verkehrssicherheit, Kontrolle über Gefahrenquellen, Unparteilichkeit von Beamten, das Vertrauen in Urkunden und Zahlungsmittel und Ähnliches.

Die durch das Strafrecht geschützten Werte werden als Schutzinteressen oder Schutzobjekte bezeichnet (streng zu trennen vom Angriffsobjekt der strafbaren

Handlung[1]). In der älteren Literatur kommt auch der Begriff des Rechtsguts vor. Die diesem etwa in der deutschen Lehre beigemessene Bedeutung wird jedoch von der modernen schwedischen Strafrechtswissenschaft abgelehnt. Die als transzendent bezeichnete Rechtsgutslehre sei verwirrend und neige zu Zirkelschlüssen. Sie besitze lediglich noch einen gewissen pädagogischen Wert. Entsprechend wird auch dem Begriff der Schutzinteressen im schwedischen Strafrecht nur eine begrenzte Rolle, insbesondere als Hilfe für die richterliche Rechtsauslegung sowie für die systematische Gruppierung der Straftatbestände im Kriminalgesetzbuch zuerkannt.

Demgegenüber bemühen sich heute einzelne Strafrechtswissenschaftler um eine Theoriebildung über Gründe für (und gegen) die Strafwürdigkeit bestimmter Verhaltensweisen, das heißt um eine konkrete und rationale Kriminalisierungslehre. Dabei geht man von der Erkenntnis aus, dass bei der Auswahl strafwürdiger Handlungstypen durch den Gesetzgeber häufig kulturelle und historische Traditionen sowie individuelle moralische Wertungen und unklare emotionale Vorstellungen oft von stärkerem Einfluss sind als empirische Untersuchungen zur sozialen Schadenswirkung des betreffenden Verhaltens. In jüngerer Zeit wird auch zunehmend kritisiert, dass das Strafrecht zuweilen für politische Zwecke missbraucht werde. Es wird in Zweifel gezogen, ob der bestehende Umfang an Kriminalisierung rational begründet sei. Das Strafrecht könnte seine Aufgaben effektiver erfüllen, wenn die Menge der Straftatbestände reduziert und für weniger schädliche oder verwerfliche Verhaltensweisen andere Formen sozialer Kontrolle genutzt würden.

Unter Bezugnahme auf das Gutachten einer Reformkommission *(Åklagarutredningen)* spricht die schwedische Regierung in einem Gesetzentwurf von 1994 (Prop. 1994/95:23) von einer „strafrechtlichen Inflation", die eingeschränkt werden müsse. Als Voraussetzungen für eine gerechtfertigte Strafgesetzgebung werden genannt, dass:

- das zu kriminalisierende Verhalten in erheblichem Maße schädlich oder gefährlich ist,
- alternative Sanktionen nicht zur Verfügung stehen, nicht zweckmäßig oder unverhältnismäßig kostenaufwendig wären,
- mit Rücksicht auf die Schwere der Tat eine Kriminalsanktion erforderlich ist,
- die Kriminalsanktion ein effektives Mittel darstellt, um dem unerwünschten Verhalten entgegenzuwirken,
- das Rechtswesen über die notwendigen Mittel verfügt, um eventuelle Folgekosten der Kriminalisierung zu tragen.

---

[1] Siehe dazu II.D.5.

– *Strafrecht als ultima ratio*

Einigkeit besteht darüber, dass das Strafrecht als letztes von mehreren Mitteln der sozialen Kontrolle zur Anwendung kommen sollte. Die Staatsgewalt unternimmt mit der Bestrafung eines Menschen einen absichtlichen, oft äußerst schwerwiegenden Eingriff in dessen Interessen wie Freiheit, Ehre und Eigentum, das heißt gerade in solche Interessen, die als so wichtig angesehen werden, dass sie im Übrigen mit strafrechtlichem Schutz bewehrt sind. Außerdem hat die Strafe zumeist keine reparative oder konfliktlösende Funktion, sondern fügt dem entstandenen Schaden einen weiteren hinzu, nämlich in Form von Nachteilen und Verlusten sowohl für den Verurteilten selbst und seine Angehörigen als auch für die Gesellschaft.

Anstatt als *ultima ratio* wird nach verbreiteter Beobachtung die Kriminalisierung in der Praxis jedoch gern als vorrangiges Mittel eingesetzt, weil sie gewöhnlich einen geringeren behördlichen Aufwand erfordert als andere Maßnahmen der Sozialkontrolle und gleichzeitig politische Handlungsstärke signalisiert. Strafrechtswissenschaftler halten dem Gesetzgeber vor, er könne in vielen Fällen keine überzeugenden Gründe dafür anführen, dass die Strafe ein absolut notwendiges und durch kein anderes ersetzbares Mittel zur Unterdrückung des kriminalisierten Verhaltens sei.[2]

2. Rechtsstaatliche Grenzen des Strafrechts

Trotz aller Kritik wird anerkannt, dass das Strafrecht letztlich eine wichtige Funktion erfüllt, wenn auch nur als eine Art Notlösung. Das Streben nach größtmöglicher Effektivität in der Bekämpfung und Verhinderung von Straftaten muss jedoch in einem Rechtsstaat gegen andere gesellschaftliche Werte und Gesichtspunkte abgewogen werden. Dazu gehören insbesondere das Gesetzlichkeitsprinzip,[3] der Grundsatz der persönlichen Verantwortlichkeit des Beschuldigten für die Straftat[4] sowie Forderungen der Humanität und Proportionalität der Strafe.[5]

Das Schuldprinzip im klassischen Sinne, nach dem die Strafbarkeit einen moralischen Vorwurf beinhaltet, war in der ersten Hälfte des 20. Jahrhunderts in Schweden durch präventive Straftheorien zunehmend verdrängt worden. Erst mit dem Aufkommen des sogenannten Neoklassizismus in den 1970er Jahren erfolgte eine Rückbesinnung auf die an einen Vorwurf anknüpfende Legitimation der Bestrafung. Teilweise wird das Schuldprinzip hergeleitet aus dem sogenannten Konfor-

---

[2] Siehe auch I.H.

[3] Ausführlich dazu II.A.

[4] Siehe dazu II.E. und II.H.

[5] Näher dazu unten D.2. sowie I.H.

mitätsprinzip.[6] Dessen Inhalt besteht darin, dass nur derjenige strafbar sein kann, der die Möglichkeit hatte, sich gesetzestreu zu verhalten.

Ähnlich wie in der klassischen Straftheorie werden rechtliche Garantien und Begrenzungen gegenüber dem staatlichen Strafanspruch heute wieder stärker betont und insbesondere Wert gelegt auf die Proportionalität zwischen Strafe und Tat. Eine schuld- und tatangemessene Bestrafung soll der (sozialen) Gerechtigkeit und Humanität, der Rechtssicherheit und Vorhersehbarkeit dienen. Um Gerechtigkeit innerhalb des Strafsystems zu verwirklichen, wird auch Proportionalität beziehungsweise Äquivalenz zwischen verschiedenen Deliktsarten angestrebt. So sollen für Handlungstypen mit vergleichbarem abstraktem Strafwert ähnliche Strafrahmen gelten.

3. Strafzwecke

Im späten Mittelalter, als sich in Schweden germanisch-heidnische und christlich-kanonische Rechtsvorstellungen miteinander verbanden, diente die Strafe einem dreifachen Zweck: als Genugtuung für den Verletzten, als Vergeltung und Sühne für den Verbrecher sowie als Abschreckung für die Allgemeinheit. Während die Interessen des Verletzten in der Folgezeit mehr und mehr an Bedeutung verloren, blieben die Ideen der Tatvergeltung und der Generalprävention vorherrschend bis zum 18. Jahrhundert. Im Zuge der Aufklärung trat dann gleichzeitig mit einer Humanisierung des Sanktionensystems die neue Vorstellung von der Besserung des Verurteilten „zu einem guten und gesetzestreuen Untertan" hinzu, und es verlagerte sich daraufhin im Verständnis der Richter und Strafrechtswissenschaftler der Schwerpunkt der Strafzwecke allmählich von der Vergeltung hin zur General- und Spezialprävention.[7]

Das Gewicht absoluter Straftheorien *kantischer* Prägung blieb in Schweden begrenzt, während die relativen Lehren *Feuerbachs* und vor allem *Benthams* starken Anklang fanden. Eine eigenständige Auffassung entwickelten die Philosophen der sogenannten *Uppsala-Schule* seit dem Ende des 19. Jahrhunderts, indem sie den wesentlichen Strafzweck in einer volkserzieherischen, normenstützenden Moralbildung und Moralstärkung sahen. Der Begriff der Moral ist in diesem Zusammenhang losgelöst von Religion und Metaphysik streng wertneutral im Sinne von Gesetzesbefolgung zu verstehen. Die Moralbildungstheorie, die bis heute für das schwedische Strafrechtsverständnis von großer Bedeutung ist, beruht auf der Annahme, dass eine konsequente strafrechtliche Reaktion auf bestimmte Taten langfristig die Ansichten der Bürger über Recht und Unrecht prägt und schließlich zu einer gewohnheitsmäßigen Gesetzestreue führt.

---

6 Siehe unten I.G.1. und I.H.

7 Zur historischen Entwicklung siehe I.G.1.

Unter dem Einfluss der modernen Strafrechtsschulen rückte seit dem Beginn des 20. Jahrhunderts der kriminell gewordene Mensch in den Mittelpunkt des Strafrechts und die Individualprävention in den Vordergrund der Strafzwecke.[8] Die daraus resultierende Behandlungsideologie wurde jedoch später wieder verworfen, nachdem man feststellen musste, dass sich die in sie gesetzten Hoffnungen nicht erfüllt hatten und insbesondere durch die zeitunbestimmten Sanktionsarten systematische Ungerechtigkeiten entstanden waren. In den 1970er und 80er Jahren vollzog sich ein radikaler Kurswechsel vom täterorientierten zum tatorientierten Strafrecht, der unter anderem in einer umfassenden Reform des Strafzumessungsrechts seinen gesetzlichen Niederschlag fand.[9] Seither wird wieder die Generalprävention als zentraler Strafzweck betont und zugleich ein gerechtes Verhältnis zwischen der begangenen Tat und der zu verhängenden Strafe angestrebt.

Heute werden in Bezug auf verschiedene Ebenen des strafrechtlichen Systems die Strafzwecke differenziert betrachtet, je nachdem, ob es sich um die Androhung, die Verhängung oder die Vollstreckung der Strafe handelt. Auf der Ebene der kriminalisierenden Gesetzgebung bildet die Generalprävention das wesentliche Ziel, denn die Strafdrohung soll dazu dienen, Menschen von bestimmten Verhaltensweisen abzuhalten.[10] Gemeint ist die positive, normbestätigende und moralbildende Generalprävention. Wenn die Strafdrohung sich im Einzelfall als unwirksam erweist, also eine Straftat begangen wird, tritt mit der gerichtlichen Verhängung der Strafe die gerechte Vergeltung als deren vorrangiger Zweck in Erscheinung. Die verhängte Strafe soll in ihrer Härte und in dem Maß der durch sie zum Ausdruck kommenden Missbilligung proportional zur Schwere der begangenen Tat sein.[11] Bereits bei der Sanktionswahl kann der Richter gewisse individualpräventive Erwägungen anstellen. Im Übrigen aber entfaltet die Strafe ihren Zweck der Spezialprävention hauptsächlich auf der Ebene der Vollstreckung. Deren ausdrückliches Ziel besteht darin, die Anpassung des Verurteilten an die Gesellschaft und seine Fähigkeit zu einem gesetzestreuen Leben zu fördern.[12]

4. Grundlegende Prinzipien des Strafverfahrensrechts

Mit der Einführung des geltenden Prozessgesetzbuchs für Zivil- und Strafverfahren (*Rättegångsbalk*, RB) im Jahr 1948 wurde in Schweden das inquisitorische Hauptverfahren durch einen als akkusatorisch bezeichneten Parteiprozess abgelöst. Das Ermittlungsverfahren weist jedoch weiterhin deutlich inquisitorische Züge auf.

---

[8] Siehe auch I.G.1.

[9] Näher dazu unten I.G.1. und I.H.

[10] Siehe oben D.1.a.

[11] Vergleiche oben D.2. sowie unten I.H.

[12] Näher dazu I.G.4.

Prinzipiell besteht – bei Offizialdelikten – eine absolute Verfolgungspflicht (Kap. 23 § 1 Abs. 1 RB). Von diesem Legalitätsgrundsatz gibt es jedoch eine Reihe gesetzlicher Ausnahmen, die unter anderem auf die geringe Bedeutung der Sache und die Unverhältnismäßigkeit des für die Ermittlungen erforderlichen Kostenaufwands, auf die mangelnde Wahrscheinlichkeit einer Anklageerhebung oder darauf abstellen, dass im Fall einer Verurteilung keine härtere Sanktion als Geldstrafe zu erwarten ist (Kap. 23 § 4 a RB).

Im Ermittlungsverfahren gilt das Beschleunigungsgebot (Kap. 23 § 4 Abs. 2 RB). Nach dem Objektivitätsgrundsatz sind die Strafverfolgungsbehörden verpflichtet, nicht nur solche Umstände zu berücksichtigen, die den Beschuldigten belasten, sondern auch zu seinen Gunsten entlastende Beweise zu erheben (Kap. 23 § 4 RB).

Der Beschuldigte hat einen Anspruch auf Beiziehung eines Dolmetschers (Kap. 5 § 6 RB) sowie ein Recht auf Verteidigerbeistand im Vor- und Hauptverfahren (Kap. 21 § 3 RB). Unter bestimmten – großzügig bemessenen – Voraussetzungen wird ihm von Amts wegen ein Pflichtverteidiger *(offentlig försvarare)* bestellt (Kap. 21 § 3 a RB). Auch der Verletzte hat einen Anspruch auf Prozessbeistand (Kap. 20 § 15 RB).

Nach dem Konzentrationsprinzip soll die Hauptverhandlung möglichst ohne Unterbrechung in einem Zug durchgeführt werden (Kap. 46 § 11 RB).

Von der grundsätzlichen Öffentlichkeit der Hauptverhandlung (Kap. 5 § 1 Abs. 1 RB) und der Urteilsverkündung (Kap. 5 § 5 Abs. 2 RB) gibt es gesetzlich geregelte Ausnahmen. Das Öffentlichkeitsprinzip ist auch in der Verfassung (Kap. 2 § 11) garantiert, ebenso wie die Unabhängigkeit der Gerichte (Kap. 11 § 2 RF).

Die Beweisaufnahme im Hauptverfahren liegt nach dem sogenannten Verhandlungsprinzip nahezu ausschließlich in den Händen der Parteien (Kap. 35 § 6 Satz 1 RB: „Für die Beweisführung haben die Parteien zu sorgen."). Dabei trägt nach dem Grundsatz *in dubio pro reo* allein der Ankläger die Beweislast. Die Verantwortung für die korrekte und vollständige Sachverhaltsaufklärung weist das schwedische Prozessgesetz allerdings ausdrücklich dem Gericht zu (sogenanntes Offizialprinzip, Kap. 46 § 4 Abs. 2 Satz 1 RB: „Das Gericht hat darauf zu achten, dass die Sache in dem erforderlichen Umfang untersucht wird.") Soweit notwendig, darf das Gericht ausnahmsweise auch eigene Beweise erheben (Kap. 35 § 6 Satz 2 RB). Gewöhnlich halten sich die Gerichte im Rahmen ihrer materiellen Prozessleitung jedoch weitgehend zurück.

Entsprechend dem Grundsatz der freien Beweisführung sind prinzipiell alle – auch im Gesetz nicht genannte – Beweismittel zulässig einschließlich solcher, die illegal oder mittelbar (beispielsweise durch Hörensagen) gewonnen wurden. Das Gericht kann einen Beweisantrag jedoch dann ablehnen, wenn es den Beweis für nicht erforderlich oder ohne Bedeutung in der Sache ansieht oder wenn es der Meinung ist, dass der Beweis mit wesentlich geringerem Aufwand oder erheblich kostengünstiger auf andere Weise geführt werden kann (Kap. 35 § 7 RB). Weitere Einschränkungen der freien Beweisführung ergeben sich aus den Prinzipien der Unmittelbarkeit (Kap. 30 § 2 RB) und Mündlichkeit (Kap. 46 § 5 RB) der Hauptverhandlung sowie aus der sogenannten Maxime des besten Beweismaterials. Letztere hat zum Inhalt, dass von mehreren möglichen Beweismitteln, die eine bestimmte Erkenntnisquelle erschließen, dasjenige zu wählen ist, welches die sicherste Beweisführung erlaubt. Die Beweiskette ist so kurz wie möglich zu halten und der beste Beweis ist stets der in der Hauptverhandlung selbst gewonnene.

Anstelle der früheren sogenannten legalen Beweistheorie gilt heute in Schweden das Prinzip der freien Beweiswürdigung (Kap. 35 § 1 Abs. 1 RB). Dabei ist das Gericht an den Grundsatz *in dubio pro reo* gebunden.

Das Verbot der *reformatio in pejus* besteht nur zugunsten des Angeklagten (Kap. 51 § 25 Satz 1 RB).

Der Grundsatz *ne bis in idem* ist im schwedischen Kriminalgesetzbuch (*Brottsbalken*, BrB) geregelt, jedoch nur in Bezug auf ein im Ausland ergangenes rechtskräftiges Urteil (Kap. 2 § 5 a BrB). Anhaltspunkte für die Geltung auch in Bezug auf Inlandsurteile ergeben sich aus Kap. 30 § 9 RB.

Literaturhinweise zu Abschnitt D.

Agge, Ivar, Straffrättens allmänna del. Första häftet (Allgemeiner Teil des Strafrechts. Erstes Heft). 4. Aufl. Stockholm 1970, S. 38–76.

Asp, Petter, Principen om rättvis bestraffning – alltings grundbult (Das Prinzip einer gerechten Bestrafung – das Fundament für alles). Tidskrift utgiven av Juridiska Föreningen i Finland, 144. Jahrg. 2008, 530–543.

Borgeke, Martin, Att bestämma påföljd för brott (Rechtsfolgen für Straftaten festsetzen). Stockholm 2008, S. 24–33.

Brottsförebyggande rådet, Nytt straffsystem – Idéer och förslag (Ein neues Strafensystem – Ideen und Vorschläge). BRÅ-rapport 1977:7. Stockholm 1977.

Bylander, Eric, Muntlighetsprincipen (Das Mündlichkeitsprinzip). Uppsala 2006.

Cornils, Karin, Neuere Entwicklung der Kriminalpolitik in den nordischen Ländern. ZStW 99 (1987), 874–887.

– Kriminalpolitischer Kurswechsel in Schweden. Neue Kriminalpolitik 1994, 12–14.

– Landesbericht Schweden. In: Walter Perron (Hrsg.), Die Beweisaufnahme im Strafverfahrensrecht des Auslands. Freiburg 1995, S. 435–488 (S. 450–456, 465–468).

– Die Entwicklung des Sanktionensystems in Schweden und Deutschland. In: Petter Asp/Carl Erik Herlitz/Lena Holmqvist (Hrsg.), Flores juris et legum. Festskrift till Nils Jareborg. Uppsala 2002, S. 151–167.

Edelstam, Henrik, Offentlighet och sekretess i rättegång. Principen om förhandlingsoffentlighet (Öffentlichkeit und Geheimhaltung im Prozess. Das Prinzip der Verhandlungsöffentlichkeit). Stockholm 2001.

Fitger, Peter u.a., Rättegångsbalken (Das Prozessgesetzbuch). Del 1–4. Stockholm 1984, Loseblatt, Stand 2009.

Heckscher, Sten (Hrsg.), Straffrätt och rättfärdighet – ny nordisk debatt (Strafrecht und Gerechtigkeit – eine neue nordische Debatte). Stockholm 1980.

von Hirsch, Andrew/Jareborg, Nils, Strafmaß und Strafgerechtigkeit. Bonn 1991.

Jareborg, Nils, Straffrättsideologiska fragment (Strafrechtsideologische Fragmente). Uppsala 1992.

– Allmän kriminalrätt (Allgemeines Kriminalrecht). Uppsala 2001, S. 45 ff., 66 ff.

– Kriminalisering som ultima ratio regis? (Kriminalisierung als ultma ratio regis?). In: Raimo Lahti/Tapio Lappi-Seppälä (Hrsg.), Rikosoikeudellisia kirjoituksia VII. Pekka Koskiselle 1.1.2003 omistettu (Festschrift für Pekka Koskinen). Helsinki 2003, S. 89–102.

Jareborg, Nils/von Hirsch, Andrew, „Neoklassizismus" in der skandinavischen Kriminalpolitik: Sein Einfluss, seine Grundprinzipien und Kriterien. In: Albin Eser/Karin Cornils (Hrsg.), Neuere Tendenzen der Kriminalpolitik. Freiburg 1987, S. 35–64.

Jareborg, Nils/Zila, Josef, Straffrättens påföljdslära (Rechtsfolgenlehre des Strafrechts). 2. Aufl. Stockholm 2007, S. 62–96.

Leijonhufvud, Madeleine/Wennberg, Suzanne, Straffansvar (Strafrechtliche Verantwortlichkeit). 7. Aufl. Stockholm 2005, S. 15–21.

Lernestedt, Claes, Kriminalisering. Problem och principer (Kriminalisierung. Probleme und Prinzipien). Uppsala 2003.

– Reflektioner kring straffrätt och straffrättsanvändning (Überlegungen zum Strafrecht und zur Strafrechtsanwendung). In: Tilmann Mohr/Jan Christoph Nemitz (Hrsg.), Strafrecht aus nordischer Perspektive. Festschrift für Karin Cornils. Aachen 2003, S. 153–170.

Löfmark, Madeleine, Neo-Klassizismus in der nordischen Strafrechtslehre und -praxis: Bedeutung und Auswirkungen. In: Albin Eser/Karin Cornils (Hrsg.), Neuere Tendenzen der Kriminalpolitik. Freiburg 1987, S. 15–34.

Nelson, Alvar, Kriminalpolitik och ingripanden vid brott (Kriminalpolitik und Eingriffe bei Straftaten). 4. Aufl. Uppsala 1990, S. 15–44.

Nowak, Karol, Oskyldighetspresumtionen (Die Unschuldsvermutung). Stockholm 2003.

Prop. 1994/95:23, Ett effektivare brottmålsförfarende (Ein wirksameres Strafverfahren). S. 52–55.

SOU 1986:14, Påföljd för brott (Rechtsfolgen für Straftaten). Huvudbetänkande av fängelsestraffkommittén, Del 2. Motiv. Stockholm 1986, S. 61–77.

SOU 1992:61, Ett reformerat åklagarväsende (Ein reformiertes Anklägerwesen). Betänkande av åklagarutredningen–90. Stockholm 1992, S. 111.

SOU 2008:85, Straff i proportion till brottets alvar (Strafen im Verhältnis zur Schwere der Straftat). Slutbetänkånde av straffnivåutredningen. Stockholm 2008, S. 115–140, 243–258.

Victor, Dag (Hrsg.), Varning för straff. Om vådan av den nyttiga straffrätten (Warnung vor Strafe. Über die Gefahr des nützlichen Strafrechts). Stockholm 1995.

E. Abgrenzung und Einordnung des Strafrechts

1. Begriffliche und sachliche Umgrenzung des Strafrechts

– *Definition des Strafrechts*

Es gibt in der schwedischen Lehre nur wenige Ansätze einer begrifflichen Umgrenzung des Strafrechts. Sie beziehen sich teils auf den Regelungsgegenstand und teils auf den Regelungsort. Nach dem Regelungsgegenstand ist Strafrecht das System der geltenden Rechtsregeln, die für bestimmte Normverstöße eine Strafe oder andere kriminalrechtliche Sanktion oder Rechtsfolge androhen. Als Strafen im engeren Sinne gelten nur Geldstrafe und Gefängnis; andere Sanktionen sind bedingte Verurteilung, Schutzaufsicht und Überweisung in besondere Fürsorge; zu den sogenannten besonderen strafrechtlichen Rechtsfolgen zählen vor allem Einziehung und Verfall, Unternehmensgeldbuße, Führerscheinentzug und Gewerbeverbot.[1]

Bezogen auf den Regelungsort gliedert sich das Strafrecht je nachdem, ob die Bestimmungen innerhalb oder außerhalb des Kriminalgesetzbuchs geregelt sind, in Kernstrafrecht *(allmän straffrätt)* und Nebenstrafrecht *(specialstraffrätt)*. Eine Klassifizierung der Straftaten – etwa nach ihrer Schwere oder Gefährlichkeit – ist damit nicht verbunden, sondern die Wahl des Regelungsortes ist rein gesetzgebungstechnisch begründet. Das Nebenstrafrecht spielt eine bedeutende Rolle, da die meisten materiellen Strafvorschriften in (rund 400) gesonderten Gesetzen enthalten sind und in der Praxis die nebenstrafrechtlichen Bestimmungen häufiger zur Anwendung kommen als diejenigen des Kriminalgesetzbuchs. Dies gilt unter anderem für das Verkehrsstrafrecht, das Steuerstrafrecht und das Drogenstrafrecht.[2]

Der Begriff des Strafrechts in einem weiteren Sinne (vereinzelt auch Kriminalrecht, *kriminalrätt*, genannt) umfasst neben dem materiellen Strafrecht auch das Strafverfahrensrecht und das Strafvollstreckungsrecht. Das Strafverfahrensrecht enthält die formellen Regelungen hinsichtlich der Ermittlung und Anklage von Straftaten sowie der Durchführung des Strafprozesses. Es regelt insbesondere auch Beweisfragen, während das materielle Strafrecht von einem aufgeklärten und unbestrittenen Sachverhalt ausgeht. In der Wissenschaft werden materielles Strafrecht und Strafverfahrensrecht streng voneinander getrennt behandelt. Das Strafvollstreckungsrecht, dessen Gegenstand die Verwirklichung der verhängten Sanktionen ist, setzt prinzipiell erst im Anschluss an materielles und formelles Strafrecht an; Überschneidungen kommen jedoch beispielsweise im Fall einer bedingten Verurteilung vor, wenn der Verurteilte seine Bewährungsauflagen verletzt und eine andere Sanktion gegen ihn verhängt wird.

---

[1] Zum Sanktionensystem siehe I.A.5.d.

[2] Siehe näher zum Nebenstrafrecht unter I.F.2.

– *Das Strafrecht als Teil des öffentlichen Rechts*

Das Strafrecht bildet einen Teil des öffentlichen Rechts, weil es das Verhältnis zwischen dem Staat und untergeordneten Individuen betrifft. Die Kriminalisierung bestimmter Verhaltensweisen sowie die Verhängung und Vollstreckung von Sanktionen wegen begangener Straftaten sind hoheitliche Angelegenheiten. Insofern bestehen Parallelen zum Verwaltungsrecht.[3]

Im Unterschied dazu geht es im Zivilrecht um Rechtsbeziehungen und die Lösung von Konflikten zwischen formell gleichgestellten Parteien. Berührungspunkte dieser beiden Rechtsgebiete ergeben sich jedoch beispielsweise im Zusammenhang mit Eigentums- und Bereicherungsdelikten.

2. Abgrenzung zu anderen repressiven Ordnungssystemen

Das Schadensersatzrecht ist zwar insofern gegenüber dem materiellen Strafrecht abgegrenzt, als es einen Teil des Zivilrechts bildet, doch gehört Schadensersatz auch zu dem Kanon der sogenannten anderen Rechtsfolgen einer Straftat (Kap. 1 § 8 BrB).[4]

Ebenfalls unscharf ist die Unterscheidung zwischen Kriminalstrafrecht und Verwaltungsstrafrecht. Einen Anhaltspunkt bieten die formellen Definitionen von Straftat und Strafe in Kapitel 1 des Kriminalgesetzbuchs. Im Einzelnen wird die Abgrenzung unter anderem danach getroffen, ob die angedrohten Sanktionen persönliche Schuld voraussetzen, ob sie auch für juristische Personen vorgesehen sind und ob sie grundsätzlich von einem Gericht oder einer Verwaltungsbehörde verhängt werden. Die meisten Verwaltungssanktionen werden ohne Prüfung der Schuldfrage von einer zuständigen Behörde festgesetzt und sind auch gegenüber juristischen Personen zulässig. Noch nicht abschließend geklärt ist die Rechtsnatur bestimmter sogenannter Sanktionsabgaben *(sanktionsavgifter)* wie beispielsweise des Steuerzuschlags bei Verstößen gegen die Steuergesetze oder der Umweltsanktionsabgabe bei Verletzungen des Umweltschutzrechts. Sie werden zum Teil wegen eines Verhaltens erhoben, das zugleich einen Straftatbestand erfüllt und mit Kriminalstrafe bedroht ist. Dabei ist für die jeweiligen Sanktionsabgaben unterschiedlich geregelt, ob sie nur anstelle der verwirkten kriminalrechtlichen Sanktion oder zusätzlich zu einer solchen verhängt werden können. Ob die zusätzliche Verhängung mit den Grundsätzen der Europäischen Menschenrechtskonvention vereinbar ist, wird in der höchstrichterlichen Rechtsprechung uneinheitlich beurteilt. Ein besonderes Ordnungswidrigkeiten- oder Übertretungsrecht kennt die schwedische Rechtsordnung nicht.

---

3 Zur Abgrenzung vom Verwaltungsstrafrecht siehe unten E.2.

4 Vergleiche I.A.5.d.

Ein Repressionssystem eigener Art ist das öffentlich-rechtliche Disziplinarrecht. Es gilt insbesondere für Angehörige der Verteidigungskräfte, des öffentlichen Dienstes und des Gesundheitswesens. Zu den Disziplinarmaßnahmen, die von der jeweils vorgesetzten Behörde verhängt werden, zählen unter anderem Verwarnung, Gehaltskürzung und Entfernung aus dem Amt. Wird wegen eines Dienstvergehens ein Strafverfahren eingeleitet, so schließt dies eine disziplinarische Verfolgung desselben Verhaltens aus (§ 18 *lag om disciplinansvar inom totalförsvaret*, SFS 1994:1811; § 18 *lag om offentlig anställning*, SFS 1976:580; Kap. 5 § 4 *lag om yrkesverksamhet på hälso- och sjukvårdens område*, SFS 1982:763).

3. Einordnung spezieller Maßnahmen für bestimmte Tätergruppen

Mit der Entwicklung spezieller Reaktionsformen für bestimmte Tätergruppen befasst sich die schwedische Kriminalpolitik intensiv seit Beginn des 20. Jahrhunderts, als die Zwangserziehung und das Jugendgefängnis für Minderjährige, die Verwahrung für geistig Abnorme und die Internierung für gefährliche Rückfalltäter eingeführt wurden.[5] Diese (zeitunbestimmten) Sanktionsarten sind inzwischen abgeschafft und teilweise ersetzt durch die gerichtliche Überweisung in besondere Fürsorge: offene oder geschlossene Jugendfürsorge für junge Straftäter, Suchtbehandlung für Drogen- oder Alkoholabhängige und psychiatrische Zwangspflege für Straftäter mit schwerer psychischer Störung.

Die Überweisung in besondere Fürsorge *(överlämnande till särskild vård)* stellt eine selbstständige Sanktion dar, die anstelle von Gefängnisstrafe, bedingter Verurteilung oder Schutzaufsicht verhängt werden kann. Sie besteht darin, dass das Gericht den Angeklagten durch Urteil an bestimmte Institutionen der Sozialfürsorge zur Durchführung geeigneter Maßnahmen überweist. In drei verschiedene Richtungen kann eine Überweisung erfolgen: an die Jugendfürsorge, an die Suchtfürsorge und an die Rechtspsychiatrie. Nur die Auswahl und Verhängung der Sanktion als solcher sowie die Bestimmung eines zeitlichen Rahmens ist Sache des Gerichts; die inhaltliche Ausgestaltung der Sanktion durch bestimmte Maßnahmen und die Entscheidung über deren konkrete Dauer liegen dagegen in der Hand der Sozialverwaltung. Im Verhältnis zur Freiheitsstrafe herrscht strenge „Einspurigkeit“, das heißt ein Nacheinander von Gefängnis und Zwangsfürsorge ist ausgeschlossen. Die klare Entscheidung des schwedischen Gesetzgebers für das einspurige System steht im Zusammenhang mit der lange Zeit vorherrschenden Behandlungsideologie,[6] die individualpräventiv ausgerichtete Schutzmaßnahmen als gleichwertige Alternative neben die herkömmliche Freiheitsstrafe stellte und

---

5 Siehe dazu I.G.2.

6 Ausführlich I.G.2.

das von moralischem Vorwurf befreite Sanktionensystem selbst auf geisteskranke Täter für anwendbar erklärte.[7] Insofern beruht das geltende Recht noch immer auf einer im Übrigen bereits überwundenen Straftheorie.

– *Besondere Maßnahmen gegenüber jungen Straftätern*

Die Strafmündigkeit beginnt nach schwedischem Recht mit 15 Jahren. Jüngere Kinder können zwar Straftaten begehen,[8] aber nicht zu einer Kriminalsanktion verurteilt werden; für sie stehen Maßnahmen nach dem Jugendfürsorgegesetz (*lag med särskilda bestämmelser om vård av unga*, SFS 1990:52), beispielsweise die Unterbringung in einer Pflegefamilie oder einem Kinderheim, zur Verfügung.

Ebenso wie die Fürsorgemaßnahmen gegenüber Kindern verfolgen auch strafrechtliche Reaktionen gegenüber strafmündigen Jugendlichen hauptsächlich den Zweck, ihnen Erziehung, Fürsorge und Hilfe zu gewähren. Für Straftäter, die zur Zeit der Verurteilung unter 21 Jahren sind, steht deshalb die Überweisung an die Jugendfürsorge *(överlämnande till vård för unga lagöverträdare)* als selbstständige Sanktionsart zur Verfügung. Sie wird anstelle von Freiheitsstrafe, bedingter Verurteilung oder Schutzaufsicht angewendet, wenn fürsorgerische Maßnahmen geboten und mit Rücksicht auf die Art und Schwere der begangenen Tat sowie auf eventuelle frühere Straftaten des Angeklagten als hinreichend anzusehen sind (Kap. 32 § 1 BrB). Mit dem Überweisungsurteil veranlasst das Gericht die zuständigen Behörden, einverständliche Maßnahmen nach dem Sozialdienstgesetz (*socialtjänstlag*, SFS 2001:453) oder Zwangsmaßnahmen nach dem Jugendfürsorgegesetz auf der Grundlage eines individuellen Fürsorgeplans zu treffen. Um die Sanktion zu verschärfen, kann das Gericht die Überweisung mit Geldstrafe bis zu 200 Tagessätzen oder mit der Auflage von mindestens 20 und höchstens 150 Stunden gemeinnütziger Jugendarbeit *(ungdomstjänst)* verbinden (Kap. 32 § 3 BrB).

Seit 2007 kann Jugendarbeit auch als alleinige Sanktion gegen minderjährige Straftäter verhängt werden (Kap. 32 § 2 BrB). Diese Reaktionsform ist vornehmlich für die Altersgruppe der 15- bis 17-Jährigen gedacht und soll als Alternative zu höheren Geldstrafen, bedingter Verurteilung oder Schutzaufsicht dienen. Sie setzt das Einverständnis des Verurteilten voraus und stellt nicht auf dessen Fürsorgebedürftigkeit ab.

Gegenüber Straftätern, die bei der Tatbegehung unter 18 Jahren waren und aufgrund besonderer Umstände ausnahmsweise eine Gefängnisstrafe verwirkt haben, ist an deren Stelle grundsätzlich auf geschlossene Jugendfürsorge (*sluten ungdomsvård*, Kap. 32 § 5 BrB) zu erkennen. Die Dauer dieser 1999 eingeführten Sanktion, die in einer Heimunterbringung mit besonderen Sicherheitsvorkehrungen besteht, liegt zwischen 14 Tagen und vier Jahren. Eine bedingt vorzeitige Entlassung ist

---

[7] Dazu näher II.J.7.

[8] Siehe hierzu II.D.2. und II.J.6.

ausgeschlossen. Die Vollstreckung richtet sich nach einem besonderen Gesetz (*lag om verkställighet av sluten ungdomsvård*, SFS 1998:603) und fällt in die Zuständigkeit der staatlichen Heimverwaltung. In der Praxis wird die geschlossene Jugendfürsorge häufiger angewendet als ursprünglich erwartet, und zwar insbesondere in Strafsachen wegen Raub, Mord, schwerer Körperverletzung und Meineid.

– *Besondere Maßnahmen gegenüber drogen- und alkoholabhängigen Straftätern*

Hat eine drogen- oder alkoholabhängige Person eine Straftat begangen, die nicht mit einer höheren Strafe als einem Jahr Gefängnis bedroht ist, so kann das Gericht anstelle einer anderen Sanktion die Überweisung des Angeklagten an die Suchtfürsorge (*överlämnande till vård av missbrukare*, Kap. 31 § 2 BrB) anordnen. Die gerichtliche Überweisung zum Zweck der Suchtbehandlung richtet sich an das Sozialamt oder, falls der Angeklagte bereits in einer Entziehungseinrichtung untergebracht ist, an deren Leitung mit dem Auftrag, die nach dem Suchtfürsorgegesetz (*lag om vård av missbrukare i vissa fall*, SFS 1988:870) gebotenen Maßnahmen zu treffen. Der Anwendungsbereich dieser Sanktion ist begrenzt. Wenn für die begangene Straftat eine höhere Strafe als ein Jahr Gefängnis vorgesehen ist, darf die Überweisung nur erfolgen, falls besondere Gründe hierfür vorliegen.

– *Besondere Maßnahmen gegenüber psychisch kranken Straftätern*

Vorauszuschicken ist, dass die Zurechnungsfähigkeit als Strafbarkeitsvoraussetzung in Schweden seit der Einführung des Kriminalgesetzbuchs 1965 abgeschafft ist. Nach geltendem Recht können auch geisteskranke oder psychisch schwer gestörte Personen eine Straftat begehen, angeklagt und verurteilt werden.[9] Krankhafte Geisteszustände, die in den meisten anderen Rechtsordnungen die Strafbarkeit des Täters wegen Schuldunfähigkeit ausschließen, wirken sich nach schwedischem Recht auf die Strafzumessung aus. In der Regel werden nur bestimmte Sanktionsarten verhängt. Eine Gefängnisstrafe war bis 2008 gesetzlich ausgeschlossen; seither gilt diese Beschränkung nur noch dann, wenn der Angeklagte infolge der schweren psychischen Störung, unter deren Einfluss er gehandelt hat, die Bedeutung seiner Tat nicht erkennen konnte oder nicht in der Lage war, sein Verhalten entsprechend zu steuern. Im Übrigen ist die Gefängnisstrafe für Geisteskranke und psychisch schwer Gestörte nunmehr ausdrücklich zugelassen, sofern besondere Gründe – vor allem ein hoher Strafwert der Tat, ein geringer Behandlungsbedarf des Täters oder Tatbegehung in selbstverschuldetem Rauschzustand – dafür sprechen (Kap. 30 § 6 BrB).

Gegen einen Angeklagten, der zum Zeitpunkt der Verurteilung an einer schweren psychischen Störung leidet, kann das Gericht als Sanktion für die begangene Straftat die Überweisung in rechtspsychiatrische Fürsorge (*överlämnande till rättspsykiatrisk vård*, Kap. 31 § 3 BrB) verhängen, sofern eine Geldstrafe im kon-

---

[9] Näher dazu II.D.2. und II.J.7.

kreten Fall nicht für ausreichend erachtet wird. Sprechen besondere Gründe, wie beispielsweise frühere Straffälligkeit des Angeklagten, für eine Strafschärfung, so kann die Überweisung mit einer anderen Sanktion, insbesondere mit Geldstrafe, nicht aber mit Gefängnisstrafe, kombiniert werden.

Die im Fall der Überweisung zu treffenden Maßnahmen nach dem Gesetz über die rechtspsychiatrische Fürsorge (*lag om rättspsykiatrisk vård*, SFS 1991:1129) stellen eine spezifische Form psychiatrischer Zwangsfürsorge dar. Die Überweisung kann unabhängig davon erfolgen, ob der Täter auch bei der Tatbegehung psychisch gestört war. Falls er jedoch die Tat unter dem Einfluss einer schweren psychischen Störung begangen hat und die Gefahr besteht, dass er mit schweren Straftaten (vor allem gegen Leib oder Leben oder die persönliche Sicherheit anderer) rückfällig wird, kann das Gericht im Zusammenhang mit der Überweisung bereits im Urteil eine sogenannte besondere Entlassungsprüfung *(särskild utskrivningsprövning)* anordnen. Danach muss neben der gewöhnlichen Voraussetzung für die Entlassung, dass angesichts des psychischen Zustands und der übrigen persönlichen Verhältnisse des Patienten eine psychiatrische Zwangsfürsorge nicht länger geboten ist, die weitere Bedingung erfüllt sein, dass ein Rückfallrisiko nicht mehr besteht. Über die Entlassung entscheidet normalerweise der Chefarzt der Anstalt, im Fall einer besonderen Entlassungsprüfung aber das Verwaltungsgericht auf Antrag des Chefarztes oder des Patienten.

In der Praxis kann die rechtspsychiatrische Fürsorge in einer reinen Verwahrung ohne psychiatrische Behandlung bestehen. Eine Sicherungsverwahrung als Sanktion für gefährliche Rückfalltäter, die nicht an einer psychischen Störung leiden, ist derzeit im schwedischen Strafrecht nicht vorgesehen.

In Reformgutachten aus den Jahren 1996 und 2002 wird die Wiedereinführung der Zurechnungsfähigkeit als Voraussetzung für die Strafbarkeit gefordert und die Schaffung von „Gesellschaftsschutzmaßnahmen" vorgeschlagen. Diese Reaktionsform soll gegenüber besonders gefährlichen Tätern zur Anwendung kommen, die entweder wegen Geisteskrankheit zurechnungsunfähig sind und deshalb nicht zu einer Strafsanktion verurteilt werden können oder die zwar zurechnungsfähig, aber aufgrund einer psychischen Störung erheblich rückfallgefährdet sind. Die Gutachter äußern sich nicht näher zur dogmatischen Einordnung der empfohlenen Schutzmaßnahmen. Sie sollen durch Unterbringung in einer geschlossenen psychiatrischen Einrichtung oder in einer Strafvollzugsanstalt vollstreckt werden. Da sie jedoch nicht mit einer Freiheitsstrafe vikariieren, sondern an deren Stelle treten, handelt es sich offensichtlich nicht um den Vorschlag eines zweispurigen Systems.

Literaturhinweise zu Abschnitt E.

Agge, Ivar, Straffrättens allmänna del. Första häftet (Allgemeiner Teil des Strafrechts. Erstes Heft). 4. Aufl. Stockholm 1970, S. 6–10, 17–37.

Asp, Petter, EG:s sanktionsrätt (EG-Sanktionenrecht). Uppsala 1998, S. 296–315.

Berg, Ulf u.a. (Hrsg.), Brottsbalken. En kommentar (Das Kriminalgesetzbuch. Ein Kommentar). Kap. 25–38. Stockholm Loseblatt, 31:1–32:40.

DsJu 1978:5, Företagsböter. En kartläggande undersökning av korporativt ansvar (Unternehmensgeldbuße. Eine Bestandsaufnahme zur korporativen Strafbarkeit). Stockholm 1978.

DsJu 1981:3, Ekonomiska sanktioner vid brott i näringsverksamhet (Wirtschaftliche Sanktionen bei Straftaten im Bereich gewerblicher Tätigkeit). Stockholm 1981.

Jareborg, Nils, Allmän Kriminalrätt (Allgemeines Kriminalrecht). Uppsala 2001, S. 18 f.

Jareborg, Nils/Zila, Josef, Straffrättens påföljdslära (Rechtsfolgenlehre des Strafrechts). 2. Aufl. Stockholm 2007, S. 48–61, 147–156.

Leijonhufvud, Madeleine/Wennberg, Suzanne, Straffansvar (Strafrechtliche Verantwortung). 7. Aufl. Stockholm 2005, S. 11–14.

Schütz-Gärdén, Bettina, Psychisch gestörte Straftäter im schwedischen und deutschen Recht. Freiburg 1999.

SOU 1996:185, Straffansvarets gränser (Grenzen der Strafbarkeit). Betänkande av straffansvarsutredningen. Stockholm 1996.

SOU 2002:3, Psykisk störning, brott och ansvar (Psychische Störung, Straftat und strafrechtliche Verantwortlichkeit). Betänkande av psykansvarskommittén. Stockholm 2002.

Warnling-Nerep, Wiweka, Sanktionsavgifter – särskilt vid olovligt byggande (Sanktionsabgaben – insbesondere bei illegalem Bauen). Stockholm 1987, S. 60–79.

Zila, Josef, I stället för straff. Sanktionsavgifter som kriminalpolitiskt medel mot bagatellbrottslighet (Anstelle von Strafe. Sanktionsabgaben als kriminalpolitisches Mittel gegen Bagatellkriminalität). Stockholm 1992.

– Specialstraffrätten. En introduktion (Das Nebenstrafrecht. Eine Einführung). 5. Aufl. Stockholm 2006, S. 9–16.

F. Strafrechtsquellen und Auslegungshilfen

1. Überblick

Die wichtigsten Rechtsquellen und Auslegungshilfen des schwedischen Strafrechts sind – in dieser Reihenfolge – geschriebene Rechtsnormen, Gesetzgebungsmaterialien, Rechtsprechung, Gewohnheitsrecht und die rechtswissenschaftliche Lehre.[1]

Völkerrechtliche Verträge[2] bilden keine unmittelbare Rechtsquelle. Hinsichtlich des Verhältnisses zwischen nationalem Recht und Völkerrecht folgt Schweden der sogenannten dualistischen Betrachtungsweise, die von zwei getrennten, unabhängigen Rechtsordnungen ausgeht. Danach sind völkerrechtliche Regelungen nicht ohne Weiteres von den nationalen Gerichten und Verwaltungsbehörden zu beachten, sondern es bedarf hierfür einer förmlichen Aufnahme solcher Normen in das schwedische Recht. Diese Aufnahme kann entweder in der Weise erfolgen, dass bestehende Rechtsvorschriften durch Änderung oder Ergänzung in Einklang mit den völkerrechtlichen Regeln gebracht werden (Transformation) oder dass der Reichstag per Gesetz bestimmte völkerrechtliche Normen, etwa die Regelungen eines internationalen Übereinkommens, zu innerstaatlich geltendem Recht erklärt (Inkorporierung). Inkorporiertes Völkerrecht erlangt dabei jeweils einfachen Gesetzesrang.[3] (zum Sonderfall der Europäischen Menschenrechtskonvention siehe I.5.b.).

Mit seinem Beitritt zur Europäischen Union und der Inkorporierung des EG-Vertrages hat Schweden pauschal sämtliche Beschlüsse und Maßnahmen der Gemeinschaft als unmittelbar geltendes Recht anerkannt und sich der Rechtsprechung des Europäischen Gerichtshofs unterworfen, aus der sich ein prinzipieller Vorrang des EU-Rechts gegenüber nationalen Rechtsbestimmungen ergibt.

2. Geschriebene Rechtsnormen

Geschriebene und formell bekanntgemachte Rechtsvorschriften stellen die wesentliche Strafrechtsquelle dar. Dabei besteht eine absteigende Hierarchie zwischen Gesetzen mit Verfassungsrang, gewöhnlichen vom Reichstag verabschiedeten Gesetzen, einschließlich inkorporierter Völkerrechtsnormen, und Verordnungen der Exekutive.[4] Die jeweils höherrangige Bestimmung geht der nachgeordneten vor.

---

1 Im Einzelnen hierzu unten F.2.–5.

2 Siehe näher I.B.2.b.

3 Zum Sonderfall der Europäischen Menschenrechtskonvention siehe unten F.2.

4 Vergleiche hierzu II.A.3.a.

Eine Normenkontrolle findet in der Weise statt, dass Gerichte und Behörden keine Vorschriften anwenden dürfen, die nach ihrer Ansicht im Widerspruch zur Verfassung oder zu höherrangigen Rechtsnormen stehen. Für Vorschriften, die der Reichstag oder die Regierung erlassen haben, gilt dies jedoch nur, wenn der Widerspruch „offensichtlich" ist (Kap. 11 § 14 RF).

Alle Gesetze und Verordnungen werden abgedruckt in der offiziellen Gesetzessammlung *Svensk författningssamling* (SFS) und üblicherweise mit dem Jahr ihres Erlasses und der laufenden Nummer in der amtlichen Sammlung zitiert, beispielsweise SFS 1962:700. Dabei wird die Nummer gewöhnlich in den Gesetzesnamen integriert, zum Beispiel *lag* (2003:148) *om straff för terroristbrott.*

– *Kernstrafrecht*

Das zentrale materiell-strafrechtliche Gesetz, dessen Bestimmungen das schwedische Kernstrafrecht bilden, ist das Kriminalgesetzbuch (*Brottsbalken*, BrB, SFS 1962:700) vom 21.12.1962, in Kraft seit 1965. Es gliedert sich – abweichend von einem Aufbau nach Allgemeinem und Besonderem Teil – in drei Abschnitte. Deren erster (Kap. 1 und 2) enthält allgemeine Bestimmungen und Definitionen sowie die Regeln über den räumlichen Anwendungsbereich des schwedischen Strafrechts. Der zweite Abschnitt (Kap. 3–24) umfasst neben den einzelnen Straftatbeständen auch die Vorschriften über Versuch, Vorbereitung, Verabredung und Tatbeteiligung sowie über allgemeine Strafausschließungsgründe. Die Rechtsfolgen der Straftat, Strafzumessung und Sanktionswahl ebenso wie Verjährung und einige verfahrensrechtliche Einzelheiten sind im dritten Abschnitt (Kap. 25–38) geregelt. Da die Zählung der Paragrafen in jedem Kapitel neu beginnt, werden die Vorschriften des Kriminalgesetzbuchs jeweils nach Kapitel und Paragraf benannt, zum Beispiel 15 kap. 3 §, das heißt Kap. 15 § 3. Die in Schweden allgemein gebräuchliche abgekürzte Form ist BrB 15:3.

Die Mehrzahl der materiellen Strafvorschriften findet sich außerhalb des Kriminalgesetzbuchs in nebenstrafrechtlichen Gesetzen.[5]

– *Medienstrafrecht*

Eine Sonderstellung nehmen die sogenannten Medienstraftaten *(yttrandefrihetsbrotten)* ein. Dabei handelt es sich um Straftaten, die ganz überwiegend im Kriminalgesetzbuch erfasst sind und aufgrund des Umstands, dass sie unter Verwendung von Druckschriften oder bestimmter anderer Medien wie Rundfunk, Fernsehen, Film oder Videogramm begangen werden, zugleich unter eine Strafbestimmung der Pressefreiheitsverordnung (*tryckfrihetsförordningen*, TF) oder des Grundgesetzes zur Freiheit der Meinungsäußerung (*yttrandefrihetsgrundlagen*,

---

[5] Näher dazu weiter unten sowie auch I.E.1.

YGL) fallen. Diese Mediengesetze haben Verfassungsrang und gehen dem Kriminalgesetzbuch vor.[6] Nach ihren Sondervorschriften bestimmt sich nicht nur die Strafbarkeit der jeweiligen Taten, sondern auch das Verfahren, das in verschiedenen Punkten vom gewöhnlichen Strafprozess abweicht.

Die Strafbarkeit wegen eines Mediendelikts setzt voraus, dass die betreffende Tat sowohl nach einfachem Gesetz, das heißt in aller Regel nach dem Kriminalgesetzbuch, als auch nach der Pressefreiheitsverordnung oder dem Grundgesetz zur Freiheit der Meinungsäußerung strafbar ist. Dies bedeutet beispielsweise, dass eine im Kriminalgesetzbuch vorgenommene Entkriminalisierung einer Tat, die auch in der Pressefreiheitsverordnung mit Strafe bedroht ist, unmittelbar auch dort entkriminalisierend wirkt, selbst wenn die Anforderungen einer Verfassungsänderung nicht erfüllt sind. Wird hingegen im Kriminalgesetzbuch eine bestimmte Verhaltensweise neu unter Strafe gestellt und dadurch die allgemeine Äußerungsfreiheit eingeschränkt, so bleibt die Pressefreiheit dennoch unbeeinträchtigt, solange nicht die Pressefreiheitsverordnung durch zwei Parlamentsbeschlüsse mit zwischenzeitlicher Reichstagswahl geändert wird.

– *Europäische Menschenrechtskonvention*

Innerhalb der Normenhierarchie stellt auch die Europäische Menschenrechtskonvention eine Besonderheit dar. Sie wurde einschließlich ihrer Zusatzprotokolle 1994 in das schwedische Recht inkorporiert, hat also nur den formellen Status eines einfachen Gesetzes.[7] In der amtlichen Begründung des Inkorporierungsgesetzes wurde ausgeführt, dass die Grundrechte in der schwedischen Verfassung von 1974, der sogenannten Regierungsform (*regeringsformen*, RF), bereits weitgehend an der Menschenrechtskonvention ausgerichtet worden seien und eine höherrangige Umsetzung der Konvention deshalb zu einer „Doppelregelung“ auf gleichem konstitutionellem Niveau führen würde. Um dennoch die besondere Bedeutung der Menschenrechte zu betonen, wurde gleichzeitig eine Bestimmung in die Regierungsform aufgenommen (Kap. 2 § 23 RF), nach der kein Gesetz und keine andere Vorschrift erlassen werden darf, die im Widerspruch zu Schwedens Verpflichtungen aus der Konvention steht. Diese Vorschrift sollte die Menschenrechtskonvention nicht etwa aus ihrem Gesetzesstatus herausheben. Sie erklärt jedoch eine konventionswidrige Rechtsbestimmung zugleich für verfassungswidrig und eröffnet somit Gerichten und anderen öffentlichen Organen die Möglichkeit, im Wege der Normenkontrolle (Kap. 11 § 14 RF) zu überprüfen, ob eine nationale Rechtsbestimmung mit der Konvention vereinbar ist. Im Zweifelsfall ist durch menschenrechtskonforme Auslegung der infrage stehenden schwedischen Bestimmung ein solcher Inhalt zu geben, der den Anforderungen der Konvention entspricht.

---

6 Siehe dazu ausführlich I.C.1.

7 Zur Inkorporierung siehe oben F.1.

– *Nebenstrafrecht*

Außerhalb des Kriminalgesetzbuchs und der Mediengesetze finden sich Strafbestimmungen in ungefähr 400 Gesetzen. Manche dieser Tatbestände werden in der Praxis niemals angewandt, während andere Straftaten betreffen, die zu den quantitativ wichtigsten zählen. Etwa 40–45 % aller Gefängnisstrafen und etwa die Hälfte der Gefängnisstrafen von mehr als vier Jahren werden wegen nebenstrafrechtlicher Delikte verhängt. Die Langzeitverurteilungen entfallen dabei hauptsächlich auf den Bereich der Drogenkriminalität. Soweit keine besonderen Regelungen bestehen, gelten die allgemeinen Bestimmungen des Kriminalgesetzbuchs auch für das Nebenstrafrecht

Die nebenstrafrechtlichen Vorschriften lassen sich in drei Hauptgruppen gliedern. Zu der ersten gehören die vier sogenannten besonderen Strafgesetze:

- Verkehrsstrafgesetz (*trafikbrottslagen*, SFS 1951:649),
- Warenschmuggelgesetz (*smugglingslagen*, SFS 2000:1225),
- Drogenstrafgesetz (*narkotikastrafflagen*, SFS 1968:64) und
- Steuerstrafgesetz (*skattebrottslagen*, SFS 1971:69).

Die zweite Hauptgruppe besteht aus Gesetzen, die ebenfalls als rein strafrechtlich bezeichnet werden können, die aber nicht der Regelung eines bestimmten Sachgebietes dienen, sondern eher auf die Kriminalisierung eines speziellen Verhaltens konzentriert sind:

- Gesetz über die Bestrafung von Völkermord (SFS 1964:169);
- Gesetz über das Verbot der Geschlechtsverstümmelung von Frauen (SFS 1982:316);
- Gesetz über das Verbot des juristischen oder wirtschaftlichen Rechtsbeistands in bestimmten Fällen (SFS 1985:354);
- Gesetz über das Verbot von Radar- und Laserwarnanlagen (SFS 1988:15);
- Gesetz über den Schutz von Betriebsgeheimnissen (SFS 1990:409);
- Gesetz über das Verbot bestimmter Dopingmittel (SFS 1991:1969);
- Gesetz über das Verbot bestimmter gesundheitsschädlicher Waren (SFS 1999:42).

Der dritten und größten Hauptgruppe können die übrigen nebenstrafrechtlichen Strafbestimmungen zugeordnet werden. Zahlreiche Gesetze, die die Verhältnisse in verschiedenen Gesellschaftsbereichen regeln, wie beispielsweise das Jagdgesetz (SFS 1987:259), das Fischereigesetz (SFS 1993:787), das Alkoholgesetz (SFS 1994:1738) und das Ausländergesetz (SFS 2005:716), enthalten entweder besondere Abschnitte oder einzelne Paragrafen, in denen Verstöße gegen bestimmte Vorschriften des betreffenden Gesetzes mit Strafe bedroht sind, und zwar überwiegend in Blankettform.[8] Von besonderer Bedeutung sind die Strafbestimmungen in Kap. 29 des Umweltgesetzbuchs (SFS 1998:808), das die früher kernstrafrechtlichen Tatbestände über schwere Umweltstraftaten aus dem Kriminalgesetzbuch übernommen hat.

– *Weitere Gesetze*

Neben der Verfassung enthält auch das Einführungsgesetz zum Kriminalgesetzbuch (SFS 1964:163) einige wichtige Bestimmungen unter anderem zum Rückwirkungsverbot strafschärfender Gesetzgebung und zur begrenzt zulässigen Rückwirkung eines Gesetzes, wenn dieses zu milderer Bestrafung oder Absehen von Strafe führt (§ 5).[9]

Das Strafverfahren ist im Prozessgesetzbuch (*Rättegångsbalken*, RB, SFS 1942:740) geregelt, das sowohl zivil- als auch strafverfahrensrechtliche Vorschriften enthält. Es wird ergänzt durch die Verordnung über das Vorverfahren (*förundersökningskungörelse*, SFS 1947:948) sowie durch eine Reihe spezieller Gesetze, etwa über die Behandlung junger Straftäter (*lag med särskilda bestämmelser om unga lagöverträdare*, SFS 1964:167), über die Behandlung von Festgenommenen und Untersuchungshäftlingen (*lag om behandling av häktade och anhållna m.fl.*, SFS 1976:371) oder über besondere Maßnahmen zur Ermittlung von gesellschaftsgefährlichen Straftaten (*lag om åtgärder för att utreda samhällfarliga brott*, SFS 2008:854).

Im Bereich der Strafvollstreckung sind vor allem die Gesetze über den Anstaltsvollzug (*lag om kriminalvård i anstalt*, SFS 1974:203) und über die Vollstreckung von Geldstrafen (*bötesverkställighetslag*, SFS 1979:189) sowie die Verordnung über den Strafvollzug in Freiheit (*förordning om verkställighet av frivårdspåföljder*, SFS 1998:642) hervorzuheben.

– *Gesetzgebungsmaterialien*

Eine wichtige Rechtsquelle bilden die Gesetzgebungs- und Reformmaterialien. Das schwedische Gesetzgebungsverfahren ist gekennzeichnet durch besonders gründliche außerparlamentarische Vorarbeiten. Zu jedem größeren Reformvorhaben wird von der Regierung eine besondere Expertenkommission – gelegentlich auch eine einzelne sachverständige Person – eingesetzt, die den Regelungsbedarf sowie verschiedene Lösungsmöglichkeiten eingehend untersucht und einen konkreten Gesetzesvorschlag ausarbeitet. Anschließend geben sachlich betroffene Körperschaften und Organisationen in einem sogenannten Remissverfahren ihre Stellungnahmen zu den Empfehlungen der Kommission ab und das zuständige Ministerium

---

8 Zur Problematik dieser Gesetzgebungstechnik siehe II.A.3.b.

9 Siehe näher hierzu II.A.2.a. und 3.d.

erarbeitet den Regierungsentwurf. Dieser wird zunächst überprüft vom Gesetzgebungsrat *(Lagrådet)*, der aus Richtern der obersten Gerichte besteht, und schließlich mit einer detaillierten Begründung als Gesetzesvorlage dem Parlament zugeleitet. Dort findet nach einer Behandlung in dem betreffenden Fachausschuss die parparlamentarische Abstimmung statt.

Die ausführlichen, oft mehrbändigen Gutachten der Expertenkommissionen werden in einer besonderen Reihe, *Statens offentliga utredningar* (SOU), veröffentlicht. Regierungsentwürfe erscheinen als Parlamentsdrucksachen unter der Bezeichnung *Regeringens proposition* (Prop.). Eine Auswahl der amtlichen Begründungen zu den vom Reichstag verabschiedeten Gesetzen wird in der Zeitschrift *Nytt Juridiskt Arkiv* (NJA) Teil II wiedergegeben. Dieses umfangreiche Material bildet die sogenannten Motive, die später als wichtige Interpretationshilfe bei der Anwendung und Auslegung des erlassenen Gesetzes dienen. Auch die Kommentarliteratur nimmt weitgehend Bezug auf die Gesetzgebungsmaterialien. Deren Bindungswirkung für die Rechtspraxis ist geringer als die der Gesetze selbst; sie geht jedoch so weit, dass die vorsätzliche oder fahrlässige Nichtbeachtung der Motive als Amtsdelikt strafbar sein und einen Revisionsgrund bilden kann.

3. Gewohnheitsrecht

Neben dem geschriebenen Recht spielen auch nichtkodifizierte Regeln und Grundsätze eine erhebliche Rolle bei der Rechtsfindung. Dabei handelt es sich zum einen um allgemeine Auffassungen innerhalb der Bevölkerung oder bestimmter Gruppen, die ein Gericht etwa bei der Anwendung gesetzlicher Tatbestandsmerkmale wie „ungebührlich" (Kap. 6 §§ 3, 7, Kap. 17 §§ 2, 7, 8 BrB) oder „zumutbar" (Kap. 6 § 8, Kap. 16 § 18 BrB) als geltendes Recht zu berücksichtigen hat. Zum anderen wird Gewohnheitsrecht dadurch gebildet, dass die Gerichte in einer bestimmten Rechtsfrage regelmäßig den gleichen ungeschriebenen Lösungsweg wählen, etwa die Argumente der Sozialadäquanz oder der vorübergehenden Sinnesverwirrung als außergesetzliche Straffreistellungsgründe.[10]

Völkergewohnheitsrecht in Form von allgemein anerkannten Grundsätzen wird im Kriminalgesetzbuch ausdrücklich als eine zu beachtende Quelle möglicher Einschränkungen der schwedischen Strafgewalt (Kap. 2 § 7 BrB) angeführt. Ferner verweist der Tatbestand der Völkerrechtsstraftat (Kap. 22 § 6 BrB) zur Definition der kriminalisierten Tathandlungen pauschal auf allgemein anerkannte Grundsätze des humanitären Kriegsrechts.

---

[10] Eingehend dazu II.J.1., 5. und 7.

4. Rechtsprechung

Auch die Rechtsprechung stellt eine bedeutende Rechtsquelle dar. Als Präjudikate kommen hauptsächlich Entscheidungen des Obersten Gerichtshofs *(Högsta domstolen)* sowie – in geringerem Umfang und Maß – letztinstanzliche Entscheidungen der Obergerichte *(hovrätter)* in Betracht.[11] Formell beschränkt sich die Bindungswirkung eines Präjudikats auf das Gericht selbst. So muss der Oberste Gerichtshof, wenn er von seiner eigenen früheren Rechtsprechung abweichen will, im Plenum entscheiden (Kap. 3 § 5 RB). Gegenüber den unteren Instanzen ist eine Präjudikatbindung nicht gesetzlich geregelt, in der Praxis aber weitgehend vorhanden und respektiert.

Die höchstrichterlichen Entscheidungen werden in der Zeitschrift *Nytt Juridiskt Arkiv* (NJA) Teil I, Urteile der Obergerichte in der Entscheidungssammlung *Rättsfall från hovrätterna* (RH) veröffentlicht. Die Auswahl der in RH veröffentlichten Urteile liegt im Ermessen einzelner Richter, was den Wert dieser Sammlung beeinträchtigt.

Die Rechtsprechung des Europäischen Gerichtshofs für Menschenrechte ist in Schweden durch Inkorporierung des 11. Zusatzprotokolls zur Europäischen Menschenrechtskonvention (SFS 1998:712) für völkerrechtlich bindend im Sinne von Art. 46 I EMRK erklärt worden. Die Bindungswirkung von Entscheidungen des Gerichtshofs der Europäischen Gemeinschaften ergibt sich für Verfahren wegen Vertragsverletzung aus Art. 228 EG-Vertrag, der mit dem schwedischen Beitrittsgesetz (SFS 1994:1500) zur Europäischen Union als nationales Recht übernommen worden ist. In Bezug auf Vorabentscheidungsverfahren gemäß Art. 234 EG-Vertrag besteht Einigkeit darüber, dass die Entscheidung des EuGH für das vorlegende Gericht und die mit derselben Sache befassten Instanzgerichte *inter partes* verbindlich ist.

5. Schrifttum

Die Strafrechtslehre kann in Schweden nicht als eigentliche Rechtsquelle bezeichnet werden. Gesetzeskommentare, Lehrbücher und andere Schriften dienen jedoch als Auslegungshilfe für die Rechtspraxis. Indem die führenden Strafrechtslehrer an den Gesetzgebungsvorarbeiten beteiligt werden, haben sie teilweise einen erheblichen Einfluss auf die Rechtsentwicklung und -anwendung. Dies gilt besonders für die allgemeinen Lehren des Strafrechts, die nahezu vollständig von Rechtswissenschaftlern geschaffen und vom Gesetzgeber und den Gerichten übernommen worden sind.

---

[11] Zum Gerichtsaufbau siehe I.A.5.c.

Literaturhinweise zu Abschnitt F.

Asp, Petter, EU & straffrätten (EU und das Strafrecht). Uppsala 2002.

Bernitz, Ulf, EG-rätten (Das EG-Recht). In: Ulf Bernitz u.a. (Hrsg.), Finna rätt. Juristens källmaterial och arbetsmetoder (Recht finden. Quellenmaterial und Arbeitsmethoden des Juristen). 4. Aufl. Stockholm 1996, S. 45–66.

Call, Horst, Grundrechtsschutz in Schweden unter rechtsvergleichenden Gesichtspunkten. Berlin 2003, S. 32–57.

Eek, Hilding u.a., Juridikens Källmaterial (Quellenmaterial der Rechtswissenschaft). 7. Aufl. Stockholm 1973.

Hagsgård, Anders, EG-rätten i nationell rättstillämpning (Das EG-Recht in nationaler Anwendung). Stockholm 1996, S. 49–87.

Heckscher, Sten, EG och de svenska domstolarna (EG und die schwedischen Gerichte). Svensk Juristtidning 1991, 221–235.

Heuman, Lars, Rättspraxis (Rechtsprechung). In: Ulf Bernitz u.a. (Hrsg.), Finna rätt. Juristens källmaterial och arbetsmetoder (Recht finden. Quellenmaterial und Arbeitsmethoden des Juristen). 4. Aufl. Stockholm 1996, S. 113–142.

Hydén, Håkan, Rättsregler. En introduktion till juridiken (Rechtsregeln. Eine Einführung in die Rechtswissenschaft). Lund 2001, S. 116–121.

Jareborg, Nils, Allmän kriminalrätt (Allgemeines Kriminalrecht). Uppsala 2001, S. 96–106.

Lindblom, Per Henrik, Inledning till juridiken (Einleitung zur Rechtswissenschaft). 2. Aufl. Uppsala 1991, S. 14–28.

Leijonhufvud, Madeleine, Förarbeten (Gesetzesvorarbeiten). In: Ulf Bernitz u.a. (Hrsg.), Finna rätt. Juristens källmaterial och arbetsmetoder (Recht finden. Quellenmaterial und Arbeitsmethoden des Juristen). 4. Aufl. Stockholm 1996, S. 89–111.

Leijonhufvud, Madeleine/Wennberg, Suzanne, Straffansvar (Strafrechtliche Verantwortung). 7. Aufl. Stockholm 2005, S. 11–14.

Schütz-Gärdén, Bettina, Psychisch gestörte Straftäter im schwedischen und deutschen Recht. Freiburg 1999.

SOU 1996:185, Straffansvarets gränser (Grenzen der Strafbarkeit). Betänkande av straffansvarsutredningen. Stockholm 1996.

SOU 2002:3, Psykisk störning, brott och ansvar (Psychische Störung, Straftat und strafrechtliche Verantwortlichkeit). Betänkande av psykansvarskommittén. Stockholm 2002.

Vogel, Hans-Heinrich, Den juridiska litteraturen (Die juristische Literatur). In: Ulf Bernitz u.a. (Hrsg.), Finna rätt. Juristens källmaterial och arbetsmetoder (Recht finden. Quellenmaterial und Arbeitsmethoden des Juristen). 4. Aufl. Stockholm 1996, S. 163–180.

Warnling-Nerep, Wiweka, Sanktionsavgifter – särskilt vid olovligt byggande (Sanktionsabgaben – insbesondere bei illegalem Bauen). Stockholm 1987, S. 60–79.

Zila, Josef, I stället för straff. Sanktionsavgifter som kriminalpolitiskt medel mot bagatellbrottslighet (An Stelle von Strafe. Sanktionsabgaben als kriminalpolitisches Mittel gegen Bagatellkriminalität). Stockholm 1992.

– Specialstraffrätten. En introduktion (Das Nebenstrafrecht. Eine Einführung). 5. Aufl. Stockholm 2006, S. 9–16.

G. Entwicklung des Strafrechts, Strafverfahrensrechts und Strafvollstreckungsrechts

1. Überblick

Die Bewegungen in der Strafrechtspolitik werden gelegentlich mit denen eines Pendels verglichen, das heißt, dass die Auffassungen von einer Richtung in das jeweilige Gegenteil umschlagen und dann wieder zurückschwingen. Dieser Vergleich trifft in besonderem Maße auf die Entwicklung in Schweden zu, wo allein im Verlauf des vergangenen Jahrhunderts das Pendel von einer Extremposition (klassische Strafrechtslehre) in die entgegengesetzte (Behandlungsideologie) ausgeschlagen ist, sich daraufhin erneut dem Ausgangspunkt angenähert hat (sogenannter Neoklassizismus) und gegenwärtig wiederum rückläufige Tendenzen (sogenannter Präventionismus) erkennen lässt.

Das bereits seit dem Mittelalter kodifizierte schwedische Strafrecht war zunächst von grausamen Sanktionen geprägt, deren Härte die Richter durch milde Rechtsprechung auszugleichen suchten. Der Einfluss der Aufklärungsphilosophie blieb begrenzt, und erst im Lauf des 19. Jahrhunderts wurde der Anschluss an die Entwicklung in Kontinentaleuropa erreicht.

Später galt die schwedische Strafgesetzgebung lange Zeit als beispielhaft wegen ihrer pragmatischen und sozialpolitischen Ausrichtung. Sie spiegelte die Werte des nordischen Wohlfahrtsstaates – Solidarität, soziale Gleichheit und geteilte Verantwortung – wider und beruhte auf der Überzeugung, dass Maßnahmen gegen Ausgrenzung und Ungleichheit auch gegen Kriminalität wirksam sein können. Diese Orientierung hat in den letzten Jahren jedoch einen Wandel erfahren. Selbstzentrierte Werte nehmen innerhalb der gesellschaftlichen Grundvorstellungen einen wachsenden Raum ein, Interessengruppen, Politiker und Medien üben stärkeren Einfluss aus. Der Harmonisierungsdruck seitens der Europäischen Union hat die Qualität der nationalen Gesetzesvorarbeiten sinken und das strafrechtliche Repressionsniveau deutlich ansteigen lassen. Viele Rechtswissenschaftler beklagen den Übergang von der ehemals defensiven zu einer zunehmend offensiven Strafrechtspolitik.

2. Entwicklung des materiellen Strafrechts

– *Vor der Rechtskodifizierung*

Kenntnisse über das altschwedische Strafrecht gehen bis ins frühe Mittelalter zurück. In dieser Epoche der Wikinger und der beginnenden Christianisierung war die Staatsgewalt nur schwach ausgebildet. Im Rechtsleben spielten vor allem die Familie und die Sippe eine wichtige Rolle. Deshalb wurden die meisten Übeltaten als

Verletzung von Privatinteressen angesehen; ihre Aufklärung und Ahndung blieb dem Einzelnen ebenso überlassen wie die Lösung zivilrechtlicher Streitigkeiten. Dabei wurde zwischen Kriminal- und Privatrecht nicht wirklich unterschieden.

Innerhalb der patriarchalisch organisierten Familie stand dem Vater die interne Strafgewalt über alle Mitglieder der Familien- und Hausgemeinschaft zu. Die Familie bildete ihrerseits einen Teil der Sippe, die verpflichtet war, Angriffe von außen gegen einen ihrer Angehörigen zu rächen. Die Vergeltung konnte nicht nur gegen den Täter selbst, sondern gegen jedes Mitglied seiner Sippe gerichtet werden. Eine Blutschuld vererbte sich auf nachfolgende Generationen, und da die Rachetat ihrerseits Ahndung verlangte, konnte es zu lang anhaltenden Sippenfehden kommen.

Unter dem zunehmenden Einfluss der christlichen Kirche wurde später die Sippenrache – zunächst bei leichteren Delikten und schließlich auch bei schweren Gewalttaten – durch die Zahlung einer Geldbuße ersetzt. Gleichzeitig erstarkte die zentrale Staatsgewalt, und es setzte sich allmählich die Auffassung durch, dass ein Verbrechen nicht allein die Interessen des Opfers verletzt, sondern auch die staatliche Gemeinschaft stört.

– *Die Zeit bis zum 19. Jahrhundert*

Um 1300 kam es zu ersten Rechtskodifizierungen, den sogenannten Landschaftsgesetzen, in denen auf kirchliche Initiative die Kollektivhaftung endgültig abgeschafft und das Prinzip der individuellen Verantwortlichkeit des Missetäters festgeschrieben wurde. Übeltaten wurden nicht mehr als Privatangelegenheit, sondern als Übertretung des objektiven Rechts betrachtet und überwiegend mit Bußen an den Verletzten, das Gemeinwesen und den König geahndet. Die älteste einheitliche Strafgesetzgebung des schwedischen Reichs stammt aus der Mitte des 14. Jahrhunderts; sie findet sich im Allgemeinen Landrecht und Stadtrecht des Königs *Magnus Eriksson*. Als wesentliche Strafzwecke kommen darin Genugtuung für den Verletzten, Vergeltung gegenüber dem Täter und dessen Sühne zum Ausdruck sowie Abschreckung anderer durch harte und grausame Leibesstrafen, die in der Regel öffentlich vollstreckt wurden.

Das erste umfassende Gesetzbuch für alle Einwohner des Landes erhielt Schweden im Jahr 1734. Diese bedeutende Kodifizierung, *Sveriges Rikes Lag*, basierte zwar überwiegend auf mittelalterlichen Grundlagen, doch stellte sie zumindest in gesetzestechnischer Hinsicht für ihre Zeit eine wesentliche Modernisierung dar. Das Strafrecht war in den zwei Abschnitten *Missetatengesetzbuch* und *Strafengesetzbuch* geregelt und kannte neben Todesstrafe, Geldstrafe, körperlicher Züchtigung und Gefängnis unter anderem auch Sanktionen wie Stehen am Schandpfahl, Bußetun in der Kirche, Verbannung, Ehrverlust, Festungsarbeit und Einziehung des Vermögens. Im Vergleich zur damaligen Sanktionspraxis in England und in Kontinentaleuropa war die schwedische Rechtsprechung mild. Die Richter brachten damit ihren Widerstand gegen die Grausamkeit des auf dem Abschreckungsprinzip beruhenden Strafensystems zum Ausdruck.

Gegen Ende des 18. Jahrhunderts setzten sich Humanisierungstendenzen durch. Unter dem Einfluss der Aufklärungsphilosophie veranlasste 1778 König *Gustav III.* als Anhänger *Beccarias* eine Strafgesetzreform, mit der die Folter abgeschafft und die Todesstrafe erheblich zurückgedrängt wurde. Zu Beginn des 19. Jahrhunderts erhob man die Freiheitsstrafe neben der Geldstrafe zur dominierenden Sanktionsform. Einen wirklichen Durchbruch der aufklärerischen strafrechtlichen Reformideen erlebte Schweden jedoch nicht. Das Land, dessen Bevölkerung seit alters her einem tief verwurzelten Konservatismus verhaftet war und nur eine dünne gebildete Schicht aufwies, war geografisch zu isoliert und darüber hinaus zu jener Zeit noch durch häufige Unruhen erschüttert.

– *Das Strafgesetz von 1864 und spätere Teilreformen*

Erst im Anschluss an die Staatsumwälzung von 1809 begannen Vorarbeiten zu einer umfassenden Modernisierung des schwedischen Rechts. Im strafrechtlichen Bereich diente anfangs das bayerische Strafgesetzbuch als Vorbild, aber es sollte noch ein halbes Jahrhundert vergehen, bevor das neue Strafgesetz von 1864 in Kraft trat. Es war von der klassischen Strafrechtslehre geprägt, die den Grund des Strafens in der gerechten Vergeltung für die begangene Tat sah. Sie bekannte sich zum Schuldprinzip und ging von der Willensfreiheit des Menschen aus. Straftäter, die aufgrund abweichenden Geisteszustands nicht zu freier Willensbildung fähig waren, blieben straffrei. Die Sanktionen waren auf den Gedanken der Generalprävention durch Abschreckung und Moralbildung in der Gesellschaft gestützt und umfassten insbesondere Todesstrafe, Strafarbeit, Gefängnis, Geldstrafe, Verlust der bürgerlichen Rechte und Einziehung des Vermögens. Die Strafzumessung hatte das Gericht nach der Schwere der Tat vorzunehmen.

Die Geltungsdauer des Strafgesetzes erstreckte sich auf genau hundert Jahre. Doch schon bald nach seinem Inkrafttreten begann man, es durch immer neue Teilreformen der rasch fortschreitenden kriminalpolitischen Entwicklung unter dem Einfluss der modernen Strafrechtsschulen anzupassen. Damit vollzog sich in den ersten Jahrzehnten des 20. Jahrhunderts eine grundlegende kriminalpolitische Kursänderung, bei der die Individualprävention in den Vordergrund trat. Den Ausgangspunkt bildete nicht länger die begangene Tat, sondern die Täterpersönlichkeit. Die Willensfreiheit des Menschen wurde infrage gestellt und kriminelles Verhalten auf eine krankheitsähnliche Fehlentwicklung zurückgeführt. Anstelle der tatangemessenen Strafe wurde ein am individuellen Behandlungsbedürfnis der Täter ausgerichtetes Sanktionensystem entwickelt. Dazu gehörten besondere Reaktionsformen für atypische Tätergruppen wie die Zwangserziehung oder das Jugendgefängnis für Minderjährige, die Verwahrung für geistig Abnorme und die Internierung für gefährliche Rückfalltäter. Das wesentliche Merkmal dieser Sanktionen war ihre zeitliche Unbestimmtheit. Bedenken hinsichtlich der Rechtssicherheit wurden damit zurückgewiesen, dass es sich eigentlich nicht um Strafen, sondern um Schutzmaßnahmen handele. Unter diesem Etikett konnten nunmehr auch zurechnungsunfähige Täter mit Sanktionen belegt werden. Es wurde sogar vorgeschlagen, den Begriff „Strafe“ nicht mehr zu verwenden und einem neuen Strafgesetz den Namen „Schutzgesetz“ zu geben.

– *Das Kriminalgesetzbuch von 1962 und die Wende zum Neoklassizismus*

Tatsächlich arbeitete man bereits seit Beginn des 20. Jahrhunderts an einer Gesamtreform des Strafgesetzes, in der die modernen Auffassungen ihren Niederschlag finden sollten. Als Ergebnis trat 1965 das im internationalen Vergleich sehr eigenständige Kriminalgesetzbuch *(brottsbalken)* in Kraft, mit dem das Strafgesetz von 1864 abgelöst wurde. Es erwies sich nicht nur in seinem Titel – der das Wort „Strafe“ vermeidet –, sondern auch in seinen als „Tatfolgen“ bezeichneten Sanktionen deutlich als ein Produkt der Behandlungsideologie. Insbesondere enthielt es Sanktionen mit zeitunbestimmtem Freiheitsentzug (wie die Internierung und das Jugendgefängnis), die auf der Vorstellung beruhten, dass durch sozialtherapeutische, pädagogische und psychiatrische Behandlung die Straftäter nachhaltig gewandelt und dem Leben in der Gesellschaft angepasst werden könnten.

Ähnlich wie bei der Strafrechtsreform von 1864 ergab sich jedoch auch diesmal, dass das neue Gesetz zu einem Zeitpunkt in Kraft trat, als die ihm zugrundeliegende straftheoretische Auffassung bereits teilweise überholt war und sich wiederum ein tiefgreifender kriminalpolitischer Richtungswechsel anbahnte. Der Behandlungsoptimismus musste der ernüchternden Feststellung weichen, dass alle individualpräventiven Anstrengungen ohne Einfluss auf die steigende Kriminalitätsrate und die zunehmende Rückfalldelinquenz geblieben waren. In Abkehr vom Gedanken der täterorientierten Individualprävention wurde nunmehr wieder die begangene Tat in den Vordergrund gerückt und damit ein Zuwachs an Gerechtigkeit und Proportionalität angestrebt. Die Strafe sollte in einem angemessenen Verhältnis zu der Schwere, das heißt zu der Schädlichkeit und dem Unwertgehalt der Tat stehen. Die in der Sanktion liegende sozialethische Missbilligung der Tat sollte deutlich zum Ausdruck kommen. Einem bestehenden Behandlungsbedarf sollte während des Strafvollzugs so weit wie möglich Rechnung getragen werden, ohne aber eine soziale Ungleichbehandlung zu bewirken. Die Sanktionen sollten sowohl hinsichtlich ihrer Dauer als auch ihres Inhalts weitgehend gesetzlich bestimmt sein, um Rechtssicherheit und Vorhersehbarkeit im Strafrecht verwirklichen zu können.

Im Bewusstsein der Gefahr eines unmenschlichen Automatismus bei der Zumessung bestimmter Strafen für bestimmte Verhaltensweisen wurde ausdrücklich betont, dass Proportionalität und Gerechtigkeit immer nur eine Begrenzung des Strafmaßes nach oben bewirken dürfen. Damit wurde aus Gründen der Humanität ein *Just-deserts*-System abgelehnt, denn erklärtes Ziel war nicht die Vermeidung zu milder, sondern zu harter Strafen.

Der Proportionalitätsanspruch wurde noch in einer zweiten Richtung verfolgt, indem eine angemessene Relation nicht nur zwischen Tat und Sanktion, sondern auch zwischen den Rechtsfolgen verschiedener Deliktsarten verlangt wurde. Dies setzte eine neue Bewertung moderner Kriminalitätsformen im Verhältnis zu traditionellen Straftaten voraus. Das Strafrecht sollte nicht nur nach außen um Gerechtigkeit bemüht sein, sondern auch in sich selbst gerecht erscheinen.

Schließlich sollte die Zweckmäßigkeit des Strafrechtssystems in erster Linie anhand seiner generalpräventiven Wirkungen bewertet werden, das heißt, dass Sanktionen so ausgeformt und nur in dem Umfang angewendet werden sollen, wie es vom Standpunkt der sozialen Kosten zur Kriminalitätsbekämpfung sinnvoll und gerechtfertigt erscheint.

Die Neuorientierung hat zu einer großen Zahl von Gesetzesänderungen geführt. Allein die Vorschriften über Rechtsfolgen der Straftat wurden mehr als hundertmal geändert. Unter anderem folgte auf die Abschaffung der zeitunbestimmten Sanktionen eine grundlegende Reform des Strafzumessungsrechts (1989), mit der neoklassische Forderungen nach tatproportionaler Gerechtigkeit verwirklicht wurden. Weitere wichtige Neuerungen waren die Einführung der Unternehmensgeldbuße (1986) und der Vollstreckung der Gefängnisstrafe durch Intensivüberwachung mit elektronischer Kontrolle (1998).

– *Neuere Tendenzen der Strafrechtspolitik*

Vor dem Hintergrund der neuen Kriminalpolitik, die vor allem in der großen Reform von 1989 ihren Ausdruck gefunden hatte, schlug eine Sachverständigenkommission *(Straffsystemkommittén)* 1995 vor, auch das Sanktionensystem im Sinne der neoklassischen Forderungen umfassend zu erneuern. Verwirklicht wurden aber nur einzelne Teilreformen. Der Gesetzgeber vertritt die Ansicht, dass die persönlichen Verhältnisse des Täters und sein Behandlungsbedarf bei der Sanktionswahl und Strafzumessung durchaus eine entscheidende Rolle spielen sollten. Konsequenterweise wurde die behandlungsorientierte Sanktion der Schutzaufsicht weiterentwickelt und um die Möglichkeit einer Kombination mit gemeinnütziger Arbeit ergänzt. Für jugendliche Straftäter wurden die (an das frühere Jugendgefängnis erinnernde) geschlossene Jugendfürsorge und die gemeinnützige Jugendarbeit eingeführt. Auch im Erwachsenenstrafvollzug soll der individuellen Behandlungsperspektive wieder größerer Raum gegeben und zugleich der Schutz der Allgemeinheit stärker berücksichtigt werden. Die Regierung beschreibt dies als einen Fortschritt von rein repressiven Reaktionen hin zu individuellen Fürsorge- und Behandlungsmaßnahmen, die dem persönlichen Bedarf des einzelnen Verurteilten angepasst werden, seine Wiedereingliederung in die Gesellschaft erleichtern und das Rückfallrisiko senken sollen. Im Anschluss an die neoklassische Reformbewegung könnte man hierin den Beginn eines erneuten Pendelrückschlags erkennen.

Seitens der Strafrechtswissenschaft wird die Kritik erhoben, dass die gegenwärtige Kriminalpolitik das Strafrecht zur vermeintlichen Lösung sozialer oder gesellschaftlicher Probleme missbrauche. Tatsächlich ist zu beobachten, dass der Gesetzgeber unter dem Druck der Öffentlichkeit und der Massenmedien wiederholt als Reaktion auf spektakuläre Einzelfälle mit einer rasch beschlossenen Kriminalisierung oder Strafrahmenanhebung reagiert. Statt von Verbrechenskontrolle wird von Verbrechensbekämpfung gesprochen und unter Verweis auf verschiedene Bedrohungsszenarien mehr Sicherheit für die Allgemeinheit durch effektivere Maßnahmen angestrebt.

Auf diese Weise ist das staatliche Repressionsniveau in den letzten zehn Jahren erheblich gestiegen. An die Stelle der zuvor geltenden Zielsetzung, dass strafrechtliche Maßnahmen von Rationalität, Gerechtigkeit und Humanismus geprägt sein sollen, ist eine offensive Strafrechtspolitik getreten, in der Schlagworte wie „Sicherheit", „Effektivität" und „Nulltoleranz" vorherrschen. Die bisherige, vom liberalen Rechtsstaatsideal geprägte Auffassung, dass eine der wichtigsten Aufgaben des Strafrechts darin besteht, den Einzelnen vor Machtmissbrauch durch den Staat zu schützen, ist gegenüber einer medial geschürten Verbrechensfurcht und der Forderung nach wirksamerem Schutz vor Straftätern in den Hintergrund getreten. Dabei richtet sich das Augenmerk wieder verstärkt auf bestimmte Personengruppen wie jugendliche, rückfällige und psychisch abweichende Straftäter, Mitglieder krimineller Vereinigungen und Terroristen. Um die Gesellschaft effektiver vor ihnen zu schützen, werden zunehmend Verhaltensweisen im frühen Vorfeld von vermuteten späteren kriminellen Handlungen unter Strafe gestellt (Beispiel „grooming"). In der Strafrechtswissenschaft sind hierfür die kritischen Bezeichnungen „Präventionismus" und „preaktives" Strafrecht geprägt worden. Es wird befürchtet, dass im Gegensatz zum reaktiven Strafrecht, welches sich an der Proportionalität ausrichten könne, dem preaktiven Strafrecht dieser Maßstab fehle. Die Zielsetzungen Sicherheit und Effektivität könnten das System für unbegrenzte Repressionssteigerung öffnen. Mit Besorgnis wird auch beobachtet, dass der kriminalisierte Bereich immer weiter ausgedehnt wird und die Anwendung strafprozessualer Zwangsmaßnahmen deutlich zunimmt.

Neben verschiedenen Gesetzen zur Bekämpfung des Terrorismus sind aus der strafrechtlichen Gesetzgebung nach der Jahrtausendwende vor allem zu nennen: eine erneute Verschärfung des Sexualstrafrechts (2005), des Drogenstrafrechts (2006) und des Waffenrechts (2000, 2006, 2008), die Kriminalisierung des Menschenhandels (2002) sowie die Einführung einer strafbewehrten Zutrittsbeschränkung für Sportveranstaltungen und eines Maskierungsverbots bei Demonstrationen (2005). Im Bereich des Sanktionensystems wurden die Möglichkeiten des Täter-Opfer-Ausgleichs erweitert (2002), der Anwendungsbereich von Kontaktverboten ausgedehnt (2003) und die Tagessätze für Geldstrafen deutlich angehoben (2006).

Für die Umwandlung von lebenslanger in zeitige Gefängnisstrafe ist ein besonderes Verfahren vor dem Amtsgericht Örebro geschaffen worden (2006). Die Konfiskation von Gewinnen aus Straftaten und von Hilfsmitteln zu ihrer Begehung wurde mehrfach erleichtert (2005, 2006, 2008), zuletzt dahingehend, dass eine Gewinneinziehung unter bestimmten Voraussetzungen auch ohne nachweisbaren Bezug zu einer konkreten Straftat möglich ist. Für einen begrenzten Anwendungsbereich ist die Verhängung von Gefängnisstrafe wegen Taten, die unter dem Einfluss einer schweren psychischen Störung begangen wurden, nunmehr zulässig (2008).

3. Entwicklung des Strafverfahrens(rechts)

– Grundlagen der Prozessordnung von 1734

Die im 14. Jahrhundert entstandenen Landschaftsgesetze sowie das Allgemeine Stadtrecht und Landrecht des Königs Magnus Eriksson[1] enthielten jeweils auch erste Bestimmungen über Gerichtsverfassung und -verfahren. Der Prozess im späten Mittelalter war in begrenztem Maße öffentlich, kontradiktorisch, mündlich und unmittelbar. Dabei galten in Zivil- und Strafsachen weitgehend dieselben Regeln. 1695 wurden landesweit einheitliche Vorschriften über Klageerhebung, rechtmäßige Säumnisgründe, Verhandlung vor Gericht, Bevollmächtigte, Vergleich, Prozesskosten, Urteilsverkündung und Zwangsvollstreckung erlassen.

Diese Regelungen wurden auch in das Rechtsgangsgesetzbuch des Sveriges Rikes Lag von 1734 übernommen, das im Übrigen eine Kodifizierung der bis dahin bewährten Rechtspraxis enthielt. Der Gerichtsaufbau war in Schweden bereits zu dieser Zeit dreistufig und die Besetzung der Gerichte in Zivil- und Strafsachen gleich. Auf dem Lande bildete das Bezirksgericht die unterste Instanz; es war besetzt mit einem Bezirksrichter und 12 Bauern. Berufungsinstanz war das Lagmannsgericht, das aus dem Lagmann und 12 Schöffen bestand. In der Stadt begann der Instanzenzug mit dem Kammergericht, besetzt mit einem Ratsherrn und zwei Beisitzern aus der Bürgerschaft. Die zweite Instanz bildete hier das Rathausgericht, bestehend aus zwei Ratsherren unter dem Vorsitz des Bürgermeisters. Als gemeinsame dritte Instanz dienten seit dem 17. Jahrhundert die Hofgerichte, nachdem zuvor der König selbst als eine Art Appellationsinstanz fungiert hatte.

Wie der historische Rückblick zeigt, ist die Laienbeteiligung in Schweden ein althergebrachtes Verfahrenselement, doch wurde ein Jury-System niemals eingeführt.

---

[1] Siehe oben G.2.

– *Die Prozessrechtsreform von 1948*

Die Prozessordnung von 1734 war mehr als 200 Jahre in Kraft. Im Lauf dieser Zeit wurden ihre Schwächen zunehmend deutlich. Sie bestanden in einer langen Verfahrensdauer mit zahlreichen Terminen und Vertagungen sowie in einem starren, unpraktikablen Beweisverfahren. Insbesondere auf Betreiben der Rechtswissenschaft wurde durch eine grundlegende Reform hiergegen Abhilfe geschaffen. Deren Ergebnis, das Prozessgesetz von 1948, das mit zwischenzeitlichen Änderungen noch heute gilt, stellte im damaligen Vergleich eine hochmoderne Verfahrensordnung dar.

Bemerkenswert ist zunächst, dass entsprechend der schwedischen Tradition das neue Prozessgesetz wiederum sowohl das Zivil- wie das Strafverfahren umfasst. Auch ist weiterhin die Zuständigkeit der einzelnen Gerichte nicht nach Straf- und Zivilgerichtsbarkeit getrennt.

Eine wesentliche Neuerung bestand in der Konzentration der Hauptverhandlung auf (möglichst) einen einzigen Termin. Damit sollte das Gericht in die Lage versetzt werden, das gesamte Beweismaterial auf einmal zu überblicken. Außerdem wurden bessere Voraussetzungen für die freie Beweisführung und Beweiswürdigung geschaffen. Mit Ausnahme von schriftlichen Zeugenaussagen sind seither prinzipiell alle denkbaren Beweismittel zulässig.

Im Übrigen konnte man die vorherige Grundstruktur des Prozesses beibehalten, wobei Öffentlichkeit, Unmittelbarkeit und Mündlichkeit als Verfahrensprinzipien gesichert und weiter ausgebaut wurden.

Allerdings hat sich seit der Reform von 1948 die Rolle des Richters deutlich verändert. Während er früher die Hauptverhandlung durch seine aktive Prozessleitung beherrschte, hat sich nunmehr ein als akkusatorisch bezeichnetes Parteiverfahren durchgesetzt. In seiner heutigen Fassung geht das Gesetz davon aus, dass sich im Strafverfahren ebenso wie im Zivilprozess zwei prinzipiell gleichgestellte Parteien vor Gericht gegenüberstehen und kontradiktorisch verhandeln, während der Richter im Wesentlichen passiv bleibt. In der Praxis vollzogen die Richter diese Änderung anfangs so konsequent, dass sie häufig sogar die Hauptvernehmung des Angeklagten von vornherein dem Staatsanwalt überließen, was dazu führte, dass dieser oft vorzeitig zum Kreuzverhör überging, bevor der Angeklagte seine Darstellung des Sachverhalts vollständig abgegeben hatte. Um dem entgegenzuwirken, wurde mit einer Gesetzesnovelle von 1987 klargestellt, dass der Angeklagte grundsätzlich zunächst vom (vorsitzenden) Richter vernommen werden soll. Dennoch lässt sich inzwischen wieder eine Tendenz dahingehend beobachten, dass der Staatsanwalt die Hauptvernehmung von Beginn an führt.

Damit weist der moderne schwedische Strafprozess Ähnlichkeiten mit dem englischen Verfahren auf. Eine gewisse Parallele zu dessen Entwicklung zeigt sich auch darin, dass die Rechtsfortbildung nicht nur durch neue Gesetzesvorschriften geschieht, sondern weitreichende Änderungen teilweise von innen heraus im Wege der gewohnheitsrechtlichen Auslegung und Spruchpraxis erfolgen.

– *Neuere Tendenzen*

Auch auf dem Gebiet des Strafverfahrensrechts wirkt sich der oben beschriebene Wandel in der Kriminalpolitik spürbar aus. Im Streben nach mehr Sicherheit und Effektivität erhalten die Strafverfolgungsbehörden erweiterte Eingriffsbefugnisse, wobei zu beobachten ist, dass strafprozessuale Zwangsmaßnahmen in der Praxis nicht auf diejenigen Bereiche begrenzt bleiben, für die sie ursprünglich geschaffen wurden. Die dynamisch wachsende europäische Zusammenarbeit in Strafsachen, die auf Verfahrenserleichterungen und Harmonisierung der Regelwerke ausgerichtet ist, trägt ihrerseits dazu bei, dass die Effektivität einen immer höheren Stellenwert erlangt.

Von Seiten der Strafrechtswissenschaft wird beanstandet, dass im Rahmen des allgemeinen Sicherheitsdenkens die eigentlichen Zielsetzungen bestimmter Zwangsmaßnahmen nicht mehr präzise benannt, sondern als selbstverständlich vorausgesetzt werden. Es finde auch keine hinreichende Kontrolle der Eingriffspraxis, weder im Hinblick auf die Erforderlichkeit noch auf die Wirksamkeit der einzelnen Maßnahmen, statt. Dadurch sehen Kritiker die Integrität und Rechtssicherheit der Bürger gefährdet.

Zu den Reforminhalten der letzten Jahre zählen die Verstärkung der Sicherheitsvorkehrungen und -kontrollen in Gerichten und Behörden, im Parlament, in Häfen und anderen öffentlichen Anlagen (2001, 2006) sowie die Einführung neuer beziehungsweise die Erweiterung bestehender Register wie Verdachtsregister, Belastungsregister und DNA-Register (2005, 2006). Im Rahmen der Terrorismusbekämpfung erhält die Polizei Unterstützung durch Verteidigungskräfte (2006). Zur Entlastung der Untergerichte wurden minderschwere Delikte ins Strafbefehlsverfahren ausgegliedert und zur Entlastung der Obergerichte eine besondere Zulassungsprüfung für Berufungen geschaffen (2004). Auch die Verwendung technischer Hilfsmittel wie Telefon, Fax, Video und anderer IT-Medien im Hauptverfahren soll der Verfahrensbeschleunigung dienen (2005, 2007).

Für die Ermittlung „gesellschaftsgefährlicher" Straftaten wie insbesondere Sabotage, Unternehmensspionage und Terrorismus wurden strafprozessuale Zwangsmittel (Beschlagnahme, Telefonüberwachung und -abhörung, Kontaktdatenspeicherung, Briefkontrolle, akustische und optische Raumüberwachung) erweitert (2007, 2008, 2009). Überschussinformationen aus heimlichen Überwachungsmaßnahmen können nicht nur im Zusammenhang mit der Anlasstat, sondern auch für Ermittlungen wegen anderer schwerer Delikte verwendet werden (2005). Auch zur Verhinderung besonders schwerer Straftaten wie Mord, Menschenraub, Sabotage, Brandstiftung, Aufruhr, Hochverrat, Spionage und Terrorismus sind heimliche Überwachungsmaßnahmen gesetzlich in weitem Umfang für zulässig erklärt worden (2007, 2009).

4. Entwicklung (des Rechts) der Strafvollstreckung

– *Von den Anfängen der Freiheitsstrafe bis zum 19. Jahrhundert*

Der Freiheitsentzug als ein Mittel zur Bestrafung von verurteilten Rechtsbrechern ist in Schweden etwa seit dem 16. Jahrhundert bekannt. Zuvor wurden nur Untersuchungshäftlinge und politische Landesfeinde gefangen gehalten, während die gewöhnlichen strafrechtlichen Sanktionen neben der Hinrichtung in Leibes-, Ehren- und Geldstrafen bestanden.

Lange Zeit stand auch bei der neu eingeführten Freiheitsstrafe weniger das Einschließen selbst als vielmehr die körperliche Peinigung im Vordergrund, sodass sie sich von einer Leibesstrafe nicht wesentlich unterschied. Noch im Missetatengesetzbuch von 1734 kommt dies deutlich zum Ausdruck. Danach wurde die Freiheitsstrafe in drei verschiedenen Formen vollstreckt: Die „Arbeit in den Schlössern und Höfen des Königs" war vielfach in Bergwerken abzuleisten und mit schwersten, meist tödlichen Strapazen verbunden. Demgegenüber galten „Festungshaft" und „Gefängnis bei Wasser und Brot" als leichter, doch erwiesen auch sie sich durch Kälte und Unterernährung als äußerst quälend und führten ebenfalls häufig zum Tod des Gefangenen.

Der Grausamkeit des damaligen, auf dem Abschreckungsprinzip beruhenden Strafensystems begegneten die schwedischen Richter mit Widerstand. Ihre humanitären Forderungen, denen sie durch eine extrem milde Sanktionspraxis Nachdruck verliehen, fanden schließlich Gehör bei König *Gustav III.*, einem Anhänger der Aufklärungsphilosophie. Im Rahmen eines umfassenden sozialen und politischen Reformprogramms veranlasste er 1778, dass die Folter abgeschafft, die Todesstrafe erheblich zurückgedrängt und die Freiheitsstrafe neben der Geldstrafe zur dominierenden Sanktionsform erhoben wurde. Für die Vollstreckung hatte man inzwischen zusätzlich Zucht- und Spinnhäuser eingerichtet, in denen die Gefangenen eintönige, aber relativ leichte Arbeit verrichteten. Die baulichen und hygienischen Verhältnisse in den Vollzugsanstalten blieben jedoch katastrophal.

– *Die Einführung des Zellengefängnisses*

Erst mit dem raschen wirtschaftlichen Aufschwung im 19. Jahrhundert gingen Bemühungen um eine grundlegende Erneuerung des Gefängniswesens einher. Sowohl die gesundheitsschädliche Unterbringung als auch die undifferenzierte Gemeinschaft von Insassen der verschiedensten Kategorien erschienen als unhaltbar und bargen tatsächlich erhebliche kriminogene Gefahren.

Überdies wurde inzwischen anstelle der bloßen Verwahrung die Besserung und Erziehung des Gefangenen zu einem tüchtigen Glied der Gesellschaft als Ziel des Freiheitsstrafenvollzugs angesehen. Dies zu erreichen, versprach man sich von dem damals als fortschrittlich geltenden Philadelphia-System, das durch Isolierung, Monotonie und Mangel an Ablenkungsmöglichkeiten dem Verurteilten zu innerer

Läuterung verhelfen sollte. So wurde in Schweden als einem der ersten Länder in Europa die Einzelzellenhaft eingeführt.

– *Die Reformen im 20. Jahrhundert*

Unter dem Einfluss der modernen Strafrechtsschulen fand zu Beginn des 20. Jahrhunderts der Gedanke der Individualprävention seinen Durchbruch. Man setzte zunehmend auf eine längerfristige Behandlung von Verurteilten während des Anstaltsvollzugs. Für bestimmte atypische Täterkategorien wurden neuartige freiheitsentziehende Sanktionen geschaffen, die außerhalb des Gefängnisses in speziellen Einrichtungen vollstreckt wurden: die Verwahrung für vermindert Zurechnungsfähige, die Internierung für Rückfalltäter sowie die Zwangserziehung in Heimen für 15- bis 18-Jährige und das Jugendgefängnis für 18- bis 21-Jährige. Es handelte sich um zeitlich unbestimmte Sanktionen, über deren Beendigung eine vom Gericht unabhängige Vollzugsbehörde entschied.

Für Gefängnisinsassen wurde 1906 die bedingte vorzeitige Entlassung nach irischem Vorbild eingeführt. Sie sollte dem Gefangenen einen Anreiz zu guter Führung geben und seine Wiedereingliederung in die Gesellschaft fördern. Gleichzeitig schuf der Gesetzgeber mit der bedingten Verurteilung eine Möglichkeit, Zufalls- oder Ersttäter vor der Verbüßung einer kurzen Freiheitsstrafe zu bewahren, von deren eher schädigender Wirkung man inzwischen überzeugt war. Die bedingte Verurteilung wurde später weiterentwickelt zu einer eigenständigen Sanktionsart mit aktiver resozialisierender Kriminalbehandlung in Freiheit unter Mitwirkung von Bewährungshelfern.

Mit dem *Gesetz über den Vollzug der Freiheitsstrafe* von 1916 wurde die Einzelzellenhaft abgebaut zugunsten eines dem Progressivsystem angenäherten Strafvollzugs, in dem der Gefangene je nach fortschreitender Strafdauer und guter Führung schrittweise immer günstigere Vollzugsbedingungen genoss. Zugleich wurde das sogenannte Differenzierungsprinzip geschaffen, nach dem die Gefangenen entsprechend ihrer Persönlichkeit in verschiedene Gruppen eingeteilt wurden, um dem schädigenden Einfluss untereinander entgegenzuwirken. Schließlich sah das neue Gesetz die Unterbringung von Gefangenen in land- und forstwirtschaftlichen Betrieben nach dem sogenannten Koloniesystem vor. Das schwedische Gefängniswesen experimentierte zu dieser Zeit bereits mit offenen Anstalten in Kolonieform nach einer Anregung aus der Schweiz. Später wurde das Vollzugsgesetz durch die Einführung der Gemeinschaftsarbeit ergänzt, um die Nachteile der Isolierung in der Einzelzellenhaft auszugleichen.

Eine weitere tiefgreifende Umgestaltung des Strafvollzugs erfolgte durch das neue Vollzugsgesetz von 1945. Nunmehr wurde der Vollzug in offenen Anstalten, das heißt ohne Mauern, Gitter oder sonstige besondere Sicherheitseinrichtungen, zur normalen Vollzugsform erhoben. Geschlossene Anstalten wurden daneben zwar beibehalten und sie beherbergten auch die Mehrzahl der Verurteilten, doch war die Möglichkeit eines offenen Vollzugs stets vorrangig zu prüfen. Zugleich rückte die therapeutische Beeinflussung der nach täterbezogenen Merkmalen unterschiedenen Insassengruppen in den Vordergrund. Als Grundsatz galt, dass dem Gefangenen keine über den Freiheitsverlust als solchen hinausgehenden Übel zugefügt werden sollten. Das Gesetz bestimmte, dass er mit Achtung vor seiner Menschenwürde zu behandeln und der Vollzug darauf auszurichten sei, seine (Re-)Sozialisierung zu fördern. Diese Grundsätze wurden im Jahr 1955 von den Vereinten Nationen in den Mindestregeln für die Behandlung von Gefangenen übernommen und gelten noch heute unverändert.

Auf die Anpassung des Gefangenen an die Gesellschaft sowie auf das Bestreben, schädlichen Folgen des Freiheitsentzugs entgegenzuwirken, ist auch das *Gesetz über den Anstaltsvollzug* von 1974 ausgerichtet. Diese Vollzugsziele sind jedoch nunmehr ausdrücklich unter den Vorbehalt des Schutzinteresses der Allgemeinheit gestellt. Als grundlegende Neuerung wurde das sogenannte Normalisierungsprinzip eingeführt. Es besteht darin, den Gefangenen in einer eigenverantwortlichen Lebensweise zu trainieren und ihn an die allgemeinen sozialen Hilfsangebote heranzuführen, auf die er sich nach seiner Freilassung stützen kann. Hierzu sind Anstalts- und Freivollzug organisatorisch enger verzahnt worden.

– *Neuere Tendenzen*

Ein Schwerpunkt der jüngsten Reformen im Strafvollzugsrecht betrifft die verbesserte Vorbereitung der Entlassung aus dem Anstaltsvollzug. Hierfür sind verschiedene Stufen der Ausschleusung geschaffen worden, zu denen auch der elektronisch überwachte Freigang zählt (2001, 2006). Die Anwendung der sogenannten elektronischen Fußfessel als Vollzugsvariante für Freiheitsstrafen wurde auch im Übrigen ausgedehnt (2005).

Organisatorisch sind wichtige Zuständigkeiten im Strafvollzugswesen von den lokalen Behörden auf ein neues Zentralamt *(Kriminalvården)* verlagert worden (2005). Die Verstärkung von Sicherheitsvorkehrungen und -kontrollen in den Vollzugsanstalten (2003) bildete einen weiteren Schritt im Zuge der Sicherheitsgesetzgebung[2] der vergangenen Jahre.

---

[2] Vergleiche dazu oben G.1. und 2.

Literaturhinweise zu Abschnitt G.

Andersson, Robert, Kriminalpolitikens väsen (Das Wesen der Kriminalpolitik). Stockholm 2002.

Anners, Erik, Brottet, straffet och polisen i den europeiska rättsutvecklingen (Die Straftat, die Strafe und die Polizei in der europäischen Rechtsentwicklung). Stockholm 1997.

Asp, Petter, Går det att se en internationell trend? – om preventionismen i den moderna straffrätten (Lässt sich ein internationaler Trend erkennen? – Über den Präventionismus im modernen Strafrecht). SvJT 2007, S. 69–82.

Bäcklund, Agneta, Utvecklingen av de straffrättsliga påföljderna i Sverige (Die Entwicklung der strafrechtlichen Deliktsfolgen in Schweden). NTfK 2004, 255–263.

Cornils, Karin, Neuere Entwicklung der Kriminalpolitik in den nordischen Ländern. ZStW 99 (1987), 873–887.

– Landesbericht Schweden. In: Walter Perron (Hrsg.), Die Beweisaufnahme im Strafverfahrensrecht des Auslands. Freiburg 1995, S. 435–488.

– Zur Reform des Sanktionensystems in Schweden und Deutschland. In: Petter Asp u.a. (Hrsg.), Flores juris et legum. Festschrift für Nils Jareborg. Uppsala 2002, S. 151–167.

Cornils, Karin/Jareborg, Nils, Das schwedische Kriminalgesetzbuch – Brottsbalken. Freiburg 2000, S. 5–8.

Ekelöf, Per Olof, Das schwedische Untergerichtsverfahren in Zivil- und Strafsachen. Karlsruhe 1968.

Hemmer, Ragnar, Die Missetat im altschwedischen Recht. Helsinki 1965.

Husa, Jaakko/Nuotio, Kimmo/Pihlajamäki, Heikki (eds.), Nordic Law – Between Tradition and Dynamism. Antwerp, Oxford 2007.

Häthén, Christian, Straffrättsvetenskap och kriminalpolitik – De europeiska straffteorierna och deras betydelse för svensk strafflagstiftning 1906–1931 (Strafrechtswissenschaft und Kriminalpolitik – Die europäischen Straftheorien und deren Bedeutung für schwedische Strafgesetzgebung 1906–1931). Lund 1990.

Jareborg, Nils, Defensiv och offensiv straffrättspolitik (Defensive und offensive Strafrechtspolitik). NTfK 1994, 41–53.

– What Kind of Criminal Law Do We Want? On Defensive and Offensive Criminal Law Policy. In: Annika Snare (ed.), Beware of Punishment. Scandinavian Studies in Criminology, vol. 14. Oslo 1995, S. 17–36.

Knutsson, Johannes/Kühlhorn, Eckart, Changes in Social Values in Criminal Policy. Studies on Crime and Crime Prevention 1996, 2, S. 203–220.

Lappi-Seppälä, Tapio, Tillit, välfärd och politisk ekonomi. Att förklara skillnaderna i straffpolitik (Vertrauen, Wohlfahrt und politische Ökonomie. Zur Erklärung der Unterschiede in der Strafpolitik). NTfK 2007, 399–425.

Nilsson, Roddy, En välbyggd maskin, en mardröm för själen. Det svenska fängelsesystemet under 1800-talet (Eine wohlkonstruierte Maschine, ein Albtraum für die Seele. Das schwedische Gefängnissystem im 19. Jahrhundert). Lund 1999.

Petersson Hjelm, Ann-Christine, Fängelset som välfärdsbygge (Das Gefängnis als Wohlfahrtseinrichtung). Uppsala 2002.

Simson, Gerhard, Das Zivil- und Strafprozeßgesetz Schwedens. Berlin 1953, S. 1–25.

– Das schwedische Kriminalgesetzbuch vom 21. Dezember 1962. Berlin, New York 1976, S. 1–89.

SOU 1993:76, Verkställighet av fängelsestraff (Vollstreckung von Gefängnisstrafen). Huvudbetänkande av Fängelseutredningen. Lund 1993.

Tham, Henrik, From Treatment to Just Deserts in a Changing Welfare State. In: Annika Snare (ed.), Beware of Punishment. Scandinavian Studies in Criminology, vol. 14. Oslo 1995, S. 89–122.

Träskman, Per Ole, Internationella jämförelser och nationella politiska intressen (Internationale Vergleiche und nationale politische Interessen). NTfK 2001, 321–329.

– Vad gör vi med den europeiska kriminalpolitiken? (Was machen wir mit der europäischen Kriminalpolitik?). SvJT 2005, 859–875.

– Vem är kriminalpolitikens nyckelperson: brottslingen, brottsoffret eller "jag" själv? (Wer ist die Schlüsselperson der Kriminalpolitik: der Straftäter, das Tatopfer oder „ich" selbst?). JT 2008-09, 497–515.

Träskman, Per Ole/Kyvsgaard, Britta, Vem eller vad styr straffrättspolitiken? (Wer oder was steuert die Strafrechtspolitik?). In: Petter Asp u.a. (Hrsg.), Flores juris et legum. Festschrift für Nils Jareborg. Uppsala 2002, S. 607–636.

Victor, Dag (Hrsg.), Varning för straff. Om vådan av den nyttiga straffrätten (Warnung vor Strafe. Über die Gefährlichkeit des nützlichen Strafrechts). Stockholm 1995.

Wagner, Wolfgang (Hrsg.), Das schwedische Reichsgesetzbuch (Sveriges Rikes Lag) von 1734. Frankfurt a.M. 1986.

Wallén, Per-Edwin, Svensk straffrättshistoria, Del 1 (Schwedische Strafrechtsgeschichte, Teil 1). Stockholm 1972, Del 2. 3. Aufl. Stockholm 1979.

Abkürzungsverzeichnis zum Landesbericht Schweden

BIP	Bruttoinlandsprodukt
BrB	Brottsbalken (das schwedische Kriminalgesetzbuch)
BRÅ	Brottsförebyggande rådet (Rat für Verbrechensverhütung)
DsJu	Departementsserien Justitiedepartementet – Gutachten des Justizministeriums
EES	Europeiska ekonomiska samarbetsområdet (Europäischer Wirtschaftsraum)
EG	Europeiska gemenskaperna – die Europäischen Gemeinschaften
EMRK	Europäische Konvention zum Schutze der Menschenrechte und Grundfreiheiten
EU	Europäische Union
EuGH	Gerichtshof der Europäischen Gemeinschaften
EWR	Europäischer Wirtschaftsraum
IT	Informationstechnologie
JT	Juridisk Tidskrift vid Stockholms Universitet (schwedische Fachzeitschrift)
Kap.	Kapitel
KSZE	Konferenz über Sicherheit und Zusammenarbeit in Europa
Mio.	Millionen
Mrd.	Milliarden
NJA	Nytt Juridiskt Arkiv, Teil I: Entscheidungssammlung des Obersten Gerichtshofs, Teil II: Reformmaterialien
NORD	Nordisk betænkning (Publikationsreihe des Nordischen Rates und des Nordischen Ministerrates)
NTfK	Nordisk Tidsskrift for Kriminalvidenskab (gesamtnordische Fachzeitschrift)
NU	Nordisk utredningsserie (Publikationsreihe des Nordischen Rates und des Nordischen Ministerrates)
OECD	Organisation for Economic Co-operation and Development
OSZE	Organisation für Sicherheit und Zusammenarbeit in Europa
Prop.	Proposition (Gesetzesvorlage)
RB	Rättegångsbalken (das schwedische Prozessgesetz)
RF	Regeringsformen (die schwedische Verfassung)

RH	Rättsfall från hovrätterna (Entscheidungssammlung der Obergerichte)
SFS	Svensk författningssamling (das schwedische Gesetzblatt)
SOU	Statens offentliga utredningar (amtliche Reformgutachten)
SvJT	Svensk Juristtidning (schwedische Fachzeitschrift)
TF	Tryckfrihetsförordningen (die schwedische Pressefreiheitsverordnung)
YGL	Yttrandefrihetsgundlagen (das schwedische Grundgesetz zur Freiheit der Meinungsäußerung)
ZStW	Zeitschrift für die gesamte Strafrechtswissenschaft

Rahmenbedingungen, Vorgaben, Grundlagen und Entwicklung des Strafrechts in

Spanien

Teresa Manso Porto

Inhaltsverzeichnis

A. Nationale Rahmenbedingungen

1. Geografie

Das Königreich Spanien *(Reino de España)* deckt den größten Teil der iberischen Halbinsel im Südwesten Europas ab und ist mit einer Gesamtfläche von 504.645 km^2 das viertgrößte Land des europäischen Kontinents. Zum Staatsgebiet gehören auch zwei Archipele, die Balearischen Inseln im Mittelmeer und die Kanarischen Inseln im Atlantik, sowie fünf Exklaven um Marokko: die autonomen Städte Ceuta und Melilla, die Islas Chafarinas, der Peñón de Alhucemas und der Peñón de Vélez de la Gomera. Der spanische Teil der iberischen Halbinsel grenzt nördlich an Frankreich und Andorra, westlich an Portugal und südlich an das britische Gebiet Gibraltar. Die externen Landesteile haben See- und Landesgrenzen zu Marokko.

2. Bevölkerung

a) Bevölkerungszahl und -gruppen

Spanien steht an fünfter Stelle der bevölkerungsreichsten Länder in der Europäischen Union. Seit der letzten Volkszählung *(censo de población)* im Jahr 2001 ist die Bevölkerungszahl stetig gestiegen und wurde zum Januar 2008 auf 46,06 Millionen geschätzt.[1] Das waren 862.774 Menschen mehr als ein Jahr zuvor. Die Bevölkerungsdichte ist mit 91,2 Einwohnern pro km^2 jedoch niedriger als in den meisten Ländern Westeuropas. Im Gegensatz zur spanischen Küste sowie zum Bereich Madrid und Umgebung sind sonstige Gebiete im Landesinneren nur gering bevölkert. Fast die Hälfte der Bevölkerung lebt in sieben der insgesamt 50 Provinzen, welche – mit Ausnahme von Madrid – an der Küste liegen, während keine der 22 am wenigsten bevölkerten Provinzen Zugang zum Meer hat. Neben Madrid und Barcelona mit etwa sechs beziehungsweise vier Millionen Einwohnern gibt es in Spanien 13 Metropolregionen, in denen die Einwohnerzahl eine halbe Million übersteigt.

Überwiegend ist die Anzahl der Frauen in den autonomen Regionen leicht höher als die der Männer (nur unter den Einwanderern ist die männliche Bevölkerung etwas in der Überzahl). Die größte Altersgruppe sind Menschen zwischen 30 und

---

[1] Nationales Institut für Statistik, *Instituto Nacional de Estadística*, im Folgenden: INE (siehe unten Quellenhinweise).

44 Jahren, die ein Viertel der Bevölkerung ausmachen. Die beobachtete „Verdickung“ im mittleren Bereich der Alterspyramide wird einer Studie von 2004 zufolge auf den gestiegenen Zustrom jüngerer Einwanderer zurückgeführt und lässt eine Verlangsamung der sogenannten Überalterung prognostizieren.[2]

Was die Zahl der Einwanderer angeht, ergeben statistische Daten von 2006 einen Anteil von 9,27 % der Einwohner Spaniens. Im Vergleich dazu waren im Jahr 1998 lediglich 1,6 % der Bevölkerung Einwanderer. Ein Zuwachs wird hier seit Mitte der 1990er Jahre und insbesondere ab 2000 registriert. Seit 2000 ist Spanien in absoluten Zahlen (nach den USA) das zweite Einwanderungsland weltweit und hat eine der höchsten Einwanderungsquoten der Welt (1,5 im Jahr 2005[3]). Im Januar 2008 wurde ihre Zahl auf 5,22 Millionen geschätzt, von denen 2,1 Millionen bereits zuvor Bürger der Europäischen Union waren. Die meisten Einwanderer stammen aus Iberoamerika (Ecuador, Kolumbien, Argentinien), Europa (Großbritannien, Rumänien, Deutschland) und dem Maghreb (Marokko).

b) Sprache

Die offizielle Sprache *(idioma oficial)* ist Spanisch *(español, castellano)*. Außerdem genießen diesen Status drei weitere Sprachen in den jeweiligen autonomen Regionen[4] *(lenguas cooficiales)*: Katalanisch, Galizisch und Baskisch. Seit 2006 ist daneben Okzitanisch (eine galloromanische Sprache, die auch in Teilen Frankreichs und Italiens gesprochen wird) Amtssprache in Katalonien.

Obwohl die spanische Sprache noch keine Amtssprache der Europäischen Union ist, gewinnt sie weltweit ständig an Bedeutung. Sie wird insgesamt von knapp 500 Millionen Menschen gesprochen, ist (nach Chinesisch) die am zweithäufigsten gesprochene Muttersprache und (nach Englisch) die zweit meist erlernte Sprache. Verantwortlich für die Förderung der spanischen Sprache sowie für die Verbreitung der Kultur Spaniens und der spanischsprachigen Länder Lateinamerikas *(Hispanoamérica)* ist das *Instituto Cervantes*, ein spanisches Kulturinstitut mit Niederlassungen in mehr als 40 Ländern aller Welt.

Die historisch hohe Analphabetenrate ist in den letzten Dekaden extrem zurückgegangen. Im Jahr 2001 lag sie durchschnittlich bei 2,6 % (1,6 % der Männer und 3,5 % der Frauen).[5] Betroffen sind heute nur noch Menschen über 65 Jahren und einige Minderheiten unter den Einwanderern. Etwa drei Viertel der Menschen, die an speziellen Alphabetisierungsprogrammen teilnehmen, sind Frauen.

---

[2] INE.

[3] Eurostat (siehe unten Quellenhinweise).

[4] Zu den autonomen Regionen siehe unten 4.

[5] INE.

c) Religion

Spanien ist ein laizistischer Staat. Die Verfassung garantiert sowohl die Religionsfreiheit als auch die Zusammenarbeit des Staates mit den verschiedenen Religionsgemeinschaften. Die wichtigste Religion ist der Katholizismus, dem 76,7 % der Bevölkerung angehören. Der Anteil der Angehörigen anderer Religionen beträgt lediglich 1,6 %. Die Zahl der praktizierenden Katholiken ist relativ gering und nimmt tendenziell weiter ab. Dieses Bild ergibt eine Umfrage des spanischen Zentrums für soziologische Forschung (*Centro de Investigaciones Sociológicas*, CIS)[6] aus dem Jahr 2008. Danach besuchen nur circa 15 % aller Angehörigen einer Religion regelmäßig einen Gottesdienst beziehungsweise üben ihre religiösen Pflichten aus. 20 % der Befragten bezeichnen sich als nichtgläubig oder als Atheisten.

Die zweitgrößte Religionsgemeinschaft sind die Muslime, gefolgt von Zeugen Jehovas und Protestanten. Sowohl diese Religionen als auch das Judentum, die Mormonen und zuletzt auch der Buddhismus genießen in Spanien den Status einer Religion mit besonderer Verwurzelung *(religión de notorio arraigo)*, was insbesondere mit steuerrechtlichen Vergünstigungen und der Möglichkeit der Präsenz in Schulen, Krankenhäusern, Gefängnissen und Kasernen verbunden ist.

3. Wirtschaft

Die wirtschaftliche Ordnung Spaniens ist eine Mischform aus freier und sozialer Marktwirtschaft. Dies lässt sich schon der Verfassung (*Constitución Española*; im Folgenden: CE) von 1978 aus dem Gegensatz von Art. 38 und Art. 128 entnehmen. Art. 38 CE erkennt die Gewerbefreiheit im Rahmen der Marktwirtschaft an. Andererseits bestimmt Art. 128 Abs. 1 CE, dass das gesamte Vermögen des Landes „in allen Ausgestaltungen und unabhängig von seinem Rechtsinhaber dem Allgemeinwohl nachgeordnet" ist. Abs. 2 erkennt die „wirtschaftliche Betätigung der öffentlichen Hand" an. Es gibt aber auch zahlreiche weitere Normen, die sich auf die Wirtschaftsordnung beziehen.

Vor dem Demokratisierungsprozess konnte sich Spanien von dem wirtschaftlichen Desaster nach einem Bürgerkrieg und nach 40 Jahren diktatorischen Regimes nur schleppend erholen. Eine erste kleine Öffnung der Wirtschaft nach außen erfolgte in den 1960er Jahren. In dieser Zeit konnte das Land vom blühenden Tourismus, von steigenden ausländischen Investitionen, vom europäischen Wachstum und von der Auswanderung einer Million Spanier in reichere Länder profitieren. Ein wirklicher Wettbewerb konnte jedoch aufgrund noch bestehender hoher Zölle nicht zustande kommen. Die tiefgreifendsten ökonomischen Veränderungen der letzten Dekaden vollzogen sich nach dem Beitritt zur Europäischen Union im Jahr

---

[6] Siehe unten Quellenhinweise.

1986. Heute ist Spanien die achtgrößte Wirtschaftsmacht der Welt und die fünftgrößte der Europäischen Union.

Ein starker Binnenkonsum und ein bisher blühender Immobiliensektor begleiten ein seit 14 Jahren anhaltendes wirtschaftliches Wachstum, das 2006 bei 3,9 % lag.[7] Laut Statistiken aus dem Jahr 2005 beträgt das Bruttoinlandsprodukt 1.124,64 Milliarden US-$. Davon werden 67 % im Dienstleistungssektor erwirtschaftet. Es folgen die Industrie mit 30 % und die Landwirtschaft mit 5,3 %. Diese Aufteilung spiegelt sich auch in der Struktur der Erwerbstätigkeit wider: Im Jahr 2005 waren im Bereich der Dienstleitungen 65 %, in der Industrie 30 % und in der Landwirtschaft 5,3 % der Bevölkerung beschäftigt.

Die Inflationsrate lag im Jahr 2006 bei 3,6 %, die Arbeitslosenquote bei 8,6 %. Die Zahl der Arbeitslosen ist zwar noch relativ hoch, aber in einer Entwicklungsperspektive deutlich gesunken (noch fünf Jahre zuvor lag die Arbeitslosenquote bei 14 %).

Im Bereich des Außenhandels ergeben Daten aus dem Jahr 2006, dass der Import mit 259,6 Milliarden Euro höher lag als der Export (169,9 Milliarden Euro). Die wichtigsten Handelspartner sind Deutschland und Frankreich. In den letzten Jahren hat sich der Handel mit Iberoamerika und Asien verstärkt.

Seit etwa 2007 machen sich auch in Spanien Anzeichen einer wirtschaftlichen Verlangsamung bemerkbar. Aktuelle Angaben dazu liefert der INE: Im zweiten Quartal des Jahres 2008 lag das Wachstum nur noch bei 1,8 %. Besonders betroffen war der Bausektor, der im selben Zeitraum ein negatives Wachstum von -2,4 % registrierte.[8]

Unter den Mitgliedstaaten des Internationalen Währungsfonds und laut Einschätzungen dieser Institution gehört Spanien gegenwärtig zu den 30 Ländern, die pro Kopf ein Bruttoinlandsprodukt (bei Kaufkraftparität) von über 30.000 US-$ haben.

4. Staatsorganisation

Spanien ist ein sozialer und demokratischer Rechtsstaat. Die Regierungsform ist die einer parlamentarischen Monarchie. Staatsoberhaupt ist der König, *Juan Carlos I de Borbón y Borbón*. Das Parlament *(Cortes Generales)* hat zwei Kammern: *Congreso* und *Senado,* wobei der Kongress gegenüber dem Senat eine übergeordnete Rolle hat.

Bis zur Entstehung der aktuellen Staatsorganisation vollzog sich in Spanien ein langjähriger friedlicher Systemwechsel von der Franco-Diktatur, die auf den Bür-

[7] Diese und die folgenden Angaben stammen aus dem Fischer Weltalmanach 2008.

[8] INE.

gerkrieg von 1936–1939 folgte und bis zu *Francos* Tod 1975 andauerte, zur Demokratie. Dieser historische Prozess, dessen genauer Zeitrahmen umstritten ist, wird als *Transición Española* bezeichnet.[9] Zwei Tage nach *Francos* Tod wurde *Juan Carlos* als König eingesetzt. Nach einer Volksabstimmung am 15. Dezember 1976 wurde das Gesetz für die Politische Reform *(Ley para la Reforma Política)* verabschiedet, welches das diktatorische System außer Kraft setzte. Dem folgten die ersten demokratischen Wahlen am 15. Juni 1977. Am 6. Dezember 1978 wurde in einer weiteren Volksabstimmung die Verfassung angenommen.

Wichtige Fragen der territorialen Staatsorganisation und der Gewaltenteilung – insbesondere die Unabhängigkeit der Judikative – sind nicht nur in der spanischen Verfassung von 1978, sondern auch in mehreren Organgesetzen (beziehungsweise Verfassungsgesetzen; *leyes orgánicas*) geregelt. Alle zusammen bilden den sogenannten verfassungsrechtlichen Block. Dieser Zustand wird auf den Mangel eines ausreichenden politischen Konsenses über wichtige Fragen der neuen verfassungsrechtlichen Ordnung zum Zeitpunkt der Verfassungsentstehung zurückgeführt, weshalb diese kontroversen Fragen durch die Formel des Organgesetzesvorbehalts *(reserva de ley orgánica)* an den zukünftigen Gesetzgeber delegiert wurden.

Die territoriale Organisation und insbesondere die Dezentralisierung und Verteilung der Kompetenzen zwischen dem Staat und den heute bestehenden autonomen Regionen waren im politischen Übergangsprozess sehr umstrittene Punkte, die in der Verfassung nicht abschließend geregelt werden konnten. Das verfassungsrechtliche Autonomiesystem wird in der Literatur als Föderalstaat *sui generis* bezeichnet. Dies hat mehrere Gründe: Erstens besteht eine ungleiche Kompetenzverteilung unter den Regionen, zweitens ist die sie nicht endgültig abgeschlossen und drittens fehlt (noch) eine zweite Föderalkammer.

Nur wenige Regionen (Andalusien, Baskenland, Galizien und Katalonien) folgten von Beginn an einem föderalistischen Modell, während die anderen ihre Kompetenzen erst nach und nach übernehmen sollten. Gegenwärtig haben alle 15 autonomen Regionen von ihrem verfassungsrechtlich anerkannten „Recht" auf Selbstregierung, wenn auch in unterschiedlichem Maß, Gebrauch gemacht und ihre Autonomiestatute *(Estatutos de Autonomía)* verabschiedet. Eine Sonderstellung nimmt dabei die Region Navarra ein, die sich als *Comunidad Foral* (Foralregion) bezeichnet. Diese Region braucht kein Autonomiestatut, weil ihr verfassungsrechtlicher Status an die historische Gesetzgebung anknüpft, die ihr bereits früher Autonomie und eigene Institutionen gewährt hatte. Alle autonomen Regionen haben eine eigene Regierung und eigene Gesetzgebungsorgane. Sie haben Kompetenzen in den Bereichen Gesundheitswesen und Bildung und dürfen unter anderem auch einen eigenen Rechnungshof oder Ombudsmann einsetzen. Einige verwalten den

---

[9] Siehe dazu unten I.B.1.

öffentlichen Haushalt praktisch selbstständig oder verfügen über eine eigene Polizei, die die Nationalpolizei in ihren Funktionen ersetzt. Zu den autonomen Regionen kommen Ceuta und Melilla als autonome Städte hinzu. Weitere Verwaltungseinheiten sind die Provinzen *(provincias)* und Gemeinden *(municipios)*.

Die Gewaltenteilung weist im Vergleich zu anderen europäischen Ländern einige Besonderheiten auf. Die verfassungsrechtlich kontroverse Frage der Unabhängigkeit der Judikative (in der Verfassung ausdrücklich „judikative Macht" genannt) wurde durch die Schaffung eines Regierungsorgans für die Justizorganisation gelöst, dessen Besetzung vom Parlament abhängig ist: des Generalrats der rechtsprechenden Gewalt *(Consejo General del Poder Judicial)*. Charakteristisch ist auch eine verstärkte parlamentarische Unterstützung der Exekutive durch strenge Parlamentsverordnungen und das Parteiengesetz.

Die Gesetzgebungskompetenz liegt beim Parlament (Art. 66. Abs. 2 CE). Es kann entweder die Gesetzgebung in bestimmten Materien oder die Neufassung von Gesetzen *(refundición)* jeweils durch Rahmengesetz *(ley de bases)* oder durch einfaches Gesetz *(ley ordinaria)* an die Regierung delegieren (Art. 82 CE). Weitere Befugnisse erhält die Regierung durch die Kompetenz zur Eilgesetzgebung (Art. 86 CE), von welcher mitunter großzügiger Gebrauch gemacht wird. Auf diesem Wege wurde etwa die wichtige Strafrechtsreform von 1983 verabschiedet, welche die tiefgreifenden Einwirkungen der Verfassung von 1978 auf das damalige Strafrechtssystem widerspiegelte.

Die Gesetzgebungsinitiative steht der Regierung, dem Kongress und dem Senat zu. Auch die Gesetzgebungsinitiative der Autonomen Parlamente und die Volksinitiative sind verfassungsrechtlich vorgesehen (Art. 87 CE).

Eine direkte Einflussnahme durch gesellschaftliche oder religiöse Gruppen auf das Recht – etwa im Rahmen von Anhörungen im Gesetzgebungsverfahren – ist nicht gesetzlich geregelt, aber in der Praxis nicht unmöglich. Bei Gesetzesreformen in Themenbereichen, die einen starken ethischen Bezug haben, beispielsweise beim Schwangerschaftsabbruch, wird der Dialog mit Vertretern der katholischen Kirche häufig angestrebt. Dasselbe gilt für die Reform des Finanzierungsmodells der Kirche oder die Frage des Religionsunterrichts. Dagegen wurden auch grundlegende institutionelle Reformen trotz frontaler Opposition der Kirche durchgesetzt. Ein offenkundiges Beispiel hierfür bildet die Einführung der Homosexuellen-Ehe im Jahr 2005. Insgesamt sind Verständigungsversuche im Einzelfall immer von der Kommunikationsbereitschaft der Beteiligten und letzten Endes von politischen Entscheidungen abhängig. Speziell im Bereich des Strafrechts versuchen Einzelstimmen in der Wissenschaft, die Notwendigkeit neuer rationaler Kriterien für die Strafgesetzgebung zur Debatte zu stellen. Dabei ist die mangelnde Einflussnahme der von den jeweiligen Gesetzentwürfen betroffenen Gruppen einer der Aspekte, die an der aktuellen Situation scharf kritisiert werden.

5. Kriminalität und Strafverfolgung

a) Ermittlungsbehörden

Ermittlungsbehörden sind in Spanien die Polizei, die Staatsanwaltschaft *(Ministerio Fiscal)* und insbesondere der Ermittlungsrichter *(Juez de Instrucción)*. Selbstständig können die Polizei und die Staatsanwaltschaft nur während des Vorverfahrens *(instrucción preliminar)* tätig werden, wobei bestimmte Zugriffe auch in dieser Phase dem richterlichen Vorbehalt unterliegen. Ist schon im Vorverfahren etwa eine Telefonüberwachung nötig, dann wird der Richter über die laufenden Ermittlungen unterrichtet. Der „Herr des Verfahrens“ ist freilich der Ermittlungsrichter.

Kraft Legalitätsgrundsatzes sind diese Behörden verpflichtet, alle Straftaten, von denen sie Kenntnis erlangen, strafrechtlich zu verfolgen. Ungeachtet dessen werden unterschiedliche Schwerpunkte festgelegt und die an sich begrenzten Ressourcen entsprechend eingesetzt. Das Opportunitätsprinzip wurde dagegen bisher nur im Bereich der Jugendkriminalität eingeführt.

Die Organisation der Polizei in Spanien ist relativ komplex. Auf staatlicher Ebene gibt es die nationale Polizei *(Policía Nacional)* und die *Guardia Civil*, eine paramilitärische Polizeieinheit, die organisatorisch sowohl dem Innenministerium als auch dem Verteidigungsministerium untersteht. Bezüglich ihrer Funktion im Dienst der öffentlichen Sicherheit und als gerichtliche Polizei *(Policía Judicial)* ist die *Guardia Civil* dem Innenministerium unterstellt. Die Zuständigkeiten zwischen beiden Polizeikörpern sind teils territorial, teils sachlich aufgeteilt. Im Bereich der Strafverfolgung hat die Polizei der autonomen Regionen (die *Mosos d'Esquadra* in Katalonien, die *Ertzaintza* im Baskenland und die *Policía Foral* in Navarra) lediglich eine unterstützende Aufgabe in Zusammenarbeit mit der staatlichen Polizei. Auch die Kommunalpolizei *(Policía Local)* kann als Gerichtspolizei agieren, präventive Maßnahmen ergreifen und sonstige Hilfsaufgaben erfüllen.

Die Ermittlungen leitet entweder der Ermittlungsrichter oder der Staatsanwalt. Die Ausbildungsvoraussetzungen für Richter und Staatsanwälte sind ähnlich. Nach einem absolvierten Jurastudium müssen die Bewerber eine spezielle theoretische Prüfung bestehen. Hierfür beträgt die Vorbereitungszeit zwischen zwei und fünf Jahre. Die ausgewählten Kandidaten müssen dann eine zweijährige praktische Ausbildung abschließen. Mit der Einstellung erlangen sie den Status eines Beamten auf Lebenszeit.

Die Staatsanwaltschaft ist nicht in die Gerichtsbarkeit integriert. Sie ist hierarchisch strukturiert und unterliegt der Leitung des Generalstaatsanwalts *(Fiscal General del Estado)*, der von der Regierung ernannt wird.

Die Kriminalität hat sich den Statistiken der letzten Jahre zufolge insgesamt wenig verändert. Die Zahl der registrierten Straftaten *(delitos y faltas)* im Jahr 2006 lag bei 2.267.723 (darunter beispielsweise 1.121 Tötungen, 425.033 gewaltsame Eigentumsdelikte, 84.781 Diebstähle). Diese Gesamtzahl entspricht 50,7 Straftaten pro 1.000 Einwohner.[10] Damit liegt Spanien etwa 20 Punkte unter dem durchschnittlichen Wert der Europäischen Union und hinter Ländern wie dem Vereinigten Königreich, Deutschland und Frankreich. Diese Statistik betrifft allerdings nur die sogenannte „Hellfeld"-Kriminalität.

Eine deutliche Zunahme (um 8,4 %) der Anzeigen im Jahr 2006 im Verhältnis zu 2005 wurde allerdings bei Straftaten der häuslichen Gewalt *(delitos de violencia doméstica)* registriert. Dieser Kriminalitätsbereich, der insbesondere Fälle von Gewalt gegen Frauen durch ihre Lebensgefährten oder Partner *(violencia machista)*, aber auch Gewalt gegen Kinder umfasst, war in den letzten Jahren Gegenstand von vielfachen Reformen und ist gesellschaftlich und kriminalpolitisch ein Problembereich höchster Priorität geworden. An der steigenden Zahl der Anzeigen lässt sich erkennen, dass solche Taten seitens der Opfer immer weniger geduldet werden. Darüber hinaus zeichnen sich in den polizeilichen Statistiken weitere Schwerpunkte ab. Im Bereich der Geldwäsche etwa stieg die Zahl der aufgespürten Taten von 52 im Jahr 2003 auf 125 im Jahr 2006, bei Kinderpornografie von 84 auf 327. Ähnlich positive Ergebnisse wurden bei Betäubungsmittelstraftaten, Verführung von Minderjährigen oder illegalemWaffenbesitz erzielt.

Die Aufklärungsquote lag 2006 bei 30,4 %. Es wurden 253.723 Personen festgenommen, von denen 66 % Spanier waren. Dem entspricht eine seit 2003 stetig steigende Festnahmequote von 135 (Festnahmen pro 1.000 Straftaten).[11]

b) Anklagebehörden

Anklagebehörde ist in der Regel die Staatsanwaltschaft. Bei Privatklagedelikten liegt das Recht auf Klageerhebung jedoch beim Opfer. Hier muss die Tat so lange verfolgt und das Verfahren so lange durchgeführt werden, wie das Opfer *(acusador privado)* von seinem Recht Gebrauch machen will. Allerdings ist der Staatsanwalt an dieser Art von Verfahren nicht beteiligt. Bei sogenannten halböffentlichen Delikten *(delitos semipúblicos)* muss das Opfer die Tat zumindest anzeigen, damit sie strafrechtlich verfolgt werden kann. Daneben kennt Spanien die *acusación particular*. Diese Institution ermöglicht es dem Opfer, in jedem Verfahren als Partei aufzutreten. Sie ist nicht zu verwechseln mit dem oben erwähnten Privatklageverfahren. Eine weitere Besonderheit des Strafverfahrens ist die Figur der *acción popular*. Danach wird auch jedem Bürger (oder jeder Kollektivperson) verfassungsrechtlich das Recht auf Klageerhebung zuerkannt (Art. 125 CE).[12]

---

[10] Spanisches Innenministerium, *Ministerio del Interior*, MIR (siehe unten Quellenhinweise).

[11] MIR.

[12] Siehe dazu unten I.C.3.

c) Strafgerichte

Die Strafgerichte sind nach verschiedenen territorialen Einheiten organisiert. Auf der untersten Ebene steht der Ermittlungsrichter, der einem *partido judicial* (einer Stadt oder mehreren Städten) zugeordnet ist. In kleineren Orten, die keinen Ermittlungsrichter haben, wird alle vier Jahre von den Stadträten ein Friedensrichter, das heißt ein Laienrichter mit Zuständigkeit für eine begrenzte Zahl minderer Straftaten *(faltas)*,[13] ernannt. Auf Provinzebene ist das Strafgericht *(Juzgado de lo Penal)* für die Aburteilung von Straftaten zuständig, die mit einer Strafe unter fünf Jahren bedroht sind. Diese Fälle übernimmt in zweiter Instanz die Zivil- und Strafkammer der Provinz *(Audiencia Provincial)*, in erster Instanz übernimmt sie die schwereren Straftaten. Die Oberen Justizgerichtshöfe *(Tribunal Superior de Justicia)* sind die Gerichte der autonomen Regionen. Ihre Strafsenate sind unter anderem für Strafsachen gegen Richter und für Rechtsmittel gegen Entscheidungen der *Audiencia Provincial* zuständig. Eine Besonderheit in der spanischen Gerichtsbarkeit ist das Nationale Obergericht *(Audiencia Nacional)*, das in Strafsachen wegen bestimmter Delikte von nationaler Relevanz (etwa Straftaten gegen die Krone, Geldfälschung, Drogenkriminalität oder Terrorismus) im gesamten Staatsgebiet zuständig ist. An der Spitze der Gerichtsbarkeit steht der Oberste Gerichtshof *(Tribunal Supremo)*, der hauptsächlich für Revisionen *(casación)* zuständig, also keine Tatsacheninstanz ist.

In der Regel gilt, dass für Entscheidungen bei minderschweren Straftaten (bei *faltas*; aber auch bei Straftaten mit Freiheitsstrafen unter fünf Jahren) ein Einzelrichter zuständig ist, während bei Straftaten mit Freiheitsstrafen ab fünf Jahren oder bei Rechtsmitteln ein kollegiales Gericht entscheidet. Der Spruchkörper bei kollegialen Gerichten ist jeweils die Kammer oder die Sektion (*Sala* oder *Sección*). Diese bestehen in der Regel aus mindestens drei Richtern. Von den oben genannten Regeln gibt es allerdings zahlreiche Ausnahmen. So entscheidet bei Rechtsmitteln gegen Entscheidungen des Ermittlungsrichters im Verfahren wegen *faltas (juicios de faltas)* ein Einzelrichter der *Audiencia Provincial*, welche eigentlich ein kollegiales Gerichtsorgan darstellt. Im Revisionsverfahren entscheidet bei Straftaten mit Freiheitsstrafen ab 12 Jahren eine Sektion des *Tribunal Supremo*, die aus fünf Richtern bestehen muss. Darüber hinaus gibt es in besonderen Fällen Plenarentscheidungen desselben Gerichts.

Seit der Einführung des Gesetzes über das Geschworenengericht 1995 werden manche Straftaten von einem Geschworenengericht abgeurteilt. Dies geschieht am Sitz der Zivil- und Strafkammer der Provinz. Das Geschworenengericht besteht aus neun Laien und einem Vorsitzenden Berufsrichter. Laienrichter gibt es in Spanien – mit Ausnahme des Friedensrichters – nicht.

Laut Jahresbericht des Richterrates *(Consejo General del Poder Judicial)* gab es 2007 in Spanien 914 Einzelrichter für Strafsachen und 1.053 Einzelrichter für Zi-

---

[13] Näher dazu II.C.1.b.

vil- und Strafsachen. Es gab außerdem 84 kollegiale Strafgerichte und 68 kollegiale Spruchkörper der zivil-strafrechtlichen Gerichtsbarkeit. Das sind insgesamt 4,6 Gerichtsorgane pro 100.000 Einwohner. Dabei bleiben die Friedensrichter (7.680) unberücksichtigt.[14]

d) Sanktionen

Das spanische Strafrecht unterscheidet bei den Sanktionen zwischen Freiheitsstrafen, anderen rechtsentziehenden Strafen und Geldstrafen, die jeweils als Haupt- oder als Nebenstrafen *(penas accesorias)* verhängt werden können.

- Freiheitsstrafen:
  - Gefängnisstrafe,
  - dauerhaftc Personenortung (bis zu zwölf Tagen),
  - Ersatzfreiheitsstrafe wegen Nichtzahlung der Geldstrafe.
- Rechtsentziehende Strafen:
  - absolute Untauglichkeitserklärung: Sie bewirkt den endgültigen Entzug sämtlicher öffentlicher Ehren, Anstellungen und Ämter, die der Bestrafte innehat, und führt zur Unfähigkeit, solche zu erlangen oder für ein öffentliches Amt gewählt zu werden;
  - besondere Untauglichkeitserklärung für eine öffentliche Anstellung oder ein öffentliches Amt, bestimmte Berufe oder berufliche Tätigkeiten, Gewerbe oder Handel oder für das elterliche Sorgerecht, die Vormundschaft, das Sorgerecht oder die Pflegschaft, das passive Wahlrecht oder jedes andere Recht, welches im Urteil konkret zu bezeichnen ist;
  - Suspendierung von öffentlicher Anstellung oder einem öffentlichen Amt;
  - Entziehung der Fahrerlaubnis für Kraftfahrzeuge und Kleinkrafträder;
  - Entziehung des Waffenscheins;
  - Entzug des Rechts, an bestimmten Orten zu wohnen oder diese aufzusuchen;
  - Verbot, sich dem Opfer oder dessen Familienangehörigen oder bestimmten anderen Personen, die der Richter benennt, zu nähern;
  - Verbot, mit dem Opfer oder denjenigen Familienangehörigen oder anderen Personen, die der Richter oder das Gericht benennt, in Verbindung zu treten;
  - gemeinnützige Arbeit.
- Geldstrafe: Für die Berechnung der Geldstrafe wird ein Tagessatz festgelegt.

Die Höchstdauer der Freiheitsstrafe und der Untauglichkeitserklärung beträgt in der Regel 20 Jahre (Art. 36, 40 spanisches Strafgesetzbuch, *Código Penal*, CP),

---

[14] *Consejo General del Poder Judicial.*

wenn im Besonderen Teil nicht etwas anderes vorgesehen ist. Bei bestimmten Delikten (qualifizierter Mord, Rebellion oder Delikte gegen die Krone) kann eine Gefängnisstrafe bis zu 25 Jahren, in manchen Konkurrenzfällen der schweren Kriminalität beziehungsweise des Terrorismus bis zu 30 beziehungsweise 40 Jahren ververhängt werden (Art. 76 CP).

Neben den Strafen gibt es Maßregeln der Sicherung (zweispuriges System), die aber nur bei nicht oder nicht voll zurechnungsfähigen Personen und maximal für die Dauer der jeweils entsprechenden abstrakten Strafe verhängt werden können. Dabei ist zwischen freiheitsentziehenden und nicht-freiheitsentziehenden Maßregeln zu unterscheiden.

- Freiheitsentziehende Maßregeln:
  - Unterbringung in einer psychiatrischen Einrichtung;
  - Unterbringung in einer Entzugseinrichtung;
  - Unterbringung in einer besonderen Erziehungseinrichtung.
- Nicht-freiheitsentziehende Maßregeln:
  - berufliche Untauglichkeitserklärung;
  - Ausweisung von Ausländern, die sich unrechtmäßig in Spanien aufhalten;
  - Verpflichtung, an einem bestimmten Ort zu wohnen;
  - Verbot, an einem bestimmten Ort oder in einem bestimmten Gebiet zu wohnen;
  - Verbot, bestimmte Orte oder Gebiete, sportliche oder kulturelle Veranstaltungen aufzusuchen bzw. Lokale für alkoholische Getränke oder Spiele zu besuchen;
  - Familienfürsorge;
  - Entziehung der Fahrerlaubnis für Kraftfahrzeuge und Kleinkrafträder;
  - Entziehung des Waffenscheins;
  - Verbot, sich dem Opfer oder dessen Familienangehörigen oder anderen Personen, die der Richter oder das Gericht benennt, zu nähern;
  - ambulante Behandlung in medizinischen Anstalten oder sozialmedizinischen Einrichtungen;
  - Teilnahme an Bildungs-, Kultur-, Erziehungs- und Berufs(bildungs)programmen sowie an solchen der Sexualerziehung und Ähnlichem.

Als dritte Sanktionsart im weiteren Sinne kennt das spanische Strafrecht die sogenannten Nebenfolgen *(consecuencias accesorias)*. Darunter fällt nicht nur die Einziehung von Sachen, die aus der Straftat herrühren, der Werkzeuge, mit denen sie ausgeführt wurde, oder der erzielten Gewinne, sondern auch eine ganze Reihe von Sanktionen gegen juristische Personen bis hin zur endgültigen Schließung eines Unternehmens oder der Auflösung von Gesellschaften, Vereinen oder Stiftungen.

e) Strafvollzug

Das Strafvollzugsrecht beschränkt sich in Spanien auf die Vollstreckung der Freiheitsstrafen in einer Justizanstalt. Das Strafvollzugssystem ist vom Gedanken der Resozialisierung inspiriert, welche als Zweck der Strafe in der Verfassung ausdrücklich anerkannt ist.[15] Das Strafvollzugsgesetz stammt aus dem Jahr 1979. Es regelt gemeinsam mit der entsprechenden Verordnung einen flexiblen Strafvollzug mit Graden oder Stufen: Die erste Stufe ist ein geschlossener Vollzug, die zweite und die dritte Stufe sind ein offener Vollzug in einer entsprechenden Anstalt (in der dritten Stufe braucht der Gefangene nur eine bestimmte Zeit in der Anstalt zu verbringen), und die letzte Stufe ist die vorzeitige Entlassung auf Bewährung. Als Grundmaxime gilt, dass kein Häftling auf einer niedrigeren Stufe festgehalten werden soll als auf derjenigen, die für ihn angemessen ist. Das System verlangt nicht, dass der Häftling alle Stufen durchläuft. Er kann beispielsweise direkt von der ersten in die dritte Stufe versetzt werden.

Es gibt 77 Vollzugsanstalten *(Centros Penitenciarios)*, die grundsätzlich für Gefangene im geschlossenen Vollzug bestimmt sind. Die Freiheitsstrafen in offenem Vollzug werden dagegen entweder in einer speziellen Sektion der jeweiligen Vollzugsanstalt oder vorzugsweise in sogenannten *Centros de Inserción Social* vollstreckt.

Laut Daten des Europarates gab es 2007 in Spanien 57.072 Gefangene, inklusive Untersuchungshäftlinge. Das waren 126,3 Inhaftierte pro 100.000 Einwohner. Etwa ein Drittel der Gefangenen waren Einwanderer, knapp 8 % Frauen. Die Zahl der Häftlinge ist in den letzten Jahren stetig gestiegen. Dies wird insbesondere auf die letzten Strafrechtsreformen zurückgeführt, die unter anderem bewirken, dass die Häftlinge in der Regel eine längere Zeit im Strafvollzug verbringen müssen. Der jährliche Anstieg der Häftlingszahlen liegt im Durchschnitt bei 2,6 %.[16] Die letzte Einschätzung aus 2008 ergibt eine Gefangenenrate von 157.[17] Damit liegt Spanien im europäischen und weltweiten Vergleich deutlich im oberen Drittel.

Die Gefängnisse sind derzeit überbelegt. Bei einer Kapazität für 39.859 Personen und einer Gesamtzahl von 57.072 Gefangenen (inklusive Untersuchungshäftlingen) kommen 143,2 Gefangene auf 100 Plätze. 2005 wurde ein Bauplan beschlossen, der mit 18 neuen Vollzugsanstalten und 32 *Centros de Inserción Social* die Kapazität um 18.000 Plätze erweitern soll.

---

15 Siehe dazu unten I.C.3.

16 Europarat.

17 King's College London.

Literatur- und Quellenhinweise zu Abschnitt A.

Allgemeine Literatur:

Bachmeier, Lorena, The Criminal Justice System in Spain. In: Ulrich Sieber/Marianne Wade (Hrsg.), Structures and Perspectives of European Criminal Justice, in Vorbereitung.

Der Fischer Weltalmanach 2007/2009. Zahlen, Daten, Fakten. Frankfurt am Main 2006/2008, S. 443–448.

Díez Ripollés, José Luis, La racionalidad de las leyes penales. Madrid 2003, S. 51–52; 183–197.

– La racionalidad legislativa penal: contenidos e instrumentos de control. In: José Luis Díez Ripollés/Ana María Prieto del Pino/Susana Soto Navarro (Hrsg.), La política legislativa penal en occidente. Una perspectiva comparada. Valencia 2005, S. 272–322.

Das spanische Strafgesetzbuch – Código Penal. Deutsche Übersetzung von *Markus Hoffmann* unter Mitarbeit von *Manuel Cancio Meliá*. Mit einer Einführung von *Enrique Bacigalupo*. Freiburg 2002, S. 1–14.

Montero Aroca, Juan, Derecho Jurisdiccional – Parte General. 13. Aufl. Valencia 2004.

Bevölkerung:

Eurostat
http://epp.eurostat.ec.europa.eu/portal/page?_pageid=1073,46587259&_dad=portal&_schema=PORTAL&p_product_code=KS-NK-06-001 (4.9.2008)

Instituto Nacional de Estadística, INE (Nationales Institut für Statistik)

– **Bevölkerungszahl:**

http://www.ine.es/jaxiBD/menu.do?L=0&divi=EPOB&his=0&type=db (1.10.08)

– **Bevölkerungsgruppen:**

http://www.ine.es/revistas/cifraine/cifine_ext0605.pdf (4.9.2008)

– **Analphabetismus:**

http://www.ine.es/prodyser/pubweb/folletocenso01/pags28-35.pdf

Velaz de Medrano, Consuelo, Paper commissioned for the EFA Global Monitoring Report 2006, Literacy for Life (http://unesdoc.unesco.org/images/0014/001462/146205s.pdf).

Sprache:

Instituto Cervantes
http://cvc.cervantes.es

Religion:

Centro de Investigaciones Sociológicas, CIS (Zentrum für Soziologische Forschung)
http://www.cis.es/cis/opencms/Archivos/Marginales/2760_2779/2761/e276100.html

Wirtschaft:

Instituto Nacional de Estadística, INE (Nationales Institut für Statistik)

http://www.ine.es/prensa/cntr0208.pdf

Kriminalität und Strafverfolgung:

Ministerio del Interior, MIR (Spanisches Innenministerium)

http://www.mir.es/DGRIS/Balances/Balance_2006/pdf/Balance_Criminalidad_2006.pdf

Strafgerichte:

Consejo General del Poder Judicial (Spanischer Richterrat)

http://www.poderjudicial.es/eversuite/GetRecords?Template=cgpj/cgpj/pjnovedades3.html&keynov=75%20&tabla1=PJINFORMES&dkey1=450

Sanktionen:

Gracia Martín, Luis (Hrsg.), Tratado de las consecuencias jurídicas del delito. Valencia 2006.

Strafvollzug:

Europarat

http://www.coe.int/T/E/Legal_affairs/Legal_co-operation/Prisons_and_alternatives/Statistics_SPACE_I/

King's College London:

http://www.kcl.ac.uk/depsta/law/research/icps/worldbrief/wpb_country.php?country=166

http://www.kcl.ac.uk/depsta/law/research/icps/worldbrief/wpb_stats.php?area=europe&category=wb_poprate

http://www.kcl.ac.uk/depsta/law/research/icps/worldbrief/wpb_stats.php?area=all&category=wb_poprate

B. Rechtsvergleichende und internationale Einordnung

1. Rechtsvergleichende Einordnung des Landesrechts

Spanien gehört traditionell dem kontinentaleuropäischen Rechtskreis an und wird innerhalb dessen in die römisch-kanonische Tradition eingeordnet. Das Gewicht, welches diesen beiden Elementen für das Verständnis des heutigen spanischen Rechts beigemessen wird, nämlich die Romanisierung bis zum 5. Jahrhundert einerseits, welche zu einer ersten Vereinheitlichung fast aller auf der iberischen Halbinsel existierenden Rechtsordnungen geführt hat, und die Kraft der kirchlichen Macht und des kanonischen Rechts andererseits, hat sogar zu der These veranlasst, dass weitere Elemente wie die Kodifikationen seit dem 19. Jahrhundert oder das aktuelle Bewusstsein als sozialer und demokratischer Rechtsstaat für das spanische System zufällig seien.

Die Invasion der germanischen Völker im Jahr 415 führt zu keinem Bruch mit dem römischen Recht. Vielmehr enthalten die wichtigsten Kodifizierungen der westgotischen Könige (*Código de Eurico*, *Breviario de Alarico* oder *Lex Romana Visigothorum* und *Liber Iudiciorum*) nicht germanisches, sondern sogenanntes vulgäres (nicht von Rom auferlegtes) römisches Recht, wenngleich auch einige germanische Gebräuche aufgenommen werden. Allerdings bleibt der Einfluss germanischer Elemente auf das historische Recht bis heute ein umstrittenes Thema.

Auch die Invasion der Muselmanen Anfang des 7. Jahrhunderts bringt keinen bedeutenden Einfluss des islamischen auf das spätere spanische Recht mit sich. Doch der begonnene Prozess der Rechtsvereinheitlichung kommt durch die Teilung des Landes in einen christlichen und einen muslimischen Teil und während des Wiedereroberungsprozesses bis zum 11. Jahrhundert praktisch zum Stillstand. In dieser Zeit existiert nämlich eine Vielzahl von christlichen Königreichen mit ihren jeweiligen Rechtsordnungen, und die Christianisierung des Rechts erreicht einen ihrer Höhepunkte.

Eine neue Rechtsvereinheitlichung entwickelt sich – nicht nur in Spanien – ab dem 12. Jahrhundert durch die Bildung und Rezeption der *Ius Commune*, eine Mischung aus justinianischem, kanonischem, lokalem und feudalem Recht, das mit römisch-kanonischer Methode überarbeitet und schließlich auch in die Praxis umgesetzt wird. Dieser Prozess ist auch mit der Entstehung der Rechtswissenschaften und der Universitäten eng verknüpft. Für Spanien ist es dennoch schwierig, die Rezeption der *Ius Commune* allgemein zu charakterisieren, denn deren Integration in das königliche und das traditionelle Recht verläuft regional unterschiedlich und wird im Einzelnen noch diskutiert. Besondere Bedeutung besitzt ab dem 13. Jahrhundert das von römischen Quellen stark geprägte Rechtsbuch der *Siete Partidas*, welches in Kastilien kraft Gesetzes und in anderen Regionen subsidiär gilt.

Vom nationalen Recht im eigentlichen Sinne kann erst im 15. Jahrhundert nach der Verbindung der Kronen von Kastilien und Aragon und der Vertreibung der Muslime 1492 gesprochen werden. Neben dem als spanisch angesehenen kastilischen Recht bleibt eine Vielzahl von Rechtsordnungen bestehen, die als Partikularrechte gelten. Die weitere Implementierung des kastilischen Rechts im spanischen Königreich verstärkt zwar den Rechtsvereinheitlichungsprozess bis ins 18. Jahrhundert hinein, doch sind partikularrechtliche Regelungen des Zivilrechts *(Fueros)* in einigen Rechtsgebieten bis heute erhalten geblieben.

Ein weiteres Element, das Spanien mit dem kontinentaleuropäischen Rechtskreis verbindet, besteht in der Kodifizierung des Rechts im 19. Jahrhundert. Seit dem Unabhängigkeitskrieg gegen die 1808 begonnene napoleonische Invasion und während des gesamten Jahrhunderts erlebt das Land starke politische Schwankungen (Ausrufung der Ersten Republik 1873 und Wiedereinsetzung der Monarchie). In dieser Zeit kann von einer Französisierung der spanischen Rechtsordnung gesprochen werden, insbesondere durch die Verfestigung eines kodifizierten Rechts, das die Bindung des Richters an das Gesetz und die Subsidiarität des Gewohnheitsrechts vorschreibt. Auf französischer Grundlage entsteht 1829 als erstes das Handelsgesetzbuch *(Código de Comercio)*. Es folgen 1848 das Strafgesetzbuch *(Código Penal)*, welches eine erste Abkehr vom Strafrechtssystem des *ancien régime* bedeutet, 1855 die Zivilprozessordnung *(Ley de Enjuiciamiento Civil)*, 1883 die Strafprozessordnung *(Ley de Enjuiciamiento Criminal)* und erst 1889 das Bürgerliche Gesetzbuch *(Código Civil)*.

Das 20. Jahrhundert beginnt mit einem abgeschwächten monarchischen System. Die Zweite Spanische Republik wird ausgerufen. Ihr geplanter Reformweg kann jedoch nicht eingeschlagen werden. 1936 bricht der spanische Bürgerkrieg aus, der zur Einsetzung der Franco-Diktatur führt. Erst mit dessen Tod 40 Jahre später wird ein neues politisches Modell eingeführt. Der Wechsel erfolgt in einem zweijährigen Prozess, genannt *Transición Española*, der als Transformation eines autokratischen in ein demokratisches Verfassungssystem unter Anwendung der im ersten System vorgesehenen Mechanismen zu verstehen ist. Die Suche nach einem verfassungsrechtlichen Rahmen auf möglichst breiter Konsensbasis, innerhalb dessen die im 19. Jahrhundert verwurzelten Konflikte der spanischen Gesellschaft für die Zukunft friedlich gelöst werden sollten, kommt in der heutigen Verfassung von 1978 zum Ausdruck. Neben einer neuen territorialen Staatsorganisation und der Unabhängigkeit der Judikative bleibt die Frage der Religion und der Beziehungen zwischen Staat und Kirche als einer der umstrittenen Kernpunkte in der neuen verfassungsrechtlichen Ordnung bestehen. In den darauf folgenden Jahren werden in Spanien weitreichende Rechtsreformen in allen Gebieten in die Wege geleitet. Entscheidend wird aber vor allem die Änderung der gerichtlichen Praxis, die insbesondere der Rechtsprechung des Verfassungsgerichts und des *Tribunal Supremo* – zum Teil unter Geltung derselben Gesetze – zu verdanken ist.

Bezeichnend für den spanischen Rechtskreis ist ebenfalls die Verbindung zum lateinamerikanischen Rechtsraum infolge der Kolonialisierung im 15. Jahrhundert, wobei die einzelnen Länder im Laufe der Zeit unterschiedliche Entwicklungen und Einflüsse erfahren haben.

2. Einfluss internationaler Bindungen

a) Mitgliedschaft in internationalen und regionalen Organisationen

Eckpfeiler der internationalen Bindungen Spaniens sind Europa, der Atlantik, Lateinamerika und der Mittelmeerraum. Es ist Mitglied in vielen internationalen Organisationen mit langer Tradition, wie der UNESCO (Mitglied seit 1953), der Vereinten Nationen (seit 1955), des Internationalen Währungsfonds (seit 1958) oder der *Organisation for Economic Co-operation and Development* (OECD; seit 1961). Aber erst im letzten Viertel des 20. Jahrhunderts begann eine Phase der Öffnung, in der die Beziehungen zu den westeuropäischen Ländern und die internationale Präsenz Spaniens, insbesondere seit den zweiten demokratischen Wahlen 1982, wesentlich verstärkt wurden. Das Land trat 1977 dem Europarat bei, ist seit 1986 (zusammen mit Portugal) Mitglied der Europäischen Wirtschaftsgemeinschaft (heute Europäische Union), seit 1988 NATO-Mitglied und seit 1990 (auch zusammen mit Portugal) Mitglied der Westeuropäischen Union. In den Jahren 1993 und 1994 hatte Spanien einen Sitz als nichtständiges Mitglied im UN-Sicherheitsrat und seit 1995 gehört es der Welthandelsorganisation an.

Im Rahmen der lateinamerikanischen Beziehungen ist Spanien Mitglied der 1948 gegründeten CEPAL *(Comisión Económica para América Latina y el Caribe)*, ständiger Beobachter der *Organisation of American States* (OAS) und Beobachter des 1969 gegründeten *Pacto Andino* oder *Acuerdo de Cartagena* sowie der 1980 entstandenen *Asociación latinoamericana de integración* (ALADI).

b) Beteiligung an völkerrechtlichen Verträgen

Das spanische Strafrecht wird zunehmend durch supranationale Instrumente geprägt. Die ratifizierten völkerrechtlichen Abkommen werden erst Teil der Rechtsordnung, wenn sie im Gesetzesblatt offiziell verkündet werden (Art. 96 Abs. 1 CE). Wichtige Strafrechtsentwicklungen der letzten zwei Dekaden hatten die Umsetzung europa- und völkerrechtlicher Vorgaben zum Ziel.

Im Zusammenhang mit dem Schutz der Menschenrechte hat sich Spanien erst 1979 dazu verpflichtet, die Standardgarantien der *Europäischen Konvention zum Schutze der Menschenrechte und Grundfreiheiten* (EMRK, 1950) zu gewähren. Verbindlich sind ebenfalls die späteren Zusatzvereinbarungen, wie etwa die Protokolle Nr. 6 und 13 über die Abschaffung der Todesstrafe (letzteres wurde 2002 *ad referendum* unterzeichnet). Der *Internationale Pakt über bürgerliche und politische Rechte* von 1966 wurde schon ein Jahr vor der Verfassung von 1978 ratifiziert.

Menschenrechtsrelevant ist auch das 1987 ratifizierte *UN-Übereinkommen gegen Folter und andere grausame, unmenschliche oder erniedrigende Behandlung oder Strafe* von 1984, einschließlich des fakultativen Protokolls, welches die Möglichkeit von regelmäßigen Besuchen in Haftanstalten durch unabhängige Beobachter vorsieht und seit 2006 in Kraft ist. Ebenfalls ratifiziert ist seit 1989 das *Europäische Übereinkommen zur Verhütung von Folter und unmenschlicher oder erniedrigender Behandlung oder Strafe* von 1987. Die Beteiligung an internationalen Instrumenten gegen Folter hat eine intensive Auseinandersetzung um deren gesetzliche Regelung in Spanien ausgelöst. Der Schaffung eines Foltertatbestands nach dem internationalen Modell (als Amtsdelikt) folgten 1995 die Anerkennung eines neuen Rechtsguts der moralischen Unversehrtheit und die Einführung eines neuen Tatbestands, der ähnliche Misshandlungen unter Privatpersonen erfasst.

Im Bereich des humanitären Völkerrechts sind seit 1952 alle vier *Genfer Konventionen* (1949) übernommen worden. Die Zusatzprotokolle wurden ebenfalls ratifiziert (I–II, 1989; III, 2005). Dasselbe gilt für das *UN-Übereinkommen zur Verhütung und Bestrafung des Völkermordes* von 1948 (1968 ratifiziert), das schon früh zur Einführung eines Völkermordtatbestands in das spanische Strafgesetzbuch führte. Weitere wichtige Ergänzungen im Bereich der völkerrechtlichen Verbrechen wurden im Anschluss an die im Jahr 2000 erfolgte Ratifizierung des *Rom-Statuts des Internationalen Strafgerichtshofs* (1998) vorgenommen. Im Jahr 2003 wurden die Verbrechen gegen die Menschlichkeit implementiert und die Kriegsverbrechen teilweise der Regelung des Rom-Statuts angepasst. Die Kooperation mit dem Internationalen Strafgerichtshof regelt das Organgesetz 18/2003 vom 10. Dezember. Ähnliche verfahrensrechtliche Gesetze waren vorher für die Zusammenarbeit mit dem ICTY (1994) beziehungsweise mit dem ICTR (1998) erlassen worden.

Die Terrorismusbekämpfung hat hohe Priorität und ist einer der Bereiche, in denen auch Spanien in besonderem Maße auf internationale Hilfe angewiesen ist. Über die in der nationalen Gesetzgebung ausreichend vorliegenden und die EU-Instrumente hinaus gelten alle *UN-Übereinkommen zur Bekämpfung von Terrorismus*. Zuletzt wurden 2006 der Prümer *Vertrag zur Vertiefung der grenzüberschreitenden Zusammenarbeit*, insbesondere zur Bekämpfung des Terrorismus und der grenzüberschreitenden Kriminalität, welcher den Mitgliedstaaten gewisse Zugriffsrechte auf nationale DNA- und Fingerabdruckdatenbanken sowie Fahrzeugregister gewährt, und 2007 das *UN-Übereinkommen zur Bekämpfung nuklearterroristischer Handlungen* von 2005 ratifiziert.

Spanien ist Mitglied wichtiger UN-Instrumente im Bereich der organisierten Kriminalität. Zu nennen sind das *UN-Übereinkommen gegen die grenzüberschreitende organisierte Kriminalität* (New York 2000) mit dessen Zusatzprotokollen über Menschenhandel beziehungsweise über Menschenschmuggel (2003 beigetreten) und zuletzt das Zusatzprotokoll gegen die unerlaubte Herstellung von Feuerwaffen, deren Teilen, Komponenten und Munition sowie gegen den unerlaubten Handel damit (New York 2001; 2007 ratifiziert).

Von Bedeutung für die Bekämpfung der Wirtschaftskriminalität und konkret der Geldwäsche sind neben der oben erwähnten Wiener Konvention das 1998 angenommene *Übereinkommen des Europarats über Geldwäsche sowie Ermittlung, Beschlagnahme und Einziehung von Erträgen aus Straftaten* (1990) und das *Übereinkommen des Europarats über Geldwäsche, Terrorismusfinanzierung sowie Ermittlung, Beschlagnahme und Einziehung von Erträgen aus Straftaten* (2005), deren Unterzeichung von der spanischen Regierung autorisiert wurde. Darüber hinaus ist Spanien der *OECD-Konvention gegen die Bestechung ausländischer Amtsträger* (Paris 1997) beigetreten (2000). Es folgten 2005 der Beitritt zum *Übereinkommen über die Bekämpfung der Bestechung, an der Beamte der Europäischen Gemeinschaften oder der Mitgliedstaaten der Europäischen Union beteiligt sind* (1997), sowie 2006 zum *UN-Übereinkommen gegen Korruption* (New York 2003). Dagegen hat Spanien das *Strafrechtsübereinkommen des Europarats gegen Korruption* (1999) lediglich unterzeichnet (2005).

Besonders geprägt ist das spanische Strafrecht von den europäischen Instrumenten. Im Bereich der internationalen Rechtshilfe im Rahmen des Europarats fand 1982 die Ratifizierung des *Europäischen Auslieferungsübereinkommens* von 1957 und des *Europäischen Übereinkommens über die Rechtshilfe in Strafsachen* von 1959 statt. Die Protokolle des Auslieferungsübereinkommens wurden 1985, das erste Protokoll des Rechtshilfeübereinkommens 1991 ratifiziert. Weitere Ratifizierungen betrafen 1985 das *Europäische Übereinkommen über die Überstellung verurteilter Personen* von 1983 (die Zusatzvereinbarung von 1987 wurde 1992 ratifiziert), 1988 das *Europäische Übereinkommen über die Übertragung der Strafverfolgung* von 1972 und 1994 das *Europäische Übereinkommen über die internationale Geltung von Strafurteilen* von 1970. Im Rahmen des europäischen Strafrechts gelten insbesondere das *Schengener Abkommen* von 1985 und das *Schengener Durchführungsübereinkommen* von 1990 (beide sind 1993 ratifiziert worden). Dazu kommt das *Übereinkommen über die Errichtung eines Europäischen Polizeiamtes* (Europol) von 1995, das seit 1998 in Kraft ist und (seit demselben Jahr in Kraft) das *Übereinkommen über die Auslieferung zwischen den Mitgliedstaaten der Europäischen Union* von 1996 sowie das *Übereinkommen über ein vereinfachtes Auslieferungsverfahren zwischen den Mitgliedstaaten der Europäischen Union* von 1995, das in Spanien seit 1999 gilt. Das 2000 unterzeichnete *Übereinkommen über die Rechtshilfe in Strafsachen zwischen den Mitgliedstaaten der Europäischen Union* ist seit 2004 vorläufig in Kraft.

Literaturhinweise zu Abschnitt B.

Alvarado Planas, Javier, El problema del germanismo en el Derecho español. Madrid 1997.

Arroyo Zapatero, Luis/Nieto Martin, Adán, Código de Derecho Penal Europeo e Internacional, Ministerio de Justicia, 2008.

David, René/Brierley, John E.C., Major legal systems in the world today. 2. Aufl. London 1978, S. 32–141.

David, René/Grasmann, Günther, Einführung in die großen Rechtssysteme der Gegenwart. München 1988.

Damián Moreno, Juan, Introducción a la organización judicial española. Madrid 2004.

Ibán, Ivan C., Introducción al Derecho Español. Baden-Baden 1995 [auch in deutscher Ausgabe: Einführung in das spanische Recht. Baden-Baden 1995].

López Guerra, Luis/Rodríguez Mourullo, Gonzalo u.a., El Derecho español en el siglo XX. Madrid 2000.

Malmström, Ake, The System of Legal Systems. Scandinavian Studies in Law, Vol. 13. Stockholm 1969, S. 129–149.

Merino-Blanco, Elena, The Spanish legal system. London 1996.

Pérez Martin, Antonio (Hrsg.), España y Europa, un pasado jurídico común. Actas del I Simposio Internacional del Instituto de Derecho Común. Murcia 1986.

Zweigert, Konrad/Kötz, Hein, Einführung in die Rechtsvergleichung. 3. Aufl. Tübingen 1996, S. 67–71.

C. Verfassungsrechtliche Vorgaben

1. Übergesetzliche Regelungen als Träger strafrechtlicher Prinzipien

– *Die Verfassung*

Die Entstehung der geltenden Verfassung von 1978 ist das Resultat eines politischen Übergangsprozesses von einem autoritären zu einem verfassungsrechtlichen System, der rein formell keinen Bruch mit der vorherigen Rechtsordnung mit sich brachte. Das Franco-Regime basierte auf sieben „grundlegenden Gesetzen" *(Leyes Fundamentales)*, die unter anderem eine legislative Kammer, deren Mitglieder allerdings nicht durch Wahlen bestimmt waren, und einen Volksentscheid *(referendum)* vorsahen. Nach dem Tod *Francos* wurde das „Gesetz für die politische Reform" (*Ley para la Reforma Política*, LRP) von der Nachfolgeregierung entworfen, von der Kammer verabschiedet und zum Volksentscheid gebracht. Dieses Gesetz, das formell gemäß den Bestimmungen der *Leyes Fundamentales* verabschiedet wurde und auch denselben Rang besaß, schaffte dem Inhalt nach die Voraussetzungen für eine Verfassungswandlung. In Art. 1 LRP bekannte sich der Staat zur Demokratie und zu den Menschenrechten. Gemäß Art. 2 LRP sollte das (zukünftige) Parlament aus zwei Kammern bestehen, und ihre Vertreter sollten direkt vom Volk gewählt werden. Art. 3 LRP sah ein Verfahren zur „verfassungsrechtlichen Reform" in ihren wesentlichen Zügen vor. Nach den ersten demokratischen Wahlen am 15. Juni 1977 wurde die neue demokratische Verfassung vom Parlament verabschiedet, zum Volksentscheid gebracht, vom König bestätigt und schließlich am 29. Dezember 1978 verkündet.

Spanien versteht sich gemäß der Verfassung von 1978 als „ein sozialer und demokratischer Rechtsstaat" (Art. 1 Abs. 3 *Constitución Española*; im Folgenden CE).[1] Der Mensch wird als Bürger, als Träger von Rechten und Pflichten angesehen. Die Stellung als Träger von Rechten ist durch die ausdrückliche Festlegung der Würde der Person, der unantastbaren und der Person innewohnenden Rechte und der freien Entfaltung der Persönlichkeit als Grundlagen der politischen Verfassung und des sozialen Friedens (Art. 10 Abs. 1 CE) hervorgehoben. Andererseits ist der Bürger an die Verfassung und an die gesamte Rechtsordnung gebunden (Art. 9 Abs. 1 CE) und dazu verpflichtet, das Gesetz sowie die Rechte anderer zu respektieren (Art. 10 Abs. 1 CE).

Die Verfassung steht an der Spitze der Rechtsordnung und kann in ihrem wesentlichen Bestand nicht vom Gesetzgeber geändert werden. Wird eine solche wesentliche Reform angestrebt, muss zuvor ein neues Parlament gewählt werden (Art. 168 CE). Auch sonstige Reformen können nur in einem besonderen Verfah-

---

[1] Siehe dazu oben I.A.4.

ren durchgeführt werden (Art. 167 ff. CE). In der Regel bedarf ein verfassungsrechtlicher Reformentwurf der Zustimmung einer qualifizierten Mehrheit von drei Fünfteln in beiden Kammern. Der besondere Rang der Verfassung wird außerdem dadurch bewahrt, dass die Ratifizierung eines internationalen Abkommens, dessen Bestimmungen ihr in irgendeiner Weise widersprechen, nicht erfolgen darf, ohne dass sie vorher entsprechend geändert wird (Art. 95 Abs. 1 CE).

– *Andere übergesetzliche Regelungen*

Die Verfassung verleiht internationalen Abkommen, die grundrechtsrelevante Materien betreffen, einen übergesetzlichen Rang. Die Europäische Menschenrechtskonvention (EMRK) wird in der Verfassung ausdrücklich genannt. Laut Art. 10 Abs. 2 CE müssen alle Normen, die verfassungsrechtlich anerkannte Grundrechte und Grundfreiheiten (siehe dazu unten) betreffen,[2] menschenrechtskonform dahingehend ausgelegt werden, dass sie den Bestimmungen der EMRK nicht widersprechen. Dies gilt ebenfalls für alle übrigen menschenrechtsrelevanten internationalen Abkommen, die von Spanien ratifiziert worden sind (Art. 10 Abs. 2 CE).

2. Grundrechte und Grundfreiheiten

Fast ein Drittel der verfassungsrechtlichen Vorschriften betreffen Grundrechte und Grundfreiheiten beziehungsweise -pflichten im weiten Sinne, die überwiegend im ersten Titel der Verfassung („De los derechos y deberes fundamentales", Art. 10–54) geregelt sind. Neben den üblichen Grundrechten, die in den meisten menschenrechtlichen Instrumenten enthalten sind, garantiert die Verfassung zahlreiche Rechte sozialer, wirtschaftlicher und kultureller Natur, beispielsweise das Recht auf den Schutz der Gesundheit, das Recht auf eine lebenswerte Umwelt, die Verbraucherrechte, das Recht auf Zugang zur Kultur oder die Förderung von Sport und Freizeitaktivitäten. Die Systematik der Grundrechte entspricht einem operativen Kriterium, das die verschiedenen Grundrechte hauptsächlich nach ihrem Verhältnis zu den Rechtsquellen und nach deren rechtlicher Garantie einordnet (Art. 53 CE). Beispielsweise unterliegen die Grundrechte des zweiten Kapitels des I. Titels (Art. 14–38 CE) dem Gesetzesvorbehalt, wobei in der ersten Sektion des zweiten Kapitels (Art. 15–29 CE) diejenigen Grundrechte zusammengefasst sind, für die ein qualifizierter Gesetzesvorbehalt (*reserva de ley orgánica*, Art. 81 CE) gilt. Letztere können – ebenso wie das Grundrecht der Gleichheit vor dem Gesetz des Art. 14 CE und das Grundrecht der Militärdienstverweigerung aus Gewissensgründen des Art. 30 Abs. 2 CE – in einem vorrangigen Schnellverfahren *(recurso preferente y sumario; amparo judicial)* vor der ordentlichen Gerichtsbarkeit oder durch Verfassungsbeschwerde *(recurso de amparo)* eingeklagt werden. Die übrigen

---

[2] Siehe dazu unten C.2.

Grundrechte und Grundfreiheiten des ersten Kapitels und der zweiten Sektion des zweiten Kapitels werden wie jedes andere subjektive Recht von der Rechtsordnung garantiert. In den Bestimmungen des dritten Kapitels des I. Titels sind manche (nicht unmittelbar einklagbare) Grundrechte, aber auch überwiegend wirtschafts- und sozialpolitische Prinzipien enthalten, deren Schutz die gesamte Rechtsordnung bindet (Schutz der Familie, Schutz der sozialen und wirtschaftlichen Rechte der spanischen Arbeiter im Ausland, das Recht auf eine menschenwürdige Wohnung oder das oben genannte Recht auf den Schutz der Gesundheit).

Sämtliche Grundrechte und Grundpflichten des I. Titels der Verfassung gelten grundsätzlich auch für ausländische Bürger – mit Ausnahme des Wahlrechts des Art. 23 –, vorbehaltlich der Bestimmungen in nationalen Gesetzen oder in internationalen Abkommen (Art. 13 Abs. 1 und 2).

Zu den wesentlichen Grundrechten und Grundfreiheiten zählen:

– Das Recht auf Gleichheit und das Verbot der Diskriminierung aufgrund von Herkunft, Rasse, sexueller Orientierung, Religion, Meinung oder sonstiger persönlicher oder sozialer Umstände (Art. 10 Abs. 1 CE).

– Das Recht auf Leben und auf körperliche und moralische Unversehrtheit. Daraus folgen das Verbot der Folter und der unmenschlichen oder erniedrigenden Strafen beziehungsweise Behandlung, sowie die Abschaffung der Todesstrafe, vorbehaltlich dessen, was das Militärstrafrecht in Kriegszeiten bestimmen könnte (Art. 15 CE).

– Die Ideologiefreiheit, die Religions- und Kulturfreiheit. Daran anknüpfend gilt das Verbot, jemand zu Aussagen über seine Weltanschauung, Religion oder seinen Glauben zu zwingen (Art. 16 Abs. 1 CE).

– Das Recht auf Freiheit und auf Sicherheit (Art. 17 Abs. 1 CE). Neben dem Recht auf Freiheit sichert die Verfassung die Grundvoraussetzungen für hoheitliche Eingriffe in dieses Recht im Zusammenhang mit der Begehung von Straftaten ab. Erstens wird für die polizeiliche Festnahme eine maximale Dauer von 72 Stunden festgelegt, nach deren Ablauf die festgenommene Person unverzüglich freigelassen oder dem Richter vorgeführt werden muss (Art. 17 Abs. 2 CE). Zweitens werden auch in diesem Zusammenhang das Recht auf Belehrung über die Beschuldigtenrechte, das Aussageverweigerungsrecht und das Recht auf anwaltlichen Beistand verfassungsrechtlich anerkannt (Art. 17 Abs. 3 CE). Drittens wird die Regelung eines *habeas-corpus*-Verfahrens vorgeschrieben. Das Institut des *habeas corpus* garantiert, dass jede illegal festgenommene Person unverzüglich dem Richter vorzuführen ist (Art. 17 Abs. 4 CE).

– Das Recht auf Ehre, das Recht auf persönliche und familiäre Intimsphäre und das Recht am eigenen Bild (Art. 18 Abs. 1 CE). Im Zusammenhang mit der Gewährung dieser Reche schreibt die Verfassung vor, dass die Benutzung von Techniken der elektronischen Datenverarbeitung gesetzlich entsprechend einzuschränken ist (Art. 18 Abs. 4).

– Das Recht auf Unverletzlichkeit der Wohnung. Danach darf keine Durchsuchung ohne Einwilligung des Betroffenen beziehungsweise ohne richterlichen Beschluss vorgenommen werden. Gemeint ist hier allerdings im Prinzip das körperliche Eindringen in die Wohnung, nicht etwa die akustische oder optische Überwachung von außen. Ausnahmen sind bei Gefahr in Verzug *(delito flagrante)* jedoch möglich.

– Das Recht auf Wahrung des Kommunikationsgeheimnisses, welches sich insbesondere auf postalische, telegrafische und telefonische Kommunikation erstreckt (Art. 18 Abs. 3 CE). Eingriffe in das Kommunikationsgeheimnis bedürfen der richterlichen Anordnung.

– Das Recht, sich frei zu bewegen und den Wohnort frei zu wählen (Art. 19 I CE), sowie das Recht, in Einklang mit den gesetzlichen Bestimmungen frei aus Spanien auszureisen und wieder einzureisen, ohne dass dieses Recht aus politischen oder ideologischen Gründen eingeschränkt werden darf (Art. 19 II CE).

– Das Recht auf Meinungsfreiheit (Art. 20 CE), welches wiederum folgende Rechte einschließt: das Recht, die eigenen Gedanken, Ideen und Meinungen in Wort, Schrift oder durch sonstige Wiedergabemittel frei zu äußern und zu verbreiten; das Recht auf technische, wissenschaftliche, künstlerische und literarische Produktion; die Lehrfreiheit; das Recht, wahrheitsgemäße Information durch jegliche Verbreitungsmedien frei zu übermitteln oder zu empfangen (Pressefreiheit). Die Ausübung der Meinungsfreiheit wird durch das Verbot jeglicher Form von Zensur garantiert (Art. 20 Abs. 2 CE). Eine Beschlagnahme von Schriftstücken, Daten- und sonstigen Informationsträgern *(secuestro de publicaciones)* bedarf der richterlichen Anordnung (Art. 20 Abs. 5 CE). Zudem sieht die Verfassung die Grenze der Meinungsfreiheit in der Achtung anderer Grundrechte und -freiheiten, insbesondere des Rechts auf Ehre, auf Intimsphäre und am eigenen Bild sowie auf den Schutz von Jugendlichen und Kindern (Art. 20 Abs. 4).

– Das Recht, sich ohne Anmeldung oder Erlaubnis friedlich und ohne Waffen zu versammeln (Art. 21 Abs. 1 CE). Versammlungen und Demonstrationen an öffentlichen Orten bedürfen der vorherigen Anmeldung und dürfen nur in begründeten Fällen, die eine Gefahr für Personen oder Güter darstellen, wegen Beeinträchtigung der öffentlichen Ordnung verboten werden (Art. 21 Abs. 2 CE).

– Das Recht, sich zu vereinigen (*derecho de asociación*, Art. 22 Abs. 1 CE). Verfassungsrechtlich verboten sind solche Vereinigungen, die illegale Zwecke verfolgen (Art. 22 Abs. 2 CE), Geheimbünde sowie Vereinigungen mit paramilitärischem Charakter (Art. 22 Abs. 4 CE). Ein eingetragener Verein darf nur mit richterlicher Anordnung aufgelöst oder seine Tätigkeit untersagt werden.

– Das Recht, am öffentlichen Leben teilzuhaben, welches das aktive und das passive Wahlrecht einschließt (Art. 23 CE).

– Die justiziellen Rechte, nämlich das Recht auf effektiven Rechtsschutz (Art. 24 Abs. 1 CE), auf den gesetzlich bestimmten Richter, auf Verteidigung und anwaltlichen Beistand, auf Information über die Beschuldigung, auf ein öffentliches und zügiges Verfahren, auf Beweis, auf Verweigerung der Aussage gegen sich selbst und das Recht auf Unschuldsvermutung (Art. 24 Abs. 2 CE).

– Das Recht, nicht bestraft oder sanktioniert zu werden für Handlungen oder Unterlassungen, die zum Zeitpunkt ihrer Begehung nach der geltenden Gesetzgebung keine Straftat (*delito* oder *falta*) beziehungsweise keine verwaltungsrechtliche Zuwiderhandlung *(infracción administrativa)* darstellte (Gesetzlichkeitsprinzip, Art. 25 Abs. 1 CE).

– Das Recht der Gefangenen im Vollzug auf Resozialisierung und auf Umschulung, auf Vergütung, auf Leistungen der sozialen Sicherheit (insbesondere Krankenversicherung, Sozialversicherung, Sozialhilfe), auf Bildung und auf Entfaltung der Persönlichkeit (Art. 25 Abs. 2 CE). Besonders bemerkenswert unter den Grundrechten für Gefangene ist die ausdrückliche Erwähnung der Resozialisierung *(reeducación y reinserción social)* als Zweck der freiheitsentziehenden Strafen und der Maßregeln (Art. 25 Abs. 2 CE), was in der Prägung des Korrektionalismus in Spanien während des 19. Jahrhunderts seinen historischen Hintergrund hat.[3] Der Zweck der Resozialisierung als Aspekt der Spezialprävention schließt andere Strafzwecke jedoch nicht aus und spielt im Strafvollzug die wichtigere Rolle.

– Das Recht auf Bildung und die Lehrfreiheit (Art. 27 CE).

– Das Recht, sich in Gewerkschaften zu vereinigen (Art. 28 Abs. 1 CE) und das Recht auf Streik (Art. 28 Abs. 2 CE).

– Das Petitionsrecht (Art. 29 Abs. 1 und 2 CE).

3. Sonstige übergesetzliche Normen von strafrechtlicher Relevanz

Neben dem Gesetzlichkeitsprinzip, bei dessen Formulierung in Art. 25 CE insbesondere der Aspekt der Bestimmtheit berücksichtigt wird, sieht der Vortitel der Verfassung das Rückwirkungsverbot für *verschärfende Strafgesetzgebung* gesondert vor (Art. 9 Abs. 3 CE).

Andere (nicht nur) strafrechtlich und strafverfahrensrechtlich relevante Rechte mit verfassungsrechtlicher Verankerung sind beispielsweise das Recht auf Entschädigung durch den Staat, wenn die entstandenen Schäden auf einen richterlichen Fehler oder auf ein mangelhaftes Funktionieren der Justiz zurückzuführen sind

---

3 Siehe dazu unter I.D.3. sowie I.G.4.

(Art. 121 CE), die „Volksklage“ (*acción popular*, Art. 125 CE),[4] die Unabhängigkeit der Richter (Art. 117 Abs. 1–3 CE), die Indemnität (Art. 71 Abs. 1 CE) und Immunität (Art. 71 Abs. 2 CE) der Abgeordneten oder die Unverletzlichkeit des Königs (Art. 56 Abs. 3 CE).

Weiter gibt es eine ganze Reihe von Prinzipien, welche durch den normativen Charakter der Rechtsprechung des Verfassungsgerichts (Art. 5.1 LOPJ) verfassungsrechtlichen Rang erlangt haben beziehungsweise aus der Verfassung und ihren grundlegenden Normen und Prinzipien abgeleitet werden. So ist beispielsweise das *ne-bis-in-idem*-Prinzip vom Verfassungsgericht (*Tribunal Constitucional*, TC) anerkannt (STC 2/1981) und aus dem Gesetzlichkeitsprinzip abgeleitet worden. Auch das Schuldprinzip wurde durch die Entscheidung des TC 150/1991 verfassungsrechtlich als ein in der Würde des Menschen verankertes Prinzip anerkannt.

Literaturverzeichnis zu Abschnitt C.

Díaz, Elías, Estado de Derecho y sociedad democrática. 7. Aufl. Madrid 1977.

Labastida Muñoz, Horacio, Las constituciones españolas. Mexico, D. F. 1994, S. 113–121.

López Guerra, Luis u.a., Derecho Constitucional, Band 1. 2. Aufl. Valencia 1994, S. 22–24.

Peces-Barba, Gregorio, Derechos Fundamentales. 4. Aufl. Madrid 1983, S. 92–95.

Pérez Luño, Antonio Enrique, Derechos humanos, Estado de Derecho y Constitución. 4. Aufl. Madrid 1991, S. 229–237.

Pérez Royo, Javier, Curso de Derecho Constitucional. 2. Aufl. Madrid 1995, S. 120–124.

[4] Siehe dazu unten I.A.5.b.

D. Strafrechtstheoretische Grundlagen

1. Aufgaben des Strafrechts

– *Strafrecht als Mittel der sozialen Kontrolle*

Die Frage nach der Aufgabe des Strafrechts ist mit dem Strafzweck eng verknüpft, weil die Strafen und Maßregeln die wichtigsten Interventionsformen des Strafrechts darstellen. In diesem Sinne wird in der spanischen Strafrechtswissenschaft formuliert, dass jede Straftheorie eine Theorie der Funktion des Strafrechts darstellt, oder – umgekehrt – dass die Funktion des Strafrechts davon abhängt, welche Funktion der Strafe und der Maßregel zugeordnet wird. Die Frage nach der Aufgabe des Strafrechts betrifft jedoch die Funktion – nicht nur der Rechtsfolgen, sondern – aller Strafnormen als ein Ganzes, einschließlich der Verbrechenslehre. Zugleich hängt die Funktion des Strafrechts davon ab, welche Aufgaben der Staat erfüllen soll, die wiederum seine Existenz und sein Handeln legitimieren. Aus dieser Sichtweise folgt, dass die Aufgabe des Strafrechts nur aus einem konkreten gesellschaftlichen System heraus erklärt werden kann. Strafen und Maßregeln sind nicht isoliert, sondern im jeweiligen Rechtssystem unter Berücksichtigung des Staatsmodells und der historisch-kulturellen Zusammenhänge zu betrachten.

Im Einklang mit dem Selbstverständnis Spaniens als sozialer und demokratischer Staat wird die Aufgabe des Strafrechts in der spanischen Strafrechtswissenschaft überwiegend in einer Synthese mehrerer Funktionen gesehen. Die traditionelle Gegenüberstellung von absoluten beziehungsweise Vergeltungstheorien und relativen oder auf Prävention gerichteten Theorien, die in Deutschland zum sogenannten „Schulenstreit“ geführt hatte, wird in Spanien überwiegend zugunsten einer „limitierten Prävention“ gelöst. Die Aufgabe des Strafrechts soll demnach in der Erhaltung respektive dem Schutz der Gesellschaft unter gewissen Einschränkungen bestehen. Die so verstandene präventive Funktion des Strafrechts soll die Aspekte der Vergeltung, der Generalprävention und der Spezialprävention miteinander vereinen und kompatibel machen.[1]

Die Bedeutung des Strafrechts als Mittel der sozialen Kontrolle wird in Spanien überwiegend kritisch betrachtet. Die einen argumentieren, dass es sich dabei um einen Begriff sozial-kriminologischer Herkunft handele, der rechtlich nur schwer erfasst werden könne, und dass er zu ungenau und daher nicht dafür geeignet sei, die Ausübung der Strafgewalt allein zu legitimieren. Die anderen betonen, dass die motivierende Funktion der Strafnormen empirisch bisher nicht belegt worden sei, und dass das Einwirken auf die Motivation nur dann gelingen könne, wenn andere Instanzen der sozialen Kontrolle effektiv seien. Darum gilt das Strafrecht als ein rein sekundäres, wenn auch noch unverzichtbares Mittel der sozialen Kontrolle.

---

1 Siehe dazu unten 3.

– *Strafrecht als Mittel des Rechtsgüterschutzes*

Es besteht Einigkeit darüber, dass das Strafrecht als System zum Schutz der Gesellschaft nur „Rechtsgüter" schützen darf, und zwar Strafrechtsgüter. Dadurch wird dem Rechtsgutsbegriff unter anderem eine kriminalpolitische Funktion zuerkannt. Aus dem Prinzip des Rechtsgüterschutzes innerhalb eines sozialdemokratischen Rechtsstaates ergibt sich, dass keine bloß moralischen Interessen strafrechtlich geschützt werden dürfen. Es kann beim Schutz der Rechtsgüter vielmehr nur um Bedingungen des sozialen Lebens gehen, welche die Möglichkeiten der Teilhabe des Einzelnen am sozialen System betreffen. Solche Rechtsgüter sollten eine grundlegende Relevanz haben, dass heißt, es soll um diejenigen Rechtsgüter gehen, deren Verletzung das Funktionieren des sozialen Systems stark beeinträchtigen kann.

Neben der sozialen Dimension des (Straf-)Rechtsguts, bei dem allerdings die Perspektive des Einzelnen präsent sein soll, wird bei der Bestimmung dessen, was strafrechtlich zu schützen ist, verbreitet an die Verfassung angeknüpft. Die verfassungsrechtlichen Prinzipien und Werte sollen dem Strafrecht bei der Anerkennung neuer individueller oder kollektiver Rechtsgüter als Orientierung dienen. Insbesondere kann es nicht Aufgabe des Strafrechts sein, Rechtsgüter zu garantieren, die keine verfassungsrechtliche Anerkennung finden. In der Literatur wird jedoch häufig angeführt, dass das Prinzip des Rechtsgüterschutzes bei der effektiven Einschränkung der strafrechtlichen Intervention in der Praxis geringe Relevanz habe und dass der Gesetzgeber über einen breiten Handlungsspielraum verfüge. Insbesondere konnte die aktuelle Tendenz zu einer Expansion des Strafrechts, die oft mit der Schaffung neuer überindividueller Rechtsgüter verbunden ist, nicht gestoppt werden. Zum einen sind die verschiedenen Konzeptionen über den (angestrebten) Rechtsgutsbegriff in ihrer Formulierung sehr pauschal. Zum anderen wird beklagt, dass der Gesetzgeber oft unüberlegt und ohne eine vorangehende wissenschaftliche Diskussion Reformen in die Wege leite. Aus dieser Perspektive scheint es berechtigt, die Legitimation einer strafrechtlichen Norm aus rein formellen Kriterien infrage zu stellen. Es ist jedoch offensichtlich, dass solche Defizite bei der Normenproduktion nicht auf der Ebene der Theoriebildung kompensiert werden können.

– *Strafrecht als ultima ratio*

Das Prinzip der *ultima ratio* oder der Subsidiarität des Strafrechts ist von utilitaristischen Erwägungen geprägt, welche die Nützlichkeit für die potentiell Betroffenen (Prävention) mit dem geringsten notwendigen Eingriff in die Rechte der Straftäter kombiniert. Damit soll betont werden, dass das Strafrecht nicht nur eine Maximierung an Prävention sucht. Es soll vielmehr das letzte Mittel sein, falls keine anderen weniger schädlichen Mittel zur Verfügung stehen. Mit diesem Aspekt ist auch die Anforderung des fragmentären Charakters des Strafrechts eng verbunden. Dass das Strafrecht fragmentär sein soll, bedeutet, dass es keinen umfassenden

Rechtsschutz leisten soll, sondern Schutz vor gewissen Formen von Rechtsangriffen, die besonders schwer oder gefährlich sind. Beide Postulate werden häufig als Teile des Prinzips des minimalen Eingriffs *(principio de intervención mínima)* erfasst. Dem Prinzip des minimalen Eingriffs wird allerdings entgegengehalten, dass ein minimalistischer Standpunkt Gefahr läuft, den Schutz mancher strafwürdiger Rechtsgüter nur deshalb zu vernachlässigen, weil das Strafrecht nur minimal aktiv werden soll. Deshalb soll nach anderer Ansicht das minimalistische Kriterium durch das Kriterium der Notwendigkeit strafrechtlicher Intervention ersetzt werden.

2. Rechtsstaatliche Grenzen des Strafrechts

Die wichtigsten Prinzipien des spanischen Strafrechts, in denen zugleich eine Einschränkung der *ius puniendi* des Staates gesehen wird, sind das Gesetzlichkeitsprinzip,[2] das Schuldprinzip und das Verhältnismäßigkeitsprinzip. Diese Prinzipien können konkrete dogmatische Kriterien liefern, die ihre rechtliche Durchsetzung sowie auch eine verfassungsrechtliche Kontrolle des Strafrechts ermöglichen. Daneben gibt es eine ganze Reihe von Prinzipien oder Postulaten, an denen sich das Strafrechtssystem und die strafrechtliche Diskussion orientieren und die systematisch unterschiedlich erfasst werden.[3]

Das Schuldprinzip[4] dient dazu, die Würde der Person zu wahren und die Instrumentalisierung des Täters zu vermeiden. Um für seine Tat bestraft werden zu können, muss der Täter eine andere Handlungsmöglichkeit gehabt haben (Tatschuldprinzip). Dagegen sollen die Täterpersönlichkeit oder seine Lebensführung zumindest keine grundlegende Rolle spielen. Das spanische Verfassungsgericht legt in einer Entscheidung aus dem Jahr 1991 dar, dass ein Täterstrafrecht *(derecho penal de autor)*, welches die Strafe nach der Persönlichkeit des Täters und nicht nach seiner Schuld bestimmen würde, illegitim wäre.

Das Schuldprinzip legt die Schuld des Täters sowohl als Strafbarkeitsvoraussetzung als auch als quantitative Grenze der Strafbarkeit fest. Die Anerkennung der Schuld als Strafbarkeitsvoraussetzung spiegelt sich in dem Erfordernis von Vorsatz oder Fahrlässigkeit für die strafrechtliche Verantwortlichkeit und in dem Ausschluss der reinen Erfolgshaftung (Art. 5 des spanischen *Código Penal*, CP), in der Anerkennung der strafrechtlichen Relevanz des Irrtums (Art. 14 CP) und in dem Erfordernis eines motivatorisch ansprechbaren Subjekts (Art. 19, 20 Abs. 1, 2 und 3 CP) wider. Die Folgen des Schuldprinzips für die Strafzumessung sind erstens die Notwendigkeit, dass die Schwere der Strafe und die Schwere der Schuld im Verhältnis zueinander stehen, und zweitens, dass rein präventive Überlegungen (sei

2 Siehe dazu oben I.C.2. und 3. sowie insbesondere unten II.A.

3 Siehe schon oben 1.

4 Zur verfassungsrechtlichen Verankerung des Schuldprinzips siehe oben C.3.

es im Sinne der General- oder aber der Spezialprävention) keine über das Maß der Schuld hinausgehende Strafe rechtfertigen können. Unter diesem Aspekt stellt sich etwa die spanische Regelung des Rückfalls als erschwerender Umstand (Art. 20 Abs. 8 CP) als problematisch dar.

Das Schuldprinzip ist allerdings nicht frei von Kritik. Anknüpfend an die deutsche Diskussion wird betont, dass die Willensfreiheit, auf welcher das Schuldprinzip basiert, unbeweisbar sei. Dieser Position wird entgegengehalten, dass der deterministische Ansatz auch nicht empirisch belegt werden konnte. Andere kritisieren, dass der Schuldbegriff moralisch stark belastet sei. Alternativen, die das Schuldprinzip durch das Verhältnismäßigkeitsprinzip beziehungsweise den Begriff der Schuld durch eine andere Terminologie (etwa Verantwortlichkeit) ersetzen wollen, haben sich in der Strafrechtsdoktrin jedoch nicht durchsetzen können – wobei das spanische Strafgesetzbuch überwiegend von strafrechtlicher Verantwortung spricht.

Das Verhältnismäßigkeitsprinzip und der Humanitätsgrundsatz werden zum Teil als Folgen des Prinzips des minimalen Eingriffs hinsichtlich der Schwere der Rechtsfolgen angesehen. Das Verhältnismäßigkeitsprinzip schreibt vor, dass die Strafen der Schwere der begangenen Taten angepasst sein müssen. Dieses Prinzip wurde ursprünglich für die Maßregeln formuliert, da diese nicht an der Schuld des Täters gemessen werden. Es soll aber auch für die Strafen Anwendung finden, insbesondere den Autoren zu Folge, die gar das Schuldprinzip durch das Verhältnismäßigkeitsprinzip ersetzen wollen beziehungsweise in der Schuld allein eine Obergrenze sehen. Dem wird entgegengehalten, dass das Schuldprinzip an sich auch ein Verhältnis zwischen der Strafe und den Strafbarkeitsvoraussetzungen vorschreibe.

Der Humanitätsgrundsatz hat Auswirkungen auf die Art der Bestrafung, die Dauer der Strafe und die Bedingungen des Strafvollzugs, aber auch auf das Strafverfahren. Was die Art der Bestrafung angeht, verbietet die spanische Verfassung sowohl die Todesstrafe als auch inhumane oder erniedrigende Strafen. Das Strafgesetzbuch von 1995 hat zum einen zwar Alternativen zur Freiheitsstrafe wie etwa die gemeinnützige Arbeit eingeführt oder Kurzfreiheitsstrafen durch Geldstrafen ersetzt. Dagegen kann die Dauer der Strafen hinsichtlich der humanitären Anforderungen kritisch betrachtet werden. Denn die Höchststrafen für gewisse Kriminalitätsformen wurden stark erhöht und die Möglichkeit der Strafbefreiung durch Arbeit im Strafvollzug abgeschafft. Obwohl eine lebenslange Freiheitsstrafe formell nicht existiert, ist das spanische Strafrecht von der gewünschten Höchstdauer von 15 Jahren für Freiheitsstrafen weit entfernt. Das Höchstmaß an Gefängnisstrafe beträgt generell 20 Jahre. Es können aber in bestimmen Fällen Freiheitsstrafen von 25, 30 oder 40 Jahren verhängt werden, die in der Regel auch tatsächlich verbüßt werden müssen. Dieser Zustand, der seit der Einführung des Strafgesetzbuchs von 1995 entstanden ist und in sukzessiven Reformen noch verschärft wurde, ist ebenfalls unter dem Gesichtspunkt des Resozialisierungsprinzips sehr kritisch zu betrachten. Bezüglich der Bedingungen des Strafvollzugs wird in der Lehre kritisiert, dass die Wirklichkeit des spanischen Gefängniswesens den Mindestanforderungen der UNO noch nicht angepasst worden ist, obwohl in den letzten Dekaden viel verbessert wurde und auch weitere Reformen anstehen. Für das Strafverfahren gilt in Zusammenhang mit dem Humanitätsgrundsatz das Folterverbot.

Weitere Prinzipien, die auch als Grenzen des *ius puniendi* des Staates verstanden werden, sind unter anderem das Prinzip des Rechtsgüterschutzes,[5] das Prinzip des minimalen Eingriffs,[6] das Verbot exemplarischer Strafen, das Prinzip der Notwendigkeit und Nützlichkeit des strafrechtlichen Eingriffs, das Resozialisierungsprinzip[7] und das Prinzip der subjektiven Verantwortlichkeit, welches als eine der Anforderungen des Schuldprinzips jede Form objektiver Strafverantwortlichkeit untersagt.

3. Strafzwecke

Hinsichtlich der Strafzwecke herrschen in Spanien die Vereinigungstheorien, nach denen die Strafe eine präventive (zukunftsorientierte) Funktion erfüllen muss, ohne jedoch auf ihren vergeltenden Charakter zu verzichten. Dabei wird der Schwerpunkt unterschiedlich auf einen dieser beiden Aspekte gelegt. Von den relativen Theorien übernehmen die Vereinigungstheorien den Standpunkt, dass die Strafe für die Gesellschaft nützlich sein muss, indem sie einerseits die Allgemeinheit davon abhält, Straftaten zu begehen (Abschreckung der Allgemeinheit, negative Generalprävention), und andererseits eine Wirkung auf den Täter hat (Abschreckung und insbesondere Resozialisierung). Von den Vergeltungstheorien übernehmen die Vereinigungstheorien den einschränkenden Effekt einer auf die Schuld des Täters zugeschnittenen Strafe, die in ihrem Maß nicht aufgrund präventiver Überlegungen überschritten werden darf. Teils werden diese zwei verschiedenen Aufgaben anerkannt, indem die Autoren zwischen Grundlage (Vergeltung) und Zweck (Prävention) beziehungsweise zwischen Begriff und Rechtfertigung der Strafe unterscheiden. Unter sozialpolitischen Gesichtspunkten ist derjenigen Ansicht der Vorrang zu geben, welche eine der Schuld des Täters angemessene, aber sozial nutzlose Strafe für illegitim hält.

Auch historisch sind Varianten von Vereinigungstheorien zu finden. Zu verweisen ist hier auf strafrechtliche Konzeptionen des 16. und 17. Jahrhunderts, die von spanischen Theologen und Juristen vertreten wurden, sowie auf die spanische korrektionalistische Schule ab dem Ende des 19. Jahrhunderts. Der Hauptvertreter dieser Schule, deren Grundlinien ausgerechnet von den (wenigen) deutschen Autoren übernommen wurden, die im 19. Jahrhundert keine Vergeltungstheorie vertreten

---

5 Siehe oben unter 1.

6 Siehe oben unter 1.

7 Siehe dazu unten 3.

hatten *(Krause, Ahrens, Röder)*, war *Dorado Montero*, der 1925 das Werk „El derecho protector de los criminales“ (Das Recht zum Schutz der Kriminellen) schrieb. Weitere Impulse zu einer auf Spezialprävention gerichteten Kriminalpolitik kamen aus der positivistischen italienischen Schule. Der Einfluss des deutschen Idealismus, welcher das Strafrecht auf die Idee der Willensfreiheit aufbaute, und der Schuld eine wesentliche Rolle als Strafbarkeitsvoraussetzung und als Maß für die Strafbestimmung zukommen ließ, blieb dagegen damals sehr gering. Dennoch hat diese Reformbewegung zu keinen weitgehenden Änderungen der Rechtsfolgen und des Strafzumessungssystems geführt. Die Gefährlichkeit des Täters behält eine beschränkte Funktion bei der Strafzumessung. Erst in der Reform von 1944 wird eine Strafzumessungsregel (Art. 61 Abs. 4 CP) eingeführt, nach der die Strafe nach der Persönlichkeit des Täters bestimmt werden muss. Die als gefährlich geltenden Kriminalitätsformen werden allerdings außerhalb des CP mit dem Gesetz über „Vagos y Maleantes“ (Vagabunden und Bösewichte) von 1933 bekämpft, das eine Sicherungsverwahrung auf unbestimmte Zeit für Rückfall- und Gewohnheitstäter und eventuell auch für gefährliche Ersttäter vorsieht. Dieses Gesetz wurde 1970 durch das gleichartige Gesetz über Gefährlichkeit und soziale Rehabilitierung ersetzt. Solche Maßnahmen wurden nach der demokratischen Verfassung von 1978 im Kontext der darauf folgenden Strafrechtsreform ausgemustert. Die Gefährlichkeit ist im Strafgesetzbuch als Strafschärfungsgrund allerdings bis heute erhalten geblieben.

Heute werden die Vereinigungstheorien bevorzugt, welche verschiedene Zwecke miteinander kombinieren. Dagegen gelten die Vergeltungstheorien in der Lehre als mit den Postulaten eines sozialdemokratischen Rechtsstaates unvereinbar. Einen wachsenden Einfluss gewinnen in Spanien ebenfalls die von der positiven Generalprävention inspirierten Modelle, die in Deutschland seit den 80er Jahren entwickelt worden sind. Sie verschieben den Akzent von dem potentiellen Verbrecher auf die Gesellschaft beziehungsweise auf den rechtstreuen Bürger und sehen den primären Strafzweck darin, Normgeltung zu bestätigen. Die Strafe wird in ihrer kommunikativen Bedeutung als Antwort auf die Tat eines Täters gesehen, welche die Normgeltung in Frage gestellt hat. Diese Funktion, die zeitlich mit der Strafverhängung in Beziehung steht, schließt andere Strafzwecke, insbesondere die Resozialisierung, nicht aus.

Die Lehre sieht im geltenden Strafgesetzbuch von 1995 deutliche Zeichen, dass ihm keine absolute Straftheorie zugrunde liegt, wie beispielsweise die Möglichkeit einer bedingten Strafaussetzung (Art. 80 ff CP) oder des Gnadenrechts, das Institut der Verjährung oder die Wirkung der Verzeihung durch das Opfer nach Art. 130 CP zeigen. Kritisiert wird dagegen, dass das Strafgesetzbuch kein ausgewogenes Verhältnis zwischen den verschiedenen Strafzwecken erreicht hat. Zum einen kollidieren die viel zu hohen Strafen eindeutig mit dem Resozialisierungsgedanken und geben somit der Generalprävention einen unverhältnismäßigen Vorrang. Zum anderen werden die Möglichkeiten der bedingten Strafaussetzung (Art. 88 Abs. 1

CP) oder des Ersatzes einer Freiheitsstrafe durch Geldstrafe oder gemeinnützige Arbeit (Art. 88 Abs. 2, 2. Abschnitt CP) als zu weitgehend bewertet. Sie gelten in Bezug auf eine „verhängte" Strafe bis zu zwei Jahren Gefängnis, womit auch schwerere Straftaten erfasst werden. Ferner sieht das Strafgesetzbuch die Möglichkeit der Strafaussetzung bei (verhängten) Gefängnisstrafen bis zu fünf Jahren vor, wenn die Straftaten – auch von Gewohnheitstätern – rauschbedingt begangen werden. In diesen Regelungen sehen Kritiker die Anforderungen der Generalprävention zugunsten der Individualprävention nicht ausreichend berücksichtigt.

Von Standpunkt der Vereinigungstheorien stellt sich das Verhältnis zwischen Strafen und Maßregeln als besonders schwierig dar. In der Lehre wird darauf hingewiesen, dass eine strikte Trennung zwischen Strafen und Maßregeln nur aus der Sicht der absoluten Theorien möglich wäre. Das Verhältnis zwischen Tatschuld und Gefährlichkeit ist in Spanien besonders problematisch. Ein möglicher Grund für die zu hohen Strafen, welche nicht nur dem Resozialisierungsgedanken, sondern auch einer sauberen Trennung zwischen (Tat-)Schuld als Voraussetzung der Strafe und Gefährlichkeit als Voraussetzung der Maßregel der Sicherung *(medidas de seguridad)* im Wege stehen, könnte darin liegen, dass das Problem der Gefährlichkeit im spanischen System der Strafen und Maßregeln unbefriedigend gelöst ist. Das 1995 eingeführte zweispurige System bedeutet nicht Strafen für Schuldfähige und Maßregeln für (schuldfähige oder schuldunfähige) gefährliche Täter. Eine freiheitsentziehende Maßregel darf nur dann angewandt werden, wenn der Täter nicht oder zumindest nicht voll zurechnungsfähig ist. Eine solche Maßregel für voll schuldfähige Personen beziehungsweise für sogenannte „Hangverbrecher" kennt das Strafrecht jedoch nicht. Außerdem ist die Rückfälligkeit nach wie vor ein erschwerender Umstand (Art. 22 Ziffer 8 CP), der dazu führt, dass der eingeschränkt schuldfähige Täter und der voll zurechnungsfähige Täter aufgrund ihrer Gefährlichkeit sehr unterschiedlich behandelt werden.

4. Grundlegende Prinzipien des Strafverfahrensrechts

Grundlegende Prinzipien des spanischen Strafprozessrechts sind:

- die gesetzliche Bestimmung des Richters (Art. 24 Abs. 2 CE);
- der Anspruch auf effektiven Rechtsschutz (Art. 24 Abs. 2 CE);
- das *nemo-tenetur*-Prinzip (Art. 24 Abs. 2 CE);
- das Recht auf Verteidigung und auf rechtsanwaltlichen Beistand (Art. 24 Abs. 2 CE);
- das Akussationsprinzip;
- die Offizialmaxime *(principio de oficialidad)*;
- die Unschuldsvermutung (Art. 24 Abs. 2 CE);

- das Legalitätsprinzip (Art. 55 Abs. 1 CE) (im Jugendstrafrecht: das Oportunitätsprinzip, Art. 19 LO 5/2000 de 12 de enero, reguladora de la responsabilidad penal de los menores);
- das Konfrontations- und Verhörprinzip *(principio de contradicción, principio de audiencia)*;
- das Prinzip der Waffengleichheit;
- das Konzentrationsprinzip (direkte Folgen dieses Prinzips etwa in Art. 749, 788 Abs. 1 LECrim; Art. 47 LO 5/1995);
- das Prinzip der Verfahrensbeschleunigung *(principio del plazo razonable)* (Art. 24 Abs. 2 CE);
- das Prinzip der Öffentlichkeit des Verfahrens (Art. 24 Abs. 2, 120 Abs. 1 CE);
- das Prinzip der Doppelinstanz;
- das Zeugnisverweigerungsrecht (Art. 24 Abs. 2, 2. Abschnitt CE);
- der Grundsatz *ne bis in idem*;
- das Prinzip *in dubio pro reo*;
- das Prinzip der Mündlichkeit (Art. 120 Abs. 2 CE);
- der Grundsatz der Unmittelbarkeit.

Literaturhinweise zu Abschnitt D.

Antón Oneca, José, La prevención general y la prevención especial en la teoría de la pena. Salamanca 1944.

Bacigalupo, Enrique, Principios de derecho penal. Parte general. 4. Aufl. Madrid 1997, S. 7–18; 18–21; 21–25.

Bustos Ramírez, Juan/Hormazábal Malaré, Hernán, Lecciones de derecho penal. Band I: Fundamentos del sistema penal, esquema de la teoría del delito y del sujeto responsable y teoría de determinación de la pena. Madrid 1997.

Cerezo Mir, José, Curso de derecho penal español. Parte general. Band I: Introducción. 6. Aufl. Madrid 2007, S. 22–44.

Cid Moliné, José, ¿Pena justa o pena últil? El debate contemporáneo en la doctrina penal española. Madrid 1994.

Cobo de Rosal, Manuel, Tratado de derecho procesal español. Madrid 2008, S. 53–148.

Cuello Contreras, Joaquín, El derecho penal español. Parte general. 3. Aufl. Madrid 2002, S. 86–128; 134–138; 139–154.

García Valdés, Carlos, Teoría de la pena. Madrid 1985.

Gimbernat Ordeig, Enrique, Concepto y método de la ciencia del derecho penal. Madrid 1999.

Gracia Martin, Luis, Fundamentos de la dogmática penal. Una introducción a la concepción finalista de la responsabilidad penal. Barcelona 2006, S. 165–209.

Jaén Vallejo, Manuel, Los principios superiores del derecho penal. Madrid 1999.

López Barja de Quiroga, Jacobo, Tratado de Derecho Procesal Penal. 2. Aufl. Cizur Menor 2007, S. 99–133.

López Barja de Quiroga, Jacobo, Teoría de la pena. Madrid 1991.

Mir Puig, Santiago, Función de la pena y teoría del delito en el Estado social y democrático de derecho. Barcelona 1979.

– Derecho Penal. Parte General. 7. Aufl. Barcelona 2004, S. 87–109; 111–152.

Moreno Catena, Víctor/Cortés Domínguez, Valentín, Derecho Penal Procesal. 3. Aufl. Valencia 2008.

Muñoz Conde, Francisco, Derecho Penal. Parte General. 7. Aufl. Valencia 2007, S. 57–66; 76–81; 90–92.

Pérez del Valle, Carlos, Estudios sobre los fundamentos del Derecho Penal. Madrid 2006, S. 31–41.

Polaino Navarrete, Miguel (unter Mitarbeit von *Polaino-Orts, Miguel*), Derecho Penal. Parte General. 5. Aufl. Barcelona 2004, S. 144–145; 210–211.

Romeo Malanda, Sergio, Intervenciones genéticas sobre el ser humano y derecho penal. Bilbao/Granada 2006, S. 37–50; 113–118.

Sánchez Martínez, Olga, Los principios en el derecho y la dogmática penal. Madrid 2004.

Silva Sánchez, Jesús M., El nuevo Código penal: cinco cuestiones fundamentales. Barcelona 1997.

Zugaldía Espinar, José Miguel, Derecho Penal. Parte General. 2. Aufl. Valencia 2004, S. 42–45; 47–70.

Entscheidungen

STC 246/1991 (Schuldprinzip)

E. Abgrenzung und Einordnung des Strafrechts

1. Begriffliche und sachliche Umgrenzung des Strafrechts

In Spanien ist es noch üblich, beim Begriff des Strafrechts systematisch an die Unterscheidung zwischen Strafrecht als einem normativen System (objektives Strafrecht oder *ius poenale*) und Strafrecht als einem subjektiven Recht des Staates (subjektives Strafrecht oder *ius puniendi*) anzuknüpfen.

Das Strafrecht im objektiven Sinne umfasst ausschließlich das materielle Strafrecht. Dieses wird formell als Zusammenschluss von staatlichen Rechtsnormen und Rechtsvorschriften verstanden, welche Straftaten und Übertretungen sowie deren Folgen – Strafen *(penas)* oder Sicherungsmaßnahmen *(medidas de seguridad)* – festlegen.

Im Verhältnis zum materiellen Strafrecht werden das Strafverfahrensrecht und das Strafvollzugsrecht heute überwiegend als autonome Rechtsgebiete verstanden. Das Strafverfahrensrecht ist Teilgebiet des Verfahrensrechts, welches vom materiellen Recht traditionell begrifflich und akademisch getrennt wird. Erst in neuester Zeit gibt es Einzelversuche, stärker auf die engen Verknüpfungen zwischen materiellem Strafrecht und Strafprozessrecht hinzuweisen, während noch immer versucht wird, allgemeine Theorien des Verfahrensrechts zu formulieren.

Das Strafvollzugsrecht beschränkt sich auf die Normen, welche den Vollzug der freiheitsentziehenden Strafen und Maßregeln betreffen *(Derecho penitenciario)*. Es ist heute nicht nur in einem eigenständigen Gesetz (*Ley Orgánica 1/1979 General Penitenciaria* einschließlich dessen Verordnung) geregelt, sondern hat seine eigene Gerichtsbarkeit *(Jueces de Vigilancia Penitenciaria)*. Für die Eigenständigkeit dieses Rechtsgebiets *ratione materiae* spricht, dass das Strafvollzugsrecht – so wird argumentiert – ein besonderes Rechtsverhältnis von Personen mit konkreten Rechten und Pflichten innerhalb einer bestimmten Institution *(Institución Penitenciaria)* regelt.

2. Abgrenzung zu anderen repressiven Ordnungssystemen

Die Frage nach der Abgrenzung des Strafrechts zu anderen repressiven Ordnungssystemen, insbesondere zum Verwaltungssanktionsrecht *(Derecho administrativo sancionador)*, ist in Spanien heute zumindest institutionell weitgehend geklärt. Während die Sanktionsgewalt der Verwaltung früher als illegitime Ausnahme der Strafgerichtsbarkeit kritisiert und als dem Strafrecht unterworfen angesehen wurde, gilt das Verwaltungssanktionsrecht heute nicht nur als eigenständiges – wenn auch vom Strafrecht stark geprägtes – Gebiet des öffentlichen Rechts, sondern die verwaltungsrechtlichen Akte – einschließlich der Verhängung von Sanktionen – unterliegen der verwaltungsrechtlichen und nicht etwa der strafrechtlichen Gerichtsbarkeit. Sodann werden die Verwaltung, welche in Spanien ihre Sanktionsgewalt während des gesamten 19. Jahrhunderts stets beibehalten hat, und die Strafgerichte nicht mehr – wie traditionell – als selbstständige und gleichrangige Sanktionsmächte angesehen, sondern die sanktionierende Gewalt im weiten Sinne steht originär den Gerichten zu. So auch die Sanktionsgewalt der Verwaltung, welche erst in der Verfassung von 1978 (Art. 25 Abs. 1 CE) ausdrücklich anerkannt wird.

Eine einheitliche Gesetzgebung hierzu (wie etwa in Deutschland das Ordnungswidrigkeitengesetz) fehlt dennoch bis heute. Die wichtigsten materiellen und prozessualen Prinzipien des Verwaltungssanktionsrechts (einschließlich des Schuldprinzips) sind jedoch in den Kapiteln I und II von Titel IX des Gesetzes über das Rechtswesen der öffentlichen Verwaltung und das allgemeine Verwaltungsverfahren (*Ley 30/92, de 26 de noviembre, del Régimen Jurídico de las Administraciones Públicas y del Procedimiento Administrativo Común,* LRJAP-PAC) geregelt.

Die aktuelle Diskussion betrifft hauptsächlich den Umfang, in dem den strafrechtlichen Prinzipien im Bereich des bis heute noch unvollständig und generell weniger entwickelten Verwaltungssanktionsrechts Geltung zugesprochen werden soll. Die Einzelheiten – beispielsweise die Folgen des Grundsatzes *ne bis in idem* beziehungsweise des Schuldprinzips – sind streitig. Die Verjährung der verwaltungsrechtlichen Sanktionen ist erst spät anerkannt worden.

Qualitativ verneint die herrschende Meinung eine wesentliche Unterscheidung zwischen dem Verwaltungssanktionsrecht und dem Strafrecht, was auf theoretischer Ebene die gewünschte Anwendbarkeit der strafrechtlichen Prinzipien nahegelegt hat. Als Unterscheidungskriterium bleibt insofern nur ein formelles, nämlich die Entscheidung des Gesetzgebers, wobei in manchen Gebieten das verwaltungsrechtliche Unrecht *(ilícito administrativo)* mit dem entsprechenden strafrechtlichen Unrecht *(ilícito penal)* übereinstimmt. In diesem Bereich konkurrierender Gerichtsbarkeit *(jurisdicción)* der Verwaltung und der Strafgerichte haben letztere den Vorrang. Soweit in den verwaltungsrechtlichen Sanktionen im Vergleich zu den Strafen die quantitativ milderen Sanktionen gesehen werden, gilt dies auch nur insofern, als der Verwaltung die Verhängung freiheitsentziehender Strafen verfassungsrechtlich untersagt ist (Art. 25 Abs. 3 CE). Im Übrigen können die Sanktionen nämlich quantitativ viel höher sein als die entsprechenden Strafen. Die Praxis der Sanktionsverhängung durch die Verwaltung und die Haltung der Verwaltungsgerichte, welche nach Art. 106 CE die Kontrolle über das Handeln der Verwaltung auszuüben haben, werden dennoch als eher restriktiv und zurückhaltend bewertet.

Sanktionsrechtliche Befugnisse stehen nicht nur der zentralen, autonomen und lokalen Verwaltung zu, sondern auch weiteren verwaltungsrechtlichen Institutionen beziehungsweise Behörden und Körperschaften, welche im Fall der Berufskammern aus einem vereinheitlichten Gesetz abgeleitet werden können (*Ley de Cole-*

gios Profesionales vom 13. Februar 1974). Es gibt aber auch weitere Organe, die nicht oder nicht unumstritten als „Verwaltung“ bezeichnet werden (können), und auch gewisse Sanktionsbefugnisse ausüben, wie zum Beispiel die für Justizverwaltungs- und Disziplinarsachen zuständige Kammer eines Gerichts *(Sala de Gobierno).*

Die Abgrenzung zwischen Strafrecht und Disziplinarrecht stellt sich aus materiellrechtlicher Sicht als schwierig dar. Traditionell wurde das Disziplinarrecht in Spanien nie als Teil des Strafrechts verstanden. Die dennoch umstrittenen Unterschiede zwischen den strafrechtlichen und den disziplinarrechtlichen Sanktionen verschwinden in der modernen Gesellschaft allerdings zunehmend. Erstere verfolgen vielfältige Zwecke, die sich auch auf die Garantie einer optimalen verwaltungsrechtlichen Organisation erstrecken, wobei Fragen der internen Organisation und deren Auswirkungen nach außen oft nicht deutlich voneinander getrennt werden können. Die disziplinarrechtlichen Sanktionen beschränken sich nicht mehr auf den Bereich hierarchischer Beziehungen oder besonderer Gewaltverhältnisse.

So umfasst das Disziplinarrecht heute nicht nur Normen des Beamtenrechts, sondern auch entsprechende Normen des Vollzugsrechts, des Jugendstrafrechts, des Militärstrafrechts (einschließlich des Vollzugsrechts), des Universitätsrechts, des Sportrechts und des Berufsverbandsrechts. Darüber hinaus gibt es disziplinarrechtliche Bestimmungen privatrechtlichen Charakters im Unternehmensrecht. Die Annährung zwischen Disziplinarrecht und Strafrecht führt jedoch nicht zur These einer Vereinheitlichung beider Rechtsbereiche, welche in der Praxis als nicht praktikabel gilt. Die Frage ist vielmehr, wie das Disziplinarrecht ein akzeptables Maß an rechtlichen Garantien erreichen kann.

Die formellen Anforderungen an die Normen des Disziplinarrechts sind gering. Die entsprechenden Bestimmungen sind häufig in Verordnungen geregelt. Verweisende Gesetze erfüllen nicht die Voraussetzungen für die Blankettgesetzgebung. Weder die Beschreibung des tatbestandsmäßigen Verhaltens noch die Sanktion unterliegen dem Bestimmtheitsgebot. Das *ne-bis-in-idem*-Prinzip und sonstige Prinzipien des Sanktionsrechts gelten für das Disziplinarrecht nicht (Art. 127 Abs. 3 LRJAP-PAC). In der Lehre wird die Anwendung des *ne-bis-in-idem*-Prinzips auf die Strafen und die disziplinarrechtlichen Sanktionen – teils mit Einschränkungen – gefordert.

3. Einordnung spezieller Maßnahmen für bestimmte Tätergruppen

Die Rechtsfolgen des spanischen Strafrechts sind hauptsächlich die Strafen und die Sicherungsmaßnahmen *(medidas de seguridad)* beziehungsweise Maßregeln.[1] Es handelt sich um ein mehrspuriges System, bei dem die Maßregeln nicht nur anstelle, sondern auch neben der Strafe verhängt werden können. Sie richten sich nach der Gefährlichkeit des Täters, allerdings mit starken Einschränkungen. Zum einen darf die Dauer der zu verhängenden Sicherungsmaßnahme die Höhe der entsprechenden Strafe nicht überschreiten. Eine Maßregel auf unbestimmte Zeit oder die nachträgliche Anordnung einer Maßregel kennt das spanische Strafrecht nicht. Zum anderen darf im heutigen Strafrecht eine Maßregel nur dann verhängt werden, wenn eine Tat begangen worden ist, welche mit einer freiheitsentziehenden Strafe zu bestrafen wäre, wenn der Täter voll zurechnungsfähig gewesen wäre. Maßregeln für voll zurechnungsfähige Täter (Hangverbrecher) gibt es bis heute nicht. Die Frage der Gefährlichkeit des Täters ist also – zumindest bei Schuldunfähigen – auch ein Problem der Strafen. Das zeigt sich im Allgemeinen an der Höhe der Strafen, aber auch an der Beibehaltung der Rückfälligkeit als erschwerendem Umstand (Art. 22 Ziff. 8 CP).

Das Strafrecht unterscheidet zwischen freiheitsentziehenden und nicht freiheitsentziehenden Sicherungsmaßregeln. Gegen nicht verantwortliche Personen nach Art 20 Nr. 1–3 CP dürfen folgende freiheitsentziehende Maßregeln verhängt werden (Art. 101–103 CP):

- Im Fall einer psychischen Anomalie oder Störung kann – falls notwendig – die Maßregel der Unterbringung zum Zweck der medizinischen Behandlung oder Sondererziehung in einer der Art der psychischen Anomalie oder Störung angemessenen Einrichtung verhängt werden.
- Im Fall der völligen Intoxikation durch den Genuss von alkoholischen Getränken, Drogen, Betäubungsmitteln, psychotropen oder anderen Substanzen ist – falls notwendig – die Maßregel der Unterbringung in einer öffentlichen oder einer ordnungsgemäß zugelassenen oder anerkannten privaten Entziehungseinrichtung vorgesehen.
- Im Fall einer seit der Geburt oder Kindheit bestehenden Störung der Wahrnehmungsfähigkeit mit der Folge eines stark gestörten Bewusstseins der Wirklichkeit ist – falls notwendig – die Maßregel der Unterbringung in einer Sondererziehungseinrichtung vorgesehen.

Zusätzlich zu diesen Maßregeln, beziehungsweise wenn in den genannten Fällen ein unvollständiger Strafausschließungsgrund vorliegt, dürfen (im zweiten Fall neben der freiheitsentziehenden Strafe) weitere nicht freiheitsentziehende Maß-

---

[1] Vgl. oben I.A.5.d.

regeln verhängt werden, wie beispielsweise das Verbot, sich an bestimmten Orten aufzuhalten oder dort zu wohnen, beziehungsweise das Verbot, an einem bestimmten Ort zu wohnen, bestimmte Orte aufzusuchen oder Lokale zum Konsum alkoholischer Getränke aufzusuchen, die ambulante Behandlung, die Familienfürsorge, die Teilnahme an Erziehungs- oder Berufsbildungsprogrammen und vieles mehr.

Missbrauchsfälle in der Praxis der freiheitsentziehenden Maßregeln betreffen insbesondere die Benutzung von „Isolationszimmern" zum Teil ohne Überwachung, Züchtigungsmaßnahmen oder die Nutzung der Internierten als Arbeitskräfte.

Eine strafrechtliche Reaktion gegenüber Minderjährigen in der Form einer „Maßnahme" *(medida)* ist ab 14 Jahren möglich. Die Maßnahmen gegen minderjährige Straftäter sind im Organgesetz 5/2000 *(Ley Orgánica 5/2000, reguladora de la responsabilidad de los menores)* und in der erst 2004 verabschiedeten Verordnung vorgesehen. Diese Maßnahmen werden als „Intervention pädagogischer Natur" definiert. Die schwerste Maßnahme ist die Unterbringung in einer speziellen Anstalt *(centro)* für fünf Jahre mit darauffolgender Überwachung nach der Entlassung für weitere fünf Jahre.

Literaturhinweise zu Abschnitt E.

Berdugo Gómez, Ignacio/Zúñiga Rodríguez, Laura (Koord.), Manual de Derecho Penitenciario. Salamanca 2001.

Carretero Pérez, Adolfo/Carretero Sánchez, Adolfo, Derecho Administrativo Sancionador. 2. Aufl. Madrid 1995.

Cerezo Mir, José, Curso de derecho penal español. Parte general. Band I: Introducción. 6. Aufl. Madrid 2007, S. 64–67.

Encinar del Pozo, Miguel Angel, Discusión sobre las medidas a adoptar en función de la peligrosidad del autor. Circunstancia: Revista de ciencias sociales del Instituto Universitario de Investigación Ortega y Gasset, Nr. 16, 2008.

Fairén Guillén, Victor, El tratamiento procesal de la peligrosidad sin delito (problemas generales), ADPCP, Band 25, 1972, S. 33–52.

Guanarteme Sánchez Lázaro, Fernando, Un problema de peligrosidad postdelictual: reflexiones sobre las posibilidades y límites de la denominada custodia de seguridad. Revista Penal Nr. 17, 2006, S. 142–165.

Linde Paniagua, Enrique, El régimen disciplinario de la función pública y la penetración en el mismo de los principios que rigen el Derecho penal. In: Derecho y justicia penal en el siglo XXI: liber amicorum en homenaje al profesor Antonio González-Cuéllar García. Madrid 2006, S. 301–324.

Morales Prats, Fermín/García Alvero, Ramón Miguel, Doctrina del Tribunal Constitucional sobre medidas de seguridad: ¿Réquiem por la Ley de Peligrosidad y Rehabilitación Social? La Ley: Revista jurídica española de doctrina, jurisprudencia y bibliografía, Nr. 1, 1991, S. 1142–1154.

Nieto García, Alejandro, Problemas capitales del Derecho disciplinario. Revista de administración pública, Nr. 63, 1970, S. 39–84 (http://www.cepc.es/rap/Publicaciones/Revistas/1/1970_063_039.PDF).

Pemán Gavín, Juan María, El Sistema Sancionador Español. Hacia una teoría general de las infracciones y sanciones administrativas. Barcelona 2000.

Pujol Robinat, Amadeo/Puig Bausili,Lluïsa Concepto de peligrosidad criminal: evolución histórica del concepto. CPC, Nr. 94, 2008, S. 255–284.

Requejo Rodríguez, Paloma, Peligrosidad criminal y Constitución. Indret: Revista para el Análisis del Derecho, Nr. 3, 2008.

Rodríguez Alonso, Antonio, Lecciones de Derecho Penitenciario. 3. Aufl. Granada 2003.

Sola Reche, Esteban, La peligrosidad de la conducta como fundamento de lo injusto penal. ADPCP, Band 47, 1994, C. 167–186.

Terradillos Basoco, Juan María, Enfermedad mental, peligrosidad social y derecho penal. In: Delgado Bueno (Dir.), Psiquiatría legal y forense, Band I. Madrid 1994, S. 95–112.

F. Strafrechtsquellen und Auslegungshilfen

1. Überblick

Das spanische Strafrecht kennt das Gesetz als die Rechtsquelle schlechthin. Die Verfassung legt in Art. 9 Abs. 3 das Gesetzlichkeitsprinzip und zusätzlich in Art. 25 Abs. 1 das strafrechtliche Gesetzlichkeitsprinzip fest.[1] Danach darf niemand für Handlungen oder Unterlassungen bestraft oder sanktioniert werden, welche nach der zum Zeitpunkt ihrer Begehung geltenden Gesetzgebung keine Straftat, Übertretung oder Zuwiderhandlung darstellen. Bestimmungen über weitere Rechtsquellen, nämlich das Gewohnheitsrecht und die allgemeinen Rechtsprinzipien sind schließlich im Zivilrecht (Art. 1 Abs. 3 und 4 CC) zu finden. Ihre Rolle im Strafrecht ist gegenüber dem Gesetz sekundär oder sie beschränkt sich auf marginale beziehungsweise ergänzende Aspekte. Die Stellung der Rechtsprinzipien muss allerdings im Einzelnen differenzierter bestimmt werden, zumal viele Prinzipien in Rechtsnormen beziehungsweise in der Verfassung verankert sind.[2] Die Rechtsprechung ist als Rechtsquelle im strengen Sinne ausgeschlossen (Art. 1 Abs. 6 CC). Dennoch spielt sie als Ergänzung bei der Gesetzesauslegung eine außerordentlich wichtige Rolle, und obwohl der Richter an vorausgegangene Entscheidungen nicht rechtlich gebunden ist, werden diese sehr wohl berücksichtigt.

Die Dominanz des Gesetzes als Rechtsquelle zeigt sich auch darin, dass eine Reihe von Materien einem qualifizierten Gesetzesvorbehalt beziehungsweise dem Vorbehalt eines sogenannten Organgesetzes (ein Gesetz mit verfassungsrechtlichem Rang; *ley orgánica*) unterliegt. Letzteres gilt gemäß Art. 81 Abs. 1 CE für Regelungen, welche die Grundrechte und -freiheiten des Art. 15 betreffen. Die Gesetze über diese Materien bedürfen einer absoluten Mehrheit im Parlament. Folglich scheiden hier als Rechtsquellen nicht nur Verordnungen, sondern auch Gesetzesdekrete oder Delegationsgesetze aus. Die spanische Lehre vertritt überwiegend die Meinung, dass die Festlegung der Straftatbestände und der Strafen das Recht auf Freiheit oder zumindest das Recht auf Ehre einschränken, weshalb sie ein Organgesetz benötigten. Es ist allerdings umstritten, ob ein solcher Organgesetzesvorbehalt für die strafrechtliche Materie uneingeschränkt gilt oder ob hier Ausnahmen zu machen sind, zum Beispiel bei Strafen, welche keine Grundrechte betreffen.[3]

Durch die Gesetzgebungstechnik der sogenannten Blankettstrafgesetze kommen dennoch letztendlich auch einfache Gesetze, Dekretgesetze, Delegationsgesetze oder Gesetzgebung der Autonomen Regionen (zum Beispiel zum Umweltrecht

---

1 Zum Gesetzlichkeitsprinzip siehe II.A.

2 Siehe dazu oben D.2.

3 Siehe dazu ausführlicher II.A.3.a.

oder zum Gesundheitswesen) zumindest als ergänzende oder weiter konkretisierende Strafrechtsquellen in Betracht. Auch auf Verordnungen wird in Tatbeständen des *Código Penal* verwiesen, wo es beispielsweise heißt, dass bestimmte Verhaltensweisen bestraft werden, wenn sie gegen gesetzliche oder reglementarische Vorschriften verstoßen. Das spanische Verfassungsgericht *(Tribunal Constitucional)* hat die Blankettgesetze unter folgenden Voraussetzungen für verfassungsgemäß erklärt:

1. dass die Verweisung ausdrücklich erfolgt und im Hinblick auf das strafrechtlich geschützte Rechtsgut gerechtfertigt ist;
2. dass das verweisende Gesetz die Strafdrohung enthält;
3. dass das verweisende Gesetz den wesentlichen Kern des Verbots festlegt und das Bestimmtheitsgebot respektiert, sodass das Verhalten mit der unabdingbaren Ergänzung der Ausfüllungsnorm ausreichend konkretisiert ist.

Das Strafgesetzbuch schreibt dem Richter eine strikte Anwendung der Bestimmungen des Gesetzes vor. Wenn ein Richter von einem strafwürdigen Verhalten Kenntnis erlangt, das nicht mit Strafe bedroht ist, hat er sich jedes Vorgehens dagegen zu enthalten und der Regierung die Gründe darzulegen, warum es strafrechtlich sanktioniert werden soll (Art. 4 Abs. 2 CP).

Im umgekehrten Fall, wenn die strikte Anwendung des Gesetzes zur Bestrafung einer Handlung oder Unterlassung führt, die nach Auffassung des Gerichts nicht strafbar sein sollte oder wenn die Bestrafung zu hoch erscheint, schreibt Art. 4 Abs. 3 CP vor, dass das Gericht, *ungeachtet der alsbaldigen Vollstreckung des Urteils*, bezüglich der Aufhebung oder Änderung der Vorschrift beziehungsweise der Begnadigung Vorlage an die Regierung zu machen hat. Diese Vorschrift, von der noch kein Gebrauch gemacht wurde, wird als unzeitgemäß kritisiert, da sie die richterliche Funktion zugunsten der Exekutive einschränkt und das Gericht praktisch zur Verhängung einer ungerechten Strafe zwingt.[4] Vielmehr ist ein Richter in einem solchen Fall nach Ausschöpfung der Auslegungsmethoden zur Vorlage an das Verfassungsgericht *(cuestión de inconstitucionalidad)* verpflichtet, da jedes Gericht dem verfassungsrechtlichen Mandat des Art. 117 Abs. 1 CE (nämlich die Volksgerechtigkeit zu wahren) unterliegt.[5]

2. Geschriebene Rechtsnormen

Neben der Festlegung des geschriebenen Gesetzes als einzige Rechtsquelle im Strafrecht und dem Prinzip des Gesetzesvorbehalts stellt sich die Frage nach der Normenhierarchie, welche sich jedoch nicht primär im Bereich des Strafrechts,

---

[4] Zur Gewaltenteilung siehe unten 2.

[5] Siehe dazu ausführlicher II.A.3.c.

sondern allgemein als internes Problem des staatlichen Normensystems stellt. Das Hierarchieprinzip und das System der Rechtsquellen waren traditionell Gegenstand des Zivilrechts und wurden durch die Verfassung auch zum Gegenstand des öffentlichen Rechts. Heute hat es in der verfassungsrechtlichen Diskussion seinen primären Standort. Das klassische Prinzip der Normenhierarchie hat seine traditionelle Bedeutung als ordnendes Prinzip des Rechtssystems eines liberalen Rechtsstaates jedoch weitgehend verloren. Unter anderem sind infolge der territorialen Staatsorganisation und der Kompetenzverteilung neue „Normenarten“ entstanden, welche oft nicht oder nicht allein in einer hierarchischen Beziehung zueinander stehen. Deswegen wird der Versuch unternommen, das Hierarchieprinzip in einem verfassungsrechtlichen Staat und in einem komplexeren Normensystem neu zu formulieren.

Was die Produktion von Strafrechtsnormen angeht, hat das Verfassungsgericht ausdrücklich entschieden, dass Strafgesetze, welche freiheitsentziehende Strafen androhen, den Rang eines Organgesetzes haben müssen. Obwohl die Notwendigkeit eines Organgesetzes für die sonstige Strafgesetzgebung umstritten ist, hat sich dies in der Praxis allerdings verfestigt.[6] Durch den Rekurs auf Blankettnormen, der eine eigene Problematik darstellt,[7] spielen letztendlich auch ordentliche Gesetze und Verordnungen für das Strafrecht eine wichtige Rolle.

Hauptregelungsort der Strafrechtsmaterie ist der *Código Penal* von 1995. Es gibt auch einige spezielle Strafgesetze *(leyes penales especiales)*, welche zum Teil älter als die Verfassung sind. Ungeachtet dessen sind die einzelnen Straftatbestände überwiegend in den Büchern II und III des Código Penal geregelt. Spezielle Strafgesetze, welche auch bestimmte Tatbestände unter Strafe stellen, sind beispielsweise das Organgesetz 12/1995 vom 12. Dezember 1995 zur Bekämpfung des Schmuggels *(Ley Orgánica de Represión del Contrabando)*, das Militärstrafgesetzbuch (Organgesetz 13/1985 vom 9. Dezember 1985), das Geschworenengerichtsgesetz (Organgesetz 5/1995 vom 22. Mai 1995) und das Gesetz 209/1964, vom 24. Dezember 1964 über den Luftverkehr *(Ley penal y procesal de la Navegación Aérea)*. Ein weiteres spezielles Strafgesetz ist das Gnadengesetz vom 18. Juni 1870 (zuletzt geändert durch *Ley* 1/1988 vom 14. Januar 1988).

Die Gesetzgebung wird offiziell bekannt gemacht durch Veröffentlichung im nationalen Gesetzblatt *(Boletín Oficial del Estado)*. Seit dem 1. Januar 2009 hat die Online-Version des Gesetzblatts offiziellen und authentischen Charakter (http://www.boe.es/).

Neben dem Problem der internen Normenhierarchie, welches im Strafrecht keine besonderen Schwierigkeiten aufwirft, gibt es eine Reihe von Begriffen, die „Vorrang“ oder „Präferenz“ bedeuten und im Zusammenhang mit der Hierarchie stehen

---

6 Siehe dazu oben 1. sowie II.A.3.a.

7 Siehe dazu oben 1. sowie II.A.3.a.

(supremacía, prevalencia, primacía, preferencia). Oft werden sie auch mehrdeutig verwendet. Manche dieser Begriffe, wie beispielsweise *primacía*, verwendet man, um die Beziehungen zwischen internationalem (insbesondere auch europäischem) und nationalem Recht zu charakterisieren. In diesen Beziehungen wird mangels Zugehörigkeit zu einer gemeinsamen und übergeordneten Rechtsordnung eigentlich nicht von Hierarchie, sondern etwa von Integration des europäischen Rechts in das nationale Rechtssystem gesprochen.

Völkerrechtliche Verträge dürfen in Spanien nicht unmittelbar, sondern erst nach ihrer vollständigen Veröffentlichung im Gesetzblatt angewendet werden (siehe Art. 1 Abs. 5 CC und Art. 96 Abs. 1 CE). Die Aussage, dass sie dadurch Teil der internen Rechtsordnung würden, wird zum Teil insofern als Fiktion betrachtet, als das internationale Recht – ungeachtet seiner Anwendbarkeit – eine vom staatlichen Rechtssystem verschiedene Rechtsordnung darstellt. Was die Strafrechtsmaterie angeht, ist die Schaffung neuer Tatbestände aufgrund internationaler Verträge nur durch interne Strafgesetze möglich. Jedoch wird den internationalen Verträgen in Bezug auf Straffreistellung, Entkriminalisierung oder Strafmilderungen ein dem Gewohnheitsrecht oder den allgemeinen Rechtsprinzipien ähnlicher Rechtsquellencharakter zugesprochen. Zum Teil wird aber auch die Möglichkeit einer direkten Aufhebung von Strafnormen durch völkerrechtliche Verträge bejaht, wenn diese unmittelbar – ohne weitere Normierung – anwendbar sind. Demgegenüber wird präzisierend betont, dass es eigentlich nicht um Aufhebung von Gesetzen durch internationales Recht gehen dürfte, sondern darum, dass interne Normen im Fall ihrer Unvereinbarkeit mit internationalem Recht nicht angewendet werden, was den Staat indirekt zu deren Aufhebung oder Änderung verpflichte.

Nichts anderes gilt für das Europarecht, welches als „Rechtsquelle" im oben genannten Sinne auch für das Strafrecht eine wichtige Rolle spielt. Zwar fällt das Strafrecht (mit Ausnahme des Umweltstrafrechts) bis heute nicht in den Zuständigkeitsbereich der Union, doch können europäische Richtlinien und Verordnungen auf strafrechtlichem Gebiet dort Anwendung finden, wo Straftatbestände spezieller Bereiche Blankettnormen oder normative Tatbestandselemente enthalten, welche durch europäisches Recht reguliert werden (etwa beim Schmuggel oder bei den Währungsdelikten). Das ist insbesondere dann der Fall, wenn es sich um unmittelbar anwendbares Recht handelt.

Außerdem gibt es eine Reihe von Straftatbeständen, die ausdrücklich auf internationale Normen verweisen: Art. 607bis Abs. 1 Nr. 1 CP – Beweggründe bei Verbrechen gegen die Menschlichkeit, Art. 607 bis Abs. 2 Nr. 7 CP – Freiheitsberaubung unter Verletzung völkerrechtlicher Normen über die Festnahme – oder Art. 608 Nr. 7 CP – Begriff der geschützten Personen.

3. Gewohnheitsrecht

Das Gewohnheitsrecht ist zwar Teil des traditionellen Rechtsquellensystems und gilt auch ohne gesetzliche Regelung (Art. 1 Abs. 3 CC). Aufgrund des strafrechtlichen Gesetzlichkeitsprinzips und konkret wegen des Gebots der *lex scripta*, welches ein geschriebenes Gesetz als einzige Rechtsquelle anerkennt, ist das Gewohnheitsrecht als formelle Rechtsquelle im spanischen Strafrecht grundsätzlich jedoch ausgeschlossen. Das bedeutet, dass das Gewohnheitsrecht keine Strafbarkeit begründen und keine Straftatbestände schaffen kann. Dennoch ist seine Berücksichtigung im Allgemeinen Teil zumindest *in bonam partem* nicht ausgeschlossen. Sowohl das nationale als auch das völkerrechtliche Gewohnheitsrecht spielen als Ergänzung und Auslegungshilfe eine wichtige Rolle. So hat beispielsweise der Oberste Gerichtshof *(Tribunal Supremo)* die Geltung des Universalitätsprinzips durch das völkerrechtliche Gewohnheitsrecht neuerdings eingeschränkt.

4. Rechtsprechung

Die Rechtsprechung im engeren Sinne wird erst durch wiederholte Entscheidungen des *Tribunal Supremo* gebildet (Art. 1 Abs. 6 CC). Sie wird als offizielle Rechts*quelle* nicht anerkannt (die Rechtsprechung des Verfassungsgerichts ausgenommen). Dennoch spielt sie als Ergänzung bei der Gesetzes*auslegung* und Gesetzes*anwendung* eine sehr wichtige Rolle. Deshalb besteht ein großes Interesse an einer möglichst konstanten Rechtsprechung im Dienste der Rechtssicherheit, wobei sich hier für das Strafrecht keine Besonderheiten ergeben. Die Erreichung einer möglichst weitgehenden Einheitlichkeit bei der Gesetzesanwendung ist Aufgabe des *Tribunal Supremo* (so schreibt es auch das Verfassungsgericht vor; siehe die Entscheidung STC 2/1983), und zwar hauptsächlich durch das Berufungsverfahren *(recurso de casación)*. Mit den Entscheidungen werden auch Einzelvoten kundgegeben. Es besteht zudem die Möglichkeit der Einberufung einer Richterversammlung, um die Kriterien der Rechtsprechung sowie die verfahrensrechtlichen Praktiken zu vereinheitlichen (Art. 264 LOPJ).

Obwohl die Gerichte an die Entscheidungen der oberen Instanzen rechtlich nicht gebunden sind, werden diese normalerweise berücksichtigt. Nicht nur die Verteidiger berufen sich auf vorausgegangene Entscheidungen der oberen Instanzen, sondern auch der *Tribunal Supremo* bezieht sich üblicherweise auf seine eigenen Entscheidungen, die oft wörtlich wiedergegeben werden. Im Übrigen wird sogar die These vertreten, dass die Rechtsprechung des *Tribunal Supremo* für untergeordnete Gerichte (auch) offiziell verbindlich sein *soll*. Das hätte den Vorteil, dass die Aufgabe des Obersten Gerichts bei der Vereinheitlichung der Rechtsprechung deutlicher wäre und dass Änderungen der vorausgegangenen Richtlinien immer explizit und in begründeter Weise vorgenommen würden.

Auch die Rechtsprechung internationaler Gerichte ist grundsätzlich als Ergänzung oder Auslegungshilfe, und nicht als Rechtsquelle im formellen Sinne zu verstehen. Ihre konkrete Auswirkung hängt wiederum von den Beziehungen zwischen den entsprechenden internationalen Normen und dem nationalen Recht ab. Die Verfassung schreibt vor, dass die Bestimmungen über Grundrechte und Grundfreiheiten in Übereinstimmung mit der Allgemeinen Erklärung der Menschenrechte und mit sonstigen von Spanien ratifizierten internationalen Abkommen über diese Materien zu interpretieren sind (Art. 10 Abs. 2 CE), woraus beispielsweise die Verbindlichkeit der Rechtsprechung des Europäischen Gerichtshofs für Menschenrechte bei der Auslegung von Grundrechten und Grundfreiheiten abgeleitet wird (STC 114/1984, FJ 3).

Die Rechtsprechung des Gerichtshofs der Europäischen Gemeinschaften kann nationales Recht wegen Verstoßes gegen europäisches Recht nicht aufheben. Allerdings ergibt sich aus dem vorrangigen Charakter des Europarechts, dass ein Urteil des EuGH dazu führen kann, dass eine nationale Norm nicht mehr angewendet wird. Konkrete Vorgehensweisen für den Fall eines Widerspruchs zwischen europäischem und nationalem Recht sind im spanischen Recht allerdings nicht vorgesehen.

5. Schrifttum

Das Schrifttum ist in Spanien keine Rechtsquelle. Es dient der theoretischen Fundierung des Rechtssystems, der kritischen Betrachtung der juristischen Ausbildung und gilt insofern als wichtige Orientierung für den Rechtsanwender, als durch die Begriffs- und Theoriebildung eine möglichst objektive Anwendung des Rechts bezweckt wird. Es ist aber weder in seinen konkreten Inhalten bindend noch ist es üblich, dass die Rechtsprechung sich in ihren Entscheidungen auf Fachliteratur (zumindest ausdrücklich) bezieht.

Literaturhinweise zu Abschnitt F.

Bacigalupo, Enrique, Principios de Derecho Penal. Parte General. 5. Aufl. Madrid 1998, S. 80–86.

Baeza Avallone, Vicente, La jurisprudencia como fuente del derecho penal. In: Anales del Centro de Alzira de la Universidad Nacional de Educación a Distancia, Nr. 6, 1992 (Dedicado a: Las fuentes efectivas del derecho español tras la Constitución de 1978), S. 221–248.

Bustos Ramírez, Juan, Manual de Derecho Penal. Parte General. 4. Aufl. Barcelona 1994.

Cerezo Mir, José, Curso de Derecho Penal Español. Parte General I. 5. Aufl. Madrid 1996, S. 149–161.

Ferres Comella, Víctor, El principio de taxatividad en materia penal y el valor normativo de la jurisprudencia. Una perspectiva constitucional. Madrid 2002.

García-Pablos de Molina, Antonio, Introducción al Derecho penal. 4. Aufl. Madrid 2005.

Luzón Peña, Diego Manuel, Curso de Derecho Penal. Parte General I. Madrid 1996, S. 137–160.

Polaino Navarrete, Miguel, Derecho Penal. Parte General I. 4. Aufl. Barcelona 2001, S. 374–388.

Requena López, Tomás, El principio de jerarquía normativa. Madrid 2004.

Rechtsprechungshinweise

STC 5.7.1990 (Voraussetzungen der Blankettnormen)

STC 65/1986 (Bindung des Richters an das Gesetz)

STS 327/2003 vom 25. Februar 2003 (Einschränkungen des Universalitätsprinzips)

STS 319/2004 vom 8. März 2004 (Einschränkungen des Universalitätsprinzips)

G. Entwicklung des Strafrechts, Strafverfahrensrechts und Strafvollstreckungsrechts

1. Überblick

Das heutige spanische Strafrecht knüpft an den im 19. Jahrhundert vollzogenen Kodifizierungsprozess an, welcher herkömmlich als „Bruch“, neuerdings aber eher als „Brücke“ zwischen dem Strafrecht des *Ancien Régime* und dem reformierten Strafrecht charakterisiert wird. Zum einen bringt das 19. Jahrhundert eine wichtige Erneuerung des spanischen Rechts, zum anderen wird in der Kodifizierung aus heutiger Sicht (nicht nur) ein Bruch mit der Vergangenheit gesehen. Es finden sich auch Elemente eines auf supranationaler Ebene schon seit dem Spätmittelalter durch die römisch-kanonische Rezeption entwickelten und heute vielfach vergessenen europäischen *ius comune* darin wieder. Diese Sichtweise erlaubt es, zum einen die Grundlagen des modernen Strafrechts und zum anderen die Tragweite der Reformen des Neuen Regimes in ihrem richtigen Maße zu bewerten.

In das 13. Jahrhundert datieren die spanischen Rechtshistoriker den Gedanken einer öffentlichen Justiz. Die Rezeption des *ius comune* favorisiert die Idee der Justiz als eine der öffentlichen Macht immanente Aufgabe. So liefern die Prinzipien und Rechtsinstitute aus dem römisch-kanonischen Recht einen Rahmen, der die Einführung einer strafrechtlichen Justiz in Kastilien ermöglicht.

Innerhalb des *ius comune* sind insbesondere der Einfluss der kanonischen Doktrin auf das Strafrecht der Neuzeit und der Beitrag des spanischen rechtsphilosophischen Denkens im 16. und 17. Jahrhundert hervorzuheben. In dieser Zeit entwickelt sich schon eine Strafrechtswissenschaft.

Die Verbreitung der Aufklärungsgedanken im 18. Jahrhundert ist in Spanien im Vergleich zu anderen europäischen Ländern geringer. Zum einen fehlt es mangels einer bürgerlichen Gesellschaft an der sozialen Unterstützung, die für die Umsetzung der neuen Ideen in ein politisches Programm notwendig gewesen wäre. Zum anderen werden die Lehren *Beccaria*s selbst im kleinen Kreis der aufgeklärten spanischen Denker mit unterschiedlichen Vorbehalten aufgenommen. Dennoch sind einige Einflüsse der Aufklärungsphilosophie in der monarchischen Gesetzgebung vor der Kodifizierung sichtbar.

Zwar wurde die Aufnahme der strafrechtlichen und strafprozessualen Lehren der Aufklärung in die Gesetzgebung durch den politischen Systembruch ermöglicht, doch die strafrechtliche Kodifizierung des 19. Jahrhunderts in Spanien spiegelt auch die rechtspolitische Instabilität – sowie die Entwicklung der Kriminalität – in dieser Zeit wider, wobei die einzelnen Gesetze und Reformen rechtshistorisch noch nicht ausreichend untersucht worden sind. Auch im 20. Jahrhundert hatte die europäische Reformbewegung keinen entscheidenden Einfluss auf die spanischen Reformen. Außerdem ist die Gesetzgebung von der Entwicklung der Dogmatik und des theologisch-philosophischen Denkens generell stark zu trennen. Rechtsnormen und Rechtsdoktrin fallen nämlich in Spanien traditionell auseinander. Auch die Rechtspraxis ist in jeder Zeit gesondert zu bewerten und der Gesetzgebung gegenüberzustellen.

Im letzten Viertel des 20. Jahrhunderts durchlebt Spanien einen Demokratisierungsprozess, öffnet sich nach Europa und verstärkt die Beziehungen zur internationalen Gemeinschaft. Daraus resultieren tiefgreifende rechtliche Reformen. Doch selbst dem demokratischen *Código penal* von 1995 wird eine enge Verbundenheit zu seinen Vorgängern bescheinigt, obwohl er wichtige Elemente eines modernen Strafrechts enthält. Der Begriff „modernes Strafrecht" ist allerdings noch nicht präzise umschrieben und wird in der spanischen Literatur aus unterschiedlichen Standpunkten betrachtet. Im Gegensatz zum liberalen Strafrecht der Aufklärung (teilweise auch „klassisches" Strafrecht genannt) wird das moderne Strafrecht dadurch charakterisiert, dass es erstens einen quantitativ wachsenden Katalog von Straftaten enthält, der neue gesellschaftliche Bereiche umfasst, welche vom traditionellen System nicht erfasst waren und bei denen sich das Strafrecht nicht mehr auf den Schutz individueller Rechtsgüter beschränkt. Zweitens werden im modernen Strafrecht, das insgesamt zunehmend als Instrument zur Sicherheit der Bürger *(derecho penal de la seguridad ciudadana)* verstanden wird, traditionelle Straftaten härter bestraft als früher und weitgehende strafprozessuale Eingriffsermächtigungen geschaffen. Neue Bereiche sind etwa Deliktsgruppen, die unter dem Stichwort „Risikostrafrecht" eingeordnet werden (insbesondere abstrakte Gefährdungsdelikte), das Wirtschafts- und Umweltstrafrecht, das Unternehmensstrafrecht sowie neue oder traditionelle Straftaten, die sich als neue Erscheinungsformen infolge der Globalisierung manifestieren, wie beispielsweise Straftaten zum Schutz der finanziellen Interessen der EU, Internetkriminalität, Menschenhandel, internationaler Drogenhandel oder Geldwäsche. Die wichtigsten Strafrechtsentwicklungen der letzten zwei Dekaden dienten der Umsetzung europa- und völkerrechtlicher Vorgaben.

In dieser Entwicklung wird bis heute beklagt, dass die Strafrechtswissenschaft keinen nennenswerten Einfluss auf die Gesetzgebung erreiche und dass sie sich aber auch mitunter von den Problemen der Praxis fernhalte. Dazu kommen starke Defizite im Bereich der empirischen Erkenntnisse, die als zuverlässige Basis einer bestimmten kriminalpolitischen Richtung dienen könnten. Dieser Zustand erhöht in der heutigen modernen Gesellschaft umso mehr die Gefahr, dass die aktuelle Kriminalpolitik immer häufiger vom Populismus und von den Massenmedien beeinflusst wird.

Die spanische Strafrechtswissenschaft nimmt zum Phänomen der Expansion des Strafrechts sehr unterschiedlich Stellung. Die traditionelle Position beharrt als ideales Ziel auf einem liberalen und minimalen Strafrecht und sieht in der gegenwärtigen Entwicklung einen Widerspruch mit grundlegenden Prinzipien des Strafrechts (minimale Intervention, Rechtsgüterschutz oder *ultima ratio*).[1] Eine Gegenposition begrüßt diese Entwicklung als Abschied von einem System, welches nur formell Garantien für alle Bürger gewährleiste, materiell jedoch als Instrument zur Unterdrückung der Unterschichten diene. Dagegen verfolge ein modernes Strafrecht gemäß den Garantien eines sozialdemokratischen Rechtsstaates das Ziel, das sozialethisch vorwerfbare Handlungssystem der gesellschaftlichen Oberschicht zu kriminalisieren. Diese Expansion stehe aber mit den Anforderungen des Rechtsstaates nicht in Widerspruch. Eine moderate Position sieht diese Ausweitung zwar kritisch, erkennt in ihr jedoch einen nicht mehr reversiblen Prozess und schlägt als Alternative ein Strafrechtsmodell der „zwei Geschwindigkeiten" vor. Dadurch sollen im „klassischen Strafrecht" und insbesondere für Straftaten, die mit Freiheitsstrafe bedroht sind, die Zurechnungsregel und die kriminalpolitischen Garantien aufrechterhalten werden, während im zweiten Bereich eine Flexibilisierung dieser Regel und Garantien möglich sei. Eine vierte differenzierende Position beklagt, dass die meisten Strafrechtler die neuen Entwicklungen mit Kriterien eines verfehlten – weil überholten – Modells analysierten und darum solche Entwicklungen nicht nur nicht richtig begreifen könnten, sondern mit ihren Schlussfolgerungen in der Gesellschaft nicht verstanden würden. Die Expansion sei jedoch Folge zweier unterschiedlicher Phänomene: zum einen der Modernisierung des Strafrechts, die sich prinzipiell gegen die Kriminalität der Mächtigen richte, und zum anderen der zunehmenden Forderung der Gesellschaft nach Sicherheit, die insbesondere die klassische Kriminalität betreffe.

2. Entwicklung des materiellen Strafrechts

– *Das Strafrecht des Mittelalters*

Die Entwicklung des Strafrechts zu einer Ordnung öffentlichen Charakters verläuft parallel zu der Verstärkung der königlichen Macht. Die Könige werden jahrhundertelang mit dem lokalen, autonomen und auf Gewohnheit basierenden Strafrecht des Mittelalters kämpfen müssen. Im Frühmittelalter, in dem man eine Rückkehr zu primitiven Formen des Zusammenlebens konstatiert und zum Teil germanische Einflüsse vermutet, gehört das Begriffspaar Eingriff/Rache in den privaten Bereich. Allmählich übernehmen lokale Rechte die Garantie des Schutzes bestimmter privater Personen oder bestimmter Orte, wie zum Beispiel der Wohnung. Später sorgen die Könige für den Schutz der Sicherheit in bestimmten Bereichen wie auf Märkten und Straßen, und mit der allmählichen Stärkung der königlichen Macht entstehen die „Hoffälle" *(casos de corte)*, welche in den Anwendungsbereich des königlichen Rechts fallen und von königlichen Richtern abgeurteilt werden. Noch im Spätmittelalter stehen königliches Recht und lokale

[1] Siehe dazu I.D.1.

Rechte nebeneinander. Selbst in der Neuzeit wird das königliche Recht je nach Region anders interpretiert, und die lokalen Gebräuche in Verbindung mit der richterlichen Willkür führen zu einer Vielfalt von Strafrechten.

– *Das Strafrecht der Neuzeit und die Aufklärung*

Die autoritäre Durchsetzung des königlichen Strafrechts erlebt einen wesentlichen Aufschwung unter den Katholischen Königen (1474–1516), welche nicht nur Strafgesetze erlassen, sondern auch in ihrer Anwendung einen starken politischen Willen zeigen. Das Strafrecht wird hier zum Instrument eines politischen Programms: Stärkung der Monarchie, Befriedung des Königsreichs auch auf dem Land, Unterwerfung des Adels und Religionseinheit. Da die Könige die Einheit des Glaubens als Instrument im Dienst der Integration und der Stärkung der königlichen Macht verstehen, kommt es zu einer Einigung zwischen der kirchlichen und der säkularen Politik. Das klarste Erscheinungsbild dieser Symbiose ist die spanische Inquisition.

Der Einfluss der spanischen Rechtsphilosophen und Theologen seit dem 16. Jahrhundert (*Vitoria*, 1483–1546; *Soto*, 1494–1560; *Castro*, 1495–1558; *Molina*, 1535–1600; *Suárez*, 1548–1617) verstärkt das Verständnis des Strafrechts als Funktion des Staates. Zugleich entstehen die Wurzeln der spanischen Strafrechtswissenschaft. Die systematischen Impulse von *Castro* lassen ihn in Spanien nach einer nicht unumstrittenen Ansicht als Begründer des Strafrechts gelten. Etwa *Suárez* und *Soto* vertreten den Ausschluss der strafrechtlichen Verantwortlichkeit wegen Rechtsunkenntnis. Unter den Kirchenjuristen ragt *Covarrubias* (1512–1577) heraus, der zur Systematisierung des Strafbegriffs und zur allmählichen Durchsetzung des Schuldbegriffs im weltlichen Strafrecht beiträgt.

Seit dem letzten Drittel des 18. Jahrhunderts gab es in Spanien eine Gruppe von Denkern, die sehr stark von aufgeklärten Autoren aus Frankreich, England und Italien beeinflusst waren. Sie waren Strafrechtler, die die Praxis der Gerichte gut kannten und – von den neuen rechtsphilosophischen Ideen ausgehend – tiefgreifende Reformen der Strafjustiz anstrebten. Etwa *Lardizábal* urteilt: „Nichts interessiert eine Nation mehr, als gute Kriminalgesetze zu haben, denn von ihnen hängt die bürgerliche Freiheit und im großen Teil die gute Verfassung und die Sicherheit des Staates ab." Doch kann die ihm von Karl III. in Auftrag gegebene Reform des Strafrechts in der Zeit des monarchischen Absolutismus und in einem ständischen System nie verwirklicht werden.

– *Das Strafrecht der Kodifikationsbewegung im 19. Jahrhundert*

Die strafrechtliche Gesetzgebung seit dem 19. Jahrhundert entwickelt sich parallel zu den entstandenen verfassungsrechtlichen Ordnungen unter starken politischen Schwankungen. Der liberalen Verfassung von 1812 folgt der CP von 1822, der nur eine geringe praktische Bedeutung hat. Der Verfassung von 1845 folgt der wichtige CP von 1848 und die autoritäre Reform von 1850 – eine Folge der Besorgnisse, welche durch die revolutionären Bewegungen in Europa erregt werden. Der liberalen Verfassung von 1869 und der Republik von 1931 folgen jeweils die Strafrechtsreformen von 1870 und von 1932.

Als wichtigste strafrechtliche Kodifizierung des 19. Jahrhunderts gilt der schon erwähnte CP von 1848, und zwar nicht nur wegen seiner gelobten Vollkommenheit unter gesetzestechnischen Gesichtspunkten, sondern auch wegen seines nachhaltigen Einflusses auf die spätere Strafrechtsentwicklung bis heute. Er basierte auf dem *Código criminal* Brasiliens von 1830, welcher seinerseits durch den Code Napoléon inspiriert war.

Dem neuen Strafrecht liegt straftheoretisch der Retributionsgedanke zugrunde. Das Gesetzlichkeitsprinzip wird festgelegt, die grundsätzliche Strafbarkeit der Vorbereitungshandlungen abgelehnt und das richterliche Ermessen eingeschränkt. Es entsteht ein starres, fast mathematisches System zur Bestimmung der Strafhöhe, auf dem das heutige System, wenn auch in vereinfachter Form, basiert. Auf der anderen Seite werden die Straftaten gegen die Religion und die politischen Verbrechen außerordentlich hart bestraft.

– *Das 20. Jahrhundert und neuere Tendenzen der Strafrechtspolitik*

Der Einsetzung des Franco-Regimes nach dem spanischen Bürgerkrieg (1936–1939) folgt der sogenannte refundierte Text von 1944, der später auch zahlreiche Reformen erfährt und nach der demokratischen Verfassung von 1978 noch lange gilt. Die wichtigsten Reformen seit der Verfassung sind die von 1983, die den *Código penal* den Anforderungen des Schuldprinzips anpassen, und die von 1988. Nach mehreren Entwürfen und Vorentwürfen für ein „neues", demokratisches Strafgesetzbuch wird erst 1995 der heute geltende *Código penal* verabschiedet, welcher seitdem auch mehr als 20 Mal geändert wurde.

Der *Código penal* von 1995 bedeutet eine Abkehr von der kriminalpolitischen Richtung, die seit der neuen Verfassung von 1978 und teilweise schon in der Reform von 1983 eingeschlagen worden war. In den folgenden Jahren beginnt eine repressive Linie, die sich weitgehend vom verfassungsrechtlich verankerten Resozialisierungsgedanken verabschiedet. Indikatoren dieser Entwicklungstendenz auch in Bezug auf traditionelle Formen von Kriminalität sind etwa die Verschärfung der Strafanwendungsregeln, die Erhöhung der Strafrahmen und die Behandlung der Kleinkriminalität bei Wiederholungs- oder Gewohnheitstätern.

Der erschwerende Umstand des Rückfalls wurde zunächst in einer Reform von 1986 ausgemustert und dann im *Código penal* von 1995 wieder eingeführt (Art. 22 Abs. 8 CP). Der Strafschärfungsgrund des mehrfachen Rückfalls (sogenannte *multireincidencia*), der schon 1983 gestrichen worden war, wurde 2003 wiedereingeführt

(Art. 66 Abs. 6 CP). Danach kann der Wiederholungstäter, der vorher schon drei Mal wegen Straftaten derselben Natur verurteilt wurde, mit einer um einen Grad höheren Strafe bestraft werden. Etwa bei schwerem Diebstahl beträgt die Höchststrafe 4,5 statt 3 Jahre. Hat der Täter schon drei Übertretungen *(faltas)* begangen, dann wird die darauffolgende Tat aus dem Strafrahmen des entsprechenden Verbrechens *(delito)* bestraft. In solchen Fällen spricht das Strafgesetzbuch von „Gewohnheitsmäßigkeit" *(habitualidad)*, und der Täter ist von den Möglichkeiten der Strafaussetzung ausgeschlossen (Art. 88 CP).

Diejenigen Kriminalitätsformen, die als besonders gefährlich gelten, sind immer wieder Gegenstand von Reformen, die die Strafrahmen erhöhen. So wurden etwa bei Drogendelikten die Strafrahmen nach einer ersten Abmilderung der Strafdrohungen im Jahr 1983 bereits 1988 auf bis zu 23 Jahre erhöht (in der Franco-Diktatur betrug die Höchststrafe 20 Jahre). Im neuen *Código penal* liegt sie in besonders schweren Fällen von Drogenkriminalität bei 20 Jahren und drei Monaten und die Geldstrafen sind höher. Allerdings wurde die Suchtbehandlung des drogenabhängigen Täters deutlich verbessert.

Die repressive Tendenz zeigt sich ebenfalls bei den Regeln für die Anwendung der Strafen und ihren Reformen (1999, 2003, 2004). Der *Código penal* von 1995 hat die Möglichkeit der Strafbefreiung durch Arbeit abgeschafft, was zur Erhöhung der Gefangenenrate geführt hat, da die Verurteilten selbst bei niedrigeren Strafen in der Regel länger im Gefängnis bleiben.[2] Neben der oben erwähnten Regelung der Wiederholung kann bei fortgesetzten Straftaten oder Übertretungen *(delito o falta continuado)* eine um einen Grad höhere Strafe verhängt werden (Art. 74 Abs. 1 CP). Die tatsächlich zu verbüßende Strafe kann in manchen Fällen von Konkurrenz bis zu 40 Jahren (statt 20) betragen (Art. 76 CP). Außerdem schafft die Regel des Art. 78 CP *de facto* eine echte lebenslange Freiheitsstrafe, denn danach können die Vollzugsbegünstigungen und die Berechnung der Frist für die bedingte Haftentlassung in manchen Fällen auf die Summe der verhängten Strafen anstatt auf die Gesamtstrafe bezogen werden. Dies bedeutet, dass bei schwerer Kriminalität der Täter in Fällen von Realkonkurrenz und speziell bei Terrorismus eventuell 40 Jahre Gefängnisstrafe tatsächlich verbüßen muss.

Ein weiteres Charakteristikum des heutigen materiellen Strafrechts ist die Kriminalisierung neuer Bereiche, die insbesondere dem Schutz überindividueller Rechtsgüter dienen, beziehungsweise die Erweiterung traditioneller Kriminalitätsformen auf andere Verhaltensweisen, die bisher als strafrechtlich irrelevant galten: Umweltstraftaten (1983, 1995, 2003) und Straftaten gegen die Raumordnung (1995), Straftaten gegen die kollektive Sicherheit (1995) – darunter etwa Straftaten mit Katastrophengefahr (1995), Drogenkriminalität (1995, 2003) und Doping (2006), Verkehrsstraftaten (1989, 1995, 2007), Gesellschaftsstraftaten (1995), Straftaten im

---

[2] Siehe dazu I.A.5.e.

Zusammenhang mit dem geistigen Eigentum (1995, 2003), mit dem gewerblichen Eigentum (1995, 2003) oder mit dem Markt und den Verbrauchern (1995, 2003), strafbare Insolvenzen (1995, 2003), illegale Migration (2000, 2003, 2007), Erweiterung des Bereichs der Körperverletzungs- und Misshandlungsdelikte durch eine neue Kategorie der Straftaten gegen die moralische Unversehrtheit (1995, 2003) und Einführung neuer Sexualstraftatbestände (1995, 1999, 2003). Die Ausdehnung der Strafbarkeit auf neue Verhaltensformen geschieht auch häufig in Form einer Vorverlagerung der Strafbarkeit durch abstrakte Gefährdungsdelikte oder durch sogenannte Besitzdelikte, wie beispielsweise der Besitz von Computerprogrammen, die zur Begehung eines Betrugs dienen (Art. 248 Abs. 3 CP; 2003), der aus dem Strafrahmen des Grundtatbestands bestraft wird.

In der rechtspolitischen Agenda der letzten Jahre standen insbesondere das Problem der häuslichen Gewalt, der Terrorismusbekämpfung, der Sexualstraftaten und der Ausländerkriminalität im Vordergrund. Schon im vorherigen Strafgesetzbuch wurde eine spezielle Bestimmung für Körperverletzungen oder Misshandlungen innerhalb der Familie eingeführt. Nach Inkrafttreten des CP 1995 und nach mehreren Reformen auf diesem Gebiet (1999, 2003) wurde 2004 ein umfassendes Gesetz *(Ley integral)* mit Maßnahmen im strafrechtlichen, zivilrechtlichen, prozessualen und arbeitsrechtlichen Bereich verabschiedet, welches auch im Sanitäts- und Bildungswesen spezielle Schutzmaßnahmen für Frauen vorsieht. Die Reform schließt die Errichtung einer besonderen Gerichtsbarkeit und besonderer Polizeieinheiten für Fälle von sogenannter sexistischer Gewalt *(violencia de género)* ein.

Im Bereich des ohnehin schon umfassenden strafrechtlichen Schutzes gegen Terrorismus gab es im Jahr 2000 eine Reform zur Erweiterung der Strafbarkeit des sogenannten Straßenterrorismus, zur Neuregelung der Verherrlichung von Terrorismus, zu Strafverschärfungen bei Sachbeschädigung und zum Schutz von kommunalen Einrichtungen.

Zu den Änderungen im Sexualstrafrecht zählen Straferhöhungen, Ergänzungen bei sexueller Belästigung, bei sexueller Ausbeutung oder bei Kinderpornografie, die Wiedereinführung der Straftat des Sittenverderbnisses Minderjähriger als Ergänzung zur Kinderprostitution sowie Neuregelungen bei Verjährung und bei der Anwendung des Universalitätsprinzips (1999, 2003).

Im Bereich der Ausländerkriminalität wurden die Möglichkeiten der Ausweisung im Jahr 2003 erweitert und erleichtert.

3. Entwicklung des Strafverfahrens(rechts)

– *Entstehung eines öffentlichen Verfahrens*

Die Rechtsvereinheitlichung ab dem 12. Jahrhundert in Spanien und der Prozess der Rezeption des *ius comune* ermöglichen die Entstehung einer öffentlichen Justiz, welche ein formalisiertes, öffentliches Verfahren als Instrument benötigt. Gleichzeitig bleibt eine Erscheinungsform von Privatjustiz bestehen, nämlich das frühere Anklageverfahren *(proceso acusatorio)* im Rahmen der Stadtrechte *(fueros municipales)*, das in klarer Opposition zu den Interessen der königlichen Macht steht. Um den öffentlichen Frieden zu gewährleisten und die Verfolgung nicht nur von einer privaten Anklage abhängig zu machen, wird dieses Verfahren unter Privatleuten später zugunsten der Staatsgewalt weitgehend geändert beziehungsweise durch neue Strafprozesssysteme ersetzt. Zugleich wird von der Kirche der Inquisitionsprozess eingeführt, sodass auf der Ebene der königlichen Justiz zwei verschiedene Prozesse nebeneinander bestehen, deren jeweilige Prinzipien und Charaktere sich miteinander vermischen. Beide Arten von Prozessen werden in dem legislativen Werk von *Alfonso X.* (1252–1284), „Las Partidas", festgelegt.

– *Das Strafverfahren der absoluten Monarchie*

Aus den früheren Inquisitions- und Akkusationsprozessen entwickelt sich ab dem 16. Jahrhundert ein einziges Mischverfahren, welches sowohl private als auch öffentliche Interessen – wenn auch nicht gleichermaßen – verfolgt. Die königliche Gesetzgebung im Strafverfahren nimmt ab, und der Prozess entwickelt sich weiter durch den richterlichen Stil und die Werke der Rechtspraktiker – teils im Widerspruch zum formell geltenden Recht.

Das Verfahren besteht hauptsächlich aus zwei Phasen, nämlich der Ermittlung *(fase sumarial)* und der Hauptverhandlung *(fase plenaria)*. Die erste Phase ist geheim, inquisitorisch *(inquisitiva)* und partiell und findet ohne Beteiligung des Angeklagten statt. Der Richter selbst führt diese Ermittlung mit Hilfe des öffentlichen Anklägers *(fiscal)* und des Privatklägers. Die zweite Phase besteht in der Festlegung der Positionen und der Führung der entsprechenden Beweise in Schriftform. Die Urteile mangeln an Begründung, da der Richter sich auf sein Ermessen berufen kann. Neben diesem ordentlichen Verfahren *(proceso ordinario)*, das sehr komplex und langsam ist, entwickelt sich ebenfalls auf der Grundlage des *ius comune* ein einfacheres und schnelleres Verfahren. Zudem erstreckt sich das richterliche Ermessen bei sogenannten grässlichen Verbrechen, wie Verrat oder Sodomie, auf die Anwendung der Prozessregeln. Um eine effiziente Bestrafung zu erreichen werden die Garantien zugunsten des Angeklagten durch die richterliche Praxis enorm verkürzt. Somit entwickelt sich das Strafverfahren während der Monarchie des *Ancien Régime* zu einer repressiven Waffe gegen die Kriminalität, deren einzelne Elemente zum großen Teil auf die Erlangung eines Schuldspruchs gerichtet sind. Die Exzesse werden hauptsächlich auf ein System zurückgeführt, in dem die Richter – welche einen eher bescheidenen königlichen Lohn bekommen – einen Anteil aus den Verfahrensgebühren und aus jeder Geldstrafe (in der Regel ein Drittel) erhalten. Zudem gibt es Geldstrafen nach Ermessen *(penas pecuniarias arbitrarias)*, von denen der Richter schätzungsweise die Hälfte einbehält.

– Die Modernisierung des Strafprozesses im 19. Jahrhundert

Bis ins 19. Jahrhundert hinein ist der Strafprozess von inquisitorischen Elementen (Heimlichkeit, Schriftlichkeit, durch Folter erzwungene Geständnisse) beherrscht. Diese lange Tradition wird zum großen Hindernis für die Durchsetzung eines modernen Strafverfahrens.

Ein erster Schritt wird mit der liberalen Verfassung von 1812 versucht. Die Folter wird abgeschafft (Art. 303), die richterliche Vorführung innerhalb von 24 Stunden nach der Verhaftung eingeführt (Art. 290) und die Stellung des Beschuldigten im Vorverfahren gestärkt. Doch erlangt diese Verfassung in Zeiten der napoleonischen Invasion keine faktische Geltung und wird nach der Rückkehr von Ferdinand VII. und der Wiedereinführung des *Ancien Regime* sowie nach zwei weiteren Inkraftsetzungen immer wieder aufgehoben. In der Folgezeit ist das Klima auf dem Land weiterhin von sozialen Spannungen und vom Kampf zwischen liberalen und konservativen Kräften geprägt. Die Umsetzung mancher Gesetzgebungsvorhaben nach französischem und englischem Vorbild scheitert entweder an politischen oder an finanziellen Hindernissen.

Erst mit der konservativ gefärbten Verfassung von 1876 gewinnt Spanien eine gewisse politische Stabilität, die die Schaffung eines neuen Strafverfahrens ermöglicht. Nach mehreren Entwürfen und großen parlamentarischen Auseinandersetzungen wird am 14.9.1882 ein neues Strafverfahrensgesetz, die LECrim *(Ley de Enjuiciamiento Criminal)*, verkündet und in Kraft gesetzt. Das Gesetz ist das Ergebnis eines politischen Kompromisses zwischen Liberalen und Konservativen und wird als ausgewogene Mischung von Inquisitionsprozess im Vorverfahren und Akkusationsprozess in der Hauptverhandlung gelobt. Es knüpft einerseits an die spanische Rechtstradition an und spiegelt andererseits Einflüsse des ausländischen (französischen, englischen, österreichischen und deutschen) Strafprozessrechts wider. 1888 wird ein Gesetz über die Geschworenengerichte verabschiedet. Die Geschworenengerichte funktionieren allerdings nicht gut. Sie werden unter der Diktatur von *Primo de Rivera* aufgehoben, in der 2. Republik wieder eingeführt und 1936 bis zur Demokratie wieder beseitigt. Während der Franco-Diktatur wird eine Weiterentwicklung des Strafverfahrens nach demokratisch-rechtsstaatlichen Ideen verhindert. Es werden jedoch einige Reformen in die Wege geleitet, beispielsweise die Einführung eines besonderen Verfahrens für weniger schwere Straftaten im Jahr 1967.

– Die Verfassung von 1978 und aktuelle Reformen

Mit der Verfassung von 1978 werden neue institutionelle und strafprozessuale Richtlinien eingeführt, die einen entscheidenden Anstoß zur Fortentwicklung des Strafprozessrechts geben.

Es wird eine unabhängige Justiz geschaffen. Die Unabhängigkeit der Einzelrichter wird gewährleistet durch die Abschaffung aller Regelungen, die einen Einfluss der Exekutive (etwa bei Beförderung oder Ablehnung wegen Unfähigkeit) ausschließen. Dazu wird ein eigenes richterliches Regierungsorgan eingerichtet, der *Consejo General del Poder Judicial* (LO 6/1985), der die Unabhängigkeit der Richterschaft stärken soll.

Eine umfassende Reform des Strafprozessrechts nach 1978, wie im materiellen Strafrecht mit dem CP von 1995 geschehen, ist bis heute jedoch nicht gelungen. Die Anpassung des noch geltenden Systems von 1882 an die demokratischen Prinzipien erfolgt im Wesentlichen durch die Rechtsprechung des Verfassungsgerichts und durch partielle Reformen, die wegen ihres „Flickencharakters" überwiegend auf Kritik stoßen.

Einige dieser Reformen (1988, 1994, 2002, 2003) zielen auf eine Stärkung und Vereinfachung des „verkürzten Verfahrens" *(procedimiento abreviado)* und die Einführung des sogenannten Schnellverfahrens *(juicio rápido)* als prozessuale Besonderheit des verkürzten Verfahrens für Straftaten mit einer Strafandrohung bis zu fünf Jahren Gefängnis. Gegenstand des verkürzten Verfahrens sind seitdem alle Straftaten, die mit Strafen bis zu neun Jahren Gefängnis bedroht sind. Damit ist das verkürzte Verfahren *de facto* zum eigentlichen ordentlichen Verfahren avanciert, während das traditionelle und komplexe ordentliche Verfahren *(procedimiento ordinario)*, das in der Praxis weniger häufig angewendet wird, in den Hintergrund tritt. Gleichartige Beschleunigungsmechanismen sind im Bereich des Verfahrens für Übertretungen *(juicio de faltas)* eingeführt worden (2002). In derselben Linie einer Verfahrensverkürzung stehen die Reformen, die neuen Modalitäten eines Konsenses im Strafverfahren Geltung einräumen (1988, 1992, 2002, 2003), insbesondere die Anerkennung der Tatsachen *(reconocimiento de los hechos)* und das Einvernehmen *(conformidad)*.

Ein weiterer Teil der Reformen steht mit der oben erwähnten kriminalpolitischen Richtung in Verbindung, die die zunehmenden Forderungen nach Sicherheit befriedigen will. Die Reformen der Untersuchungshaft (2003) hatten insbesondere das Ziel, die Regelungen der Doktrin des Verfassungsgerichts anzupassen. Voraussetzungen und Zwecke der Untersuchungshaft wurden genauer festgelegt. Zugleich wurden jedoch der Kreis der Personen, die für die Anordnung zuständig sein können, sowie die maximale Dauer im Verhältnis zur jeweiligen Strafandrohung erweitert. Eine abweichende Regelung der Voraussetzungen für die Anordnung der Untersuchungshaft besteht bei häuslicher Gewalt. Eine weitere Reform zur Stärkung der Sicherheit ist die Einführung der Videoüberwachung im öffentlichen Raum (1997).

In Bezug auf terroristische Straftaten gelten auch im verfahrensrechtlichen Bereich Besonderheiten, wie etwa bei der Festnahme oder bei der Isolationshaft.

4. Entwicklung (des Rechts) der Strafvollstreckung

– *Das Strafvollzugsrecht des Mittelalters*

Die Entwicklung der Haft als echte Strafe wird in Spanien in das Spätmittelalter datiert. Mit der Rezeption des römischen und des kanonischen Rechts und der Stärkung der königlichen Macht wird das Strafrecht als Aufgabe des Staates verstanden und das Gefängnis, das bisher überwiegend eine präventive Rolle hatte (*cárcel de custodia*; um das Verfahren zu sichern), wird nun auch zur echten Strafe. Allerdings gab es vorher auch schon die Haft wegen Schulden, die Klosterhaft (wegen religiöser Delikte), die Zwangsarbeit, die Verbannung und die Haft als Strafe (für Knechte). Hinweise auf diese Strafen finden sich nicht nur im Rechtskörper der *Siete Partidas* (konkret in der *Partida* Nr. 7), sondern auch im regionalen Recht. Ihr Zweck war die Züchtigung und die Abschreckung aus Angst vor der Bestrafung. In dieser Zeit werden außerdem die privaten Gefängnisse aufgehoben und es entstehen detaillierte Regelungen über Fußketten und Fußangeln, eine Einteilung von Gefangenen, Regelungen zu Hygiene, Kommunikation, Bezahlung, Verantwortung für den Fluchtfall etc.

– *Das Strafvollzugsrecht der Neuzeit*

Ab dem Königreich der Katholischen Könige (Ende des 15. Jahrhunderts) verfestigt sich der Unterschied zwischen der präventiven *(cárcel)* und der punitiven Haft *(presidio)*, welche hauptsächlich in Burgen und Festungen vollzogen wird. Da der König als Vertreter Gottes auf Erden gilt, wird die religiöse Heterodoxie als Majestätsdelikt bestraft und die Schwere der Bestrafung wird extrem gesteigert, denn neben den Gedanken der Gerechtigkeit tritt derjenige der christlichen Liebe: Die Bestrafung zielt sowohl auf das ewige Seelenheil des Täters als auch auf seine körperliche Zerstörung. Auf der anderen Seite erhält die menschliche Tätigkeit in dieser Zeit einen wirtschaftlichen Wert, welcher in der Zwangsarbeit und auf den Galeeren (Letztere dienen dem Strafvollzug von 1530–1748 und von 1784–1803) dominant ist. Im 16. Jahrhundert erscheinen einige Denker, die wegen ihrer Schriften und Reformvorschläge zum Strafvollzug relevant sind (beispielsweise *Tomás Cerdán de Tallada* mit seinem Werk „Visita a la cárcel y los presos", Valencia 1754, oder *Bernardino de Saldoval* mit dem „Tractado del cuydado que se debe tener de los presos pobres", Toledo 1564). Im 16. und 17. Jahrhundert entstehen mehrere Institutionen mit christlichem Hintergrund, die sich für die soziale Arbeit mit Gefangenen und Minderjährigen einsetzen.

Ein besonderes Kapitel des spanischen Strafrechts bildet die Inquisition, die zum Schutz der Reinheit des Glaubens errichtet wird, und zwar in einer Zeit, in der die religiöse und die politische Einheit vermischt werden. Trotz der berühmten Foltermethode *(tormento)* für die Untersuchungshaft gelten die inquisitorischen Gefängnisse als die besseren. Dort werden auch innovative Regelungen eingeführt, wie die

Möglichkeit des Zusammenlebens für Eheleute, der Freigang zur Berufsausübung oder die Umwandlung der lebenslangen Haft in Hausarrest bis zum Lebensende.

In der zweiten Hälfte des 18. Jahrhunderts gibt es einige Zeichen der Humanisierung infolge der Aufklärung, etwa das Zuchthaus *(casa de corrección)*, der Ersatz der Galeere durch das Militärgefängnis sowie Institutionen zum Schutz von Minderjährigen und Gefangenen im Allgemeinen. Die Strafen auf Lebenszeit werden 1771 verboten, mit Ausnahmeklauseln für gefährliche Täter.

Im 19. Jahrhundert wird die Todesstrafe zurückgedrängt, die Folter und die Körperstrafen werden aufgehoben. Die Gefängnisstrafe wird zur wichtigsten Strafe und ihr Hauptziel wird aufgrund verschiedener Denkeinflüsse (aufgeklärte Pädagogik, romantische Philanthropie, Krausismus, Massonerie) in der – überwiegend im moralischen Sinne verstandenen – Besserung des Straftäters *(correccionalismo)* gesucht. Die neuen anthropologischen und soziologischen Erkenntnisse der Kriminologie werden im Strafvollzug umgesetzt. Die Gesetzgebung ist zum Teil sehr progressiv: Erwachsene und Minderjährige werden im Vollzug getrennt und es gibt die Möglichkeit, einen Teil der Strafe durch Arbeit zu verbüßen. Aber das Disziplinarrecht ist in schweren Fällen extrem hart (Prügel, Knebel, in Ketten legen etc.) Die Gefängnisse hängen jetzt von der zivilen, und nicht mehr von der militärischen Verwaltung ab. Ende des Jahrhunderts wird der Zustand der Gefängnisse allerdings als desolat beschrieben.

Als erstes spanisches Strafvollzugsgesetz und Vorläufer des progressiven Systems gilt die *Ordenanza de los Presidios de Arsenales* vom 20. Mai 1804. Nachdem verschiedene weitere Modelle erprobt worden sind, setzt sich das progressive System irischer Herkunft Anfang des 20. Jahrhunderts endgültig durch. Im 20. Jahrhundert nimmt die Gesetzgebung zu, wobei eine komplexe Einteilung von freiheitsentziehenden Strafen beibehalten wird, welche sich an dem Schuldprinzip und dem Verhältnismäßigkeitsprinzip (*retribución*: Vergeltung) orientieren. Zugleich werden Institute präventiven Charakters eingeführt, unter anderem die Maßregel oder die Bewährung, und das Spannungsverhältnis zwischen Vergeltung und Prävention bleibt praktisch bis heute erhalten.

Am 5. Mai 1913 wird per königlichem Dekret das erste Vollzugsgesetz, der sogenannte *Código penitenciario español*, erlassen, welcher die frühere Gesetzgebung zusammenfasst. In der 2. Republik werden in kurzer Zeit neue wichtige Reformen und Verbesserungen eingeführt (beispielsweise das Verbot von Ketten, Fußfesseln und Ähnlichem, das Recht auf ein eigenes Gewissen, der Zugang zur Presse und die bedingte Haftentlassung für Siebzigjährige).

Nach dem Bürgerkrieg und der Franco-Diktatur werden 1979 die *Ley General Penitenciaria* und 1981 ihre Verordnung erlassen. Das Gesetz regelt ausschließlich die Gefängnisvollstreckung und definiert in seiner Begründung das Gefängnis als ein „notwendiges Übel", wobei das verfassungsrechtlich festgelegte Ziel der Resozialisierung auch seinen Ausdruck findet. Es wird erstmalig die Figur des Strafvollzugsrichters geschaffen, die mit Beratungs-, Überwachungs- und Entscheidungskompetenzen ausgestattet wird. Eine weitere wichtige Neuigkeit ist ebenfalls eine ausdifferenzierte Regelung der Behandlung von Gefangenen. Die Behandlung wird gesetzlich als ein Ziel definiert, auf dessen Erreichung alle weiteren Funktionen des Gefängniswesens ausgerichtet werden sollen (Art. 71 LOGP).

Das Strafvollzugsrecht beschränkt sich bis heute auf die Vollsteckung der Freiheitsstrafen in einer Justizanstalt. Das Strafvollzugssystem ist vom Gedanken der Resozialisierung inspiriert, welche als Zweck der Strafe in der Verfassung von 1978 ausdrücklich anerkannt ist.[3] Das Strafvollzugsgesetz und die Verordnung werden im Allgemeinen sehr gelobt. Sie schaffen einen flexiblen, stufenweisen Strafvollzug: Die erste Stufe ist ein geschlossener Vollzug, die zweite und die dritte Stufe sind ein offener Vollzug in einer entsprechenden Anstalt und die letzte Stufe ist die vorzeitige Entlassung auf Bewährung. Als Grundmaxime gilt, dass kein Häftling auf einer niedrigeren Stufe festgehalten werden soll als auf derjenigen, die ihm angemessen ist. Das System verlangt nicht, dass der Häftling alle Stufen durchläuft; er kann beispielsweise direkt von der ersten in die dritte Stufe überwiesen werden (Art. 72 Abs. 2 LOGP).

Die Regelungen sehen eine ganze Reihe sozialtherapeutischer Maßnahmen, Beschäftigungsmöglichkeiten oder Teilnahmen an verschiedenen Programmen vor. Es besteht auch die Möglichkeit der privaten Initiative bei der Entwicklung von Aktivitäten, die zur Resozialisierung der Gefangenen dienen können. Die entsprechenden finanziellen Mittel, die dieses gesetzliche Programm benötigt, sind jedoch leider nicht immer ausreichend vorhanden. Hinzu kommen andere Probleme wie der Anstieg der Gefangenenzahl oder die Zunahme organisierter Gruppen, die das Zusammenleben in den Vollzugsanstalten erheblich stören.

Ein wichtiger Grundsatz des Strafvollzugsrechts ist (oder war zumindest bis heute) die Gleichbehandlung der Gefangenen, unabhängig davon, welche Straftat sie begangen haben. Die Reformen im Zusammenhang mit der Terrorismusbekämpfung und der schweren Kriminalität haben diesen Grundsatz jedoch erheblich abgeschwächt.

– *Aktuelle Entwicklungen*

Im Strafvollzugsrecht sind insbesondere durch die Reform des CP im Jahr 2003 wesentliche Verschärfungen für Verurteilte wegen Terrorismus oder generell unter Berufung auf schwere Kriminalität eingeführt worden. Die neuen Zugangsbeschränkungen zur dritten Stufe des Strafvollzugs und die Beschränkungen der vorzeitigen Entlassung auf Bewährung haben den Geist des bisherigen Strafvollzugssystems und insbesondere seine Flexibilität endgültig verabschiedet.

---

3 Siehe dazu I.C.2. und I.D.3.

Für alle Freiheitsstrafen ab fünf Jahren ist eine sogenannte Sicherheitsperiode eingeführt worden, wie es sie auch in anderen europäischen Ländern gibt. Diese Sicherheitsperiode sperrt den Zugang zur dritten Stufe des Strafvollzugs, solange die Hälfte der Strafe nicht verbüßt worden ist (Art. 36 CP). Die neue Regelung sieht allerdings die Möglichkeit vor, dass in begründeten Fällen bei einer günstigen Prognose die Anwendung der „allgemeinen Vollzugsregelung" vom Vollzugsrichter angeordnet werden kann. Doch darf diese Vorschrift nicht darüber hinwegtäuschen, dass die sogenannte allgemeine Vollzugsregelung bei Straftaten ab fünf Jahren sich zu einer Ausnahmeregelung gewandelt hat. Von dieser Ausnahmeregelung sind terroristische und sonstige Straftaten, die im Rahmen einer Organisation begangen werden, ausgenommen. Bei Terrorismus und organisierter Kriminalität muss also die Sicherheitsperiode ausnahmslos eingehalten werden.

Neben dieser generellen Einschränkung gelten für den Übergang zur dritten Stufe des Strafvollzugs zusätzliche Bedingungen. Der Häftling muss die zivilrechtliche Haftung erfüllt haben (Art. 72 Abs. 5 LOGP). Bei Terrorismus und organisierter Kriminalität wird zusätzlich eine zweifelsfreie Feststellung verlangt, dass der Betreffende die terroristischen Ziele und Mittel aufgegeben hat. Außerdem wird vom Täter eine aktive Zusammenarbeit mit der Justiz gefordert, um die Verwirklichung weiterer Straftaten seitens der Organisation zu verhindern, um die Folgen der Straftat zu mildern, um die Identifizierung, Verhaftung und Verurteilung der Täter von terroristischen Straftaten vornehmen zu können, um Beweise zu erlangen etc. Diesen Anforderungen kann der Täter durch Abgabe einer ausdrücklichen Erklärung, in welcher er zum Ausdruck bringt, dass er von der Straftat und der Gewalt Abstand nimmt, gerecht werden, wenn er zusätzlich gegenüber den Opfern der Straftat ein Ersuchen um Vergebung abgibt. Auch fachliche Gutachten, durch die sein tatsächlicher Austritt aus der terroristischen Vereinigung und deren Umgebung sowie die Abstandnahme von den gemeinschaftlichen Taten festgestellt werden, sind hierfür zulässig (Art. 72 Abs. 6 LOGP).

Die Voraussetzung, dass der Täter nicht nur die gewaltsamen Mittel, sondern auch die Ziele der Organisation aufgegeben haben muss, wird in der Literatur zum Teil kritisch betrachtet. Denn etwa das Streben nach der Unabhängigkeit einer bestimmten Region ist an sich kein illegitimes Ziel. Man beanstandet die neue Regelung insofern, als die Haftanstalt weit über das Ziel der Resozialisierung und der freien Entfaltung der Persönlichkeit des Gefangenen hinaus als Instrument zur Durchsetzung der herrschenden Staatskonzeption missbraucht wird. Auch an der schon erwähnten Bedingung, dass die verurteilten Täter die Opfer um Vergebung gebeten haben, wird kritisiert, dass dies nicht nur moralisch bedenklich sei, sondern aus viktimologischer Perspektive eine ungerechtfertigte Privilegierung mancher Opfer aufgrund der Straftat darstelle.

Was die allgemeinen Zulassungsbeschränkungen zur vorzeitigen Entlassung angeht, so gilt als allgemeine Voraussetzung für die Anordnung der bedingten Haftentlassung, dass der Verurteilte sich im dritten Grad des Strafvollzugs befindet, drei Viertel der verhängten Strafe (ausnahmsweise auch zwei Drittel) verbüßt hat und dass eine günstige Prognose vorliegt (Art. 90 und 91 CP). Bei Terrorismus und organisierter Kriminalität wird präzisiert, wann von einer günstigen Prognose gesprochen werden kann, und diese verlangt nochmals die Aufgabe der Mittel und Ziele der Organisation sowie die aktive Zusammenarbeit mit der Justiz. Die Ausnahmeregelung, dass die bedingte Haftentlassung auch nach Verbüßung von zwei Dritteln der Strafe angeordnet werden kann, wenn der Verurteilte bei günstiger Prognose aktiv an Berufs-, Kultur- oder Beschäftigungsangeboten teilnimmt, gilt für Verurteilte wegen Terrorismus oder organisierter Kriminalität nicht.

Wenn ein Verurteilter zur bedingten Haftentlassung gelangt und die ihm auferlegten Verhaltensregeln nicht einhält, wird er wieder inhaftiert. Bei Terrorismus gilt hier zusätzlich, dass die Zeit der Haftentlassung nicht angerechnet wird.

Literaturhinweise zu Abschnitt G.

Alonso Romero, María Paz, El proceso penal en Castilla (Siglos XIII–XVIII). Salamanca 1982.

– Historia del proceso penal ordinario en Castilla (Siglos XIII–XVIII). Salamanca 1979.

Aranda Ocaña, Mónica, La Política criminal en materia de terrorismo. In: Política Criminal y Sistema Penal. Viejas y nuevas racionalidades punitivas, Rivera Beiras (Koord.). Barcelona 2005, S. 367–394.

Bacigalupo, Enrique, Las bases institucionales de la política criminal española en los últimos años: El principio de legalidad como tarea inconclusa. In: De las penas: homenaje al profesor Isidoro de Benedetti, Zaffaroni (Koord.). Buenos Aires 1997, S. 1–24.

Barona Vilar, Silvia, Seguridad, celeridad y justicia penal. Valencia 2004.

Beristain Ipiña Eguzkilore, Antonio, Nueva filosofía política desde y hacia la nueva política criminal: el estado no tiene el monopolio de la violencia. Cuaderno del Instituto Vasco de Criminología, Sondernr. 5, 1992, S. 227–238.

Bueno Arús, Francisco, Historia del derecho penitenciario español. Lecciones de Derecho Penitenciario. Alcalá de Henares 1985.

Cancio Meliá, Manuel, Dogmática y política criminal en una teoría funcional del delito. In: El sistema funcionalista del derecho penal: ponencias presentadas en el II Curso Internacional de Derecho Penal. (Lima, 29–31 de agosto y 1 de septiembre de 2000). Lima 2000, S. 17–42.

De la Cuesta Arzamendi, José Luis, Características de la cultura política criminal española en materia de drogas. In: La actual política criminal sobre drogas: una perspectiva comparada, Díez Ripollés/Laurenzo Copello (Koord.). Valencia 1993, S. 37–82.

De Urbina Gimeno, Iñigo Ortiz, La referencia político-criminal en el derecho penal contemporáneo: (¿es el derecho penal la barrera infranqueable de la política criminal, o se orienta por ella?). In: Estudios penales en recuerdo del profesor Ruiz Antón, Octavio de Toledo y Ubieto/Gurdiel Sierra/Cortés Bechiarelli (Koord.). Valencia 2003, S. 859–894.

Díez Ripollés, Luis, Algunos rasgos de la delincuencia en España a comienzos del Siglo XXI. REIC, Nr. 4, 2006,

– El nuevo modelo penal de la seguridad ciudadana. Revista electrónica de ciencia penal y criminología, Nr. 6, 2004.

– La nueva política criminal española. In: Cuadernos penales José María Lidón, Num. 1, Las recientes reformas penales: algunas cuestiones. Bilbao 2004, S. 11–40.

Faraldo Cabana, Patricia, El nuevo autoritarismo político-criminal en España. In: Política Criminal y Sistema Penal. Viejas y nuevas racionalidades punitivas, Rivera Beiras (Koord.). Barcelona 2005, S. 395–433.

García Valdés, Carlos, Derecho penitenciario español: Notas sistemáticas. Lecciones de Derecho Penitenciario. Alcalá de Henares 1985.

Gimeno Sendra, Vicente, Introducción al derecho procesal. 5. Aufl. Madrid 2007, S. 47–51.

Gómez Martín, Víctor, Cultura del control, sociedad del riesgo y política criminal. In: Política criminal y reforma penal, Gómez Martín (Koord.)/Mir Puig (Dir.)/Corcoy Bidasolo (Dir.). Madrid 2007, S. 55–103.

Gracia Martín, Luis, ¿Qué es la modernización del derecho penal? In: La ciencia del derecho penal ante el nuevo siglo. Libro homenaje al Prof. Dr. Don José Cerezo Mir, Díez Ripollés/Romeo Casabona/Gracia Martín/Higuera Gimerá (Hrsg.). Madrid 2002, S. 349–394.

– Prolegómenos para la lucha por la modernización y expansión del derecho penal y para la crítica del discurso de resistencia. Valencia 2003.

Herrero Herrero, César, La prevención, principal vía realizadora de la política criminal. In: Derecho penal y criminología como fundamento de la política criminal: estudios en homenaje al profesor Alfonso Serrano Gómez, Bueno Arús/Guzmán Dalbora/Serrano Maíllo (Koord.). Madrid 2006, S. 1237–1251.

Martínez Buján, Carlos, Algunas reflexiones sobre la moderna teoría del *big crunch* en la selección de bienes jurídico-penales (especial referencia al ámbito económico). In: La ciencia del derecho penal ante el nuevo siglo. Libro homenaje al Prof. Dr. Don José Cerezo Mir, Díez Ripollés/Romeo Casabona/Gracia Martín/Higuera Gimerá (Hrsg.). Madrid 2002, S. 395–431.

Masferrer Domingo, Aniceto, Tradición y reformismo en la Codificación española. Jaén 2003.

Mendoza Buergo, Blanca, Gestión de riesgo y política criminal de seguridad en la sociedad de riesgo. In: Derecho y justicia penal en el siglo XXI: liber amicorum en homenaje al profesor Antonio González-Cuéllar García. Barcelona 2006, S. 351–372.

Mir Puig, Santiago/Alcácer Guirao, Rafael, Cambio de orientación en la política criminal española: últimas reformas del código penal. In: Política criminal y reforma penal, Gómez Martín (Koord.)/Mir Puig (Dir.)/Corcoy Bidasolo (Dir.). Madrid 2007, S. 107–120.

Miró Llinares, Fernando, Política comunitaria de inmigración y política criminal en España. ¿Protección o "exclusión" penal del inmigrante? Revista electrónica de ciencia penal y criminología, Nr. 10, 1, 2008 http://criminet.ugr.es/recpc/10/recpc10-05.pdf

Miró Miquel, Gabriel, La Política criminal del *problema droga*. Etapas del problema y consecuencias de las soluciones adoptadas. In: Política Criminal y Sistema Penal. Viejas y nuevas racionalidades punitivas, Rivera Beiras (Koord.). Barcelona 2005, S. 303–318.

Monclús Masó, Marta, Hacia una política criminal diferenciada para los extranjeros: la consolidación de la expulsión como sanción penal especial. In: Política Criminal y Sistema Penal. Viejas y nuevas racionalidades punitivas, Rivera Beiras (Koord.). Barcelona 2005, S. 330–348.

Pérez Cepeda, Ana Isabel, El código penal de la seguridad: una involución en la política criminal de signo reaccionario. In: La tensión entre libertad y seguridad: una aproximación socio-jurídica, Bernuz Benéitez/Pérez Cepeda (Dir.). Logrorio 2006.

Rebollo Vargas, Rafael, Rasgos actuales de la política criminal. Revista de derecho y proceso penal, Nr. 14, 2005, S. 103–110.

Redondo Hermida, Alvaro, La función de la Política Criminal en las más reciente Jurisprudencia del Tribunal Supremo. La ley penal: revista de derecho penal, procesal y penitenciario, Nr. 40, 2007, S. 76–82.

Sanz Morán, Ángel José, Algunas consideraciones en torno a la política criminal. In: Universitas vitae: homenaje a Ruperto Núñez Barbero, Pérez Álvarez/Núñez Paz/García Alfaraz (Koord.). Salamanca 2007, S. 729–740.

Silva Forné, Diego, La Codificación penal y el surgimiento del estado liberal en España. RDPC, 2001, S. 233–309.

Silva Sánchez, Jesús María, Reflexiones sobre las bases de la Política Criminal. In: El nuevo Código Penal: presupuestos y fundamentos (libro homenaje al profesor Doctor Don Angel Torío López). Granada 1999, S. 209–220.

– La expansión del derecho penal: aspectos de la política criminal en las sociedades postindustriales. Madrid 1999.

Silva Sánchez, Jesús María/Felip i Saborit, David/Robles Planas, Ricardo/Pastor Muñoz, Nuria, La ideología de la seguridad en la legislación penal española presente y futura. In: La seguridad en la sociedad del riesgo, da Agra/Domínguez/García Amado/Hebberecht/Recasens (Hrsg.). Barcelona 2003, S. 113–135.

Tomás y Valiente, Francisco, La tortura en España – Estudios históricos. Barcelona 1973.

Volkmann-Schluck, Thomas, Der spanische Strafprozeß zwischen Inquisitions- und Parteiverfahren. Baden-Baden 1979.

Abkürzungsverzeichnis zum Landesbericht Spanien

ADPCP	Anuario de Derecho Penal y Ciencias Penales (Fachzeitschrift)
CC	Código civil (Bürgerliches Gesetzbuch)
CE	Constitución Española (spanische Verfassung)
CIS	Centro de Investigaciones Sociológicas (Zentrum für Soziologische Forschung)
CP	Código penal (spanisches Strafgesetzbuch)
DNA	Desoxyribonukleinsäure
EU	Europäische Union
EuGH	Gerichtshof der europäischen Gemeinschaften
ICTR	International Criminal Tribunal for Rwanda
ICTY	International Criminal Tribunal for the Former Yugoslavia
INE	Instituto Nacional de Estadística (Nationales Institut für Statistik)
LECrim	Ley de Enjuiciamiento Criminal (spanische Strafprozessordnung)
LO	Ley Orgánica (Verfassungsgesetz, Organgesetz)
LOGP	Ley Orgánica General Penitenciaria (Allgemeines Organgesetz zum Haftvollzug)
LOPJ	Ley Orgánica del Poder Judicial (spanisches Gesetz zur richterlichen Gewalt)
LRJP-PAC	Ley de Régimen Jurídico de las Administraciones Públicas y del Procedimiento Administrativo Común (Gesetz über die öffentliche Verwaltung und das verwaltungsrechtliche Verfahren)
LRP	Ley para la Reforma Política (Gesetz für die politische Reform)
MIR	Ministerio del Interior (Innenministerium)
NATO	North Atlantic Treaty Organisation
OECD	Organisation for Economic Cooperation and Development
REIC	Revista Española de Investigación Criminológica
RDPC	Revista de Derecho Penal y Criminología
TC	Tribunal Constitucional (Verfassungsgericht)
STC	Sentencia del Tribunal Constitucional (Urteil des Verfassungsgerichts)
STS	Sentencia del Tribunal Supremo (Entscheidung des Obersten Gerichtshofs)
UNESCO	United Nations Educational, Scientific and Cultural Organisation
UNO	United Nations Organisation

Rahmenbedingungen, Vorgaben, Grundlagen
und Entwicklung des Strafrechts in der

Türkei

Silvia Tellenbach

Inhaltsverzeichnis

A. Nationale Rahmenbedingungen

1. Geografie

Die Republik Türkei *(Türkiye Cumhuriyeti)* umfasst ein Gebiet von 785.347 km²,[1] ist also mehr als doppelt so groß wie die Bundesrepublik Deutschland. Sie liegt auf zwei Kontinenten. Thrazien liegt in Südosteuropa als letzter Rest des Osmanischen Reichs, das sich weit in den Balkan erstreckte. Heute macht es noch etwa 3 % des türkischen Territoriums aus. Es hat im Norden und Westen gemeinsame Grenzen mit Griechenland und Bulgarien, ist aber im Wesentlichen vom Mittelmeer und vom Schwarzen Meer umgeben. Der weitaus größte Anteil des Staatsgebiets von circa 97 % liegt in Asien. Dieses als Anatolien bezeichnete Gebiet ist ein nahezu rechteckiger Landblock, der ebenfalls im Norden vom Schwarzen Meer und im Westen und Süden vom Mittelmeer umgeben ist. Im Südosten grenzt die Türkei an Syrien und den Irak, im Osten an Iran, im Nordosten an Aserbaidschan, Armenien und Georgien. Thrazien und Anatolien werden durch die Dardanellen und den Bosporus getrennt, die den einzigen Zugang zum Schwarzen Meer darstellen und daher seit Jahrhunderten eine erhebliche strategische Bedeutung haben. Istanbul am Eingang zum Bosporus ist die einzige Stadt der Welt, die auf zwei Kontinenten liegt.

Seit 1923 ist Ankara, in Mittelanatolien gelegen, die Hauptstadt der Türkei. Wirtschaftlich und kulturell bedeutendste Stadt ist aber weiterhin Istanbul, das frühere Konstantinopel, jahrhundertelang die Hauptstadt des Osmanischen Reichs.

2. Bevölkerung

a) Bevölkerungszahlen und -gruppen

Für die Türkei wird zum 31.12.2007 eine Bevölkerungszahl von 70.586.256 Personen geschätzt.[2] Die Zahl der Männer liegt mit 35.376.533 leicht über der Zahl der Frauen mit 35.209.723. Die durchschnittliche Bevölkerungsdichte beträgt 92 Personen pro km². Tatsächlich weichen die Zahlen für die Bevölkerungsdichte von diesem Durchschnitt erheblich ab: In den Ballungszentren wie Istanbul, Izmir oder Ankara ist sie deutlich höher (zum Beispiel Provinz Istanbul 2.420 Personen pro

---

1 Türkiye İstatistik Yıllığı (siehe unten Quellenhinweise).

2 Hierzu und zum Folgenden Haber Bülteni Nr. 9 (siehe unten Quellenhinweise).

km^2), in großen Gebieten im Südosten und im Nordosten der Türkei liegt sie hingegen weit darunter (zum Beispiel Provinz Tunceli mit 11 Personen pro km^2). Während zur Zeit der Gründung der Republik (1923) etwa drei Viertel der Bevölkerung auf dem Land und nur ein Viertel in den Städten wohnte, setzte ab 1950 ein zunehmender Prozess der Verstädterung ein. Seit Mitte der 1980er Jahre leben mehr Menschen in Städten als auf dem Land,[3] und heute rechnet man damit, dass bereits etwa 70,5 % der türkischen Bevölkerung in Städten leben. Seit Jahrzehnten gibt es eine starke Binnenmigration, vorwiegend von Osten nach Westen, die auch weiterhin noch den Zuzug in große Städte erwarten lässt. In der Provinz Istanbul leben 12.573.836 Menschen, also 17,8 % aller türkischen Bürger.[4] Für Ankara werden 4.466.756 Einwohner angegeben, für die Hafenstadt Izmir – das alte Smyrna – 3.739.353, für Bursa 2.439.876. Weitere Millionenstädte liegen im Südosten der Türkei, nämlich Adana (2.006.650), Gaziantep (1.560.023) und Diyarbakır (1.460.714),[5] alles Städte, deren Einwohnerzahlen in den letzten Jahrzehnten sprunghaft angewachsen sind. Alle Angaben zu Einwohnerzahlen sind allerdings wegen der ständigen Zuwandererströme, die oft gar nicht offiziell erfasst werden (können), mit Vorsicht zu betrachten.

Zur Bevölkerung, die auf dem Territorium der Türkei selbst lebt, kommen noch zahlreiche Türken im Ausland hinzu. Ihre Zahl wird vom Ministerium für Arbeit und Soziales 2007 mit 3.829.378 Personen angegeben. Die größten Gruppen verzeichnen Deutschland (1.764.041), Frankreich (359.034) und Holland (358.846).[6]

Die Zahl der in der Türkei lebenden Ausländer ist dagegen mit 98.064 Personen (2007) gering. Etwa drei Viertel von ihnen leben in den fünf Provinzen Istanbul, Bursa, Ankara, Izmir und Antalya.[7]

Bei offiziellen Volkszählungen wird die ethnische Zugehörigkeit nicht erfasst. Sie kann nur geschätzt werden. Dazu kommt, dass Vermischung durch Heirat nicht selten ist und dann oft nur die Selbsteinschätzung des Einzelnen maßgeblich sein kann. Demnach sind etwa 70–80 % der Bevölkerung Türken, etwa 15–20 % Kurden; dazu kommen noch kleinere ethnische Gruppen wie Araber, Tscherkessen, Georgier, Albaner und viele andere. Die Zahl der noch in der Türkei lebenden Armenier ist nach dem Genozid von 1915 auf wenige Tausend dezimiert. Die großen griechischen Kolonien in Istanbul und an der Westküste gingen nach dem Ersten Weltkrieg durch die Zwangsumsiedlung nach Griechenland unter – während umgekehrt viele in Griechenland lebende Türken in die Türkei vertrieben wurden.

---

3 Türkiye İstatistik Yıllığı.

4 Haber Bülteni Nr. 9.

5 Wikipedia, Türkei (siehe unten Quellenhinweise).

6 Yeni Şafak vom 16.3.2007 (siehe unten Quellenhinweise).

7 Haber Bülteni Nr. 9.

Die Bevölkerung der Türkei ist sehr jung. Es wird geschätzt, dass 24,4 % unter 15 Jahren alt, 68,6 % zwischen 15 und 64 Jahren und 7,0 % über 65 Jahre sind (2008).[8] Die Lebenserwartung wird für Männer auf 69,3 und für Frauen auf 74,2 Jahre geschätzt (2007).[9]

Die durchschnittliche Haushaltsgröße betrug bei der letzten Volkszählung (2000) 4,5 Personen, wobei der Durchschnitt in den Provinzen in der Westtürkei meist zwischen drei und vier Personen lag, in den Provinzen im Nordosten, Osten und Südosten dagegen zwischen sechs und sieben Personen.[10]

b) Sprache

Die Amtssprache ist Türkisch, das von über 80 % der Bevölkerung als Muttersprache und von weiteren 10–15 % als Zweitsprache gesprochen wird. Darüber hinaus gibt es zahlreiche Sprachen von Minderheiten. Die wichtigsten sind die kurdischen Dialekte Kurmandschi (circa 10 Millionen) und Zaza (circa 1,2–2 Millionen), deren Sprecher sich nicht ohne Weiteres untereinander verständigen können. Etwa eine Million Menschen im Südosten sprechen arabisch, im Osten wird von etwa einer halben Million azeri-türkisch (aserbaidschanisch) gesprochen. Besonders an der Schwarzmeerküste finden sich auch kaukasische Sprachen wie Georgisch oder Lasisch, in Thrazien Bulgarisch. Vorwiegend in Istanbul gibt es ferner Gruppen, die armenisch, griechisch oder das immer mehr verschwindende Judäospanisch (ladino) sprechen.

Die Analphabetenrate wird insgesamt auf 12,6 % geschätzt, bei Männern auf 4,7 % und bei Frauen auf 20,4 % (2004).[11] Insbesondere im Südosten der Türkei werden Mädchen noch häufig nicht zur Schule geschickt. Da ferner alle Volksschulen nur auf Türkisch unterrichten, bedeutet das für diejenigen, die Türkisch nicht als Muttersprache haben, dass sie eine fremde Sprache lernen müssen und in der Fremdsprache alphabetisiert werden. Das stellt für viele eine zusätzliche Schwierigkeit dar. Bei erwachsenen Männern ist die Analphabetenrate jedoch auch deshalb so gering, weil sie in der Regel Militärdienst leisten müssen, und wer bis dahin noch nicht lesen und schreiben kann, lernt es dort.

c) Religion

Etwa 99 % der Staatsangehörigen sind Muslime, von denen sich wiederum mindestens 80 % zur sunnitischen Richtung des Islams bekennen. Zwischen 15 und

---

[8] CIA World Factbook Türkei (siehe unten Quellenhinweise).

[9] Türkiye İstatistik Yıllığı.

[10] Türkiye İstatistik Yıllığı.

[11] CIA World Factbook Türkei.

20 % sind Aleviten. Christliche und jüdische Minderheiten machen heute weniger als 1 % aus, während vor einhundert Jahren noch etwa 20 % der Bevölkerung Nichtmuslime waren.[12]

Für die Türkische Republik ist das Prinzip des Laizismus seit ihrer Gründung eine der tragenden Grundlagen des Staates. Über die strikte Trennung von Religion und Staat hinaus ist dieser Begriff in der Türkei auch dadurch geprägt, dass der Islam bereits im 19. Jahrhundert von den politischen Eliten für eine mangelnde Fähigkeit zu staatserhaltenden Reformen verantwortlich gemacht wurde. Laizismus wird von seinen Anhängern bis heute als Basis für ein modernes Freiheits- und Demokratieverständnis, das der Persönlichkeit des Individuums den höchsten Rang zuerkennt, und für einen Primat von Denken und Vernunft angesehen. Dem Islam wird dagegen unterstellt, dass er nicht für diese Werte eintrete, sondern die Rückkehr zur Einheit von Staat und Religion fordere. Dennoch ist der Islam, nachdem er in den ersten Jahren der Republik aus dem öffentlichen Leben zurückgedrängt wurde, langsam wieder zurückgekehrt. 1949 wurde in Ankara die erste theologische Fakultät wiedereröffnet. In der Verfassung von 1961 findet sich erstmals ein Präsidium für Religionsangelegenheiten, das heute eine riesige Behörde ist, die sich nicht etwa, wie der Name vermuten lässt, um die Belange aller religiösen Gruppen kümmert, sondern um die der sunnitischen Muslime. Das Wiedererstarken des Islams im öffentlichen Raum hat in den letzten Jahrzehnten weiter zugenommen. Eine Partei, die sich zum Islam bekennt, ist heute Regierungspartei; ein Verbotsverfahren gegen die AKP vor dem Verfassungsgericht wegen Verstoßes gegen das Laizismusprinzip endete 2008 mit einer Zurückweisung des Verbotsantrags, aber mit Kürzungen der staatlichen Zuwendungen für diese Partei. Der Gegensatz zwischen laizistischen Kemalisten, die überzeugt sind, die AKP wolle einen islamischen Staat wie die Islamische Republik Iran errichten, und der AKP, die erklärt, einen modernen westlich orientierten Sozial- und Rechtsstaat anzustreben, führen heute zu schweren Spannungen in der Gesellschaft.

3. Wirtschaft

Bei der Gründung der Republik im Jahr 1923 war die Türkei ein Agrarstaat. Der Aufbau einer Industrie musste fast bei Null ansetzen. Nach ersten, nicht sehr fruchtbaren Versuchen, die Entwicklung der Industrie durch eine liberale Wirtschaftspolitik zu fördern, setzte man dann ab 1930 auf eine starke Rolle des Staates bei der Industrialisierung, ohne allerdings die Privatwirtschaft grundsätzlich abzuschaffen. Das führte zunächst zu beachtlichen Erfolgen: 1956 betrugen die staatlichen Investitionen 61,1 % des Gesamtinvestitionsaufkommens. Seit den 1950er Jahren wurden jedoch auch mehr Konsumgüter als Investitionsgüter importiert,

---

[12] Wikipedia, Türkei.

was auf die Dauer zu Währungsabwertung und Inflation und schließlich Ende der 1970er Jahre zu einem Zusammenbruch der staatlich gelenkten Wirtschaft führte. Seit Anfang der 1980er Jahre wurden mit Hilfe des Internationalen Währungsfonds schrittweise durchgreifende Reformen in Richtung einer funktionierenden Marktwirtschaft eingeleitet, die zu einer zunehmenden Privatisierung und Liberalisierung führten, auch wenn bis heute die Staatsquote relativ hoch liegt.

Bis heute besteht bei der Industrialisierung ein deutliches West-Ost-Gefälle: Den industriellen Ballungsräumen Istanbul, Iznik und Izmir steht der strukturschwache Osten gegenüber, in dem es – auch infolge der langjährigen Auseinandersetzungen mit der PKK – so gut wie keine industriellen Investitionen gibt. Die schwerfällige Bürokratie, manchmal auch die Korruption und die lange Dauer von Verfahren, wenn es zu gerichtlichen Auseinandersetzungen kommt, verursachen weiterhin Schwierigkeiten für Investoren.

Für 2006 wird das Bruttoinlandsprodukt mit 658,786 Mrd. US-$ angegeben,[13] pro Einwohner mit 9.333 US-$.[14] Davon entfallen 9,2 % auf die Landwirtschaft, 25,6 % auf die Industrie, 20,4 % auf Handel und Gastgewerbe, 14 % auf Transport und Kommunikation, 4,7 % auf Finanzierung und Versicherung, 5,3 % auf die Bauwirtschaft und 20,8 % auf Sonstiges.[15] Betrachtet man jedoch die Erwerbstätigkeit, so zeigt sich, dass noch 27,8 % in der Landwirtschaft arbeiten, 25,5 % in der Industrie und im Bauwesen und nur 46,6 % im Dienstleistungssektor.[16] Der monatliche Durchschnittslohn belief sich auf 1.512 YTL (2,21 YTL = 1 €, [18.11.2009]).[17] Die Arbeitslosigkeit lag im Juli 2008 bei 9,4 %, was gegenüber dem Vorjahr eine Zunahme von 0,6 % bedeutet,[18] liegt damit aber leicht unter den Zahlen früherer Jahre (2004: 10,3 %, 2006: 9,9 %).[19] Dabei ist die Arbeitslosigkeit in den Städten (11,9 %) höher als auf dem Land (5,6 %). Allerdings muss darüber hinaus noch mit einer nicht geringen verkappten Arbeitslosenquote gerechnet werden (Schuhputzer, Autofensterputzer und dergleichen).

Die Inflation, die 1998 noch über 100 % lag, ist deutlich zurückgegangen. Während sie im September 2000 noch 49 % und Ende 2003 25,3 % betrug, wird sie für den September 2007 mit einer Jahresrate von 7,1 % angegeben.[20]

---

13 Türkiye İstatistik Yıllığı..

14 Bundesagentur für Außenwirtschaft.

15 Bundesagentur für Außenwirtschaft.

16 Haber Bülteni, Nr. 165 (siehe unten Quellenhinweise).

17 Bundesagentur für Außenwirtschaft.

18 Haber Bülteni Nr. 165.

19 Bundesagentur für Außenwirtschaft.

20 Europäische Union (siehe unten Quellenhinweise).

4. Staatsorganisation

Nach dem Zusammenbruch des Osmanischen Reichs und den Befreiungskriegen entstand 1923 die Republik Türkei. Sie ist durch den Nationalismus und Säkularismus geprägt, wie er von dem Staatsgründer *Kemal Atatürk* vertreten wurde. Die derzeit gültige Verfassung von 1982 war unter dem Einfluss der Erfahrungen von Chaos und Gewalttätigkeit Ende der 1970er Jahre und dem Militärputsch von 1980 zunächst autoritär und restriktiv im Hinblick auf Bürgerrechte, ist aber besonders durch Verfassungsänderungen in den Jahren 2001 und 2004 deutlich liberalisiert worden.

Die Staatsorganisation beruht auf der Gewaltenteilung in Legislative, Exekutive und Justiz. Gesetzgebung, Rechtsprechung, vollziehende Gewalt, Verwaltungsbehörden und sonstige Institutionen sind an die Verfassung gebunden (Art. 11 Abs. 1). Die Bindung an das einfache Gesetz ist nicht ausdrücklich normiert, ergibt sich aber in vielen Fällen indirekt durch die Bindung der genannten Institutionen an die Verfassung.

An der Spitze des Staates steht der Präsident der Republik *(Cumhurbaşkanı)*, der seit der Verfassungsänderung von 2007 für fünf Jahre vom Volk gewählt wird und einmal wiedergewählt werden kann (Art. 101 Verfassung). Zu seinen wichtigsten Funktionen und Rechten gehören der Vorsitz des Nationalen Sicherheitsrats, die Ernennung des Ministerpräsidenten, das Vetorecht gegenüber Gesetzen, das er traditionell häufig ausübt, das aber von den Abgeordneten überstimmt werden kann, sowie die Auswahl der elf Verfassungsrichter, von denen er allerdings acht aus einer Liste auswählt, die ihm die obersten Gerichte und der Hochschulrat vorlegen (Art. 104 Verfassung).

Das Parlament *(Türkiye Büyük Millet Meclisi)* besteht aus 550 Abgeordneten, die für jeweils vier Jahre gewählt werden (Art. 75, 77 Verfassung). Die Türkei hat ein Mehrparteiensystem. Es herrscht das Verhältniswahlrecht, jedoch mit einer sehr hohen 10 %-Klausel, um eine Zersplitterung in kleine Parteien zu vermeiden. Jedoch können unabhängige Kandidaten aufgestellt werden. Bei den letzten Wahlen gelangten zunächst drei Parteien ins Parlament, die islamorientierte AKP, die die absolute Mehrheit hat, ferner die kemalistische CHP und die stark nationalistische MHP. Die 10 %-Quote führt dazu, dass häufig Kandidaten von Parteien, die diese Quote nicht erreichen, entweder als unabhängige Kandidaten oder über die Liste anderer Parteien gewählt werden,[21] dann später austreten und sich als Vertreter ihrer eigentlichen oder einer neuen Partei zusammenschließen. Auf diese Weise gibt es derzeit noch vier weitere Parteien im türkischen Parlament, darunter die kurdische DTP. Die wichtigsten Aufgaben des Parlaments sind die Gesetzgebung, einschließlich der Ratifizierung völkerrechtlicher Verträge und Amnestien, sowie

---

[21] Auswärtiges Amt (siehe unten Quellenhinweise).

die Kontrolle der Regierung (Art. 87 Verfassung). Eine zweite Kammer gibt es nicht.

Die Exekutive, vertreten durch den Ministerpräsidenten und die Regierung (Art. 109 Verfassung) hat dadurch besonderes Gewicht, dass die Türkei ein stark zentralisierter Staat ist (Art. 126 Verfassung). Sie ist in 81 Provinzen *(il)* gegliedert, die Gouverneure *(vali)* unterstehen den Weisungen der Regierung. Selbstverwaltungselemente sind schwach ausgeprägt und allenfalls auf kommunaler Ebene (Art. 127 Verfassung) in begrenztem Umfang vorgesehen.

Zur Wahrung der Unabhängigkeit der Justiz besteht ein Hoher Richter- und Staatsanwälterat *(Hakimler ve Savcılar Yüksek Kurulu)* (Art. 159 Verfassung), der vor allem für die Einstellung und Beförderung von Richtern zuständig ist. Wichtigstes Gericht ist das Verfassungsgericht *(Anayasa Mahkemesi)* (Art. 146–153 Verfassung). Seine bedeutsamste Aufgabe ist die Überprüfung der Verfassungsmäßigkeit der ihm vorgelegten Gesetze, bei der in der Praxis nicht selten die Verfassungswidrigkeit eines Gesetzes festgestellt wird (Art. 148 Abs. 1 und 2 Verfassung). Ferner amtiert es bei Straftaten der höchstrangigen Funktionsträger im Staat nach Aufhebung ihrer Immunität als erst- und letztinstanzliches Strafgericht *(Yüce Divan)* (Art. 148 Abs. 3–5 Verfassung). Eine weitere Kompetenz ist beispielsweise das Verbot einer Partei oder die Einschränkung ihrer staatlichen Subventionierung (Art. 69 Verfassung). Die Möglichkeit einer Verfassungsbeschwerde seitens eines Bürgers gibt es in der Türkei nicht. Höchstes Gericht der ordentlichen Gerichtsbarkeit ist der Kassationshof *(Yargıtay)* (Art. 154 Verfassung), in der Militärgerichtsbarkeit der Militärkassationshof *(Askeri Yargıtay)* (Art. 156 Verfassung). Höchstes Gericht der Verwaltungsgerichtsbarkeit ist der Staatsrat *(Danıştay)* (Art. 155 Verfassung).

In der Türkei spielt in Staat und Gesellschaft das Militär eine zwar abnehmende, aber immer noch starke Rolle. Sein Selbstverständnis ist bis heute dadurch geprägt, dass es seit Mitte des 19. Jahrhunderts diejenige Kraft war, die Reformen und Verwestlichung vorantrieb. Die Stellungnahmen des Nationalen Sicherheitsrats (Art. 118 Verfassung), der bis vor Kurzem mehrheitlich mit Militärs besetzt war, konnten von der Regierung nicht übergangen werden und dürften auch bei manchen Gesetzgebungsvorhaben maßgebliches Gewicht gehabt haben. Erst im Rahmen der Bestrebungen einer Aufnahme der Türkei in die EU wurde der Einfluss des Nationalen Sicherheitsrats reduziert.

Bei der Gesetzgebung ist ein Einfluss unterschiedlicher gesellschaftlicher Gruppen in institutionalisierter Form vorgesehen. Zunächst werden Kommissionen zur Ausarbeitung eingesetzt, denen außer den Mitarbeitern der betroffenen Fachministerien auch außenstehende Fachleute angehören, bei Gesetzen, die das Straf- und Strafprozessrecht betreffen, beispielsweise Professoren und hohe Richter. Ist ein Gesetzentwurf fertig gestellt, so wird er fachlich interessierten Institutionen und Gruppen, etwa Universitäten oder Anwaltskammern, zur Stellungnahme zugeleitet.

Außerdem wird er veröffentlicht und damit eine Debatte in der Öffentlichkeit ermöglicht. Ferner gibt es auch Anhörungen im Parlament. Beim Strafgesetzbuch von 2005 ist es zum Beispiel den sehr aktiven Frauenverbänden gelungen, dass fast alle ihre Anliegen, vorab die Strafschärfung für Ehrenmord, im Gesetz berücksichtigt wurden. Die scharfe Kritik einiger Punkte in der Presse hat zur Verschiebung des Inkrafttretens des Gesetzes um zwei Monate und zu einer Reihe von Änderungen einzelner Vorschriften geführt.

5. Kriminalität und Strafverfolgung

a) Ermittlungsbehörden

Nach der neuen Strafprozessordnung von 2004 (Gesetz Nr. 5271) ist die Staatsanwaltschaft *(savcılık)* die maßgebliche Ermittlungsbehörde. Die Polizei und auf dem flachen Land die Gendarmerie, die unter der Geltung der früheren Strafprozessordnung in der Praxis die wichtigsten Ermittlungsbehörden waren, werden jetzt weitgehend der Weisung der Staatsanwaltschaft unterstellt.

Bei einer Reihe von Beamten wird ein Ermittlungsverfahren gegen sie zunächst innerhalb der Behörde geführt und erst wenn die Ergebnisse für eine Anklage ausreichen, an die Staatsanwaltschaft abgegeben *(4483 sayılı Memurlar ve Diğer Kamu Görevlilerinin Yargılanması Hakkında Kanun vom 2.12.1999)*. Die Fälle der Zulässigkeit dieses Verfahrens, das ursprünglich noch aus dem Osmanischen Reich stammt, sind jedoch heute immer mehr eingegrenzt.

Veröffentlichungen von polizeilichen Kriminalstatistiken gibt es in der Türkei nicht. Dagegen sind umfangreiche Angaben über die Tätigkeit der Staatsanwaltschaften erhältlich. Nach den neuesten Statistiken des Jahres 2006 hatten die Staatsanwaltschaften circa 5 Millionen Ermittlungsverfahren zu bearbeiten.[22]

Kandidaten für die Laufbahn des Staatsanwalts oder Richters müssen mindestens ein abgeschlossenes juristisches Studium nachweisen, das in der Regel vier Jahre dauert. Der Abschluss an einer ausländischen juristischen Fakultät ist ebenfalls möglich; in diesem Fall müssen aber bestimmte zusätzliche Qualifikationen im türkischen Recht erworben werden. Ferner müssen die Bewerber in einem jährlich ausgeschriebenen Stellenwettbewerb einen Ausbildungsplatz an der Türkischen Justizakademie erlangen, Art. 8–11 Gesetz Nr. 2802 vom 24.2.1983 (Richter- und Staatsanwältegesetz, *Hakimler ve Savcılar Kanunu*). Dort durchlaufen sie eine zweijährige Ausbildung, die zwei theoretische und eine praktische Phase umfasst. Am Ende steht wiederum ein Abschlussexamen, Art. 28 Gesetz Nr. 4954 vom

---

22 Adalet İstatistikleri 2006 (siehe unten Quellenhinweise).

23.7.2003 (Gesetz über die türkische Justizakademie, *Türkiye Adalet Akademisi Kanunu*). Auf dessen Bestehen folgt die Übernahme in den Justizdienst.

Polizeibeamte werden zunächst je nach bereits vorliegenden Qualifikationen ein bis zwei Jahre in Polizeischulen *(Polis Meslek Yüksek Okulları)* ausgebildet. Künftige Führungskräfte haben eine vierjährige Ausbildung in der Polizeiakademie *(Polis Akademisi)* in Ankara zu durchlaufen. Einfache Gendarmen sind Wehrpflichtige. Gendarmerieoffiziere und -unteroffiziere erhalten je nach ihrer Vorbildung eine ein- bis zweijährige Ausbildung in entsprechenden Schulen.

b) Anklagebehörden

Anklagebehörden sind die Staatsanwaltschaften, bei den Militärgerichten besondere Militärstaatsanwaltschaften. Von den 4.982.248 Ermittlungsverfahren im Jahr 2006 wurden 2.417.939 mit einer Entscheidung abgeschlossen. Dabei kam es zu 1.409.219 Einstellungen, 727.626 Anklageerhebungen und 281.094 sonstigen Entscheidungen.[23]

c) Strafgerichte

In der ersten Instanz stehen drei Gerichtstypen nebeneinander: die Gerichte für schwere Strafsachen *(ağır ceza mahkemeleri)*, die für Straftaten zuständig sind, die mit einer Mindeststrafe von mehr als 10 Jahren Gefängnis bedroht sind, ferner für Raub, Erpressung, Fälschung öffentlicher Urkunden und betrügerischen Konkurs (Art. 12 Gesetz Nr. 5235). Die Friedensgerichte *(sulh mahkemeleri)*, die für Straftaten zuständig sind, die mit bis zu einschließlich zwei Jahren Gefängnis, Geldstrafe und Sicherungsmaßnahmen bedroht sind (Art. 10 Gesetz Nr. 5235). Schließlich die Amtsgerichte *(asliye ceza mahkemeleri)*, die für die gesamte mittlere Kriminalität zuständig sind, die nicht einem der beiden anderen Gerichte zugewiesen ist (Art. 11 Gesetz Nr. 5235). Die Gerichte für schwere Strafsachen sind mit drei Richtern besetzt, die sonstigen Gerichte nur mit einem Einzelrichter.

Für Jugendliche gibt es mittlerweile vor allem in Großstädten Jugendgerichte *(çocuk mahkemeleri)* (Art. 25 Abs. 1 Jugendschutzgesetz Nr. 5395 vom 3.7.2005), und die Gerichte für schwere Strafsachen für Jugendliche *(çocuk ağır ceza mahkemeleri)* (Art. 25 Abs. 2 Jugendschutzgesetz Nr. 5395). Wo solche nicht bestehen, sind die Verfahren von Erwachsenengerichten, aber gegebenenfalls nach den besonderen Verfahrensvorschriften für Jugendliche zu führen.

Daneben gibt es in einigen Fällen besondere Gerichte, vor allem eine Militärgerichtsbarkeit mit einem Militärkassationshof, oder die neu eingeführten Urheberrechtsgerichte.

---

23 Adalet İstatistikleri 2006.

Nach langen Diskussionen entschloss sich der Gesetzgeber zwar zur Einrichtung einer zweiten Tatsacheninstanz und sah diese in dem Gesetz Nr. 5235 vom 26.9.2004 vor. Bis heute existieren diese Gerichte jedoch noch nicht. Daher ist von Bagatellsachen abgesehen die Revision an den Kassationshof *(Yargıtay)* in Ankara das statthafte Rechtsmittel gegen die Urteile aller erstinstanzlichen Gerichte. Hier werden die Verfahren von 11 Strafsenaten bearbeitet *(Ceza Daireleri)*, in besonderen Fällen entscheidet der Große Strafsenat *(Ceza Genel Kurulu)*.

Die Justizstatistik gibt für 2006 folgende Zahlen für die Strafgerichte an: 232 Gerichte für schwere Strafsachen, 1098 Amtsgerichte, 822 Friedensgerichte, 5 Urheberrechtsgerichte, 13 Gerichte für schwere Strafsachen für Jugendliche, 51 Jugendgerichte.[24] Dabei ist darauf hinzuweisen, dass ein Gericht nach türkischem Verständnis dem entspricht, was in Deutschland als „Kammer" bezeichnet wird. „Gericht" als organisatorische Zusammenfassung mehrerer Kammern ist keine statistisch erfasste Größe.

In der ordentlichen Gerichtsbarkeit hat die Türkei ausschließlich Berufsrichter. Nur bei den Militärgerichten gibt es in einer Kammer neben ausgebildeten Juristen im Offiziersrang auch Offiziere ohne juristische Ausbildung als Richter. 2006 gab es 2.688 Staatsanwälte und 6.405 Richter (einschließlich Zivil- und Verwaltungsrichter).[25]

Bei den Strafgerichten waren 2006 insgesamt 2.709.769 Verfahren anhängig, von denen 1.571.930 im Lauf des Jahres abgeschlossen wurden.[26] Dabei wurden 2.041.259 Angeklagte abgeurteilt. 941.532 Personen wurden verurteilt, 405.368 freigesprochen, gegen 694.359 Personen ergingen Entscheidungen anderer Art.[27] Beim Kassationshof waren 2006 in Strafsachen 285.209 Verfahren anhängig, 144.204 wurden abgeschlossen. Die Entscheidungszahlen der einzelnen Strafsenate lagen zwischen 6.107 und 20.904 Verfahren.[28]

d) Sanktionen

Das Strafgesetzbuch sieht als Strafen Gefängnisstrafen und Geldstrafen vor (Art. 45 *Türk Ceza Kanunu* – TCK). Gefängnisstrafen von bis zu zwei Jahren, bei Jugendlichen und Alten bis zu drei Jahren, können zur Bewährung ausgesetzt werden (Art. 51 TCK). Kurzzeitige Freiheitsstrafen bis zu einem Jahr können in alternative Sanktionen umgewandelt werden, beispielsweise in Wiedergutmachung oder gemeinnützige Arbeit (Art. 51 TCK). Als gesetzliche Folge einer Verurteilung zu Gefängnis wegen einer vorsätzlichen Tat tritt für eine bestimmte Zeit der Verlust

---

24 Errechnet nach Adalet Bakanlığı, Rapor (siehe unten Quellenhinweise).

25 Türkiye İstatistik Yıllığı.

26 Adalet İstatistikleri.

27 Adalet İstatistikleri.

28 Türkiye İstatistik Yıllığı.

bestimmter Rechte (beispielweise des Wahlrechts) ein (Art. 53 TCK). Tatinstrumente und Vorteile aus der Tat können dem Täter durch Einziehung (Art. 54 TCK) und Verfall (Art. 55 TCK) entzogen werden. Gegen Jugendliche, Geisteskranke und juristische Personen ist die Verhängung bestimmter Sicherungsmaßnahmen möglich (Art. 56, 57, 60 TCK).

Von den 941.532 Verurteilten (2006) wurden 342.276 zu Gefängnis verurteilt, 431.345 zu Geldstrafe, 62.889 zu Gefängnis und Geldstrafe, 87.133 zu Bewährungsstrafen und 17.889 zu sonstigen Sanktionen.[29] Umgerechnet in Prozentzahlen wurden also 36,25 % der Verurteilten zu Gefängnis, 45,8 % zu Geldstrafe, 6,7 % zu Gefängnis- und Geldstrafe, 9 % zu Bewährungsstrafen und 1,9 % zu sonstigen Sanktionen verurteilt.

e) Strafvollzug

Nachdem der Strafvollzug lange Zeit in zahlreichen verstreuten Gesetzen und Verordnungen geregelt war, wurde er 2004 in einem umfassenden ausführlichen Strafvollzugsgesetz (Gesetz Nr. 5275 vom 13.12.2004) geregelt.

Es gibt verschiedene Typen von Strafvollzugsanstalten: Geschlossene Vollzugsanstalten, bei denen wiederum nach Größe, Bauart und Sicherheitsstandards verschiedene Arten unterschieden werden (Art. 8, 9 Strafvollzugsgesetz), Frauengefängnisse (Art. 10 StVollzG), Gefängnisse für Jugendliche (Art. 11 StVollzG), Gefängnisse für Jungerwachsene von 18 bis unter 21 Jahren (Art. 12 StVollzG), offene Gefängnisse (Art. 14 StVollzG) sowie Erziehungshäuser für Jugendliche (Art. 15 StVollzG).

Für März 2007 nennt ein Bericht des Justizministeriums die Zahl von 425 Strafvollzugsanstalten, und zwar 392 geschlossene (von denen 27 eine Abteilung für offenen Vollzug haben) und 24 offene Anstalten, ferner 3 Frauengefängnisse, 3 Gefängnisse für Jugendliche und 3 Erziehungsanstalten für Jugendliche.[30] Für den 1.8.2008 gibt das Justizministerium eine Häftlingszahl von 96.611 Personen an. Von diesen befanden sich nur knapp die Hälfte, nämlich 40.678, in Strafhaft, jedoch 55.933, also etwa 58 % der Häftlinge, in Untersuchungshaft.[31] In der Türkei ist der Anteil der Untersuchungshäftlinge an den Inhaftierten traditionell extrem hoch. Daran hat sich, wie diese Zahlen zeigen, auch nach Inkrafttreten der Reformgesetze 2005 nichts Wesentliches geändert. Da die Bevölkerungszahl nur geschätzt werden kann, lässt sich auch die Gefangenenrate nur ungefähr angeben. Geht man von einer Bevölkerungszahl von circa 70.586.256 Personen am 31.12.2007 aus und von 96.611 Häftlingen am 1.8.2008, so dürfte die Gefangenenrate etwa bei 138 pro 100.000 Einwohner liegen.

---

29 Adalet İstatistikleri.

30 Adalet Bakanlığı, Rapor.

31 Ceza ve Tefkifevleri Genel Müdürlüğü (siehe unten Quellenhinweise).

Literatur- und Quellenhinweise zu Abschnitt A.

Geografie:

Türkiye İstatistik Yıllığı, Ankara 2007, S. 4, http://www.turkstat.gov.tr/yillik/stat_yearbook.pdf. Aufgerufen am 29.8.2008 und 18.9.2008.

Bevölkerung:

www.cia.gov/library/publications/the-world-factbook/print/tu.html. Aufgerufen am 28.8.2008.

Haber Bülteni Nr. 9, T.C. Başbakanlık İstatistik Kurumu, Adrese Dayalı Nüfus Kayıt Sistemi 2007 Nüfus Sayımın Sonuçları, ~ vom 21.1.2008, www.tuik.gov.tr/jsp/hb/oncekihb_tem.jsp?d-49653-p=4

Türkiye İstatistik Yıllığı, Ankara 2007, S. 32, 39, 74. http://www.turkstat.gov.tr/yillik/stat_yearbook.pdf. Aufgerufen am 26.8.2008.

http://dc.wikipedia.org/wiki/T%C3%BCrkei. Aufgerufen am 26.8.2008.

http://yenisafak.com.tr/Gundem/?t=16.03.2007&i=35319. Aufgerufen am 26.8.2008.

Wirtschaft:

Bundesagentur für Außenwirtschaft, Wirtschaftsdaten kompakt: Türkei. Köln 2008. https://www.bfai.de/ext/anlagen/MktAnlage_5980.pdf?show=true. Aufgerufen am 16.9.2008.

Europäische Union, Wirtschaft und Währung Erweiterung: Türkei – Die Übernahme des gemeinschaftlichen Besitzstandes, http://europa.eu/scadplus/leg/de/lvb/e01113.htm. Aufgerufen am 15.10.2008.

Haber Bülteni Nr. 165, T.C. Başbakanlık İstatistik Kurumu, İşgücü İstatistikleri, ~ vom 15.10.2008, http://www.tuik.gov.tr/jsp/hb/oncekihb_tem.jsp?d-49653-p=1. Aufgerufen am 16.10.2008.

Rumpf, Christian, Das türkische Verfassungssystem – Einführung mit vollständigem Verfassungstext. Wiesbaden 1996, S. 105–113.

Seufert, Günter/Kubaseck, Christopher, Die Türkei – Politik, Geschichte, Kultur. 2. Aufl. München 2006, S. 116–122.

Türkiye İstatistik Yıllığı, Ankara 2007, S. 317.
http://www.turkstat.gov.tr/yillik/stat_yearbook.pdf. Aufgerufen am 29.8.2008.

Staatsorganisation:

www.auswaertiges-amt.de/diplo/de/Laenderinformationen/01-Laender/Tuerkei.html. Aufgerufen am 16.9.2008.

Rumpf, Christian, Das türkische Verfassungssystem – Einführung mit vollständigem Verfassungstext. Wiesbaden 1996.

– Übersetzung der türkischen Verfassung von 1982, http://www.tuerkei-recht.de/Verfassung.pdf. Aufgerufen am 16.9.2008.

Kriminalität und Strafverfolgung:

Adalet İstatistikleri – Judicial Statistics 2006. T.C. Adalet Bakanlığı Adli Sicil ve İstatistik Genel Müdürlüğü. Ankara 2008, S. 7–11.

Adalet Bakanlığı, www.adalet.gov.tr/rapor/rapor2006.pdf. S. 43, 76. Aufgerufen am 29.8.2008.

Ceza ve Tefkifevleri Genel Müdürlüğü, Türkiye Cumhuriyeti Adalet Bakanlığı~, www.cte.adalet.gov.tr. Aufgerufen am 14.10.2008.

Türkiye İstatistik Yıllığı. Ankara 2007, S. 15, 123, http://www.turkstat.gov.tr/yillik/stat_yearbook.pdf. Aufgerufen am 29.8.2008.

B. Rechtsvergleichende und internationale Einordnung

1. Rechtsvergleichende Einordnung des Landesrechts

Die Türkei wird heute zum kontinentaleuropäischen Rechtskreis gezählt, also zu einem Rechtskreis, der sich aus dem römischen Recht entwickelt hat und zu dessen charakteristischen Merkmalen die Kodifikation der Gesetze und die Bedeutung der Lehre bei der Weiterbildung des Rechts gehören. Diese Zugehörigkeit ist aber noch nicht alt. Im Osmanischen Reich (1290–1922) galt islamisches Recht nach der Lehre der hanefitischen Rechtsschule, die sich auf Koran und Sunna (Überlieferung) sowie eine hochentwickelte Rechtswissenschaft stützt.

Aber durch die tiefgreifenden Reformen der Tanzimatszeit (1839–1876), die nicht nur das Rechtswesen, sondern auch Verwaltung, Militär und Erziehungswesen umfassten, nahm die Ausrichtung des türkischen Rechts auf Europa ihren Anfang. Das *Tanzimat*-Edikt von 1839 garantierte den Untertanen das Recht auf Sicherheit der Person, Ehre und Eigentum, im Strafrecht sollten das Gesetzlichkeitsprinzip eingeführt und unabhängige Gerichte geschaffen werden, eine freiwillige Selbstbegrenzung der Macht des Sultans. 1850 wurde mit Teilen des französischen Handelsgesetzbuchs erstmals ein europäisches Gesetzeswerk rezipiert. Dadurch wurden auch Bestimmungen, die eindeutig gegen das islamische Recht verstießen, geltendes Recht im Osmanischen Reich: Das neue Gesetz erlaubte beispielsweise Zinsen, die im Islam verboten sind. Der *Islahat*-Erlass von 1856 stellte nichtmuslimische Minderheiten rechtlich den Muslimen gleich. Nachdem ein erster Versuch der Umsetzung der Grundsätze des *Tanzimat*-Edikts 1841 zu einem noch bruchstückhaften Strafgesetz geführt hatte, erging 1858 ein Strafgesetzbuch, das bereits wesentlich vom Code Napoléon von 1810 beeinflusst war.[1]

Im Zivilrecht wurde in diesen Jahren diskutiert, ob eine Reform, deren Notwendigkeit allseits anerkannt war, ebenfalls durch die Übernahme des französischen Rechts erfolgen sollte oder ob eine Kodifizierung des islamischen Rechts das angemessene Mittel dazu wäre, was zeigt, welche Wichtigkeit mittlerweile einer Kodifikation als solcher zuerkannt wurde. Die Befürworter der letzteren Lösung setzten sich durch, und so wurde in den Jahren 1868–1876 die berühmte *Mecelle* erarbeitet, die das islamische Obligationenrecht nach der hanefitischen Rechtsschule kodifizierte und bis weit ins 20. Jahrhundert hinein auch in vielen nahöstlichen Staaten des ehemaligen Osmanischen Reichs weiterwirkte.

Eine erste Verfassung, dem Vorbild der belgischen Verfassung von 1831 und der preußischen Verfassung von 1850, folgend, blieb *de facto* nur zwei Jahre in Kraft (1876–1878). Die Zivilprozessordnung und die Strafprozessordnung, die beide 1879 ergingen, richteten sich am französischen Recht aus. Erstmals wurden Staats-

---

[1] Siehe dazu unten I.G.1.

anwaltschaften geschaffen, eine Rechtsanwaltschaft entstand. Eine Strafrechtsreform von 1911 berücksichtigte dann aber in erheblichem Maße das italienische Strafgesetzbuch, das damals als das modernste seiner Zeit galt. Insgesamt lässt sich sagen, dass die *Tanzimat*-Bewegung bereits den Boden für die Reformen bereitet hatte, die nach dem Zusammenbruch des Osmanischen Reichs und der Neugründung der türkischen Republik in die Wege geleitet wurden.[2] Türkische Gelehrte stellen jedoch auch mit Bedauern fest, dass bei den Reformen zwar rechtstechnische Fragen interessierten, dass aber eine rechtsphilosophische Behandlung und Durchdringung etwa von Fragen nach dem Wesen des Rechts so gut wie nicht erfolgte.

Die Gründung der Republik Türkei 1923 brachte in ihren ersten Jahren in vielen Lebensgebieten einen Bruch mit der Tradition mit sich, von der Kleidung bis zur Schrift, und vor allem die konsequente Abschaffung allen islamischen Rechts, das bis dahin zum Beispiel im Zivilrecht noch eine erhebliche Rolle gespielt hatte. Jetzt wurde der Gedanke der Souveränität des Volkes anerkannt, ein entscheidender Schritt weg von den Vorstellungen des Islams, der die Souveränität von Gott ableitet, und von den alttürkischen, im Osmanischen Reich weiter wirkenden Vorstellungen, nach denen Gott die Souveränität an die Herrscherfamilie übertragen hatte. Das Kalifat wurde 1922 abgeschafft, das Sultanat 1924. Mit der Übernahme des Zivilgesetzbuchs aus der Schweiz wurde unter anderem die Gleichberechtigung der Frauen ein deutliches Stück vorangebracht. Auch im Straf- und Strafprozessrecht wurden neue Gesetze erlassen, aber diese bedeuteten bereits eine Festigung der schon längst bestehenden Bindung an den kontinentalen Rechtskreis, nicht erst seine Begründung.

Allerdings orientierten sich die neuen Gesetze nicht mehr am französischen Vorbild. Im Strafrecht wurde 1926 der italienische Codice Zanardelli von 1889 übernommen,[3] nachdem das italienische Strafrecht, wie oben bereits erwähnt, schon länger besonderes Interesse gefunden hatte. Dadurch wurden auch die letzten Spuren islamischen Strafrechts getilgt, die es im osmanischen Strafgesetzbuch von 1858 noch gegeben hatte. Ursprünglich sollte auch die italienische Strafprozessordnung übernommen werden, jedoch wurde während der Übersetzungsarbeiten festgestellt, dass sie aus verschiedenen Gründen für die Türkei nicht geeignet sei, etwa wegen der unterschiedlichen Organisation der Gerichte in Italien und der Türkei. Auf Vorschlag eines angesehenen Strafrechtsprofessors entschied man sich daher für die Übernahme der deutschen Strafprozessordnung, die 1929 in Kraft trat,[4] allerdings mit einigen Änderungen. So waren in dem Gesetz keine Laienbeteiligung und keine zweite Instanz vorgesehen.[5]

---

2 Siehe unten G.2.

3 Siehe unten G.2.

4 Siehe unten G.3.

5 Siehe dazu unten I.G.3.

Dabei kam es natürlich in manchen Fällen in den neuen Gesetzen auch zu Anpassungen an die Lebensverhältnisse und herrschenden gesellschaftlichen Auffassungen in der Türkei. So wurde etwa die Todesstrafe, die im Codice Zanardelli bereits nicht mehr vorgesehen war, im Türkischen Strafgesetzbuch von 1926 beibehalten. Alle diese Abweichungen von den europäischen Vorbildern stellten aber bis heute in keinem Fall die Zugehörigkeit zum kontinentaleuropäischen Recht infrage.

2. Einfluss internationaler Bindungen

a) Mitgliedschaft in internationalen und regionalen Organisationen

Die Türkei gehört unter anderen folgendem internationalen und regionalen Organisationen an:

- Interpol (seit 1930);
- Vereinte Nationen (seit 1945);
- Europarat (seit 1949);
- OECD (seit 1961),
- Organization of the Islamic Conference (OIC) (seit 1969);
- OSZE (seit 1990).

Die Türkei ist bisher noch nicht EU-Mitglied. Sie erhielt zwar 1999 den Status als EU-Beitrittskandidat, 2005 wurden Beitrittsverhandlungen aufgenommen. Diese werden voraussichtlich aber noch mehrere Jahre dauern.

b) Beteiligung an völkerrechtlichen Verträgen

Die Türkei ist zahlreichen internationalen Abkommen beigetreten, von denen die wichtigsten hier aufgeführt sind (Jahr der Ratifikation in Klammern).

Sie ist Vertragspartei folgender Übereinkommen, die die Mitgliedstaaten zur Einhaltung eines menschenrechtlichen Mindeststandards verpflichten:

- Europäische Konvention zum Schutze der Menschenrechte und Grundfreiheiten (1954) sowie Zusatzprotokolle, insbesondere Nr. 6 (2003) und 13 (2004) zur Abschaffung der Todesstrafe, Nr. 8 (1990) und Nr. 11 (1998);
- UN-Übereinkommen über bürgerliche und politische Rechte (2003), mit dem 5. und 12. Zusatzprotokoll (beide 2006);
- UN-Übereinkommen gegen Folter und andere grausame, unmenschliche oder erniedrigende Behandlung (1988), das fakultative Protokoll V von 2002 wurde 2005 unterzeichnet, aber noch nicht ratifiziert;

- Europäisches Übereinkommen gegen Folter und unmenschliche oder erniedrigende Behandlung oder Bestrafung (1989) sowie Zusatzprotokolle Nr. 1 und 2 (2002);
- UN-Übereinkommen über die Beseitigung aller Formen der Diskriminierung von Frauen (1986);
- UN-Übereinkommen über alle Formen rassischer Diskriminierung (2002);
- UN-Übereinkommen zum Schutz der Kinder (1995);
- UN-Konvention gegen Sklaverei (1933) mit Zusatzübereinkommen zur Abschaffung der Sklaverei (1964).

Im Bereich des Kriegsrechts und des humanitären Völkerrechts hat die Türkei folgende Übereinkommen ratifiziert:

- Haager Landkriegsordnung (1899), dagegen wurde die Haager Landkriegsordnung von 1907 nicht ratifiziert;
- Genfer Konvention von 1949 (1954), Zusatzprotokolle I und II (1977), Zusatzprotokoll III (2006);
- UN-Übereinkommen zur Verhinderung und Bestrafung von Völkermord (1950).

Dagegen ist die Türkei dem Römischen Statut nicht beigetreten.

Die Bekämpfung der grenzüberschreitenden organisierten Kriminalität hat die Türkei zum Beitritt zu folgenden Abkommen veranlasst:

- UN-Übereinkommen gegen die grenzüberschreitende organisierte Kriminalität (2003); samt Zusatzprotokoll zur Verhütung, Bekämpfung und Bestrafung des Menschenhandels, insbesondere des Frauen- und Kinderhandels (2003) und Zusatzprotokoll gegen Migrantenschmuggel (2003);
- Europäisches Abkommen zum Schutz von Kindern vor sexueller Ausbeutung und sexuellem Missbrauch (2007) (unterzeichnet, aber noch nicht ratifiziert);
- Zusatzprotokoll gegen illegale Herstellung von und Handel mit Feuerwaffen (2004);
- UN-Übereinkommen gegen Korruption (2006);
- Strafrechtsübereinkommen gegen Korruption (2004);
- OECD-Übereinkommen zum Kampf gegen Bestechung (2003);
- Konvention des Europarates über Geldwäsche, Terrorismusfinanzierung sowie Ermittlung, Beschlagnahme und Einziehung von Erträgen aus Straftaten (unterzeichnet 2007, noch nicht ratifiziert);
- UN-Konvention über psychotrope Substanzen (1981);
- UN-Konvention gegen den illegalen Handel mit Narkotika und psychotropen Substanzen (1996).

Zur Bekämpfung terroristischer Aktivitäten ist die Türkei folgenden Abkommen beigetreten:

- Europäisches Übereinkommen zur Bekämpfung des Terrorismus (1981) samt Protokoll zur Änderung des Europäischen Übereinkommens zur Bekämpfung des Terrorismus;
- Internationale Konvention gegen Geiselnahme (1989);
- Internationale Konvention zur Bekämpfung von terroristischen Bombenanschlägen (2002);
- Internationale Konvention zur Bekämpfung von Akten von Nuklearterrorismus (2005);
- Internationale Konvention zur Bekämpfung der Finanzierung von Terrorismus (2002).

Auch im Bereich der Internationalen Rechtshilfe ist die Türkei in zahlreiche Abkommen eingebunden:

- Europäisches Auslieferungsübereinkommen (1950);
- Europäisches Übereinkommen über die Rechtshilfe in Strafsachen (1969) sowie Zusatzprotokolle von 1978 (1990), 2001 (2001);
- Europäisches Übereinkommen über die Übertragung der Strafverfolgung (1979);
- Europäisches Übereinkommen über die internationale Geltung von Strafurteilen (1979);
- Europäisches Übereinkommen über die Überstellung verurteilter Personen (1996).

Soweit dies nicht schon früher im Strafgesetzbuch von 1926 oder durch besondere Gesetze geschehen war, hat die Türkei die sich aus diesen Verträgen ergebenden Verpflichtungen zur Schaffung besonderer Straftatbestände vor allem in dem neuen Strafgesetzbuch von 2004 erfüllt (beispielsweise Art. 76 Völkermord, Art. 80 Menschenhandel, Art. 282 Geldwäsche). Obwohl sie dem Römischen Statut bisher nicht beigetreten ist, hat sie bereits die verfassungsrechtlichen und einfachgesetzlichen Normen geschaffen, die für einen Beitritt nötig wären. Das betrifft vor allem die Auslieferbarkeit eines eigenen Staatsanghörigen an ein internationales Gericht (Art. 38 Abs. 12 Verfassung, Art. 18 Abs. 2 TCK).

Literaturhinweise zu Abschnitt B.

Gökcen, Ahmet, Tanzimat Dönemi Osmanlı Ceza Kanunları ve bu Kanunlardaki Ceza Müeyyideleri (Die osmanischen Strafgesetze in der Tanzimatszeit und die Strafsanktionen in diesen Gesetzen). Istanbul 1989.

Mumcu, Ahmet, Siebzig Jahre westliches Recht in der türkischen Republik. In: Heinrich Scholler/Silvia Tellenbach (Hrsg.), Westliches Recht in der Republik Türkei 70 Jahre nach der Gründung. Baden-Baden 1996, S. 17–50.

Önder, Ayhan, Die türkische Strafprozessordnung. Annales de la Faculté de Droit d'Istanbul 44 (1981), 171–322 (176).

Tellenbach, Silvia, Zum Straf- und Strafprozessrecht in der Republik Türkei 70 Jahre nach der Gründung. In: Heinrich Scholler/Silvia Tellenbach (Hrsg.), Westliches Recht in der Republik Türkei 70 Jahre nach der Gründung. Baden-Baden 1996, S. 145–170.

Üçok, Coşkun/Mumcu, Ahmet, Türk Hukuk Tarihi (Türkische Rechtsgeschichte). 7. Aufl. Ankara 1993, S. 258–289.

C. Verfassungsrechtliche Vorgaben

1. Übergesetzliche Regelungen als Träger strafrechtlicher Prinzipien

– *Die Verfassung*

Die Verfassung, die *Anayasa*, Gesetz Nr. 2709 vom 18.10.1982, ist nach mehreren Änderungen, insbesondere 1995, 2001 und 2004, heute in der Form der VerfGE vom 5.6.2008 E.2008/16 K. 2008/116, in Kraft. In Art. 2 der Verfassung von 1982 bringt sie ihr Selbstverständnis folgendermaßen zum Ausdruck:

Art. 2 Verfassung
Die Republik Türkei ist ein im Geist des Friedens der Gemeinschaft, der nationalen Solidarität und der Gerechtigkeit die Menschenrechte achtender, dem Nationalismus Atatürks verbundener und auf den in der Präambel verkündeten Grundprinzipien beruhender demokratischer, laizistischer und sozialer Rechtsstaat.

In der Präambel fällt auf, wie sehr die „ewige Existenz" des türkischen Vaterlandes und der türkischen Nation sowie die Unteilbarkeit des türkischen Staats hervorgehoben werden. Dort heißt es:

(...) dass keine Meinung und Ansicht gegenüber den türkischen nationalen Interessen, der türkischen Existenz, dem Grundsatz der Unteilbarkeit von Staatsgebiet und Staatsvolk, den geschichtlichen und ideellen Werten des Türkentums und dem Nationalismus, den Prinzipien und Reformen sowie dem Zivilisationismus Atatürks geschützt wird (...).

Auch der Laizismus wird in der Präambel als besonders schützenswert hervorgehoben. Die Betonung dieser Werte kann bis heute zu einem Verständnis strafrechtlicher Vorschriften führen, das die Meinungsfreiheit einengt, auch wenn das nach den Reformen von 2001 nicht mehr in dem Maße wie früher der Fall ist.

– *Andere übergesetzliche Regelungen*

Verfahrensmäßig in Kraft gesetzte internationale Verträge haben laut Art. 90 Abs. 5 Verfassung Gesetzeskraft. Das Verfassungsgericht kann nicht mit der Behauptung ihrer Verfassungswidrigkeit angerufen werden. Stehen Vorschriften eines derartigen Vertrags, die Grundrechte und Grundfreiheiten der Bürger betreffen, im Widerspruch zu nationalen Vorschriften, so gehen die Vorschriften des verfahrensmäßig in Kraft gesetzten internationalen Vertrags vor. Auf diesem Wege ist beispielsweise die EMRK geltendes türkisches Recht geworden.

2. Grundrechte und Grundfreiheiten

Den Bürgern sind zwar Grundrechte garantiert; alle Grundrechte, nicht etwa nur das Eigentum, unterliegen jedoch einer Sozialbindung (Art. 12 Verfassung). Die früher beträchtlichen Möglichkeiten, Grundrechte gemäß Art. 13 und 14 zu beschränken, wurden durch die Verfassungsänderung von 2001 erheblich gemildert. Nunmehr dürfen sie nur noch durch Gesetz und aus den im Gesetz aufgeführten Gründen beschränkt und nicht in ihrem Wesensgehalt angetastet werden. Diese Beschränkungen dürfen nicht gegen Wortlaut und Geist der Verfassung, die Notwendigkeiten einer demokratischen Gesellschaftsordnung und der laizistischen Republik sowie gegen den Grundsatz der Verhältnismäßigkeit verstoßen (Art. 13). Art. 14 enthält ein Verbot des Missbrauchs dieser Grundrechte und -freiheiten: Sie dürfen nicht genutzt werden, um Aktivitäten mit dem Ziel zu entfalten, die unteilbare Einheit von Staatsgebiet und Staatsvolk zu zerstören und die demokratische laizistische Republik zu beseitigen.

In dem Teil über Grundrechte und Grundpflichten (Art. 12–74 Verfassung) findet sich eine ungewöhnlich umfangreiche Zahl von Bestimmungen, die einen Rahmen für das *Strafrecht* und noch mehr für das *Strafprozessrecht* abstecken, bisweilen auch bei beiden von Bedeutung sind:

Art. 38 Verfassung regelt das Gesetzlichkeitsprinzip *(kanunilik ilkesi)* und das Rückwirkungsverbot (Abs. 1) [1] sowie die Unschuldsvermutung *(beraat ilkesi)* (Abs. 4) und die Personengebundenheit der strafrechtlichen Verantwortung *(ceza sorumluluğunun şahsiliği)* (Abs. 7). Ferner sieht Art. 38 Verfassung vor, dass Strafen und an die Stelle von Strafen tretende Sicherungsmaßnahmen nur durch Gesetz, nicht etwa durch untergesetzliche Normen bestimmt werden dürfen (Abs. 3).[2] Verwaltungsrechtliche Sanktionen dürfen nicht in einem Freiheitsentzug bestehen. Ausnahmen davon sind nur im Hinblick auf die innere Ordnung der Streitkräfte möglich (Abs. 11). Das unbedingte Verbot der Todesstrafe ist seit 2004 verfassungsmäßig festgelegt (Abs. 10), nachdem diese seit 2001 in Verfassung und Strafgesetzbuch bereits schrittweise mit immer stärkeren Vorbehalten versehen worden war.

Art. 17 Verfassung garantiert das Leben (Abs. 1) und die Unantastbarkeit der körperlichen Integrität (Abs. 2), nimmt allerdings Tötung durch einen dem Gesetz entsprechenden Schusswaffengebrauch davon aus (Abs. 4).[3] Art. 17 Abs. 3 Verfassung verbietet Folter, Misshandlung und eine mit der Menschenwürde unvereinbare Bestrafung oder Behandlung.[4] Die Meinungsfreiheit (Art. 25 Verfassung) hat

---

1 Siehe II.A.3.d.

2 Siehe II.A.3.a.

3 Siehe II.J.3.

4 Siehe I.B.2.b.

ihre wichtigste Bedeutung in der Form des Rechtfertigungsgrunds der Ausübung eines Rechts gemäß Art. 26 TCK.[5]

Artikel 36 regelt das Recht auf ein faires Verfahren, Art. 37 sieht den gesetzlichen Richter vor. Art. 19 Verfassung garantiert die Freiheit der Person und regelt Ausnahmen für amtlich angeordneten Freiheitsentzug. Darüber hinaus enthält er Vorschriften über die Zulässigkeit einer Festnahme oder Verhaftung. Dabei gehen die Regelungen sehr ins Detail. Die Vorschrift garantiert etwa die Mitteilung einer Festnahme oder Verhaftung an die Angehörigen (Abs. 6), eine Höchstdauer der Polizeihaft von höchstens 48 Stunden (die heute geltende Frist nach der Strafprozessordnung beträgt die Hälfte), bei gemeinschaftlicher Tatbegehung bis zur vier Tagen (Abs. 5), den Rechtsweg gegen alle Arten von Freiheitsentzug (Abs. 8) sowie einen Schadenersatzanspruch bei ungesetzlichem Freiheitsentzug (Abs. 9). Weiter sind die Unverletzlichkeit des Privatlebens (Art. 20), die Unverletzlichkeit der Wohnung (Art. 21) und die Freiheit der Kommunikation (Art. 22) garantiert. Die Rechte der Art. 20–22 werden zwar auch durch Straftatbestände geschützt, ihre wichtigste Bedeutung haben sie jedoch im Strafprozess, weil sie maßgeblich für den Rahmen sind, innerhalb dessen Durchsuchungen von Personen, Wohnungen, Korrespondenzen und anderen Kommunikationsmitteln sowie Beschlagnahme des dabei aufgefundenen möglichen Belastungsmaterials gestattet sind. Niemand darf gezwungen werden, sich selbst zu belasten (Art. 38 Abs. 5), die Verwertung gesetzwidrig erlangter Beweismittel ist verboten (Art. 38 Abs. 6). Art. 39 Verfassung regelt den Wahrheitsbeweis.

Türkische Staatsbürger dürfen grundsätzlich nicht ausgeliefert werden. Eine Ausnahme besteht nur seit 2004 für die Auslieferung an einen internationalen Strafgerichtshof (Art. 38 Abs. 12 Verfassung).

3. Sonstige übergesetzliche Normen von strafrechtlicher Relevanz

Die Unabhängigkeit der Gerichte wird als fundamentaler Grundsatz zu Beginn des Abschnitts über die Justiz festgestellt (Art. 138 Verfassung). Ihm folgt das Verbot der Einflussnahme auf diese (Art. 138 Abs. 2 Verfassung) und die Bindung von Gesetzgebung und vollziehender Gewalt an Gerichtsentscheidungen (Art. 138 Abs. 4 Verfassung). Bei den Vorschriften über das Abgeordnetenmandat werden die Indemnität und die Immunität der Abgeordneten garantiert (Art. 83 Verfassung).

---

[5] Siehe II.J.3.

Literaturhinweise zu Abschnitt C.

Rumpf, Christian, Das türkische Verfassungssystem – Einführung mit vollständigem Verfassungstext. Wiesbaden 1996.

– Verfassung (Übersetzung), www.tuerkei-recht.de/Verfassung.pdf

Tellenbach, Silvia, Zur Änderung der türkischen Verfassung durch das Gesetz Nr. 4709 vom 3. Oktober 2001. VRÜ 35, 532–547.

Entscheidungen

VerfGE vom 5.6.2008 (E.2008/16 K. 2008/116)

D. Strafrechtstheoretische Grundlagen

1. Aufgaben des Strafrechts

In der türkischen Literatur wird die Aufgabe des Strafrechts vorwiegend im Schutz des gesellschaftlichen Friedens gesehen. Im menschlichen Zusammenleben treffen unterschiedliche Interessen aufeinander; es kann zu Konflikten kommen, die gelöst werden müssen. Schutz vor Angriffen und Gewährleistung von Sicherheit ist erforderlich. Daher entstehen viele außerrechtliche Mechanismen, die ein gedeihliches Miteinander in einer Gesellschaftsordnung *(sosyal düzen)* ermöglichen sollen. Sie müssen aber durch die Rechtsordnung *(hukuk düzeni)* ergänzt und verstärkt werden. Diese hat der Staat durchzusetzen. Das Strafrecht ist ein Teil dieser Rechtsordnung. Es ist das schärfste Mittel des Staates, um in das Leben der Bürger einzugreifen. Deshalb darf es stets nur als letztes Mittel eingesetzt werden, wenn andere Wege nicht zum Ziel führen (*ultima-ratio*-Prinzip), und es sind genaue Vorgaben in formeller und materieller Hinsicht darüber erforderlich, wann es angewendet werden darf.

Jeder strafrechtlichen Regelung muss ein positives Werturteil im Hinblick auf ein vitales Interesse und seine Schutzwürdigkeit zugrunde liegen. Der Begriff des Rechtsguts *(hukusal değer)* wurde erst vor Kurzem in die türkische Lehre eingeführt, scheint aber zunehmend auf Zustimmung zu stoßen. Welche Rechtsgüter durch das Strafrecht verteidigt werden dürfen, ergibt sich aus der Werteordnung der Verfassung.[1] Es sind Rechtsgüter, die zur Wahrung der Menschenwürde durch das Strafrecht geschützt werden müssen.

Das türkische Strafgesetzbuch (*Türk Ceza Kanunu*, TCK) von 2004 beginnt mit einem Artikel, der „Zweck des Strafgesetzbuchs" überschrieben und wörtlich aus dem russischen Strafgesetzbuch übernommen worden ist. Er nennt jedoch nicht einen allgemeinen Zweck, der dem Strafrecht überhaupt zugrunde liegen soll, sondern benennt, sozusagen schon eine Ebene tiefer, die einzelnen Werte beziehungsweise Rechtsgüter, die durch dieses Strafgesetzbuch geschützt werden sollen. Dabei handelt es sich einerseits um Rechte von Einzelnen, nämlich die Rechte und Freiheit der Person, andererseits um Werte, die das Funktionieren der gesamten Gesellschaft und ihrer Lebensmöglichkeiten gewährleisten, nämlich die öffentliche Ordnung und Sicherheit, den Rechtsstaat, die öffentliche Gesundheit, die Umwelt, den gesellschaftlichen Frieden und die Verhütung von Straftaten.

Art. 1 TCK (Zweck des Strafgesetzbuchs)

(1) Der Zweck des Strafgesetzbuchs ist: der Schutz der Rechte und Freiheiten der Person, der öffentlichen Ordnung und der öffentlichen Sicherheit, des Rechtsstaats, der öffentlichen Gesundheit, der Umwelt und des gesellschaftlichen Friedens sowie die

---

[1] Siehe näher dazu I.C.2.

Verhütung von Straftaten. Zur Verwirklichung dieses Zwecks legt dieses Gesetz die Grundlagen der strafrechtlichen Verantwortung, die Straftaten sowie die Arten der Strafen und Sicherungsmaßnahmen fest.

Im Gegensatz zu der unumstrittenen und wenig diskutierten Aufgabe des Strafrechts, den Frieden in der Gesellschaft zu bewahren, stieß die Aufnahme dieses Artikels in das Strafgesetzbuch in der türkischen Lehre auf breite Kritik. Sie bezog sich aber vornehmlich darauf, dass die zu schützenden Werte bereits in der Verfassung ihren angemessenen Regelungsort gefunden hätten und eine Wiederholung im Strafgesetzbuch unangebracht sei.

2. Rechtsstaatliche Grenzen des Strafrechts

Bei den Grenzen des Strafrechts wird in der türkischen Lehre drei Grundprinzipien eine zentrale Rolle zugemessen, die aber häufig im Rahmen der Grundsätze der Kriminalpolitik *(suç siyaseti)* behandelt werden,[2] nämlich dem Rechtsstaatsprinzip *(hukuk devleti ilkesi)*, dem Schuldprinzip *(kusur ilkesi)* und dem Humanitätsprinzip *(insanilik ilkesi, insancıllık ilkesi, hümanizm ilkesi)*:

– Das Rechtsstaatsprinzip verlangt, dass das Strafgesetz in seiner Ausgestaltung der Menschenwürde Rechnung trägt und ferner den Bürgern Gerechtigkeit und Sicherheit garantiert. Die Menschenwürde gebietet, dass Strafnormen menschliches Handeln nur dort einschränken dürfen, wo es im Interesse der Gesellschaft unvermeidlich ist, und verbietet unmenschliche, grausame oder demütigende Strafen.

Das Prinzip der Gerechtigkeit wird im Verhältnismäßigkeitsprinzip *(orantılılık)* deutlich. Es fordert zum einen, dass Strafen und Maßnahmen im Verhältnis zur Tat stehen.

Art. 3 TCK (Das Prinzip der Gerechtigkeit und der Gleichheit vor dem Gesetz)
(1) Gegen einen Straftäter werden Strafen und Sicherungsmaßnahmen verhängt, die im Verhältnis zur Schwere der Tat stehen.

In der türkischen Lehre wurde kritisiert, dass hier nur von der Tat die Rede ist. Maßnahmen seien nach der Gefährlichkeit des Täters zu verhängen. Selbst wenn die Tat Hinweise auf die Gefährlichkeit des Täters geben könnte, wäre es geboten gewesen, auch die Gefährlichkeit ausdrücklich im Gesetz zu nennen.

Das Strafgesetzbuch verbietet im Namen der Gerechtigkeit zum anderen die Diskriminierung von Straftätern wegen besonderer Merkmale, von denen einige beispielhaft genannt sind, und gebietet die Gleichheit vor dem Gesetz.

---

[2] Siehe dazu unten I.H.

Art. 3 TCK (Das Prinzip der Gerechtigkeit und der Gleichheit vor dem Gesetz)

(1) (…)

(2) Bei der Anwendung des Strafgesetzes darf zwischen den Menschen kein Unterschied wegen ihrer Rasse, Sprache, Religion, Konfession, Nationalität, Hautfarbe, ihres Geschlechts, ihrer politischen oder sonstigen Meinungen oder Gedanken, ihrer philosophischen Überzeugung, nationalen oder gesellschaftlichen Wurzeln, Geburt, wirtschaftlichen Lage oder sonstigen gesellschaftlichen Situation gemacht werden. Niemandem darf eine besondere Stellung zuerkannt werden.

Zur eher formellen Seite, die aber wegen ihrer Aufgabe der Garantie der Rechtssicherheit *(güvence fonksiyonu)* von höchster Bedeutung ist, gehört vor allem das Gesetzlichkeitsprinzip mit seinen Ausprägungen der Regelungsform *(nulla poena sine lege scripta)*, dem Bestimmtheitsgebot, dem Analogieverbot und dem Rückwirkungsverbot (Art. 2 TCK).[3]

– Das Schuldprinzip verlangt, dass der Täter nur bestraft wird, wenn er für seine Tat verantwortlich gemacht werden kann. Dieses Prinzip hat eine Reihe von Auswirkungen. Zum einen kann ein Täter nicht bestraft werden, wenn er wegen seines Alters oder seines Geisteszustands nicht in der Lage ist, das Unrecht seiner Tat einzusehen und nach dieser Einsicht zu handeln (Art. 31–34 TCK). Ferner darf er nur für eine Tat bestraft werden, für die ihn eine Schuld trifft. Das schließt eine reine Erfolgshaftung aus. In Anwendung des Schuldprinzips wurde daher auch in dem neuen Strafgesetzbuch von 2004 eine Strafbarkeit bei erfolgsqualifizierten Delikten auf die Fälle beschränkt, in denen dem Täter im Hinblick auf den Erfolg mindestens Fahrlässigkeit zur Last zu legen ist (Art. 23 TCK).[4] Unter maßgeblicher Berufung auf das Schuldprinzip wurde gegen zahlreiche Bedenken im Hinblick auf die praktischen Auswirkungen einer solchen Regelung in dem neuen Strafgesetzbuch durchgesetzt, dass der unvermeidbare Verbotsirrtum eine Bestrafung entfallen lässt (Art. 30 Abs. 4 TCK).[5] Eine weitere Auswirkung des Schuldprinzips ist schließlich der Grundsatz der Personengebundenheit der strafrechtlichen Verantwortung (Art. 38 Abs. 7 Verfassung, Art. 20 Abs. 1 TCK). Im Gegensatz zum Zivilrecht, wo eine Haftung für das Handeln eines Dritten in manchen Fällen möglich ist, kann im Strafrecht grundsätzlich jeder nur für sein eigenes Handeln bestraft werden. Der Grundsatz der Personengebundenheit der Strafe war in der türkischen Diskussion jedoch ein maßgebliches Argument dafür, dass eine juristische Person nicht bestraft werden kann, weil eine solche keine persönliche Schuld auf sich laden kann. Der Ausweg des Gesetzgebers war, dass gegen juristische Personen nur Maßnahmen verhängt werden können, die im Gegensatz zu Strafen keine persönliche Schuld voraussetzen (Art. 20 Abs. 2 TCK).[6]

---

[3] Siehe ausführlich II.A.

[4] II.E.4.

[5] II.E.5.

[6] II.H.

– Der Humanitätsgrundsatz besagt, dass das Ziel der Verhängung und Vollstreckung von Strafen die Zurückgewinnung des Verurteilten für die Gesellschaft und für ein verantwortungsbewusstes Leben in der Gesellschaft sein soll. Das bedeutet, dass bei der Strafzumessung angemessene Strafen zu wählen sind und der Strafvollzug in einer Weise zu gestalten ist, die diesem Ziel förderlich ist.

3. Strafzwecke

Die türkische Literatur kennt und beschreibt im Zusammenhang mit den Strafzwecken die absoluten Theorien *(mutlak ceza teorileri, adalet teorileri)*, für die die Strafe als Vergeltung beziehungsweise als gerechter Lohn für die Tat ihre Berechtigung in sich selbst trägt, ferner die relativen Theorien *(nisbi teoriler, yararcı teoriler)*, die unter Betrachtung von Nutzen und Erfolg den Zweck der Strafe in der Generalprävention *(genel önleme)*, Spezialprävention *(özel önleme)* und Rehabilitation *(rehabilitasyon)* des Täters sehen, sowie schließlich die Vereinigungstheorien zwischen absoluten und relativen Theorien *(karma teoriler, uzlaşmacı teoriler)*. Für die heutige Praxis werden die Generalprävention und die Spezialprävention als die wichtigsten Strafzwecke angesehen, die meist beide gleichzeitig verfolgt werden, die Generalprävention als Abschreckung *(caydırıcılık)* der Gesellschaft von ähnlichen Taten, die Spezialprävention als Abschreckung für den Täter selbst von zukünftigen Straftaten. Dabei findet sich jedoch in der Literatur der Hinweis, dass es im Strafrecht tatsächlich von jeher mehr um die Generalprävention gegangen sei und auch die Regelungen des neuen Strafgesetzbuchs deutlich erkennen ließen, dass der Strafzweck der Generalprävention im Vordergrund stehe. Die Spezialprävention und die Resozialisierung hätten dagegen im Strafvollzugsgesetz ihren Platz. Anerkannt wird auch, dass in manchen Fällen noch die Vergeltung als Strafzweck mit beteiligt sein kann. Die Ausstoßung *(tasfiye)* des Täters aus der Gesellschaft wird dagegen abgelehnt. Seit der Abschaffung der Todesstrafe habe sie keinen Platz mehr und widerspräche im Übrigen dem Humanitätsprinzip. In neuerer Zeit wird gelegentlich auch die Genugtuung für den Verletzten genannt, die in geeigneten Fällen leichter Kriminalität im Wege der Wiedergutmachung erfolgen kann (Art. 50 Abs. 1 lit. b TCK).

4. Grundlegende Prinzipien des Strafverfahrensrechts

Die Verfassung enthält eine ungewöhnlich hohe Zahl von Regelungen, die Prinzipien des Strafverfahrensrechts betreffen.[7] Ferner ist die EMRK, die in Art. 3–8 für den Strafprozess grundlegend wichtige Rechte garantiert, gemäß Art. 90 Abs. 5

[7] Siehe oben I.C.

Verfassung unmittelbar geltendes türkisches Recht. Eine Reihe der in der Verfassung und der EMRK garantierten Rechte wird außerdem noch einfachgesetzlich im Strafgesetzbuch oder in der Strafprozessordnung (*Ceza Muhakemesi Kanunu*, CMK) vorgesehen. Dort finden sich aber auch weitere Verfahrensgrundsätze, die keinen Verfassungsrang genießen. Umgekehrt werden manche Verfahrensgrundsätze direkt aus der EMRK oder der Verfassung abgeleitet.

Als die wichtigsten durch die Verfassung garantierten Grundprinzipen des türkischen Strafprozesses kann man das Prinzip des gesetzlichen Richters *(kanuni hakim)* (Art. 37 Verfassung), das Prinzip der Unabhängigkeit der Gerichte *(bağımsız ve tarafsız hakim ilkesi)* (Art. 138, 140 Verfassung), das Prinzip des *Fair Trial* (Art. 36 Verfassung) und die Unschuldsvermutung *(suçsuzluk karinesi*, auch *masumluk karinesi*) (Art. 38 Abs. 4 Verfassung) betrachten

Als von zentraler Bedeutung für den türkischen Strafprozess wird der Grundsatz des *Fair Trial (Adil Yargılama, Dürüst İşlem)* angesehen (Art. 6 EMRK und Art. 36 Abs. 1 Verfassung). Direkt aus dem *Fair-Trial*-Prinzip werden beispielsweise der Grundsatz der Waffengleichheit *(silahlarda esitlik ilkesi)* und des rechtlichen Gehörs *(meram anlatma ilkesi)* abgeleitet, andere Rechte des Beschuldigten sind – wie erwähnt – in Gesetzen ausdrücklich geregelt. Wie aber in der türkischen Literatur festgestellt wird, ist der Umfang dessen, was zum Prinzip des *Fair Trial* gehört, ständig in Veränderung begriffen, da er der Rechtsprechung des Europäischen Gerichtshofs für Menschenrechte folgt, die sich kontinuierlich weiterentwickelt.

Jeder Beschuldigte ist bis zur Rechtskraft eines Urteils, das ihn für schuldig erklärt, als unschuldig zu betrachten. Diese Unschuldsvermutung (*suçsuzluk karinesi*, gelegentlich auch *masumluk karinesi*) ist in Art. 6 Abs. 2 EMRK und Art. 38 Abs. 4 Verfassung garantiert. Ein Angeklagter darf nur verurteilt werden, wenn die Straftat zur vollen Überzeugung des Gerichts bewiesen ist (Art. 223 Abs. 5 CMK). Zweifel schließen eine Verurteilung des Angeklagten nach dem Grundsatz *in dubio pro reo (şüpheden sanık yararlanır ilkesi)* aus.

In einem logischen Zusammenhang mit diesem Prinzip steht das *nemo-tenetur*-Prinzip *(kendisi aleyhine delil vermeme hakkı)*. Niemand ist gehalten, sich in einem Strafverfahren selbst zu belasten (Art. 38 Abs. 5 Verfassung, Art. 48 CMK). Daher steht auch jedem Beschuldigten das Recht zu, gegenüber Tatvorwürfen zu schweigen *(susma hakkı)*. Über diese Rechte ist ein Beschuldigter unverzüglich zu belehren (Art. 48, 90, 147 CMK).

Abgesehen von dem Recht zu schweigen hat jeder Beschuldigte auch das Recht, sich gegen den Vorwurf einer Straftat aktiv zu verteidigen *(müdafaa hakkı, savunma hakkı)*. Dieses Recht, das ihm in Art. 6 Abs. 3 EMRK und Art. 36 Verfassung garantiert wird, hat eine Reihe von Ausprägungen, die im Einzelnen Gegenstand gesetzlicher Regelungen sind. Zunächst hat der Beschuldigte Anspruch darauf, frühestmöglich zu erfahren, was genau ihm vorgeworfen wird (Art. 19 Abs. 3 Verfassung, Art. 147 Abs. 1 lit. b CMK). Ferner hat er das Recht, sich während des gesamten Verfahrens des Beistands eines Verteidigers zu bedienen (Art. 149 Abs. 1 CMK). Diesen kann er selbst wählen. Ist er dazu nicht in der Lage, so kann er die Beiordnung eines Verteidigers verlangen, der von der Rechtsanwaltskammer in dem Bezirk des zuständigen Gerichts ausgewählt wird (Art. 150 Abs. 1 CMK). Der Beschuldigte hat das Recht, jederzeit mit seinem Verteidiger zu sprechen, die Korrespondenz zwischen ihnen darf nicht kontrolliert werden (Art. 154 CMK). Der Beschuldigte beziehungsweise Angeklagte, der des Türkischen nicht in ausreichendem Maße mächtig ist, hat das Recht auf einen Dolmetscher, der ihm die wesentlichen Punkte von Anklage und Verteidigung übersetzt (Art. 202 CMK). Eine Behinderung der Verteidigung durch einen gerichtlichen Beschluss ist ein absoluter Revisionsgrund (Art. 289 Abs. 1 lit. h CMK).

Bei einem Anfangsverdacht auf das Vorliegen einer Straftat ist es nach dem Amtsermittlungsgrundsatz *(kovuşturmanın resmiliği ilkesi)* die Sache des Staatsanwalts, Ermittlungen aufzunehmen (Art. 160 Abs. 1 CMK). Dabei hat er Objektivität walten zu lassen und sowohl belastende wie entlastende Umstände zu ermitteln (Objektivitätsgrundsatz, *tarafsızlık ilkesi*) (Art. 160 Abs. 2 CMK). Erscheinen während der Ermittlungen Zwangsmaßnahmen erforderlich, so ist für diese eine richterliche Anordnung Voraussetzung *(hakim kararı almak mecburiyeti)* (Art. 19 Abs. 2 Verfassung, Art. 91 Abs. 4, Art. 101 Abs. 1 CMK).

Im türkischen Strafverfahren gilt grundsätzlich der Legalitätsgrundsatz *(kovuşturma mecburiyeti ilkesi)* (Art. 170 Abs. 1 CMK). Der Staatsanwalt ist demnach verpflichtet, bei hinreichendem Tatverdacht Anklage zu erheben. Bestimmte Bagatelldelikte sind nach Art. 75 TCK obligatorisch im Wege einer Verfahrenseinstellung gegen Zahlung der Mindeststrafe zu erledigen. Grund für diese strikte Regelung war von alters her die Besorgnis, dass der Staatsanwalt bei einer Geltung des Opportunitätsprinzips *(maksada/maslahata uygunluk ilkesi)* massiven Beeinflussungsversuchen ausgesetzt sein würde. Erst die Strafprozessordnung von 2004 (Gesetz Nr. 5271 vom 4.12.2004) gibt dem Staatsanwalt in einer sehr begrenzten Anzahl von Fällen die Möglichkeit, über eine Anklageerhebung nach pflichtgemäßem Ermessen zu entscheiden. Zum einen kann er in Fällen der tätigen Reue oder eines persönlichen Strafbefreiungsgrunds, in denen bereits das Strafgesetzbuch selbst vorsieht, dass eine Strafe entfällt, entscheiden, ob er Anklage erheben und die nötigen Feststellungen dem Gericht überlassen oder ob er selbst das Verfahren einstellen will (Art. 171 Abs. 1 CMK). Zum anderen kann er darüber entscheiden, ob er bei einem Antragsdelikt, das mit einer Höchststrafe von weniger als einem Jahr Freiheitsstrafe bedroht ist, nach Abschluss der Ermittlungen, die hinreichenden Tatverdacht ergeben haben, Anklage erhebt oder ob er das Verfahren für fünf Jahre vorläufig einstellt und so dem Beschuldigten die Aussicht auf eine endgültige Einstellung eröffnet, wenn er in diesen fünf Jahren keine weitere Straftat begeht. Allerdings ist auch die Anwendbarkeit dieses Verfahrens durch die Forderung des

Vorliegens weiterer Voraussetzungen, beispielsweise Schadenswiedergutmachung, beschränkt (Art. 172 Abs. 2–5 CMK).

Das türkische Strafverfahren ist ein akkusatorisches Verfahren *(itham sistemi)*. Jedes Strafverfahren vor Gericht ist durch eine Anklage der Staatsanwaltschaft einzuleiten *(davasız yargılama olmaz ilkesi)* (Art. 170 CMK). Die nach früherem Recht möglichen Privatklagen sind abgeschafft.

Das Gericht leitet das Verfahren und lässt nach dem Amtsermittlungsgrundsatz *(kovuşturmanın resmiliği ilkesi)* erforderlichenfalls selbst Beweismittel beschaffen. Es ist also nicht – wie im kontradiktorischen Verfahren *(taraf muhakemesi, çelişmeli muhakeme)* – auf das beschränkt, was die Parteien vorbringen. Mit der Möglichkeit des Kreuzverhörs *(çapraz sorgu)* (Art. 201 CMK) hat die Strafprozessordnung von 2004 zwar ein Element des kontradiktorischen Verfahrens eingeführt, ohne dadurch jedoch den Charakter des gesamten Verfahrens einschneidend zu ändern.

Das Strafverfahren dient der Wahrheitsfindung *(maddî gerçeğin araştırılması ilkesi)*, jedoch nicht um jeden Preis. Darum ist die Folter (Art. 3 EMRK, Art. 17 Abs. 3 Verfassung) verboten. Unter Anwendung von Folter oder auf sonstige Weise rechtswidrig erlangte Beweismittel dürfen im Strafverfahren nicht verwertet werden (Art. 38 Abs. 6 Verfassung).

Im Übrigen gilt das Prinzip der freien Beweisführung *(delillerin serbestliği ilkesi)*. Alle rechtmäßig erlangten Beweise können in ein Verfahren eingebracht werden, es sei denn, sie sind für die Beweisfrage ohne Bedeutung oder dienen der Prozessverschleppung (Art. 217 Abs. 2 CMK). Das Gericht hat seinerseits das Recht, diese Beweise nach seinem Gewissen frei zu würdigen *(delillerin serbest değerlendirilmesi ilkesi)* (Art. 217 Abs. 1 CMK).

Der Grundsatz der Unmittelbarkeit der Hauptverhandlung (*vasıtasızlık ilkesi* oder *delillerin doğrudan doğruyalığı ilkesi*) verlangt, dass Grundlage des Urteils nur sein darf, was in der Hauptverhandlung selbst zur Sprache gekommen ist (Art. 217 Abs. 1 CMK). Eine wichtige Auswirkung dieser Regelung ist, dass Zeugen zu ihrer Aussage in der Hauptverhandlung zu erscheinen haben. Davon ist der Grundsatz der Mündlichkeit *(sözlülük ilkesi)* der Hauptverhandlung zu unterscheiden (Art. 217 Abs. 1 CMK), der vor allem zur Folge hat, dass Dokumente, die in die Verhandlung eingeführt werden, zu verlesen sind (Art. 209–214 CMK).

Es gilt das Prinzip der Öffentlichkeit der Hauptverhandlung *(halka açıklık ilkesi, aleniyet ilkesi)* (Art. 141 Abs. 4 Verfassung, Art. 182 Abs. 1 CMK). In Ausnahmefällen kann die Öffentlichkeit durch Beschluss des Gerichts auf Antrag oder von Amts wegen ausgeschlossen werden. Dabei handelt es sich um Fälle, in denen das wegen der allgemeinen Sittlichkeit oder der öffentlichen Sicherheit dringend geboten erscheint (Art. 182 Abs. 2 CMK). Nur in Verfahren gegen Jugendliche wiegt das Interesse an ihrem Schutz vor Bloßstellung und damit möglicher Gefährdung ihrer weiteren Zukunft so schwer, dass die Öffentlichkeit von Gesetzes wegen ausgeschlossen ist (Art. 185 CMK).

Für das Strafverfahren gilt das durch die EMRK und die Verfassung (Art. 141 Abs. 4) garantierte Beschleunigungsgebot *(makul sürede yargılanma hakkı)*. Ein Verfahren ist demnach innerhalb einer angemessenen Frist durchzuführen (Art. 6 Abs. 1 EMRK). Der Verwirklichung dieser Forderung dient auch das Prinzip der Konzentration der Hauptverhandlung *(yogunluk prensibi)*. Demgemäß schreibt Art. 190 CMK vor, dass eine Hauptverhandlung grundsätzlich an einem Stück zu Ende zu führen ist. Unterbrechungen sind zwar in notwendigen Fällen zulässig. Es muss jedoch gewährleistet sein, dass das Verfahren insgesamt das Gebot der Beendigung in angemessener Frist nicht verletzt.

Hat das Verfahren mit einer Verurteilung des Angeklagten geendet, so steht ihm der Rechtsweg offen. Das ergibt sich aus Art. 36 Verfassung, der den Zugang zu Gerichten garantiert *(hakk arama hakkı, mahkemeye başvurma hakkı)*. In der Türkei bedeutet das die Revision beim Kassationshof *(Yargıtay)* (Art. 286–307 CMK); die neu zu errichtenden Berufungsgerichte (Art. 272–285 CMK) haben derzeit ihre Arbeit noch nicht aufgenommen. Der Verurteilte riskiert damit keine Verschlechterung seiner Situation, da das Verbot der *reformatio in peius* eine Verschärfung des Urteils verbietet (Art. 283, Art. 307 Abs. 4 CMK).

Niemand darf wegen einer Straftat ein zweites Mal vor Gericht gestellt werden. Der Grundsatz *ne bis in idem (iki kere yargılanmama hakkı)* ist für den Regelfall, dass bereits ein Urteil in der Türkei ergangen ist, in Art. 223 CMK festgeschrieben. Für den Sonderfall, dass bereits ein Urteil im Ausland ergangen ist, enthalten die Art. 9–13 TCK im Kapitel „Anwendungsbereich des Gesetzes“ detaillierte Regelungen.[8]

Grundsätzlich gilt das Auslieferungsverbot eigener Staatsbürger. Das ergibt sich aus Art. 38 Abs. 12 Verfassung und Art. 18 Abs. 2 TCK. Von diesem Verbot ist nur für einen einzigen Fall eine Ausnahme vorgesehen: Die Auslieferung eines eigenen Staatsbürgers ist zulässig, wenn sie aus Verpflichtungen resultiert, die sich aus einem Beitritt zum Römischen Statut für den Internationalen Strafgerichtshof ergeben. Diese Norm ist insofern bemerkenswert, als die Türkei bisher dem Römischen Statut noch gar nicht beigetreten ist. Gleichwohl haben die Verfassungsänderung von 2004 und das Strafgesetzbuch von 2004 schon eine Auslieferungsregelung vorweggenommen, die erst durch einen Beitritt zum Römischen Statut notwendig würde.

---

[8] Siehe dazu II.B.1.e.

Literaturhinweise zu Abschnitt D.

Artuk, Emin/Gökcen, Ahmet/Yenidünya, Ahmet Caner, Ceza Hukuku Genel Hükümler (Strafrecht Allgemeiner Teil). 3. Aufl. Ankara 2007, S. 1–5, 131–156, 823–833.

Centel, Nur, Kritische Betrachtungen zum neuen türkischen Strafgesetzbuch und zur neuen türkischen Strafprozessordnung. In: Silvia Tellenbach (Hrsg.), Das neue türkische Straf- und Strafprozessrecht. Berlin 2008, S. 41–64 (47 f.).

Centel, Nur/Zafer, Hamide, Ceza Muhakemesi Hukuku (Strafprozessrecht). 4. Aufl. Istanbul 2006, S. 99, 141–157, 574–584.

Centel, Nur/Zafer, Hamide/Çakmut, Özlem, Türk Ceza Hukukuna Giriş (Einführung in das türkische Strafrecht). 4. Aufl. Istanbul 2006, S. 4 f., 42–69, 531–550.

Demirbaş, Timur, Ceza Hukuku Genel Hükümler (Strafrecht Allgemeiner Teil). 5. Aufl. Ankara 2007, S. 62–55, 497–505.

Koca, Mahmut/Üzülmez, İlhan, Türk Ceza Hukuku Genel Hükümler (Türkisches Strafrecht Allgemeiner Teil). Ankara 2008, S. 27–29, 32–34, 37–49.

Kunter, Nurullah/Yenisey, Feridun/Nuhoğlu, Ayşe, Muhakeme Hukuku dalı Olarak Ceza Muhakemesi Hukuku (Das Strafverfahrensrecht als Teil des Verfahrensrechts). 16. Aufl. Istanbul 2008, S. 25–51.

Özbek, Veli Özer/Bacaksız, Pınar/Doğan, Koray, Ceza Hukuku Bilgisi – Genel Hükümler (Die Lehre vom Strafrecht – Allgemeiner Teil). Ankara 2006, S. 27 f., 36–42.

Özgenç, İzzet, Türk Ceza Hukuku Genel Hükümler (Türkisches Strafrecht Allgemeiner Teil). 3. Aufl. Ankara 2008, S. 35 f., 66–88.

Öztürk, Bahri, Die neue StPO der Türkei – Sicherheit in Freiheit. In: Silvia Tellenbach (Hrsg.), Das neue türkische Straf- und Strafprozessrecht. Berlin 2008, S. 73–101.

Öztürk, Bahri/Erdem, Mustafa Ruhan, Uygulamalı Ceza Muhakemesi Hukuku (Angewandtes Strafprozessrecht). 12. Aufl. Ankara 2008, S. 155–195.

Öztürk, Bahri/Erdem, Mustafa Ruhan/Sırma, Özge/Saygılar, Yasemin, Ceza Muhakemesi Hukuku – Temel Bilgiler (Strafprozessrecht – Grundlagen). 5. Aufl. Ankara 2007, S. 75–108.

Sözüer, Adem, Das neue türkische Strafgesetzbuch. In: Silvia Tellenbach (Hrsg.), Das neue türkische Straf- und Strafprozessrecht. Berlin 2008, S. 11–40 (16–18, 22–24).

Ünver, Yener, Ceza hukukuyla korunması amaçlanan hukuksal değer (Das durch Strafrecht zu schützende Rechtsgut). Ankara 2003, S. 436–470.

E. Abgrenzung und Einordnung des Strafrechts

1. Begriffliche und sachliche Umgrenzung des Strafrechts

Das Strafrecht wird einhellig als Teil des öffentlichen Rechts angesehen, weil es rechtliche Beziehungen zwischen Bürger und Staat betrifft. Im Weiteren zeigen sich jedoch unterschiedliche Sichtweisen. Für einen Teil der Autoren ist unter Strafrecht nur das Recht zu verstehen, das die als Straftaten anzusehenden Handlungen und die dafür zu verhängenden Sanktionen bestimmt *(ceza hukuku)*. Das Strafverfahrensrecht *(ceza muhakemesi hukuku)* als das formelle Recht, welches das Verfahren regelt, durch das alle Voraussetzungen zur Verurteilung zu einer Strafe oder Maßnahme festgestellt werden, steht selbstständig daneben. Das Strafvollstreckungsrecht *(ceza infaz hukuku)*, das sich mit der Vollstreckung der verhängten Sanktionen befasst, gehört für manche Autoren zum Strafrecht, andere sehen es ebenfalls als ein eigenständiges Rechtsgebiet an. Dagegen unterscheiden weitere Autoren zwischen Strafrecht im engeren Sinn, also dem materiellen Strafrecht, und dem Strafrecht im weiteren Sinn, welches das materielle Strafrecht, aber auch das Strafverfahrensrecht und das Strafvollstreckungsrecht umfasst.

Als Strafrecht wird jedenfalls das Rechtsgebiet bezeichnet, das alle Gesetzesverstöße erfasst, welche die Anwendung einer Strafe oder Maßnahme erfordern. Daher wird in der türkischen Literatur verschiedentlich darauf hingewiesen, dass der Begriff „Strafrecht" im Grunde nicht angemessen sei und das Rechtsgebiet eher „Recht der Straftaten" *(suç kanunu)* heißen müsste, der Begriff aber nun einmal eingebürgert sei. Das zentrale Gesetz, das Strafnormen enthält, ist das Strafgesetzbuch (*Türk Ceza Kanunu*, TCK). Daneben gibt es jedoch zahlreiche einzelne Gesetze, die weitere Strafvorschriften enthalten.

Das Verhältnis zu anderen Rechtsgebieten wird weniger unter dem Gesichtspunkt einer Abgrenzung als unter dem der Berührung und Verbindung gesehen. Die Verfassung gewährt die Rechte und Freiheiten, die einerseits durch das Strafrecht zu schützen sind, andererseits aber auch eine Kriminalisierung bestimmter Handlungen verbieten. Vom Strafrecht geschützte Werte wie beispielsweise Familie oder Vermögen sind vor allem im Zivilrecht geregelt. Das Schuldrecht als Teil des Zivilrechts gewährt Schadensersatzansprüche, wo das Strafrecht mit Strafen und Sicherungsmaßnahmen reagiert. Die Brücke zum Verwaltungsrecht schafft das Ordnungswidrigkeitenrecht, das in seinem Allgemeinen Teil stark an das Strafrecht angelehnt ist, im Sanktionenteil aber zum Verwaltungsrecht gehört.

2. Abgrenzung zu anderen repressiven Ordnungssystemen

Abgegrenzt werden Kriminalstrafen zu Verwaltungsstrafen *(idari cezalar)*. Sie haben in den letzten Jahren dadurch weiteres Gewicht gewonnen, dass die Übertretungen des Strafgesetzbuchs von 1926 nicht mehr in das neue Strafgesetzbuch aufgenommen worden sind, sondern stattdessen ein Ordnungswidrigkeitengesetz (*Kabahatler Kanunu*, KK, Gesetz Nr. 5326 vom 30.3.2005) geschaffen wurde, das in seinem Allgemeinen Teil auch die Grundsätze des Ordnungswidrigkeitenrechts festlegt. Eine Ordnungswidrigkeit *(kabahat)* ist ein Unrecht, für das das Gesetz eine Verwaltungsstrafe vorsieht (Art. 2 KK). Dabei gilt das Gesetzlichkeitsprinzip (Art. 4 KK); Ordnungswidrigkeiten können vorsätzlich oder fahrlässig begangen werden, sofern das Gesetz nichts anderes bestimmt (Art. 9 KK). Sanktionen werden in der Regel von einer Verwaltungsbehörde, in Ausnahmefällen auch von einem Staatsanwalt oder Gericht verhängt (Art. 22–24 KK). Sie dienen der Vorbeugung und die möglichen Sanktionen sind begrenzt. So dürfen im Verwaltungsverfahren keine Freiheitsstrafen verhängt werden, sondern nur Geldbußen *(idarî para cezaları)* und weitere in einzelnen Gesetzen besonders vorgesehene Verwaltungssanktionen (Art. 16–19 KK). Rechtsmittelinstanz ist das Friedensgericht *(sulh mahkemesi)* (Art. 27 KK), weitere Instanz das Gericht für schwere Strafsachen *(ağır ceza mahkemesi)* (Art. 29 KK).

Der Unterschied zu den Disziplinarstrafen *(disiplin cezaları)* liegt darin, dass diesen nicht alle Bürger gleichermaßen unterliegen, sondern dass sie an ein Fehlverhalten in einem bestimmten Beruf oder einer Beamtenfunktion anknüpfen. Das Gesetzlichkeitsprinzip gilt hier nicht mit derselben Strenge wie im Straf- und Ordnungswidrigkeitenrecht. In den Strafnormen finden sich öfter allgemeine Begriffe, die den Anforderungen, die das Strafrecht an die Bestimmtheit einer Norm stellen würde, nicht genügen, beispielsweise Formulierungen wie „Handlungen, die mit dem Status eines Studenten nicht zu vereinbaren sind“. Auch Disziplinarstrafen sind eigentlich Verwaltungsstrafen, die von Verwaltungsbehörden verhängt werden, in erster Linie eine Ermahnungsfunktion haben und besondere Folgen (beispielsweise Gehaltskürzungen oder Rückstufungen) zum Inhalt haben.

3. Einordnung spezieller Maßnahmen für bestimmte Tätergruppen

Maßnahmen orientieren sich, wie in der Literatur festgestellt wird, an der Gefährlichkeit eines Täters, bezwecken seine Heilung und Besserung, aber auch die Vorbeugung weiterer Straftaten und den Schutz der Gesellschaftsordnung. Sie sind somit zukunftsbezogen, im Gegensatz zur Strafe, die sich an der Schuld orientiert und gewissermaßen vergangenheitsbezogen ist. Auch für Maßnahmen gilt jedoch das Gesetzlichkeitsprinzip (Art. 2 Abs. 1 TCK).[1] Sie sind in der Regel Teil des Strafrechts und sie können je nach Fall sowohl neben wie auch anstelle einer Strafe verhängt werden.

Dabei gibt es im neuen Strafgesetzbuch eine Besonderheit. Es weitet nämlich den Begriff „Sicherungsmaßnahmen" *(güvenlik tedbirleri)* erheblich aus und erfasst damit alle strafrechtlichen Sanktionen außer Strafen. Darunter fallen also nicht nur Sanktionen, die der Sicherung dienen, sondern auch andere Maßnahmen, die etwa in erster Linie der Besserung dienen. Ferner ordnet es unter den Begriff der Sicherungsmaßnahmen, was in der Literatur kritisch bemerkt wird, auch Sanktionen ein, die in dem früheren Strafgesetzbuch von 1926 wie auch in zahlreichen anderen Strafrechtsordnungen als Nebenstrafen und Nebenfolgen eingeordnet sind, beispielsweise den Entzug bestimmter Rechte (Art. 53 TCK) oder Einziehung und Verfall (Art. 54, 55 TCK).

Im Strafgesetzbuch werden gegen Personen, die wegen geistiger Störungen zurechnungsunfähig sind, Sicherungsmaßnahmen vorgesehen (Art. 32 Abs. 1, Art. 57 TCK). Personen, die bei der Tat vermindert zurechnungsfähig waren, werden leichter bestraft; die verhängte Strafe kann jedoch auch als Sicherungsmaßnahme vollstreckt werden (Art. 32 Abs. 2, Art. 57 TCK). Allerdings werden Personen, deren Unzurechnungsfähigkeit auf freiwillig konsumiertem Alkohol oder freiwillig konsumierten Betäubungsmitteln beruht, wie voll Zurechnungsfähige behandelt (Art. 34 Abs. 2 TCK).[2]

Etwas weiter entwickelt sind die Sicherungsmaßnahmen gegen *straffällige* Jugendliche. Allerdings gibt es auch fast 30 Jahre nach Erlass des ersten Jugendgerichtsgesetzes bisher nur in wenigen Großstädten Jugendgerichte mit spezialisierten Jugendrichtern, wenn auch jetzt mit zunehmender Tendenz. In der weitaus größten Anzahl von Verfahren amtiert noch ein normales Gericht. Dieses hat allerdings die Besonderheiten des Jugendstrafverfahrens und der Jugendstrafen zu beachten. Was die Letzteren betrifft, so werden Jugendliche ab 15 Jahren zwar leichter bestraft als Erwachsene, aber letztlich mit denselben Arten von Strafen (Art. 31 Abs. 3 TCK). Bei Straffälligen ab 12 Jahren und unter 15 Jahren ist zu prüfen, ob sie bereits die intellektuelle Reife haben, die rechtliche Bedeutung ihres Handelns und seiner Folgen zu verstehen, und ob sie fähig sind, danach zu handeln. Haben sie den entsprechenden Entwicklungsstand bereits erreicht, so werden sie bestraft, wenn auch mit erheblich gemilderten Strafen.[3] Ist das nicht der Fall, so werden gegen sie, ebenso wie gegen Kinder unter 12 Jahren (Art. 31 Abs. 1 und 2, Art. 56 TCK), die besonderen Sicherungsmaßnahmen für Kinder verhängt, die in Art. 5 und 11 Jugendschutzgesetz (*Çocuk Koruma Kanunu*, Gesetz Nr. 5395 vom

---

[1] Siehe ausführlich dazu II.A.

[2] Vergleiche auch II.J.7.

[3] Siehe näher II.J.6.

3.7.2005) geregelt sind, zum Beispiel die Einweisung in ein Erziehungsheim. Für Taubstumme sind diese Altersgrenzen um drei Jahre nach oben verschoben. Sie werden also erst ab 15 Jahren eingeschränkt strafmündig, bis 18 können gegen sie erheblich gemilderte Strafen oder Sicherungsmaßnahmen verhängt werden (Art. 33 TCK)

Ebenfalls im Strafgesetzbuch finden sich Vorschriften für Käufer und Konsumenten von Betäubungs- und Aufputschmitteln. Konsumenten können einer Behandlung und der Sicherungsmaßnahme der kontrollierten Freiheit, Käufer nur der Maßnahme der kontrollierten Freiheit unterzogen werden. Stehen sie diese erfolgreich durch, wird ein Strafverfahren eingestellt (Art. 191 Abs. 2–5 TCK). Möglich ist auch, dass gegen einen Konsumenten nach Verhängung einer Strafe die Sicherungsmaßnahmen der Behandlung und kontrollierten Freiheit angeordnet werden, was allerdings nur möglich ist, wenn die Maßnahmen zum ersten Mal verfügt werden. Verhält sich der Konsument den Erfordernissen dieser Sicherungsmaßnahmen entsprechend, so wird die Strafe als verbüßt angesehen, anderenfalls wird sie unverzüglich vollstreckt (Art. 191 Abs. 6 und 7 TCK).

Gegen Rückfalltäter, Gewohnheitstäter, gewerbsmäßige Täter und Mitglieder krimineller Organisationen, die das Gesetz als besonders gefährliche Täter bezeichnet, wird ferner im Urteil die Maßnahme der kontrollierten Freiheit im Anschluss an die Verbüßung einer Freiheitsstrafe verhängt (Art. 58 Abs. 6–9 TCK).

Eine deutliche Zunahme der Anwendung von Maßnahmen dürfte sich daraus ergeben, dass das Gesetz Sicherungsmaßnahmen, die ja kein Verschulden voraussetzen, in dem neuen Strafgesetzbuch als die Sanktionsform gegen juristische Personen vorgesehen hat (Art. 20 Abs. 2, Art. 69 TCK).[4]

Unter den Sicherungsmaßnahmen führt das Gesetz auch die Ausweisung ausländischer Straftäter nach Verbüßung einer Gefängnisstrafe auf (Art. 59 TCK). Diese Maßnahme war ursprünglich vom erkennenden Gericht zu verhängen. Auf Drängen der Polizeibehörden wurde die Vorschrift dann so geändert, dass nunmehr das Innenministerium über eine Abschiebung entscheidet. Damit ist diese Maßnahme trotz ihrer Stellung im Strafgesetzbuch nicht mehr Teil des Strafrechts, sondern des Verwaltungsrechts.

---

[4] Dazu eingehend II.H.

Literaturhinweise zu Abschnitt E.

Artuk, Emin/Gökcen, Ahmet/Yenidünya, Caner, Ceza Hukuku – Genel Hükümler I (Strafrecht – Allgemeiner Teil I). 3. Aufl. Ankara 2007, S. 3–13, 999–1053.

Centel, Nur, Ceza Hukukuna Giriş (Einführung ins Strafrecht). 5. Aufl. Istanbul 2008, S. 3–13, 719–761.

Demirbaş, Timur, Ceza Hukuku Genel Hükümler (Strafrecht Allgemeiner Teil). 5. Aufl. Ankara 2007, S. 51–60, 565–588.

Nuhoğlu, Ayşe, Ceza Hukukunda Emniyet Tedbirleri (Sicherungsmaßnahmen im Strafrecht). Ankara 1997, S. 9–24, 50–60.

Özgenç, İzzet, Türk Ceza Hukuku – Genel Hükümler (Türkisches Strafrecht – Allgemeiner Teil). 3. Aufl. Ankara 2008, S. 37–43, 662–710.

Öztürk, Bahri/Erdem, Mustafa Ruhan, Uygulamalı Ceza Hukuku ve Emniyet Tedbirleri Hukuku (Angewandtes Strafrecht und Recht der Maßnahmen der Sicherung). 10. Aufl. Ankara 2008, S. 28, 31 f., 382–414.

Rechtsprechung

VerfGE vom 9.3.1971, E. 1970/42, K. 1971/30

F. Strafrechtsquellen und Auslegungshilfen

1. Überblick

Die höchstrangige Gesetzesnorm ist die Verfassung *(anayasa)*.[1] Ihr folgen einfache Gesetze *(kanun)* (Art. 87 Verfassung) und Dekrete mit Gesetzeskraft *(kanun hükmünde karar)*, die vom Ministerrat aufgrund eines Ermächtigungsgesetzes *(yetki kanunu)* erlassen werden dürfen (Art. 91 Verfassung). Im Rang darunter stehen Rechtsverordnungen des Ministerrats *(tüzük)* (Art. 115 Verfassung) und Durchführungsverordnungen *(yönetmelik)* (Art. 124 Verfassung), die von Ministerien und juristischen Personen des öffentlichen Rechts, wie zum Beispiel auch Universitäten, erlassen werden können.

Kriminalstrafrechtliche Strafvorschriften dürfen nur durch Gesetz geschaffen werden.[2] Dekrete mit Gesetzeskraft dürfen keine Strafvorschriften enthalten, ebenso wenig alle sonstigen untergesetzlichen Normen (Art. 2 Abs. 2 TCK). Die einzige akzeptierte Konstruktion, die man als Abweichung von diesem Grundsatz ansehen könnte, sind Blankettvorschriften *(beyaz hükümler)*, bei denen zwar wesentliche Merkmale der Straftat im Gesetz festgelegt sind, dennoch aber zur Anwendung einige Punkte offen bleiben, die durch Rechtsverordnung des Ministerrats ausgefüllt werden. Das bekannteste Beispiel ist hier das Gesetz Nr. 1567 vom 20.2.1930 in der Fassung vom 30.7.2003 zum Schutz des türkischen Geldes.

2. Geschriebene Rechtsnormen

Die entscheidende Rechtsquelle im Strafrecht ist das Gesetz *(kanun)*. Dieses muss in dem für Gesetze vorgesehenen parlamentarischen Verfahren verabschiedet und in Kraft getreten sein. Keine Handlung kann bestraft und keine Strafe kann verhängt und vollstreckt werden, die nicht ausdrücklich im Gesetz sowohl zur Tatzeit wie zur Urteilszeit vorgesehen ist (Art. 2 Abs. 1 TCK). Ein Gesetzestext steht zwar der Auslegung offen, aber nur in den Grenzen seines Wortlauts und seines Zwecks. Die Grenze ist da erreicht, wo die Analogie anfängt, und Analogie ist verboten (Art. 2 Abs. 3 TCK).[3]

Gesetze werden mit Namen, aber auch mit einer Nummer und dem Datum des Erlasses zitiert. Dabei werden die Nummern unabhängig von den Jahren durchgezählt; es wurde jedoch seit Anfang der Republik zweimal wieder mit 1 begonnen. Die erste Zählung ging von 1920 bis 1960 mit den Gesetzesnummern 1–7480, nach

---

1 Siehe ausführlich oben I.C.

2 Zum Gesetzlichkeitsprinzip siehe II.A.

3 Siehe dazu II.A.3.c.

dem Umsturz von 1960 wurde neu von Nr. 1–375 gezählt, 1962 wurde noch einmal bei 1 angesetzt, am 31.12.2008 war man bei Nr. 5829 angelangt. Es ist also möglich, dass mehrere Gesetze die gleiche Nummer haben und nur durch Nennung von Name und/oder Datum richtig identifiziert werden können. Gesetze werden im Amtsblatt (*Resmi Gazete*, www.rega.basbakanlik.gov.tr) sowie beispielsweise in der Sammlung *Düstur*, herausgegeben vom Ministerpräsidentenamt, veröffentlicht.

Das augenfälligste Gesetz zum Strafrecht ist das Strafgesetzbuch *(Türk Ceza Kanunu*, TCK) Gesetz Nr. 5237 vom 26.9.2004, in Kraft seit dem 1.6.2005. Es trat nach über 20-jährigen Reformbemühungen an die Stelle des Gesetz Nr. 725 vom 1.3.1926. Dieses war in den knapp 80 Jahren seines Bestehens rund 60 Mal geändert worden, galt aber trotzdem schon lange in weiten Bereichen als grundlegend reformbedürftig.[4]

Zahlreiche Strafvorschriften finden sich jedoch auch außerhalb des Strafgesetzbuchs in Nebengesetzen, und Verfahren wegen Verstößen gegen derartige Nebengesetze machen in der Praxis etwa zwei Drittel aller Strafverfahren aus. Die wichtigsten von ihnen sind das Zwangsvollstreckungs- und Konkursgesetz (Gesetz Nr. 2004 vom 19.6.1932 in der Fassung von Gesetz Nr. 5219 vom 14.7.2004), das Scheckgesetz (Gesetz Nr. 3167 vom 19.3.1985 in der Fassung von Gesetz Nr. 4814 vom 26.2.2003), das Straßenverkehrsgesetz (Gesetz Nr. 2918 vom 13.10.1983 in der Fassung von Gesetz Nr. 4896 vom 17.6.2003) und das Forstgesetz (Gesetz Nr. 6831 vom 31.8.1956 in der Fassung von Gesetz Nr. 5192 vom 17.6.2004).

Zudem wurde der Bereich der Bagatellkriminalität, der in dem früheren Strafgesetzbuch in einem Übertretungsteil geregelt war, in das neue Strafgesetzbuch nicht mehr aufgenommen. Es wurde vielmehr ein eigenständiges Ordnungswidrigkeitengesetz (*Kabahatler Kanunu*, KK) geschaffen (Gesetz Nr. 5326 vom 30.3.2005).

Alle Fragen, die jugendliche Straftäter betreffen, sind im Jugendschutzgesetz (*Çocuk Koruma Kanunu*, ÇKK, Gesetz Nr. 5395 vom 3.7.2005) enthalten. Dieses behandelt sowohl die besonderen Maßnahmen gegen Kinder und Jugendliche wie auch die Ausgestaltung von Jugendgerichten und die Besonderheiten eines Strafverfahrens gegen Kinder und Jugendliche.

Das Strafprozessrecht ist in der Strafprozessordnung (*Ceza Muhakemesi Kanunu*, CMK, Gesetz Nr. 5271 vom 4.12.2004) geregelt, das an die Stelle des Gesetz Nr. 1412 vom 4.4.1929 getreten ist. Die Strafvollstreckung ist im Strafvollstreckungsgesetz (*Ceza ve Güvenlik Tedbirlerinin İnfazı Hakkında Kanunu*, CGİK, Gesetz Nr. 5275 vom 13.12.2004) geregelt, das sich allerdings weit überwiegend mit dem Strafvollzug befasst.

---

[4] Siehe dazu I.G.

Art. 90 Abs. 5 Satz 1 Verfassung sieht vor, dass völkerrechtliche Verträge Gesetzeskraft erlangen, wenn sie verfassungsgemäß, nämlich durch Ratifikationsgesetz im Parlament mit anschließender Verkündung (Art. 90 Abs. 1 Verfassung) in Kraft gesetzt worden sind. Der Einwand der Verfassungswidrigkeit eines solchen Gesetzes ist unzulässig (Art. 90 Abs. 5 Satz 2 Verfassung). Stehen internationale Konventionen, die Grundrechte und Grundfreiheiten betreffen und in der Türkei verfassungsgemäß Gesetzeskraft erlangt haben, mit nationalem Recht in Widerspruch, so gehen sie diesem vor (Art. 95 Abs. 5 Satz 3 Verfassung).

Völkerrechtliche Verträge, die gemäß Art. 90 Abs. 5 Verfassung türkisches Recht geworden sind, verpflichten zwar häufig die Mitgliedstaaten, ein bestimmtes Verhalten zu unterbinden, enthalten aber meist noch keine bestimmten, unmittelbar anwendbaren Strafnormen, sondern beschränken sich darauf, den nationalen Gesetzgeber zum Tätigwerden zu verpflichten. Kommt dieser seiner Pflicht nicht nach, dann bleibt auch die Wirkung der Konvention manchmal begrenzt. So hat die Türkei zwar vor über 50 Jahren die Genozidkonvention ratifiziert, verfügt aber bis heute über keinen entsprechenden Straftatbestand. Auf der anderen Seite kann eine in Kraft getretene Konvention, auch wenn sie keine konkreten Straftatbestände enthält, die verfassungs- und konventionsgemäße Auslegung einer Vorschrift erheblich beeinflussen. Die EMRK etwa übt heute eine bedeutende Wirkung im Straf- und Strafprozessrecht aus. Erwähnung verdient in diesem Zusammenhang besonders Art. 311 Abs. 1 f) CMK, der einen besonderen Wiederaufnahmegrund für den Fall vorsieht, dass eine türkische Gerichtsentscheidung vom Europäischen Gerichtshof für Menschenrechte als Verstoß gegen die EMRK angesehen wird.

Auch das Verfassungsgericht *(Anayasa Mahkemesi)* kann in gewissen Grenzen eine Rechtsquelle im hiesigen Sinn sein. Es kann zwar nicht ein Gesetz schaffen, aber an der Änderung oder Abschaffung eines bestehenden Gesetzes maßgeblich mitwirken. Kommt es in einer Entscheidung zu dem Ergebnis, dass eine Strafvorschrift verfassungswidrig ist, so setzt es dem Gesetzgeber eine Frist bis zu einem Jahr zur Schaffung einer neuen, verfassungsmäßigen Norm. Nutzt der Gesetzgeber diese Frist nicht zu einer Neuregelung, so entfällt die beanstandete Norm ersatzlos. Auf diese Weise ist vor einigen Jahren etwa die Strafbarkeit des Ehebruchs abgeschafft worden.

Gesetzgebungsmaterialien gibt es zwar, ihre Bedeutung für die Rechtsprechung ist aber gering, da sie meist wenig ergiebig sind. Wo die amtlichen Gesetzesbegründungen ausnahmsweise aussagekräftig sind, werden sie insbesondere vom Kassationshof bei Bedarf als Auslegungshilfen herangezogen.

3. Gewohnheitsrecht

Gewohnheitsrecht *(örf ve adet)* und Sittengesetz *(ahlak)* sind keine unmittelbaren Rechtsquellen im Strafrecht. Sie können aber indirekt eine Wirkung ausüben, da sie häufig die Auslegung eines Begriffs maßgeblich beeinflussen. Nach dem früheren Strafgesetzbuch, das wichtige Rechtfertigungsgründe wie zum Beispiel die Einwilligung nicht gesetzlich regelte, hatte die Anwendung von Gewohnheitsrecht eine nicht zu unterschätzende Bedeutung bei der Gesetzesanwendung zugunsten des Angeklagten. Nachdem das neue TCK derartige Rechtfertigungsgründe weitgehend kodifiziert hat,[5] hat das Gewohnheitsrecht deutlich an Bedeutung verloren. Dennoch kann es beispielsweise bei der Interpretation des Rechtfertigungsgrundes der Ausübung eines Rechts weiter eine Rolle spielen. So wird etwa Eltern gewohnheitsrechtlich noch das Recht zu einer leichten Züchtigung eines Kindes als Erziehungsmaßnahme zugestanden. Aus den (möglicherweise unterschiedlichen) Vorstellungen über das Sittengesetz ergibt sich zum Beispiel, was als unanständiges oder obszönes Verhalten gilt.

Wegen des Grundsatzes *nullum crimen sine lege scripta* kann Völkergewohnheitsrecht keine Strafnormen schaffen.[6] Hier bleibt vielmehr der Gesetzgeber aufgerufen, in gebotenen Fällen eine gesetzliche Regelung herbeizuführen.

4. Rechtsprechung

Die Konkretisierung des Gesetzes erfolgt in der Rechtsanwendung durch die Gerichte. Die Urteile des Kassationshofs (nicht aber Entscheidungen der Untergerichte) werden in einer amtlichen Rechtsprechungssammlung (*Yargıtay Kararları Dergisi*, herausgegeben vom Kassationshof), in Zeitschriften von Anwaltskammern und häufig in einer Art Leitsatzsammlung mit wenigen kommentierenden Bemerkungen veröffentlicht. Sie bilden eine wichtige Auslegungshilfe für die Interpretation der Gesetze, sind aber nicht bindend. Eine Ausnahme stellen nur die sogenannten Entscheidungen zur Vereinheitlichung der Rechtsprechung *(İçtihadi birleştirme kararı)* (Art. 8, 16, 45 Kassationshofsgesetz Nr. 2797 vom 4.2.1983) dar, die jedoch selten ergehen: Vertreten Senate eine unterschiedliche Rechtsprechung oder möchte ein Senat von einer gefestigten Rechtsprechung abweichen, so fällt ein erweiterter Großer Senat eine Entscheidung, die dann die Gerichte wie ein Gesetz bindet.

Für Gerichtsentscheidungen ist auch die Rechtsprechung des Europäischen Gerichtshofs für Menschenrechte zunehmend wichtig, die vor allem das Prozessrecht stark beeinflusst.

---

5 Siehe näher II.J.

6 Ausführlich hierzu II.A.3.a.

5. Schrifttum

Auslegungshilfen bietet ferner auch das Schrifttum. Allerdings sind in der Türkei die Beziehungen zwischen Literatur und Rechtsprechung nicht so eng wie in manchen anderen Ländern. Insbesondere Lehrbücher, Monografien und Kommentarliteratur stammen in der Regel von Universitätslehrern mit engen Auslandskontakten, was dazu führt, dass sie sehr häufig deutsche, französische und italienische Literatur und Rechtsprechung zitieren, aber nur wenig türkische, und man fragt sich manchmal, ab wann eine Auffassung eigentlich als „türkische Lehre" angesehen werden kann. Die Richter des völlig überlasteten Kassationshofs dagegen halten die gesetzlich vorgeschriebenen Urteilsbegründungen meist sehr knapp und setzen sich nur in wenigen Entscheidungen überhaupt mit Meinungen aus der Literatur auseinander. Vorwiegend geschieht das in Minderheitsvoten, in denen die abweichende Auffassung oft sorgfältiger und differenzierter als die Mehrheitsmeinung begründet wird.

Literaturhinweise zu Abschnitt F.

Artuk, Emin/Gökcen, Ahmet/Yenidünya, Caner, Ceza Hukuku – Genel Hükümler I (Strafrecht – Allgemeiner Teil I). 3. Aufl. Ankara 2007, S. 117–160.

Centel, Nur/ Zafer, Hamide/Çakmut, Özlem, Ceza Hukukuna Giriş (Einführung ins Strafrecht). 5. Aufl. Istanbul 2008, S. 72–84.

Demirbaş, Timur, Ceza Hukuku Genel Hükümler (Strafrecht Allgemeiner Teil). 5. Aufl. Ankara 2007, S. 95–106.

Özgenç, İzzet, Türk Ceza Hukuku – Genel Hükümler (Türkisches Strafrecht – Allgemeiner Teil). 3. Aufl. Ankara 2008, S. 44–60.

Öztürk, Bahri/Erdem, Mustafa Ruhan, Uygulamalı Ceza Hukuku ve Emniyet Tedbirleri Hukuku (Angewandtes Strafrecht und Recht der Maßregeln der Sicherung). 10. Aufl. Ankara 2008, S. 55–58.

Soyaslan, Doğan, Ceza Hukuku Genel Hükümler (Strafrecht Allgemeiner Teil) 3. Aufl. Ankara 2005, S. 79–98.

G. Entwicklung des Strafrechts, Strafverfahrensrechts und Strafvollstreckungsrechts

1. Überblick

In dem etwa 600 Jahre bestehenden Osmanischen Reich galt islamisches Strafrecht, das ergänzt wurde von dem Strafrecht, das die Herrscher schufen. Es konnte nach den Bedürfnissen und Interessen von Staat und Gesellschaft erlassen werden, sofern es der Scharia nicht widersprach. Im modernen Recht von heute ist davon nicht einmal mehr die leiseste Spur vorhanden. Der Bruch mit dem alten Recht vollzog sich aber nicht plötzlich, etwa mit dem Zusammenbruch des Osmanischen Reichs nach dem Ersten Weltkrieg. Dieser war vielmehr nur der endgültige Schritt, nachdem sich das Recht schon im Lauf der vorangegangenen Jahrzehnte deutlich gewandelt hatte.

Das Edikt von Gülhane von 1839 leitete die Zeit der Tanzimat-Reformen (1839–1876) ein, die im Osmanischen Reich zahlreiche Änderungen in Staat und Gesellschaft herbeiführten.[1] Bereits im Jahr 1840 erging ein Strafgesetzbuch *(Ceza Kanunnamesi)*, das mit 41 Artikeln zwar nur eine begrenzte Anzahl von Bestimmungen enthielt, aber wichtige Grundsätze formulierte. Strafbar sollten nur noch Handlungen sein, die vor ihrer Begehung für strafbar erklärt worden waren, und alle Menschen sollten vor dem Gesetz gleich sein. Ferner wurde die Verhängung der Todesstrafe begrenzt, und sie musste vor einer Vollstreckung vom Sultan bestätigt werden. Als Strafen waren unter anderem die Todesstrafe, die Galeerenstrafe und die Verbannung vorgesehen. Die Strafen dieses Gesetzes waren noch absolut und ließen dem Richter keine Möglichkeit zu Strafmilderungen oder Strafschärfungen im Einzelfall. Bereits elf Jahre später wurde es durch ein neues Strafgesetzbuch ersetzt *(Kanun-i Cedit)*. Dieses enthielt erstmals Regelungen zu Teilnahme und Rückfall und legte für einige Delikte einen Strafrahmen fest, aus dem der Richter die Strafe nach seinem Ermessen wählen konnte. Es sah aber in einigen Fällen auch Verurteilungen zu Freiheitsstrafen von unbestimmter Dauer vor: Der Täter sollte entlassen werden, wenn er sich gebessert hatte. In diesem Gesetz wurde ferner die Möglichkeit geschaffen, dass der Staat ein Tötungs- oder Körperverletzungsdelikt auch dann verfolgen konnte, wenn der Bluträcher dem Täter verziehen hatte. Erst dadurch wurde die Strafverfolgung in diesen Fällen zu einer öffentlichen Angelegenheit.

In den folgenden Jahren, vor allem seit dem Reformedikt von 1856, nahm der Einfluss des Westens, insbesondere Frankreichs, bei den Reformbestrebungen zu. So wurde 1858 wiederum ein neues Strafgesetzbuch verabschiedet *(Ceza Kanunnamei Hümayunu)*, das im Wesentlichen eine Übersetzung des *Code Napoléon* von

---

[1] Siehe oben I.B.1.

1810 war und bis 1926 in Kraft blieb. In diesem Strafgesetzbuch, das noch eine salvatorische Klausel für das islamische Recht enthielt, gab es zum ersten Mal in einem osmanischen Strafgesetz einen ausgearbeiteten Allgemeinen Teil und eine Aufteilung der Straftaten in Verbrechen, Vergehen und Übertretungen. Bei den Strafen gewinnt erst jetzt die Gefängnisstrafe ein größeres Gewicht, die bisher nur für leichte Straftaten für kurze Zeit verhängt worden war.

In den Jahrzehnten der Tanzimat-Zeit waren die Gerichtsverfassung und dementsprechend die Verfahren recht uneinheitlich. Nebeneinander bestanden Scheriatsgerichte und die 1864 gegründeten *Nizamiye*-Gerichte, die Ersteren waren für das islamische Recht, die Neueren für das staatliche Recht zuständig. Überschneidungen der Zuständigkeiten waren jedoch häufig. Bei den Scheriatsgerichten gab es Einzelrichter, die in religiösen Institutionen nach dem islamischen Recht ausgebildet waren. Bei den *Nizamiye*-Gerichten wurden zwei Neuerungen eingeführt, die im islamischen Recht und damit auch im osmanischen Recht keinen Platz hatten: Kollegialgerichte und Instanzenzüge. Überdies bestanden diese Kollegialgerichte aus einem Richter, der in einer neuen Ausbildungsstätte nach dem neuen Recht ausgebildet war, sowie einigen Honoratioren, die keine juristische Ausbildung hatten, also Laienrichter waren. 1879 wurde dann auch die französische Strafprozessordnung von 1807 übernommen. Im gleichen Jahr wurde ein Gerichtsverfassungsgesetz erlassen, durch das die Institution der Staatsanwaltschaft eingeführt wurde. 1875 wurden bei den Istanbuler Gerichten Anwälte zugelassen.

Am Ende des Osmanischen Reichs war also das türkische Straf- und Strafprozessrecht französisch geprägt. Die neugegründete Republik, die auf allen Gebieten des Rechts eine aktive Gesetzgebungstätigkeit entfaltete, war aber bestrebt, jeweils die modernsten europäischen Gesetzgebungen zu übernehmen. Da seinerzeit der italienische *Codice Zanardelli* von 1889 in dem Ruf stand, das beste und modernste europäische Strafgesetzbuch zu sein, und bereits bei einem Reformgesetz von 1911 weitgehend als Vorbild genutzt worden war, verwundert es nicht, dass das türkische Strafgesetzbuch von 1926 im Wesentlichen eine Übernahme des *Codice Zanardelli* war, auch wenn einige Elemente des osmanischen Strafgesetzbuchs, wie zum Beispiel die Todesstrafe, die im *Codice Zanardelli* bereits nicht mehr enthalten war, im neuen Strafgesetzbuch weiter ihren Platz behielten. Ursprünglich war geplant, auch die italienische Strafprozessordnung zu übernehmen, aber während der vorbereitenden Arbeiten wuchsen die Zweifel, ob dieses Gesetz mit den bereits in der Türkei bestehenden Gerichtsstrukturen zusammenpasste. Außerdem wurde bekannt, dass an der italienischen Strafprozessordnung verschiedentlich Kritik geübt worden war. So entschloss man sich auf Rat des Istanbuler Strafrechtslehrers *Taner*, die deutsche Strafprozessordnung zu übernehmen. Das geschah 1929.

2. Entwicklung des materiellen Strafrechts

– Entwicklungen im Strafrecht während der Geltung des Strafgesetzbuchs von 1926

In den fast 80 Jahren seines Bestehens wurde das türkische Strafgesetzbuch von 1926 häufig geändert. Größere Änderungsgesetze von 1933 und 1936 hatten es besonders im Bereich der Staatsschutzdelikte dem italienischen *Codice Rocco* von 1930 angenähert, der unter faschistischem Einfluss eine verschärfte Staatsschutzgesetzgebung vorsah. Einschneidend war ferner ein Gesetz von 1953, das – entgegen der allgemeinen Tendenz zu einer Liberalisierung des öffentlichen Lebens – eine Reihe von Strafvorschriften erweiterte und verschärfte, beispielsweise Tötungs- und Körperverletzungsdelikte, Diebstahl, Raub, Sexual- und Rauschgiftdelikte. Dem Vernehmen nach sollte damit der Bevölkerung signalisiert werden, dass größere Freiheiten keinesfalls zu deren Missbrauch führen dürften. 1940 und 1958 bestanden Pläne, das Strafgesetzbuch völlig durch ein neues, ebenfalls am italienischen Vorbild ausgerichtetes Strafgesetzbuch zu ersetzen. Diese verschwanden jedoch in den Schubladen.

An wichtigen Regelungen, die schon früh außerhalb des Strafgesetzbuchs in besonderen Gesetzen kodifiziert wurden und damit Regelungen des Strafgesetzbuchs stark abwandelten, häufig ohne sie ausdrücklich aufzuheben, ist besonders das Strafvollstreckungsgesetz Nr. 647 vom 14.7.1965 zu nennen, das entgegen seinem Namen nicht nur den Strafvollzug, sondern auch das Sanktionenrecht insgesamt erheblich änderte, etwa die Verbannungsstrafe aufhob; ferner das Jugendgerichtsgesetz Nr. 2253 vom 7.11.1979 in der Fassung des Gesetzes Nr. 4778 vom 2.1.2003, das nicht nur Jugendgerichte schaffen sollte, sondern vor allem das Sanktionensystem für Jugendliche deutlich modifizierte.

1985 wurde wieder eine Kommission eingesetzt, die 1987 den Entwurf eines neuen Strafgesetzbuchs präsentierte, der nach ausgiebigen öffentlichen Debatten überarbeitet und 1989 erneut vorgelegt wurde. Anlass für dieses Vorhaben waren zahlreiche Mängel, die in der Einleitung zu dem Entwurf aufgezählt werden. Sie reichten von Klagen über veraltete Normen (beispielsweise im Sanktionensystem), über lückenhafte Regelungen (etwa beim Versuch, bei den Rechtfertigungsgründen oder bei der Schuld), über die fehlende Abstimmung mit anderen nebenstrafrechtlichen Gesetzen bis hin zu einer veralteten Sprache. Der Entwurf sah neben Änderungen im systematischen Aufbau vor allem differenzierte Regelungen zum internationalen Strafrecht und zu den Rechtfertigungsgründen vor. Im Sanktionensystem sollten die Todesstrafe abgeschafft, Freiheitsstrafen verringert und Geldstrafen häufiger eingesetzt werden, auch das System der Maßnahmen sollte entwickelt werden. Dieser Entwurf blieb jedoch ebenfalls liegen, wohl in erster Linie, weil sich andere Fragen in der politischen Agenda in den Vordergrund geschoben hatten. Allerdings kam es infolge der Diskussionen um dieses Gesetzgebungsvorhaben in den Jahren 1990/1991 erstmals zu nennenswerten Entkriminalisierungen durch die Streichung der Art. 140–142 StGB, die das Herabsetzen der Türkei im Ausland sowie die unterste Stufe kommunistischer, anarchistischer und separatistischer Propaganda und Organisation straffrei stellte; im Zuge einer einsetzenden Debatte um die Todesstrafe wurden die Fälle deutlich reduziert, in denen diese vorgesehen war, und schließlich die sehr hohen Freiheitsstrafen bei Rauschgiftdelikten reduziert. In der gleichen Zeit wurden Straftatbestände der Bestechung und der Bestechlichkeit neugefasst, gestrafft und mit schärferen Strafen bewehrt.

Das international gewachsene Interesse an dem Phänomen der organisierten Kriminalität und der Geldwäsche seit Mitte der 1990er Jahre brachte das Thema auch in der Türkei auf die Tagesordnung, zumal nach dem Zusammenbruch der Sowjetunion insbesondere die mit Prostitution verbundene organisierte Kriminalität auf die Türkei überschwappte. Es kam zu speziellen gesetzlichen Regelungen, allerdings nicht im Strafgesetzbuch, sondern wiederum in Nebengesetzen (beispielsweise das Geldwäschegesetz Nr. 4208 vom 13.11.1996).

Eine breite öffentliche Sensibilisierung für Korruption und sonstige Staatskriminalität setzte aber erst Mitte der 1990er Jahre ein, insbesondere nachdem bei einem spektakulären Verkehrsunfall ein hoher Polizeibeamter, ein Mafiaboss und eine Prostituierte ums Leben kamen, die zusammen im selben Auto gefahren waren – der vierte Insasse und einzige Überlebende war ein Parlamentsabgeordneter und Chef eines großen kurdischen Stammes. Diese Geschehnisse führten zwar vorerst nicht zu weiteren Gesetzesänderungen, hatten aber eine nicht zu unterschätzende Wirkung darauf, dass die Öffentlichkeit anfing, den Staat mit sehr viel kritischeren Augen zu betrachten als zuvor. Das hatte auch zur Folge, dass man die bereits bestehenden Gesetze, die ein Fehlverhalten von Amtsträgern unter Strafe stellten, häufiger anwandte.

Seitdem die Türkei 1999 als Beitrittskandidat für die EU anerkannt wurde, war die Herstellung von Europa-Kompatibilität von Gesetzgebung und Rechtspraxis das alles beherrschende Thema. Dies hatte nicht nur im Verfassungsrecht, im Wirtschaftsrecht und im bürgerlichen Recht (Erlass eines neuen Zivilgesetzbuchs) einschneidende Folgen, sondern auch im Straf- und Strafprozessrecht. Dagegen traten Themen wie Terrorismus oder organisierte Kriminalität, die Anfang und Mitte der 1990er Jahre stark beachtet wurden, zunächst in den Hintergrund. In jüngster Zeit allerdings hat das Interesse für Fragen des Terrorismus wieder zugenommen, vor allem wegen der internationalen Dimension, die diese Fragen nach dem 11. September 2001 gewonnen haben.

Noch in den letzten etwa fünf Jahren vor dem Erlass des neuen Strafgesetzbuchs kam es zu wichtigen Änderungen. Die Todesstrafe, die seit 1984 nicht mehr vollstreckt worden war, wurde endgültig abgeschafft. Die Strafen für die Herabsetzung staatlicher Institutionen und Werte wurden verringert, der Straftatbestand des Aufhetzens gegen Bevölkerungsgruppen, der in ausufernder Weise gegen Islamisten und Kurden verwendet worden war, wurde eingeschränkt. Die Straftatbestände für

Folter und Misshandlung wurden verschärft und die Möglichkeiten einer Aussetzung der Strafe zur Bewährung oder Umwandlung in Geldstrafen ausgeschlossen. Das Antiterrorgesetz wurde abgemildert, indem zum Beispiel der Tatbestand der separatistischen Propaganda beseitigt wurde.

– *Das Strafgesetzbuch von 2004*

1997 wurden die Reformpläne für ein neues Strafgesetzbuch wieder aufgenommen und ein weiterer Entwurf vorgelegt. Er wurde erneut über Jahre diskutiert. Ein Entwurf aus dem Jahr 2000 wurde nicht Gesetz. Schließlich lag im Jahr 2003 ein weiterer Entwurf vor, der dem Parlament zugeleitet wurde. Dieser wurde nach nochmaliger tiefgreifender Überarbeitung am 26.9.2004 verabschiedet und trat als neues Strafgesetzbuch am 1.6.2005 in Kraft. Wenn auch hier sofort an einer Reihe von Punkten Kritik geübt wurde, beispielsweise an der Definition des Eventualvorsatzes, so ist doch insgesamt ein modernes europäisches Strafgesetzbuch entstanden, das sich vom italienischen Vorbild weitgehend gelöst hat. Unter Verwertung verschiedener europäischer Strafgesetze, insbesondere des deutschen, aber auch durch Einbeziehung der türkischen höchstrichterlichen Rechtsprechung ist ein originär türkisches Gesetz geschaffen worden.

Abgesehen von den Themen, die in der Öffentlichkeit viel Interesse fanden, wurden in den Kreisen der Universitätslehrer und hohen Richter längerfristig bestimmte kriminalpolitische Themen – vor allem Rechtsstaatsprinzip, Schuldprinzip und Humanitätsprinzip – beachtet, die in den über zwanzigjährigen Arbeiten für ein neues Strafgesetzbuch ihren Niederschlag fanden, wenn auch bei einigen Punkten erst in den letzten Monaten vor seinem Erlass.[2]

Art. 1 des neuen Strafgesetzbuchs umschreibt seine Zwecke: Schutz der Rechte und Freiheiten der Bürger, Schutz der öffentlichen Ordnung, Sicherheit und Gesundheit, der Umwelt und des Friedens in der Gesellschaft und Verhütung von Straftaten. Gerechtigkeit, Gleichheit und die Bindung an das Gesetz sind weitere Grundprinzipien, denen sich das Gesetz in ausführlichen Sätzen verpflichtet (Art. 2–3 TCK). Eine der wichtigsten Änderungen im Allgemeinen Teil besteht darin, dass das neue Strafgesetzbuch dem Schuldprinzip jetzt den ihm gebührenden Platz einräumt (Art. 4 TCK): Der unvermeidbare Verbotsirrtum wird anerkannt, auch bei sonstigen Irrtümern wird der Frage der Vermeidbarkeit oder Unvermeidbarkeit Rechnung getragen (Art. 30 TCK). Bei erfolgsqualifizierten Delikten muss im Hinblick auf die schwere Folge zumindest Fahrlässigkeit vorliegen (Art. 23 TCK). Bisher bestehende Fälle objektiver Verantwortlichkeit werden beseitigt.

Beim Sanktionensystem wird die Trennung in Zuchthaus- und Gefängnisstrafen aufgegeben. Im Bereich der Geldstrafen ist nunmehr ein Tagessatzsystem vorgese-

---

2 Siehe dazu oben I.D.

hen, das der unterschiedlichen wirtschaftlichen Leistungsfähigkeit der Täter Rechnung trägt. Das bisher kaum entwickelte System der Maßregeln der Sicherung und Besserung wird ausgebaut.

Bei Jugendlichen wird der Beginn einer eingeschränkten strafrechtlichen Verantwortlichkeit von 11 auf 12 Jahre heraufgesetzt (Art. 31 Abs. 1 TCK). Bei den Sanktionen gegen Jugendliche gibt das Strafgesetzbuch nur den Rahmen vor (Art. 31 TCK), die ausführlichen Regelungen finden sich in dem neuen Jugendschutzgesetz *(Çocuk Koruma Kanunu*, Gesetz Nr. 5395 vom 3.7.2005*)*, das an die Stelle des Jugendgerichtsgesetzes von 1979 getreten ist.

Im Besonderen Teil schafft das Gesetz zum ersten Mal völkerstrafrechtliche Straftatbestände (Genozid und Verbrechen gegen die Menschlichkeit, Art. 76, 77 TCK), verbietet Menschenversuche (Art. 90 TCK) und Organhandel (Art. 91 TCK), verschärft und differenziert die Strafen für Folter (Art. 94, 95 TCK) und sieht ein modernes Sexualstrafrecht vor, das beispielswcise die Strafbarkeit der Vergewaltigung in der Ehe enthält (Art. 102 TCK). Das Gesetz bedeutet auch eine umfassende „Entrümpelungsaktion", bei der viele unzeitgemäße Strafvorschriften gestrichen (beispielsweise das Eindringen eines Mannes in Frauenkleidung in Frauengemächer oder die Abstufungen der Strafe für die Beleidigung eines Beamten nach dessen Rang) und eine Reihe unklarer und sich überschneidender Vorschriften klargestellt und gestrafft wurden (zum Beispiel bei den Straftaten im Amt). Übertretungen entfallen künftig; stattdessen ist am 1.6.2005 das Ordnungswidrigkeitengesetz (*Kabahatler Kanunu*, KK, Gesetz Nr. 5326 vom 30.3.2005) in Kraft getreten.

3. Entwicklung des Strafverfahrens(rechts)

– Entwicklungen im Strafprozessrecht während der Geltung der Strafprozessordnung von 1929 (Ceza Muhakemesi Usulü Kanunu, CMUK)

Für die Strafprozessordnung von 1929 war die deutsche Strafprozessordnung zwar das Vorbild, es sind jedoch einige deutliche Abweichungen zu verzeichnen. Ein wichtiger Unterschied zum deutschen Strafprozessrecht ist der konsequente Verzicht auf Laienrichter. Bei der geringen Zahl von Juristen, über die die Türkei in den 1920er Jahren verfügte, verzichtete man auch auf eine Berufungsinstanz; vielmehr gingen Rechtsmittel seitdem sofort zur Revision an den Kassationshof *(Yargıtay)* nach Ankara. Das führte allerdings im Lauf der Zeit zu einer völligen Überlastung des Kassationshofs und zu erheblichen Verfahrensverzögerungen. Seit über 25 Jahren wurde daher die Einführung einer zweiten Tatsacheninstanz gefordert, Bemühungen, die schließlich – zumindest theoretisch – Erfolg hatten. Am 1.6.2005 ist das Gesetz Nr. 5235 vom 26.9.2004 in Kraft getreten, das die Einrichtung einer zweiten Instanz vorsieht und für deren Aufbau einen Zeitraum von zwei

Jahren vorgegeben hat. Tatsächlich sind aber auch vier Jahre nach Inkrafttreten dieses Gesetzes die Berufungsgerichte noch nicht arbeitsfähig.

Die türkische Strafprozessordnung von 1929 wurde ebenfalls etwa 30 Mal geändert. An besonders markanten Gesetzen sind zu nennen:

– Gesetz Nr. 1696 vom 5.3.1973, das nach dem Militärputsch von 1971 Polizeihaftzeiten verlängerte und deren Voraussetzungen erweiterte.

– Gesetz Nr. 2845 vom 16.6.1983 (Staatssicherheitsgerichtsgesetz), das Staatsschutzdelikte und organisierte Rauschgiftkriminalität, seit 1999 auch organisierte Kriminalität, der ordentlichen Gerichtsbarkeit entzog und sie den Staatssicherheitsgerichten zuwies. Im Jahr 2004 wurden diese Gerichte abgeschafft (Gesetz Nr. 5190 vom 16.6.2004). Ein wesentlicher Grund dafür war, dass der Straßburger Menschenrechtsgerichtshof ihre Urteile wiederholt als Verstoß gegen Art. 6 EMRK erklärt hatte, weil auf der Richterbank neben zwei zivilen Juristen auch ein Jurist saß, der aus der Militärgerichtsbarkeit kam. Das reichte dem Gericht aus, um *eo ipso* an dessen Unparteilichkeit und Unabhängigkeit zu zweifeln.

– Gesetz Nr. 3206 vom 21.5.1985, das die gerichtliche Voruntersuchung und den Untersuchungsrichter abschaffte.

– Gesetz Nr. 3842 vom 18.11.1992, das das bereits früher verfassungsrechtlich festgeschriebene Folterverbot und das Verbot der Verwertung rechtswidrig erlangter Beweismittel nun auch in der einfachgesetzlichen Regelung der Strafprozessordnung vorsah und neue Regelungen für Polizeihaft, Untersuchungshaft, Verteidigung und weitere Regelungen einführte, die dem Standard der EMRK entsprachen. Während Folterverbot und Beweismittelverbot für alle Verfahren gelten sollten, sollten die neuen Vorschriften über Polizeihaft, Untersuchungshaft und Verteidigung nur für Verfahren in der ordentlichen Gerichtsbarkeit gelten, während die älteren, schärferen Regelungen aber für Beschuldigte beibehalten wurden, die einer Tat verdächtig waren, die in die Zuständigkeit der Staatssicherheitsgerichte fiel. Es kam also zu einer Zweigleisigkeit der Strafprozessordnung.

– Gesetz Nr. 4229 vom 6.3.1997, Gesetz Nr. 4744 vom 6.2.2002 und Gesetz Nr. 4928 vom 15.7.2003 sollten die Beachtung der Menschenrechte im Strafprozess stärken. Daher wurde die entstandene Zweigleisigkeit seit 1997 schrittweise wieder eingeschränkt, indem die strengeren Regelungen für Verfahren vor Staatssicherheitsgerichten den Regeln im ordentlichen Verfahren angepasst wurden. Die Stellung des Beschuldigten wurde durch die Betonung der prozessualen Folgen eines Verstoßes gegen das Folterverbot, kürzere Polizeihaftzeiten und Stärkung der Stellung des Verteidigers verbessert. Allerdings ist dabei auch zu bemerken, dass die PKK, mit deren Bekämpfung jahrelang eine Verschärfung straf- und strafprozessrechtlichen Vorgehens begründet wurde, in der zweiten Hälfte der 1990er Jahre militärisch niedergekämpft und ihr Führer *Öcalan* 1999 verhaftet worden war und so eine Milderung der harten Vorschriften politisch leichter geworden war. Es dauerte aber bis 2003, bis diese Unterschiede völlig beseitigt waren.

Trotz dieser zahlreichen Änderungen wurde die türkische Strafprozessordnung nicht so weiterentwickelt wie manche andere europäische Prozessordnungen. Hier den Anschluss an die neuesten internationalen Entwicklungen zu finden, war der wichtigste Grund für den Erlass einer neuen Strafprozessordnung, wobei allerdings auch die Meinung vertreten wurde, dass eine umfassende Änderung des bestehenden Gesetzes den gleichen Dienst hätte leisten können.

– *Die Strafprozessordnung von 2004 (Ceza Muhakemesi Kanunu, CMK)*

Im Strafprozessrecht war, wie bereits gesagt, die Stärkung der Rechte des Angeklagten und der Verteidigung im Namen der Menschenrechte das mit Abstand wichtigste kriminalpolitische Motiv bei der Reform der Strafprozessordnung. Dabei wurden die EMRK und die Straßburger Rechtsprechung sehr genau beobachtet und zunehmend befolgt. Neuerungen sind beispielsweise, dass Aussagen vor der Polizei, die ohne Anwesenheit eines Verteidigers gemacht wurden, nur dann Grundlage eines Urteils sein können, wenn sie später vor einem Gericht beziehungsweise einem Richter bestätigt werden (Art. 148 Abs. 4 CMK), ferner dass die Ermittlungsbefugnisse der Polizei sehr viel stärker als bisher beschränkt und an Erlaubnisse und Weisungen der Staatsanwaltschaft gebunden wurden (Art. 160–169 CMK). Ein wichtiges Anliegen war auch die Senkung der hohen Zahl von Untersuchungshäftlingen. Daher wurde nach französischem Vorbild die Justizkontrolle *(adli kontrol)* eingeführt, die in Fällen, in denen ein Haftgrund vorliegt, helfen soll, eine Untersuchungshaft dennoch zu vermeiden (Art. 109 ff. CMK). Ein weiterer Schwerpunkt der Reform lag darin, dass erstmals neue Ermittlungsmethoden wie beispielsweise DNA-Untersuchungen (Art. 78 CMK), Einsatz von Geräten zur Ton- und Bildaufzeichnung (Art. 135 CMK) oder Beschlagnahme und Untersuchung von Computern (Art. 134 CMK) in der Strafprozessordnung geregelt wurden.

4. Entwicklung (des Rechts) der Strafvollstreckung

Nachdem zunächst die wenigen Vorschriften im Strafgesetzbuch über die Freiheitsstrafen und bedingte Entlassung sowie Geldstrafen die wichtigsten Bestimmungen zum Strafvollstreckungsrecht dargestellt hatten, erging 1941 die Verordnung über Straf- und Untersuchungshaftanstalten, die in 213 Artikeln den Strafvollzug regelte. Grundgedanke war dabei die Resozialisierung. Die Häftlinge sollten in einem mehrstufigen Vollzugssystem schrittweise an ein normales Leben herangeführt werden und dabei auch Arbeits- und Ausbildungsmöglichkeiten haben. Allerdings ließen sich diese Vorschriften bei dem Zustand der Gefängnisse häufig nicht umsetzen. 1953 wurden die Strafvollzugsbedingungen – wie auch die strafrechtlichen Bestimmungen – verschärft, vor allem, indem das Aufrücken in die nächste Vollzugsstufe hinausgeschoben wurde. Am 13.7.1965 erging dann eine grundlegende, aber lückenhafte Regelung des Strafvollzugs in Gesetzesform (Gesetz Nr. 647). Neu war hier zum einen die Unterteilung in geschlossene, halboffene und offene Haftanstalten. Da sich die Einsicht durchgesetzt hatte, dass kurze Freiheitsstrafen kriminelle Karrieren eher förderten als beendeten, wurden ferner die Freiheitsstrafen in kurzzeitige und langzeitige Strafen eingeteilt. Kurzzeitig waren die Freiheitsstrafen bis zu sechs Monaten, und es wurden Möglichkeiten geschaffen, sie in andere Sanktionen umzuwandeln, beispielsweise Geldstrafen oder Wiedergutmachungspflichten. Daneben wurden im Lauf der Jahre in zahlreichen Gesetzen und Verordnungen verstreute Vorschriften erlassen. Durch das neue Strafvollzugsgesetz Nr. 5275 vom 13.12.2004 *(Ceza ve Güvenlik Tedbirlerinin İnfazı Hakkında Kanun, CGTİHK)* wurden diese Vorschriften jetzt in einem Gesetz zusammengefasst.

In der Türkei ist die Freiheitsstrafe bis heute immer noch eine sehr wichtige Sanktion und der Strafvollzug daher von großer Bedeutung.[3] In den letzten Jahren sind auch hier erhebliche Modernisierungsbemühungen feststellbar. Es gibt zahlreiche Arten, von kleinen Gefängnissen mit 24 Plätzen bis zu einigen großen Anstalten wie Bayrampaşa (Istanbul) und Buca (Izmir) mit 1200 beziehungsweise 1000 Plätzen. Da traditionell häufig Kasernen, Moscheen oder Karawansereien, die ihrem ursprünglichen Zweck nicht mehr dienten, als Haftanstalten benutzt worden waren, waren Großzellen mit einer Belegung von 20 bis 30 Häftlingen nicht selten. In den letzten Jahren wurden in den Haftanstalten Zellen für eine, drei oder acht Personen eingeführt. Anlass für die Einrichtung von Kleinzellen waren zwei Gesichtspunkte. Zum einen wollte man dem europäisch-amerikanischen Muster folgen, zum anderen aber wurden die Großzellen in den Gefängnissen, in denen Häftlinge einsaßen, die wegen politisch motivierter Kriminalität verurteilt worden waren (PKK-Mitglieder, Mitglieder linksradikaler oder islamistischer terroristischer Organisationen), häufig von diesen Gruppen, insbesondere linksradikalen, kontrolliert und die Insassen bis zum Äußersten drangsaliert. Selbst Gefängniswärter hatten keinen Zutritt mehr zu diesen Zellen. In einigen dieser Gefängnisse kam es daher zu erheblichem Widerstand gegen die Schaffung von Kleinzellen, bis hin zu Hungerstreiks, die auch international Beachtung fanden.

Seit Ende der 1990er Jahre wurden auch die Möglichkeiten zu Arbeit, Ausbildung oder einer sinnvollen Freizeitbeschäftigung verbessert. Um Menschenrechtsverletzungen vorzubeugen, wurden Kontrollkommissionen geschaffen, die Gefängnisse zu inspizieren und Beschwerden zu prüfen und in Abständen dem Innenminister, dem Vollstreckungsrichter und dem Staatsanwalt sowie der Menschenrechtskommission des Parlaments Bericht zu erstatten haben (Gesetz Nr. 4681 vom 14.6.2001). Ferner wurde die Institution des Strafvollzugsrichters geschaffen, der wichtige Entscheidungen im Strafvollzug zu treffen hat und eben-

---

[3] Siehe dazu oben I.A.5.e.

falls Beschwerdeinstanz für Häftlinge ist (Gesetz Nr. 4675 vom 16.5.2001 in der Fassung des Gesetzes Nr. 5218 vom 14.7.2004).

Im Bereich der leichten Kriminalität wurde die Freiheitsstrafe in den letzten Jahrzehnten zunehmend zurückgedrängt. So gibt es die Verfahrenseinstellung gegen Zahlung der Mindeststrafe. Mit dieser können nicht nur Verfahren, in denen es um eine Geldstrafe geht, sondern seit 1981 auch Verfahren, bei denen eine Strafe von höchstens einem Monat Gefängnis – seit 1988 bis zu drei Monaten Gefängnis – droht, durch Zahlung einer Geldsumme beendet werden (Art. 119 TCK von 1926, Art. 75 TCK von 2004). Seit 1965 gab es darüber hinaus die im Regelfall genutzte Möglichkeit, Freiheitsstrafen bis zu sechs Monaten in Geldstrafen umzuwandeln. Seit 1988 galt diese Regelung für Freiheitsstrafen bis zu einem Jahr (Art. 4 Gesetz Nr. 647). Außerdem erfolgte seit 1986 im Regelfall eine bedingte Entlassung nach 40 % der Strafzeit (Art. 19 in Verbindung mit Zusatzart. 2 Strafvollzugsgesetz von 1967). Dieser Entlasstermin war im europäischen Vergleich sehr frühzeitig und wurde daher in dem neuen Strafvollzugsgesetz von 2004 auf zwei Drittel der Strafzeit angehoben (Art. 107).

Türkische Gefängnisse sind häufig überfüllt. Dazu trägt bei, dass in der Rechtspraxis immer noch relativ rasch Untersuchungshaft angeordnet wird und Verfahren lange dauern. Das ist der wichtigste Grund dafür, dass von Zeit zu Zeit – zuletzt im Jahr 2000 – Amnestien ergehen, die zur Entlassung zahlreicher Häftlinge führen. Eine grundlegende Reduktion der Häftlingszahlen durch die verstärkte Anwendung anderer Sanktionen ist bisher nicht ersichtlich.

Neu ist, dass durch die 2005 in Kraft getretenen Gesetze erstmals ein System der Bewährungshilfe eingeführt wurde, das den auf Bewährung verurteilten Straftätern (Art. 51 TCK) ebenso wie den entlassenen Strafgefangenen (Art. 107 CGTİHK) helfen soll, sich wieder in die Gesellschaft einzugliedern.

Wichtigste Neuerung bei den Geldstrafen ist ein Tagessatzsystem, das den Vermögensverhältnissen des Verurteilten Rechnung tragen soll (Art. 52 TCK).

Literaturhinweise zu Abschnitt G.

Artuk, Emin /Gökcen, Ahmet/Yenidünya, Caner, Ceza Hukuku – Genel Hükümler I (Strafrecht Allgemeiner Teil). 3. Aufl. Ankara 2007, S. 80–116.

Centel, Nur/Zafer, Hamide/Çakmut, Özlem, Ceza Hukukuna Giriş (Einführung ins Strafrecht). 5. Aufl. Istanbul 2008, S. 32–41.

Demirbaş, Timu, Ceza Hukuku Genel Hükümler (Strafrecht Allgemeiner Teil). 5. Aufl. Ankara 2007, S. 91–94, 511, 522–553.

– İnfaz Hukuku (Strafvollzugsrecht). 2. Aufl. Ankara 2008, S. 134–150, 346–354.

Gökcen, Ahmet, Tanzimat Dönemi Osmanlı Ceza Kanunları ve bu Kanunlardaki Ceza Müeyyideleri (Die Strafgesetze der Tanzimats-Periode und die in diesen Gesetzen vorgesehenen Strafen). Istanbul 1989, S. 11–31.

Heyd, Uriel, Studies in Old Ottoman Criminal Law. Oxford 1973.

Mumcu, Ahmet, Siebzig Jahre westliches Recht in der türkischen Republik. In: Heinrich Scholler/Silvia Tellenbach, Westliches Recht in der Republik Türkei 70 Jahre nach der Gründung. Baden-Baden 1996, S. 17–50.

Önder, Ayhan/Endruweit, Günter, Neue Entwicklungen im türkischen Strafrecht. ZStW 78 (1966), 308–329.

Roxin, Claus/Isfen, Osman, Der Allgemeine Teil des neuen türkischen Strafgesetzbuchs. GA 2005, 228–243 (228 f.).

Tellenbach, Silvia, Zum Straf-und Strafprozessrecht in der Republik Türkei 70 Jahre nach der Gründung. In: Heinrich Scholler/Silvia Tellenbach, Westliches Recht in der Republik Türkei 70 Jahre nach der Gründung. Baden-Baden 1996, S. 145–170.

– Einführung in das türkische Strafrecht. Freiburg 2003, S. 1–9.

– Reformen in Strafrecht, Strafprozessrecht und Strafvollzugsrecht – Ein erster Überblick über die türkischen Reformen des Jahres 2004, www.tuerkei-recht.de/Strafrecht_Tellenbach.pdf.

Üçok, Coşkun/Mumcu, Ahmet/Bozkurt, Gülnihâl, Türk Hukuk Tarihi (Türkische Rechtsgeschichte). 13. Aufl. Ankara 2008, S. 330–335, 343–345, 358–365.

Yüce, Turhan Tufan, Die Grundprobleme des türkischen Strafvollzugsrechts im Vergleich mit dem Strafvollzug in Deutschland. Dissertation Freiburg 1956, S. 44–63.

Abkürzungsverzeichnis zum Landesbericht Türkei

AKP	Adalet ve Kalkınma Partisi (Partei für Gerechtigkeit und Entwicklung)
CGİK	Ceza ve Güvenlik Tedbirlerinin İnfazı Hakkında Kanunu (Gesetz über die Vollstreckung von Strafen und Sicherungsmaßnahmen)
CGTİHK	Ceza ve Güvenlik Tedbirlerinin İnfazı Hakkında Kanun (Gesetz über den Vollzug von Strafen und Sicherungsmaßnahmen)
CHP	Cumhuriyet Halk Partisi (Republikanische Volkspartei)
ÇKK	Çocuk Koruma Kanunu (Jugendschutzgesetz)
CMK	Ceza Muhakemesi Kanunu (türkische Strafprozessordnung von 2004)
CMUK	Ceza Muhakemesi Usulü Kanunu (türkische Strafprozessordnung von 1929)
DTP	Demokratik Toplum Partisi (Partei für eine demokratische Gesellschaft)
E.	Esas (Rechtssache)
EMRK	Europäische Menschenrechtskonvention
EU	Europäische Union
K.	Karar (Entscheidung, Beschluss)
KK	Kabahatler Kanunu (Ordnungswidrigkeitengesetz)
km	Kilometer
lit.	litera
MHP	Milliyetçi Hareket Partisi (Partei der nationalistischen Bewegung)
OECD	Organisation for Economic Cooperation and Development
OSZE	Organisation für Sicherheit und Zusammenarbeit in Europa
PKK	Partiya Karkeren Kurdistan (Arbeiterpartei Kurdistans)
TCK	Türk Ceza Kanunu (türkisches Strafgesetzbuch)
StVollzG	Strafvollzugsgesetz
UN	United Nations
VerfGE	Verfassungsgerichtsentscheidung
VRÜ	Verfassung und Recht in Übersee (Zeitschrift)
YTL	Yeni Türk Lira (Neue türkische Lira)
ZStW	Zeitschrift für die gesamte Strafrechtswissenschaft

Herausgeber und Autoren

Adams, Sabine

Geboren 1983 in Zweibrücken. Studium der Rechtswissenschaft an den Universitäten Heidelberg, Lausanne (Schweiz) und Freiburg. Von 2006 bis Anfang 2009 studentische wissenschaftliche Mitarbeiterin des Referats „Frankophone europäische Länder" am Max-Planck-Institut für ausländisches und internationales Strafrecht. 2007 Universitätsprüfung der Albert-Ludwigs-Universität Freiburg. 2008 Erste juristische Staatsprüfung, Baden-Württemberg. Seit Mai 2009 Referendarin am Landgericht Düsseldorf

Cornils, Karin

Dr. jur., Dr. h.c. mult. (Stockholm, Bergen, Rovaniemi); geboren 1949 in Berlin. Studium der Rechtswissenschaften an der Freien Universität Berlin. Promotion 1977 über *Die Fremdrechtsanwendung im Strafrecht.* Seit 1978 wissenschaftliche Referentin am Max-Planck-Institut für ausländisches und internationales Strafrecht, Leiterin des Referats „Nordische Länder". Autorin und Mitherausgeberin zahlreicher Veröffentlichungen zum Straf- und Strafverfahrensrecht sowie zur Kriminalpolitik der nordischen Länder, unter anderem Übersetzungen des dänischen Strafgesetzes (mit Vagn Greve, 1. Aufl. 1997, 2. Aufl. 2001, 3. Aufl. 2009), des schwedischen Kriminalgesetzbuchs (mit Nils Jareborg, 2000) und des finnischen Strafgesetzes (mit Dan Frände und Jussi Matikkala, 2006), jeweils mit einer Einführung in das Strafrecht des betreffenden Landes.

Forster, Susanne

Dr. jur., LL.M. (Edinburgh); geboren 1977 in Frankfurt am Main. Studium der Rechtswissenschaften in Frankfurt am Main, Leicester (GB), Mainz und Edinburgh (GB). Erste Juristische Staatsprüfung 2001. Rechtsreferendarin beim Land Rheinland-Pfalz. Zweite Juristische Staatsprüfung 2004. Seit 2005 wissenschaftliche Referentin am Max-Planck-Institut für ausländisches und internationales Strafrecht, Leiterin des Referats „Vereinigtes Königreich und Republik Irland". Promotion 2009 über *Freiheitsbeschränkungen für mutmaßliche Terroristen. Eine Analyse der Terrorismusgesetzgebung des Vereinigten Königreichs.*

Jarvers, Konstanze

Dr. jur.; geboren 1964 in Heidelberg. Studium der Rechtswissenschaften an den Universitäten Heidelberg und Freiburg. 1995–1998 Tätigkeit in der Rechtsabteilung der Deutschen Bank. Seit 1999 wissenschaftliche Referentin am Max-Planck-Institut für ausländisches und internationales Strafrecht, Leiterin des Referats „Italien und Griechenland". Promotion 2007 über *Massen- und Kleinkriminalität vor dem italienischen Friedensrichter.* Weitere Veröffentlichungen zum italienischen Straf- und Strafprozessrecht sowie zum deutschen Straf- und Strafprozessrecht in italienischer Sprache, u.a. *Das neue italienische Anti-Dopinggesetz* (2001), *Organisierte Kriminalität und Zeugenschutz* (mit Jörg Kinzig, 2001), *Zum Tatbestand der Verunglimpfung der Staatsreligion (Art. 402 it. StGB)* (2003), *Profili generali del diritto processuale penale tedesco* (2003), *Reati sessuali: I modelli sanzionatori previsti nel sistema tedesco* (2003), *The punishment of serious crimes in Italy* (2004), *Grundlagen der Strafverfolgung völkerrechtlicher Verbrechen in Italien* (mit C. Grammer, 2005).

Kouassi, Adome Blaise

Dr. phil.; geboren 1966 in Arrah (Côte d'Ivoire). Maîtrise 1993 am kriminologischen Institut der rechtswissenschaftlichen Fakultät der Universität von Abidjan-Cocody in Côte d'Ivoire (heute: UFR-Criminologie). Seit 2000 wissenschaftlicher Mitarbeiter am Max-Planck-Institut für ausländisches und internationales Strafrecht, Leiter des Referats „Afrika südlich der Sahara". Promotion 2003 *(Straßenkinder und Jugendkriminalität – ein kriminologischer Vergleich: Deutschland und Côte d'Ivoire)*. Seit September 2006 Dozent an der Universität Haute Alsace, IUT Colmar; seit 2008 Dozent an der katholischen Universität von West-Afrika, Abteilung Abidjan, sowie an der Universität Charles Louis de Montesquieu in Abidjan. Zahlreiche Veröffentlichungen zum ivorischen Recht und zur Kriminologie.

Manso Porto, Teresa

Dr. jur., Mag. iur. comp. (Bonn); geboren 1971 in Vigo (Spanien). Studium der Rechtswissenschaften am CEU San Pablo (Universidad Complutense, Madrid). 1997–1999 wissenschaftliche Mitarbeiterin an der Universität Bonn. 2000–2004 wissenschaftliche Mitarbeiterin an der Universität Freiburg und am Max-Planck-Institut. Ab 2003 kommissarische Leiterin des Referats „Spanien und Portugal", ab 2005 Referatsleiterin. Veröffentlichungen in Spanien und Lateinamerika zu Problemen des Verbotsirrtums, des Gesetzlichkeitsprinzips, der Umweltdelikte und der Geldwäsche u.a. *Desconocimiento de la norma y responsabilidad penal* (Madrid 1998), *La consumación en los delitos contra el medio ambiente* (Bogotá 2003), *El error de prohibición en la reciente jurisprudencia del Tribunal Supremo desde la perspectiva de la actual discusión doctrinal* (Madrid 2004), *Cuestiones paradójicas del principio de legalidad* (Bogotá 2008). Promotion 2009 *(Normunkenntnis aus belastenden Gründen)*. Im Rahmen von Institutsprojekten Autorin bzw. Mitautorin von spanischen Landesberichten über Strafzumessung, Beteiligung, Ehrenschutz und Inzest.

Neumann, Leveke

Geboren 1975 in Bonn. Studium der Rechtswissenschaften an den Universitäten Hamburg, Bilbao (Spanien) und Freiburg. 2002 Erste Juristische Staatsprüfung, Baden-Württemberg. 2002–2004 Referendariat am Landgericht Freiburg. 2004 Zweite Juristische Staatsprüfung, Baden-Württemberg. 2002–2004 wissenschaftliche Mitarbeiterin des Referats „Frankophone europäische Länder" am Max-Planck-Institut für ausländisches und internationales Strafrecht, zuletzt als Referatsleiterin. Seit 2005 Referentin im Bundesministerium für wirtschaftliche Zusammenarbeit und Entwicklung.

Pfützner, Peggy

Dr. jur., LL.M. (Köln/Paris); geboren 1974 in Duisburg. Studium der deutsch-französischen Rechtswissenschaften an den Universitäten Köln, Paris-Sorbonne und Freiburg. 2003–2006 wissenschaftliche Mitarbeiterin im Referat „Europäisches Strafrecht" des Max-Planck-Instituts für ausländisches und internationales Strafrecht; 2006–2007 Leiterin des Referats „Frankophone europäische Länder". Promotion 2007 *(Organisierte Kriminalität im französischen Strafverfahren – Zur Einführung eines besonderen Strafverfahrens durch die Loi Perben II)*. Zahlreiche Veröffentlichungen zum französischen und europäischen Straf- und Strafprozessrecht. Oberregierungsrätin beim Bundesamt für Wehrtechnik und Beschaffung, zurzeit zur NATO entsendet.

Richter, Thomas

Dr. jur.; geboren 1966 in Illertissen. Studium der Rechtswissenschaft, der chinesischen Sprache und des chinesischen Rechts an der Universität Passau und der Ostchina-Hochschule für Politik und Recht in Shanghai. 1995–1996 Rechtsanwalt in Ulm. 1996–2006 wissenschaftlicher Referent am Max-Planck-Institut für ausländisches und internationales Strafrecht, Leiter des Referats Ostasien. 2001 Promotion über das chinesische Umweltstrafrecht. Seit 2005 Lehrbeauftragter an der Katholischen Universität Leuven (Belgien) im Masterstudiengang Energie- und Umweltrecht. Seit 2006 Rechtsanwalt in Freiburg.

Sieber, Ulrich

Prof. Dr. iur., Dr. h.c.; Direktor am Max-Planck-Institut für ausländisches und internationales Strafrecht in Freiburg; Wissenschaftlicher Leiter des Rechtsinformatikzentrums der Ludwig-Maximilians-Universität München; Honorarprofessor und Fakultätsmitglied an der Albert-Ludwigs-Universität Freiburg und der Ludwig-Maximilians-Universität München; Gastprofessor an der Renmin-Universität Peking, der Beijing Normal University und der Universität Wuhan/China. Präsident der Deutschen Vereinigung für Europäisches Strafrecht; Mitglied im Conseil de Direction der Association Internationale de Droit Pénal; Vizepräsident der Association Internationale pour la Défence Sociale.

Geboren 1950 in Stuttgart. 1977 Promotion und 1987 Habilitation an der Universität Freiburg; 1987–1991 Inhaber des Lehrstuhls für Strafrecht und Informationsrecht an der Universität Bayreuth; 1991–2000 Inhaber des Lehrstuhls für Strafrecht, Strafprozessrecht, Informationsrecht und Rechtsinformatik an der Universität Würzburg; 2000–2003 Inhaber des Lehrstuhls für Strafrecht, Informationsrecht und Rechtsinformatik an der Ludwig-Maximilians-Universität München; seit 2004 Direktor am Max-Planck-Institut für ausländisches und internationales Strafrecht. Daneben Gastprofessor an der Universität Tokio (1994); persönlicher Sonderberater von zwei EG-Kommissaren (1993–1994, 1997–1999) sowie Gutachter, Berater und Sachverständiger für das Bundesverfassungsgericht, das Bundeskriminalamt, deutsche und ausländische Regierungsstellen sowie internationale Organisationen (UN, OECD, Europarat, EU, ICTY). Forschungsschwerpunkte zur Strafrechtsvergleichung und zur Rechtsinformatik sowie umfassendes Forschungsprogramm zu den territorialen und funktionalen Grenzen des Strafrechts, insbesondere Europäisches und Internationales Strafrecht, Organisierte Kriminalität, Terrorismus, Wirtschaftskriminalität, Cybercrime. Zu Publikationen vgl. www.mpicc.de/sieber.

Son, Misuk

Dr. jur., LL.M. (Trier); geboren 1971 in Changnyung (Südkorea). Juristische Ausbildung an der Dong-A Universität, Busan (Südkorea). Von 2000 bis 2002 geprüfte wissenschaftliche Hilfskraft am Lehrstuhl von Prof. Dr. Rainer Zaczyk, anschließend bis 2003 bei Privatdozent Dr. Manfred Heinrich an der Universität Trier. Promotion 2004 zum Thema „Straftatfolgen im deutschen und koreanischen Strafrecht – Ein prinzipieller Vergleich" bei Prof. Dr. Volker Krey, Trier. Seit September 2004 wissenschaftliche Referentin am Max-Planck-Institut für ausländisches und internationales Strafrecht. Veröffentlichungen u.a.: *Die mittelbare Täterschaft und das System der Tatbeteiligung im koreanischen StGB*, ZStW 119 (2007), 750–767; *Rechtsvergleichende und rechtsphilosophische Betrachtungen zur Todesstrafe und der Aussetzung ihrer Vollstreckung in Korea*, Rechtspolitisches Forum Heft Nr. 42, Bernd von Hoffmann/Gerhard Robbers (Hrsg.), 2008.

Summers, Sarah

Dr. iur.; geboren 1978 in Glasgow (Schottland). Studium der Rechtswissenschaft an der Universität Glasgow. Promotion 2006 an der Universität Zürich (*Fair Trials: The European Criminal Tradition and the European Court of Human Rights*). Seit 2001 wissenschaftliche Mitarbeiterin am Rechtswissenschaftlichen Institut der Universität Zürich, seit März 2007 Oberassistentin im Strafrecht und Strafprozessrecht. Seit 2003 wissenschaftliche Mitarbeiterin am Max-Planck-Institut für ausländisches und internationales Strafrecht. Arbeit an den Buchprojekten *Human Rights in Criminal Proceedings* (S. Trechsel, 2005); *The Emergence of EU Criminal Law* (mit C. Schwarzenegger); *The Internationali-*

sation of Evidence Law: Realigning the Common Law and Civil Law Traditions (mit J. Jackson) und *The Right to a "Fair" and "Proportionate" Sentence: Reflections from Switzerland on the Role of Constitutional Norms in Sentencing Law* (Habilitation).

Tellenbach, Silvia

Dr. phil.; geboren 1950 in Freiburg. Rechtsassessorin; Referatsleiterin am Max-Planck-Institut für ausländisches und internationales Strafrecht für das Referat „Türkei, Iran, arabische Länder". 1984 Promotion zum Thema *Untersuchungen zur Verfassung der Islamischen Republik Iran vom 15. November 1979*. Autorin und Mitherausgeberin zahlreicher Veröffentlichungen zum Straf- und Strafprozessrecht ihrer Referatsländer, z.B. *Einführung in das türkische Strafrecht* (2003), *Ehrenmorde an Frauen in der arabischen Welt – Anmerkungen zu Jordanien und anderen Ländern* (2003), *Zur Strafrechtspflege in der Islamischen Republik Iran* (2004), *Les Tribunaux militaires et Juridictions d'exception en Turquie* (2007). Übersetzungen des Türkischen Strafgesetzbuchs von 1926 (1. Aufl. 1998, 2. Aufl. 2001) und von 2004 (2008), und der Strafgesetze der Islamischen Republik Iran (1996). Leiterin des Projekts „Die Rolle der Ehre im Strafrecht" (2007).

Weigend, Ewa

Dr. iur.; geboren 1946 in Gliwice (Polen). Leiterin des Referats „Ost-, Mittel- und Südosteuropa" am Max-Planck-Institut für ausländisches und internationales Strafrecht. 1976 Promotion über ein Thema aus dem polnischen Strafverfahrensrecht. Im Rahmen der rechtsvergleichenden Institutsprojekte und Gutachten Autorin bzw. Mitautorin der polnischen Landesberichte zur Wiederaufnahme des Strafverfahrens (1974), Geldstrafe (1978), Freiheitsstrafe und ihre Surrogate (1983), zum Schwangerschaftsabbruch im internationalen Vergleich (1988), zum Umweltstrafrecht (1995), zur Strafrechtsentwicklung in Polen (Berichtszeitraum 1985–1996), zur Wiedergutmachung (1996), zur Korruptionsbekämpfung (1997), zum Strafrecht in Reaktion auf Systemunrecht (2002), zum strafrechtlichen Modell der Täterschaft und Teilnahme (2005) sowie zur Rolle der Ehre im Strafrecht (2007). Zahlreiche kritische Aufsätze zur Entwicklung des Straf- und Strafprozessrechts sowie zur Kriminalpolitik in Polen. Übersetzung des geltenden polnischen StGB sowie der StPO von 1997 in die deutsche Sprache mit einer ausführlichen Einführung in das jeweilige Rechtsgebiet.

Zerbes, Ingeborg

Dr. iur.; geboren 1969 in Wien. Studium der Rechtswissenschaften an der Universität Wien. 1998 Promotion zum Thema „Schuldausschluss wegen Affekt". 1997–2005 Referentin für österreichisches und schweizerisches Recht am Max-Planck-Institut für ausländisches und internationales Strafrecht, 1999–2001 wissenschaftliche Mitarbeiterin der Universität Basel. Zurzeit im Habilitationsverfahren zum Thema *Spitzeln, Spähen, Spionieren – Kommunikationsüberwachung im Strafprozess*, gefördert durch ein APART-Forschungsstipendium der Österreichischen Akademie der Wissenschaften.

Zhao, Yang

LL.B. (Peking), LL.M. (Freiburg); geboren 1971 in Peking. Studium der Rechtswissenschaft an den Universitäten Peking und Freiburg. Seit 2000 wissenschaftlicher Mitarbeiter am Max-Planck-Institut für ausländisches und internationales Strafrecht, Referat „Ostasien". Autor der Landesberichte China im Rahmen der Institutsprojekte "The Punishment of Serious Crimes – A Comparative Analysis of Sentencing Law and Practice" (mit Thomas Richter) und „Die Strafbarkeit des Inzests". Übersetzung des deutschen Völkerstrafgesetzbuchs in die chinesische Sprache (mit Wu Wei).

Schriftenreihe des Max-Planck-Instituts für ausländisches und internationales Strafrecht

Die zentralen Veröffentlichungen des Max-Planck-Instituts für ausländisches und internationales Strafrecht werden in Zusammenarbeit mit dem Verlag Duncker & Humblot in den folgenden vier Unterreihen der „Schriftenreihe des Max-Planck-Instituts für ausländisches und internationales Strafrecht" vertrieben:

- „Strafrechtliche Forschungsberichte",
- „Kriminologische Forschungsberichte",
- „Interdisziplinäre Forschungen aus Strafrecht und Kriminologie" sowie
- „Sammlung ausländischer Strafgesetzbücher in deutscher Übersetzung".

Diese Publikationen können direkt über das Max-Planck-Institut unter <www.mpicc.de> oder über den Verlag Duncker & Humblot unter <www.duncker-humblot.de> erworben werden.

Darüber hinaus erscheinen im Hausverlag des Max-Planck-Instituts in der Unterreihe „research in brief" zusammenfassende Kurzbeschreibungen von Forschungsergebnissen und in der Unterreihe „Arbeitsberichte" Veröffentlichungen vorläufiger Forschungsergebnisse. Diese Veröffentlichungen können über das Max-Planck-Institut bezogen werden.

Detaillierte Informationen zu den einzelnen Publikationen des Max-Planck-Instituts für ausländisches und internationales Strafrecht sind unter <www.mpicc.de> abrufbar.

The main research activities of the Max Planck Institute for Foreign and International Criminal Law are published in the following four subseries of the "Schriftenreihe des Max-Planck-Instituts für ausländisches und internationales Strafrecht" (Research Series of the Max Planck Institute for Foreign and International Criminal Law), which are distributed in cooperation with the publisher Duncker & Humblot:

- "Strafrechtliche Forschungsberichte" (Reports on Research in Criminal Law),
- "Kriminologische Forschungsberichte" (Reports on Research in Criminology),
- "Interdisziplinäre Forschungen aus Strafrecht und Kriminologie" (Reports on Interdisciplinary Research in Criminal Law and Criminology), and
- "Sammlung ausländischer Strafgesetzbücher in deutscher Übersetzung" (Collection of Foreign Criminal Laws in German Translation).

These publications can be ordered from the Max Planck Institute at <www.mpicc.de> or from Duncker & Humblot at <www.duncker-humblot.de>.

Two additional subseries are published directly by the Max Planck Institute for Foreign and International Criminal Law: "research in brief" contains short reports on results of research activities, and "Arbeitsberichte" (working materials) present preliminary results of research projects. These publications are available at the Max Planck Institute.

Detailed information on all publications of the Max Planck Institute for Foreign and International Criminal Law can be found at <www.mpicc.de>.